第6次修订

全彩版

S0-BZJ-821

初中数学

知识清单

数学

主　　编：曲一线
本册主编：李志学
本册副主编：王　敏

首都师范大学出版社
·北京·
教育科学出版社
·北京·

数与代数

- 第1章 有理数 P2
  - 1.1 有理数的有关概念
    - 正数、负数的意义，有理数及其分类
    - 数轴及其三要素
    - 相反数、绝对值
  - 1.2 有理数的四则运算
    - 有理数的加法，有理数的减法
    - 有理数的乘法，有理数的除法
    - 倒数
  - 1.3 有理数的乘方
    - 有理数的乘方及表示方法
    - 有理数乘方的计算法则
    - 有理数的混合运算
  - 1.4 科学记数法、近似数
    - 科学记数法，近似数 a^n
- 第2章 代数式与整式 P14
  - 2.1 代数式
    - 代数式及其分类，列代数式
  - 2.2 整　式
    - 整式，单项式，多项式
  - 2.3 整式的加减
    - 同类项，合并同类项
    - 去括号与添括号，化简求值
- 第3章 一元一次方程 P21
  - 3.1 方程的有关概念
    - 等式的性质，方程，解方程（依据）
  - 3.2 解一元一次方程
    - 一元一次方程
    - 解一元一次方程的一般步骤
  - 3.3 列一元一次方程解应用题
    - 列一元一次方程解应用题的一般步骤
    - 设未知数的几种方法
- 第4章 实数 P31
  - 4.1 平方根的有关概念
    - 平方根，算术平方根，平方根的性质
  - 4.2 立方根的有关概念
    - 立方根，立方根的性质
  - 4.3 实　数
    - 无理数，实数及其分类 $\sqrt{a}$
- 第8章 整式的乘除与因式分解 P61
  - 8.1 幂的有关计算
    - 同底数幂的乘除法，幂的乘方，负整数指数幂（基础）
  - 8.2 整式的乘除（依据）
    - 单项式与单项式相乘，单项式与多项式相乘
    - 多项式与多项式相乘，乘法公式
    - 单项式除以单项式，多项式除以单项式
  - 8.3 因式分解（依据）
    - 因式分解，提公因式法，公式法
- 第9章 分式与分式方程 P71
  - 9.1 分式的有关概念
    - 分式的基本性质，约分（通分）
  - 9.2 分式的运算
    - 分式的乘除，分式的加减，分式的乘方，分式的混合运算
  - 9.3 分式方程
    - 分式方程，解分式方程的一般步骤
    - 可化为一元一次方程的分式方程
  - 9.4 列分式方程解应用题
    - 列分式方程解应用题的一般步骤
    - 列分式方程解应用题的常见题型
- 第10章 二次根式 P81
  - 10.1 二次根式的有关概念和性质
    - 二次根式，二次根式的性质
  - 10.2 二次根式的运算
    - 二次根式的乘除，二次根式的加减
- 第11章 一次函数 P88
  - 11.1 变量与函数
    - 常量与变量，函数
  - 11.2 一次函数的有关概念
    - 正比例函数，一次函数
    - 一次函数的一般形式
    - 待定系数法
  - 11.3 一次函数的图象与性质
    - 正比例函数的图象特征与性质（特例）
    - 一次函数的图象特征与性质
    - 一次函数图象的平移
    - 一次函数的实践和探索
  - 11.4 一次函数与方程（组）、不等式
    - 一次函数与一元一次方程
    - 一次函数与二元一次方程组
    - 一次函数与一元一次不等式
  - 11.5 一次函数的实践与探索

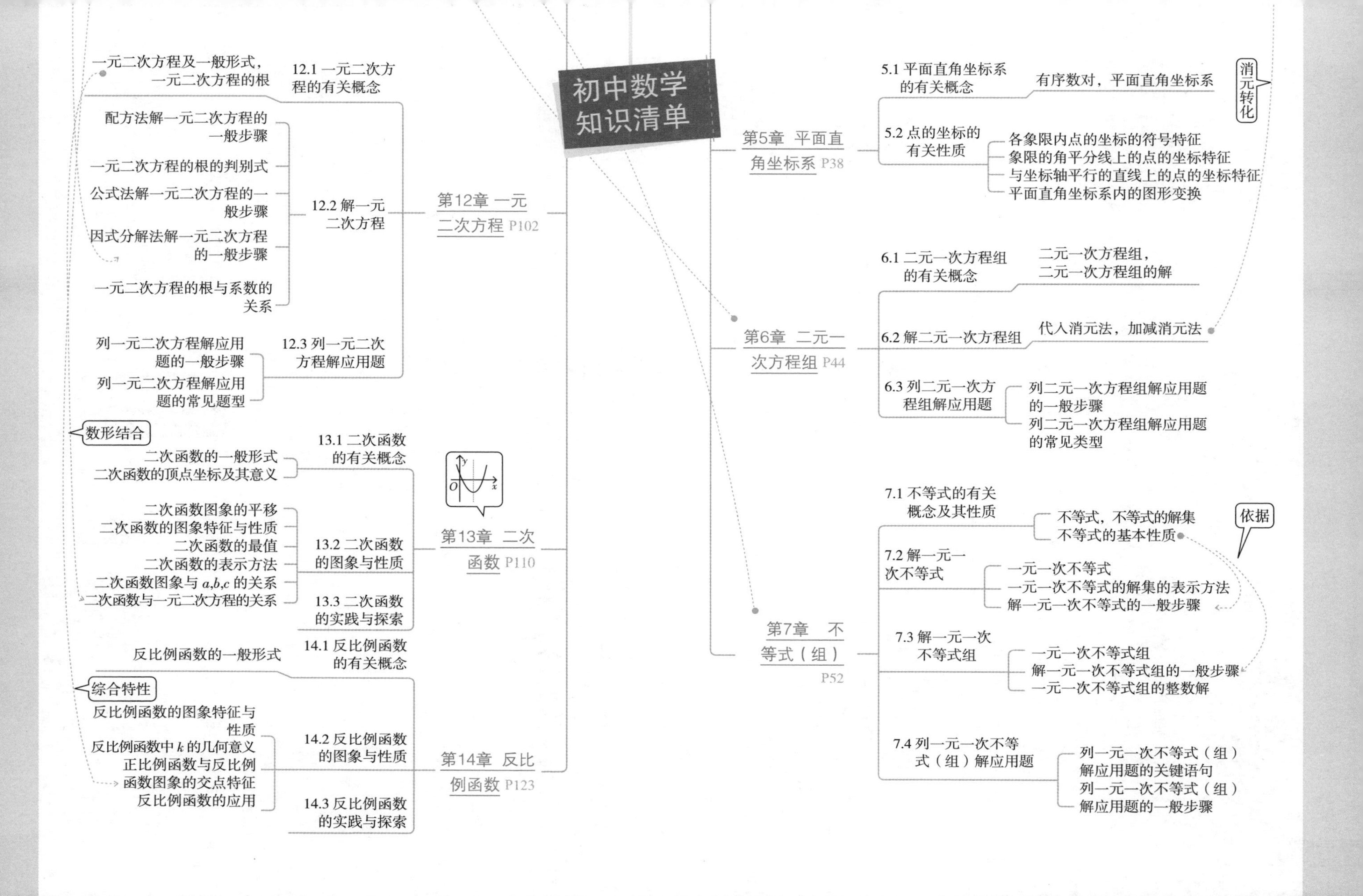

初中数学知识清单
第5章 平面直角坐标系 P38
5.1 平面直角坐标系的有关概念
有序数对，平面直角坐标系
5.2 点的坐标的有关性质
各象限内点的坐标的符号特征
象限的角平分线上的点的坐标特征
与坐标轴平行的直线上的点的坐标特征
平面直角坐标系内的图形变换
消元转化
第6章 二元一次方程组 P44
6.1 二元一次方程组的有关概念
二元一次方程组，二元一次方程组的解
6.2 解二元一次方程组
代入消元法，加减消元法
6.3 列二元一次方程组解应用题
列二元一次方程组解应用题的一般步骤
列二元一次方程组解应用题的常见类型
第7章 不等式（组） P52
7.1 不等式的有关概念及其性质
不等式，不等式的解集
不等式的基本性质
依据
7.2 解一元一次不等式
一元一次不等式
一元一次不等式的解集的表示方法
解一元一次不等式的一般步骤
7.3 解一元一次不等式组
一元一次不等式组
解一元一次不等式组的一般步骤
一元一次不等式组的整数解
7.4 列一元一次不等式（组）解应用题
列一元一次不等式（组）解应用题的关键语句
列一元一次不等式（组）解应用题的一般步骤
第12章 一元二次方程 P102
12.1 一元二次方程的有关概念
一元二次方程及一般形式，一元二次方程的根
12.2 解一元二次方程
配方法解一元二次方程的一般步骤
一元二次方程的根的判别式
公式法解一元二次方程的一般步骤
因式分解法解一元二次方程的一般步骤
一元二次方程的根与系数的关系
12.3 列一元二次方程解应用题
列一元二次方程解应用题的一般步骤
列一元二次方程解应用题的常见题型
数形结合
第13章 二次函数 P110
13.1 二次函数的有关概念
二次函数的一般形式
二次函数的顶点坐标及其意义
13.2 二次函数的图象与性质
二次函数图象的平移
二次函数的图象特征与性质
二次函数的最值
二次函数的表示方法
二次函数图象与 a,b,c 的关系
二次函数与一元二次方程的关系
13.3 二次函数的实践与探索
第14章 反比例函数 P123
14.1 反比例函数的有关概念
反比例函数的一般形式
综合特性
14.2 反比例函数的图象与性质
反比例函数的图象特征与性质
反比例函数中 k 的几何意义
正比例函数与反比例函数图象的交点特征
反比例函数的应用
14.3 反比例函数的实践与探索

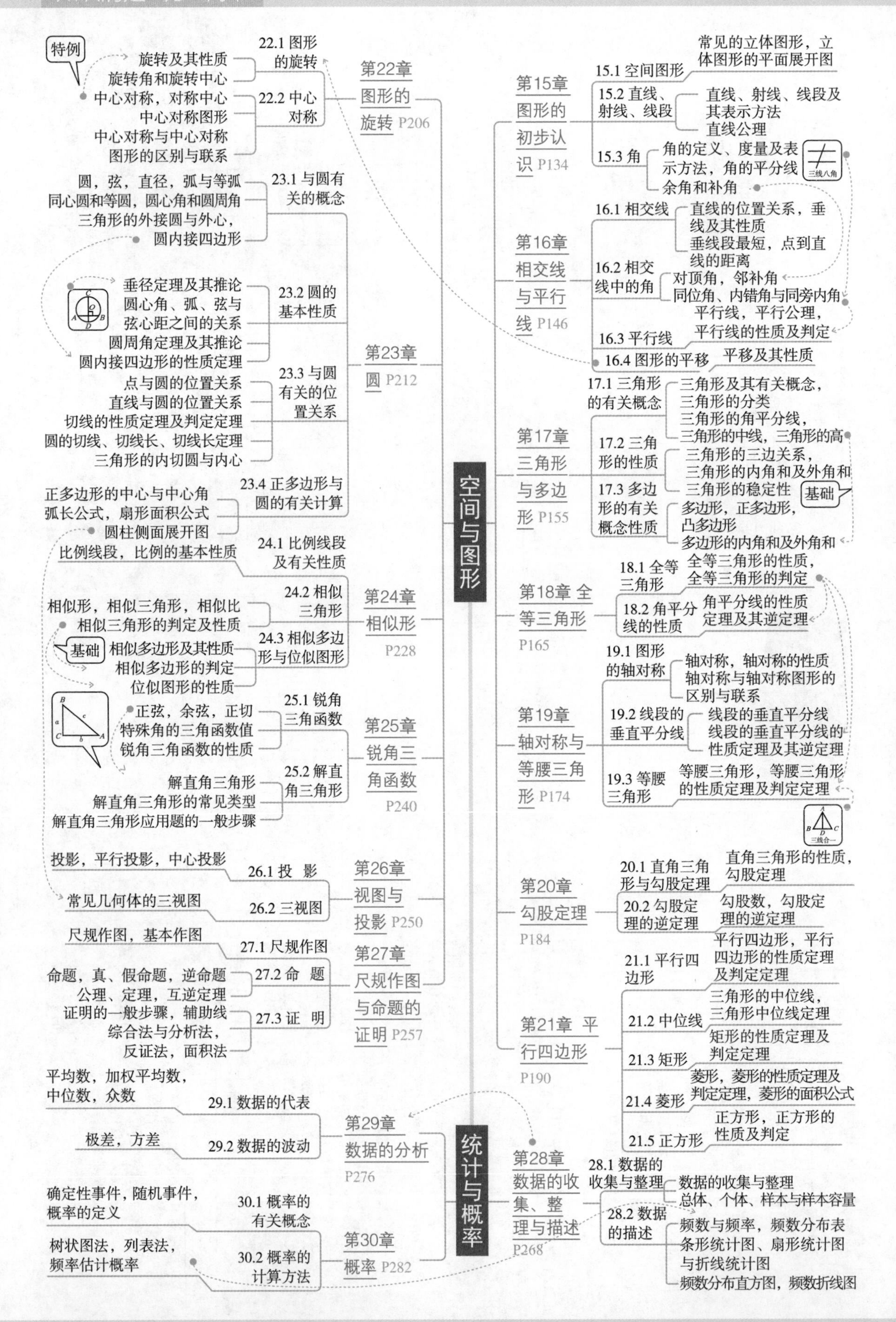

空间与图形
第15章 图形的初步认识 P134
15.1 空间图形
常见的立体图形，立体图形的平面展开图
15.2 直线、射线、线段
直线、射线、线段及其表示方法
直线公理
15.3 角
角的定义、度量及表示方法，角的平分线
余角和补角
三线八角
第16章 相交线与平行线 P146
16.1 相交线
直线的位置关系，垂线及其性质
垂线段最短，点到直线的距离
16.2 相交线中的角
对顶角，邻补角
同位角、内错角与同旁内角
16.3 平行线
平行线，平行公理，平行线的性质及判定
16.4 图形的平移
平移及其性质
第17章 三角形与多边形 P155
17.1 三角形的有关概念
三角形及其有关概念，三角形的分类
三角形的角平分线，三角形的中线，三角形的高
17.2 三角形的性质
三角形的三边关系，三角形的内角和及外角和
三角形的稳定性
17.3 多边形的有关概念性质
多边形，正多边形，凸多边形
多边形的内角和及外角和
基础
第18章 全等三角形 P165
18.1 全等三角形
全等三角形的性质，全等三角形的判定
18.2 角平分线的性质
角平分线的性质定理及其逆定理
第19章 轴对称与等腰三角形 P174
19.1 图形的轴对称
轴对称，轴对称的性质
轴对称与轴对称图形的区别与联系
19.2 线段的垂直平分线
线段的垂直平分线
线段的垂直平分线的性质定理及其逆定理
19.3 等腰三角形
等腰三角形，等腰三角形的性质定理及判定定理
三线合一
第20章 勾股定理 P184
20.1 直角三角形与勾股定理
直角三角形的性质，勾股定理
20.2 勾股定理的逆定理
勾股数，勾股定理的逆定理
第21章 平行四边形 P190
21.1 平行四边形
平行四边形，平行四边形的性质定理及判定定理
21.2 中位线
三角形的中位线，三角形中位线定理
21.3 矩形
矩形的性质定理及判定定理
21.4 菱形
菱形，菱形的性质定理及判定定理，菱形的面积公式
21.5 正方形
正方形，正方形的性质及判定
第22章 图形的旋转 P206
22.1 图形的旋转
旋转及其性质
旋转角和旋转中心
22.2 中心对称
中心对称，对称中心
中心对称图形
中心对称与中心对称图形的区别与联系
特例
第23章 圆 P212
23.1 与圆有关的概念
圆，弦，直径，弧与等弧
同心圆和等圆，圆心角和圆周角
三角形的外接圆与外心，圆内接四边形
23.2 圆的基本性质
垂径定理及其推论
圆心角、弧、弦与弦心距之间的关系
圆周角定理及其推论
圆内接四边形的性质定理
23.3 与圆有关的位置关系
点与圆的位置关系
直线与圆的位置关系
切线的性质定理及判定定理
圆的切线、切线长、切线长定理
三角形的内切圆与内心
23.4 正多边形与圆的有关计算
正多边形的中心与中心角
弧长公式，扇形面积公式
圆柱侧面展开图
第24章 相似形 P228
24.1 比例线段及有关性质
比例线段，比例的基本性质
24.2 相似三角形
相似形，相似三角形，相似比
相似三角形的判定及性质
24.3 相似多边形与位似图形
基础
相似多边形及其性质
相似多边形的判定
位似图形的性质
第25章 锐角三角函数 P240
25.1 锐角三角函数
正弦，余弦，正切
特殊角的三角函数值
锐角三角函数的性质
25.2 解直角三角形
解直角三角形
解直角三角形的常见类型
解直角三角形应用题的一般步骤
第26章 视图与投影 P250
26.1 投 影
投影，平行投影，中心投影
26.2 三视图
常见几何体的三视图
第27章 尺规作图与命题的证明 P257
27.1 尺规作图
尺规作图，基本作图
27.2 命 题
命题，真、假命题，逆命题
公理、定理，互逆定理
27.3 证 明
证明的一般步骤，辅助线
综合法与分析法，
反证法，面积法
统计与概率
第28章 数据的收集、整理与描述 P268
28.1 数据的收集与整理
数据的收集与整理
总体、个体、样本与样本容量
28.2 数据的描述
频数与频率，频数分布表
条形统计图、扇形统计图与折线统计图
频数分布直方图，频数折线图
第29章 数据的分析 P276
29.1 数据的代表
平均数，加权平均数，中位数，众数
29.2 数据的波动
极差，方差
第30章 概率 P282
30.1 概率的有关概念
确定性事件，随机事件，概率的定义
30.2 概率的计算方法
树状图法，列表法，频率估计概率

图文导引

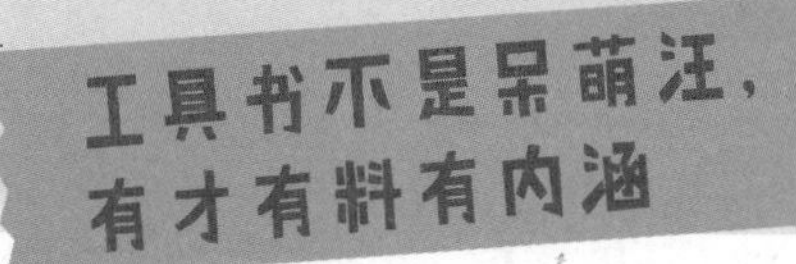

升华教材知识
讲解更深更透

学科知识应有尽有
考试内容尽在其中

3 超详目录、分类索引、结构框图，
速查便捷高效

4
知识不理解，清单来解决
学习路漫漫，清单作陪伴

工具书不是高冷范，淡妆浓抹总相宜

1 紫色、蓝色、绿色
描绘知识点、方法重要性
(■<■<■)

2 黄色荧光笔
标示必背知识、关键信息、重要结论

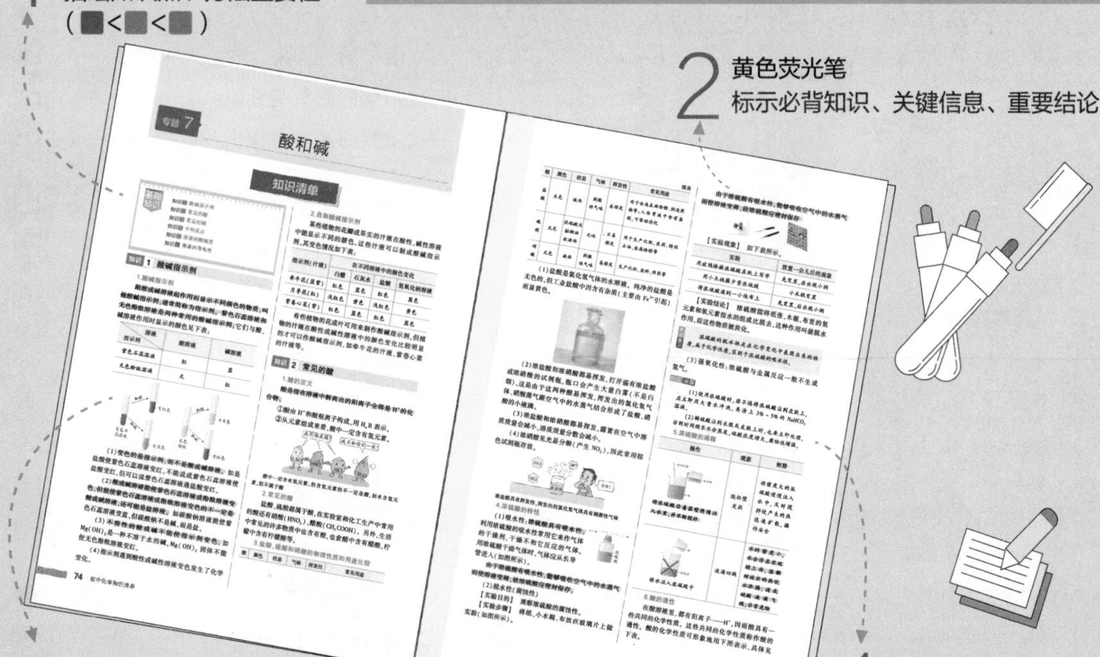

3 彩色
凸显重点、美化插图、标示实物颜色

4 色块搭配
温馨提示、拓展知识

目录

分类索引

常考要点

法则定理

规律方法

分类索引

第 1–5 章

代数入门

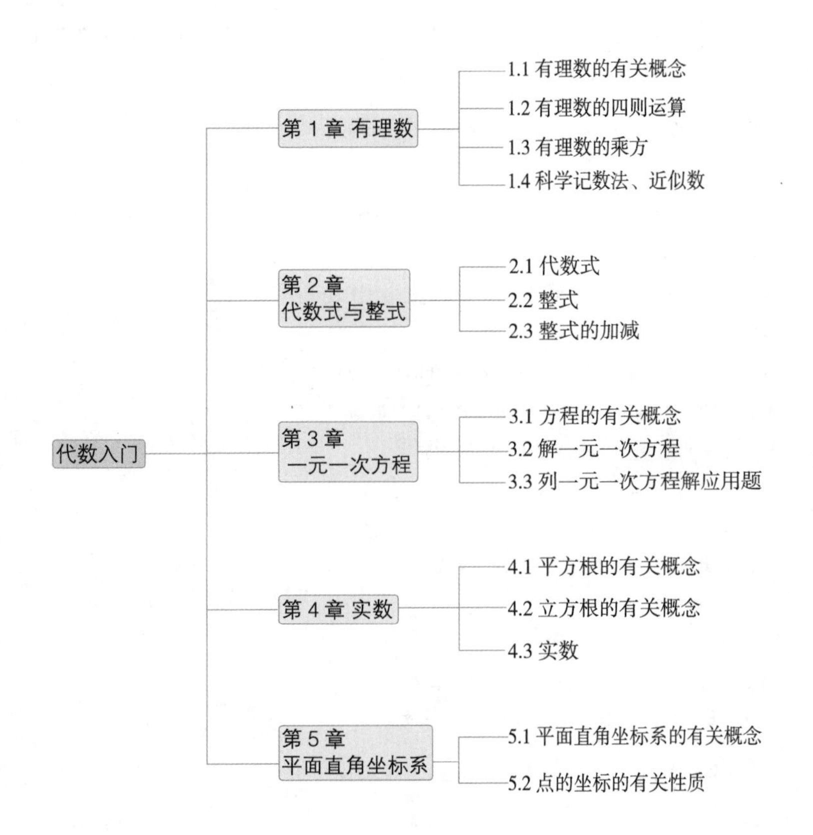

代数入门
第 1 章 有理数
1.1 有理数的有关概念
1.2 有理数的四则运算
1.3 有理数的乘方
1.4 科学记数法、近似数
第 2 章
代数式与整式
2.1 代数式
2.2 整式
2.3 整式的加减
第 3 章
一元一次方程
3.1 方程的有关概念
3.2 解一元一次方程
3.3 列一元一次方程解应用题
第 4 章 实数
4.1 平方根的有关概念
4.2 立方根的有关概念
4.3 实数
第 5 章
平面直角坐标系
5.1 平面直角坐标系的有关概念
5.2 点的坐标的有关性质

第1章 有理数

1.1 有理数的有关概念

知识清单

知识1 正数、负数　知识2 有理数及其分类
知识3 数轴及其三要素　知识4 相反数
知识5 绝对值

知识1 正数、负数

1.定义

(1)正数:像$+\frac{1}{2}$,+12,1.3,258 这样大于 0 的数("+"通常省略不写)叫正数.

(2)负数:像-5,$-3\frac{3}{4}$,-0.1 这样在正数前加上"-"(负)的数叫负数,负数小于 0.

2.正、负数的意义

(1)具有相反意义的量

正数与负数的引入是为了在实际问题中区分表示相反意义的量.

为了用数表示具有相反意义的量,我们把某种量的一种意义规定为正的,而把与它相反的一种意义规定为负的.负数是根据实际需要而产生的.

(2)具有相反意义的量的表述:

描述一对具有相反意义的量的词语一般是一对反义词,如上升与下降,增加与减少,盈利与亏损,收入与支出等.

(3)属性

0 既不是正数也不是负数,它是一个非负、非正的数,正、负数以 0 为界,规定:0 是最小的自然数.

注意事项

①小学学过的数除 0 以外,都是正数,在学习时为了简便把"+"都省略了.

②所有正数前面添上"-"的数都是负数.

③用正数和负数表示具有相反意义的量时,哪种意义的量为正是可以任意选定的(如将上升 2 米规定为+2 米或-2 米都可以),一旦选定一种意义的量为正,则另一种相反意义的量就只能为负.

知识2 有理数及其分类

1.按有理数的定义分类:

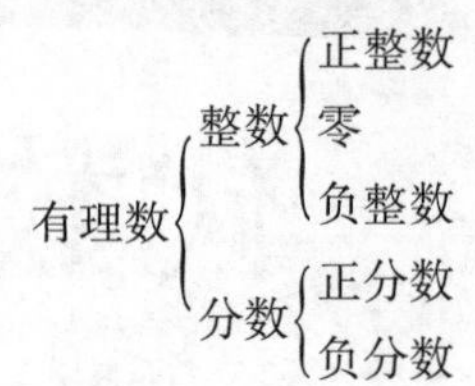

2.按有理数的性质分类:

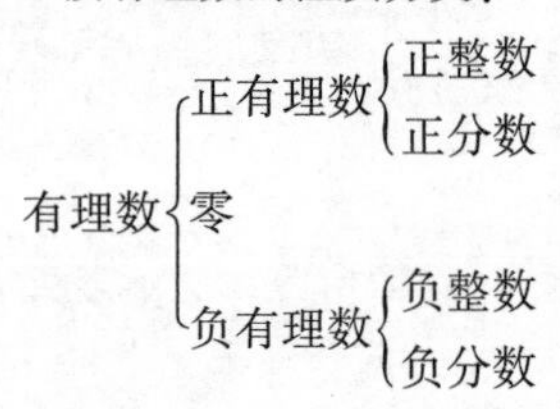

知识延伸

整数与分数对应,正数与负数对应,零既不是正数也不是负数,它是整数也是有理数.在习惯上我们将正有理数和零称为非负有理数,将负有理数和零称为非正有理数,将正整数和零称为非负整数,将负整数和零称为非正整数.

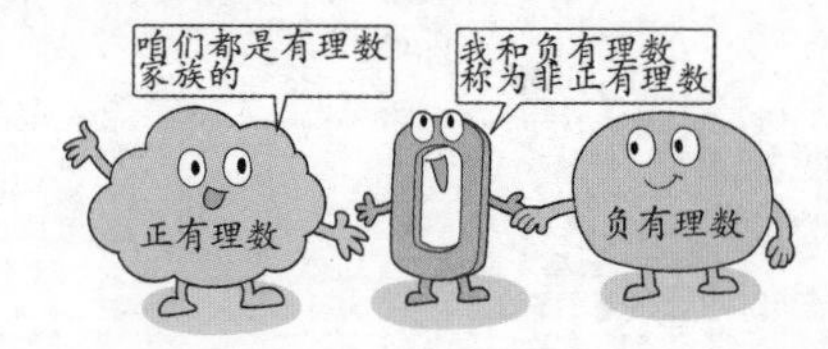

知识3 数轴及其三要素

1.定义

数轴是规定了原点、正方向和单位长度的直线.

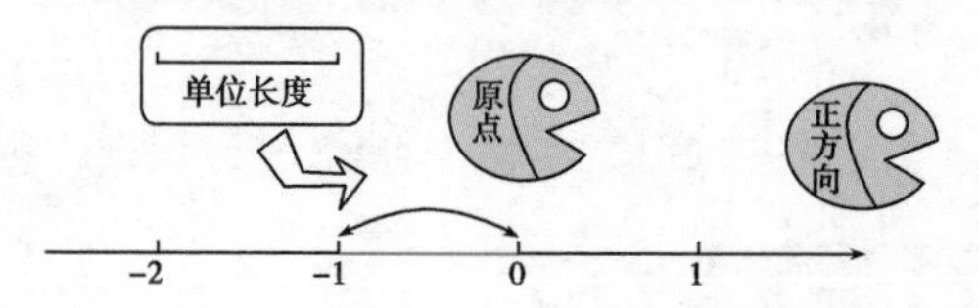

温馨提示　数轴是数形结合的基础，把数与直线上的点生动形象地联系起来.任何一个有理数都可以用数轴上的一个点来表示.

①第一层含义：原点、正方向、单位长度是数轴的三要素.

②第二层含义：数轴是一条直线，可以向两端无限延伸.

③第三层含义：原点的选定、正方向的选取、单位长度的确定，都是根据实际需要"规定"的.

例1 如图，表示数轴正确的是________.（填序号）

(1) 0　1　2　3　4

(2) $-\frac{1}{2}$　0　$\frac{1}{2}$　1　$1\frac{1}{2}$

(3) −450 −300 −150 0　150

(4) −4　−2　0　1　2

（解析）对于数轴上的原点位置、单位长度应灵活处理.第(1)个图中，虽然原点偏左，但这条直线符合数轴的定义；第(2)个图中，用"1个格"表示$\frac{1}{2}$个单位长度；第(3)个图中，用"1个格"表示150个单位长度；第(4)个图中，单位长度不统一.在数轴上，"1个格"可以表示1个单位长度，也可以表示5个单位长度，100个单位长度，0.2个单位长度，……，但需要注意的是，在同一数轴上，单位长度必须一致.

（答案）(1)(2)(3)

2.数轴的画法

(1)画一条水平的直线.

(2)在直线上适当选取一点为原点.

(3)通常规定从原点向右为正方向，用箭头表示出来(箭头标在画出部分的最右边).

(4)根据需要，选取适当的长度为单位长度，从原点向右每隔一个单位长度取一个点，依次标为1,2,3,…，从原点向左，用类似方法依次标出−1,−2,−3,….如图所示.

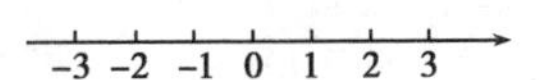

知识4　相反数

1.定义

像2和−2，5和−5这样，只有符号不同的两个数叫做互为相反数.特别地，0的相反数是0.

2.相反数的性质

若a,b互为相反数，则$a+b=0$；反之，若$a+b=0$，则a,b互为相反数.

你只是比我多了个负号而已
我是你的相反数
x+(−x)=0

知识延伸

①相反数是成对出现的，不能单独存在，如：−8与+8互为相反数，就是说−8的相反数是+8，+8的相反数是−8；单独的一个数不能说是相反数.

②要把"相反数"与"相反意义的量"区分开来，"相反数"不但要求数的符号相反，而且要求符号后面的数相同，而"相反意义的量"只要符号相反即可.

③求一个数的相反数只需在这个数前面加上一个负号就可以了.若原数带符号，则应先添括号，如+4的相反数可以写成−(+4)，−4的相反数可以写成−(−4).数a的相反数是$-a$，$-a$的相反数是$-(-a)$，即a.这里的a并不一定是正数，所以$-a$也不一定就是负数.

例2 下列说法：(1)任何一个数的相反数都与这个数本身不同；(2)除0以外的数都有相反数；(3)数轴上原点两侧的两个点所表示的数互为相反数；(4)任何一个数都有相反数，其中正确的有　（　）

A.1个　　B.2个

C.3个　　D.4个

（解析）只有0的相反数与它本身相同，故(1)错误；所有的数都有相反数，0的相反数是0，故(2)错误；数轴上原点两侧的两个点所表示的数不一定互为相反数，如表示−5和6的两个点在原点两侧，但−5不是6的相反数，所以(3)错误；任何一个数都有相反数，故(4)是正确的.

（答案）A

3.相反数的几何意义

一般地，在数轴上，互为相反数的两个数对应的点在原点的两侧，并且到原点的距离相等.

如图所示，−2.5与2.5互为相反数，−1与1互为相反数.

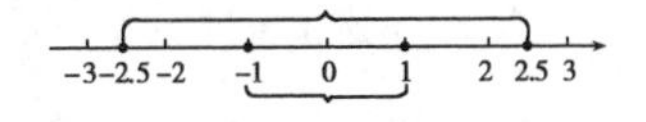

由相反数的几何意义可知：在数轴上原点的两侧，到原点的距离相等的两个点所表示的数互为相反数，显然互为相反数的两个数只是"符号不同".

知识 5 绝对值

	内容	符号表示
定义	一般地,数轴上表示数a的点与原点的距离叫做数a的绝对值	数a的绝对值记作$\|a\|$,读作a的绝对值
绝对值的代数意义	一个正数的绝对值是它本身;一个负数的绝对值是它的相反数;0的绝对值是0	绝对值的代数意义用式子可表示为:$\|a\|=\begin{cases}a, & a>0,\\0, & a=0,\\-a, & a<0\end{cases}$ 或$\|a\|=\begin{cases}a, & a\geqslant 0,\\-a, & a<0\end{cases}$
绝对值的几何意义	一个数的绝对值就是表示这个数的点到原点的距离,离原点的距离越远,绝对值越大,离原点的距离越近,绝对值越小	如图所示,在数轴上表示-4的点与原点的距离是4,即-4的绝对值是4,记作$\|-4\|=4$;在数轴上表示3的点与原点的距离是3,即3的绝对值是3,记作$\|3\|=3$;表示0的点与原点的距离是0,即$\|0\|=0$ -4 -3 -2 -1 0 1 2 3 4

知识延伸

①绝对值为同一个正数的数有两个,它们互为相反数.

②互为相反数的两个数的绝对值相等.绝对值相等的两个数相等或互为相反数.

③绝对值是一种运算,求一个数的绝对值就是想方设法去绝对值符号.求一个数的绝对值,必须遵循"先判断,再去绝对值符号"的原则.若绝对值符号里的数是非负数,则这个数的绝对值就是它本身,若绝对值符号里的数是负数,则这个数的绝对值就是它的相反数,当绝对值符号里的数的正负性不能确定时,要分类讨论,即将其分成大于0、小于0、等于0这三类来讨论.

$$\text{如}:|x-1|=\begin{cases}x-1, & x>1,\\0, & x=1,\\1-x, & x<1.\end{cases}$$

④由绝对值的几何意义可知:在数轴上,由于距离总是正数或零,所以有理数的绝对值不可能是负数.因此无论是绝对值的几何意义,还是绝对值的代数意义,都揭示了绝对值的一个重要性质——非负性,也就是说,任何一个有理数的绝对值都是非负数,即a取任意有理数,都有$|a|\geqslant 0$.

方法清单

方法 1 正、负数的识别方法

对于正数和负数,不能简单地理解为带"+"的数是正数,带"-"的数是负数,要看其本质是正数还是负数.例如:①$a>0$时,a表示正数,$-a$表示负数;②$a<0$时,a表示负数,$-a$表示正数;③$a\geqslant 0$时,a表示非负数.

例1 在$0,-1,3,\frac{1}{2},-0.1,-\left(-2\frac{1}{4}\right),-a$($a$是任意有理数)中,负数的个数是 ( )

A.1　　B.2

C.3　　D.4

解析 只有-1和-0.1是负数.$-\left(-2\frac{1}{4}\right)$化简后为$2\frac{1}{4}$,是正数;$-a$可以是正数、零或负数.应选B.

答案 B

方法 2 正、负数的应用方法

解答正数与负数问题的方法:找到具有相反意义的量,正确理解相反意义的量的含义.与标准量相比,减少或下降多少就是增加"负多少",不变就是增加量为0.在同一道题中,正数和负数表示相反意义的量,如果负数换成正数,那么相应的"词"应改成它的"反义词".

例2 下列用正数和负数表示具有相反意义的量,其中正确的是 ( )

A.向东走3千米与向北走3千米

B.如果+3.2米表示比海平面高3.2米,那么-9米表示比海平面低5.8米

C.如果生产成本增加5%记作+5%,那么-5%表示生产成本降低5%

D.如果收入8元记作+8元,那么-5元表示支出减少5元

解析 用正数和负数表示具有相反意义的量时,其中一种量用正数表示,那么与之相反意义的量就应

用负数表示.选项 A 中,应为向东走 3 千米与向西走 3 千米;选项 B 中,-9 米应表示比海平面低 9 米;选项 D 中,-5 元表示支出 5 元.只有选项 C 是正确的.

答案 C

方法 3 数轴的几何意义的应用方法

在数轴上,原点左边的点表示的数是负数,右边的点表示的数是正数,原点表示的数是 0,根据点距离原点多少个单位长度以及在原点的左右确定点所表示的数.

例 3 回答下列问题:

(1)点 A 在数轴上表示的数是-2,将 A 向右移动 5 个单位,那么点 A 表示的新数是什么?

(2)点 B 在数轴上表示的数是 3,将 B 向右移动 5 个单位,再向左移动 2 个单位,那么点 B 表示的新数是什么?

(3)点 C 在数轴上,将它向右移动 4 个单位后,若新位置与原位置到原点的距离相等,那么点 C 原来表示的数是多少?

解析 (1)点 A 表示的数是-2,将 A 向右移动 5 个单位的图形如图:

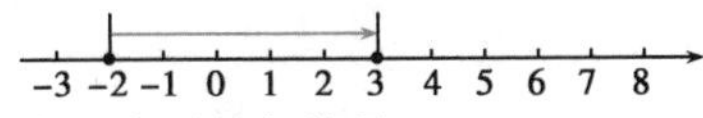

所以点 A 表示的新数是 3.

(2)点 B 在数轴上表示的数是 3,将 B 向右移动 5 个单位,再向左移动 2 个单位的图形如图:

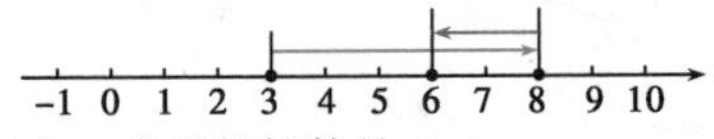

所以点 B 表示的新数是 6.

(3)点 C 在数轴上,将它向右移动 4 个单位后,新位置与原位置到原点的距离相等,且它们之间的距离是 4,所以 C 点原来的位置到原点的距离是 2.由题意易知 C 点的原位置在原点的左边,所以点 C 原来表示的数是-2.

方法 4 求相反数的方法

求一个数的相反数,只需在这个数的前面加上“-”即可.判断两数是否互为相反数,除依据定义外,还可以看两数的和是不是 0,若和为 0,则两数互为相反数;反之,若两数互为相反数,则这两数的和一定为 0.

例 4 写出下列各数的相反数:$+8.5,-3\frac{2}{5},0.35,0,-2,10\%,100$.

解析 +8.5 的相反数是-8.5;$-3\frac{2}{5}$的相反数是$3\frac{2}{5}$;0.35 的相反数是-0.35;0 的相反数是 0;-2 的相反数是 2;10% 的相反数是-10%;100 的相反数是-100.

方法 5 多重符号的化简方法

1.在一个数前面添加一个“+”,所得的数与原数相同.

2.在一个数前面添加一个“-”,所得的数就成为原数的相反数.

3.对于有三个或三个以上符号的数的化简,首先要注意,一个数前面不管有多少个“+”,都可以把“+”去掉,其次要看“-”的个数,当“-”的个数为偶数时,结果取“+”,当“-”的个数为奇数时,结果取“-”.

例 5 化简下列各数.

$(1)-\left(-2\frac{1}{3}\right)$;$(2)-(+5)$;$(3)-(-0.25)$;

$(4)-[-(+1)]$;$(5)-(-a)$.

解析 $(1)-\left(-2\frac{1}{3}\right)=2\frac{1}{3}$.

$(2)-(+5)=-5$.

$(3)-(-0.25)=0.25$.

$(4)-[-(+1)]=-(-1)=1$.

$(5)-(-a)=a$.

方法 6 求绝对值的方法

绝对值是一种运算,这个运算符号是“| |”,求一个数的绝对值,就是想办法去掉绝对值符号.

若绝对值符号里面的数是非负数,那么这个数的绝对值就是它相身;若绝对值符号里面的数是负数,那么这个负数的绝对值就是它的相反数.

例 6 已知$|x|=2\,013$,则 $x=$________.

解析 因为$|2\,013|=2\,013$,$|-2\,013|=2\,013$,所以满足条件的 x 值有两个,2 013 和-2 013.

答案 ±2 013

方法 7 绝对值化简的方法

去绝对值符号是解绝对值问题的关键,重点是确定绝对值符号内代数式的正负.

例 7 已知有理数 a、b、c 在数轴上的对应点分别为 A、B、C,如图,化简$|a|+|a-b|+|c-b|$.

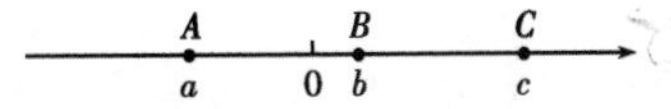

解析 由数轴知,$a<0,a-b<0,c-b>0$,

所以$|a|+|a-b|+|c-b|$

$=-a-(a-b)+(c-b)$

$=-a-a+b+c-b$

$=-2a+c$.

方法 8 绝对值的非负性的应用方法

绝对值是非负数,绝对值的这一性质表现为两个方面:(1) $|a|\geqslant 0$,即 $|a|$ 有最小值;(2)若几个非负数的和为零,则每一个非负数都为零.即 $|a|+|b|+|c|+\cdots+|z|=0$,则 $a=b=c=\cdots=z=0$.上述性质在解题中会经常用到.

例 8 已知 $|a-1|+|b+2|=0$,求 a、b 的值.

(解析) 等式右边是 0,等式左边是两个绝对值的和,由绝对值的非负性可知 $|a-1|\geqslant 0$,$|b+2|\geqslant 0$,只有当 $|a-1|$ 和 $|b+2|$ 都等于 0 时,它们的和才等于 0,所以 $|a-1|=0$,$|b+2|=0$,所以 $a-1=0$,$b+2=0$,所以 $a=1$,$b=-2$.

方法 9 有理数大小的比较方法

1.有理数大小比较的常用结论

(1)在数轴上,右边的数总比左边的数大.

(2)正数大于零,零大于负数,正数大于负数.

(3)两个负数大小的比较:由于数轴上左边的数小于右边的数,故两个负数中,绝对值大的反而小.

(4)两个正数大小的比较:绝对值大的数较大.

2.有理数大小比较的常用方法

类别	特征
数轴比较法	将两有理数分别表示在数轴上,右边点表示的数总比左边点表示的数大,若两数表示在同一点,则这两数相等
差值比较法	设 a、b 是任意两有理数,$a-b>0\Leftrightarrow a>b$;$a-b<0\Leftrightarrow a<b$;$a-b=0\Leftrightarrow a=b$
商值比较法	设 a、b 是两正有理数,$\frac{a}{b}>1\Leftrightarrow a>b$;$\frac{a}{b}=1\Leftrightarrow a=b$;$\frac{a}{b}<1\Leftrightarrow a<b$
绝对值比较法	设 a、b 是两负有理数,$|a|>|b|\Leftrightarrow a<b$;$|a|=|b|\Leftrightarrow a=b$;$|a|<|b|\Leftrightarrow a>b$

除此之外还有平方法、倒数法等.

例 9 把数 $-3\frac{1}{3}$,-1,-0.5,4,-1.5,$2\frac{1}{2}$,1.8,-4 用“>”连接起来.

(解析) 把所给的有理数表示在数轴上,如图所示.

(数轴:标出 $-3\frac{1}{3}$、-1.5、-0.5、1.8、$2\frac{1}{2}$;刻度 -4 -3 -2 -1 0 1 2 3 4 5)

从大到小的顺序为:

$4>2\frac{1}{2}>1.8>-0.5>-1>-1.5>-3\frac{1}{3}>-4$.

例 10 比较下列各组数的大小.

(1) -7 和 -2;(2) $-4\frac{2}{5}$ 与 -4.2;(3) $-\pi$ 与 -3.14.

(解析) (1)因为 $|-7|=7$,$|-2|=2$,
而 $7>2$,所以 $-7<-2$.

(2)因为 $\left|-4\frac{2}{5}\right|=4\frac{2}{5}=4.4$,$|-4.2|=4.2$,

而 $4.4>4.2$,所以 $-4\frac{2}{5}<-4.2$.

(3)因为 $|-\pi|=\pi$,$|-3.14|=3.14$,
而 $\pi>3.14$,所以 $-\pi<-3.14$.

例 11 比较 $-\frac{7}{8}$ 与 $-\frac{8}{9}$ 的大小.

(解析) $\because -\frac{7}{8}-\left(-\frac{8}{9}\right)=-\frac{7}{8}+\frac{8}{9}=\frac{1}{72}>0$,

$\therefore -\frac{7}{8}>-\frac{8}{9}$.

1.2 有理数的四则运算

知识清单

知识1 有理数的加法
知识2 有理数的加法运算律
知识3 有理数的减法
知识4 有理数的乘法
知识5 倒数
知识6 有理数的乘法运算律
知识7 有理数的除法

知识 1 有理数的加法

有理数加法法则

(1)同号两数相加,取相同的符号,并把绝对值相加.

(2)绝对值不相等的异号两数相加,取绝对值较大的加数的符号,并用较大的绝对值减去较小的绝对值.互为相反数的两个数相加得 0.

(3)一个数同 0 相加仍得这个数.

温馨提示

①有理数加法运算要按照“一定、二求、三和差”的步骤进行,即第一步先确定和的符号;第二步求加数的绝对值;第三步要分析绝对值是相加还是相减.

②两个带分数相加,可以把整数部分和分数部分分别相加,再求和.

③在有理数运算中,“+”“-”有两种含义.a.仅表示运算符号:加号与减号.b.仅表示性质符号:正号与负号.在运算过程中,既可以看作性质符号,也可以看作运算符号.

例1 计算:

(1) $(-1.2)+(-2.8)$;

(2) $(+2.7)+(-3)$;

(3) $(-0.72)+0$;

(4) $3.58+(-3.58)$.

思路分析 (1)是两个负数相加,取负号,并把绝对值相加;(2)是异号两数相加,-3 的绝对值大,所以和取负,并用-3 的绝对值减去+2.7 的绝对值;(3)是一个数与零相加,仍等于这个数;(4)是互为相反数的两个数相加,等于 0.

解析 (1) $(-1.2)+(-2.8)=-(1.2+2.8)=-4$.

(2) $(+2.7)+(-3)=-(3-2.7)=-0.3$.

(3) $(-0.72)+0=-0.72$.

(4) $3.58+(-3.58)=0$.

知识 2 有理数的加法运算律

有理数的加法运算律			
	加法交换律	文字语言	两个数相加,交换加数的位置,和不变
		符号语言	$a+b=b+a$
	加法结合律	文字语言	三个数相加,先把前两个数相加,或者先把后两个数相加,和不变
		符号语言	$(a+b)+c=a+(b+c)$

知识延伸

①互为相反数的两个数可以先相加.

②符号相同的数可以先相加.

③分母相同的数可以先相加.

④和为整数的几个数可以先相加.

例2 计算: $(+3)+\left(+\frac{1}{4}\right)+(-3.3)+(+6)+(-3)+(+0.3)+(+8)+(-16)+\left(-6\frac{1}{4}\right)$.

解析 解法一:原式 $=\left[(+3)+\left(+\frac{1}{4}\right)+(+6)+(+0.3)+(+8)\right]+\left[(-3.3)+(-3)+(-16)+\left(-6\frac{1}{4}\right)\right]=17.55+(-28.55)=-11$.

解法二:原式 $=[(+3)+(-3)]+\left[\left(+\frac{1}{4}\right)+(+6)+\left(-6\frac{1}{4}\right)\right]+[(-3.3)+(+0.3)+(+8)+(-16)]=0+0+(-11)=-11$.

知识 3 有理数的减法

有理数减法法则

减去一个数,等于加这个数的相反数.把有理数的减法利用相反数变成加法进行运算,可表示为

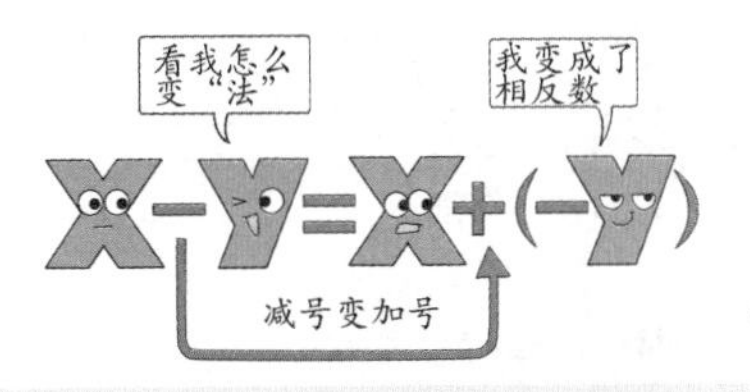

温馨提示

有理数的加法和减法可以互相转化.我们学习了负数,数的范围扩大到有理数,在有理数范围内的减法运算,其意义没有改变.

①引进负数之后,对于任意两个有理数都可以求出其差,不存在“不够减”的问题,并有如下结论:大数减小数,差为正数;小数减大数,差为负数;某数减去零,差为某数;零减去某数,差为某数的相反数;相等两数相减,差为零.

②在减法转化为加法时,减数必须同时变成其相反数,即“同时改变两个符号”.

减号变加号

例如: $(-4)-(+3)=(-4)+(-3)=-7$.

正号变负号

③代数和的意义:由于有理数的减法法则能将减法转化为加法,所以加减混合运算可统一为省略加号、括号的几个正数或负数的和的形式,这样的算式称为代数和.如 $(-2)+(+3)+(-4)+(+5)$ 可以写成 $-2+3-4+5$,它的意义是 $-2,+3,-4,+5$ 的和,可以读作“负 2,正 3,负 4,正 5 的和”,或读作“负 2 加 3 减 4 加 5”.

知识 4 有理数的乘法

1.乘法法则

1.两数相乘,同号得正,异号得负,并把绝对值相乘.

2.任何数与 0 相乘,都得 0.

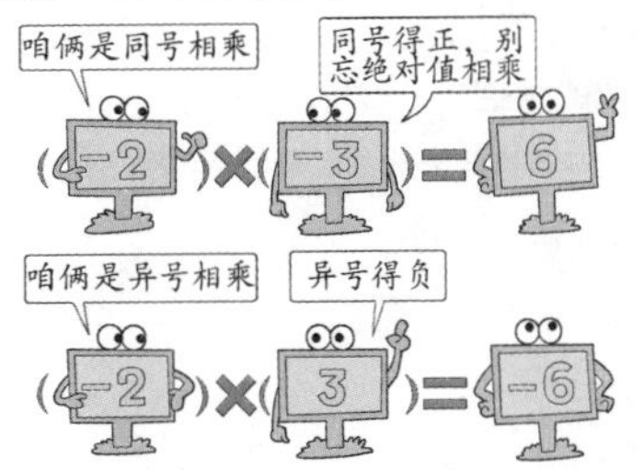

2.乘法法则的推广

(1)几个不等于0的数相乘,积的符号由负因数的个数决定,当负因数有奇数个时,积为负;当负因数有偶数个时,积为正;

(2)几个数相乘,如果其中有因数为0,那么积等于0;

(3)几个不等于0的数相乘,首先确定积的符号,然后把绝对值相乘.

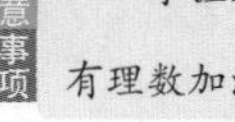

掌握乘法法则的关键是会确定积的符号,切勿与有理数加法的符号法则相混淆.

例3 计算:

(1)$(-1.2)\times(-3)$;

(2)$12\times\left(-1\frac{1}{4}\right)$;

(3)$\left(-2\frac{1}{5}\right)\times5\times(-2)$.

(解析) (1)$(-1.2)\times(-3)$ ……(同号两数相乘)

$=+(1.2\times3)$ ……(积为正数,并把绝对值相乘)

$=3.6$.

(2)$12\times\left(-1\frac{1}{4}\right)$ ………………(异号两数相乘)

$=-\left(12\times\frac{5}{4}\right)$…(积为负数,并把绝对值相乘.注意带分数化为假分数)

$=-15$.

(3)$\left(-2\frac{1}{5}\right)\times5\times(-2)$…(几个不为0的有理数相乘)

$=+\left(\frac{11}{5}\times5\times2\right)$…(负因数有偶数个,积为正;并把绝对值相乘.注意带分数化为假分数)

$=22$.

知识 5 倒数

1.定义

乘积为1的两个数互为倒数.

一个正数的倒数仍是正数,一个负数的倒数仍是负数,0没有倒数.

2.倒数的特性

若$a,b(a\neq0,b\neq0)$互为倒数,则$ab=1$;反之,若$ab=1$,则a,b互为倒数.

①如果$a,b(a\neq0,b\neq0)$互为倒数,那么$a=\frac{1}{b}$或$b=\frac{1}{a}$.

②求一个非零整数的倒数,可直接写成这个数分之一;求一个分数的倒数,只要将分子、分母颠倒即可;求一个带分数的倒数,应先将带分数化成假分数,再求倒数;求一个小数的倒数,应先将小数化成分数,然后求倒数.

知识 6 有理数的乘法运算律

	内容	用字母表示	示例
乘法交换律	一般地,有理数乘法中,两个数相乘,交换因数的位置,积相等	$ab=ba$	$3\times(-4)=(-4)\times3$
乘法结合律	一般地,有理数乘法中,三个数相乘,先把前两个数相乘,或者先把后两个数相乘,积相等	$(ab)c=a(bc)$	$[(-2)\times(-3)]\times5=(-2)\times[(-3)\times5]$
乘法分配律	一般地,有理数乘法中,一个数同两个数的和相乘,等于把这个数分别同这两个数相乘,再把积相加	$a(b+c)=ab+ac$	$(-2)\times(5+6)=(-2)\times5+(-2)\times6$

①使用乘法分配律时,切勿漏乘某项.

②互为倒数的两数可先相乘.

③凑整,即积为整十或整百的几个数先相乘.

例4 计算:

(1)$(-5)\times(-9)\times\left(-\frac{1}{9}\right)$;

(2)$30\times\left(\frac{1}{2}-\frac{2}{3}+0.4\right)$;

(3)$(-3.59)\times\frac{7}{22}-2.41\times\frac{7}{22}+6\times\frac{7}{22}$.

(解析) (1)$(-5)\times(-9)\times\left(-\frac{1}{9}\right)$

$=(-5)\times\left[(-9)\times\left(-\frac{1}{9}\right)\right]=(-5)\times1=-5$.

(2)$30\times\left(\frac{1}{2}-\frac{2}{3}+0.4\right)=30\times\frac{1}{2}-30\times\frac{2}{3}+30\times\frac{2}{5}$

$=15-20+12=7$.

$(3)(-3.59)\times\frac{7}{22}-2.41\times\frac{7}{22}+6\times\frac{7}{22}$

$=(-3.59-2.41+6)\times\frac{7}{22}=0\times\frac{7}{22}=0.$

知识 7 有理数的除法

有理数除法法则:

有理数除法法则(一):除以一个不等于0的数,等于乘这个数的倒数.

有理数除法法则(二):两数相除,同号得正,异号得负,并把绝对值相除.0除以任何一个不等于0的数,都得0.

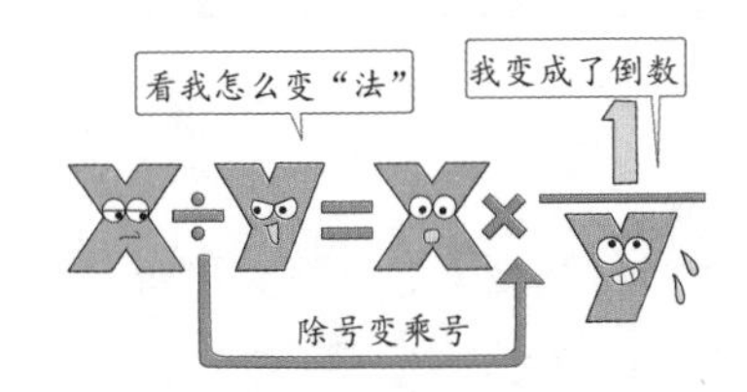

看我怎么变“法”
我变成了倒数
除号变乘号

注意事项

①0不能作除数.

②有理数的除法与乘法是互逆运算.

③在做除法运算时,根据同号得正,异号得负的法则先确定符号,再把绝对值相除.若在算式中有带分数,一般化成假分数进行计算.若不能整除,则除法运算都转化为乘法运算.

例5 计算:(1)27÷(-9);(2)0÷(-2);

$(3)\left(+\frac{3}{4}\right)\div\left(-\frac{15}{8}\right)$;(4)(-0.75)÷0.25;

$(5)(-2.4)\div\left(-1\frac{1}{5}\right)$.

(解析) (1)27÷(-9)=-(27÷9)=-3.

(2)0÷(-2)=0.

$(3)\left(+\frac{3}{4}\right)\div\left(-\frac{15}{8}\right)=-\left(\frac{3}{4}\times\frac{8}{15}\right)=-\frac{2}{5}$.

(4)(-0.75)÷0.25=-(0.75÷0.25)=-3.

$(5)(-2.4)\div\left(-1\frac{1}{5}\right)=\frac{12}{5}\times\frac{5}{6}=2$.

方法清单

方法 1 几个有理数相加的常用方法

1.互为相反数的两个数先相加——“相反数结合法”;

2.符号相同的数先相加——“同号结合法”;

3.分母相同的数先相加——“同分母结合法”;

4.几个相加能得到整数的数先相加——“凑整法”;

5.整数与整数、小数与小数相加——“同形结合法”.

例1 计算:(1)(+26)+(-14)+(-16)+(+18);

(2)18.56+(-5.16)+(-1.44)+(+5.16)+(-18.56);

$(3)4.1+\left(+\frac{1}{2}\right)+\left(-\frac{1}{4}\right)+(-10.1)+7$;

$(4)0.75+\left(-2\frac{3}{4}\right)+0.125+\left(-12\frac{5}{7}\right)+\left(-4\frac{1}{8}\right)$.

(解析) (1)原式=[(+26)+(+18)]+[(-14)+(-16)]

=(+44)+(-30)=14.

(2)原式=[18.56+(-18.56)]+[(-5.16)+(+5.16)]+(-1.44)=0+0+(-1.44)=-1.44.

$(3)原式=[4.1+(-10.1)+7]+\left[\frac{1}{2}+\left(-\frac{1}{4}\right)\right]$

$=1+\frac{1}{4}=1\frac{1}{4}$.

$(4)原式=\frac{3}{4}+\left(-2\frac{3}{4}\right)+\left[\frac{1}{8}+\left(-4\frac{1}{8}\right)\right]+\left(-12\frac{5}{7}\right)$

$=(-2)+(-4)+\left(-12\frac{5}{7}\right)$

$=-18\frac{5}{7}$.

方法 2 有理数减法的解题方法

1.当减数中含有性质符号“+”或“-”时,一定要用括号括起来,再相减.

2.在有理数的减法运算中,注意两变,即同时改变两个符号:一是运算符号,由“-”变为“+”;二是减数的性质符号,由“+”变“-”或由“-”变“+”.被减数和减数的位置不变.即“两变一不变”原则.

3.有理数减法没有交换律,被减数和减数不能交换位置,也不能简单地应用结合律.

例2 计算:(1)9-(-5);(2)(-2.5)-(-3.7);

(3)0-(-5);(4)-2-(+10);

$(5)\left(-1\frac{1}{4}\right)-\frac{1}{4}$;(6)-1.3-(+1.3).

解析 (1) $9-(-5)=9+5=14$.

(2) $(-2.5)-(-3.7)=(-2.5)+3.7=3.7-2.5=1.2$.

(3) $0-(-5)=0+5=5$.

(4) $-2-(+10)=-2+(-10)=-12$.

(5) $\left(-1\frac{1}{4}\right)-\frac{1}{4}=\left(-1\frac{1}{4}\right)+\left(-\frac{1}{4}\right)=-1\frac{1}{2}$.

(6) $-1.3-(+1.3)=(-1.3)+(-1.3)=-2.6$.

方法 3 有理数加减法在实际问题中的应用

有理数的加减法在实际生活中的应用本质上是列式计算问题，解题时要抓住事物的本质，弄清是各数之和还是各数的绝对值之和.

例 3 出租车司机小石某天下午营运全是在东西走向的人民大街上进行，如果规定向东为正，向西为负，他这天下午行车里程(单位：千米)如下：

$+15,-3,+14,-11,+10,-12,+4,-15,+16,-18$.

(1)将最后一名乘客送到目的地时，小石距下午出发地点的距离是多少千米？

(2)若汽车耗油量为 0.4 升/千米，这天下午汽车耗油共多少升？

解析 (1) $(+15)+(-3)+(+14)+(-11)+(+10)+(-12)+(+4)+(-15)+(+16)+(-18)=(15+14+10+4+16)+[(-3)+(-11)+(-12)+(-15)+(-18)]=59+(-59)=0$(千米).

(2) $|+15|+|-3|+|+14|+|-11|+|+10|+|-12|+|+4|+|-15|+|+16|+|-18|=118$(千米)，

所以这天下午共耗油 $118\times0.4=47.2$(升).

答：将最后一名乘客送到目的地时，小石距下午出发地点的距离是 0 千米，即回到出发地点；这天下午汽车耗油共 47.2 升.

方法 4 求倒数的方法

根据定义，要求 $a(a\neq0)$ 的倒数，只要求 $\frac{1}{a}$ 即可.

对于小数和带分数，求倒数时应先将小数化成分数，将带分数化成假分数，然后将分子，分母交换位置即可.

例 4 求下列各数的倒数.

(1) $-\frac{3}{5}$；(2) -1；(3) $-1\frac{5}{7}$；(4) 0.125；(5) -1.4.

解析 (1) $-\frac{3}{5}$ 的倒数是 $-\frac{5}{3}$.

(2) -1 的倒数是 -1.

(3) $-1\frac{5}{7}=-\frac{12}{7}$，所以 $-1\frac{5}{7}$ 的倒数是 $-\frac{7}{12}$.

(4) $0.125=\frac{1}{8}$，所以 0.125 的倒数是 8.

(5) $-1.4=-\frac{7}{5}$，

所以 -1.4 的倒数是 $-\frac{5}{7}$.

方法 5 有理数乘除法法则的应用

(1)有理数乘法中，若因数中有带分数，应先把带分数化成假分数再相乘；若因数中有小数，一般先把小数化成分数，再相乘.

(2)应用有理数除法法则，当两个数都是整数时，一般选择有理数除法法则(二)，当两个数中含有分数时，选择有理数除法法则(一)比较简单.

例 5 计算：

(1) $(-3)\times\frac{5}{6}\times\left(-1\frac{4}{5}\right)\times(-0.25)$；

(2) $(-12)\div\left(-\frac{1}{12}\right)\div(-100)$.

解析 (1)原式 $=(-3)\times\frac{5}{6}\times\left(-\frac{9}{5}\right)\times\left(-\frac{1}{4}\right)$

$=-3\times\frac{5}{6}\times\frac{9}{5}\times\frac{1}{4}=-\frac{9}{8}$.

(2)解法一：原式 $=-\left(12\div\frac{1}{12}\div100\right)$

$=-(144\div100)=-1.44$.

解法二：原式 $=-\left(12\times12\times\frac{1}{100}\right)=-1.44$.

方法 6 有理数乘法运算律的应用

有理数运算是初中数学各类运算的基础，但同时也是同学们经常出错的知识点. 只要同学们在进行有理数运算时，根据每个算式的结构特征，选择适当的方法，灵活运用运算律和运算法则，就会达到事半功倍的目的.

例 6

利用运算律有时能进行简便计算.

例如：$98\times12=(100-2)\times12=1\,200-24=1\,176$；

$-16\times233+17\times233=(-16+17)\times233=233$.

请你参考上面的讲解，利用运算律简便计算：

(1) $999\times(-15)$；

(2) $999\times118\frac{4}{5}+999\times\left(-\frac{1}{5}\right)-999\times18\frac{3}{5}$.

解析 (1) $999\times(-15)=(1\,000-1)\times(-15)$
$=1\,000\times(-15)+15=-15\,000+15=-14\,985$.

(2) $999\times118\frac{4}{5}+999\times\left(-\frac{1}{5}\right)-999\times18\frac{3}{5}$

$=999\times\left(118\frac{4}{5}-\frac{1}{5}-18\frac{3}{5}\right)$

$=999\times100=99\,900$.

方法7 有理数乘除法在实际问题中的应用

利用有理数乘除法可以解决很多实际问题,在解题时需要认真审题,弄清问题的本质是有理数的加法,还是有理数的乘法.

例7 某食品厂从生产的袋装食品中抽出样品20袋,检测每袋的质量是否符合标准,超过或不足的部分用正数或负数来表示,记录如下表:

与标准质量的差值/g	-5	-2	0	1	3	6
袋数	1	4	3	4	5	3

这批样品的平均质量比标准质量多还是少?多或少几克?若每袋标准质量为450 g,则这批样品的总质量是多少克?

(解析) $[(-5)\times1+(-2)\times4+0\times3+1\times4+3\times5+6\times3]\div20=1.2(g)$,

所以这批样品的平均质量比标准质量多,且多1.2 g.

这批样品的总质量为$(450+1.2)\times20=9\ 024(g)$.

答:这批样品的平均质量比标准质量多,多1.2 g.这批样品的总质量是9 024 g.

第1-5章

1.3 有理数的乘方

知识清单

知识1 有理数的乘方及表示方法

知识2 有理数乘方的计算法则

知识1 有理数的乘方及表示方法

1.求n个相同因数的积的运算叫做乘方,乘方的结果叫做幂.在a^n中,a叫做底数,n叫做指数,a^n读作a的n次方(或a的n次幂).

2.乘方的意义:a^n表示n个a相乘,即

$$\underbrace{a\cdot a\cdot a\cdot\cdots\cdot a}_{n个a相乘}.$$

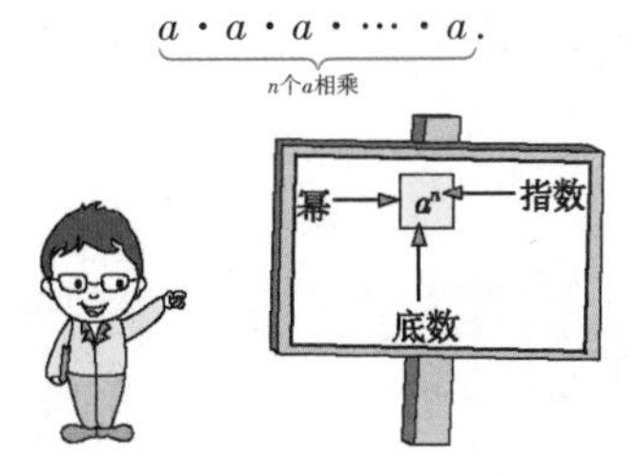

知识延伸

①一个数可以看作这个数本身的一次方.

例如:2就是2^1,a就是a^1,指数1通常省略不写.

②习惯上把a^2(a的二次方)叫做a的平方,a^3(a的三次方)叫做a的立方.

③当底数是负数或分数时,要先用括号将底数括上,再在其右上角写指数,指数要写得小些.例如:$\left(\frac{3}{5}\right)^2$不能写成$\frac{3^2}{5}$.

知识2 有理数乘方的计算法则

	乘方的符号法则	示例
有理数的乘方	(1)正数的任何次幂都是正数. (2)负数的偶次幂是正数,负数的奇次幂是负数. (3)0的任何正整数次幂都是0	$\left(\frac{1}{3}\right)^4=\frac{1}{3}\times\frac{1}{3}\times\frac{1}{3}\times\frac{1}{3}=\frac{1}{81}$, $(-3)^4=(-3)\times(-3)\times(-3)\times(-3)=81$, $0^6=0$
运算方法	计算一个数的乘方应分为两步:①根据乘方的符号法则确定结果的符号;②计算结果的绝对值	

易混对比

①0的0次幂无意义.

②由于乘方是乘法的特例,因此有理数的乘方运算可以用有理数的乘法运算完成.

③任何有理数的偶次幂都是非负数.

④负数的乘方与乘方的相反数不同.例如:$(-3)^4$与-3^4,$(-3)^4$为-3的4次方,表示4个-3相乘,-3^4是3的4次方的相反数.此类问题应多从意义上理解,从而有效地避免错误.

例 不进行计算,判断下列各式计算结果的正负.

$(-2)^7$,$(-3)^{24}$,$\left(\frac{5}{3}\right)^5$,$-(-2)^{2\ 010}$.

(解析) $(-2)^7$属于负数的奇次幂,所以其结果为负.

$(-3)^{24}$属于负数的偶次幂,所以其结果为正.

$\left(\frac{5}{3}\right)^5$属于正数的乘方,所以其结果为正.

$-(-2)^{2\ 010}$属于负数的偶次幂的相反数,所以其结果为负.

方法清单
方法1 有理数乘方的运算方法
方法2 有理数混合运算的方法

方法1 有理数乘方的运算方法

1.根据乘方的意义,先把乘方转化为乘法,再利用乘法的运算方法进行计算.

2.先确定幂的符号,再求幂的绝对值.

例1 计算:(1) 3^4;(2) $\left(-\frac{3}{5}\right)^3$;(3) $-(-4)^3$;(4) $-\frac{3^3}{5}$.

思路分析 (1) 3^4 表示 4 个 3 相乘;(2) $\left(-\frac{3}{5}\right)^3$ 表示 3 个 $-\frac{3}{5}$ 相乘;(3) $-(-4)^3$ 表示 $(-4)^3$ 的相反数;(4) $-\frac{3^3}{5}$ 表示 3^3 除以 5 的商的相反数.

解析 (1) $3^4=3\times3\times3\times3=81$.

(2) $\left(-\frac{3}{5}\right)^3=\left(-\frac{3}{5}\right)\times\left(-\frac{3}{5}\right)\times\left(-\frac{3}{5}\right)=-\frac{27}{125}$.

(3) $-(-4)^3=-[(-4)\times(-4)\times(-4)]=64$.

(4) $-\frac{3^3}{5}=-\frac{3\times3\times3}{5}=-\frac{27}{5}$.

方法2 有理数混合运算的方法

含有有理数的加、减、乘、除、乘方五种基本运算中的多种运算叫做有理数的混合运算.

有理数混合运算的顺序:

(1)先乘方,后乘除,最后加减;(2)同级运算,从左至右进行;(3)如有括号,先做括号内的运算,按小括号、中括号、大括号依次进行.

例2 计算: $-1^4-(1-0.5)\div\frac{1}{7}\times[2-(-3)^2]$.

有三位同学分别进行了解答,先观察他们的解答过程,然后回答提出的问题.

甲同学:原式 $=1-\frac{1}{2}\times7\times(2-9)=1-\frac{1}{2}\times7\times(-7)=1+\frac{49}{2}=\frac{51}{2}$;

乙同学:原式 $=-1-\frac{1}{2}\times7\times(2+9)=-1-\frac{1}{2}\times7\times11=-1-\frac{77}{2}=-\frac{79}{2}$;

丙同学:原式 $=-1-\frac{1}{2}\div\frac{1}{7}\times(2-9)=-1-\frac{1}{2}\div\frac{1}{7}\times(-7)=-1-\frac{1}{2}\div(-1)=-1+\frac{1}{2}=-\frac{1}{2}$.

问题:三位同学的解答对不对?如果不对,指出错在什么地方,并给出正确的解答.

解析 三位同学的解答都不对.甲同学把 -1^4 错算成了1,应该是-1;乙同学把 $2-(-3)^2$ 计算错了,应该是2-9,而不是2+9;丙同学在运算顺序上出了错,乘除属于同级运算,应按从左到右的顺序计算.

正确的解答:原式 $=-1-\frac{1}{2}\div\frac{1}{7}\times(2-9)=-1-\frac{1}{2}\times7\times(2-9)=-1-\frac{1}{2}\times7\times(-7)=-1+\frac{49}{2}=\frac{47}{2}$.

1.4 科学记数法、近似数

知识清单
知识1 科学记数法
知识2 近似数

知识1 科学记数法

把一个数表示成 $a\times10^n$ 的形式(其中 $1\leq|a|<10$, n 为整数),这种记数的方法叫做科学记数法.

知识延伸

①当要表示的数的绝对值大于10时,用科学记数法写成 $a\times10^n$,其中 $1\leq|a|<10$, n 为正整数, n 的值等于原数中整数部分的位数减去1,如 $1\ 315=1.315\times10^3$.

②当要表示的数的绝对值小于1时,用科学记数法写成 $a\times10^n$,其中 $1\leq|a|<10$, n 为负整数, n 的值等于原数中第一个非零数字前面所有零的个数的相反数(包括小数点前面的那个零),如 $0.002\ 03=2.03\times10^{-3}$.

例1 用科学记数法表示下列各数:

(1) 3 560 000 000;(2) 30 000;(3) -258.9;(4) 0.05×10^5.

思路分析 正确判断 a 与 n 的值是解题的关键, a 必须是整数位只有一位的数,即 $1\leq|a|<10$.科学记数法表示的数不改变原数的性质符号.

解析 (1) $3\ 560\ 000\ 000=3.56\times10^9$.

(2) $30\ 000=3\times10^4$.

(3) $-258.9=-2.589\times10^2$.

(4) $0.05\times10^5=5\times10^3$.

知识2 近似数

近似数就是与准确数很接近的数.

温馨提示

①近似数末尾的“0”不能随便去掉.

②一个近似数对于它所表示的准确数的误差程度叫做精确度.精确度不同,近似值与实际值的接近程度也不同.

③一个近似数,四舍五入到哪一位,就说这个近似数精确到哪一位.

例2 按括号内的要求,用四舍五入法对下列各数取近似数.

(1)4.506 49(精确到0.001);

(2)1.995(精确到百分位);

(3)32.155 25(保留三位小数);

(4)204 500(精确到千位).

解析 (1)4.506 49≈4.506.

(2)1.995≈2.00.

(3)32.155 25≈32.155.

(4)204 500≈20.5万(或2.05×10^5).

知识拓展

有效数字

一个近似数,从左边第一个不是0的数字起,到精确到的数位止,所有的数字都叫做这个数的有效数字.例如,1.020有四个有效数字:1,0,2,0;2.530×10^8有四个有效数字:2,5,3,0.

温馨提示

①近似数的精确度有两种形式:a.精确到哪一位,b.保留几个有效数字.

②对于绝对值较大的数取近似值时,结果一般用科学记数法来表示.如:8 903 000的近似数(保留三个有效数字),即8 903 000≈8.90×10^6.

③对带有记数单位的近似数,如2.3万,它有两个有效数字:2,3,而不是五个有效数字.

方法清单

方法1 用科学记数法表示绝对值较大的数的方法

方法2 由科学记数法求原数的方法

方法3 利用科学记数法表示绝对值小于1的数的方法

方法4 精确度的确定方法

方法1 用科学记数法表示绝对值较大的数的方法

1.把已知数的小数点向左移动几位,就乘10的几次方,如把10 000的小数点从最后一位数(0)的后面向左移动4位到数字1的后面,写成科学记数法的形式为1×10^4.

2.已知数的整数部分的位数减去1,就等于10的指数n.

例1 根据习近平总书记在“一带一路”国际合作高峰论坛开幕式上的演讲,中国将在未来3年向参与“一带一路”建设的发展中国家和国际组织提供60 000 000 000元人民币援助,建设更多民生项目,其中数据60 000 000 000用科学记数法表示为 ( )

A.0.6×10^{10} B.0.6×10^{11} C.6×10^{10} D.6×10^{11}

解析 科学记数法的表示形式为$a\times10^n$,其中$1\le|a|<10$,n为整数,故60 000 000 000=6×10^{10}.

答案 C

方法2 由科学记数法求原数的方法

把科学记数法形式的数还原为原数,有两种思路:①按照乘方和乘法的运算进行;②逆用上面的方法,即原数的整数部分的位数等于10的指数n加上1.另外,还要注意不要遗漏符号.

例2 下列用科学记数法表示的数,原数各是什么?

(1)1×10^6;(2)3.14×10^3;

(3)1.414×10^5;(4)-1.732×10^7.

解析 (1)1×10^6=1 000 000.

(2)3.14×10^3=3 140.

(3)1.414×10^5=141 400.

(4)-1.732×10^7=-17 320 000.

方法3 利用科学记数法表示绝对值小于1的数的方法

用科学记数法表示绝对值小于1的数时,负指数的绝对值为原数第1个不为零的数字前面所有零的个数(包括小数点前的那个零).

例3 生物学家发现了一种病毒的长度约为0.000 004 32毫米.数据0.000 004 32用科学记数法表示为 ( )

A.0.432×10^{-5} B.4.32×10^{-6}

C.4.32×10^{-7} D.43.2×10^{-7}

解析 0.000 004 32=4.32×10^{-6}.故选B.

答案 B

方法4 精确度的确定方法

一个近似数四舍五入到哪一位,就称这个近似数精确到哪一位.如:近似数0.576精确到千分位或精确到0.001,那么千分之一(0.001)就是0.576的精确度.

例4 下列由四舍五入法得到的近似数,各精确到哪一位?

(1)7.93;(2)0.040 5;(3)25.9万;(4)3.4×10^5.

解析 (1)7.93,精确到百分位(即精确到0.01).

(2)0.040 5,精确到万分位(即精确到0.000 1).

(3)25.9万,精确到千位.

(4)3.4×10^5,精确到万位.

第2章 代数式与整式

2.1 代数式

知识清单
知识1 代数式及其分类
知识2 列代数式

知识1 代数式及其分类

1.代数式

	定义	示例
代数式	用运算符号,如:+、-、×、÷等,将数或表示数的字母连接起来,所得的式子叫做代数式.单独的一个数或一个字母也叫做代数式	$3+2c$,$x+x+2x-y$,ab,$2a+3b$,$3(n+2m)$,$3a$,7,$\frac{s}{t}$等
知识点睛	1.代数式中除含有数、字母和运算符号外,还可以有括号,因为有时需要用括号指明运算顺序. 2.代数式中不含有"="">""<""≠"(读作不等于)等. 3.对于用字母表示的数,如果没有特别说明,就应理解为它可以表示任何一个数	

2.代数式的分类

代数式:有理式(整式(单项式、多项式)、分式)、无理式

有理式:只含有加、减、乘、除、乘方(包括数字开方运算)的代数式,叫做有理式.

无理式:含有关于字母开方运算的代数式,叫做无理式.

例 下列各式中哪些是代数式?哪些不是?为什么?

(1)0;(2)$\frac{x}{3}$;(3)$5<6$;(4)$-\frac{1}{x}$;(5)$m=\frac{2m}{2}$;(6)$\pi-\pi$.

解析 (1)0是代数式,因为单独的一个数是代数式.

(2)$\frac{x}{3}$是代数式,因为它是用运算符号连接而成的式子.

(3)$5<6$不是代数式,因为"<"不是运算符号,而是关系符号.

(4)$-\frac{1}{x}$是代数式,因为它是用运算符号连接而成的式子.

(5)$m=\frac{2m}{2}$不是代数式,因为"="是关系符号.

(6)$\pi-\pi$是代数式,因为它是用运算符号连接而成的式子.

知识2 列代数式

把问题中与数量有关的词语,用含有数、字母和运算符号的式子表示出来,这就是列代数式.

1.列代数式的一般步骤

一般步骤	示例
(1)列代数式要认真审题,仔细分析问题中基本术语的含义	如:和、差、积、商、大、小、多、少、几倍、几分之几、增加、增加到、减少、减少到、扩大、缩小、除、除以等
(2)要注意问题的语言叙述表示的运算顺序,一般来说,先读的先写	如:设甲数为a,乙数为b,用代数式表示下列语句的含义. ①甲、乙两数的平方和:"平方和"是指先平方,后求和,即a^2+b^2. ②甲、乙两数和的平方:"和的平方"是指先求和,后平方,即$(a+b)^2$
(3)要弄清题中的数量关系及运算顺序,注意正确使用表明运算顺序的括号.在比较复杂的语句中,一般会有多个"的"字出现.列代数式时,可抓住各个"的"字将句子分为几个层次,逐步列出代数式	如:用代数式表示比m、n的两数的和的2倍大p的数.将此句划分为三层:第一层是"m、n两数的和",因为第一层需要先算,所以需用括号将"$m+n$"括上;第二层是"m、n两数的和的2倍",简单地说,就是"和的2倍",应表示为$2(m+n)$;第三层是"比m、n两数的和的2倍大p的数"就是比$2(m+n)$大p的数,应表示为$2(m+n)+p$

续表

一般步骤	示例
(4)在同一问题中，不同的数量，必须用不同的字母来表示	如：用代数式表示甲、乙两数的积减去甲、乙两数的和，在这个问题中，甲数和乙数必须用不同的字母来表示，即甲数用 x 表示，乙数就不能用 x 来表示了

2.代数式的书写要求

(1)字母与字母相乘，数字与字母相乘(数字应写在字母前)，乘号通常写作“·”，或者省略不写.例如，$m\times n$ 可写作 $m\cdot n$ 或 mn，$(a+b)\times 3$ 可写成 $3\cdot(a+b)$ 或$3(a+b)$.但为避免误会，数与数相乘时仍用“×”，不宜用“·”，更不能省略乘号.

(2)在代数式中出现除法运算时，一般按照分数的写法来写.例如：$x\div 2$ 写作$\frac{x}{2}$，$3ab\div c$ 写作$\frac{3ab}{c}$.

(3)带分数与字母相乘，省略乘号时应把带分数化成假分数，例如：$a^2b\times 2\frac{1}{3}$应写成$\frac{7}{3}a^2b$.

(4)实际问题中需用单位时，若代数式的最后结果含有加、减运算，则要将整个式子用括号括起来，再写单位；否则，可直接写单位.例如，$5x$ km，$(x+y)$天.

①列代数式时，注意书写规范.

②列代数式时，相同字母的积用乘方表示.如 $a\cdot a\cdot a$ 一般写成 a^3.

③实际问题中的数量关系可以用代数式表示，另一方面，同一个代数式可以揭示多种不同的实际意义.

注意说出代数式表示的实际意义时，数与字母的含义必须与实际相符.

方法清单

方法1 列代数式的方法

列代数式时，要善于将文字语言转化为数学语言，一般是先读的先写，并注意括号的使用.对实际问题中的代数式，要明确各量之间的关系，如：路程=速度×时间，利润=售价−成本，工作量=工作效率×工作时间等，根据实际问题提供的数量关系列出代数式.

例1 某商店经销一种品牌的洗衣机，其中某一型号的洗衣机每台进价为 a 元，商店将进价提高 20%后作为零售价进行销售，一段时间后，商店又以 9 折优惠价促销，这时该型号洗衣机的零售价为________元.

解析 根据题意得，$a\cdot(1+20\%)\times 90\%=1.08a$(元).故答案为 $1.08a$.

答案 $1.08a$

例2 某市出租车收费标准为：不超过 3 千米(含 3 千米)时，需付起步价 5 元，超过 3 千米后每千米价格为1.4 元，则乘坐出租车走 $x(x>3$，且 x 为正整数)千米应付____________元.

解析 由于 $x>3$，故付费应分为两部分：一是起步价 5 元；二是$(x-3)$千米应付费 $1.4(x-3)$元，故应付费 $5+1.4(x-3)=(0.8+1.4x)$元.

答案 $(0.8+1.4x)$

方法2 多位数的表示方法

如果一个三位数的百位数字为 a，十位数字为 b，个位数字为 c，不能把这个三位数直接写成 abc，而是把各数位上的数字乘相应的倍数，相加后即为所求的三位数.即 $100a+10b+c$.

例3 一个三位数，十位数字为 x，个位数字比十位数字小 3，百位数字是十位数字的 3 倍，则这个三位数为________.

解析 由题意可得个位数字为 $x-3$，百位数字为 $3x$，所以这个三位数为 $300x+10x+x-3=311x-3$.

答案 $311x-3$

方法3 求代数式的值的方法

求代数式的值的一般方法是“用数值代替代数式中的每个字母”，然后计算求得结果.对于特殊的代数式，也可以采用如下方法来解：

(1)给出代数式中所有字母的值，该类题一般是先化简代数式，再代入字母的值，然后进行计算.

(2)给出代数式中所含几个字母之间的关系，不直接给出字母的值，该类题一般是把所要求的代数式通过恒等变形，转化成为用已知关系表示的形式，再代入计算.

(3)在给定条件中，字母之间的关系不明显，字母的值隐含在题设条件中，该类题应先由题设条件求出字母的值，再求代数式的值.

例4 已知 $a=\frac{2}{3}$，$b=-4$，求代数式 a^2-b^2+3a-b 的值.

解析 当 $a=\frac{2}{3}$，$b=-4$ 时，$a^2-b^2+3a-b=\left(\frac{2}{3}\right)^2-(-4)^2+3\times\frac{2}{3}-(-4)=\frac{4}{9}-16+2+4=-9\frac{5}{9}$.

例5 已知 $x+y=2\,015$，$xy=2\,014$，求 $xy-2(x+y)$ 的值.

思路分析　由于已知条件给出的是 $x+y$，xy 的值，故应考虑用整体代入的方法计算，即将 xy 看成一个整体，将 $x+y$ 看成一个整体.

(解析) 当 $x+y=2\,015$，$xy=2\,014$ 时，

$xy-2(x+y)=2\,014-2\times2\,015=-2\,016$.

方法4 列代数式在探索规律问题中的应用方法

根据一系列数式关系或一组相关图形的变化规律，从中总结其所反映的规律.其中，以图形为载体的数字规律最为常见.猜想这种规律，需要把图形中的有关数量关系列式表达出来，再对所列式进行观察对比，仿照数式规律的方法猜想得到最终结论.这类问题是近年来中考试题的热点，应予以关注.

例6 下图是一组有规律的图案，它们由边长相同的小正方形组成，其中部分小正方形涂有阴影，依此规律，第 n 个图案中有______个涂有阴影的小正方形(用含有 n 的代数式表示).

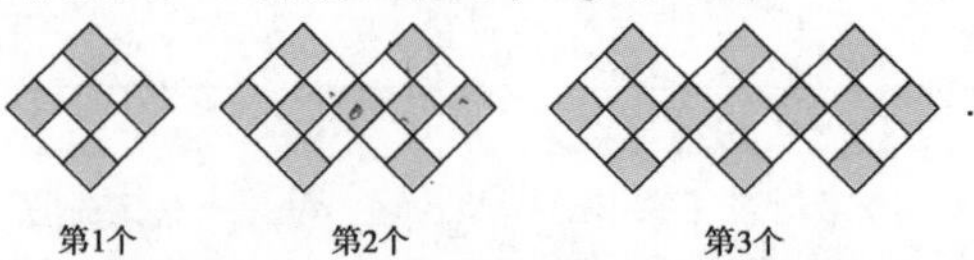

(解析) ∵ 第1个图案中有5个涂有阴影的小正方形，第2个图案中有 $5\times2-1=9$ 个涂有阴影的小正方形，第3个图案中有 $5\times3-2=13$ 个涂有阴影的小正方形，∴ 第 n 个图案中有 $5n-(n-1)=(4n+1)$ 个涂有阴影的小正方形.

(答案) $(4n+1)$

2.2 整　式

知识清单
知识1 整式　知识2 单项式
知识3 多项式

知识1 整式

整式：单项式与多项式统称整式.

它们的关系如图所示：

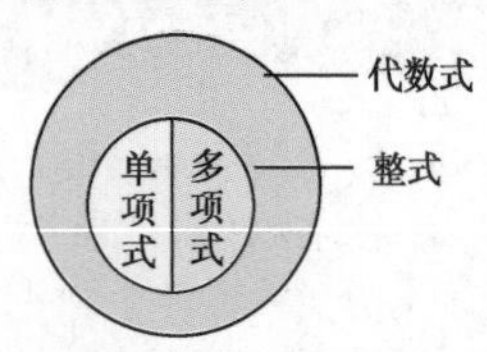

> 温馨提示
> ①所有的整式的分母中不含字母.
> ②所有的整式都是代数式，但并不是所有的代数式都是整式.

知识2 单项式

1.单项式的定义

像 $-x$，$\frac{1}{2}m^2$，$-ab$，$2\pi r$，都是数或字母的积，这样的式子叫做单项式.特别地，单独的一个数或一个字母也是单项式.巧记方法：单项式中“只含乘除，不含加减”.

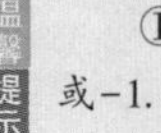

> 注意事项
> ①单项式中不能含有加减运算，例如 $\frac{x+2}{3}$ 不是单项式.
> ②单项式可以是数和数的积，如 6π；可以是数和字母的积，如 $\frac{a}{3}$；可以是字母和字母的积，如 ab；可以是多个数与多个字母的积，如 $\frac{3}{5}a^2b^3c^5$.
> ③由于 π 是常数，所以 $\frac{1}{\pi}$ 也是常数，是单项式.

2.单项式的系数

单项式中的数字因数叫做这个单项式的系数.

> 温馨提示
> ①一个单项式只含有字母因数，它的系数就是1或-1.
> ②一个单项式是一个常数，它的系数是它本身.
> ③负数作系数时，应包括前面的符号.
> ④当一个单项式的系数是1或-1时，“1”通常省略不写.如：a^2、$-mn$；单项式的系数是带分数时，通常写成假分数，如 $1\frac{1}{2}x^2y$ 写成 $\frac{3}{2}x^2y$.

3.单项式的次数

一个单项式中,所有字母的指数的和叫做这个单项式的次数.

温馨提示　单项式的次数与系数没有关系,例如:$2^3a^2b^3$ 的次数是5,不要误认为是8.

例1 填表:

单项式	m^2	$-3ab^3$	$2x$	$\frac{2}{5}x^2y^3$	$\frac{1}{3}\pi r^2h$
系数					
次数					

(解析)

单项式	m^2	$-3ab^3$	$2x$	$\frac{2}{5}x^2y^3$	$\frac{1}{3}\pi r^2h$
系数	1	-3	2	$\frac{2}{5}$	$\frac{1}{3}\pi$
次数	2	4	1	5	3

知识 3 多项式

1.多项式的定义

几个单项式的和叫做多项式.

如:$x^2+2xy+y^2$,a^2-b^2 等.

在多项式中,每个单项式叫做多项式的项.

①多项式的每一项都包括它前面的符号,如 $3x^2-6x+7$,这个多项式的项是 $3x^2$,$-6x$,7.

②多项式中单项式的个数叫做多项式的项数.如 $3a^2-2a+5$ 的项数是3,叫做三项式.

在多项式中,不含字母的项叫做常数项.

例2 填表:

多项式	$3a+1$	$3x^2-2x+13$	$2a^2b-3ab^2+4b^3-6$
项			
常数项			

(解析)

多项式	$3a+1$	$3x^2-2x+13$	$2a^2b-3ab^2+4b^3-6$
项	$3a$,1	$3x^2$,$-2x$,13	$2a^2b$,$-3ab^2$,$4b^3$,-6
常数项	1	13	-6

2.多项式的次数

多项式中,次数最高项的次数,叫做这个多项式的次数.

知识延伸

多项式通常以它的次数和项数来命名,称几次几项式.最高次项的次数是几,是几次式,项数是几,是几项式.例如:多项式 $6xy^4+2x^2y^2-3xy-4$ 是五次四项式.

例3 指出下列多项式是几次几项式,并指出常数项.

(1)$\frac{1}{2}x^2y^2-\frac{1}{4}x^3y+\frac{1}{5}xy^3+9$;

(2)$x^5y^2z^2+4z^3$;

(3)$\frac{-3x^2+2x-5}{7}$.

(解析) (1)它为四次四项式,常数项为9.

(2)它为九次二项式,常数项为0.

(3)它为二次三项式,常数项为$-\frac{5}{7}$.

知识拓展

升幂排列与降幂排列

为便于多项式的运算,可以用加法的交换律将多项式各项的位置按某一字母的指数大小顺序重新排列.

若按某个字母的指数从大到小的顺序排列,叫做这个多项式按这个字母降幂排列.

若按某个字母的指数从小到大的顺序排列,叫做这个多项式按这个字母升幂排列.

如:多项式 $2a^3b-3ab^3+a^2b-\frac{1}{2}b^2a+a+b-1$.

按字母 a 升幂排列为 $-1+b+a-\frac{1}{2}b^2a-3ab^3+a^2b+2a^3b$.

温馨提示　①重新排列后还是多项式的形式,各项的位置发生变化,其他都不变.

②各项移动时要连同它前面的符号一起移动.

③含有两个或两个以上字母的多项式,注意“按某一字母”升幂或降幂排列.

④某项前的符号是“+”,在第一项位置时,正号要省略,其他位置不能省.

方法清单

方法1 整式的识别方法

方法2 利用多项式的概念确定字母取值的方法

方法 1 整式的识别方法

识别整式要注意以下几点：

(1)单项式中不能含有加减运算，多项式中一定含有加减运算.如 $2x+y$，$2b^2-1$ 等都是多项式.

(2)单项式与多项式中都可以有除法运算，但是要写成分数的形式且分母中不能含有字母.如 $-\frac{st}{2}$ 是单项式；$\frac{a-2b}{4}$ 是多项式；$\frac{2}{a}$，$\frac{x+y}{x}$ 既不是单项式，也不是多项式.

(3)一个整式不是单项式就是多项式.判断一个式子是不是整式的关键是看分母中是否含有字母.

例1 已知代数式：①$-x+y$；②$\frac{x^2y}{3}$；③$\frac{\pi}{2}$；④$2a+b^2$；⑤$\frac{y}{x}$；⑥$\frac{a^2+b}{a}$；⑦$\frac{a+b}{2}$；⑧-1.其中单项式有______；多项式有______；整式有______.(只需填写序号)

(解析) 本题应根据单项式、多项式、整式的概念进行辨别.③中的 π 是常数，故 $\frac{\pi}{2}$ 是单项式；⑦可以看作 $\frac{a}{2}+\frac{b}{2}$，是多项式；⑤⑥的分母中含有字母，所以不是整式.

(答案) ②③⑧；①④⑦；①②③④⑦⑧

方法 2 利用多项式的概念确定字母取值的方法

单项式的次数是各个字母指数的和，而多项式的次数是构成多项式的项中次数最高的项的次数.如构成多项式的项中最高次数为7，那么此多项式的次数为7.

例2 m 为何值时，$(m+2)\cdot x^{|m|}y^2-3xy^2$ 是四次二项式？

(解析) 因为多项式是四次二项式，所以最高次项的次数为4，且系数不为0，所以 $|m|+2=4$ 且 $m+2\neq0$.由 $|m|+2=4$，得 $|m|=2$，解得 $m=\pm2$.由 $m+2\neq0$，得 $m\neq-2$，所以 $m=2$.

2.3 整式的加减

知识清单

知识1 同类项　知识2 合并同类项

知识3 去括号与添括号　知识4 化简求值

知识 1 同类项

1.定义

所含字母相同，并且相同字母的指数也相同的项叫做同类项.几个常数项也是同类项.

2.示例

$-a^2b$ 与 $3a^2b$ 是同类项，$-\frac{1}{2}x^2y^3$ 与 y^3x^2 是同类项.

温馨提示

①判断同类项的标准是“两相同”，即所含字母相同，相同字母的指数也相同，二者缺一不可.

②同类项与系数无关，与字母的排列顺序也无关.如 $2x^3y^4$ 与 $-\frac{3}{2}y^4x^3$ 是同类项.

例1 判断下列各组中的两个单项式是不是同类项：

(1)$5x$ 与 $5xy$；(2)$0.35ab^2$ 与 $-\frac{1}{2}ab^2$；

(3)$2m^3n$ 与 $\frac{2}{3}nm^3$；(4)a^3 与 5^3；(5)-2^3 与 3^2.

(解析) (1)因为 $5x$ 与 $5xy$ 所含字母不相同，所以它们不是同类项.

(2)因为 $0.35ab^2$ 与 $-\frac{1}{2}ab^2$ 都只含有字母 a、b，并且字母 a 的指数都是1，字母 b 的指数都是2，所以它们是同类项.

(3)因为 $2m^3n$ 与 $\frac{2}{3}nm^3$ 都只含有字母 m、n，并且字母 m 的指数都是3，字母 n 的指数都是1，所以它们是同类项.

(4)因为a^3含有字母,而5^3是常数,所以它们不是同类项.

(5)因为-2^3与3^2都是常数,所以它们是同类项.

知识 2 合并同类项

1.合并同类项的定义及法则

	定义	依据	示例
合并同类项	把多项式中的同类项合并成一项,叫做合并同类项	逆用乘法对加法的分配律	$-2a$与$5a$合并同类项后为$3a$,$\frac{1}{2}x^2y$与$5x^2y$合并同类项后为$\frac{11}{2}x^2y$
法则	合并同类项后,所得项的系数是合并前各同类项的系数的和,且字母连同它的指数不变		

2.合并同类项的一般步骤

(1)准确找出同类项(初学者可先用不同记号标出同类项);

(2)利用法则,把同类项的系数相加,字母和字母的指数不变;

(3)写出合并后的结果,注意不要漏项.

注意事项

①如果两个同类项的系数互为相反数,合并同类项后,结果为0.

②合并同类项时,只能把同类项合并,不是同类项的不能合并;不能合并的项,在每步运算中不要漏掉.

例2 合并同类项:(1)$3a-b-\frac{1}{2}a+\frac{1}{3}b$;

(2)$2x^2y-3xy^2-5x^2y+xy+4y^2x$;

(3)$3(a+b)^2-(a+b)+2(a+b)^2+4(a+b)-(a+b)^2$.

解析 (1)$3a-b-\frac{1}{2}a+\frac{1}{3}b=\left(3-\frac{1}{2}\right)a+\left(-1+\frac{1}{3}\right)b=\frac{5}{2}a-\frac{2}{3}b$.

(2)$2x^2y-3xy^2-5x^2y+xy+4y^2x=(2-5)x^2y+(-3+4)xy^2+xy=-3x^2y+xy^2+xy$.

(3)$3(a+b)^2-(a+b)+2(a+b)^2+4(a+b)-(a+b)^2$
$=[3(a+b)^2+2(a+b)^2-(a+b)^2]+[4(a+b)-(a+b)]$
$=(3+2-1)(a+b)^2+(4-1)(a+b)=4(a+b)^2+3(a+b)$.

知识 3 去括号与添括号

1.去括号法则

如果括号外的因数是正数,去括号后原括号内各项的符号与原来的符号相同;如果括号外的因数是负数,去括号后原括号内各项的符号与原来符号相反.

如:$+(a+b-c)=a+b-c$;$-(a+b-c)=-a-b+c$.

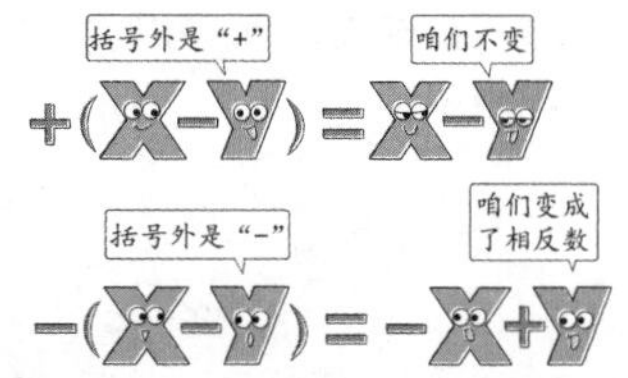

2.添括号法则

所添括号前面是"+",括到括号里的各项都不改变符号;所添括号前面是"-",括到括号里的各项都要改变符号.

如:$a-b-c=+(a-b-c)$;$a-b-c=-(-a+b+c)$.

温馨提示

①整式的加减的实质是去括号,合并同类项.

②去括号时,首先要看清括号前是"+"还是"-",其次注意法则中的"都"字,即变号时,括号里各项都变号;不变号时,括号里的各项都不变号.若括号前有数字因数,应利用乘法分配律,先将该数与括号内的各项分别相乘再去括号,添括号与去括号类似.

③添括号是否正确可以用去括号检验,二者互逆.

例3 下列去括号正确的是 ( )

A.$a-(b-c)=a-b-c$ B.$a-(-b+c)=a+b-c$

C.$a+(b-c)=ab-c$ D.$a-(b+c)=a-b+c$

解析 A中去括号后,有一项没改变符号,正确的应为$a-(b-c)=a-b+c$;C中去括号后,由于括号内第一项系数为正,应补出加号,正确的应为$a+(b-c)=a+b-c$;D中去括号后,有一项没改变符号,正确的应为$a-(b+c)=a-b-c$.

答案 B

知识 4 化简求值

化简求值是指我们不直接把字母的值代入代数式中计算,而是先化简(即去括号,合并同类项),然后再代入求值.

注意事项

①一般情况下,字母取值不同,代数式的值也不同.

②当字母的取值是分数或负数时,代入时要注意将分数或负数添上括号.

③把数值代入时,原代数式中的系数、指数及运算符号都不改变.

例4 先化简,再求值:$2(a^2b+3ab^2)-4(ab^2+3a^2b)-(a^2b-2ab^2)$,其中$a=-\frac{1}{2}$,$b=\frac{1}{3}$.

解析 原式$=2a^2b+6ab^2-4ab^2-12a^2b-a^2b+2ab^2=-11a^2b+4ab^2$.

当$a=-\frac{1}{2}$,$b=\frac{1}{3}$时,原式$=-11a^2b+4ab^2=-11\times\left(-\frac{1}{2}\right)^2\times\frac{1}{3}+4\times\left(-\frac{1}{2}\right)\times\left(\frac{1}{3}\right)^2=-\frac{11}{12}-\frac{2}{9}=-\frac{41}{36}$.

方法清单

方法1 同类项概念的应用方法

根据同类项的概念，寻找同类项的过程就是把多项式的项按所含字母及字母的次数进行分类的过程.如果几个单项式所含的字母的顺序不同，可以根据乘法的交换律把字母按照一定的顺序(如英文字母表顺序)排列，以便比较其字母是否相同，在同类项的概念的应用中，一般是根据同类项中“相同字母的指数相同”建立方程或方程组求解，充分理解同类项概念是解题的关键.

例1 若 $2x^{m-1}y^2$ 与 $-x^2y^n$ 的和是单项式，则 $(-m)^n$ = ________.

(解析) 要使 $2x^{m-1}y^2$ 与 $-x^2y^n$ 的和是单项式，必须要求这两个单项式是同类项，根据同类项的定义可知，相同字母的指数分别相同，所以 $m-1=2$，$n=2$，即 $m=3$，$n=2$，所以 $(-m)^n=(-3)^2=9$.

(答案) 9

方法2 去括号的方法

1.去括号是合理地进行整式加减运算的基本保证.

2.去括号时，要根据整式的特点，采取不同的策略灵活去括号.

3.对于单一的括号，遵循“单一括号直接去”的原则，即根据去括号的法则(结合乘法分配律)直接把括号去掉.

4.对于多重括号，可遵循“由里向外逐层去”的原则，即先去小括号，再去中括号、大括号，最后合并同类项，也可“由外向里”逐层去括号，注意中括号内若有两个小括号，去小括号可同时进行.

例2 计算：$5a-\{5a+[4b+(2a-b)]-4b\}$.

(解析) 解法一：原式 $=5a-[5a+(4b+2a-b)-4b]=5a-(5a+2a+3b-4b)=5a-7a+b=-2a+b$.

解法二：原式 $=5a-5a-[4b+(2a-b)]+4b=-4b-(2a-b)+4b=-4b-2a+b+4b=-2a+b$.

方法3 整体代换思想在化简求值中的应用方法

化简求值时，一般先化简，再把各字母的值代入计算.有时题目并未给出各个字母的取值，而是给出几个式子的值，这时可把这几个式子看作一个整体，把多项式化为含有这几个式子的代数式，再代入求值.运用整体代换思想，往往能使问题得到简化.

例3 已知 $4a+3b=1$，则整式 $8a+6b-3$ 的值为________.

(解析) $\because 4a+3b=1$，$\therefore 8a+6b-3=2(4a+3b)-3=2\times1-3=-1$.

(答案) -1

例4 已知当 $x=-2$ 时，代数式 ax^3+bx+1 的值为6，求当 $x=2$ 时，代数式 ax^3+bx+1 的值.

(解析) 由当 $x=-2$ 时，$ax^3+bx+1=6$，得 $a(-2)^3+b(-2)+1=6$，$\therefore -a\cdot2^3-b\cdot2=5$，即 $2^3a+2b=-5$，$\therefore 2^3a+2b+1=-5+1=-4$，$\therefore$ 当 $x=2$ 时，$ax^3+bx+1=2^3a+2b+1=-4$.

方法4 整式加减中的解错题问题的解决方法

整式加减解错题问题是常考题之一，它是命题者根据常见的解题错误而编写的一类试题.这类题或给出抄写错误，或给出运算错误，要求求出正确的答案.解题时，要看清题中的说明，有的要求把正确的算式进行化简、计算，有的要求根据错误的算式求出正确的答案.

例5 “当 $a=2$，$b=-2$ 时，求多项式 $3a^3b^3-\frac{1}{2}a^2b+b-\left(4a^3b^3-\frac{1}{4}a^2b-b^2\right)+\left(a^3b^3+\frac{1}{4}a^2b\right)-2b^2+3$ 的值”，甲同学做题时把 $a=2$ 抄错成 $a=-2$，乙同学没抄错题，但他们得出的结果恰好一样，问这是怎么回事儿？

(解析) $3a^3b^3-\frac{1}{2}a^2b+b-\left(4a^3b^3-\frac{1}{4}a^2b-b^2\right)+\left(a^3b^3+\frac{1}{4}a^2b\right)-2b^2+3=3a^3b^3-\frac{1}{2}a^2b+b-4a^3b^3+\frac{1}{4}a^2b+b^2+a^3b^3+\frac{1}{4}a^2b-2b^2+3=-b^2+b+3$，

由此可见，含字母 a 的项都已消去，即这个多项式的值与 a 的取值无关.所以无论甲同学怎么抄错 a 的值，都不影响其计算结果.

第3章

一元一次方程

3.1 方程的有关概念

知识清单

知识1 等式　知识2 等式的性质
知识3 方程　知识4 方程与等式的区别与联系
知识5 方程的解与解方程

知识 1 等式

用等号("=")来表示相等关系的式子叫做等式.

易混对比

①等式可以是数字算式,可以是公式、方程,也可以是运算律、运算法则等,所以等式可以表示不同的意义.

②不能将等式与代数式混淆,等式含有等号,是表示两个式子的"相等关系",而代数式不含等号,它只能作为等式的一边.如 $5x+3,7-2x$ 是代数式,而 $5x+3=7-2x$ 才是等式.

知识 2 等式的性质

性质1:等式两边同时加(或减)同一个数(或式子),结果仍相等,即如果 $a=b$,那么 $a\pm c=b\pm c$.

性质2:等式两边同时乘同一个数,或除以同一个不为0的数,结果仍相等,即如果 $a=b$,那么 $ac=bc$;如果 $a=b(c\neq0)$,那么 $\frac{a}{c}=\frac{b}{c}$.

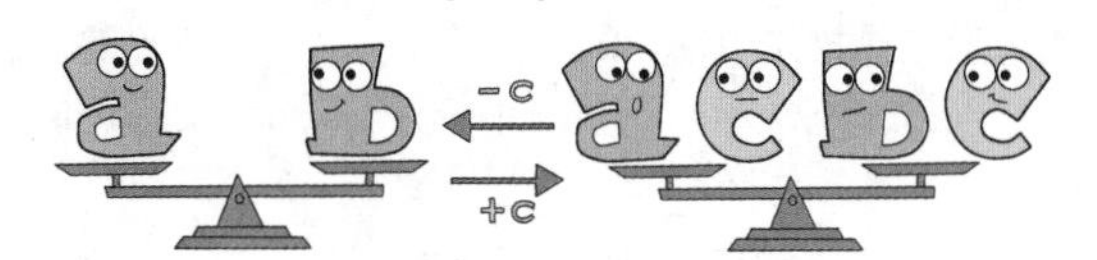

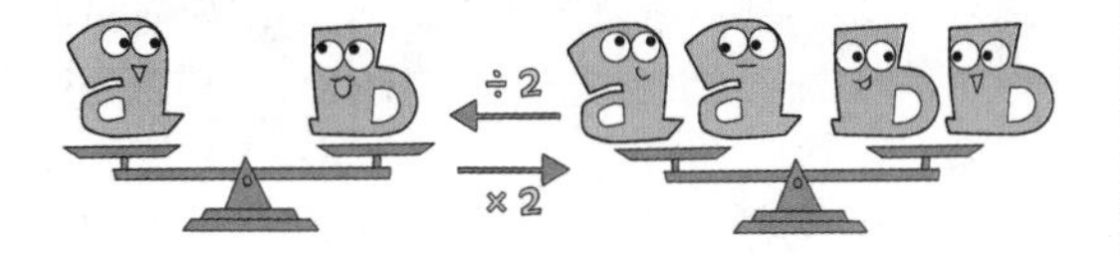

温馨提示

①等式类似天平,当天平两端放有相同质量的物体时,天平处于平衡状态.若在天平的两端各加(或减)相同质量的物体,则天平仍处于平衡状态.所以运用等式性质1时,当等式两边都加上(或减去)同一个数或同一个整式时,才能保证所得结果仍是等式,应特别注意"都"和"同一个".如 $1+x=3$,左边加2,右边也加2,则有 $1+x+2=3+2$.

②运用等式的性质2时,等式两边不能同除以0,因为0不能作除数或分母.

③等式性质的延伸:a.对称性:等式左、右两边互换,所得结果仍是等式,即如果 $a=b$,那么 $b=a$.b.传递性:如果 $a=b,b=c$,那么 $a=c$(也叫等量代换).

知识 3 方程

含有未知数的等式叫做方程.

注意事项

方程有两层含义:

①方程必须是一个等式,即是用等号连接而成的式子.

②方程中必有一个待确定的数,即未知的字母,这个字母就是未知数.如 $x+2=1$.

知识 4 方程与等式的区别与联系

	概念及其特点	区别	联系
方程	含有未知数的等式叫做方程.一个式子是方程,要满足两个条件:一是等式,二含有未知数	方程一定是等式,并且是含有未知数的等式	方程是特殊的等式
等式	用等号来表示相等关系的式子叫做等式.等式的主体是相等关系	等式不一定是方程,因为等式不一定含有未知数	方程和等式的关系是从属关系,且有不可逆性

例1 下列各式中,是方程的是 ( )

A.$3=5-2$　　B.$3+4x$

C.$5a-6=3$　　D.$2x+3>4x-5$

解析 本题考查方程的定义.A选项为一个等式,但等式中不含未知数,故不是方程;B选项含有未知数,但不是等式,故不是方程;D选项含有未知数,但不是等式,故不是方程.故选C.

答案 C

知识5 方程的解与解方程

	内容	实质
方程的解	使方程中等号左右两边相等的未知数的值叫做方程的解	具体的数值
解方程	求方程的解的过程叫做解方程	变形的过程
温馨提示	①检验一个数是不是方程的解,只要用这个数代替方程中的未知数,如果方程两边的值相等,那么这个数就是方程的解;如果不相等,那么这个数就不是方程的解. ②方程可能无解,可能只有一个解,也可能有多个解. ③等式的基本性质是解方程的依据. ④方程的解是结果,而解方程是得到这个结果的一个过程	

例2 下列方程中解为$x=2$的是 ( )

A.$3x+3=x$　　B.$-x+3=0$

C.$2x=6$　　D.$5x-2=8$

解析 将$x=2$分别代入方程的左边和右边,看左、右两边的值是否相等.

选项A:左边$=3\times2+3=9$,右边$=2$,则左边$\neq$右边;

选项B:左边$=-2+3=1$,右边$=0$,则左边$\neq$右边;

选项C:左边$=2\times2=4$,右边$=6$,则左边$\neq$右边;

选项D:左边$=5\times2-2=8$,右边$=8$,则左边$=$右边.故选D.

答案 D

例3 利用等式的性质解下列方程:

(1)$6x+2=7x$;(2)$5x-6=2x+3$.

解析 (1)方程两边都减去$6x$,

得$6x+2-6x=7x-6x$,

合并同类项,得$x=2$.

(2)方程两边都减去$(2x-6)$,

得$5x-6-(2x-6)=2x+3-(2x-6)$,

去括号,得$5x-6-2x+6=2x+3-2x+6$,

合并同类项,得$3x=9$,

方程两边都除以3,得$x=3$.

方法清单

方法1 利用等式的性质进行变形

方法2 等量关系的确定方法

方法3 利用方程的解求待定字母的方法

方法1 利用等式的性质进行变形

利用等式的性质对等式变形时,应分析变形前后式子发生了哪些变化,发生加减变形的依据是等式的性质1,发生乘除变形的依据是等式的性质2.

例1 用适当的数或式子填空,使所得结果仍是等式.

(1)若$3x+5=8$,则$3x=8-$____.

(2)若$-4x=\frac{1}{4}$,则$x=$____.

(3)若$2m-3n=7$,则$2m=7+$____.

(4)若$\frac{1}{3}x+4=6$,则$x+12=$____.

解析 (1)根据等式的基本性质1,等式两边同时减去5;

(2)根据等式的基本性质2,等式两边同除以-4;

(3)根据等式的基本性质1,等式两边同时加上$3n$;

(4)根据等式的基本性质2,等式两边同乘3.

答案 (1)5　(2)$-\frac{1}{16}$　(3)$3n$　(4)18

方法2 等量关系的确定方法

列方程解应用题是初中数学的一个重点也是一个难点,要突破这一难关,学会寻找等量关系是关键,那么怎样寻找应用题中的等量关系呢?(1)从关键词中找等量关系;(2)对于同一个量,从不同角度用不同的方法表示,得到等量关系;(3)运用基本公式找等量关系;(4)运用不变量找等量关系.

例2 某村原有林地108公顷,旱地54公顷,为保护环境,需把一部分旱地改造为林地,使旱地面积占林地面积的20%,设把x公顷旱地改为林地,则可列方程为 ( )

A.$54-x=20\%\times108$　　B.$54-x=20\%(108+x)$

C.$54+x=20\%\times108$　　D.$108-x=20\%(54+x)$

解析 根据题意知,把x公顷旱地改为林地后,旱地面积变为$(54-x)$公顷,林地面积变为$(108+x)$公顷,且旱地面积占林地面积的20%,则可列方程为$54-x=20\%(108+x)$.故选B.

答案 B

方法 3 利用方程的解求待定字母的方法

利用方程的解求方程中的待定字母时，只要将方程的解代入方程，得到关于待定字母的方程，即可解决问题.

例3 已知关于 x 的方程 $3-(k-x)=-4$ 的解为 $x=-3$，则 $k=$ （　　）

A.4　　B.-4　　C.3　　D.-3

（解析）由方程的解的概念可知，

把 $x=-3$ 代入方程 $3-(k-x)=-4$，方程两边能够相等.

方程左边 $=3-(k+3)$，

所以 $3-(k+3)=-4$，

解得 $k=4$，故选 A.

（答案）A

3.2 解一元一次方程

知识清单

- 知识1 一元一次方程
- 知识2 移项
- 知识3 去括号与去分母
- 知识4 解一元一次方程的一般步骤

知识 1 一元一次方程

1.定义

只含有一个未知数(元)，未知数的次数都是 1，等号两边都是整式，这样的方程叫做一元一次方程.

2.标准形式

方程 $ax+b=0$（其中 x 是未知数，a、b 是已知数，并且 $a\neq0$）叫做一元一次方程的标准形式.

咱们这个组合只含有一个未知数，且未知数的次数是1

我的两边都是整式

$2X+6=3$

温馨提示

①一元一次方程中未知数所在的式子是整式，即分母中不含未知数.

②一元一次方程只含有一个未知数，未知数的次数都为 1.如 $\frac{1}{x+2}=3$，$x+y=6$，$x^2+x-6=0$ 都不是一元一次方程.

例1 已知下列方程：①$x+\frac{1}{x}=2$；②$0.3x-2=1$；③$\frac{3x}{2}=x-1$；④$3x^2-2x=1$；⑤$x=2$；⑥$x-5y=2$，其中一元一次方程的个数是 （　　）

A.2　　B.3　　C.4　　D.5

（解析）方程①中 $\frac{1}{x}$ 的分母含有未知数 x，不是一元一次方程；方程④中未知数 x 的最高次数是 2，不是一元一次方程；方程⑥中含有两个未知数 x 和 y，不是一元一次方程；由于方程②③⑤同时满足一元一次方程的三个条件，所以一元一次方程的个数是 3，故选 B.

（答案）B

知识 2 移项

1.定义

把等式一边的某项变号后移到另一边，叫做移项.

2.示例

解方程 $3x-2=2x+5$ 时，可在方程的两边先加 2，再减 $2x$，得 $3x-2+2-2x=2x+5+2-2x$，即变形为 $3x-2x=5+2$.

与原方程相比较，这个变形过程如下：

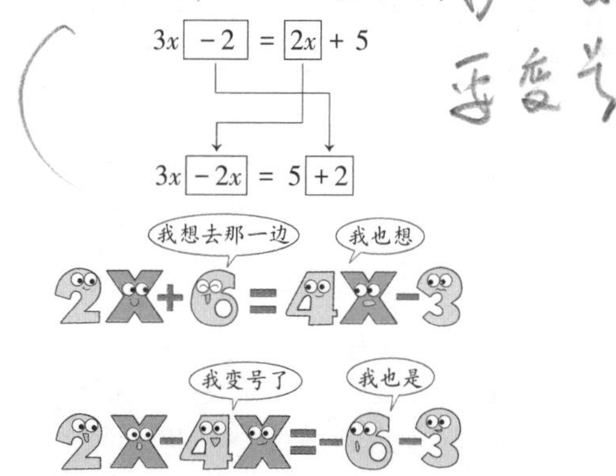

温馨提示

①移项的原理就是等式的性质 1.

②移项所移动的是方程中的项，并且是从方程的一边移到另一边，而不是方程的一边交换两个项的位置.

③移项时一定要改变所移动的项的符号，不移动的项不能变号.如解方程 $3x=5x-10$，若移项，得 $5x-3x=-10$ 就出错了，原因是被移动的项"$5x$"的符号没有改变，而改变了没有被移动的项"$3x$"的符号.

④在移项时，最好先写左右两边不移动的项，再写移来的项.

例2 下列各选项中的变形属于移项的是 （　　）

A.由 $2x=4$，得 $x=2$

B.由 $7x+3=x+5$，得 $7x+3=5+x$

C.由 $8-x=x-5$，得 $-x-x=-5-8$

D.由 $x+9=3x-1$，得 $3x-1=x+9$

解析 选项 A 是把 x 的系数化成 1 的变形;选项 B 中 $x+5$ 变成 $5+x$ 是应用加法交换律所作的变形;选项 C 是移项变形;选项 D 是应用等式的对称性“若 $a=b$,则 $b=a$”所作的变形.所以变形属于移项的是选项 C.

答案 C

知识 3 去括号与去分母

解一元一次方程的最终目标是要得到“$x=a$”这一结果.为了达到这一目标,方程中有括号就要根据去括号法则去掉括号,即为去括号;方程中有分母的,根据等式性质 2 去掉分母,即为去分母.

(1)解含有括号的一元一次方程时,去括号时一般遵循去括号的基本法则.但在实际去括号时,应根据方程的结构特点利用一些方法技巧,恰当地去括号,以简化运算.对于一些特殊结构的方程,可采用以下去括号的技巧.

①先去外再去内.即在解题时,打破常规,不是由内到外去括号,而是由外到内去括号.

②整体合并去括号.有些方程,把含有的某些多项式看作整体,先合并,再去括号,往往会简单.如,解方程 $-x-\frac{1}{2}(x-8)=-\frac{3}{2}(x-8)$ 时,可把 $x-8$ 看作整体先合并,再去括号.

(2)去分母时,在方程两边要同时乘所有分母的最小公倍数,不要漏乘不含分母的项.当方程的分母是小数时,需要把分母化整.同时注意分母化整只与这一项有关,而与其他项无关,要与去分母区分开.

例 3 下列方程去括号正确的是 ( )

A.由 $2x-3(4-2x)=6$ 得 $2x-12-2x=6$

B.由 $2x-3(4-2x)=6$ 得 $2x-12-6x=6$

C.由 $2x-3(4-2x)=6$ 得 $2x-12+6x=6$

D.由 $2x-3(4-2x)=6$ 得 $2x-3+6x=6$

解析 根据去括号法则进行判断.

答案 C

例 4 在解方程 $\frac{x-1}{3}+x=\frac{3x+1}{2}$ 时,方程两边同时乘 6,去分母后,正确的是 ( )

A.$2x-1+6x=3(3x+1)$

B.$2(x-1)+6x=3(3x+1)$

C.$2(x-1)+x=3(3x+1)$

D.$(x-1)+x=3(x+1)$

解析 方程两边同时乘 6 得 $2(x-1)+6x=3(3x+1)$,故选 B.

答案 B

知识 4 解一元一次方程的一般步骤

步骤	具体做法	变形依据
去分母	在方程的两边同乘各分母的最小公倍数	等式性质 2
去括号	先去小括号,再去中括号,最后去大括号	去括号法则、分配律
移项	把含有未知数的项移到方程的一边,其他各项都移到方程的另一边(记住移项要变号)	等式性质 1
合并同类项	把方程化为 $ax=b(a\neq0)$ 的形式	合并同类项法则
系数化为 1	在方程的两边都除以未知数的系数 a,得到方程的解 $x=\frac{b}{a}$	等式性质 2

1.解一元一次方程的五个步骤,有些可能用不到,有些可能重复使用,不一定按顺序进行,根据方程的特点灵活运用.

2.在解方程的不同环节有各自不同的注意事项,分别如下:

去分母	(1)分子是多项式的,去分母后要加括号;(2)不要漏乘不含分母的项
去括号	(1)括号前的数要乘括号内的每一项;(2)括号前面是负数,去掉括号后,括号内各项都要变号
移项	(1)移项时不要漏项;(2)将方程中的项从一边移到另一边要变号,而在方程同一边改变项的位置时不变号
合并同类项	按合并同类项法则进行,不要漏项且系数的符号处理要得当
系数化为 1	(1)未知数的系数为整数或小数时,方程两边同除以该系数;(2)未知数的系数为分数时,方程两边同乘该系数的倒数

例 5 解一元一次方程 $\frac{x+1}{3}=\frac{2x-1}{2}+1$.

解析 去分母,得 $2(x+1)=3(2x-1)+6$,

去括号,得 $2x+2=6x-3+6$,

移项,得 $2x-6x=6-2-3$,

合并同类项,得 $-4x=1$,

系数化为 1,得 $x=-\frac{1}{4}$.

方法清单

方法 1 一元一次方程概念的应用

原方程为一元一次方程，即未知数的次数为 1，系数不为 0，由此来确定原方程中待定字母的值.

例 1 (1) 若 $2x^{m-2}+1=2$ 是关于 x 的一元一次方程，则 $m=$________；

(2) 若方程 $(m-4)x+2\ 014=2\ 015$ 是关于 x 的一元一次方程，则 m________.

解析 "关于 x 的方程"意思是以 x 为未知数的方程，由一元一次方程的定义可知：(1) 中 x 的次数是 1，所以 $m-2=1$，即 $m=3$；(2) 中 x 的系数不能等于 0，所以 $m-4\neq0$，即 $m\neq4$.

答案 (1) 3 (2) $\neq4$

方法 2 利用合并同类项与移项解方程的方法

1. 合并同类项时，不能用连等号与原方程相连.

2. 几个常数项也是同类项，移项时应该把它们放到一起.

3. 移项是把某项改变符号后移到等式的另一边，而不是等式一边的两项交换位置.

4. 移项必变号.

例 2 解方程：(1) $\frac{1}{2}x-6=\frac{3}{4}x-1$；(2) $4x+5=3x+3-2x$.

解析 (1) 移项，得 $\frac{1}{2}x-\frac{3}{4}x=6-1$，

合并同类项，得 $-\frac{1}{4}x=5$，

系数化为 1，得 $x=-20$.

(2) 移项，得 $4x-3x+2x=3-5$，

合并同类项，得 $3x=-2$，

系数化为 1，得 $x=-\frac{2}{3}$.

方法 3 利用去分母解方程的方法

利用等式的性质 2，在方程的两边同时乘各分母的最小公倍数，将分母去掉，把系数为分数的方程转化为系数为整数的方程.

(1) 分数线具有括号的作用，分子如果是一个多项式，去掉分母后，要把分子放在括号里.

(2) 去分母时，不能漏乘不含分母的项.

例 3 解方程：$1-\frac{5x+2}{6}=\frac{4-3x}{4}-x$.

解析 去分母，得 $12-2(5x+2)=3(4-3x)-12x$.

去括号，得 $12-10x-4=12-9x-12x$.

移项，得 $-10x+9x+12x=4+12-12$.

合并同类项，得 $11x=4$. 系数化为 1，得 $x=\frac{4}{11}$.

方法 4 含小数的一元一次方程的解法

将小数化成整数，是根据分数的基本性质把含小数的项的分子、分母乘同一个适当的数，而不是方程所有的项都乘这个数. 小数化成整数，是对分母含小数的项的恒等变形.

例 4 解方程：$\frac{0.4x-9}{0.5}-\frac{x-5}{2}=\frac{0.03+0.02x}{0.03}$.

解析 将原方程中的小数化为整数，得 $\frac{4x-90}{5}-\frac{x-5}{2}=\frac{3+2x}{3}$，

去分母，得 $6(4x-90)-15(x-5)=10(3+2x)$，

去括号，得 $24x-540-15x+75=30+20x$，

移项，得 $24x-15x-20x=30+540-75$，

合并同类项，得 $-11x=495$，

系数化为 1，得 $x=-45$.

方法 5 有关同解方程的解题方法

如果两个方程的解相同，那么我们把这两个方程称为同解方程. 已知两个一元一次方程是同解方程，求其中待定字母的取值，主要有两种常见题型，其解法有所不同.

(1) 在两个同解方程中，如果只有一个方程中含有待定字母，一般先解不含待定字母的方程，再把未知数的值代入含有待定字母的方程中，求出待定字母的值.

(2) 如果在两个同解方程中都含有相同的待定字母，一般是分别解两个方程，用这个待定字母分别表示两个方程的解，并建立等式，形成关于这个待定字母的方程，求出该待定字母的值.

例 5 已知方程 $2(x-1)+1=x$ 的解与关于 x 的方程 $3(x+m)=m-1$ 的解相同，求 m 的值.

解析 $2(x-1)+1=x$.

去括号，得 $2x-2+1=x$.

移项，得 $2x-x=2-1$.

合并同类项，得 $x=1$.

把 $x=1$ 代入方程 $3(x+m)=m-1$ 中，

得 $3(1+m)=m-1$.

解关于 m 的方程，得 $m=-2$.

所以 m 的值为 -2.

3.3 列一元一次方程解应用题

知识清单

知识1 列一元一次方程解应用题的一般步骤
知识2 设未知数的几种方法
知识3 一元一次方程应用题的常见类型

知识1 列一元一次方程解应用题的一般步骤

(1)审:弄清题意和题目中的数量关系.

(2)设:用字母表示题目中的一个未知量.

(3)找:找出能够表示应用题全部含义的一个相等关系.

(4)列:根据这个相等关系列出方程.

(5)解:解所列的方程,求出未知数的值.

(6)验:检验方程的解是否符合问题的实际意义.

(7)答:写出答案.

知识2 设未知数的几种方法

设未知数的方法有三种:

(1)直接设未知数:题目求什么就设什么为未知数.

(2)间接设未知数:对于一些应用题,如果直接设所求的量为未知数,可能不容易列方程,这时可以间接地设一个或几个与所求的量有关系的量作为未知数,进而求出所求的量.

(3)设辅助未知数:如果前两种方法都行不通,便可设某个量为辅助未知数,辅助未知数仅作为题目中量与量之间关系的一种桥梁,一般情况下,解方程时不需要求出这个量.

温馨提示

①采用直接设未知数的方法,原则是使分析条件更方便,列方程更简单,这样比较容易得到方程,同时还要兼顾所得到的方程求解时的难易.直接设未知数,好处是容易选取未知数,而且在解方程时可以直接得到问题的解.

②如果题目里涉及的几个量存在某种数量关系或某种比例关系,那么可采用间接设未知数的方法,间接设未知数是在直接设未知数、分析条件或列方程感到困难的时候才采取的方法.其优点是列出方程和解方程的过程都比较容易.

③如果应用题涉及的量较多,各量之间的关系又不明显,那么可设适当的辅助未知数,把不明显的关系表示出来,从而顺利地列出方程或方程组.

例1 通讯员原计划用5 h从甲地到乙地,因为任务紧急,他每小时比原计划快3 km,结果提前1 h到达,求甲、乙两地间的距离.

(解析) 解法一:直接设未知数.设甲、乙两地间的距离为 x km.

利用速度间的关系作相等关系:原计划速度+3=实际速度,得 $\frac{x}{5}+3=\frac{x}{5-1}$,

解得 $x=60$.

答:甲、乙两地间的距离为60 km.

解法二:间接设未知数,

设原计划的速度为 x km/h,

则实际的速度为 $(x+3)$ km/h.

利用路程关系作相等关系:原计划的路程=实际的路程,

得 $5x=(5-1)\cdot(x+3)$,

解得 $x=12$,甲、乙两地的距离为 $5x=5\times12=60$(km).

答:甲、乙两地间的距离为60 km.

例2 某石油进口国这个月的石油进口量比上个月减少了5%,由于国际油价上涨,这个月进口石油的费用反而比上个月增加了14%.求这个月的石油价格相对上个月的增长率.

思路分析 本题所含信息颇多,并没有给出上个月的石油价格和石油进口量.我们不妨通过设辅助未知数,以便找到题目的等量关系.

(解析) 设上个月的石油价格为 a,进口量为 b,这个月的石油价格相对上个月的增长率为 x.

根据题意得 $a(1+x)\cdot b(1-5\%)=ab(1+14\%)$,

解得 $x=20\%$.

答:这个月的石油价格相对上个月的增长率为20%.

知识3 一元一次方程应用题的常见类型

<table>
<tr><th colspan="2">内容
类型</th><th>题中涉及的数量关系及公式</th><th>等量关系</th><th>注意事项</th></tr>
<tr><td colspan="2">和、差、倍、分问题</td><td>增长量=原有量×增长率
现有量=原有量+增长量
现有量=原有量−降低量</td><td>由题可知</td><td>弄清“倍数”关系及“多”“少”关系等</td></tr>
<tr><td colspan="2">等积变形问题</td><td>长方体体积=长×宽×高
圆柱体体积=πr^2h
(h为高,r为底面圆半径)</td><td>变形前后体积相等</td><td>要分清半径、直径</td></tr>
<tr><td rowspan="3">行程问题</td><td>相遇问题</td><td rowspan="2">路程=速度×时间
时间=路程÷速度
速度=路程÷时间</td><td>快车行驶路程+慢车行驶路程=原距离</td><td>相向而行,注意出发时间、地点</td></tr>
<tr><td>追及问题</td><td>快车行驶路程−慢车行驶路程=原距离</td><td>同向而行,注意出发时间、地点</td></tr>
<tr><td>航行问题</td><td>顺水速度=静水速度+水流速度
逆水速度=静水速度−水流速度</td><td>路程=速度×时间</td><td>注意两地距离,静水速度不变</td></tr>
<tr><td colspan="2">调配问题</td><td></td><td>从调配后的数量关系中找等量关系</td><td>调配对象流动的方向和数量</td></tr>
<tr><td colspan="2">比例分配问题</td><td></td><td>全部数量=各种成分的数量之和</td><td>把一份数设为x</td></tr>
<tr><td colspan="2">年龄问题</td><td>大小两个年龄差不会变</td><td>由题可知</td><td>年龄增长一年一岁,人人如此</td></tr>
<tr><td colspan="2">工程问题</td><td>工作量=工作效率×工作时间
工作效率=工作量÷工作时间
工作时间=工作量÷工作效率</td><td>两个或几个工作效率不同的对象所完成的工作量的和等于总工作量</td><td>一般情况下,把总工作量设为1</td></tr>
<tr><td colspan="2">利润率问题</td><td>商品的利润率=$\frac{商品利润}{商品进价}\times100\%$
商品利润=商品售价−商品进价(成本价)</td><td>由题可知</td><td>打几折就是按原售价的十分之几出售</td></tr>
<tr><td colspan="2">数字问题(包括日历中的数字规律)</td><td>设a、b分别为一个两位数的个位、十位上的数字,则这个两位数可表示为$10b+a$</td><td>由题可知</td><td>(1)对于日历中的数字问题要弄清日历中的数字规律;
(2)设间接未知数</td></tr>
<tr><td colspan="2">储蓄问题</td><td>利息=本金×利率×期数;本息和=本金+利息=本金×(1+利率×期数)</td><td>由题可知</td><td>分清利息和本息和</td></tr>
<tr><td colspan="2">浓度问题</td><td>溶液质量=溶质质量+溶剂质量
百分比浓度=$\frac{溶质质量}{溶液质量}\times100\%$
溶质质量=溶液质量×百分比浓度</td><td>加水前溶质质量=加水后溶质质量
加水前含水量+加入的水量=加水后含水量</td><td>注意加水前后溶剂、溶液的变化</td></tr>
</table>

方法清单

方法 1 列一元一次方程解决配套问题

在现实生活中，常见到一些配套组合问题，如螺栓与螺母的配套，盒身与盒底的配套等.解决此类问题的方法是抓住配套比，设出未知数，然后根据配套比列出方程，通过解方程解决问题.

例1 某车间有技术工 85 人，平均每天每人可加工甲种部件 16 个或乙种部件 10 个，2 个甲种部件和 3 个乙种部件配一套，问加工甲、乙部件各安排多少人，才能使每天加工的甲、乙两种部件刚好配套？

思路分析　要使加工出来的部件配套，每天加工的甲、乙两种部件应满足：每天加工的甲种部件数×3＝每天加工的乙种部件数×2.

解析　设安排 x 人加工甲种部件，则安排 $(85-x)$ 人加工乙种部件，由题意得 $\frac{3}{2}\times16x=10(85-x)$，

化简得 $24x=850-10x$，解得 $x=25$.

$85-x=60$.

答：安排 25 人加工甲种部件，安排 60 人加工乙种部件.

方法 2 用列表法解决增长率、数字等问题

解复杂的问题时，可借助表格来确定等量关系.先找出已知量、未知量，并用含已知量或未知量的式子把中间的那些起桥梁作用的量表示出来，同时利用表格显示出等量关系.

例2 已知甲、乙两种商品的原单价和为 100 元，因市场变化，甲商品降价 10%，乙商品提价 5%，调价后，甲、乙两种商品的单价和比原单价和提高了 2%，求甲、乙两种商品的原单价各是多少元.

解析　设甲种商品的原单价为 x 元，则乙种商品的原单价为 $(100-x)$ 元.

商品	原单价(元)	调价后单价(元)
甲种	x	$(1-10\%)x$
乙种	$100-x$	$(1+5\%)(100-x)$
合计	100	$100\times(1+2\%)$

依题意得 $(1-10\%)x+(1+5\%)(100-x)=100\times(1+2\%)$.

解方程得 $x=20$，所以 $100-x=80$.

答：甲、乙两种商品的原单价分别是 20 元、80 元.

方法 3 用图示法解决行程、工程等问题

有关工程、行程问题，经常利用图示表示题目中各量间的关系，揭示出潜在的条件，使问题清晰明了，能迅速列出方程，求解问题.

例3 一座铁路桥长 1 200 m，现有一列火车从桥上通过，测得火车从上桥到完全通过桥共用时 50 s，整个火车在桥上的时间为 30 s，求火车的长度和速度.

思路分析　“火车完全通过桥”是指从火车头上桥到火车尾离桥，如图所示：

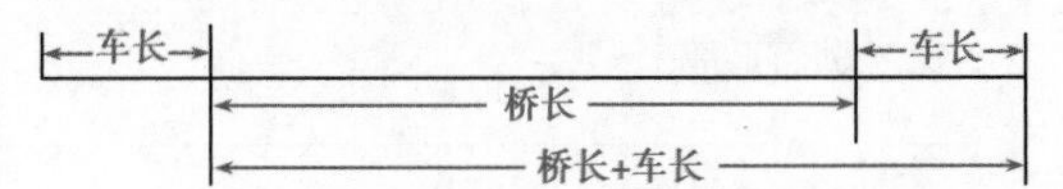

而“整个火车在桥上”是指火车尾上桥到火车头刚好要离桥，如图所示：

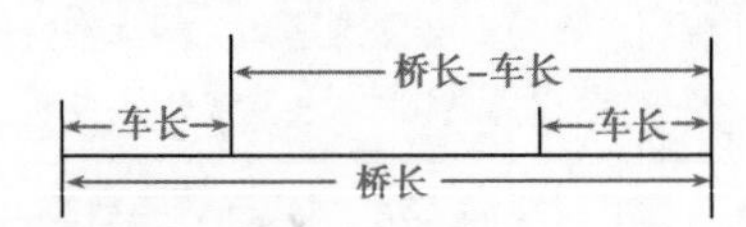

解析　设火车的长度为 x m.

依题意得 $\frac{1\ 200+x}{50}=\frac{1\ 200-x}{30}$，解得 $x=300$.

则火车的速度为 $\frac{1\ 200+300}{50}=30(\text{m/s})$.

答：火车的长度为 300 m，速度为 30 m/s.

例4 一项工程，甲队单独做 10 小时完成，乙队单独做 15 小时完成，丙队单独做 20 小时完成.开始时三队合作，中途甲队另有任务，由乙、丙两队完成，从开始到工程完成共用 6 小时，问甲队实际做了多少小时？

思路分析

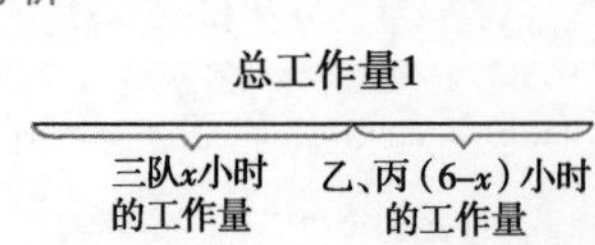

解析 设甲队实际做了 x 小时,

根据题意得 $\left(\frac{1}{10}+\frac{1}{15}+\frac{1}{20}\right)x+\left(\frac{1}{15}+\frac{1}{20}\right)(6-x)=1$,

整理得 $6x+4x+3x+7(6-x)=60$,

解得 $x=3$.

答:甲队实际做了 3 小时.

方法 4 列一元一次方程解决销售利润问题

常见数量关系	注意事项
利润=售价-进价	打几折就是按原价的十分之几出售
利润率 $=\frac{\text{售价}-\text{进价}}{\text{进价}}\times100\%$	分清利润与利润率

例 5 书店里每本定价 10 元的书,成本是 8 元.为了促销,书店决定让利 10%给读者,问该书应打多少折?

思路分析 本题中每本书的利润为 10-8=2(元),因为让利 10%给读者,所以书店每本书的利润为 $(1-10\%)\times2=1.8$(元),此时的售价为(10×折扣)元.根据商品利润=商品售价-商品进价就能建立方程.

解析 设该书应打 x 折,根据题意得

$10\cdot\frac{x}{10}-8=(10-8)\times(1-10\%)$,

解得 $x=9.8$.

答:该书应打九八折.

方法 5 列一元一次方程解决比赛中的积分问题

解决比赛中积分问题要注意问题中积分多少与胜负的场数相关,同时也与比赛积分规定有关,需先规定胜一场积几分,平一场积几分,负一场积几分.这类问题中的基本等量关系有:

比赛总场数=胜场总数+平场总数+负场总数;

比赛总积分=胜场总积分+平场总积分+负场总积分.

例 6 2017—2018 学年度七年级进行法律知识竞赛,共有 30 道题,答对一道题得 4 分,不答或答错一道题扣 2 分.

(1)小红同学参加了竞赛,成绩是 90 分,请问小红在竞赛中答对了多少道题?

(2)小明也参加了竞赛,考完后他说:"这次竞赛我一定能拿到 100 分."请问小明有没有可能拿到 100 分?试用方程的知识来说明理由.

思路分析 (1)设小红在竞赛中答对了 x 道题,则不答或答错了 $(30-x)$ 道题,根据成绩=4×答对的题目数-2×不答或答错题目数,即可得出关于 x 的一元一次方程求解;

(2)如果小明的得分是 100 分,设他答对了 y 道题,根据题意列出方程 $4y-2(30-y)=100$,解方程求出 y 的值,由 y 值不是整数即可判断.

解析 (1)设小红在竞赛中答对了 x 道题,根据题意得 $4x-2(30-x)=90$,

解得 $x=25$.

答:小红在竞赛中答对了 25 道题.

(2)如果小明的得分是 100 分,

设他答对了 y 道题,

根据题意得 $4y-2(30-y)=100$,

解得 $y=\frac{80}{3}$.

因为 y 不能是分数,所以小明没有可能拿到 100 分.

方法 6 列一元一次方程解决储蓄问题

解储蓄问题,首先要弄清以下几个概念:顾客存入银行的钱叫本金,银行付给顾客的酬金叫利息,本金与利息的和叫本息和,存入银行的时间叫期数,每个期数内的利息与本金的比叫利率.根据上述定义,每个期数内,$\frac{\text{利息}}{\text{本金}}=$利率,所以利息=本金×利率×期数,这个公式是解决储蓄问题时常用的等量关系式.

例 7 王先生在某银行存了一笔三年期的存款,年利率是 5.5%,到期后本息和为 58 250 元,求王先生当时存了多少钱.

思路分析 设王先生当时存了 x 元钱,因为存期三年,所以利息为 $5.5\%x\times3$ 元.根据"本金+利息=本息和"列方程求解.

解析 设王先生存了 x 元,

则 $x(1+5.5\%\times3)=58\ 250$,

解得 $x=50\ 000$.

答:王先生当时存了 50 000 元.

方法 7 列一元一次方程解决等积变形问题

解等积变形问题的关键是准确牢记体积、面积、周长公式.抓住两个等量关系:①形变体积不变;②有时形变引起体积变化,但质量不变.

例 8 要锻造一个底面直径为 70 mm,高为45 mm的圆柱形零件毛坯,需要截取底面直径为50 mm的圆柱钢材多长?(不算加工余料)

(解析) 设需要截取底面直径为 50 mm 的圆柱钢材 x mm,根据题意,得

$$\pi\left(\frac{70}{2}\right)^2\times45=\pi\left(\frac{50}{2}\right)^2x,$$

解得 $x=88.2$.

答:需要截取底面直径为 50 mm 的圆柱钢材 88.2 mm.

方法 8 列一元一次方程解决图表信息问题

对于图表信息型应用题,需要我们从图表中挖掘隐含信息,找到相关的已知量,构建相应的数学模型,灵活应用所学知识解决实际问题.

例 9 在“五一”期间,小明、小亮等同学随家长一同到某公园游玩,如图是购买门票时,小明与他爸爸的对话,试根据图中的信息,解答下列问题:

(1)小明他们一共去了几个成人,几个学生?

(2)请你帮助小明算一算,用哪种方式购票更省钱?说明理由.

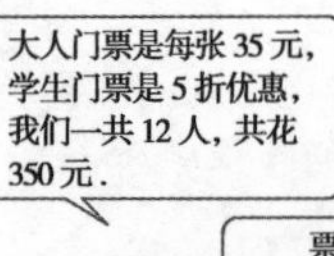

(解析) (1)设去了 x 个成人,

则去了$(12-x)$个学生.

由题意得 $35x+\frac{35}{2}(12-x)=350$,

解得 $x=8$.

$12-8=4$.

答:小明他们一共去了 8 个成人,4 个学生.

(2)如果买团体票,按 16 人计算,共需费用:

$35\times0.6\times16=336$(元),

因为 $336<350$,

所以购团体票更省钱.

第4章 实 数

4.1 平方根的有关概念

知识清单

知识1 算术平方根　知识2 平方根
知识3 平方根与算术平方根的区别与联系

知识1 算术平方根

名称	定义	表示方法	举例
算术平方根	一般地,如果一个正数 x 的平方等于 a,即 $x^2=a$,那么这个正数 x 叫做 a 的算术平方根.规定:0 的算术平方根是 0	非负数 a 的算术平方根记作"$\sqrt{a}$",读作"根号 a",其中 a 叫做被开方数	如 $5^2=25$,那么 5 叫做 25 的算术平方根(或者说 25 的算术平方根是 5)

例1 求下列各数的算术平方根:

(1)0.09;(2)$\frac{16}{25}$;(3)$(-4)^2$;(4)0.

(解析) (1)$\because 0.3^2=0.09$,

$\therefore$ 0.09 的算术平方根是 0.3,即 $\sqrt{0.09}=0.3$.

(2)$\because \left(\frac{4}{5}\right)^2=\frac{16}{25}$,$\therefore \frac{16}{25}$的算术平方根是$\frac{4}{5}$,

即$\sqrt{\frac{16}{25}}=\frac{4}{5}$.

(3)$\because 4^2=(-4)^2=16$,

$\therefore (-4)^2$ 的算术平方根是 4,即 $\sqrt{(-4)^2}=4$.

(4)0 的算术平方根是 0,即$\sqrt{0}=0$.

知识2 平方根

1.定义

一般地,如果一个数的平方等于a,那么这个数叫做a的平方根(或二次方根).即如果 $x^2=a$,那么 x 叫做 a 的平方根.

如:$(\pm2)^2=4$,所以 4 的平方根是±2;$\left(\pm\frac{3}{5}\right)^2=\frac{9}{25}$,所以$\frac{9}{25}$的平方根是$\pm\frac{3}{5}$;$0^2=0$,所以 0 的平方根是 0.

2.表示方法

一个数 a 的正的平方根,用符号"$\sqrt[2]{a}$"表示,a 叫做被开方数,2 叫做根指数,a 的负平方根用"$-\sqrt[2]{a}$"表示,根指数是 2 时,通常略去不写.如$\sqrt[2]{a}$记作$\sqrt{a}$,读作"根号 a",$\pm\sqrt[2]{a}$记作$\pm\sqrt{a}$,读作"正、负根号 a".

①任何数的平方都不能为负数,所以负数没有平方根.

②"5 是 25 的平方根"这种说法是正确的,反过来说"25 的平方根是 5"就错了,因为"正数有两个平方根",所以必须说"25 的平方根是±5".

③求一个数的平方根就是把平方后等于这个数的所有的数都求出来,而判断一个数是不是另一个数的平方根,只要把这个数平方,看其是否等于另一个数即可.

3.平方根的性质

(1)一个正数a有两个平方根,它们互为相反数,记作$\pm\sqrt{a}$.

(2)零的平方根是零.

(3)负数没有平方根.

①$a\geqslant0$ 时,$\sqrt{a}$表示 a 的算术平方根,$\pm\sqrt{a}$表示 a 的平方根.

②因为负数没有平方根,所以被开方数 $a\geqslant0$.如$\sqrt{x-3}$中隐含着 $x-3\geqslant0$,即 $x\geqslant3$ 这一条件.

③$(\sqrt{a})^2=a(a\geqslant0)$,$\sqrt{a^2}=\begin{cases}a, & a\geqslant0,\\ -a, & a<0.\end{cases}$

例2 判断下列说法是否正确,并说明理由.

(1)±6 的平方根是 36;(2)1 的平方根是 1;

(3)-9 的平方根是±3;(4) $\sqrt{361}=\pm19$;

(5) 9 是$(-9)^2$ 的算术平方根.

(解析) (1)不正确,正确的说法是±6 的平方是 36.

(2)不正确,1 的平方根是±1.

(3)不正确,-9 没有平方根.

(4)不正确,$\sqrt{361}=19$.

(5)正确,因为$(-9)^2=81=9^2$,所以 9 是$(-9)^2$的算术平方根.

知识 3 平方根与算术平方根的区别与联系

		算术平方根	平方根
区别	概念	如果一个正数 x 的平方等于 a,即 $x^2=a$,那么这个正数 x 叫做 a 的算术平方根	如果一个数 x 的平方等于 a,即 $x^2=a$,那么这个数 x 叫做 a 的平方根或二次方根
	表示方法	$\sqrt{a}$	$\pm\sqrt{a}$
	性质	正数只有一个算术平方根,且恒正;规定 $\sqrt{0}=0$;负数没有算术平方根	一个正数有两个平方根,它们互为相反数;0 的平方根是 0;负数没有平方根
	求法	开平方后取非负的平方根	开平方
联系	(1) a 的取值范围相同,均为 $a\geqslant 0$; (2) 平方根中包含了算术平方根,即算术平方根是平方根中的一个,平方根中非负的那一个即为算术平方根		

方法清单

- 方法1 开平方的方法
- 方法2 平方根的性质的应用方法
- 方法3 利用平方根的概念解方程的方法

方法 1 开平方的方法

求一个数 a 的平方根的运算,叫做开平方.

开平方运算与平方运算互为逆运算.

$\pm\sqrt{a}$ 表示非负数 a 的平方根,$\sqrt{a}$ 表示非负数 a 的算术平方根,$-\sqrt{a}$ 表示非负数 a 的负的平方根.

例 1 求 $\frac{4}{9}$ 的平方根,下列表达式正确的是 ( )

A. $\sqrt{\frac{4}{9}}$　　B. $\pm\sqrt{\frac{4}{9}}=\pm\frac{2}{3}$

C. $\sqrt{\frac{4}{9}}=\frac{2}{3}$　　D. $\pm\sqrt{\frac{4}{9}}=\frac{2}{3}$

(解析) 开平方时要注意正确的符号表示,$\pm\sqrt{a}$ 表示非负数 a 的平方根,故选 B.

(答案) B

方法 2 平方根的性质的应用方法

要判断一个数有无平方根或平方根有几个,关键是确定这个数是正数、负数还是 0. 如果 m,n 是正数 a 的平方根,那么有 $m=n$ 或 $m+n=0$;但如果正数 a 的平方根是 m,n,那么只能有 $m+n=0$.

例 2 如果 $a-12$ 与 $2a-3$ 都是 m(m 是正数)的平方根($a-12\neq 2a-3$),试求 m 的值.

(解析) $\because a-12$ 与 $2a-3$ 都是 m 的平方根,且 $a-12\neq 2a-3$,

$\therefore a-12$ 与 $2a-3$ 互为相反数,

即 $(a-12)+(2a-3)=0$,解得 $a=5$.

$\therefore (a-12)^2=(5-12)^2=49=m$,

即 m 的值为 49.

方法 3 利用平方根的概念解方程的方法

一个正数有两个平方根,它们互为相反数,0 只有一个平方根,负数没有平方根. 在解方程时,利用平方根的定义进行开方,从而求出未知数的值.

例 3 求下列各式中的 x 的值.

(1) $x^2=361$;(2) $81x^2-49=0$;

(3) $49(x^2+1)=50$;(4) $(3x-1)^2=(-5)^2$.

(解析) (1) $\because x^2=361$,

$\therefore x=\pm\sqrt{361}=\pm 19$.

(2) 整理 $81x^2-49=0$,得 $x^2=\frac{49}{81}$,

$\therefore x=\pm\sqrt{\frac{49}{81}}=\pm\frac{7}{9}$.

(3) 整理 $49(x^2+1)=50$,得 $x^2=\frac{1}{49}$,

$\therefore x=\pm\sqrt{\frac{1}{49}}=\pm\frac{1}{7}$.

(4) $\because (3x-1)^2=(-5)^2$,

$\therefore 3x-1=\pm 5$.

当 $3x-1=5$ 时,$x=2$;

当 $3x-1=-5$ 时,$x=-\frac{4}{3}$.

4.2 立方根的有关概念

知识清单

知识1 立方根　知识2 开立方
知识3 立方根与平方根的区别与联系

知识1 立方根

1.立方根

名称	定义	表示方法	举例
立方根	一般地,如果一个数x的立方等于a,即$x^3=a$,那么x叫做a的立方根或三次方根	数a的立方根记作“$\sqrt[3]{a}$”,读作“三次根号a”,其中a叫做被开方数	如$5^3=125$,那么5叫做125的立方根
温馨提示	①负数没有平方根,但有立方根. ②根据立方根的概念可知:“5是125的立方根”,反过来说“125的立方根是5”也正确. ③判断一个数x是不是某数a的立方根,就看x^3是不是等于a		

例1 求下列各数的立方根.

(1)343;(2)-0.512;(3)$-2\frac{10}{27}$;(4)0.

解析 (1)因为$7^3=343$,所以343的立方根为7.

(2)因为$(-0.8)^3=-0.512$,

所以-0.512的立方根为-0.8.

(3)因为$\left(-\frac{4}{3}\right)^3=-\frac{64}{27}=-2\frac{10}{27}$,

所以$-2\frac{10}{27}$的立方根为$-\frac{4}{3}$.

(4)因为$0^3=0$,所以0的立方根为0.

2.立方根的性质

(1)正数只有一个正的立方根;

(2)负数只有一个负的立方根;

(3)零的立方根为零.

知识延伸

①一个数的立方根是唯一的.

②正数的奇次方根是正数,负数的奇次方根是负数,0的任何正整数次方根均为0.

③$\sqrt[3]{-a}=-\sqrt[3]{a}$、$(\sqrt[3]{-a})^3=-a$、$\sqrt[3]{a^3}=a$,公式中的$a$可取任意数.

④当两个数相等时,这两个数的立方根相等,反过来,当两个数的立方根相等时,这两个数也相等.即若$a=b$,则$\sqrt[3]{a}=\sqrt[3]{b}$;若$\sqrt[3]{a}=\sqrt[3]{b}$,则$a=b$.

例2 下列说法中错误的有　(　　)

①任何一个数都有立方根;

②14的立方根是$\sqrt[3]{14}$;

③3是27的立方根;

④正数的平方根有两个,立方根也有两个.

A.0个　B.1个　C.2个　D.3个

解析 如果一个数的立方等于a,那么这个数就叫做a的立方根,用符号$\sqrt[3]{a}$表示,a为任意数.这样可判断出①②③都是正确的.由立方根与平方根的区别可知:有平方根的数一定是非负数,且正数的平方根有两个,而任意数都有唯一的立方根,所以④错误.

答案 B

知识2 开立方

求一个数a的立方根的运算叫做开立方.

例如:8的立方根为$\sqrt[3]{8}=2$.

温馨提示

①被开立方的数可以是正数、负数和0.

②开立方运算与立方运算是互为逆运算的关系,负数(在实数范围内)不能开平方但可以进行开立方运算.

③求一个负数的立方根,可以先求出这个负数的绝对值的立方根,然后取它的相反数,即$\sqrt[3]{-a}=-\sqrt[3]{a}$($a>0$).

④求一个带分数的立方根时,必须把带分数化成假分数,再求它的立方根.

例3 求下列各式的值.

(1)$-\sqrt[3]{-\frac{1}{27}}$;(2)$\sqrt[3]{\frac{10}{27}-5}$.

解析 (1)$-\sqrt[3]{-\frac{1}{27}}=-\sqrt[3]{\left(-\frac{1}{3}\right)^3}$

$=-\left(-\frac{1}{3}\right)=\frac{1}{3}$.

(2)$\sqrt[3]{\frac{10}{27}-5}=\sqrt[3]{-\frac{125}{27}}=\sqrt[3]{\left(-\frac{5}{3}\right)^3}=-\frac{5}{3}$.

知识3 立方根与平方根的区别与联系

1.立方根与平方根的不同点

(1)定义不同:平方根的概念强调“平方”二字,立方根的概念强调“立方”二字,平方根的逆运算是平方,立方根的逆运算是立方.

(2)表示方法不同:平方根用“$\pm\sqrt[2]{\ \ }$”表示,根指数2可以省略,写成“$\pm\sqrt{\ \ }$”;立方根用“$\sqrt[3]{\ \ }$”表示,根指数3不能省略,更不能写成“$\pm\sqrt[3]{\ \ }$”.

(3)性质不同:一个正数的平方根有两个,它们互为相反数;而任何一个数的立方根却只有一个,正数的立方根是正数,负数的立方根是负数,零的立方根是零.

(4)a 的取值范围不同：平方根$\pm\sqrt{a}$中的 a 的取值必须是非负数，而立方根$\sqrt[3]{a}$中的 a 的取值为任何数，即正数、负数、零均可.

2. 立方根与平方根的相同点

(1)都是求根：平方根与立方根的定义都建立在乘方概念的基础上. 在指数式 $x^n=a$ 中，当 $n=2$ 时，求 x 的值就是求 a 的平方根；当 $n=3$ 时，求 x 的值就是求 a 的立方根. 这就表明无论是求平方根还是求立方根，都是已知指数和幂，求底数.

(2)都与乘方知识有关：无论是求平方根还是立方根，都属于开方运算. 开方是乘方的逆运算，开平方与平方互为逆运算，开立方与立方互为逆运算.

(3)零的平方根与立方根都是零.

(4)都可以归结为非负数的非负方根来研究：平方根主要是通过算术平方根来研究；而负数的立方根也可以通过 $\sqrt[3]{-a}=-\sqrt[3]{a}\ (a>0)$ 转化为正数的立方根来研究.

方法清单

方法1 立方根性质的应用方法
方法2 利用立方根的概念解方程的方法
方法3 方根中小数点移动规律的应用

方法 1 立方根性质的应用方法

(1)正数、0、负数都有立方根，且只有一个立方根，一个数的立方根的符号与这个数的符号是一致的；

(2)一个数的立方的立方根、一个数的立方根的立方都等于其本身；

(3)互为相反数的两数的立方根仍互为相反数，互为相反数的两数的立方仍互为相反数.

例 1 若 $\sqrt[3]{2a-1}=-\sqrt[3]{5a+8}$，求 $a^{2\,016}$的值.

(解析) $\because\ \sqrt[3]{2a-1}=-\sqrt[3]{5a+8}$，

$\therefore\ \sqrt[3]{2a-1}=\sqrt[3]{-(5a+8)}$，

$\therefore\ 2a-1=-(5a+8)$，

解得 $a=-1$.

$\therefore\ a^{2\,016}=(-1)^{2\,016}=1$.

点拨 根据立方根的唯一性和 $\sqrt[3]{-a}=-\sqrt[3]{a}$，可知 $2a-1$ 与 $5a+8$ 互为相反数，从而构造出关于 a 的一元一次方程，进一步求解 a 的值，最后得到代数式的值.

方法 2 利用立方根的概念解方程的方法

正数的立方根是一个正数；负数的立方根是一个负数；0 的立方根是 0. 在解方程时，利用立方根的定义进行开立方，从而求出未知数的值，在求立方根时，常需转化为 $x^3=a$ 的形式，也常常将 $(x+a)^3$ 中的 $x+a$ 看作一个整体.

例 2 求下列各式中 x 的值：

(1)$8x^3+27=0$；(2)$(x-1)^3=64$；

(3)$64(x+1)^3=27$；(4)$3(x-3)^3-24=0$.

(解析) (1)因为 $8x^3+27=0$，

所以 $x^3=-\dfrac{27}{8}$，

所以 $x=-\dfrac{3}{2}$.

(2)因为$(x-1)^3=64$，

所以$(x-1)^3=4^3$，

所以 $x-1=4$，所以 $x=5$.

(3)因为 $64(x+1)^3=27$，

所以$(x+1)^3=\dfrac{27}{64}$，

所以 $x+1=\dfrac{3}{4}$，所以 $x=-\dfrac{1}{4}$.

(4)因为 $3(x-3)^3-24=0$，

所以$(x-3)^3=8$，

所以 $x-3=2$，所以 $x=5$.

方法 3 方根中小数点移动规律的应用

在开方运算中，被开方数的小数点移动时，其方根的小数点相应地移动是有规律的：(1)在开平方运算中，被开方数的小数点向左（右）移动两位时，其平方根的小数点向左（右）移动一位；(2)在开立方运算中，被开方数的小数点向左（右）移动三位时，其立方根的小数点向左（右）移动一位.

例 3 在开立方中被开方数小数点的移动有一定的规律，先观察下面的结果，说出其中的规律，再填空：

(1) $\sqrt[3]{216}=6$；

(2) $\sqrt[3]{0.216}=0.6$；

(3) $\sqrt[3]{216\ 000}=60$.

已知：$\sqrt[3]{1\ 331}=11$，

则 $\sqrt[3]{1.331}=$ ________，$\sqrt[3]{1\ 331\ 000}=$ ________.

(解析) 在开立方运算中，被开方数的小数点移动

三位,其立方根的小数点相应地移动一位,其规律如下:

①当被开方数的小数点向右移动三位时,其立方根的小数点向右移动一位;

②当被开方数的小数点向左移动三位时,其立方根的小数点向左移动一位.所以应填 1.1;110.

(答案) 1.1;110

4.3 实 数

知识清单 知识1 无理数 知识2 实数及其分类 知识3 实数的性质

知识1 无理数

无限不循环小数叫做无理数.

知识延伸

①无限小数包括无限循环小数和无限不循环小数,而无理数是指无限不循环小数.

②常遇到的无理数有三类:开方开不尽的数的方根,如 $\sqrt{3}$, $-\sqrt[3]{5}$ 等;特定结构的数,如 0.303 003 000 3…;特定意义的数,如 π.

③许多带根号的数是无理数,如$\sqrt{5}$,$\sqrt{7}$等,但带根号并不是无理数的本质特征,因为像 $\sqrt{4}$,$\sqrt{9}$,$\sqrt[3]{8}$,$\sqrt[3]{\frac{1}{27}}$等都是有理数.

④有限小数和无限循环小数都可以化为分数,所以都是有理数;而无限不循环小数不能化为分数,是无理数.

⑤无理数与有理数的和、差一定是无理数.

⑥无理数乘或除以一个不为 0 的有理数,结果一定是无理数.

知识2 实数及其分类

有理数和无理数统称为实数.

1.按定义分类

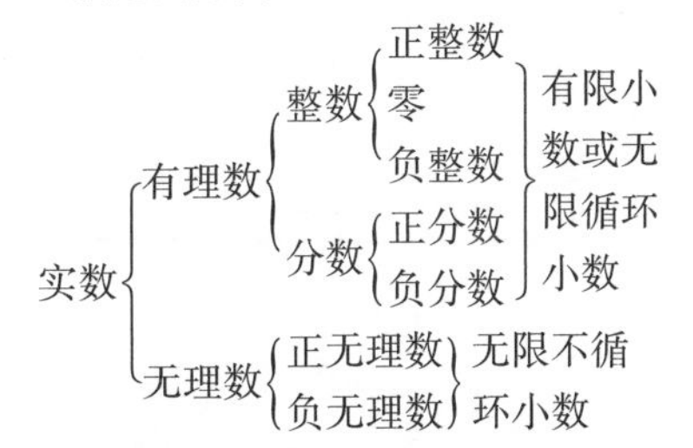

2.按性质分类

实数
- 正实数
  - 正有理数
    - 正整数
    - 正分数
  - 正无理数
- 零
- 负实数
  - 负有理数
    - 负整数
    - 负分数
  - 负无理数

例 把下列各数填入相应的集合内:

-0.55, $\sqrt[3]{-8}$, $\frac{\pi}{2}$, 0, $-\sqrt{6}$, $-\frac{3}{31}$, $\sqrt[3]{4}$, $-4.\dot{8}\dot{5}$, -9, 0.232 232 223…(每两个 3 之间依次多 1 个 2), $-6.543\ 21$, $\frac{5}{7}$.

整数集合{ …};

正无理数集合{ …};

负分数集合{ …};

负实数集合{ …}.

(解析) 整数集合{$\sqrt[3]{-8}$, 0, -9, …};

正无理数集合$\left\{\frac{\pi}{2}, \sqrt[3]{4}\right.$, 0.232 232 223…(每两个3之间依次多1个2), …};

负分数集合$\left\{-0.55, -\frac{3}{31}, -4.\dot{8}\dot{5}, -6.543\ 21, \cdots\right\}$;

负实数集合$\left\{-0.55, \sqrt[3]{-8}, -\sqrt{6}, -\frac{3}{31}, -4.\dot{8}\dot{5}, -9, -6.543\ 21, \cdots\right\}$.

知识3 实数的性质

1.实数的基本性质

<table>
<tr><th colspan="2"></th><th>有理数</th><th>实数</th></tr>
<tr><td rowspan="2">相反数</td><td>共同点</td><td colspan="2">a与$-a$表示任意一对相反数</td></tr>
<tr><td>例子</td><td>$\frac{1}{2}$与$-\frac{1}{2}$互为相反数</td><td>$\sqrt{5}$与$-\sqrt{5}$互为相反数</td></tr>
<tr><td rowspan="2">绝对值</td><td>共同点</td><td colspan="2">$|a|=\begin{cases}a(a>0)\\0(a=0)\\-a(a<0)\end{cases}$</td></tr>
<tr><td>例子</td><td>$|3|=3,|-3|=3$</td><td>$|\sqrt{2}|=\sqrt{2}$,
$|-\sqrt{2}|=\sqrt{2}$</td></tr>
<tr><td rowspan="3">有关性质</td><td>相反数</td><td colspan="2">a与b互为相反数$\Leftrightarrow a+b=0$</td></tr>
<tr><td>倒数</td><td colspan="2">a与b互为倒数$\Leftrightarrow ab=1$</td></tr>
<tr><td>绝对值</td><td colspan="2">$|a|\geqslant 0$</td></tr>
</table>

2.实数与数轴上的点是一一对应的关系,数轴上每一个点都表示一个实数;反过来,每一个实数都可以用数轴上的一个点来表示.

在数轴上,右边的点对应的实数比左边的点对应的实数大;正实数大于一切负实数,0大于一切负实数,正实数都大于0.任意两个实数间都有无数个有理数和无理数.

3.实数和有理数一样,可进行加、减、乘、除、乘方、开方运算;有理数范围内的运算律、运算法则在实数范围内仍适用.

交换律:$a+b=b+a,ab=ba$;

结合律:$(a+b)+c=a+(b+c),(ab)c=a(bc)$;

分配律:$a(b+c)=ab+ac$.

方法清单

- 方法1 无理数的识别方法
- 方法2 无理数估算的方法
- 方法3 实数与数轴上点的对应关系的应用方法
- 方法4 实数大小的比较方法
- 方法5 非负数的性质的应用方法
- 方法6 无理数的小数部分的确定方法

方法1 无理数的识别方法

判断一个数是不是无理数,关键就看它能不能写成无限不循环小数的形式,而把无理数写成无限不循环小数的形式不但很麻烦,而且还是我们利用现有知识无法解决的难题.初中常见的无理数有三种类型:(1)开方开不尽的数的方根,但切不可认为带根号的数都是无理数;(2)化简后含π;(3)特定结构的数,如0.101 001 000 1….掌握常见无理数的类型有助于识别无理数.

例1 下列各数:$3.14,\sqrt{2},\pi+3,\frac{22}{7},-0.383\ 88$,$2.161\ 161\ 116\cdots,0.\dot{1}\dot{6}$中,有理数有__________________,无理数有__________________.

(解析) 区分有理数与无理数时要牢牢抓住有理数与无理数各自的定义,有理数是有限小数或无限循环小数,无理数是无限不循环小数.

(答案) $3.14,\frac{22}{7},-0.383\ 88,0.\dot{1}\dot{6}$;

$\sqrt{2},\pi+3,2.161\ 161\ 116\cdots$

点拨 无理数是无限不循环小数,只有紧扣"无限不循环小数是无理数"这个定义才能避免错误,$\frac{22}{7}$是接近π的一个分数,虽然在小学里也曾用$\frac{22}{7}$来近似代替π,但$\frac{22}{7}$是分数,是有理数,$-0.383\ 88$是有限小数,是有理数.

方法2 无理数估算的方法

对于无理数的估算问题,要理解算术平方根、立方根的意义.求一个数的算术平方根与哪个整数最接近,就要看被开方数的值在哪两个相邻正整数的平方之间,与被开方数的差值较小的那个正整数的算术平方根即为与其最接近的整数.求一个数的立方根与哪个整数最接近,方法和求一个数的算术平方根与哪个整数最接近相同,只要确定被开方数的值在哪两个相邻整数的立方之间,再确定和被开方数差值最小的那个整数的立方根即可.

例2 $2\sqrt{11}-1$的值介于下列哪两个整数之间 ( )

A.3,4 B.4,5 C.5,6 D.6,7

(解析) $\because 2\sqrt{11}=\sqrt{44}$,且$\sqrt{36}<\sqrt{44}<\sqrt{49}$,即$6<2\sqrt{11}<7$,$\therefore 5<2\sqrt{11}-1<6$,故选C.

(答案) C

方法3 实数与数轴上点的对应关系的应用方法

每一个实数都可以用数轴上的一个点表示;数轴上每一个点都表示一个实数,即数轴上的点与实数是一一对应的关系.

例3 实数 a,b 在数轴上对应点的位置如图所示,化简 $|a|+|b|+\sqrt{(b+a)^2}=$________.

a -1 0 b 1

(解析) 解决本题的关键是确定出 $a,b,b+a$ 的正负.观察数轴可知 $a<0,b>0$,且 $|a|>|b|$,所以 $a+b<0$,所以 $|a|+|b|+\sqrt{(b+a)^2}=-a+b-(b+a)=-2a$.故填 $-2a$.

(答案) $-2a$

点拨 把数(实数)与形(数轴上的点)结合起来,以形助数、以数解形,可起到形象直观、化难为易的解题效果.

方法 4 实数大小的比较方法

比较实数大小的方法较多,常见的有作差法、作商法、倒数法、数轴法、平方法、估算法.这里主要介绍一下平方法.用平方法比较实数大小的依据是对任意正实数 a,b,有 $a^2>b^2\Leftrightarrow a>b$.

例4 比较下面几组数的大小:

(1)3 与 $\sqrt{10}$;(2)-1.732 与 $-\sqrt{3}$;

(3)1.5 与 $\dfrac{\sqrt{5}+1}{2}$;(4)$-\dfrac{1}{\sqrt{10}},-\dfrac{1}{\pi},-\dfrac{1}{3}$.

(解析) (1)因为 $3^2=9,(\sqrt{10})^2=10,9<10$,

所以 $3<\sqrt{10}$.

(2)因为 $-\sqrt{3}\approx-1.73205$,$|-1.73205|>|-1.732|$,所以 $-1.732>-\sqrt{3}$.

(3)因为 $\sqrt{5}>2$,所以 $\dfrac{\sqrt{5}+1}{2}>\dfrac{2+1}{2}=1.5$.

(4)因为 $\sqrt{10}>\pi>3$,所以 $\dfrac{1}{\sqrt{10}}<\dfrac{1}{\pi}<\dfrac{1}{3}$,

所以 $-\dfrac{1}{\sqrt{10}}>-\dfrac{1}{\pi}>-\dfrac{1}{3}$.

方法 5 非负数的性质的应用方法

(1)在实数范围内,正数和零统称为非负数.常见的非负数:

①任意实数 a 的绝对值是非负数,即 $|a|\geqslant0$;

②任意实数 a 的平方(偶次方)是非负数,即 $a^2\geqslant0$($a^{2n}\geqslant0$,n 为正整数);

③任意非负数 a 的算术平方根是非负数,即 $\sqrt{a}\geqslant0(a\geqslant0)$.

(2)非负数的性质:

①若两个非负数的和为 0,则这两个数一定都为 0,常见以下几种形式:

若 $a^2+b^2=0$,则 $\begin{cases}a=0,\\b=0;\end{cases}$ 反之亦然.若 $|a|+|b|=0$,则 $\begin{cases}a=0,\\b=0;\end{cases}$ 反之亦然.若 $\sqrt{a}+\sqrt{b}=0$,则 $\begin{cases}a=0,\\b=0;\end{cases}$ 反之亦然.可推广为 n 个非负数之和为 0,则这 n 个非负数一定都为 0.

②非负数有最小值,最小值是 0.

③有限个非负数之和仍然是非负数.

例5 已知:$(1-2a)^2+\sqrt{b-2}=0$,求 $(ab)^b$ 的值.

(解析) $\because(1-2a)^2\geqslant0$,$\sqrt{b-2}\geqslant0$ 且 $(1-2a)^2+\sqrt{b-2}=0$,$\therefore1-2a=0,b-2=0$,$\therefore a=\dfrac{1}{2},b=2$.

$\therefore(ab)^b=\left(\dfrac{1}{2}\times2\right)^2=1$.

方法 6 无理数的小数部分的确定方法

确定一个非完全平方数的算术平方根的小数部分的方法:把这个无理数夹在相邻的两个整数之间,则较小的整数就是这个数的整数部分,用这个数减去整数部分就得到它的小数部分.

例6 已知 a,b 分别是 $6-\sqrt{13}$ 的整数部分与小数部分,则 $2a-b=$________.

(解析) 因为 $9<13<16$,所以 $3<\sqrt{13}<4$,即 $\sqrt{13}$ 在 3 和 4 之间,故 $6-\sqrt{13}$ 的整数部分是 2,用 $6-\sqrt{13}$ 减去它的整数部分 2,剩下的就是小数部分了,故小数部分是 $6-\sqrt{13}-2=4-\sqrt{13}$,故 $2a-b=2\times2-(4-\sqrt{13})=4-4+\sqrt{13}=\sqrt{13}$.

(答案) $\sqrt{13}$

点拨 对于无理数 N,可通过比较这个无理数介于哪两个相邻整数之间,求出它的整数部分 a,其小数部分 $b=N-a$.

第5章 平面直角坐标系

5.1 平面直角坐标系的有关概念

知识清单

知识1 有序数对　　知识2 平面直角坐标系
知识3 象限　　知识4 点的坐标

知识1 有序数对 典

在日常生活中,可以用有序数对来描述物体的位置,这样可以用含有两个数的组合来表示一个确定的位置,其中两个数各自表示不同的含义,我们把这种有顺序的两个数a与b组成的数对,叫做有序数对,记作(a,b).

易混对比 (a,b)与(b,a)顺序不同,含义就不同.例如:用(3,5)表示第3列的第5位同学,那么(5,3)就表示第5列的第3位同学.

例1 在电影票上,如果把"5排8号"简记为(5,8),那么"4排9号"如何表示?(8,3)表示什么含义?

(解析) "4排9号"简记为(4,9),(8,3)表示"8排3号".

点拨 用两个数确定平面中一点的位置时,这两个数的排列是有前后顺序的,前后两个数代表的意义通常是不同的,因此不能将前后顺序颠倒.

知识2 平面直角坐标系

	相关概念	具体内容
平面直角坐标系	定义	在平面内画两条互相垂直并且原点重合的数轴,这样就建立了平面直角坐标系
	两轴	水平的数轴叫做x轴或横轴,习惯上取向右为正方向;竖直的数轴叫做y轴或纵轴,习惯上取向上为正方向
	原点	两坐标轴的交点为平面直角坐标系的原点
	坐标平面	坐标系所在的平面叫做坐标平面

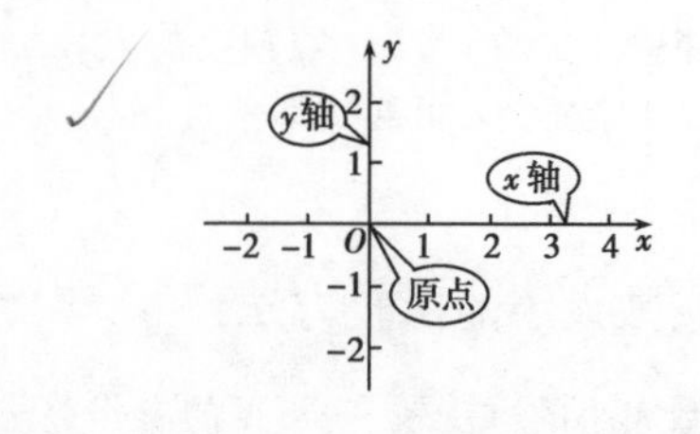

知识3 象限

x轴和y轴把坐标平面分成四个部分,每个部分称为象限,分别叫做第一象限、第二象限、第三象限、第四象限,坐标轴上的点不属于任何象限.如图.

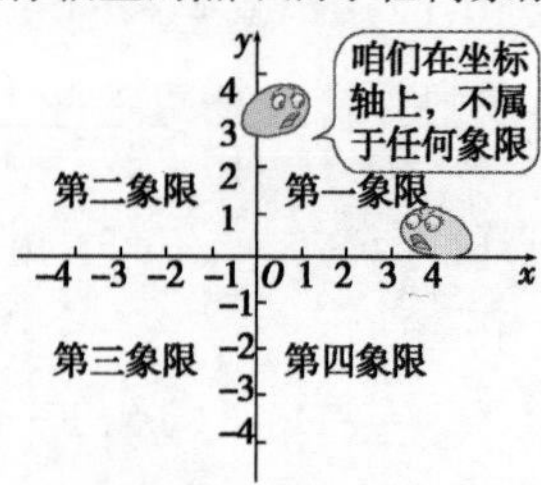

例2 如图所示,点A,点B所在的位置分别是　　(　　)

A.第二象限,y轴上

B.第四象限,y轴上

C.第二象限,x轴上

D.第四象限,x轴上

(解析) 点B在x轴上,坐标轴上的点不属于任何一个象限,点A在第四象限内.

(答案) D

知识4 点的坐标

对于坐标平面内的任意一点A,过A点分别向x轴、y轴作垂线,垂足在x轴、y轴上对应的数a、b分别叫做点A的横坐标和纵坐标,有序数对(a,b)叫做点A的坐标,记作$A(a,b)$,如图.

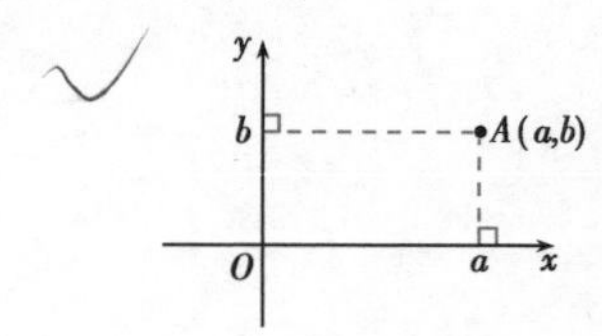

1.已知坐标平面内的点,确定点的坐标

先由已知点 P 分别向 x 轴、y 轴作垂线,设垂足分别为 A、B,再求出垂足 A 在 x 轴上的坐标 a 与垂足 B 在 y 轴上的坐标 b,最后按顺序写成 (a,b) 即可.

2.已知点的坐标确定点的位置

若点 P 的坐标是 (a,b),先在 x 轴上找到横坐标为 a 的点 A,在 y 轴上找到纵坐标为 b 的点 B;再分别过点 A、点 B 作 x 轴、y 轴的垂线,两垂线的交点就是所要确定的点 P.

例3 如图,(1)写出平面直角坐标系中点 M、N、L、O、P 的坐标;(2)在图中画出 $A(0,4)$,$B(4,2)$,$C(-3.5,0)$,$D(-2,-3.5)$.

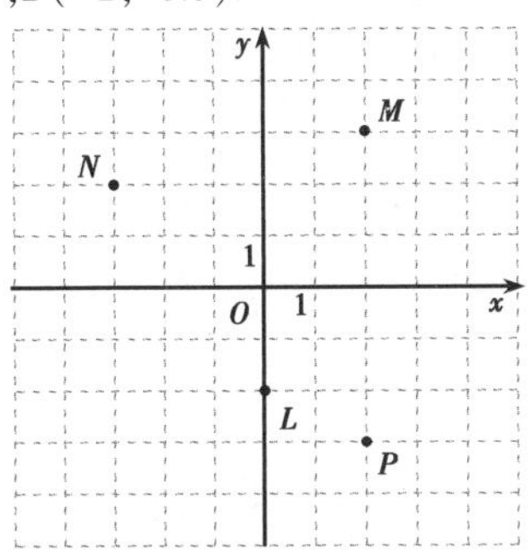

(解析) (1)点 M 的坐标为 $(2,3)$;点 N 的坐标为 $(-3,2)$;点 L 的坐标为 $(0,-2)$;点 O 的坐标为 $(0,0)$;点 P 的坐标为 $(2,-3)$.先从该点向 x 轴作垂线,垂足对应的点为该点的横坐标,再从该点向 y 轴作垂线,垂足对应的点为该点的纵坐标.

(2)A,B,C,D 的位置如图.要描出给出坐标的已知点,可先在 x 轴上找到该点横坐标的对应点,过对应点作 x 轴的垂线;在 y 轴上找到该点纵坐标的对应点,过该点作 y 轴的垂线,两垂线的交点即为该点的位置.

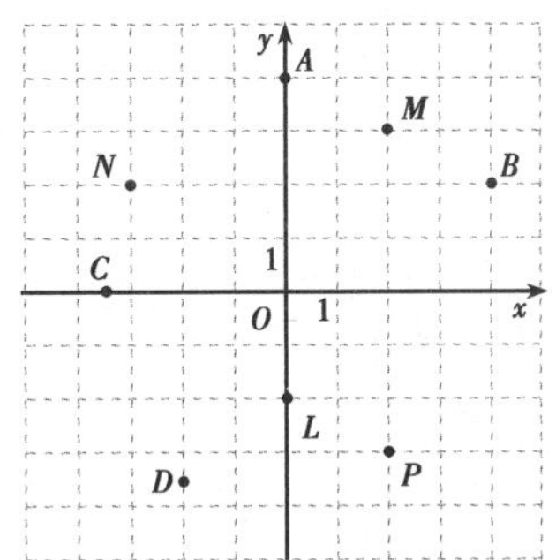

方法清单

- 方法1 有序数对的应用方法
- 方法2 坐标平面中点的位置的确定
- 方法3 用坐标表示地理位置的方法

方法1 有序数对的应用方法

在同一平面内,表示物体的位置需要用两个数,这两个数顺序不同,表示的位置也不同.用有序数对表示位置时,必须明确前后两个数表示的实际意义.

例1 如图,是中国象棋一次对局时的部分示意图,若"帅"所在的位置用有序数对 $(5,1)$ 表示,请你用有序数对表示其他棋的位置.

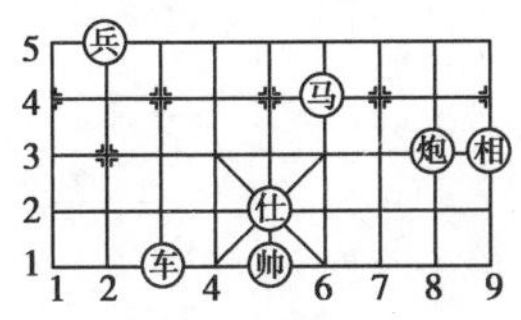

(解析) 由示例可知,有序数对 (a,b) 中 a 表示棋子所处的纵列数,b 表示棋子所处的横排数.兵 $(2,5)$;车 $(3,1)$;仕 $(5,2)$;马 $(6,4)$;炮 $(8,3)$;相 $(9,3)$.

方法2 坐标平面中点的位置的确定

确定点在坐标平面中的位置,关键是根据不同象限中点的坐标特征去判断,根据题中的已知条件,判断横坐标、纵坐标是大于0,等于0,还是小于0,就可以确定点在坐标平面中的位置.

例2 如图是利用平面直角坐标系画出的故宫博物院的主要建筑分布图,若这个坐标系分别以正东、正北方向为 x 轴、y 轴的正方向,表示太和门的点的坐标为 $(0,-1)$,表示九龙壁的点的坐标为 $(4,1)$,则表示下列宫殿的点的坐标正确的是 ( )

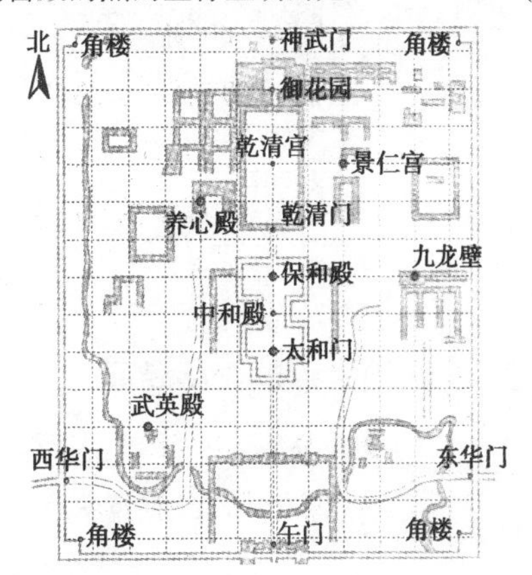

A.景仁宫 $(4,2)$

B.养心殿 $(-2,3)$

C.保和殿 $(1,0)$

D.武英殿 $(-3.5,-4)$

(解析) 因为表示太和门的点的坐标为 $(0,-1)$,表示九龙壁的点的坐标为 $(4,1)$,

所以可以确定表示中和殿的点的坐标为 $(0,0)$,

即坐标原点，所以表示景仁宫、养心殿、保和殿、武英殿的点的坐标分别为$(2,4)$、$(-2,3)$、$(0,1)$、$(-3.5,-3)$，选项 B 正确.故选 B.

答案 B

方法 3 用坐标表示地理位置的方法

用坐标表示地理位置时，一是要选择适当的位置为坐标原点，要以能简捷地确定平面内的点的坐标为原则；二是坐标轴的方向通常是以正北为纵轴的正方向，这样可以使东西南北方向与地理位置方向一致；三是要注意标明比例尺和坐标轴上的单位长度.

例 3 根据以下条件画一幅示意图，指出学校和小刚家、小强家、小敏家的位置.

小刚家：出校门向东走 1 500 米，再向北走2 000 米.小强家：出校门向西走 2 000 米，再向北走 3 500 米，最后再向东走 500 米.小敏家：出校门向南走1 000 米，再向东走 3 000 米，最后向南走 750 米.

解析 如图所示，以学校为原点，水平的直线为 x 轴，过原点作垂直于 x 轴的直线为 y 轴建立平面直角坐标系，规定一个单位长度代表 500 米长，则小刚家的坐标为$(1\ 500,2\ 000)$，小强家的坐标为$(-1\ 500,3\ 500)$，小敏家的坐标为$(3\ 000,-1\ 750)$.

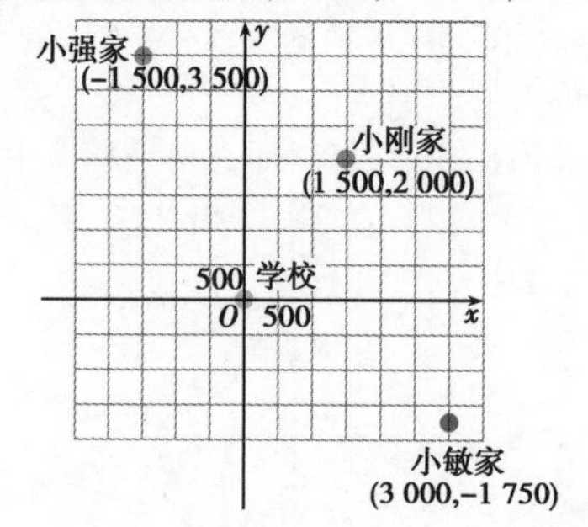

5.2 点的坐标的有关性质

知识清单

知识 1 各象限内点的坐标的符号特征

各象限内点的坐标的符号如图所示：

y
(−,+) 第二象限 | (+,+) 第一象限
O x
第三象限 (−,−) | 第四象限 (+,−)

知识 2 坐标轴上点的坐标特征

坐标轴上点的坐标特征：

①点 $P(x,y)$在 x 轴上$\Leftrightarrow\begin{cases}x\text{ 为任意实数},\\ y=0.\end{cases}$

②点 $P(x,y)$在 y 轴上$\Leftrightarrow\begin{cases}x=0,\\ y\text{ 为任意实数}.\end{cases}$

③点 $P(x,y)$是坐标原点$\Leftrightarrow\begin{cases}x=0,\\ y=0.\end{cases}$

温馨提示

①原点既是 x 轴上的点，又是 y 轴上的点.

②点的横坐标或纵坐标为 0，说明点在 y 轴或 x 轴上.

例 1 已知点 $P(a+2,b-3)$.

(1)若点 P 在 x 轴上，则 $b=$________；

(2)若点 P 在 y 轴上，则 $a=$________；

(3)若点 P 是原点，则 $a=$________，$b=$________.

解析 (1)点 P 在 x 轴上，则 $b-3=0,b=3$；

(2)点 P 在 y 轴上，则 $a+2=0,a=-2$；

(3)点 P 是原点，则 $a+2=0,b-3=0$，即 $a=-2,b=3$.

答案 (1)3 (2)−2 (3)−2;3

知识 3 象限角的平分线上的点的坐标特征

(1)第一、三象限的角平分线上的点的横、纵坐标相等.

(2)第二、四象限的角平分线上的点的横、纵坐标互为相反数.

已知点 $P(a,b)$.

①若点 $P(a,b)$在第一、三象限的角平分线上，则 $a=b$；若 $a=b$，则 $P(a,b)$在第一、三象限的角平分线上.

②若点 $P(a,b)$在第二、四象限的角平分线上，则 $a+b=0$(或 $a=-b$)；若 $a+b=0$(或 $a=-b$)，则 $P(a,b)$在第二、四象限的角平分线上.

例 2 已知点 $A(-3+a,2a+9)$在第二象限的角平分线上，则 a 的值是________.

解析 在第二象限的角平分线上的点的横、纵坐标互为相反数，

则有$-3+a=-(2a+9)$，解得 $a=-2$.

答案 −2

知识 4 与坐标轴平行的直线上的点的坐标特征

1.平行于 x 轴的直线上的点的纵坐标都相等.

2.平行于 y 轴的直线上的点的横坐标都相等.

温馨提示

①若 $AB/\!/x$ 轴,则 $A(x_1,y_1)$,$B(x_2,y_2)$ 的纵坐标相等,即 $y_1=y_2$;若 $A(x_1,y_1)$,$B(x_2,y_2)$,且 $x_1\neq x_2$,$y_1=y_2\neq 0$,则 $AB/\!/x$ 轴.

②若 $CD/\!/y$ 轴,则 $C(m_1,n_1)$,$D(m_2,n_2)$ 的横坐标相等,即 $m_1=m_2$;若 $C(m_1,n_1)$,$D(m_2,n_2)$,且 $m_1=m_2\neq 0$,$n_1\neq n_2$,则 $CD/\!/y$ 轴.

例3 已知点 $E(a,1)$、$F(-3,b)$.

若 $EF/\!/x$ 轴,则 a________,b________;

若 $EF/\!/y$ 轴,则 a______,b________.

解析 当过 E、F 两点的直线平行于 x 轴时,两点的纵坐标相等,所以 $b=1$,而点 E 的横坐标不确定,只需 $a\neq -3$;同理,当 $EF/\!/y$ 轴时,可知 $a=-3$,$b\neq 1$.

答案 $\neq -3$;$=1$;$=-3$;$\neq 1$

知识 5 点到坐标轴的距离

点 P 的坐标为 (x,y),那么点 P 到 x 轴的距离为这点纵坐标的绝对值,即 $|y|$.

点 P 到 y 轴的距离为这点横坐标的绝对值,即 $|x|$.

注意事项

①已知点的坐标可以求出点到 x 轴、y 轴的距离,应注意取相应坐标的绝对值.

②由点到 x 轴、y 轴的距离可以求出点的坐标,但要注意讨论.

③点 $P(x,y)$ 到原点的距离为 $\sqrt{x^2+y^2}$.

例4 已知 P 点到 x 轴的距离是 2,到 y 轴的距离是 1,求 P 点的坐标.

解析 设 P 点的坐标为 (x,y),因为 P 点到 x 轴的距离是 2,所以 $|y|=2$,即 $y=\pm 2$.因为 P 点到 y 轴的距离是 1,所以 $|x|=1$,即 $x=\pm 1$.所以 P 点的坐标为 $(1,2)$ 或 $(-1,2)$ 或 $(1,-2)$ 或 $(-1,-2)$.

点拨 距离是长度,为正值,而点的横、纵坐标是有正负之分的,如点到 x 轴的距离为 $a(a>0)$,则该点的纵坐标等于 a 或 $-a$,解题时注意分类讨论.

知识 6 平面直角坐标系内的图形变换

1.用坐标表示对称

变化	特点
关于 x 轴对称的点	横坐标相同,纵坐标互为相反数
关于 y 轴对称的点	纵坐标相同,横坐标互为相反数
关于原点对称的点	横坐标,纵坐标分别互为相反数
口诀	关于谁谁不变,关于原点都改变

知识延伸

①点 $P(a,b)$ 关于第一、三象限角平分线对称的点的坐标为 (b,a);关于第二、四象限角平分线对称的点的坐标为 $(-b,-a)$.

②在平面直角坐标系中,作已知图形关于 x 轴或 y 轴对称的图形,只要先求出已知图形中的一些特殊点(如多边形的顶点)的对称点的坐标,描出并连接这些点,就可以得到所求作图形.

2.用坐标表示平移

变化规律:(1)左右平移:当图形中所有的点的横坐标都加上或者减去同一个正数 a,纵坐标不变时,图形会水平向右或向左平移 a 个单位;在平面直角坐标系中,将点 (x,y) 向右(或向左)平移 $a(a>0)$ 个单位长度,可以得到对应点的坐标为 $(x+a,y)$(或 $(x-a,y)$).

(2)上下平移:当图形中所有的点的纵坐标都加上或者减去同一个正数 b,横坐标不变时,图形会向上或向下平移 b 个单位;在平面直角坐标系中,将点 (x,y) 向上(或下)平移 $b(b>0)$ 个单位长度,可以得到对应点的坐标为 $(x,y+b)$(或 $(x,y-b)$).

直观图示:图形上某一点 (x,y) 进行平移的变化规律如图.

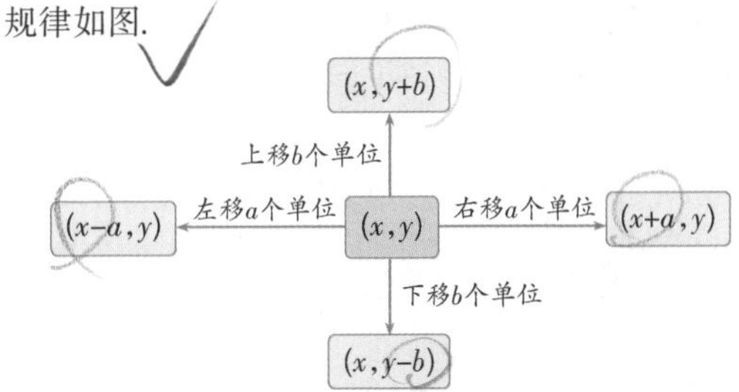

其中,a,b 大于零.

温馨提示

图形的平移是指在平面直角坐标系中保持坐标轴不动的情况下,图形的整体移动.在平移变换下,图形的形状及大小不变,变的仅仅是图形的位置.

例5 如图,正方形 $ABCD$ 的顶点坐标分别为 $A(1,1)$,$B(3,1)$,$C(3,3)$,$D(1,3)$.

(1)在同一直角坐标系中,将正方形 $ABCD$ 向左平移 2 个单位,画出相应的图形,并写出各点的坐标;

(2)将正方形 $ABCD$ 向下平移 2 个单位,画出相应的图形,并写出各点的坐标;

(3)在(1)(2)中,你发现各点的横、纵坐标发生了哪些变化?

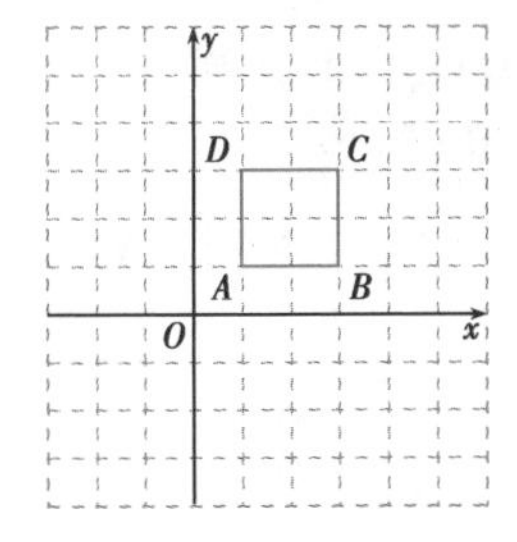

第1-5章

解析 (1)在同一直角坐标系中,将正方形 $ABCD$ 向左平移2个单位,得到如图所示的正方形 $A'B'C'D'$. 正方形 $A'B'C'D'$ 各顶点的坐标分别为 $A'(-1,1)$, $B'(1,1)$, $C'(1,3)$, $D'(-1,3)$.

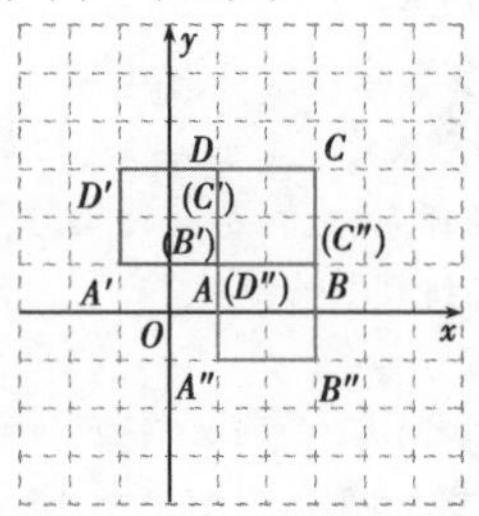

(2)在同一直角坐标系中,将正方形 $ABCD$ 向下平移2个单位,得到如图所示的正方形 $A''B''C''D''$.

正方形 $A''B''C''D''$ 各顶点的坐标分别为 $A''(1,-1)$, $B''(3,-1)$, $C''(3,1)$, $D''(1,1)$.

(3)在(1)中,各点的纵坐标不变,横坐标都减小2;

在(2)中,各点的横坐标不变,纵坐标都减小2.

方法清单

方法1 利用点的坐标的符号特征解题的方法

方法2 点到坐标轴的距离的应用方法

方法3 利用图形的平移确定变化的坐标的方法

方法1 利用点的坐标的符号特征解题的方法

各象限内点的坐标符号:第一象限内点的横、纵坐标皆为正数,即(+,+);第二象限内点的横坐标为负数,纵坐标为正数,即(-,+);第三象限内点的横、纵坐标皆为负数,即(-,-);第四象限内点的横坐标为正数,纵坐标为负数,即(+,-).

例1 点 $P(x-2,x+3)$ 在第一象限,则 x 的取值范围是________.

解析 $\because$ 点 $P(x-2,x+3)$ 在第一象限,

$\therefore x-2>0, x+3>0$,解得 $x>2$.

答案 $x>2$

方法2 点到坐标轴的距离的应用方法

点到坐标轴的距离与这个点的坐标是有区别的,表现在两方面:①到 x 轴的距离与纵坐标有关,到 y 轴的距离与横坐标有关;②距离都是非负数,而坐标可以是负数.

例2 已知点 $P_1(a-1,5)$ 和 $P_2(2,b-1)$ 到 x 轴的距离相等,且 $P_1P_2 /\!/ y$ 轴,则 $a+b$ 的值为 ( )

A.0　　B.-1　　C.1　　D.2

解析 由 $P_1P_2 /\!/ y$ 轴可知两点的横坐标相同,即 $a-1=2$, $a=3$. 由 P_1, P_2 到 x 轴距离相等得 $|b-1|=5$,又 P_1, P_2 为两个不同的点,所以 $b-1=-5$, $b=-4$,所以 $a+b=-1$.

答案 B

方法3 利用图形的平移确定变化的坐标的方法

将一个图形上的每个点的横坐标都加上(或减去)一个正数 a,再把纵坐标都加上(或减去)一个正数 b,相应的新图形就是把原图形先向右(或向左)平移 a 个单位,再向上(或向下)平移 b 个单位.

例3 如图,把图(1)中的三角形 ABC 经过一定的变换得到图(2)中的三角形 $A'B'C'$,如果图(1)中三角形 ABC 上点 P 的坐标为 (a,b),那么这个点在图(2)中的对应点 P' 的坐标为 ( )

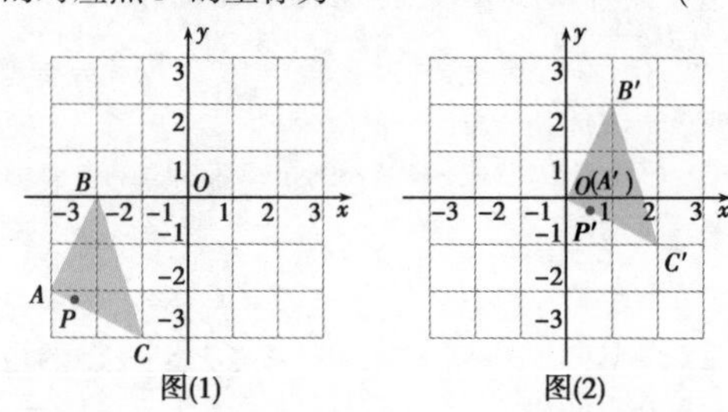

A. $(a-2,b-3)$

B. $(a-3,b-2)$

C. $(a+3,b+2)$

D. $(a+2,b+3)$

解析 观察题图可知,三角形 ABC 经过向右平移3个单位长度,再向上平移2个单位长度得到三角形 $A'B'C'$,所以点 P' 的坐标为 $(a+3,b+2)$.

答案 C

点拨 首先寻找到图形的平移规律,再根据"图形平移时,图形上每一点的平移规律与该图形的平移规律保持一致"求出所求点的坐标.

第6-10章

代数精髓

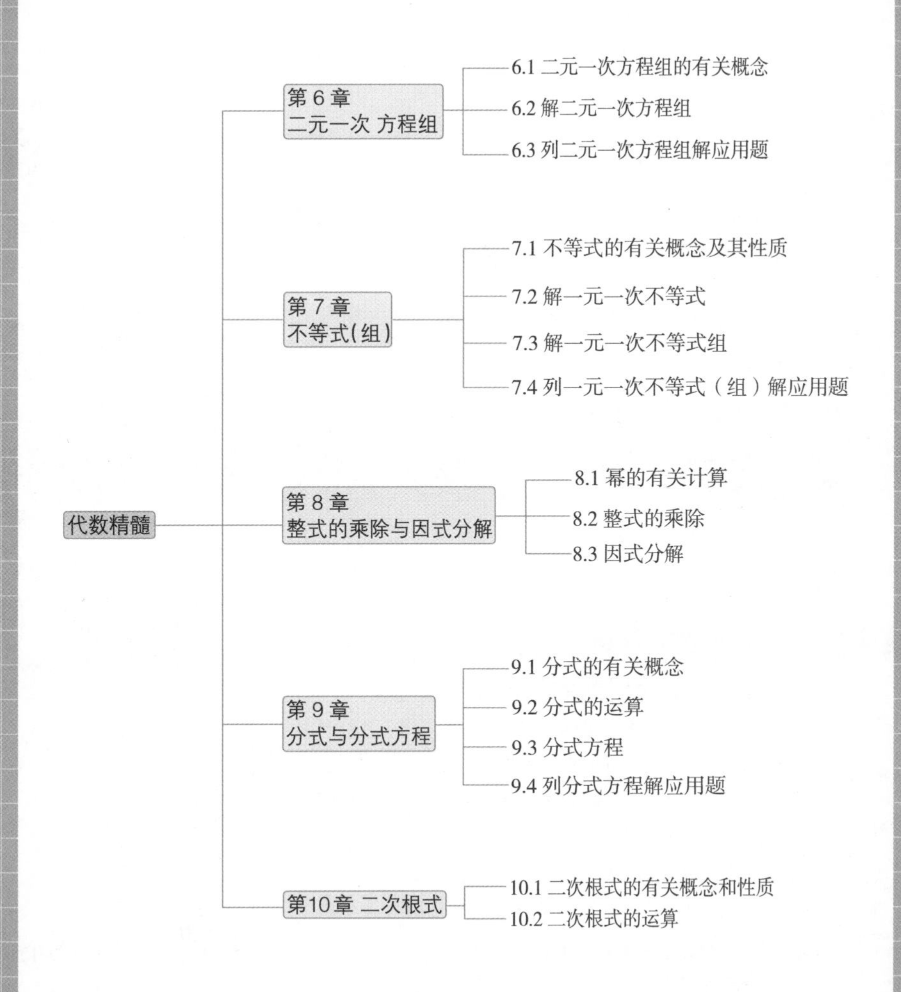

代数精髓
第6章
二元一次方程组
6.1 二元一次方程组的有关概念
6.2 解二元一次方程组
6.3 列二元一次方程组解应用题
第7章
不等式(组)
7.1 不等式的有关概念及其性质
7.2 解一元一次不等式
7.3 解一元一次不等式组
7.4 列一元一次不等式（组）解应用题
第8章
整式的乘除与因式分解
8.1 幂的有关计算
8.2 整式的乘除
8.3 因式分解
第9章
分式与分式方程
9.1 分式的有关概念
9.2 分式的运算
9.3 分式方程
9.4 列分式方程解应用题
第10章 二次根式
10.1 二次根式的有关概念和性质
10.2 二次根式的运算

第6章 二元一次方程组

6.1 二元一次方程组的有关概念

知识清单

知识1 二元一次方程

含有两个未知数,并且所含未知数的项的次数都是1的方程叫做二元一次方程.

如:方程 $y=x$, $x-y=3$, $\frac{1}{2}x+\frac{1}{3}y=7$ 等都是二元一次方程.

易混对比

①在方程中"元"是指未知数,"二元"是指方程中有且只有两个未知数.

②"含未知数的项的次数是1"是指含有未知数的项(单项式)的次数是1,如 $3xy$ 的次数是2,所以方程 $3xy-2=0$ 不是二元一次方程.

③二元一次方程的左边和右边都必须是整式,例如方程 $\frac{1}{x}-y=1$ 的左边不是整式,所以它不是二元一次方程.

例1 若 $(a-3)x+y^{|a|-2}=9$ 是关于 x,y 的二元一次方程,则 a 的值是________.

解析 由二元一次方程的定义可得 $a-3\neq0$①,且 $|a|-2=1$②,由①解得 $a\neq3$,
由②解得 $a=\pm3$,综上可知 $a=-3$.

答案 -3

知识2 二元一次方程组

方程组中有两个未知数,含有未知数的项的次数都是1,并且一共有两个方程,像这样的方程组叫做二元一次方程组.其一般形式是 $\begin{cases}a_1x+b_1y=c_1,\\a_2x+b_2y=c_2,\end{cases}$ 其中 a_1,a_2 不同时为0, b_1,b_2 不同时为0.

注意事项

①组成二元一次方程组的两个一次方程不一定都是二元一次方程,但这两个方程必须一共含有两个未知数.如 $\begin{cases}3x-3=6,\\2x+y=5\end{cases}$ 也是二元一次方程组.

②在方程组的每个方程中,相同字母必须代表同一未知量,否则不能将两个方程联立.

③二元一次方程组中的各个方程应是整式方程.

例2 下列方程组中,是二元一次方程组的是( )

A. $\begin{cases}x+2y=10\\y=2x\end{cases}$ B. $\begin{cases}x+y=0\\x+z=0\end{cases}$

C. $\begin{cases}x+\frac{1}{y}=5\\x+y=0\end{cases}$ D. $\begin{cases}xy=0\\x=0\end{cases}$

解析 二元一次方程组需满足的条件:(1)看方程是不是整式方程,C不满足;(2)只含有两个未知数,B中一共有三个未知数,不满足;(3)含有未知数的项的次数是一次,D不满足.故选A.

答案 A

点拨 二元一次方程组中的"二元"和"一次"都是针对整个方程组而言的,即在整个方程组中,有两个未知数,并且含有未知数的项的次数都是1.

知识3 二元一次方程(组)的解

	二元一次方程的解	二元一次方程组的解
定义	一般地,使二元一次方程两边的值相等的两个未知数的值,叫做二元一次方程的解	一般地,二元一次方程组的两个方程的公共解,叫做二元一次方程组的解
拓展延伸	(1)在二元一次方程中,给定其中一个未知数的值,就可以求出另一个未知数的值 (2)一般情况下,二元一次方程有无数个解,但并不是说任何一对数值就是它的解	(1)二元一次方程组的解是方程组中每个方程的解 (2)二元一次方程组的解一般情况下是唯一的,但是有的方程组有无数多个解或无解 如 $\begin{cases}x+y=2,\\2x+2y=4\end{cases}$ 有无数多个解, $\begin{cases}x+2y=5,\\2x+4y=12\end{cases}$ 无解

例3 已知一个二元一次方程组的解是 $\begin{cases}x=-1,\\y=-2,\end{cases}$ 则这个方程组可以是( )

A. $\begin{cases}x+y=-3\\x-y=-2\end{cases}$ B. $\begin{cases}x+y=-3\\x-2y=1\end{cases}$

C. $\begin{cases}2x=y\\x+y=-3\end{cases}$ D. $\begin{cases}x+y=0\\3x-y=5\end{cases}$

解析 把 $\begin{cases}x=-1,\\y=-2\end{cases}$ 代入每个方程组,只有选项C中两个方程同时成立,则 $\begin{cases}x=-1,\\y=-2\end{cases}$ 是二元一次方程组 $\begin{cases}2x=y,\\x+y=-3\end{cases}$ 的解.

答案 C

方法清单

方法1 二元一次方程的辨别方法

方法2 二元一次方程(组)的解的应用方法

方法3 求二元一次方程的整数解的方法

方法 1 二元一次方程的辨别方法

一个方程是二元一次方程必须满足:(1)等号两边的式子都是整式;(2)有且只有两个未知数;(3)含有未知数的项的次数都是1.

例1 下列方程中是二元一次方程的是 ( )

A.$xy=2$ B.$y=\frac{1}{2}x-3$

C.$x-\frac{3}{y}=1$ D.$2(x+y)-1=2y+3$

解析 A不是,因为xy的次数是2;C不是,因为$\frac{3}{y}$不是整式;D不是,因为原方程化简后只含有一个未知数x,故A,C,D都不是二元一次方程.

答案 B

点拨 判断一个方程是不是二元一次方程,要看化简的最终结果.

方法 2 二元一次方程(组)的解的应用方法

由二元一次方程(组)的解的定义,可知二元一次方程(组)的解一定满足该方程(组),把它代入方程(组),可求字母系数的取值.反过来,检验方程组的解的方法是将一对数值分别代入方程组中的每个方程,只有这对数值满足所有方程时,才能说这对数值是此方程组的解.如果这对数值不满足其中的某一个方程,那么它就不是此方程组的解.

例2 关于x、y的方程组$\begin{cases}3x-y=m,\\x+my=n\end{cases}$的解是$\begin{cases}x=1,\\y=1,\end{cases}$则$|m-n|$的值是 ( )

A.5 B.3 C.2 D.1

解析 将$\begin{cases}x=1,\\y=1\end{cases}$代入方程组$\begin{cases}3x-y=m,\\x+my=n,\end{cases}$可得$\begin{cases}3\times1-1=m,\\1+m\cdot1=n,\end{cases}$解得$\begin{cases}m=2,\\n=3.\end{cases}$ $\therefore |m-n|=|2-3|=1.$

答案 D

方法 3 求二元一次方程的整数解的方法

求二元一次方程的整数解的方法:①首先用一个未知数表示另一个未知数,如$y=10-2x$;②给定x一个值,求出y的一个对应值,就可以得到二元一次方程的一组解;③根据题意对未知数x、y进行限制,确定x的可能取值,进而确定二元一次方程所有的整数解.

例3 求二元一次方程$2x+3y=17$的所有正整数解.

解析 $2x+3y=17$,$3y=17-2x$,$y=\frac{17-2x}{3}$.

$\because x$、y都是正数,$\therefore x>0,y>0.\therefore 17-2x>0,\therefore x<8.5.$又$\because x,y$是整数,

$\therefore$当$x=1$时,$y=5$;当$x=2$时,$y=\frac{13}{3}$;

当$x=3$时,$y=\frac{11}{3}$;当$x=4$时,$y=3$;

当$x=5$时,$y=\frac{7}{3}$;当$x=6$时,$y=\frac{5}{3}$;

当$x=7$时,$y=1$;当$x=8$时,$y=\frac{1}{3}$.

$\therefore$方程的正整数解为$\begin{cases}x=1,\\y=5,\end{cases}\begin{cases}x=4,\\y=3,\end{cases}\begin{cases}x=7,\\y=1.\end{cases}$

6.2 解二元一次方程组

知识清单

知识1 消元　知识2 代入消元法

知识3 加减消元法　知识4 整体消元法

知识5 解二元一次方程组的一般步骤

知识 1 消元

二元一次方程组中有两个未知数,如果消去其中一个未知数,将二元一次方程组转化为熟悉的一元一次方程,即可先解出一个未知数,然后求另一个未知数.这种将未知数的个数由多化少、逐一解决的思想,叫做消元思想.

例1 已知方程组$\begin{cases}3x+2y=2,①\\x+2y=0.②\end{cases}$可用①-②消去未知数______,得到一元一次方程______.

解析 利用①-②消去未知数y,得到一元一次方程$2x=2$.

答案 y;$2x=2$

知识 2 代入消元法

1.定义:把二元一次方程组中的一个方程的一个未知数用含另一个未知数的式子表示出来,再代入另一个方程,实现消元,进而求得这个二元一次方程组的解,这种方法叫做代入消元法,简称代入法.

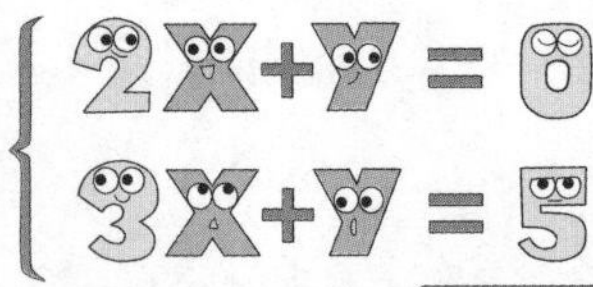

2.代入消元法解二元一次方程组的一般步骤：

变 — 将其中一个方程变形，使一个未知数用含另一个未知数的代数式表示

代 — 用这个代数式代替另一个方程中的相应未知数，得到一个一元一次方程

解 — 解这个一元一次方程

求 — 把求得的未知数的值代入代数式，求得另一个未知数的值

写 — 写出方程组的解

注意事项

①用代入法消元时，由方程组里的一个方程得出的关系式须代入到另一个方程中去，如果代入原方程，就不可能求出原方程组的解了.

②方程组中各项系数不全是整数时，应先化简，即应用等式的性质，化分数系数为整数系数.

③当求出一个未知数后，把它代入变形后的方程 $y=ax+b$（或 $x=ay+b$），求出另一个未知数的值比较简单.

④要想检验所求得的一对数值是不是原方程组的解，可以将这对数值代入原方程组的每个方程中，若各方程均成立，则这对数值就是原方程组的解，否则说明解题有误.

知识 3 加减消元法

1.定义：当二元一次方程组的两个方程中同一个未知数的系数相反或相等时，把这两个方程的两边分别相加或相减，就能消去这个未知数，得到一个一元一次方程，这种方法叫做加减消元法，简称加减法.

2.用加减消元法解二元一次方程组的一般步骤：

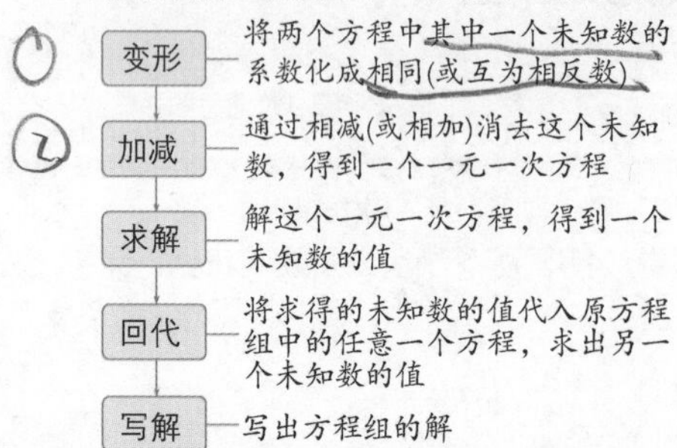

变形
将两个方程中其中一个未知数的系数化成相同(或互为相反数)
加减
通过相减(或相加)消去这个未知数，得到一个一元一次方程
求解
解这个一元一次方程，得到一个未知数的值
回代
将求得的未知数的值代入原方程组中的任意一个方程，求出另一个未知数的值
写解
写出方程组的解

知识 4 整体消元法

根据方程组中各系数特点，可将方程组中的一个方程或方程的一部分看成一个整体，代入另一个方程中，从而达到消去其中一个未知数的目的，求得方程组的解.

整体代入：如解二元一次方程组

$$\begin{cases}\frac{9}{5}(x+y)=18,①\\ \frac{2}{3}x+\frac{3}{2}(x+y)=18.②\end{cases}$$

由①，得 $x+y=10.$③

将③代入②，得 $\frac{2}{3}x+\frac{3}{2}\times10=18.$ 解得 $x=\frac{9}{2}.$

把 $x=\frac{9}{2}$ 代入③，得 $\frac{9}{2}+y=10.$ 解得 $y=\frac{11}{2}.$

所以原方程组的解为 $\begin{cases}x=\frac{9}{2},\\ y=\frac{11}{2}.\end{cases}$

整体加减：如解二元一次方程组 $\begin{cases}\frac{1}{3}x+3y=19,\\ \frac{1}{3}y+3x=11,\end{cases}$

两式分别相加、相减并整理得 $\begin{cases}x+y=9,\\ x-y=-3,\end{cases}$

解得 $\begin{cases}x=3,\\ y=6.\end{cases}$

知识 5 解二元一次方程组的一般步骤

解二元一次方程组的一般步骤可概括为：

二元一次方程组 —消元→ 一元一次方程 —求解→ 求出一个未知数的值 —回代→ 求出另一个未知数的值 —联立→ 写出方程组的解

知识拓展

1.三元一次方程（组）

（1）三元一次方程就是含有三个未知数，并且含有未知数的项的次数都是1的整式方程.如 $x+y-z=1$，$2a-3b+c=0$ 等都是三元一次方程.

（2）方程组中含有三个未知数，每个方程中含未知数的项的次数都是1，并且一共有三个方程，像这样的方程组叫做三元一次方程组.如 $\begin{cases}x-2y+z=9,\\ 2x+y+3z=10,\\ 3x+2y-4z=-3\end{cases}$ 是三元一次方程组.

注意事项

①三元一次方程组必须满足：a.方程组中有且只有三个未知数；b.含未知数的项的次数都是1.

②每个方程中不一定都含有三个未知数.

2.三元一次方程组的解

一般地，使三元一次方程两边的值相等的三个未知数的值，叫做三元一次方程的解.

三元一次方程组的三个方程的公共解，叫做三元一次方程组的解.

例2 如果方程组$\begin{cases}ax-by=8,\\cy-bz=1,\\3x+z=2c\end{cases}$的解是$\begin{cases}x=1,\\y=-2,\\z=-1,\end{cases}$则 a = ________，b = ________，c = ________.

（解析）把$\begin{cases}x=1,\\y=-2,\\z=-1\end{cases}$代入原方程组得$\begin{cases}a+2b=8,\\-2c+b=1,\\3-1=2c,\end{cases}$

解得$\begin{cases}a=2,\\b=3,\\c=1.\end{cases}$

（答案）2;3;1

3.解三元一次方程组的一般步骤

	基本思路	具体步骤
解三元一次方程组	通过"代入"或"加减"进行消元，把"三元"化为"二元"，使解三元一次方程组转化为解二元一次方程组，进而再转化为解一元一次方程	(1)变形：变三元一次方程组为二元一次方程组； (2)求解：解二元一次方程组； (3)回代：将求得的未知数的值代入原方程组的一个适当的方程中，得到一个一元一次方程； (4)求解：解一元一次方程，求出第三个未知数； (5)写解：用"{"将所求的三个未知数的值联立起来，即得原方程组的解
转化思想	三元一次方程组 $\xrightarrow[\text{代入或加减}]{\text{消元}}$ 二元一次方程组 $\xrightarrow[\text{代入或加减}]{\text{消元}}$ 一元一次方程	

温馨提示

①要根据方程组的特点决定首先消去哪个未知数.

②原方程组的每个方程在求解过程中至少要用到一次.

③将所求得的一组未知数的值分别代入原方程组的每一个方程中进行检验，看每个方程等号左、右两边的值是否相等，若都相等，则是原方程组的解，只要有一个方程等号左、右两边的值不相等，就不是原方程组的解.

例3 解方程组$\begin{cases}3x-y+2z=3,①\\2x+y-3z=11,②\\x+y+z=12.③\end{cases}$

（解析）①+②，得 $5x-z=14$.④

①+③，得 $4x+3z=15$.⑤

④与⑤组成二元一次方程组$\begin{cases}5x-z=14,④\\4x+3z=15.⑤\end{cases}$

解这个方程组，得$\begin{cases}x=3,\\z=1.\end{cases}$

把$\begin{cases}x=3,\\z=1\end{cases}$代入③，得 $y=8$.

所以原方程组的解是$\begin{cases}x=3,\\y=8,\\z=1.\end{cases}$

方法清单

方法1 利用代入法解二元一次方程组的方法

用代入法解方程组，关键是灵活变形和代入，以达到消元的目的，要认真体会代入的方法和技巧.相对加减法而言，当方程组只有一个方程的某一个未知数的系数的绝对值为1或有一个方程的常数项是0时，用代入法比较简便.

例1 用代入法解方程组$\begin{cases}5x-y=5,①\\2x-4y=7.②\end{cases}$

（解析）由①得 $y=5x-5$，③

把③代入②，得 $2x-4(5x-5)=7$，

解得 $x=\frac{13}{18}$，把 $x=\frac{13}{18}$代入③，

得 $y=5\times\frac{13}{18}-5=-\frac{25}{18}$.

∴ 原方程组的解是$\begin{cases}x=\frac{13}{18},\\y=-\frac{25}{18}.\end{cases}$

方法2 利用加减法解二元一次方程组的方法

(1)当同一未知数的系数互为相反数时，两个方程相加；当同一未知数的系数相等时，两个方程相减.

(2)当方程组比较复杂时，应通过去分母、去括

号、移项、合并同类项，使之化为一般形式，为加减消元创造有利条件.

例2 用加减法解二元一次方程组$\begin{cases}2x+3y=3,①\\3x+2y=11.②\end{cases}$

解析 ①×3 得 $6x+9y=9$，③

②×2 得 $6x+4y=22$，④

③-④得 $5y=-13$，即 $y=-\frac{13}{5}$.

把 $y=-\frac{13}{5}$代入①，得 $2x+3\times\left(-\frac{13}{5}\right)=3$，

解得 $x=\frac{27}{5}$，

所以这个方程组的解是$\begin{cases}x=\frac{27}{5},\\y=-\frac{13}{5}.\end{cases}$

方法3 解"看错系数"问题的方法

看错方程组中某个方程的系数，所得的解既是方程组中看错系数的方程的解，也是方程组中没有看错系数的方程的解，把解代入没有看错系数的方程中，构建新的方程组，然后解方程组.

例3 甲、乙两人共同解方程组$\begin{cases}ax+5y=15,①\\4x-by=-2.②\end{cases}$由于甲看错了方程①中的 a，得到方程组的解为$\begin{cases}x=-3,\\y=-1,\end{cases}$乙看错了方程②中的 b，得到方程组的解为$\begin{cases}x=5,\\y=4.\end{cases}$求 a、b 的值.

解析 把$\begin{cases}x=-3,\\y=-1\end{cases}$代入 $4x-by=-2$，得 $4\times(-3)-b\times(-1)=-2$，即 $-12+b=-2$，∴ $b=10$. 把$\begin{cases}x=5,\\y=4\end{cases}$代入 $ax+5y=15$，得 $5a+5\times4=15$，解得 $a=-1$. 所以 $a=-1$，$b=10$.

方法4 利用同解方程组确定字母取值的方法

先将两个方程组中不含字母 a、b 的两个方程联立，求得方程组的解，然后由"方程组的解适合每一个方程"得到关于 a、b 的二元一次方程组，进而确定 a、b 的值.

例4 已知方程组$\begin{cases}2x+5y=-6,\\ax-by=-4\end{cases}$和方程组$\begin{cases}3x-5y=16,\\bx+ay=-8\end{cases}$的解相同，求 $(2a+b)^{2015}$ 的值.

解析 依题意有$\begin{cases}2x+5y=-6,①\\3x-5y=16,②\end{cases}$

①+②，得 $5x=10$，解得 $x=2$.

把 $x=2$ 代入①，得 $2\times2+5y=-6$，解得 $y=-2$.

所以$\begin{cases}x=2,\\y=-2.\end{cases}$

将$\begin{cases}x=2,\\y=-2\end{cases}$代入$\begin{cases}ax-by=-4,\\bx+ay=-8,\end{cases}$得$\begin{cases}2a+2b=-4,③\\-2a+2b=-8,④\end{cases}$

③+④，得 $4b=-12$，

解得 $b=-3$.

把 $b=-3$ 代入③，得 $2a+2\times(-3)=-4$，解得 $a=1$.

所以$\begin{cases}a=1,\\b=-3.\end{cases}$

所以 $(2a+b)^{2015}=(2\times1-3)^{2015}=-1$.

点拨 求方程(组)中的系数，需建立关于系数的方程(组)来求解，本题利用方程组的解相同将方程重新组合，从而达到解题的目的.

方法5 利用消元思想解三元一次方程组的方法

消元思想是解方程组的基本思想，是将复杂问题简单化的一种化归思想，其目的是将多元的方程逐步转化为一元的方程，即三元$\xrightarrow[\text{转化}]{\text{消元}}$二元$\xrightarrow[\text{转化}]{\text{消元}}$一元.

例5 解方程组：(1)$\begin{cases}x-z=4,①\\z-2y=-1,②\\x+y-z=-1;③\end{cases}$

(2)$\begin{cases}x+y+z=10,①\\x+3y+2z=17,②\\2y-x+3z=8.③\end{cases}$

解析 (1)③-①，得 $y=-5$.

把 $y=-5$ 代入②，得 $z+10=-1$，∴ $z=-11$.

把 $z=-11$ 代入①，得 $x+11=4$，∴ $x=-7$.

所以方程组的解为$\begin{cases}x=-7,\\y=-5,\\z=-11.\end{cases}$

(2)①+③，得 $3y+4z=18$.④

(②+③)÷5，得 $y+z=5$.⑤

④和⑤可组成方程组$\begin{cases}3y+4z=18,\\y+z=5.\end{cases}$

解得$\begin{cases}y=2,\\z=3,\end{cases}$

代入①，可得 $x=5$.

所以原方程组的解为$\begin{cases}x=5,\\y=2,\\z=3.\end{cases}$

6.3 列二元一次方程组解应用题

知识清单

知识1 列二元一次方程组解应用题的一般步骤

知识2 列二元一次方程组解应用题的常见类型

知识1 列二元一次方程组解应用题的一般步骤

审——审题，明确各数量之间的关系

设——设未知数(一般求什么，就设什么)

找——找出应用题中的相等关系

列——根据相等关系列出两个方程，组成方程组

解——解方程组，求出未知数的值

答——检验方程组的解是否符合题意，写出答案

温馨提示

①列方程组解应用题的关键是准确地找出题中的几个相等关系，正确地列出方程组.

②设未知数时可直接设未知数，也可间接设未知数.

③一般来说，设几个未知数，就应列出几个方程并组成方程组.

④“审”和“找”两步可在草稿纸上进行，书面上主要写“设”“列”“解”和“答”四个步骤.

⑤要根据应用题的实际意义检查求得的结果是否合理，不符合题意的解应该舍去.

⑥“设”“答”两步都要写清单位名称.

⑦在列方程组时，要注意等号左、右两边单位的统一.

例 我国古代数学著作《孙子算经》中有“鸡兔同笼”问题：“今有鸡兔同笼，上有三十五头，下有九十四足.问鸡兔各几何.”其大意是：“有若干只鸡和兔关在同一笼子里，它们一共有35个头，94条腿.问笼中的鸡和兔各有多少只?”试用列方程(组)解应用题的方法求出问题的解.

解析 设鸡有x只，兔有y只.

依题意，得$\begin{cases}x+y=35,\\2x+4y=94,\end{cases}$解得$\begin{cases}x=23,\\y=12.\end{cases}$

答：鸡有23只，兔有12只.

知识2 列二元一次方程组解应用题的常见类型

(1)和、差、倍、分问题.这类问题的基本等量关系式：较大量=较小量+多余量，总量=倍数×一份的量.

(2)产品配套问题.这类问题的基本等量关系是加工总量成比例.

(3)行程问题.这类问题的基本关系式：路程=速度×时间.

(4)航速问题.此类问题分水中航行和风中行进两类，基本关系式：

①顺流(风)速度=静水(无风)中的速度+水(风)速；

②逆流(风)速度=静水(无风)中的速度-水(风)速.

(5)工程问题.这类问题的基本关系式：工作量=工作效率×工作时间.

(6)增长率问题.这类问题的基本等量关系式：原量×(1+增长率)=增长后的量，原量×(1-减少率)=减少后的量.

(7)浓度问题.这类问题的基本关系式：溶液质量×浓度=溶质质量.

(8)银行利率问题.这类问题的基本关系式：免税利息=本金×利率×期数，税后利息=本金×利率×期数-本金×利率×期数×税率.

(9)利润问题.这类问题的基本关系式：利润=售价-进价，利润率$=\frac{售价-进价}{进价}\times100\%$.

(10)盈亏问题.解这类问题的关键是从盈(过剩)、亏(不足)两个角度来把握事物的总量.

(11)数字问题.解这类问题，要正确掌握自然数、奇数、偶数等有关的概念、特征及表示.

(12)几何问题.解这类问题要准确掌握有关几何图形的性质和周长、面积等计算公式.

(13)年龄问题.解这类问题的关键是抓住两人年龄的增长数相等这一特征.

方法清单

方法1 列二元一次方程组解决增长率问题的方法

由"增长前的量×(1+增长率)=增长后的量"可得"增长前的量$=\frac{增长后的量}{1+增长率}$".由"减少前的量×(1−减少率)=减少后的量"可得"减少前的量$=\frac{减少后的量}{1-减少率}$".

例1 某学校现有学生2 300人,与去年相比,学生的总数增加了15%,其中男生比去年增加了25%,女生比去年减少了25%,问现有男、女生各多少人?

(解析) 设现有男生x人,女生y人,

根据题意,得$\begin{cases}x+y=2\,300,\\ \frac{x}{1+25\%}+\frac{y}{1-25\%}=\frac{2\,300}{1+15\%},\end{cases}$

解得$\begin{cases}x=2\,000,\\ y=300.\end{cases}$

答:现有男生2 000人,女生300人.

方法2 列二元一次方程组解决配套问题的方法

产品配套问题是指某件产品是由几个部件配套加工而成的,而部件的数量并不完全相同,在生产过程中,为了使每个部件生产的数量恰好符合组装所需,而不产生积压.各部件的数量不一定相等,但存在一定数量关系:

$$\frac{甲部件的总量}{每件产品含甲部件的个数}=\frac{乙部件的总量}{每件产品含乙部件的个数}$$

例2 机械厂加工车间有85名工人,平均每人每天加工大齿轮16个或小齿轮10个,2个大齿轮和3个小齿轮配成一套,问需分别安排多少名工人加工大、小齿轮,才能使每天加工的大、小齿轮刚好配套?

(解析) 设需要安排x名工人加工大齿轮,安排y名工人加工小齿轮,

则$\begin{cases}x+y=85,\\ 3\times16x=2\times10y.\end{cases}$ 解得$\begin{cases}x=25,\\ y=60.\end{cases}$

答:需安排25名工人加工大齿轮,安排60名工人加工小齿轮.

方法3 列二元一次方程组解决行程问题的方法

常用等量关系:路程=速度×时间.

类型	等量关系
相遇问题	甲走的路程+乙走的路程=两地距离
追及问题	同地不同时出发:前者走的路程=追者走的路程; 同时不同地出发:前者走的路程+两地距离=追者走的路程

例3 A、B两地相距42千米,甲、乙两人分别从两地相向而行,甲比乙早1.5小时出发,4小时后两人相遇;若同向而行,乙比甲早8小时出发,结果乙再走5小时后超出甲3千米,试求甲、乙的速度.

思路分析 此题属于相遇和追及的综合题,由于数量关系较复杂,可画出示意图(如图所示)帮助理解题意,以便迅速而准确地找出相等关系.分别设出甲、乙的速度,再由这两个示意图所反映的相等关系即可列出二元一次方程组.

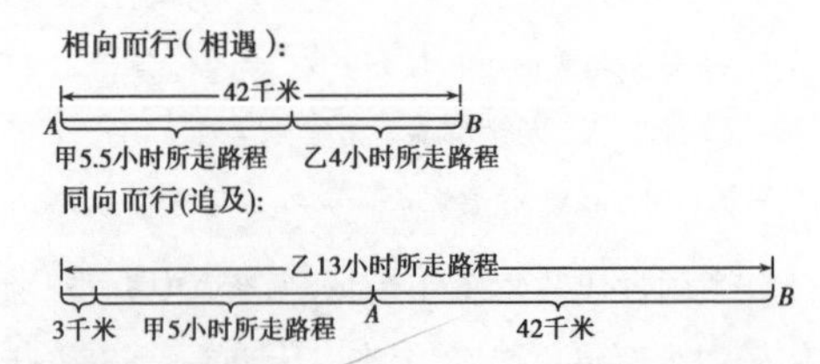

(解析) 设甲的速度为x千米/时,乙的速度为y千米/时,依题意,得$\begin{cases}5.5x+4y=42,\\ 3+5x+42=13y.\end{cases}$ 解得$\begin{cases}x=4,\\ y=5.\end{cases}$

答:甲、乙的速度分别是4千米/时和5千米/时.

方法4 列二元一次方程组解决几何图形的计算问题的方法

对于图形问题的求解,要会通过对图形的观察、比较、分析,发现隐含在图形中的数量关系,这是解决有关图形问题的关键.图形中隐含的数量关系有边长之间的关系、面积之间的关系,等等.

例 4 某铁件加工厂用如图①所示的长方形和正方形铁片(长方形的宽与正方形的边长相等)加工成如图②所示的竖式与横式两种无盖的长方体铁容器.(加工时接缝材料不计)

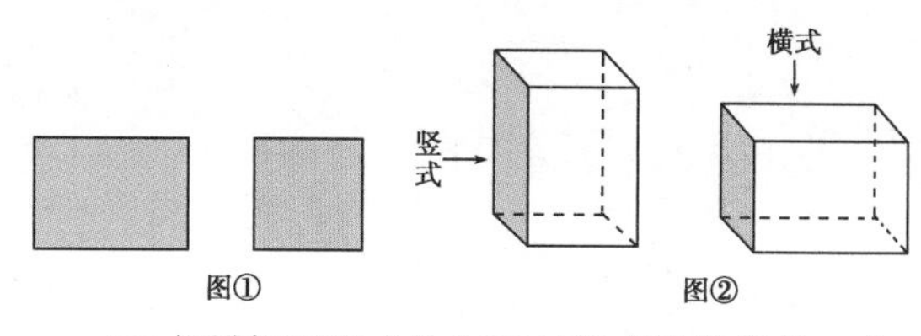

图①　　图②

(1)如果加工竖式铁容器与横式铁容器各 1 个,则共需要长方形铁片______张,正方形铁片______张;

(2)现有长方形铁片 2 014 张,正方形铁片 1 176 张,如果加工成这两种铁容器,刚好用完全部铁片,那么加工的竖式铁容器、横式铁容器各有多少个?

解析 (1)7;3.

(2)设加工的竖式铁容器有 x 个,横式铁容器有 y 个,根据题意,得$\begin{cases}4x+3y=2\ 014,\\x+2y=1\ 176.\end{cases}$解得$\begin{cases}x=100,\\y=538.\end{cases}$

答:加工的竖式铁容器有 100 个,横式铁容器有 538 个.

方法 5 利用二元一次方程组的解进行方案设计的方法

优化方案问题先要列举出所有可能的方案,再按题目要求分别求出每种方案的具体结果,进行比较,从中选择最优.

例 5 某地生产一种绿色蔬菜,若在市场上直接销售,每吨利润为 1 000 元;经粗加工后销售,每吨利润可达 4 500 元;经精加工后销售,每吨利润涨至 7 500元.

当地一家农工商联合公司收获这种蔬菜 140 吨,该公司加工厂的生产能力是:如果对蔬菜进行粗加工,每天可加工 16 吨,如果进行精加工,每天可加工 6 吨.但两种加工方式不能同时进行.受季节等条件的限制,公司必须在 15 天内将这批蔬菜全部销售或加工完毕.为此公司研制出了三种可行方案:

方案一:将蔬菜全部进行粗加工;

方案二:尽可能多地对蔬菜进行精加工,没来得及进行加工的蔬菜,在市场上直接销售;

方案三:将部分蔬菜进行精加工,其余蔬菜进行粗加工,并恰好 15 天完成.

你认为选择哪种方案获利最多?为什么?

解析 方案一:将这批蔬菜全部进行粗加工获利为 $4\ 500\times140=630\ 000$(元);

方案二:15 天可以精加工蔬菜 $6\times15=90$(吨),在市场上直接销售的蔬菜为 $140-90=50$(吨),

所以这批蔬菜共获利 $7\ 500\times90+1\ 000\times50=725\ 000$(元);

方案三:设将 x 吨蔬菜进行精加工,y 吨蔬菜进行粗加工,

根据题意得$\begin{cases}x+y=140,\\\dfrac{x}{6}+\dfrac{y}{16}=15,\end{cases}$

解得$\begin{cases}x=60,\\y=80.\end{cases}$

所以方案三获利为 $7\ 500\times60+4\ 500\times80=810\ 000$(元).

综上可知,选择方案三获利最多.

第6—10章

第7章 不等式(组)

7.1 不等式的有关概念及其性质

知识清单

知识 1 不等式

用符号“<”或“>”表示大小关系的式子,叫做不等式.如 $x>5$.像 $x\neq3$ 这样用符号“≠”表示不等关系的式子也是不等式.

①常见的符号有“>、<、≠、≥、≤”,分别读作“大于、小于、不等于、大于或等于、小于或等于”.其中“≥”又读作“不小于”,“≤”又读作“不大于”.

②在不等式“$a>b$”或“$a<b$”中,a 叫不等式的左边,b 叫不等式的右边.

③在列不等式时,一定要注意表示不等关系的关键词,如:正数、非负数、不大于、至少等.

例1 下列所给的式子:①$3<7$;②$2x>3$;③$a\neq0$;④$x\geq-6$;⑤$3x-1$;⑥$\frac{x+1}{2}\leq3$;⑦$x=3$.其中是不等式的有( )

A.3 个　　B.4 个　　C.5 个　　D.6 个

(解析) 因为 $3<7$、$2x>3$、$a\neq0$、$x\geq-6$、$\frac{x+1}{2}\leq3$ 都是不等式,所以不等式有 5 个.故选 C.

(答案) C

点拨 要判断一个式子是不是不等式,主要看这个式子是否用“>”“<”“≤”“≥”或“≠”连接.若是,则为不等式,否则就不是不等式.

知识 2 不等式的解与解集

名称	定义	说明	示例
不等式的解	把使不等式成立的未知数的值,叫做不等式的解	不等式的解是一个具体的值	如 $x=1$ 是 $x+2>1$ 的解

续表

名称	定义	说明	示例
不等式的解集	一般地,一个含有未知数的不等式的所有解,组成这个不等式的解集	不等式的解集是一个范围,包含不等式的每一个解	如不等式 $x+1<4$ 的解集是 $x<3$
温馨提示	①要判断某个未知数的值是不是不等式的解,可直接将该值代入不等式的左、右两边,看不等式是否成立,若成立,则是;否则不是. ②一般地,一个不等式的解不止一个,往往有无数个,如所有大于 3 的数都是 $x>3$ 的解,但也存在特殊情况,如 $\lvert x\rvert\leq0$ 就只有一个解,为 $x=0$. ③不等式的解集包含两方面的意思:a.解集中的任何一个数值,都能使不等式成立;b.解集外的任何一个数值,都不能使不等式成立(即不等式不成立). ④不等式的解集可以在数轴上直观地表示出来,如不等式 $x-1>2$ 的解集是 $x>3$,可以用数轴上表示 3 的点的右边部分来表示,在数轴上表示 3 的点的位置上画空心圆圈,表示不包括这一点.如图: 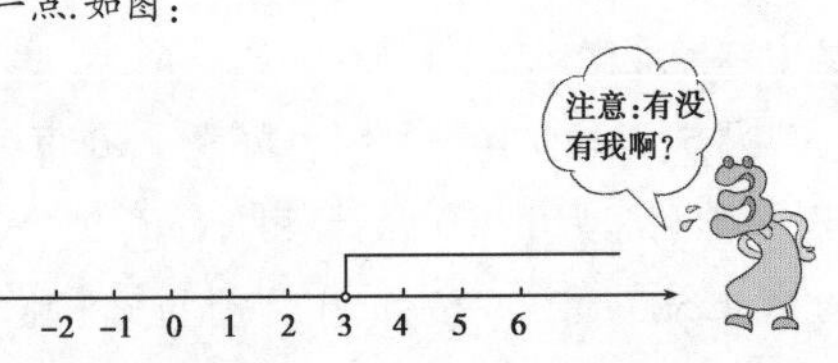		

例2 判断下列说法是否正确.正确的打“√”,错误的打“×”,并说明理由.

(1)2 是 $x+3>1$ 的解集. ( )

(2)$x<3$ 是不等式 $2x+5<11$ 的解. ( )

(3)$x>7$ 是不等式 $2x-5>7$ 的解集. ( )

思路分析 “不等式的解”是指能满足不等式的未知数的某个值,而它的“解集”是指不等式所有解的集合.

(解析) (1)×.不等式的解集是不等式的所有解的集合,而 $x=2$ 只是 $x+3>1$ 的一个解.

(2)×.$x<3$ 是不等式 $2x+5<11$ 的解集,而不是不等式 $2x+5<11$ 的解.

(3)×.不等式 $2x-5>7$ 的解集是 $x>6$.

知识 3 不等式的性质

(1)性质1:不等式两边加(或减)同一个数(或式子),不等号的方向不变.即

若 $a>b$,则 $a+c>b+c$,$a-c>b-c$.

(2)性质2:不等式两边乘(或除以)同一个正数,不等号的方向不变.即

若 $a>b$,$c>0$,则 $ac>bc\left(\text{或}\frac{a}{c}>\frac{b}{c}\right)$.

(3)性质3:不等式两边乘(或除以)同一个负数,不等号的方向改变.即

若 $a>b$,$c<0$,则 $ac<bc\left(\text{或}\frac{a}{c}<\frac{b}{c}\right)$.

①不等号“>”和“<”称为互为相反方向的符号.所谓不等号方向改变,就是指原来的不等号方向改变成与其相反的方向,如“>”改变方向后就变成“<”.

②不等式的性质是不等式变形及解不等式的理论依据.其中性质3是重点,也是难点,应特别注意不等号的方向.

③运用不等式的性质进行不等式变形时,要特别注意性质2和性质3的区别,在乘(或除以)同一个数时,必须先弄清楚这个数是正数还是负数,如果是负数,不等号要改变方向.

④不等式的性质还有:a.若 $a>b$,则 $b<a$;b.若 $a>b$,$b>c$,则 $a>c$.

知识 4 解不等式

求不等式的解集的过程叫做解不等式.

例3 把下列不等式化成 $x>a$ 或 $x<a$ 的形式:

(1)$-3x<15$;

(2)$5x-7>3x+8$;

(3)$x+6<3x-4$.

(解析) (1)根据不等式的性质3,不等式的两边除以-3,不等号的方向改变,所以$\frac{-3x}{-3}>\frac{15}{-3}$,即 $x>-5$.

(2)根据不等式的性质1,不等式的两边加$-3x+7$,不等号的方向不变,所以 $5x-7-3x+7>3x+8-3x+7$,所以 $2x>15$.根据不等式的性质2,不等式的两边除以2,不等号的方向不变,所以$\frac{2x}{2}>\frac{15}{2}$,即 $x>\frac{15}{2}$.

(3)根据不等式的性质1,不等式的两边加$-3x-6$,不等号的方向不变,所以 $x+6-3x-6<3x-4-3x-6$,所以$-2x<-10$.根据不等式的性质3,不等式的两边除以-2,不等号的方向改变,所以$\frac{-2x}{-2}>\frac{-10}{-2}$,即 $x>5$.

知识 5 不等式的性质与等式的性质的区别与联系

1.不等式的性质与等式的性质的比较

等式的性质	不等式的性质
对称性:若 $a=b$,则 $b=a$	反对称性:若 $a>b$,则 $b<a$
传递性:若 $a=b$,$b=c$,则 $a=c$	传递性:若 $a>b$,$b>c$,则 $a>c$
性质1:若 $a=b$,则 $a\pm c=b\pm c$	性质1:若 $a>b$,则 $a\pm c>b\pm c$
性质2:若 $a=b$,$c\neq0$,则 $ac=bc$,$\frac{a}{c}=\frac{b}{c}$	性质2:若 $a>b$,$c>0$,则 $ac>bc\left(\text{或}\frac{a}{c}>\frac{b}{c}\right)$
	性质3:若 $a>b$,$c<0$,则 $ac<bc\left(\text{或}\frac{a}{c}<\frac{b}{c}\right)$

2.不等式的性质与等式的性质的相同点和不同点

(1)相同点:无论是等式还是不等式,都可以在它的两边加(或减)同一个数或式子.

(2)不同点:对于等式来说,在等式的两边乘(或除以)同一个正数(或同一个负数),等式仍然成立,但是对于不等式来说,却不大一样,在不等式的两边乘(或除以)同一个正数,不等号的方向不变,而在不等式的两边乘(或除以)同一个负数,不等号的方向要改变.

方法清单

方法1 列不等式的方法

方法2 利用不等式的性质比较大小的方法

方法3 不等式性质的应用方法

方法 1 列不等式的方法

列不等式最重要的一个方面是抓住题中的关键词语,弄清关键词语的含义,并表示出两个量之间的不等关系.

例1 用不等式表示:

(1)$2x$ 减去-3 不小于1;

(2)y 的$\frac{1}{4}$与1的差是非负数;

(3)10与 m 的3倍的和不大于5;

(4)$3k$ 小于1与 k 的差.

思路分析

题号	表示不等关系的关键词	不等号	列不等式
(1)	不小于	$\geqslant$	$2x+3\geqslant1$

续表

题号	表示不等关系的关键词	不等号	列不等式
(2)	非负数	≥	$\frac{1}{4}y-1\geq0$
(3)	不大于	≤	$10+3m\leq5$
(4)	小于	<	$3k<1-k$

解析 (1)$2x+3\geq1$.

(2)$\frac{1}{4}y-1\geq0$.

(3)$10+3m\leq5$.

(4)$3k<1-k$.

方法 2 利用不等式的性质比较大小的方法

根据不等式的性质1,我们可以得到一种比较两个数(或代数式)的大小的方法:若 $a-b>0$,则 $a>b$;若 $a-b=0$,则 $a=b$;若 $a-b<0$,则 $a<b$.这种比较大小的方法称为“求差比较法”,简称“求差法”.

例 2 比较 $3x+5$ 与 $10-2x$ 的大小.

解析 $3x+5-(10-2x)=3x+5-10+2x=5x-5=5(x-1)$.

当 $x>1$ 时,$5(x-1)>0$,此时 $3x+5>10-2x$;

当 $x=1$ 时,$5(x-1)=0$,此时 $3x+5=10-2x$;

当 $x<1$ 时,$5(x-1)<0$,此时 $3x+5<10-2x$.

方法 3 不等式性质的应用方法

不等式的性质是不等式变形的依据.特别要注意的是,不等式的两边同乘(或除以)同一个负数,不等号的方向要改变.

例 3 已知 $a>b$,用“<”或“>”填空:

(1)$5a$________$5b$;

(2)$-\frac{a}{2}$________$-\frac{b}{2}$;

(3)$-3a-2$________$-3b-2$;

(4)$a(a-b)$________$b(a-b)$.

解析 (1)两边都乘5,不等号的方向不变;

(2)两边都除以-2,不等号的方向改变;

(3)两边都乘-3,不等号的方向改变,两边再同时减去2,不等号的方向不变;

(4)$\because a>b$,$\therefore a-b>0$,$\therefore a>b$ 两边同时乘$(a-b)$,不等号的方向不变.

答案 (1)> (2)< (3)< (4)>

7.2 解一元一次不等式

知识清单

知识1 一元一次不等式

知识2 一元一次不等式的解集

知识3 一元一次不等式的解集的表示方法

知识4 解一元一次不等式的一般步骤

知识5 解一元一次方程与解一元一次不等式的区别

知识6 一元一次不等式的整数解

温馨提示 ①一元一次不等式满足的条件:

a.不等式的两边都是整式;b.不等式中只含有一个未知数;c.未知数的次数是1.

②一元一次不等式是整式形式的不等式,如$\frac{2}{x}>3$不是一元一次不等式,因为未知数 x 在分母中,使得该不等式的左边不是整式形式.

知识 1 一元一次不等式

一般地,不等式中只含有一个未知数,并且未知数的次数是1,系数不等于0,且不等式的两边都是整式,这样的不等式叫一元一次不等式.其一般形式是 $ax+b>0$ 或 $ax+b<0(a\neq0)$.

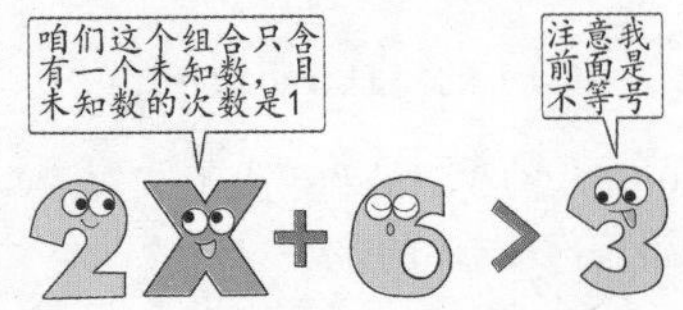

咱们这个组合只含有一个未知数,且未知数的次数是1
注意我前面是不等号
2X+6>3

知识 2 一元一次不等式的解集

一般地,利用不等式的性质,采取与解一元一次方程相类似的步骤,就可以求出一元一次不等式的解集.

温馨提示 一元一次不等式的解和一元一次不等式的解集是两个不同的概念,它们是从属关系.

例 1 不等式$-\frac{1}{2}x+3<0$ 的解集是________.

解析 解一元一次不等式$-\frac{1}{2}x+3<0$ 得 $x>6$.所以不等式$-\frac{1}{2}x+3<0$ 的解集是 $x>6$.

答案 $x>6$

知识 3 一元一次不等式的解集的表示方法

不等式的解集表示有两种形式:(1)用不等式表示;(2)用数轴表示.

一元一次不等式的解集一般来说有以下四种情况:

不等式的解集	数轴表示
$x>a$	a
$x<a$	a
$x\geqslant a$	a
$x\leqslant a$	a

注意事项 ①一元一次不等式的解集可以用不等式来表示,如一元一次不等式$-3x+2>2x+7$的解集是$x<-1$.同时注意一元一次不等式的解集的不等号可能与原一元一次不等式中的不等号不同.

②用数轴表示不等式的解集时要"两定":一定边界点,二定方向.在定边界点时,若符号是"$\leqslant$"或"$\geqslant$",边界点为实心点;若符号是"$<$"或"$>$",边界点为空心圆圈.在定方向时,相对于边界点而言,"小于向左,大于向右".

例 2 将不等式$3x-2<1$的解集表示在数轴上,正确的是 ( )

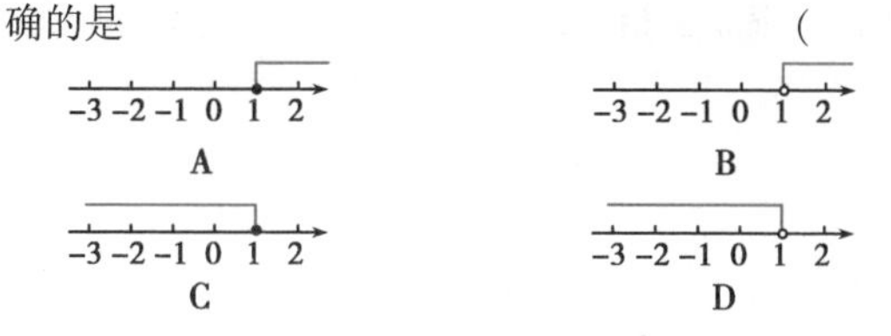

(解析) $3x-2<1$,$3x<3$,$x<1$,故选 D.

(答案) D

知识 4 解一元一次不等式的一般步骤

(1)去分母:根据不等式的性质 2 或 3,把不等式的两边同时乘各分母的最小公倍数,得到整数系数的不等式.

(2)去括号:根据去括号法则,特别要注意括号外面是负号时,去掉括号,括号里面的各项要改变符号.

(3)移项:根据不等式的基本性质 1,一般把含有未知数的项移到不等式的左边,常数项移到不等式的右边.

(4)合并同类项:根据合并同类项法则,系数相加减,字母和字母的指数不变.

(5)系数化为1:根据不等式的基本性质 2 或 3,特别要注意系数化为 1 时,系数是负数的,不等号要改变方向.

例 3 解不等式$\frac{1}{2}x-1\leqslant\frac{2}{3}x-\frac{1}{2}$,并把它的解集在数轴上表示出来.

(解析) 去分母,得$3x-6\leqslant4x-3$,

移项,得$3x-4x\leqslant6-3$.

合并同类项,得$-x\leqslant3$,

系数化为 1,得$x\geqslant-3$.

不等式的解集在数轴上表示如下:

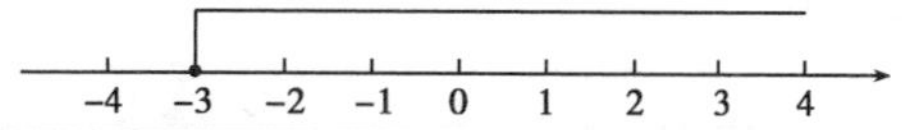

温馨提示 ①去分母时不要漏乘不含分母的项.

②分子是一个多项式时,去分母后,应作为一个整体加上括号.

③先去小括号,再去中括号,最后去大括号,利用分配律去括号时,若括号前是负号,括号里各项均要变号.

④移项时把含有未知数的项移到不等式一边,其他项移到另一边,注意移项要变号.

⑤未知数系数化为 1 时,不等式两边同除以未知数的系数,当这个系数是负数时,不等号的方向要改变.

⑥注意在解不等式时,上述的五个步骤不一定都能用到,并且也不一定按照自上而下的顺序,要根据不等式的形式灵活安排求解步骤.

知识 5 解一元一次方程与解一元一次不等式的区别

(1)解一元一次不等式与解一元一次方程的方法类似,只是在利用不等式的性质对不等式进行变形时,若两边乘(或除以)负数,则要改变不等号方向,比较如下表:

	一元一次方程	一元一次不等式
解法步骤	①去分母; ②去括号; ③移项; ④合并同类项; ⑤系数化为 1	①去分母;②去括号;③移项;④合并同类项;⑤系数化为 1.在上面的步骤①和⑤中,如果乘的因数或除数是负数,那么不等号的方向要改变
解	一元一次方程只有一个解	一元一次不等式一般有无数多个解

(2)方程$ax=b$与不等式$ax>b$及$ax<b$的解法比较:

$ax=b$	$ax>b$	$ax<b$
当$a\neq0$时,$x=\frac{b}{a}$; 当$a=0,b\neq0$时,方程无解; 当$a=0,b=0$时,x为任意实数	当$a>0$时,$x>\frac{b}{a}$; 当$a<0$时,$x<\frac{b}{a}$; 当$a=0,b<0$时,x为任意实数; 当$a=0,b\geqslant0$时,不等式无解	当$a>0$时,$x<\frac{b}{a}$; 当$a<0$时,$x>\frac{b}{a}$; 当$a=0,b\leqslant0$时,不等式无解; 当$a=0,b>0$时,x为任意实数

知识 6 一元一次不等式的整数解

一元一次不等式的整数解是指不等式的解集中的整数.整数解通常是为了满足实际问题的需求提出的.如不等式$10-4(x-3)\geqslant2(x-1)$的非负整数解是 0,1,2,3,4.

温馨提示 求不等式的整数解,先按解一元一次不等式的基本步骤求其解集,再按题目要求求其整数解.

第6-10章

方法清单

方法1 求一元一次不等式特殊解的方法

方法2 确定不等式中字母的取值范围的方法

方法3 确定一元一次不等式中待定字母的值的方法

方法 1 求一元一次不等式特殊解的方法

不等式的特殊解包括整数解、非负整数解、正整数解、负整数解等，求一元一次不等式的特殊解，需先求出不等式的解集，再按题目要求求其特殊解.

例1 试求出一元一次不等式$\frac{5(x+2)}{4}\geqslant 2x-1$的所有正整数解.

（解析） $\frac{5(x+2)}{4}\geqslant 2x-1$,

去分母，得 $5(x+2)\geqslant 8x-4$.

去括号，得 $5x+10\geqslant 8x-4$.

移项，得 $5x-8x\geqslant -4-10$.

合并同类项，得$-3x\geqslant -14$.

系数化为 1，得 $x\leqslant\frac{14}{3}$.所以原一元一次不等式的所有正整数解为 1,2,3,4.

方法 2 确定不等式中字母的取值范围的方法

首先把不等式的解集用含有字母的代数式表示出来，然后把它与已知解集联系起来求解，在求解过程中可以利用数轴进行分析.

例2 不等式$(m-6)x>5$ 的解集为 $x<\frac{5}{m-6}$，求 m 的取值范围.

思路分析　如图.

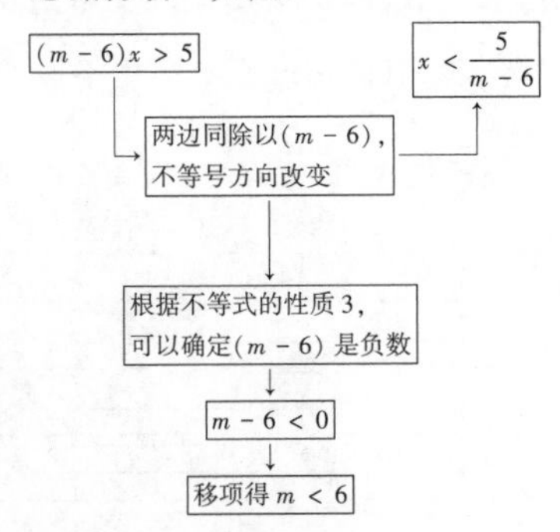

（解析） 因为不等式$(m-6)x>5$ 的解集为 $x<\frac{5}{m-6}$，所以根据不等式的性质 3 可知 $m-6<0$，移项得 $m<6$.

方法 3 确定一元一次不等式中待定字母的值的方法

在解含有待定字母的不等式时，需按照一元一次不等式的解法去解，再依据题中给定的条件，列出关于待定字母的方程，进而求出字母的值.

例3 已知不等式 $x+8>4x+m$（m 是常数）的解集是 $x<3$，求 m 的值.

（解析） 将不等式变形整理，得 $3x<8-m$.

将 x 的系数化为 1，得 $x<\frac{8-m}{3}$.

因为不等式的解集是 $x<3$，

所以$\frac{8-m}{3}=3$，所以 $m=-1$.

点拨 先解不等式，然后与已知解集相结合，最后确定参数的值.

7.3　解一元一次不等式组

知识清单

知识1 一元一次不等式组

知识2 一元一次不等式组的解集

知识3 解一元一次不等式组的一般步骤

知识4 一元一次不等式组的整数解

知识 1 一元一次不等式组

类似于方程组，把两个含有相同未知数的一元一次不等式合起来，组成一个一元一次不等式组.

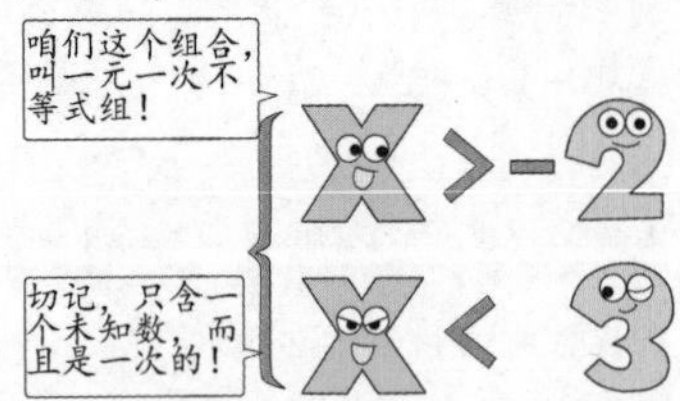

咱们这个组合，叫一元一次不等式组！
X>-2
切记，只含一个未知数，而且是一次的！
X<3

知识 2 一元一次不等式组的解集

1.定义：一般地，几个一元一次不等式解集的公共部分，叫做由它们所组成的不等式组的解集.如果不等式的解集无公共部分，就说这个不等式组无解，几个不等式的解集的公共部分通常利用数轴来确定.

2.确定方法

由两个一元一次不等式组成的不等式组及其解集的常见情况如下表所示：

不等式组（设 $a<b$）	在同一数轴上的表示	解集	口诀
$\begin{cases}x\leqslant a\\x\leqslant b\end{cases}$	a　b	$x\leqslant a$	同小取小

续表

不等式组(设 $a<b$)	在同一数轴上的表示	解集	口诀
$\begin{cases}x\geqslant a\\x\geqslant b\end{cases}$	a b	$x\geqslant b$	同大取大
$\begin{cases}x\geqslant a\\x\leqslant b\end{cases}$	a b	$a\leqslant x\leqslant b$	大小、小大中间找
$\begin{cases}x\leqslant a\\x\geqslant b\end{cases}$	a b	空集	大大、小小无处找

温馨提示

①在求不等式组解集的过程中,通常是利用数轴来确定不等式组的解集的.

②在数轴上表示不等式组的解集时,要把几个不等式的解集都表示出来,不能仅画出公共部分.

③关于 x 的不等式组 $\begin{cases}x\geqslant a,\\x\leqslant a\end{cases}$ 的解集为 $x=a$,关于 x 的不等式组 $\begin{cases}x>a,\\x<a\end{cases}$ 无解.

例1 不等式组 $\begin{cases}x-1\leqslant 0,\\2x-5<1\end{cases}$ 的解集为 ( )

A.$x<-2$　　B.$x\leqslant -1$

C.$x\leqslant 1$　　D.$x<3$

解析 由 $x-1\leqslant 0$,得 $x\leqslant 1$;由 $2x-5<1$,得 $x<3$,

∴ 原不等式组的解集为 $x\leqslant 1$.故选 C.

答案 C

知识 3 解一元一次不等式组的一般步骤

(1)解不等式组:求不等式组解集的过程叫做解不等式组.

(2)解一元一次不等式组的一般步骤:

第一步:分别求出不等式组中各不等式的解集;

第二步:将各不等式的解集在数轴上表示出来;

第三步:在数轴上找出各不等式的解集的公共部分,这个公共部分就是不等式组的解集.

例2 解不等式组 $\begin{cases}2x\geqslant -9-x,\\5x-1>3(x+1),\end{cases}$ 并把它的解集在数轴上表示出来.

−5 −4 −3 −2 −1 0 1 2 3 4 5

思路分析 分别求出每一个不等式的解集,根据口诀:同大取大、同小取小、大小小大中间找、大大小小无处找确定不等式组的解集.

解析 $\begin{cases}2x\geqslant -9-x,①\\5x-1>3(x+1),②\end{cases}$

解①得 $x\geqslant -3$,解②得 $x>2$,

∴ 原不等式组的解集为 $x>2$,其解集在数轴上表示如下:

−5 −4 −3 −2 −1 0 1 2 3 4 5

知识 4 一元一次不等式组的整数解

1.定义:一元一次不等式组的整数解是指不等式组的解集中的整数.

2.求一元一次不等式组的整数解的一般步骤:先求出不等式组的解集,再从解集中找出所有整数解.

例3 解不等式组 $\begin{cases}3x+1\leqslant 2(x+1),\\-x<5x+12,\end{cases}$ 并写出它的整数解.

解析 解不等式 $3x+1\leqslant 2(x+1)$,得 $x\leqslant 1$,

解不等式 $-x<5x+12$,得 $x>-2$,

∴ 不等式组的解集为 $-2<x\leqslant 1$,

∴ 不等式组的整数解为 -1、0、1.

方法清单

方法 1 一元一次不等式组解集的确定方法

求不等式组的解集,通常采用"分开解""集中判"的方法."分开解"就是分别求出不等式组中各个不等式的解集;"集中判"就是利用数轴求出各个不等式的解集的公共部分,注意求解口诀的使用.

例1 不等式组 $\begin{cases}x+2>0,\\2x-6\leqslant 0\end{cases}$ 的解集在数轴上表示正确的是 ( )

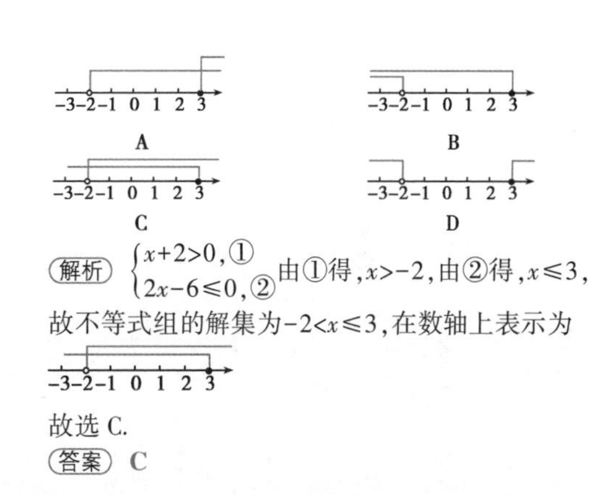

解析 $\begin{cases}x+2>0,①\\2x-6\leqslant 0,②\end{cases}$ 由①得,$x>-2$,由②得,$x\leqslant 3$,

故不等式组的解集为 $-2<x\leqslant 3$,在数轴上表示为

−3 −2 −1 0 1 2 3

故选 C.

答案 C

方法 2 求一元一次不等式组的整数解的方法

求一元一次不等式组的整数解,一般先求出不等式组的解集,再根据题目的要求,找出在不等式组的

解集内的整数解.在实际问题中常常要应用到求不等式(组)的特殊解,如在一些实际问题中只能用整数表示结果时,我们不能用解集的形式来表示,只能用特殊解的形式来表示.

例2 在某市举行的中学生安全知识竞赛中共有20道题,答对一题得5分,答错或不答都扣3分.

(1)小李考了60分,那么小李答对了多少道题?

(2)小王获得二等奖(75~85分)(包括75及85),请你算算小王答对了几道题.

解析 (1)设小李答对了 x 道题,

由题意得 $5x-3(20-x)=60$,解得 $x=15$.

答:小李答对了15道题.

(2)设小王答对了 y 道题,

由题意得 $75\leqslant 5y-3(20-y)\leqslant 85$,

解得 $16\frac{7}{8}\leqslant y\leqslant 18\frac{1}{8}$,

因为 y 为非负整数,所以 y 取17或18.

答:小王答对了17道题或18道题.

方法3 解连续不等式的方法

解连续不等式有两种方法:(1)将连续不等式化成与之等价的不等式组,然后求解;(2)直接运用不等式的性质求解.

例3 解连续不等式 $-1<\frac{1-2x}{4}\leqslant 2$.

解析 解法一:原连续不等式可以化成不等式组 $\begin{cases}-1<\frac{1-2x}{4}, & ①\\ \frac{1-2x}{4}\leqslant 2. & ②\end{cases}$

解不等式①,得 $x<\frac{5}{2}$.

解不等式②,得 $x\geqslant-\frac{7}{2}$.

故连续不等式的解集是 $-\frac{7}{2}\leqslant x<\frac{5}{2}$.

解法二:去分母,得 $-4<1-2x\leqslant 8$.

同时减1,得 $-5<-2x\leqslant 7$.

系数化为1,得 $-\frac{7}{2}\leqslant x<\frac{5}{2}$.

故连续不等式的解集是 $-\frac{7}{2}\leqslant x<\frac{5}{2}$.

方法4 一元一次不等式(组)中待定字母的值的确定方法

已知一元一次不等式(组)的解集,确定其中所含待定字母(即不是未知数的字母)的值,是考查学生掌握及灵活运用所学知识的综合体现.可从已知不等式(组)中求出它的解集,再利用解集的等价性求出待定字母的值.

例4 如果不等式组 $\begin{cases}\frac{x}{2}+a\geqslant 2,\\ 2x-b<3\end{cases}$ 的解集是 $0\leqslant x<1$,那么 $a+b$ 的值为________.

解析 不等式 $\frac{x}{2}+a\geqslant 2$ 的解集为 $x\geqslant 4-2a$;

不等式 $2x-b<3$ 的解集为 $x<\frac{3+b}{2}$,

故不等式组的解集为 $4-2a\leqslant x<\frac{3+b}{2}$,

又因为不等式组的解集是 $0\leqslant x<1$,

所以有 $4-2a=0,\frac{3+b}{2}=1$,

解得 $a=2,b=-1$,所以 $a+b=1$.

答案 1

方法5 一元一次不等式(组)中待定字母的取值范围的确定方法

已知不等式(组)的解集,求不等式(组)中待定字母的取值范围问题,首先把不等式(组)的解集用含有字母的形式表示出来,然后把它与已知解集联系起来求解,这类问题有时要运用方程知识,有时要用到不等式知识,在求解过程中可以利用数轴进行分析.

例5 若不等式组 $\begin{cases}x+a\geqslant 0,\\ 1-2x>x-2\end{cases}$ 无解,则 a 的取值范围是 ( )

A.$a\geqslant-1$　　B.$a<-1$

C.$a\leqslant 1$　　D.$a\leqslant-1$

解析 由原不等式组可得 $\begin{cases}x\geqslant-a,\\ x<1,\end{cases}$ 因为原不等式组无解,所以依据"大大,小小无处找"可知 $-a\geqslant 1$,故 $a\leqslant-1$,选D.

答案 D

例6 已知关于 x 的不等式组 $\begin{cases}5x+1>3(x-1),\\ \frac{1}{2}x\leqslant 8-\frac{3}{2}x+2a\end{cases}$ 恰好有两个整数解,求实数 a 的取值范围.

思路分析 首先求得不等式组的解集,然后根据不等式组只有两个整数解,确定整数解,则可以得到一个关于 a 的不等式组,从而求得 a 的范围.

解析 解 $5x+1>3(x-1)$ 得 $x>-2$;

解 $\frac{1}{2}x\leqslant 8-\frac{3}{2}x+2a$ 得 $x\leqslant 4+a$.

则不等式组的解集是 $-2<x\leqslant 4+a$.

因为不等式组恰好有两个整数解,

所以整数解为 -1 和 0,

则有 $0\leqslant 4+a<1$,

解得 $-4\leqslant a<-3$.

7.4 列一元一次不等式(组)解应用题

知识清单

知识1 列一元一次不等式(组)解应用题的关键语句

知识2 列一元一次不等式(组)解应用题的一般步骤

知识1 列一元一次不等式(组)解应用题的关键语句

列一元一次不等式或不等式组解决实际问题,要注意:(1)抓住问题中的一些关键词语,如"至少""最多""超过""不低于""不大于""不高于""大于""多"等,这些都体现了不等关系,列不等式(组)时,要根据关键词语准确地选用符号.(2)对一些实际问题的分析还要注意结合实际,有些不等关系隐含于生活常识中,如小明用30元去买单价为4.5元的笔记本,设买了x本,求x的取值范围时,其问题中就隐含着所花钱数不能超过30元,由此可得出不等式$4.5x\leqslant 30$.

知识2 列一元一次不等式(组)解应用题的一般步骤

(1)审:认真审题,分清已知量、未知量及其关系,找出题中的不等关系,要抓住题中的关键词语;

(2)设:设出适当的未知数;

(3)列:根据题中的不等关系列出不等式(组);

(4)解:解出所列的不等式(组)的解集;

(5)答:检验是否符合题意,并写出答案.

例 小明要代表班级参加学校举办的消防知识竞赛,共有25道题,规定答对一道题得6分,答错或不答一道题扣2分,只有得分超过90分才能获得奖品,问小明至少答对多少道题才能获得奖品?

解析 设小明答对x道题,

根据题意得$6x-2(25-x)>90$,解得$x>17\frac{1}{2}$.

$\because x$为非负整数,$\therefore x$至少为18.

答:小明至少答对18道题才能获得奖品.

方法清单

方法1 利用一元一次不等式(组)解决实际问题的方法

方法2 方程(组)与不等式(组)相结合解决实际问题的方法

方法3 运用一元一次不等式(组)进行方案设计的方法

方法1 利用一元一次不等式(组)解决实际问题的方法

由实际问题中的不等关系列出不等式(组),建立解决问题的数学模型,通过解不等式(组)可以得到实际问题的答案.列一元一次不等式(组)解决实际问题的关键是要从问题中找出不等关系,然后恰当地设出未知数,列出不等式(组),最后求解不等式(组).

例1 初中毕业了,孔明同学准备利用暑假卖报纸赚取140~200元钱(包括140及200)买一份礼物送给父母.已知:在暑假期间,如果卖出的报纸不超过1 000份,则每卖出一份报纸可得0.1元;如果卖出的报纸超过1 000份,则超过部分每份可得0.2元.

(1)请说明:孔明同学要达到目的,卖出报纸的份数必须超过1 000份;

(2)孔明同学要通过卖报纸赚取140~200元钱,请计算他卖出报纸的份数在哪个范围内.

解析 (1)如果孔明同学卖出1 000份报纸,则可获得$1\,000\times0.1=100$(元),所以孔明同学要达到目的,卖出的报纸必须超过1 000份(注:其他说理正确、合理即可).

(2)设孔明同学暑假期间卖出报纸x份,由(1)可知$x>1\,000$,依题意得

$$\begin{cases}1\,000\times0.1+0.2(x-1\,000)\geqslant 140,\\1\,000\times0.1+0.2(x-1\,000)\leqslant 200,\end{cases}$$

解得$1\,200\leqslant x\leqslant 1\,500$.

所以孔明同学暑假期间卖出报纸的份数在1 200~1 500(包括1 200及1 500)之间.

方法2 方程(组)与不等式(组)相结合解决实际问题的方法

近几年中考注重对学生"知识联系实际"的考查,分析问题中的等量关系和不等关系,建立方程(组)模型和不等式(组)模型,从而把实际问题转化为数学模型,然后用数学知识来解决.

例2 威丽商场销售 A,B 两种商品,售出1件 A 种商品和4件 B 种商品所得利润为600元;售出3件 A 种商品和5件 B 种商品所得利润为1 100元.

(1)求每件 A 种商品和每件 B 种商品售出后所得利润分别为多少元;

(2)由于需求量大,A、B 两种商品很快售完,威丽商场决定再一次购进 A、B 两种商品共34件,如果将这34件商品全部售完后所得利润不低于4 000元,那么威丽商场至少需购进多少件 A 种商品?

思路分析 (1)根据售出1件 A 种商品和4件 B 种商品所得利润为600元,售出3件 A 种商品和5件 B 种商品所得利润为1 100元列出二元一次方程组求出其解即可;(2)设购进 A 种商品 a 件,则购进 B 种商品 $(34-a)$ 件.根据获得的利润不低于4 000元,建立不等式求出其解集.

解析 (1)设每件 A 种商品售出后所得利润为 x 元,每件 B 种商品售出后所得利润为 y 元.

根据题意,得 $\begin{cases}x+4y=600,\\3x+5y=1\ 100,\end{cases}$ 解得 $\begin{cases}x=200,\\y=100.\end{cases}$

$\therefore$ 每件 A 种商品和每件 B 种商品售出后所得利润分别为200元和100元.

(2)设威丽商场需购进 a 件 A 种商品,则购进 B 种商品 $(34-a)$ 件.根据题意,得 $200a+100(34-a)\geqslant 4\ 000$,解得 $a\geqslant 6$.$\therefore$ 威丽商场至少需购进6件 A 种商品.

方法3 运用一元一次不等式(组)进行方案设计的方法

一元一次不等式(组)的解一般情况下有无穷多个,但由于实际问题的限制,可能只有其中的某个或某些满足实际问题,这样也就随之产生了一种或几种设计方案.

例3 某公司为奖励在趣味运动会上取得好成绩的员工,计划购买甲、乙两种奖品共20件,其中甲种奖品每件40元,乙种奖品每件30元.

(1)如果购买甲、乙两种奖品共花费了650元,求甲、乙两种奖品各购买了多少件;

(2)如果购买乙种奖品的件数不超过甲种奖品件数的2倍,总花费不超过680元,求该公司有哪几种不同的购买方案.

思路分析 (1)设购买甲种奖品 x 件.根据购买甲、乙两种奖品共花费了650元列一元一次方程 $40x+30(20-x)=650$,求出 x,得出结论;(2)设甲种奖品购买了 y 件,则乙种奖品购买了 $(20-y)$ 件,根据购买乙种奖品的件数不超过甲种奖品件数的2倍,总花费不超过680元列不等式组 $\begin{cases}20-y\leqslant 2y,\\40y+30(20-y)\leqslant 680,\end{cases}$ 然后解不等式组确定 y 的整数值即可得到该公司的购买方案.

解析 (1)设购买甲种奖品 x 件,则购买乙种奖品 $(20-x)$ 件,

由题意得 $40x+30(20-x)=650$,

解得 $x=5$,$\therefore 20-x=15$.

答:购买甲种奖品5件,乙种奖品15件.

(2)设购买甲种奖品 y 件,则购买乙种奖品 $(20-y)$ 件,

则 $\begin{cases}20-y\leqslant 2y,\\40y+30(20-y)\leqslant 680,\end{cases}$ 解得 $\frac{20}{3}\leqslant y\leqslant 8$,

$\because y$ 为整数,$\therefore y=7$ 或8.

当 $y=7$ 时,$20-y=13$;当 $y=8$ 时,$20-y=12$.

答:该公司有两种不同的购买方案:方案一:购买甲种奖品7件,购买乙种奖品13件;方案二:购买甲种奖品8件,购买乙种奖品12件.

第8章

整式的乘除与因式分解

8.1 幂的有关计算

知识清单

知识1 同底数幂的乘法　知识2 幂的乘方
知识3 积的乘方　知识4 同底数幂的除法
知识5 零指数幂　知识6 负整数指数幂

知识1 同底数幂的乘法

同底数幂相乘,底数不变,指数相加,即 $a^m \cdot a^n = a^{m+n}$(m,n 都是正整数).

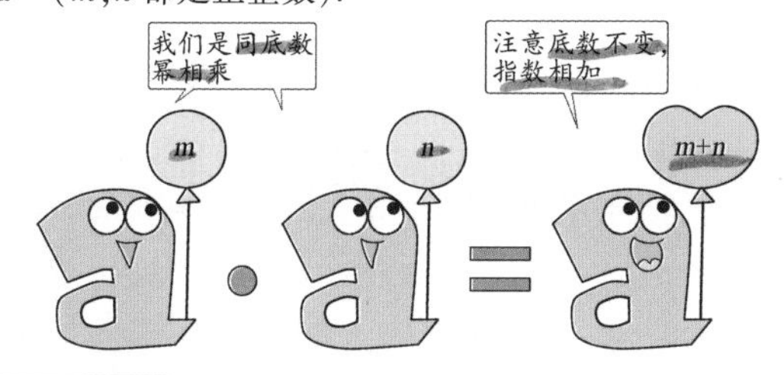

我们是同底数幂相乘
注意底数不变,指数相加
m
n
m+n

易错警示

①同底数幂的乘法法则可以逆用,即 $a^{m+n}=a^m \cdot a^n$(m,n 为正整数).

②当幂指数是1时,不要误认为没有指数,如 $a \cdot a^2=a^3$,而不是 a^2.

③三个或三个以上同底数幂相乘时,这一法则同样适用.如:$a^m \cdot a^n \cdot a^p=a^{m+n+p}$($m,n,p$ 都是正整数).

④要注意同底数幂的乘法与整式加法不可混淆,如 $a^3 \cdot a^2 \cdot a^3$ 是同底数幂的乘法,$a^3 \cdot a^2 \cdot a^3=a^{3+2+3}=a^8$.而 $a^3+a^2+a^3$ 是整式的加法,计算时,只能合并同类项,$a^3+a^2+a^3=2a^3+a^2$,其中 a^3 和 a^2 不是同类项,不能合并.

知识2 幂的乘方

幂的乘方,底数不变,指数相乘,即 $(a^m)^n=a^{mn}$(m,n 都是正整数).

温馨提示

①幂的乘方中底数可以是单独的数字、字母,也可以是单项式或多项式.

②幂的乘方可以逆用,即 $a^{mn}=(a^m)^n=(a^n)^m$(m,n 为正整数).

③幂的乘方可以推广:$[(a^m)^n]^p=a^{mnp}$(m,n,p 为正整数).

④在形式上,底数本身就是一个幂,根据同底数幂的运算性质推出结论:

$$(a^m)^n=\underbrace{a^m \cdot a^m \cdot \cdots \cdot a^m}_{n个a^m}=a^{\overbrace{m+m+\cdots+m}^{n个m}}=a^{mn}(m,n 为正整数).$$

例1 计算:(1)$[(-x)^5]^6$;(2)$-(x^3)^4$;(3)$(y^2)^{2n}$;(4)$[(a-b)^3]^2$.

解析 (1)原式$=(-x)^{5\times6}=(-x)^{30}=x^{30}$.

(2)原式$=-x^{3\times4}=-x^{12}$.

(3)原式$=y^{2\times2n}=y^{4n}$.

(4)原式$=(a-b)^{3\times2}=(a-b)^6$.

知识3 积的乘方

	法则	字母表示	举例
积的乘方	积的乘方,等于把积的每一个因式分别乘方,再把所得的幂相乘	$(ab)^n=a^nb^n$(n为正整数)	$(xy)^3=x^3y^3$
温馨提示	①积的乘方可逆用,即 $a^n \cdot b^n=(ab)^n$(n 为正整数). ②积的乘方可推广到多个因式.如$(abc)^n=a^n \cdot b^n \cdot c^n$($n$ 为正整数). ③运用积的乘方法则时,应先看积中有哪些因式,再把每一个因式分别乘方,尤其是字母的系数,不要漏掉乘方		

例2 计算:(1)$(-xy)^4$;(2)$-(3a^2b^3)^3$;(3)$(3\times10^2)^3$;(4)$(-2x^2y^2)^3$.

解析 (1)原式$=(-1)^4x^4y^4=x^4y^4$.

(2)原式$=-3^3 \cdot (a^2)^3 \cdot (b^3)^3=-27a^6b^9$.

(3)原式$=3^3\times(10^2)^3=27\times10^6=2.7\times10^7$.

(4)原式$=(-2)^3 \cdot (x^2)^3 \cdot (y^2)^3=-8x^6y^6$.

知识4 同底数幂的除法

	法则	字母表示	举例
同底数幂的除法	同底数幂相除,底数不变,指数相减	$a^m \div a^n=a^{m-n}$($a\neq0$,m,n 都是正整数,并且 $m>n$)	$x^{11}\div x^6=x^{11-6}=x^5$
温馨提示	①同底数幂的除法可逆用,即 $a^{m-n}=a^m\div a^n$($a\neq0$,m,n 都是正整数,并且 $m>n$). ②底数 a 可以是单独的一个数或一个字母,也可以是一个单项式或多项式,但 $a\neq0$. ③同底数幂的除法与同底数幂的乘法互为逆运算,可类比同底数幂的乘法学习同底数幂的除法,同时还可用同底数幂的乘法运算检验同底数幂的除法运算是否正确		

例3 计算：

(1)$(-x)^6\div(-x)^3$；(2)$b^{2m+2}\div b^{2m-1}$；

(3)$(5a)^6\div(-5a)^4$；(4)$(x-2y)^3\div(2y-x)^2$.

思路分析　(1)(2)直接运用法则；(3)先把$(-5a)^4$化为$(5a)^4$，再运用法则；(4)先把$(2y-x)^2$化为$(x-2y)^2$，同时注意(4)中底数是多项式.

解析　(1)原式$=(-x)^{6-3}=(-x)^3=-x^3$.

(2)原式$=b^{2m+2-(2m-1)}=b^3$.

(3)原式$=(5a)^6\div(5a)^4=(5a)^{6-4}=(5a)^2=25a^2$.

(4)原式$=(x-2y)^3\div(x-2y)^2=(x-2y)^{3-2}=x-2y$.

知识 5 零指数幂

零指数幂的规定

1.计算：$a^m\div a^m$.

一方面：根据除法的意义，可知$a^m\div a^m=1$；

另一方面：依照同底数幂的除法，可得$a^m\div a^m=a^{m-m}=a^0$.

2.规定：$a^0=1(a\neq0)$，即任何不等于0的数的0次幂都等于1.

①$a^0=1(a\neq0)$，这是对零指数幂意义的规定，不能把a^0理解成0个a相乘.

②正整数指数幂的运算法则对于零指数幂也同样适用，如：$a^2\cdot a^0=a^{2+0}=a^2$，$a^3\div a^0=a^{3-0}=a^3$，$(a^2)^0=a^{2\times0}=a^0=1(a\neq0)$等.

③0次幂的底数不能为0，因为同底数幂的除法法则$a^m\div a^n=a^{m-n}$的前提条件是$a\neq0$，m，n为正整数，且$m\geq n$.

知识 6 负整数指数幂

1.定义：任何不等于零的数的$-n$(n为正整数)次幂，等于这个数的n次幂的倒数，即$a^{-n}=\dfrac{1}{a^n}(a\neq0,n$为正整数).

2.解读

(1)$a^{-n}=\dfrac{1}{a^n}$是由$a^m\div a^n=a^{m-n}$在$a\neq0$，$m<n$时转化而来的.也就是说当同底数幂相除时，若被除式的指数小于除式的指数，则转化成负指数幂的形式.

(2)a^{-p}的结果为a^p的倒数，也就是说一个不为零的数的负整数次幂等于这个数的正整数次幂的倒数，也可以等于这个数的倒数的正整数次幂，即$a^{-p}=\left(\dfrac{1}{a}\right)^p(a\neq0,p$为正整数).

①a^{-n}中底数a不等于零，否则无意义.

②当指数由正整数拓展到0与负整数时，正整数指数幂的法则及性质仍然成立.

③在有关幂的运算中，最终结果要求化成正整数指数幂的形式.

例4 计算：(1)4^{-2}；(2)$\left(\dfrac{1}{10}\right)^{-3}$；(3)$-3^{-3}$.

解析　(1)原式$=\dfrac{1}{4^2}=\dfrac{1}{16}$.

(2)原式$=\dfrac{1}{\left(\dfrac{1}{10}\right)^3}=\dfrac{1}{\dfrac{1}{1\ 000}}=1\ 000$.

(3)原式$=-\dfrac{1}{3^3}=-\dfrac{1}{27}$.

方法清单

方法 1 同底数幂的运算方法

同底数幂的运算法则，无论是乘法法则，还是除法法则，只适用于同底数幂的乘除，当底数不同时要看能否化为同底，若不能化为同底，则不能用上述法则.

例1 计算：(1)$10^3\times10^5$；

(2)$(-a)^2\cdot(-a)^4\cdot(-a)$；

(3)$(x-y)^2\cdot(y-x)$.

思路分析　(1)的底数是10，将两个指数3、5相加.

(2)的底数是$(-a)$，将三个指数2、4、1相加.

(3)先把$(x-y)^2$化成$(y-x)^2$再按法则计算.

解析　(1)原式$=10^{3+5}=10^8$.

(2)原式$=(-a)^{2+4+1}=(-a)^7=-a^7$.

(3)原式$=(y-x)^2\cdot(y-x)=(y-x)^{2+1}=(y-x)^3$.

点拨 利用同底数幂的乘法法则时应注意:(1)底数必须相同,(2)指数是1时,不要误以为没有指数.

方法 2 幂的乘方的辨别方法

不要把幂的乘方与同底数幂的乘法混淆.幂的乘方运算转化为指数的乘法运算(底数不变),同底数幂的乘法运算转化为指数的加法运算(底数不变).

例2 下列算式中,结果等于a^6的是 ( )

A.a^4+a^2 B.$(a^2)^3$

C.$a^2\cdot a^3$ D.$a^2\cdot a^2$

(解析) $\because a^4+a^2\neq a^6$,

$\therefore$ 选项A错误;

$\because (a^2)^3=a^{2\times3}=a^6$,

$\therefore$ 选项B正确;

$\because a^2\cdot a^3=a^5$,

$\therefore$ 选项C错误;

$\because a^2\cdot a^2=a^4$,

$\therefore$ 选项D错误.故选B.

(答案) B

方法 3 幂的运算法则的应用

1.逆用积的乘方、幂的乘方及同底数幂的乘除可以简化计算.

2.解一些结构特殊的题目,可以先将式子进行合理变形再求解.

例3 (1)已知$10^a=5,10^b=6$,求10^{2a+3b}的值;

(2)计算:$(-0.125)^{2\,016}\times8^{2\,017}$.

(解析) (1)$10^{2a+3b}=10^{2a}\cdot10^{3b}=(10^a)^2\cdot(10^b)^3$,把$10^a=5,10^b=6$代入,原式$=5^2\times6^3=25\times216=5\,400$.

(2)$(-0.125)^{2\,016}\times8^{2\,017}=(-0.125)^{2\,016}\times8^{2\,016}\times8=(-0.125\times8)^{2\,016}\times8=(-1)^{2\,016}\times8=8$.

例4 若$3x+5y-3=0$,求$8^x\cdot32^y$的值.

思路分析 利用幂的乘方的逆运算,将原式化成以2为底的式子,再按同底数幂的乘法法则运算,可求解.

(解析) $\because 3x+5y-3=0$,

$\therefore 3x+5y=3$.

$\therefore 8^x\cdot32^y=(2^3)^x\cdot(2^5)^y=2^{3x}\cdot2^{5y}=2^{3x+5y}=2^3=8$,

$\therefore 8^x\cdot32^y$的值为8.

方法 4 利用幂的运算法则比较大小的方法

所给幂的指数、底数均不相同,可利用幂的乘方化为同指数的幂,根据底数的大小关系确定原来幂的大小关系,或利用幂的乘方化为同底数的幂,然后根据指数的大小比较幂的大小.

例5 比较大小.

(1)27^{25}与3^{80};(2)3^{444}与4^{333}.

思路分析 比较两个幂的大小,一种是指数相同,比较底数大小;另一种是底数相同,比较指数大小.

(解析) (1)$\because 27^{25}=(3^3)^{25}=3^{75}$,且$75<80$,

$\therefore 3^{75}<3^{80}$,即$27^{25}<3^{80}$.

(2)$\because 3^{444}=(3^4)^{111}=81^{111},4^{333}=(4^3)^{111}=64^{111}$,且$81>64$,

$\therefore 81^{111}>64^{111}$,即$3^{444}>4^{333}$.

方法 5 负整数指数幂的运算方法

在进行负整数指数幂运算时,可以先依据幂的运算法则进行计算,然后将最终结果化成正整数指数幂的形式.

例6 计算:

(1)$(x^{-3}yz^{-2})^2$;

(2)$(a^{-3}b)^2(a^{-2}b^2)^2$;

(3)$(2m^2n^{-3})^3(-mn^{-2})^{-2}$.

(解析) (1)原式$=x^{-6}y^2z^{-4}=\frac{1}{x^6}\cdot y^2\cdot\frac{1}{z^4}=\frac{y^2}{x^6z^4}$.

(2)原式$=a^{-6}b^2\cdot a^{-4}b^4=a^{-10}b^6=\frac{b^6}{a^{10}}$.

(3)原式$=8m^6n^{-9}\cdot(-1)^{-2}m^{-2}n^4=8\cdot m^4\cdot n^{-5}=\frac{8m^4}{n^5}$.

第6—10章

8.2 整式的乘除

知识清单

知识 1 单项式与单项式相乘

	法则	运算步骤	举例
单项式乘单项式	单项式与单项式相乘,把它们的系数、同底数幂分别相乘,对于只在一个单项式里含有的字母,则连同它的指数作为积的一个因式	(1)系数相乘,结果作为积的系数; (2)同底数幂相乘,所得结果作为积的因式; (3)只有一个单项式里含有的字母,连同字母的指数作为积的一个因式	$-4a^2\times3b^3a$ $=-(4\times3)$ $\cdot(a^2\cdot a)$ $\cdot b^3$ $=-12a^3b^3$
温馨提示	(1)单项式乘单项式的结果仍是单项式. (2)法则的实质是乘法的交换律和同底数幂的乘法法则. (3)同底数幂相乘,是同底数幂的乘法,按照"底数不变,指数相加"来计算,不要与合并同类项混淆. (4)单项式乘单项式的法则对于三个或三个以上的单项式相乘同样适用. (5)注意运算顺序:先算乘方,再算乘法		

例1 计算:(1)$(2ab^2)\cdot(-3a^3bc^2)$;

(2)$\left(\frac{2}{3}x^3y^2\right)\cdot\left(-\frac{3}{2}xy^2\right)^2$;

(3)$(4\times10^5)\times(5\times10^2)$.

解析 (1)原式$=[2\times(-3)](a\cdot a^3)(b^2\cdot b)\cdot c^2=-6a^4b^3c^2$.

(2)原式$=\frac{2}{3}x^3y^2\cdot\frac{9}{4}x^2y^4$

$=\left(\frac{2}{3}\times\frac{9}{4}\right)(x^3\cdot x^2)\cdot(y^2\cdot y^4)$

$=\frac{3}{2}x^5y^6$.

(3)原式$=(4\times5)\times(10^5\times10^2)=20\times10^7=2\times10^8$.

知识 2 单项式与多项式相乘

一般地,单项式与多项式相乘,就是用单项式去乘多项式的每一项,再把所得的积相加,即 $m(a+b+c)=ma+mb+mc$.

①单项式与多项式相乘,实质是利用分配律将其转化为前面学过的单项式乘单项式.

②单项式乘多项式的每一项时,不要漏乘.

③计算时易出现符号错误,多项式中每一项都包括它前面的符号,同时还要注意单项式的符号.

④单项式乘多项式,结果仍是多项式,其项数与因式中多项式的项数相同.

例2 计算:(1)$(-4x)\cdot(2x^2-2x-1)$;

(2)$\left(\frac{3}{4}x^2y-\frac{1}{2}xy^2-\frac{5}{6}y^3\right)\cdot(-4xy^2)$.

解析 (1)原式$=(-4x)\cdot2x^2-(-4x)\cdot2x-(-4x)\cdot1=-8x^3+8x^2+4x$.

(2)原式$=\frac{3}{4}x^2y\cdot(-4xy^2)-\frac{1}{2}xy^2\cdot(-4xy^2)-\frac{5}{6}y^3\cdot(-4xy^2)$

$=-3x^3y^3+2x^2y^4+\frac{10}{3}xy^5$.

知识 3 多项式与多项式相乘

一般地,多项式与多项式相乘,先用一个多项式的每一项乘另一个多项式的每一项,再把所得的积相加.

即

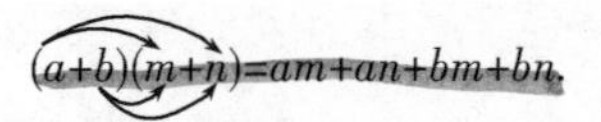

①要用一个多项式的每一项分别乘另一个多项式的每一项,不能有遗漏.

②多项式乘多项式,实际上是转化为单项式乘单项式的运算来完成的.

③多项式的每一项都包括其前面的符号,并作为项的一部分参与运算.

④多项式与多项式相乘的结果仍是多项式,在合并同类项之前,积的项数等于两个多项式项数的积.

⑤结果中若有同类项,则要合并,所得的结果必须化为最简的形式.

知识 4 乘法公式

1.平方差公式

两个数的和与这两个数的差的积,等于这两个数的平方差,即$(a+b)(a-b)=a^2-b^2$.

2.平方差公式的特点

(1)左边是两个二项式相乘,且两个二项式中有一项相同,另一项互为相反数;

(2)右边是两项的平方差(相同项的平方减去相反项的平方);

(3)公式中的 a 和 b 可以是单项式,也可以是多项式.

3.完全平方公式

两数和(或差)的平方,等于它们的平方和,加上(或减去)它们的积的2倍,即 $(a+b)^2=a^2+2ab+b^2$,$(a-b)^2=a^2-2ab+b^2$.

4.完全平方公式的特点

(1)$(a+b)^2=a^2+2ab+b^2$ 与 $(a-b)^2=a^2-2ab+b^2$ 都叫做完全平方公式.为了区别,我们把前者叫做两数和的完全平方公式,后者叫做两数差的完全平方公式.

(2)公式的特点:

两个公式的左边都是一个二项式的完全平方,二者仅差一个"符号";右边都是二次三项式,其中有两项是公式左边二项式中每一项的平方,另一项是左边二项式中两项乘积的2倍,二者也仅差一个"符号".

(3)公式中的 a、b 可以是单项式,也可以是多项式.

温馨提示

①运用平方差公式的关键是识别哪两项是完全相同的,哪两项是互为相反的.

②运用完全平方公式时要防止出现 $(a\pm b)^2=a^2\pm b^2$ 或 $(a-b)^2=a^2-2ab-b^2$ 等错误.

③运用完全平方公式时,遇到 $(-x+3y)^2$ 和 $(-m-n)^2$ 的形式可先转化为 $(x-3y)^2$ 和 $(m+n)^2$ 的形式,再按完全平方公式进行计算.

④完全平方公式的常见变形:

$a^2+b^2=(a+b)^2-2ab=(a-b)^2+2ab$;$(a+b)^2+(a-b)^2=2(a^2+b^2)$;$(a+b)^2-(a-b)^2=4ab$.

⑤拓展:

$(a+b)(a^2-ab+b^2)=a^3+b^3$;

$(a-b)(a^2+ab+b^2)=a^3-b^3$;

$(a+b+c)^2=a^2+b^2+c^2+2ab+2bc+2ca$;

$(a+b)^3=a^3+3a^2b+3ab^2+b^3$;

$(a-b)^3=a^3-3a^2b+3ab^2-b^3$.

例3 利用平方差公式计算:

(1)$(2+ab)(2-ab)$;

(2)$\left(-\frac{1}{3}a+\frac{1}{5}b\right)\left(-\frac{1}{3}a-\frac{1}{5}b\right)$;

(3)$(-x-1)(x-1)$.

思路分析 (1)将 ab 看作一个整体直接利用平方差公式计算.(2)分别将 $-\frac{1}{3}a$ 与 $\frac{1}{5}b$ 看作整体直接利用平方差公式计算.(3)$(-x-1)(x-1)$ 可以转化为 $-(x+1)(x-1)$,也可以转化为 $(-1-x)(-1+x)$,然后利用平方差公式计算.

解析 (1)原式 $=2^2-(ab)^2=4-a^2b^2$.

(2)原式 $=\left(-\frac{1}{3}a\right)^2-\left(\frac{1}{5}b\right)^2=\frac{1}{9}a^2-\frac{1}{25}b^2$.

(3)解法一:原式 $=-(x+1)(x-1)=-(x^2-1)=1-x^2$.

解法二:原式 $=(-1-x)(-1+x)=(-1)^2-x^2=1-x^2$.

例4 运用完全平方公式计算:

(1)$(3a+b)^2$;(2)$(-x+3y)^2$;(3)$(-m-n)^2$.

解析 (1)$(3a+b)^2=(3a)^2+2\cdot 3a\cdot b+b^2$
$=9a^2+6ab+b^2$.

(2)$(-x+3y)^2=(3y-x)^2=(3y)^2-2\cdot 3y\cdot x+x^2$
$=9y^2-6xy+x^2$.

(3)解法一:$(-m-n)^2=[-(m+n)]^2=(m+n)^2$
$=m^2+2mn+n^2$.

解法二:$(-m-n)^2=(-m)^2-2\cdot(-m)\cdot n+n^2$
$=m^2+2mn+n^2$.

知识5 单项式除以单项式

	法则	实质	步骤	举例
单项式除以单项式	单项式与单项式相除,把系数与同底数幂分别相除作为商的因式,对于只在被除式里含有的字母,则连同它的指数作为商的一个因式	把单项式除法转化成有理数除法和同底数幂的除法	(1)系数相除的结果作为商的系数;(2)同底数幂分别相除,所得的结果作为商的因式;(3)只在被除式里出现的字母,连同它的指数作为商的因式	$32a^5\div4a^2=(32\div4)(a^5\div a^2)=8a^3$
注意事项	(1)法则包含三个方面:①系数相除;②同底数幂相除;③只在被除式里出现的字母,连同它的指数作为商的一个因式. (2)①运算中的单项式的系数包括它前面的符号;②不要遗漏只在被除式中含有的字母			

知识6 多项式除以单项式

一般地,多项式除以单项式,先把这个多项式的每一项除以单项式,再把所得的商相加.如:$(ma+mb+mc)\div m=ma\div m+mb\div m+mc\div m=a+b+c$.

温馨提示

①这个法则的适用范围必须是多项式除以单项式，单项式除以多项式则不适用.如：

$m\div(am+bm+cm)\neq m\div am+m\div bm+m\div cm$.

②法则的实质就是把多项式除以单项式的运算转化为单项式除以单项式的运算.

③在计算时，多项式各项要包括前面的符号，商的各项的符号由多项式中各项的符号与单项式的符号所决定.

④在进行多项式除以单项式的计算时不要漏项，所得结果的项数应与被除式的项数相同.

⑤当被除式中有一项与除式相同时，相除后所得的商是1而不是0.

例5 计算：

(1) $(16x^4-8x^3-4x)\div(4x)$；

(2) $(24a^3b^3c+12a^2b^3c-6abc)\div(6abc)$.

解析 (1) $(16x^4-8x^3-4x)\div(4x)$

$=16x^4\div(4x)-8x^3\div(4x)-4x\div(4x)$

$=4x^3-2x^2-1$.

(2) $(24a^3b^3c+12a^2b^3c-6abc)\div(6abc)$

$=24a^3b^3c\div(6abc)+12a^2b^3c\div(6abc)-6abc\div(6abc)$

$=4a^2b^2+2ab^2-1$.

点拨 运用多项式除以单项式法则时首先要弄清运算顺序，然后要注意符号问题.

知识7 整式的混合运算

1.含有整式的加减、乘除及乘方的多种运算叫做整式的混合运算.

2.注意运算顺序：先乘方，再乘除，后加减，有括号时，先算括号里的.去括号时，先去小括号，再去中括号，最后去大括号.

例6 计算：

$$\left[(-3xy)^2\cdot x^3-2x^2\cdot(3xy^2)^3\cdot\frac{1}{2}y\right]\div(9x^4y^2).$$

解析 原式$=\left(9x^2y^2\cdot x^3-2x^2\cdot 27x^3y^6\cdot\frac{1}{2}y\right)\div(9x^4y^2)$

$=(9x^5y^2-27x^5y^7)\div(9x^4y^2)$

$=x-3xy^5$.

例7 先化简，再求值：$(x+1)(x-1)+x(3-x)$，其中 $x=2$.

解析 原式$=x^2-1+3x-x^2=3x-1$，

当 $x=2$ 时，原式$=3\times2-1=5$.

方法清单

方法1 多项式乘多项式的解题方法

1.运用多项式乘法法则时，必须做到不重不漏，为此要按一定顺序进行.

2.多项式与多项式相乘，仍得多项式.

3.确定积中每项的符号时，按“同号得正，异号得负”的法则进行.

4.多项式与多项式相乘的展开式中，有同类项时要合并同类项.

5.利用公式 $(x+a)(x+b)=x^2+(a+b)x+ab$ 能大大提高运算效率.

例1 计算：(1) $(x-3y)(x+7y)$；

(2) $(x-y)(x^2+xy+y^2)$.

思路分析 第(1)题先用 x 分别与 x、$7y$ 相乘，再用 $(-3y)$ 分别与 x、$7y$ 相乘，然后把所得的积相加；第(2)题可先用二项式 $(x-y)$ 中的 x 分别与三项式中的各项相乘，再用 $(-y)$ 分别与三项式中的各项相乘，然后把所得的积相加.

解析 (1)原式$=x\cdot x+x\cdot 7y+(-3y)\cdot x+(-3y)\cdot 7y$

$=x^2+7xy-3xy-21y^2=x^2+4xy-21y^2$.

(2)原式$=x\cdot x^2+x\cdot xy+x\cdot y^2+(-y)\cdot x^2+(-y)\cdot xy+(-y)\cdot y^2=x^3+x^2y+xy^2-x^2y-xy^2-y^3=x^3-y^3$.

方法2 乘法公式的合理运用

乘法公式是通过多项式的乘法法则，把特殊多项式相乘的结果写成公式形式.运用公式计算可使多项式相乘变得简捷，但运用时要掌握公式的结构特点，只有符合公式结构特征才可以运用公式进行计算.公式中的 a 和 b 可以是具体的数，也可以是单项式或多项式.

例2 计算：$(2y-x-3z)(-x-2y-3z)$.

思路分析 此题表面上似乎不符合平方差公式

的形式,但仔细观察,可发现能利用平方差公式计算,只需将$(-x-3z)$看作一项,$2y$看作另一项.

(解析) $(2y-x-3z)(-x-2y-3z)$

$=[(-x-3z)+2y][(-x-3z)-2y]$

$=(-x-3z)^2-4y^2=x^2+6xz+9z^2-4y^2$.

方法3 乘法公式在解决数的计算问题中的巧妙应用

对某些数的乘法或平方运算,可以根据数的特征,设法转化成较整的数的相关计算,再利用乘法公式进行运算.

例3 计算:(1)103×97;(2)999^2;

(3)$(2+1)\times(2^2+1)\times(2^4+1)$.

(解析) (1)$103\times97=(100+3)\times(100-3)$

$=100^2-3^2=10\ 000-9=9\ 991$.

(2)$999^2=(1\ 000-1)^2=1\ 000^2-2\times1\ 000\times1+1^2$

$=1\ 000\ 000-2\ 000+1=998\ 001$.

(3)原式$=(2-1)\times(2+1)\times(2^2+1)\times(2^4+1)$

$=(2^2-1)\times(2^2+1)\times(2^4+1)$

$=(2^4-1)\times(2^4+1)=2^8-1=255$.

方法4 乘法公式的变形在解题中的应用

首先必须做到心中牢记公式的"模型",在此前提下认真地对具体题目进行观察,想方设法通过调整项的位置和添括号等变形技巧,把式子凑成公式的"模型",然后就可以应用公式进行计算了.

例4 已知$a+b=2,ab=-3$,则a^2-ab+b^2的值为 ( )

A.11 B.12 C.13 D.14

(解析) $a^2-ab+b^2=a^2+2ab+b^2-3ab=(a+b)^2-3ab$,

$\because a+b=2,ab=-3,\therefore$ 原式$=2^2-3\times(-3)=13$.

故选C.

(答案) C

例5 已知$(m+n)^2=11,mn=2$,求$(m-n)^2$的值.

(解析) $(m-n)^2=m^2-2mn+n^2=m^2+2mn+n^2-4mn$

$=(m+n)^2-4mn$,

$\because (m+n)^2=11,mn=2,\therefore$ 原式$=11-4\times2=3$.

方法5 单项式除以单项式的解题方法

1.单项式除以单项式:(1)系数相除;(2)同底数幂相除;(3)对于只在被除式里含有的字母,连同它的指数作为商的因式.

2.关键是分清单项式中的系数、相同字母,注意混合运算的顺序.

例6 计算:

(1)$a^3b^4c^2\div\left(-\frac{3}{4}ab^3\right)$;

(2)$(x+2y)^5\div[2(x+2y)^2]$;

(3)$(2ax)^2\cdot\left(-\frac{2}{5}a^4x^3y^3\right)\div\left(-\frac{1}{2}a^5xy^2\right)$.

(解析) (1)$a^3b^4c^2\div\left(-\frac{3}{4}ab^3\right)$

$=\left[1\div\left(-\frac{3}{4}\right)\right](a^3\div a)(b^4\div b^3)c^2=-\frac{4}{3}a^2bc^2$.

(2)$(x+2y)^5\div[2(x+2y)^2]$

$=(1\div2)(x+2y)^{5-2}$

$=\frac{1}{2}(x+2y)^3$.

(3)$(2ax)^2\cdot\left(-\frac{2}{5}a^4x^3y^3\right)\div\left(-\frac{1}{2}a^5xy^2\right)$

$=4a^2x^2\cdot\left(-\frac{2}{5}a^4x^3y^3\right)\div\left(-\frac{1}{2}a^5xy^2\right)$

$=-\frac{8}{5}a^6x^5y^3\div\left(-\frac{1}{2}a^5xy^2\right)$

$=\frac{16}{5}ax^4y$.

方法6 化简求值中代错值问题的解决方法

在化简求值时,化简的结果往往很简单,常与某个字母的取值无关,因此就产生了代入错误的数值不影响最终结果的现象.这就要求我们抓住问题的本质,不被其表象所迷惑,通过计算说明道理是解决问题最有效的方法.

例7 学完整式乘除运算后,数学老师布置了一道题."先化简,再求值:$[2x(x^2y-xy^2)+xy(2xy-x^2)]\div(x^2y)$,其中$x=2\ 015,y=2\ 016$."小娟急于回家,抄题时把"$y=2\ 016$"错抄成"$y=216$",第二天她发现计算的结果没有错,试说明原因.

(解析) $[2x(x^2y-xy^2)+xy(2xy-x^2)]\div(x^2y)=(2x^3y-2x^2y^2+2x^2y^2-x^3y)\div(x^2y)=x^3y\div(x^2y)=x$.

因为化简后的结果不含有y,所以计算的结果与y值无关,即把"$y=2\ 016$"错抄成"$y=216$"不会影响计算的结果.

8.3 因式分解

知识清单

知识1 因式分解　知识2 公因式
知识3 提公因式法　知识4 公式法
知识5 因式分解的一般步骤

知识 1 因式分解

	定义	与整式乘法的关系	举例
因式分解	把一个多项式化成几个整式的积的形式，像这样的式子变形叫做这个多项式的因式分解，也叫做把这个多项式分解因式	$a^2-b^2 \underset{\text{整式乘法}}{\overset{\text{因式分解}}{\rightleftharpoons}} (a+b)(a-b)$	$x^2-4=(x+2)\cdot(x-2)$
温馨提示	①因式分解的结果只能是几个因式的积，否则不是因式分解，如 $x^2-4+3x=(x+2)(x-2)+3x$ 不是因式分解. ②分解因式一定要进行到底，即将一个多项式分解因式后，所得的结果中每一个多项式因式都不能再分解因式，否则还要继续分解下去. ③分解因式时要考虑数的范围，例如在有理数范围内 x^2-2 已经不能再分解了，但在实数范围内还可以分解为 $(x+\sqrt{2})(x-\sqrt{2})$. ④因式分解的结果是整式乘积的形式，结果出现相同的因式时，要把它写成幂的形式		

知识 2 公因式

1.定义：多项式 $pa+pb+pc$ 的各项都有一个公共的因式 p，我们把因式 p 叫做这个多项式各项的公因式. 公因式可以是一个单项式，也可以是一个多项式，如 $a(x+2)-b(x+2)$ 中，公因式是 $x+2$.

2.公因式的确定：(1)一看"系数"，公因式的系数是各项系数绝对值的最大公约数，如在多项式 $6a^3b^2-4ab^2-2a^2b^3$ 中，各项系数的绝对值是 6，4，2，它们的最大公约数是 2，所以公因式的系数是 2；

(2)二看"字母"，公因式中的字母应是各项都含有的相同的字母(注意这里的字母可以是一个整式)，如多项式 $6a^3b^2-4ab^2-2a^2b^3$ 中各项都含有 a，b，所以公因式中含有的字母是 a，b；

(3)三看"字母的次数"，公因式中字母的次数是相同字母的最低次数，如多项式 $6a^3b^2-4ab^2-2a^2b^3$ 中的 a 的最低次数是 1，b 的最低次数是 2，所以这个多项式的公因式是 $2ab^2$.

例 1 写出下列多项式的公因式.

(1) $ax+ay$；

(2) $3ab^2+2a^2b^3c$；

(3) $2m^3n^2-12m^2n^4+16mn^6$；

(4) $24xy(x+y)^2-4xy(x+y)^3$.

解析 (1) $ax+ay$ 的公因式是 a.

(2) $3ab^2+2a^2b^3c$ 的公因式是 ab^2.

(3) $2m^3n^2-12m^2n^4+16mn^6$ 的公因式是 $2mn^2$.

(4) $24xy(x+y)^2-4xy(x+y)^3$ 的公因式是 $4xy(x+y)^2$.

点拨 确定公因式的方法：先确定系数再确定字母及其指数. 系数 1 和指数 1 通常省略不写.

知识 3 提公因式法

1.定义：一般地，如果多项式的各项有公因式，可以把这个公因式提取出来，将多项式写成公因式与另一个因式的乘积的形式，这种分解因式的方法叫做提公因式法.

2.示例：$ma+mb+mc=m(a+b+c)$，这里的 m 可以表示单项式，也可以表示多项式，m 称为公因式.

3.提公因式法分解因式的一般步骤：

(1)确定公因式；(2)把多项式的各项写成含公因式的乘积形式；(3)把公因式提到括号前面，余下的项写在括号内. 如 $6a^3b^2-4ab^2-2a^2b^3=2ab^2\cdot 3a^2-2ab^2\cdot 2-2ab^2\cdot ab=2ab^2(3a^2-2-ab)$.

注意事项

①若首项系数为负，一般要提出"-"，使括号内首项系数为正，但要注意，此时括号内的各项都应变号，如 $-x^2+2x=-x(x-2)$.

②不能漏项，提出公因式后，每一项都有剩余部分，它们组成的新多项式的项数与原多项式的项数相同. 特别注意，当原多项式的某一项与公因式相同时，提出公因式后，剩下的新多项式应在相应位置上补 1，而不是 0，如 $6x^3y^2+4x^2yz-2xy=2xy(3x^2y+2xz-1)$.

③最后要检查是不是分解彻底，不能有公因式遗漏.

④公因式提取后，每一项的剩余部分可根据整式的除法法则来确定.

知识 4 公式法

1.平方差公式

把整式乘法的平方差公式$(a+b)(a-b)=a^2-b^2$的等号两边互换位置，就得到$a^2-b^2=(a+b)(a-b)$，即两个数的平方差等于这两个数的和与这两个数的差的积.

2.完全平方公式

把整式乘法的完全平方公式$(a\pm b)^2=a^2\pm 2ab+b^2$的等号两边互换位置，就得到$a^2\pm 2ab+b^2=(a\pm b)^2$，即两个数的平方和加上(或减去)这两个数的积的2倍，等于这两个数的和(或差)的平方.

①要熟练掌握公式的结构特征并牢记这些公式.

②公式中的字母a、b可以是一个单项式，也可以是一个多项式.

③若多项式各项有公因式，则先提公因式，再运用公式法分解因式.

例2 把下列多项式分解因式：

(1)$25x^2-9y^2$；(2)x^2-4x+4；

(3)$25x^2+20xy+4y^2$；(4)$9(a-b)^2-4(a+b)^2$.

解析 (1)$25x^2-9y^2=(5x)^2-(3y)^2=(5x+3y)\cdot(5x-3y)$.

(2)$x^2-4x+4=x^2-2\cdot x\cdot 2+2^2=(x-2)^2$.

(3)$25x^2+20xy+4y^2=(5x)^2+2\cdot 5x\cdot 2y+(2y)^2=(5x+2y)^2$.

(4)$9(a-b)^2-4(a+b)^2=[3(a-b)]^2-[2(a+b)]^2$

$=[3(a-b)+2(a+b)][3(a-b)-2(a+b)]$

$=(3a-3b+2a+2b)(3a-3b-2a-2b)$

$=(5a-b)(a-5b)$.

知识 5 因式分解的一般步骤

一提	先看多项式的各项是否有公因式，若有，则应先提公因式	
二套	根据多项式的项数判断能否套用公式	若是二项式，则看是否符合平方差公式的特征
		若是三项式，则看是否符合完全平方公式的特征
三分组	多项式的项数多于三项时，可考虑先分组，再进行因式分解	
四彻底	因式分解结果一定要彻底，分解到每一个因式都不能再分解为止	

知识拓展

1.分组分解法

(1)定义：分组分解法是把各项适当分组，先使分解因式能分组进行，再使分解因式在各组之间进行.分组时用到添括号，添括号时要注意各项符号的变化.

(2)示例：$ma+mb+na+nb=m(a+b)+n(a+b)=(a+b)\cdot(m+n)$，这里的$m$，$n$可以表示单项式，也可以表示多项式.

(3)四项式的分组有两种方式：一、三分组和二、二分组.一、三分组主要运用完全平方公式和平方差公式；而二、二分组既可运用提公因式法，又可将平方差公式和提公因式混合使用.

例1 把$a^2-ab+ac-bc$分解因式.

思路分析 把这个多项式的四项按前两项与后两项分成两组，分别提出公因式a与c后，另一个因式正好都是$(a-b)$，这样就可以提出公因式$(a-b)$.

解析 $a^2-ab+ac-bc$

$=(a^2-ab)+(ac-bc)$ ——分组

$=a(a-b)+c(a-b)$ ——组内提公因式

$=(a-b)(a+c)$. ——提公因式

例2 把$1-x^2+2xy-y^2$分解因式.

思路分析 根据多项式后三项的结构特征，把后三项分在一组，利用完全平方公式分解因式后，可以利用平方差公式再次分解因式.

解析 $1-x^2+2xy-y^2$

$=1-(x^2-2xy+y^2)$ ——分组

$=1-(x-y)^2$ ——组内用完全平方公式因式分解

$=(1+x-y)(1-x+y)$ ——平方差公式因式分解

2.十字相乘法

对于形如x^2+px+q的二次三项式，若能找到两数a、b，使$a\cdot b=q$，且$a+b=p$，那么x^2+px+q就可以进行如下的因式分解，即$x^2+px+q=x^2+(a+b)x+ab=(x+a)\cdot(x+b)$.

像这样，通过十字交叉线帮助分解系数，把二次三项式分解因式的方法，叫做十字相乘法.十字相乘法

简单来讲就是十字左边相乘等于二次项系数，右边相乘等于常数项，交叉相乘再相加等于一次项系数.

例3 分解因式：(1) x^2+3x+2；(2) m^2-4m+3.

（解析）(1) 常数项 $2=1\times2$，而 $1+2=3$，3 为一次项系数，

所以 $x^2+3x+2=(x+1)(x+2)$.

(2) 常数项 $3=(-1)\times(-3)$，而 $(-1)+(-3)=-4$，-4 为一次项系数，

所以 $m^2-4m+3=(m-1)(m-3)$.

方法清单

方法1 因式分解的判断方法

方法2 用提公因式法分解因式

方法3 用公式法分解因式

方法1 因式分解的判断方法

判断一个多项式进行因式分解的结果是否正确，可以从两方面入手，一是直接分解，看与结果是否一致；二是从结果看，每个因式是否还能继续分解，再将右边的结果运用整式的乘法展开，看是否与左边相等.

例1 判断下列等式，从左边到右边哪些是因式分解，哪些是整式乘法，哪些既不是因式分解也不是整式乘法.

(1) $(x+1)(x+2)=x^2+3x+2$；

(2) $2x^3+5x^2+3x-2=(x^2+2x)(2x+1)+(x-2)$；

(3) $x(3x+1)(9x^2-3x+1)=27x^4+x$；

(4) $3a^3+5a^2b-2ab^2=a(a+2b)(3a-b)$；

(5) $(a+b)(x+y)=(x+y)(a+b)$；

(6) $4a^3b-9ab^5+1=ab(4a^2-9b^4)+1$；

(7) $\frac{a^2}{4}-b^2=\left(\frac{a}{2}+b\right)\left(\frac{a}{2}-b\right)$；

(8) $m^2-5m+24=(m+8)(m+3)-16m$.

（解析）(4)(7)是因式分解；(1)(3)是整式乘法；(2)(5)(6)(8)既不是因式分解也不是整式乘法.

点拨 因式分解是把和差化成积的形式，而整式乘法是把积化成和差的形式.

方法2 用提公因式法分解因式

1.提取公因式后，括号内的各项是用公因式去除这个多项式的各项得到的商，特别注意不要漏项.

2.公因式要提"全"、提"净"，使系数不含公约数，字母不含公因式.

3.在因式分解过程中，常常把含有相同字母且字母次数相同的多项式作为公因式提出来，此时要特别注意字母的排列顺序的变化及其指数的奇、偶性.

4.当多项式的首项系数为负数时，要把"-"提出来，使括号内的首项系数变为正数.

例2 把下列各式分解因式：

(1) $-2m^3n-8m^2n^2+12mn^3$；

(2) $4m(m-n)^2+4n(n-m)$；

(3) $4a^2b-6ab^2-2ab$.

（解析）(1) $-2m^3n-8m^2n^2+12mn^3$

$=-2mn\cdot m^2+(-2mn)\cdot 4mn+(-2mn)\cdot(-6n^2)$

$=-2mn(m^2+4mn-6n^2)$.

(2) $4m(m-n)^2+4n(n-m)$

$=4m(n-m)^2+4n(n-m)$

$=4(n-m)\cdot m(n-m)+4(n-m)\cdot n$

$=4(n-m)[m(n-m)+n]$

$=4(n-m)(mn-m^2+n)$.

(3) $4a^2b-6ab^2-2ab$

$=2ab\cdot 2a-2ab\cdot 3b-2ab\cdot 1$

$=2ab(2a-3b-1)$.

方法3 用公式法分解因式

1.要熟练掌握公式的结构特征并牢记这些公式.

2.看项数选公式，"二项"考虑平方差公式，"三项"考虑完全平方公式.

3.在运用公式前要先判断一个多项式是否符合公式的特点.若符合，则把多项式写成公式的结构形式，再去"套"公式；否则不能"套"公式.

例3 将下列各式分解因式：

(1) a^3-a；(2) x^3y-2x^2y+xy；

(3) x^4-81；(4) $(a^2+4)^2-16a^2$.

思路分析　把多项式分解因式，首先看有没有公因式，若有公因式，先提公因式，然后看是否能继续分解，若能分解，且为二项式，则考虑平方差公式；若能分解，且为二次三项式，则考虑完全平方公式.

（解析）(1) $a^3-a=a(a^2-1)=a(a+1)(a-1)$.

(2) $x^3y-2x^2y+xy=xy(x^2-2x+1)=xy(x-1)^2$.

(3) $x^4-81=(x^2+9)(x^2-9)=(x^2+9)(x+3)(x-3)$.

(4) $(a^2+4)^2-16a^2=(a^2+4+4a)(a^2+4-4a)$

$=(a+2)^2(a-2)^2$.

第9章 分式与分式方程

9.1 分式的有关概念

知识清单

知识 1 分式的定义

	定义	三要素
分式	一般地,如果A,B表示两个整式,并且B中含有字母,那么式子$\frac{A}{B}$叫做分式.分式$\frac{A}{B}$中,A叫做分子,B叫做分母	(1)形如$\frac{A}{B}$的式子; (2)A,B均为整式; (3)分母B中含有字母
温馨提示	(1)分式的概念可类比分数得出,分式的形式和分数类似,但它与分数有区别,分数是整式,不是分式,两者的根本区别在于分式的分母中含有字母,这也是分式的一个重要标志. (2)分式实际上是一个商式,它的分子是被除式,分母是除式,分数线相当于除号,同时也有括号的作用. (3)分式中分母含有字母,而整式没有分母或者分母中不含有字母;整式中的字母可以取任意实数,但分式中的字母取值不能使分母等于0. (4)判断式子是不是分式是从原始形式上去看,而不是从化简后的结果上去看,如$\frac{x^2}{x}$是分式,而不是整式	

例1 指出下列各式中的整式与分式:

$\frac{1}{x},\frac{1}{x+y},\frac{a+b}{2},\frac{x}{\pi},\frac{3}{x^2-1},-\frac{2}{3},-3+2y^2,\frac{y^2}{4}.$

思路分析 判断分式的依据是看分母中是否含有字母,如果含有字母,那么是分式,如果不含有字母,那么不是分式.

(解析) 整式有$\frac{a+b}{2},\frac{x}{\pi},-\frac{2}{3},-3+2y^2,\frac{y^2}{4}$;

分式有$\frac{1}{x},\frac{1}{x+y},\frac{3}{x^2-1}$.

知识 2 分式的基本性质

1.分式的分子与分母乘(或除以)同一个不等于0的整式,分式的值不变.用式子表示为$\frac{A}{B}=\frac{A\cdot C}{B\cdot C}$或$\frac{A}{B}=\frac{A\div C}{B\div C}(C\neq0)$,其中$A,B,C$均为整式.

2.分式基本性质的应用主要反映在以下两个方面:

(1)不改变分式的值,把分式的分子、分母中各项的系数化为整数.

如:$\frac{-\frac{1}{5}x}{\frac{1}{2}x-\frac{1}{4}y}=\frac{-\frac{1}{5}x\cdot20}{\left(\frac{1}{2}x-\frac{1}{4}y\right)\cdot20}=\frac{-4x}{10x-5y}$.

(2)分式的分子、分母与分式本身的符号,改变其中任何两个,分式的值不变.

如:$-\frac{-b}{a}=\frac{-b}{-a}=-\frac{b}{-a}=\frac{b}{a}(a\neq0)$,

$-\frac{b}{a}=-\frac{-b}{-a}=\frac{b}{-a}=\frac{-b}{a}(a\neq0)$.

例2 若分式$\frac{2ab}{a+b}$中的a、b的值同时扩大到原来的10倍,则分式的值 ( )

A.是原来的20倍 B.是原来的10倍

C.是原来的$\frac{1}{10}$ D.不变

(解析) 分式$\frac{2ab}{a+b}$中的a、b的值同时扩大到原来的10倍,得$\frac{2\times10a\times10b}{10a+10b}=\frac{10\times2ab}{a+b}$,故选B.

(答案) B

点拨 本题是分式中的a、b同时扩大到原来的10倍,不是分子、分母同时乘10,与分式的基本性质区分开.

知识 3 约分及约分法则

1.约分

和分数一样,根据分式的基本性质,把一个分式的分子与分母的公因式约去,叫做分式的约分.

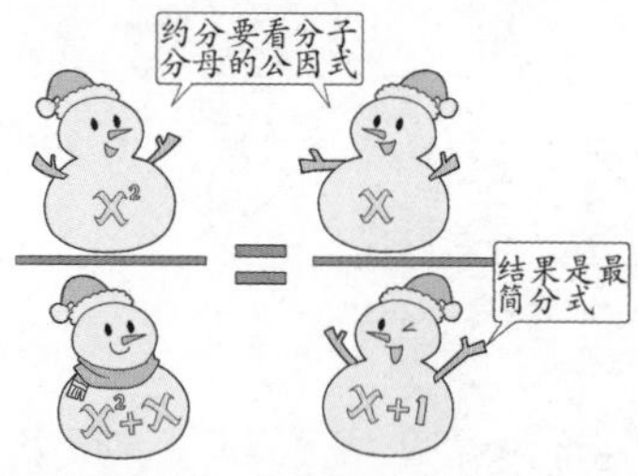

2.约分法则

把一个分式约分,如果分子和分母都是几个因式乘积的形式,约去分子和分母中相同因式的最低次幂;分子与分母的系数,约去它们的最大公约数.如果分式的分子、分母是多项式,先分解因式,然后约分.

如:$\frac{6a^2b^3c}{8a^3bc^2}=\frac{3b^2}{4ac}$;$\frac{x^2-1}{x^2-x-2}=\frac{(x+1)(x-1)}{(x+1)(x-2)}=\frac{x-1}{x-2}$.

温馨提示

①约分的依据是分式的基本性质,约分的关键是找出分式中分子和分母的公因式.

②分式的约分一定要进行到底,约分的结果是最简分式或整式,即将分式化为最简形式.

③约分时,当分子或分母含有负号时,一般把负号提到分式的前面.

知识 4 最简分式

分子与分母没有公因式的分式叫做最简分式.约分一般是将一个分式化为最简分式,分式约分所得的结果有时可能为整式.如:$\frac{3a^2-a}{a}=3a-1$.

例3 下列各式中,最简分式有 ( )

$\frac{y}{2x}$,$\frac{m+n}{m^2-n^2}$,$\frac{9x+y}{45xy^2}$,$\frac{x-y}{x^2-2xy+y^2}$.

A.1个 B.2个 C.3个 D.4个

解析 本题考查最简分式的概念.$m+n$ 与 m^2-n^2 有公因式 $m+n$,所以$\frac{m+n}{m^2-n^2}=\frac{1}{m-n}$,$x^2-2xy+y^2=(x-y)^2$,故$\frac{x-y}{x^2-2xy+y^2}=\frac{1}{x-y}$,因此,最简分式为$\frac{y}{2x}$,$\frac{9x+y}{45xy^2}$.故选B.

答案 B

知识 5 通分及通分法则

1.通分

根据分式的基本性质,把几个异分母的分式分别化成与原来的分式相等的同分母的分式,叫做分式的通分.

2.通分法则

把两个或者几个分式通分,(1)先求各个分式的最简公分母(即各分母系数的最小公倍数、相同因式的最高次幂和所有不同因式的积).(2)再利用分式的基本性质,用最简公分母除以原来各分母所得的商分别去乘原来分式的分子、分母,使每个分式变为与原分式的值相等,而且以最简公分母为分母的分式.(3)若分母是多项式,则先分解因式,再通分.

温馨提示

①通分的依据是分式的基本性质,通分的关键是寻求几个分式的最简公分母.

②通分的实质是把各分式的分子、分母都乘相应的整式,使各分式化为同分母分式.

例4 把$\frac{1}{x-2}$,$\frac{1}{(x-2)(x+3)}$,$\frac{2}{(x+3)^2}$通分的过程中,不正确的是 ( )

A.最简公分母是$(x-2)(x+3)^2$

B.$\frac{1}{x-2}=\frac{(x+3)^2}{(x-2)(x+3)^2}$

C.$\frac{1}{(x-2)(x+3)}=\frac{x+3}{(x-2)(x+3)^2}$

D.$\frac{2}{(x+3)^2}=\frac{2x-2}{(x-2)(x+3)^2}$

解析 选项A,最简公分母为$(x-2)(x+3)^2$,正确;

选项B,$\frac{1}{x-2}=\frac{(x+3)^2}{(x-2)(x+3)^2}$,正确;

选项C,$\frac{1}{(x-2)(x+3)}=\frac{x+3}{(x-2)(x+3)^2}$,正确;

选项D,$\frac{2}{(x+3)^2}=\frac{2(x-2)}{(x-2)(x+3)^2}=\frac{2x-4}{(x-2)(x+3)^2}$,

∴ D不正确,故选D.

答案 D

知识 6 最简公分母

1.定义:几个分式通分时,通常取各分母系数的最小公倍数与所有字母因式的最高次幂的积作为公分母,这样的分母叫做最简公分母.

2.确定最简公分母的方法:

类型	方法步骤	举例
分母为单项式	①取单项式中所有系数的最小公倍数作为最简公分母的系数; ②取单项式中每个字母出现的最高次数作为最简公分母中该字母的次数	通分$\frac{1}{2a^2b^3}$与$\frac{2}{3ab^2}$: ①2和3的最小公倍数为6; ②a^2b^3和ab^2中a的次数取2,b的次数取3,最简公分母为$6a^2b^3$

续表

类型	方法步骤	举例
分母为多项式	①对每个分母因式分解; ②找出每个出现的因式的最高次幂,它们的积为最简公分母; ③若有系数,方法同上	通分$\frac{a+1}{a^2-2a+1}$与$\frac{6}{1-a^2}$: ①$a^2-2a+1=(a-1)^2$,$1-a^2=(1+a)(1-a)$; ②出现的因式有$(a-1)^2$,$(1+a)$,$(1-a)$,故$(a-1)$的次数取2,$(1+a)$的次数取1,最简公分母为$(a-1)^2(1+a)$

知识 7 约分与通分的联系与区别

1.约分与通分都是根据分式的基本性质对分式进行恒等变形,即每个分式变形之后都不改变原分式的值.

2.约分是针对一个分式而言,约分可使分式变简单.

3.通分是针对两个或两个以上的分式来说的,通分可使异分母分式化为同分母分式.

方法清单

方法 1 分式有无意义的判断方法

1.分式有意义的条件:分式的分母不等于0.
2.分式无意义的条件:分式的分母等于0.

例1 下列分式中,无论x为何值,一定有意义的是 ( )

A.$\frac{x-2}{x+2}$ B.$\frac{x-1}{x}$ C.$\frac{x+1}{x^2-1}$ D.$\frac{x-1}{x^2+5}$

解析 选项A,当$x+2\neq0$,即$x\neq-2$时,分式$\frac{x-2}{x+2}$有意义.选项B,当$x\neq0$时,分式$\frac{x-1}{x}$有意义.选项C,当$x^2-1\neq0$,即$x\neq\pm1$时,分式$\frac{x+1}{x^2-1}$有意义.选项D,因为无论x取什么值,$x^2+5>0$恒成立,所以分式$\frac{x-1}{x^2+5}$一定有意义.故选D.

答案 D

方法 2 分式值为零的判断方法

在分式$\frac{A}{B}$中,分式值为零的条件是分子等于零且分母不等于零,即$\begin{cases}A=0,\\B\neq0.\end{cases}$

例2 当x取何值时,下列分式的值为零?

(1)$\frac{x+2}{2x-3}$;(2)$\frac{|x|-2}{x+2}$.

解析 (1)由题意知$\begin{cases}2x-3\neq0,\\x+2=0,\end{cases}$解得$x=-2$,

$\therefore$ 当$x=-2$时,分式$\frac{x+2}{2x-3}$的值为零.

(2)由题意知$\begin{cases}x+2\neq0,\\|x|-2=0,\end{cases}$解得$x=2$,

$\therefore$ 当$x=2$时,分式$\frac{|x|-2}{x+2}$的值为零.

方法 3 利用分式的基本性质进行变形

分式的基本性质是分式恒等变形和分式运算的理论依据,正确理解和熟练掌握这一性质是学好分式的关键.利用分式的基本性质可将分式恒等变形,从而达到化简分式、简化计算的目的.

例3 下列各式变形正确的有 ( )

①$\frac{a}{b}=\frac{a^2}{ab}$;②$\frac{a}{b}=\frac{ab}{b^2}$;③$\frac{a}{b}=\frac{ac}{bc}$;④$\frac{a}{b}=\frac{a(x^2+1)}{b(x^2+1)}$;⑤$\frac{a}{b}=\frac{a+m}{b+m}$;⑥$\frac{a}{b}=\left(\frac{a}{b}\right)^2$;⑦$\frac{ab+1}{ac-1}=\frac{b+1}{c-1}$;⑧$\frac{x-y}{x^2-y^2}=\frac{1}{x+y}$.

A.5个 B.4个 C.3个 D.2个

解析 根据分式的基本性质可得,只有②④⑧是正确的.

答案 C

方法 4 约分的技巧与方法

分式的约分是对分式的分子与分母同时进行的,分子和分母必须都是乘积的形式才能进行约分,约分要彻底,使分子、分母没有公因式.

例4 约分:(1)$\frac{a^2bc}{ab}$;(2)$\frac{x^2-1}{x^2-2x+1}$;

(3)$\frac{2a+2b}{3a^2+6ab+3b^2}$.

解析 (1)$\frac{a^2bc}{ab}=\frac{ac\cdot ab}{ab}=ac$.

(2)$\frac{x^2-1}{x^2-2x+1}=\frac{(x+1)(x-1)}{(x-1)^2}=\frac{x+1}{x-1}$.

(3)$\frac{2a+2b}{3a^2+6ab+3b^2}=\frac{2(a+b)}{3(a+b)^2}=\frac{2}{3(a+b)}$.

方法 5 通分的技巧与方法

通分的关键是确定几个分式的最简公分母.通分的步骤:(1)把分式按约分的步骤化为最简分式;(2)求出各分式的最简公分母;(3)用最简公分母除以原分母所得的商去乘各自的分子,得出通分后的分子.

例5 通分:(1) $\frac{3}{2a^2b}$与$\frac{a-b}{ab^2c}$;(2) $\frac{2x}{x-5}$与$\frac{3x}{x^2-25}$;(3) $\frac{1}{x+2}$,$\frac{4x}{x^2-4}$,$\frac{2}{2-x}$.

思路分析 通分要先确定最简公分母.(1)中最简公分母是$2a^2b^2c$,(2)中$x^2-25=(x+5)(x-5)$,可确定最简公分母为$(x+5)(x-5)$,(3)中$x^2-4=(x+2)(x-2)$,$2-x=-(x-2)$,可确定最简公分母为$(x+2)(x-2)$.

解析 (1)∵最简公分母是$2a^2b^2c$,

$\therefore \frac{3}{2a^2b}=\frac{3\cdot bc}{2a^2b\cdot bc}=\frac{3bc}{2a^2b^2c}$, $\frac{a-b}{ab^2c}=\frac{(a-b)\cdot 2a}{ab^2c\cdot 2a}=\frac{2a^2-2ab}{2a^2b^2c}$.

(2)∵最简公分母是$(x+5)(x-5)$,

$\therefore \frac{2x}{x-5}=\frac{2x(x+5)}{(x-5)(x+5)}=\frac{2x^2+10x}{x^2-25}$, $\frac{3x}{x^2-25}=\frac{3x}{x^2-25}$.

(3)∵最简公分母是$(x+2)(x-2)$,

$\therefore \frac{1}{x+2}=\frac{x-2}{(x+2)(x-2)}=\frac{x-2}{x^2-4}$, $\frac{4x}{x^2-4}=\frac{4x}{x^2-4}$, $\frac{2}{2-x}=-\frac{2}{x-2}=-\frac{2(x+2)}{(x-2)(x+2)}=-\frac{2x+4}{x^2-4}$.

方法 6 分式的变形求值的方法

分式求值是整式运算、因式分解、分式运算的综合运用,涉及的知识点多,题型灵活多变.解题时常常从条件或结论出发,进行恒等变形,再整体代入求值.

例6 已知$\frac{1}{x}-\frac{1}{y}=3$,则代数式$\frac{2x-14xy-2y}{x-2xy-y}$的值为________.

解析 解法一:已知$\frac{1}{x}-\frac{1}{y}=3$,隐含条件为$x\neq0$,$y\neq0$,故等式两边同乘$xy$,得$y-x=3xy$,

即$x-y=-3xy$.

所以$\frac{2x-14xy-2y}{x-2xy-y}=\frac{2(x-y)-14xy}{(x-y)-2xy}$

$=\frac{2\times(-3xy)-14xy}{-3xy-2xy}=\frac{-20xy}{-5xy}=4$.

解法二:由题意知$x\neq0$,$y\neq0$,则所求分式的分子、分母同除以xy,得原式$=\frac{\frac{2}{y}-14-\frac{2}{x}}{\frac{1}{y}-2-\frac{1}{x}}=\frac{-2\left(\frac{1}{x}-\frac{1}{y}\right)-14}{-\left(\frac{1}{x}-\frac{1}{y}\right)-2}$,因为$\frac{1}{x}-\frac{1}{y}=3$,所以原式$=\frac{-2\times3-14}{-3-2}=\frac{-20}{-5}=4$.

答案 4

9.2 分式的运算

知识清单

知识1 分式的乘除　知识2 分式的加减
知识3 分式的乘方　知识4 分式的混合运算

知识 1 分式的乘除

	法则	字母表示
乘法	分式乘分式,用分子的积作为积的分子,分母的积作为积的分母	$\frac{a}{b}\cdot\frac{c}{d}=\frac{a\cdot c}{b\cdot d}$
除法	分式除以分式,把除式的分子、分母颠倒位置后,与被除式相乘	$\frac{a}{b}\div\frac{c}{d}=\frac{a}{b}\cdot\frac{d}{c}=\frac{a\cdot d}{b\cdot c}$

续表

	法则	字母表示
温馨提示	(1)分式与分式相乘,若分子、分母是单项式,则先将分子、分母分别相乘,然后约去公因式,化为最简分式或整式;若分子、分母是多项式,则先把分子、分母分解因式,看能否约分,再相乘. (2)当分式与整式相乘时,要把整式与分子相乘作为积的分子,分母不变. (3)分式的除法运算可以转化为分式的乘法运算. (4)分式的乘除的运算结果要通过约分化为最简分式(分式的分子、分母没有公因式)或整式	

例1 计算：(1) $\frac{-a^2b}{2c}\cdot\frac{-4cd}{5ab^2}$；(2) $\frac{-3x^2}{4y^3}\div(6xy^4)$；

(3) $\frac{x^2-3x}{x^2-5x}\cdot\frac{2x-10}{x^2-6x+9}$；(4) $\frac{x^2-1}{x+1}\div\frac{x^2-2x+1}{x^2-x}$.

解析 (1) $\frac{-a^2b}{2c}\cdot\frac{-4cd}{5ab^2}=\frac{(-a^2b)(-4cd)}{2c\cdot5ab^2}=\frac{4a^2bcd}{10ab^2c}=\frac{2abc\cdot2ad}{2abc\cdot5b}=\frac{2ad}{5b}$.

(2) $\frac{-3x^2}{4y^3}\div(6xy^4)=\frac{-3x^2}{4y^3}\cdot\frac{1}{6xy^4}=\frac{-3x^2}{24xy^7}=\frac{3x\cdot(-x)}{3x\cdot8y^7}=-\frac{x}{8y^7}$.

(3) $\frac{x^2-3x}{x^2-5x}\cdot\frac{2x-10}{x^2-6x+9}=\frac{x(x-3)}{x(x-5)}\cdot\frac{2(x-5)}{(x-3)^2}=\frac{2}{x-3}$.

(4) $\frac{x^2-1}{x+1}\div\frac{x^2-2x+1}{x^2-x}=\frac{(x+1)(x-1)}{x+1}\cdot\frac{x(x-1)}{(x-1)^2}=x$.

知识 2 分式的加减

分式的加减法与分数的加减法一样，分为同分母分式相加减和异分母分式相加减两种.

1. 同分母分式相加减

法则：同分母分式相加减，分母不变，分子相加减.

用式子表示为 $\frac{a}{b}\pm\frac{c}{b}=\frac{a\pm c}{b}$.

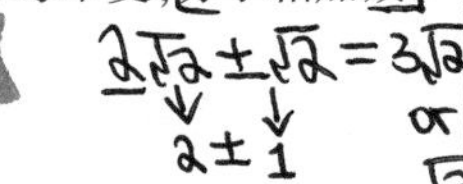

2. 异分母分式相加减

法则：异分母分式相加减，先通分，变为同分母分式，再加减.

用式子表示为 $\frac{a}{b}\pm\frac{c}{d}=\frac{ad}{bd}\pm\frac{bc}{bd}=\frac{ad\pm bc}{bd}$.

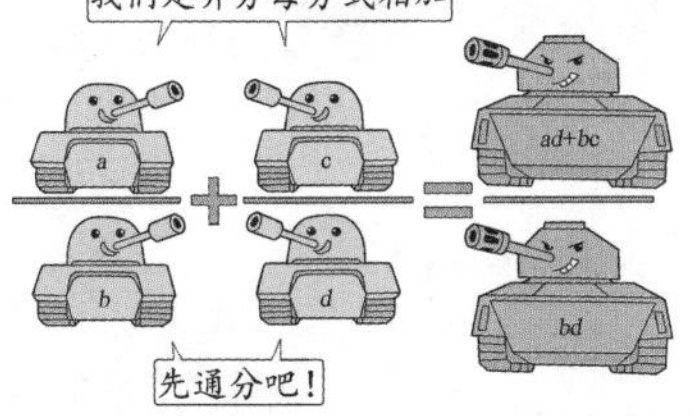

温馨提示

①分式的加减运算的结果必须是最简分式或整式，运算中要适当约分.

②如果一个分式与一个整式相加减，那么可以把整式的分母看成1，先通分，再进行加减运算.

如 $\frac{1}{x+1}+x-1=\frac{1}{x+1}+\frac{x-1}{1}=\frac{1}{x+1}+\frac{(x-1)(x+1)}{x+1}=\frac{1+(x^2-1)}{x+1}=\frac{x^2}{x+1}$.

例2 下列运算正确的是 （　　）

A. $\frac{a}{a-b}-\frac{b}{b-a}=1$

B. $\frac{m}{a}-\frac{n}{b}=\frac{m-n}{a-b}$

C. $\frac{b}{a}-\frac{b+1}{a}=\frac{1}{a}$

D. $\frac{2}{a-b}-\frac{a+b}{a^2-b^2}=\frac{1}{a-b}$

解析 $\frac{a}{a-b}-\frac{b}{b-a}=\frac{a}{a-b}+\frac{b}{a-b}=\frac{a+b}{a-b}$，选项 A 错误；

$\frac{m}{a}-\frac{n}{b}=\frac{mb}{ab}-\frac{an}{ab}=\frac{mb-an}{ab}$，选项 B 错误；

$\frac{b}{a}-\frac{b+1}{a}=\frac{b-(b+1)}{a}=-\frac{1}{a}$，选项 C 错误；

$\frac{2}{a-b}-\frac{a+b}{a^2-b^2}=\frac{2(a+b)}{a^2-b^2}-\frac{a+b}{a^2-b^2}=\frac{a+b}{a^2-b^2}=\frac{1}{a-b}$，选项 D 正确.

答案 D

知识 3 分式的乘方

	法则	用字母表示
乘方	分式乘方要把分子、分母分别乘方	$\left(\frac{a}{b}\right)^n=\frac{a^n}{b^n}$（$n$ 为正整数，$b\neq0$）
易错警示	(1) 乘方时，一定要把分式加上括号，并且一定要把分子、分母分别乘方，不要把 $\left(\frac{a}{b}\right)^n=\frac{a^n}{b^n}$ 写成 $\left(\frac{a}{b}\right)^n=\frac{a^n}{b}$. (2) 分式乘方时，确定乘方结果的符号与有理数乘方相同，即正分式的任何次幂都为正；负分式的偶次幂为正，奇次幂为负. (3) 分式乘方时，分式的分子或分母是多项式时，应把分子、分母分别看作一个整体. 如 $\left(\frac{a-b}{a}\right)^2=\frac{(a-b)^2}{a^2}\neq\frac{a^2-b^2}{a^2}$. (4) 在一个算式中同时含有分式的乘方、乘法、除法时，应先算乘方，再算乘除	

例3 计算：(1) $\left(-\frac{a}{bc}\right)^2$；(2) $\left(\frac{a^2}{-b^3}\right)^4$；

(3) $\left(\frac{x^2y}{-z^2}\right)^3$；(4) $\left(\frac{x+y}{-2x}\right)^2$.

解析 (1) $\left(-\frac{a}{bc}\right)^2=\frac{a^2}{(bc)^2}=\frac{a^2}{b^2c^2}$.

(2) $\left(\frac{a^2}{-b^3}\right)^4=\frac{(a^2)^4}{(-b^3)^4}=\frac{a^8}{b^{12}}$.

(3) $\left(\frac{x^2y}{-z^2}\right)^3=\frac{(x^2y)^3}{(-z^2)^3}=\frac{x^6y^3}{-z^6}=-\frac{x^6y^3}{z^6}$.

(4) $\left(\frac{x+y}{-2x}\right)^2=\frac{(x+y)^2}{(-2x)^2}=\frac{x^2+2xy+y^2}{4x^2}$.

知识 4 分式的混合运算

含有分式的乘除、乘方、加减的多种运算叫做分式的混合运算.

分式的混合运算顺序：先算乘方，再算乘除，最后算加减. 有括号的，先算括号里的.

温馨提示

①分式的运算与分数的运算一样，一是注意符号；二是结果必须化到最简.

②有理数的运算律以及整式运算的公式对分式同样适用，要灵活运用乘法交换律、结合律、分配律，使运算简便.

例4 化简：$\left(x-5+\frac{16}{x+3}\right)\div\frac{x-1}{x^2-9}$.

解析 $\left(x-5+\frac{16}{x+3}\right)\div\frac{x-1}{x^2-9}$

$=\left[\frac{(x-5)(x+3)}{x+3}+\frac{16}{x+3}\right]\cdot\frac{(x+3)(x-3)}{x-1}$

$=\frac{x^2-2x-15+16}{x+3}\cdot\frac{(x+3)(x-3)}{x-1}$

$=\frac{(x-1)^2}{x+3}\cdot\frac{(x+3)(x-3)}{x-1}=(x-1)(x-3)=x^2-4x+3.$

方法清单

方法1 分式的乘除运算的解题方法

分式的乘除运算归根到底可以统一成乘法运算，分式的乘法一般情况下是先约分再相乘；当除式（或被除式）是整式时，可以将其分母看作1.

例1 计算下列各式：

(1) $\frac{a^2-1}{a^2-2a+1}\div\frac{a+1}{a-1}\cdot\frac{1-a}{1+a}$；

(2) $\frac{2x-6}{4-4x+x^2}\div(x+2)\cdot\frac{x^2-4}{3-x}$.

思路分析 此题属分式的乘除混合运算，按从左到右的顺序进行计算，先将多项式因式分解，再约分.

解析 (1) 原式 $=\frac{a^2-1}{a^2-2a+1}\cdot\frac{a-1}{a+1}\cdot\frac{1-a}{1+a}=\frac{(a+1)(a-1)}{(a-1)^2}\cdot\frac{a-1}{a+1}\cdot\frac{-(a-1)}{a+1}=-\frac{a-1}{a+1}$.

(2) 原式 $=\frac{2(x-3)}{(2-x)^2}\cdot\frac{1}{x+2}\cdot\frac{(x+2)(x-2)}{3-x}=\frac{2(x-3)}{(x-2)^2}\cdot\frac{1}{x+2}\cdot\frac{(x+2)(x-2)}{-(x-3)}=-\frac{2}{x-2}$.

方法2 分式的加减运算的解题方法

分式的加减法与分数的加减法的运算法则实质是相同的，分为同分母加减法和异分母加减法，所不同的是分式加减运算比分数的加减运算要复杂得多.它是整式运算、因式分解和分式运算的综合运用.

例2 计算：(1) $\frac{4x+y}{2x-y}+\frac{3y}{y-2x}$；(2) $\frac{1}{3a^2}+\frac{1}{2ab}$；

(3) $\frac{a^2}{a-1}-a-1$；(4) $\frac{x^2+4x}{x^2+2x}+\frac{x^2-4}{x^2+4x+4}$.

解析 (1) 原式 $=\frac{4x+y}{2x-y}-\frac{3y}{2x-y}=\frac{4x-2y}{2x-y}=2$.

(2) 原式 $=\frac{2b}{6a^2b}+\frac{3a}{6a^2b}=\frac{2b+3a}{6a^2b}$.

(3) 原式 $=\frac{a^2}{a-1}-\frac{a+1}{1}=\frac{a^2}{a-1}-\frac{a^2-1}{a-1}=\frac{a^2-a^2+1}{a-1}=\frac{1}{a-1}$.

(4) 原式 $=\frac{x(x+4)}{x(x+2)}+\frac{(x-2)(x+2)}{(x+2)^2}=\frac{x+4}{x+2}+\frac{x-2}{x+2}=\frac{2x+2}{x+2}$.

方法3 分式的混合运算的解题方法

对于分式的混合运算，应注意运算顺序：先算乘方，再算乘除，最后算加减，有括号的要先算括号内的.此外，也应仔细观察式子的特点，灵活选择简便的方法计算，如使用运算律、公式等.

例3 计算：$\frac{1}{2a}-\frac{1}{a+b}\cdot\left(\frac{a+b}{2a}-a-b\right)$.

解析 解法一：

原式 $=\frac{1}{2a}-\frac{1}{a+b}\cdot\left[\frac{a+b}{2a}-\frac{2a(a+b)}{2a}\right]$

$=\frac{1}{2a}-\frac{1}{a+b}\cdot\frac{(a+b)-2a(a+b)}{2a}$

$=\frac{1}{2a}-\frac{1}{a+b}\cdot\frac{(a+b)(1-2a)}{2a}$

$=\frac{1}{2a}-\frac{1-2a}{2a}=\frac{1-1+2a}{2a}=1.$

解法二：原式 $=\frac{1}{2a}-\frac{1}{a+b}\cdot\left[\frac{a+b}{2a}-(a+b)\right]$

$=\frac{1}{2a}-\frac{1}{a+b}\cdot\frac{a+b}{2a}+\frac{1}{a+b}\cdot(a+b)$

$=\frac{1}{2a}-\frac{1}{2a}+1=1.$

方法4 分式化简求值的方法

分式化简求值是代数式化简求值的常见题型之一，也是中考的固定题型，其基本步骤是先化简，再把字母的值或条件中所含关系代入计算.分式求值中所含知识覆盖面广，解法灵活，可根据所给条件和求值式的特征进行适当的变形、转化.

例4 先化简$\left(\frac{a^2+b^2}{a^2-b^2}-\frac{a-b}{a+b}\right)\div\frac{2ab}{(a-b)(a+b)^2}$,再取一组 a、b 的值代入求值.

解析 原式$=\frac{a^2+b^2-a^2+2ab-b^2}{a^2-b^2}\cdot\frac{(a-b)(a+b)^2}{2ab}$

$=\frac{2ab}{(a+b)(a-b)}\cdot\frac{(a-b)(a+b)^2}{2ab}=a+b.$

取 $a=1,b=2$,则原代数式的值为 $a+b=1+2=3$.

点拨 a、b 的取值不唯一,但 a、b 的取值必须保证原式有意义,即 $a\neq\pm b,ab\neq0$.

方法 5 利用分式的大小比较解决实际问题的方法

一般地,要比较大小,可用作差法.如比较 a 与 b 的大小:若 $a-b=0$,则 $a=b$;若 $a-b>0$,则 $a>b$;若 $a-b<0$,则 $a<b$(其中 a,b 可以是整式,分式等).

例5 A 玉米试验田是边长为 a 米的正方形减去边长为 1 米的正方形蓄水池后余下的部分;B 玉米试验田是边长为$(a-1)$米的正方形,两块试验田的玉米都收获了 500 千克.

(1)哪块玉米试验田平均每平方米的产量高?

(2)高的平均每平方米的产量是低的平均每平方米的产量的多少倍?

解析 (1)A 玉米试验田的面积是(a^2-1)平方米,平均每平方米的产量是$\frac{500}{a^2-1}$千克;

B 玉米试验田的面积是$(a-1)^2$ 平方米,平均每平方米的产量是$\frac{500}{(a-1)^2}$千克.

$\because \frac{500}{a^2-1}-\frac{500}{(a-1)^2}=\frac{500(a-1)-500(a+1)}{(a+1)(a-1)^2}$

$=\frac{-1\ 000}{(a+1)(a-1)^2}$,

又$(a+1)(a-1)^2>0$,

$\therefore \frac{500}{a^2-1}-\frac{500}{(a-1)^2}=\frac{-1\ 000}{(a+1)(a-1)^2}<0$,

$\therefore \frac{500}{a^2-1}<\frac{500}{(a-1)^2}$,

$\therefore$ B 玉米试验田平均每平方米的产量高.

(2)$\frac{500}{(a-1)^2}\div\frac{500}{a^2-1}=\frac{500}{(a-1)^2}\cdot\frac{a^2-1}{500}$

$=\frac{(a+1)(a-1)}{(a-1)^2}=\frac{a+1}{a-1}$.

$\therefore$ 高的平均每平方米的产量是低的平均每平方米的产量的$\frac{a+1}{a-1}$倍.

9.3 分式方程

知识清单

- 知识1 分式方程
- 知识2 解分式方程的一般步骤
- 知识3 可化为一元一次方程的分式方程
- 知识4 验根

知识 1 分式方程

	定义	举例
分式方程	分母中含有未知数的方程叫做分式方程	$\frac{1}{x}+1=x$ 是分式方程
温馨提示	(1)分式方程有两个重要特征:一是方程,二是分母中含有未知数. (2)整式方程和分式方程的根本区别在于分母中是否含有未知数.分母中含有未知数的方程是分式方程,如$\frac{1}{x}+1=2,3+\frac{1}{x+1}=\frac{5}{2x+3}$等都是分式方程;分母中不含未知数的方程是整式方程,如 $x^2-2x+1=0,\frac{2}{5}x=\frac{x-3}{2},\frac{x-a}{b}+\frac{x-b}{a}=1$($x$ 是未知数,$a,b\neq0$)等都是整式方程	

例1 在下列方程:①$\frac{x^2}{2}-x=0$;②$\frac{1}{a}-3=a+4$;③$\frac{x}{2}+5x=6$;④$\frac{20}{x-y}+\frac{10}{x+y}=1$ 中,是分式方程的有 ( )

A.1 个 B.2 个

C.3 个 D.4 个

解析 ①、③中方程的分母都是常数,②、④中方程符合分式方程的定义,故选 B.

答案 B

知识 2 解分式方程的一般步骤

1.去分母:在方程两边都乘最简公分母,约去分母,化为整式方程.

2.解方程:解整式方程.

3.验根:把整式方程的根代入最简公分母,若结果是零,则舍去.

温馨提示 解分式方程可能产生使分式方程无意义的根,检验是解分式方程的必要步骤.

例2 小明解分式方程$\frac{1}{x}-\frac{x-2}{x}=1$的过程如下：

解：方程两边同乘x，得$1-(x-2)=1$， ①

去括号，得$1-x-2=1$， ②

合并同类项，得$-x-1=1$， ③

移项，得$-x=2$， ④

解得$x=2$. ⑤

他解答过程中的错误步骤是 ( )

A.①②⑤ B.②④⑤ C.③④⑤ D.①④⑤

(解析) 步骤①去分母时，等号右边漏乘x；步骤②去括号时，-2这项没有变号；步骤⑤系数化为1时，右边没有除以-1.正确解题过程：

方程两边同乘x，得$1-(x-2)=x$，

去括号，得$1-x+2=x$，

移项，得$-x-x=-1-2$，

合并同类项，得$-2x=-3$，

系数化为1，得$x=\frac{3}{2}$，

经检验，$x=\frac{3}{2}$是原分式方程的解.

(答案) A

知识 3 可化为一元一次方程的分式方程

可化为一元一次方程的分式方程，即去分母后原方程转化为一个一元一次方程的分式方程.

例3 解方程：$\frac{x+3}{x-3}-\frac{2}{x+3}=1$.

(解析) 方程两边同乘$(x-3)(x+3)$，得

$(x+3)^2-2(x-3)=(x-3)(x+3)$，

去括号，得$x^2+6x+9-2x+6=x^2-9$，

移项，得$x^2+6x-2x-x^2=-9-9-6$，

合并同类项，得$4x=-24$，

系数化为1，得$x=-6$.

检验：当$x=-6$时，$(x-3)(x+3)\neq0$，

所以$x=-6$是原分式方程的解，

故分式方程的解为$x=-6$.

知识 4 验根

验根的方法：

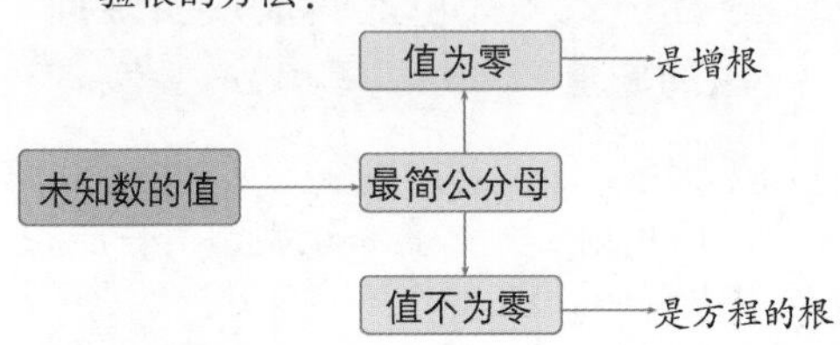

知识拓展

可化为一元二次方程的分式方程

可化为一元二次方程的分式方程，即去分母后原方程转化为一个一元二次方程的分式方程.

例 解分式方程：$\frac{1}{x-2}-\frac{4}{x^2-4}=1$.

(解析) 去分母得，$x+2-4=x^2-4$，移项、合并同类项得，$x^2-x-2=0$，解得$x_1=2$，$x_2=-1$.

检验：当$x=2$时，$x^2-4=0$，所以$x=2$不是原分式方程的解；当$x=-1$时，$x^2-4\neq0$，所以$x=-1$是原分式方程的解.∴ 原分式方程的解为$x=-1$.

方法清单

方法1 解分式方程的方法

方法2 依据分式方程的解确定字母参数的方法

方法3 依据分式方程的增根确定字母参数的方法

方法 1 解分式方程的方法

解分式方程：先通过方程两边乘最简公分母将分式方程化为整式方程，再解整式方程，最后需要检验整式方程的解是不是分式方程的解.

例1 解分式方程：$\frac{5x-4}{x-2}=\frac{4x+10}{3x-6}-1$.

(解析) 方程两边同乘$(3x-6)$，得

$3(5x-4)=4x+10-(3x-6)$，

去括号，得$15x-12=4x+10-3x+6$，

移项，得$15x-4x+3x=10+6+12$，

合并同类项，得$14x=28$，

系数化为1，得$x=2$.

检验：当$x=2$时，$3x-6=0$，

所以$x=2$不是分式方程的根，

所以原分式方程无解.

方法 2 依据分式方程的解确定字母参数的方法

已知分式方程的解确定字母参数时，首先将分式方程化为整式方程，用含字母参数的代数式表示x，再根据解的情况确定字母参数的取值.同时要注意原分式方程的最简公分母不能为零.

例2 若关于x的方程$\frac{x+m}{x-3}+\frac{3m}{3-x}=3$的解为正数，则$m$的取值范围是 ( )

A.$m<\frac{9}{2}$ B.$m<\frac{9}{2}$且$m\neq\frac{3}{2}$

C.$m>-\frac{9}{4}$ D.$m>-\frac{9}{4}$且$m\neq-\frac{3}{4}$

(解析) 去分母得 $x+m-3m=3x-9$,

整理得 $2x=-2m+9$,解得 $x=\frac{-2m+9}{2}$.

$\because$ 关于 x 的方程 $\frac{x+m}{x-3}+\frac{3m}{3-x}=3$ 的解为正数,

$\therefore \begin{cases}-2m+9>0,\\ \frac{-2m+9}{2}\neq 3,\end{cases}$ 解得 $m<\frac{9}{2}$ 且 $m\neq\frac{3}{2}$,

故 m 的取值范围是 $m<\frac{9}{2}$ 且 $m\neq\frac{3}{2}$.故选 B.

(答案) B

方法 3 依据分式方程的增根确定字母参数的方法

分式方程的增根有两个特点:第一,它必须是由分式方程转化成的整式方程的根;第二,它能使原分式方程的最简公分母等于 0.

依据分式方程的增根确定字母参数的值的一般步骤

(1)先将分式方程转化为整式方程;(2)由题意求出增根;(3)将增根代入所化得的整式方程,解之就可得到字母参数的值.

例 3 关于 x 的方程 $\frac{x}{x-3}=2+\frac{k}{x-3}$ 有增根,求 k 的值.

(解析) 方程 $\frac{x}{x-3}=2+\frac{k}{x-3}$ 的最简公分母为 $(x-3)$,

方程两边同时乘 $(x-3)$ 得 $x=2(x-3)+k$,①

因为原分式方程有增根,

所以 $x-3=0$,即 $x=3$,

把 $x=3$ 代入方程①中,

得 $3=2\times(3-3)+k$,

解得 $k=3$.

第6—10章

9.4 列分式方程解应用题

知识清单

知识1 列分式方程解应用题的一般步骤

知识2 列分式方程解应用题的常见题型

知识 1 列分式方程解应用题的一般步骤

(1)审:审清题意,弄清已知量和未知量;

(2)找:找出等量关系;

(3)设:设未知数;

(4)列:列出分式方程;

(5)解:解分式方程;

(6)验:既要检验所求得的根是不是所列分式方程的根,又要检验所求得的根是否符合实际意义;

(7)答:写出答案.

例 某校为了丰富学生的课外体育活动,购买了排球和跳绳.已知排球的单价是跳绳的单价的 3 倍,购买跳绳共花费 750 元,购买排球共花费 900 元,购买跳绳的数量比购买排球的数量多 30 个,求跳绳的单价.

思路分析 设跳绳的单价为 x 元,则排球的单价为 $3x$ 元,根据题意可得等量关系:750 元购进的跳绳数-900 元购进的排球数=30,依此列出方程,再解方程得出答案.

(解析) 设跳绳的单价为 x 元,则排球的单价为 $3x$ 元,由题意得 $\frac{750}{x}-\frac{900}{3x}=30$,解得 $x=15$.

经检验:$x=15$ 是原方程的根,且符合题意.

答:跳绳的单价为 15 元.

知识 2 列分式方程解应用题的常见题型

1.行程问题有路程、时间和速度三个量,其关系是路程=速度×时间.

2.工程问题有工作效率、工作时间和工作总量三个量,其关系是工作总量=工作效率×工作时间.

3.增长率问题,其等量关系是原量×(1+增长率)=增长后的量,原量×(1-降低率)=降低后的量.

方法清单

方法1 列分式方程解决实际问题的方法

方法2 列分式方程解决行程问题的方法

方法3 列分式方程解决工程问题的方法

方法 1 列分式方程解决实际问题的方法

分式方程的应用主要就是列方程解应用题,这已成为近几年考试的热点内容之一.在列方程之前,应先弄清问题中的已知量与未知量,以及它们之间的数量关系,用含未知数的式子表示相关量,然后用题中的主要相等关系列出方程.求出解后,必须进行检验,既要检验是不是所列分式方程的解,又要检验是否符合题意.

例1 黄麻中学为了创建全省“最美书屋”，购买了一批图书，其中科普类图书平均每本的价格比文学类图书平均每本的价格多5元.已知学校用12 000元购买的科普类图书的本数与用9 000元购买的文学类图书的本数相等，求学校购买的科普类图书和文学类图书平均每本的价格各是多少元.

思路分析　设文学类图书平均每本的价格为x元，则科普类图书平均每本的价格为$(x+5)$元，根据题意可得等量关系：用12 000元购买的科普类图书的本数=用9 000元购买的文学类图书的本数，根据等量关系列出方程，再解方程即可得出答案.

(解析) 设文学类图书平均每本的价格为x元，则科普类图书平均每本的价格为$(x+5)$元，依题意可列方程：

$$\frac{12\ 000}{x+5}=\frac{9\ 000}{x},$$

解得$x=15$.

经检验，$x=15$是原分式方程的解，且符合题意.

$x+5=15+5=20$.

答：科普类图书和文学类图书平均每本的价格分别为20元和15元.

方法2 列分式方程解决行程问题的方法

行程问题中有速度、时间、路程三个量，在用分式方程解应用题时，路程大多是已知的，如果设时间为未知数，那么根据速度的数量关系列方程，如果设速度为未知数，那么根据时间的数量关系列方程.

例2 动车的开通为扬州市民的出行带来了方便.从扬州到合肥，路程为360 km，某趟动车的平均速度比普通列车快50%，所需时间比普通列车少1小时，求该趟动车的平均速度.

(解析) 设普通列车的平均速度为x km/h，则动车的平均速度为$1.5x$ km/h，

由题意得，$\frac{360}{x}-\frac{360}{1.5x}=1$，

解得$x=120$.

经检验，$x=120$是原分式方程的解，且符合题意.

$1.5x=1.5\times120=180$.

答：该趟动车的平均速度为180 km/h.

方法3 列分式方程解决工程问题的方法

工程问题涉及三个量：工作总量、工作效率和工作时间.工作总量通常看作单位1，如果设工作时间为未知数，那么根据工作效率的数量关系列方程.它们之间的关系：工作总量=工作效率×工作时间.

例3 某市区一条主要街道的改造工程有甲、乙两个工程队投标.经测算：若由两个工程队合作，12天恰好完成；若两队合作9天后，剩下的由甲队单独完成，还需5天时间.现需从这两个工程队中选出一个队单独完成，从缩短工期角度考虑，你认为应该选择哪个队？为什么？

(解析) 设甲队单独完成工程需x天.

根据题意，得$\frac{1}{12}\times9+\frac{1}{x}\times5=1$.

解得$x=20$.

经检验，$x=20$是方程的解，且符合题意.

$\because \frac{1}{12}-\frac{1}{20}=\frac{1}{30}$，

$\therefore$ 乙队单独完成工程需要30天.

$\because 20<30$，

$\therefore$ 从缩短工期角度考虑，应该选择甲队.

第10章 二次根式

10.1 二次根式的有关概念和性质

知识清单

- 知识1 二次根式
- 知识2 使二次根式有意义的条件
- 知识3 二次根式的性质

知识1 二次根式

形如$\sqrt{a}(a\geqslant0)$的式子叫做二次根式，其中符号"$\sqrt{\ }$"叫做二次根号，二次根号下的数叫做被开方数.

温馨提示

①从形式上看，二次根式必须有二次根号，如$\sqrt{5}$，$\sqrt{a+1}$，$\sqrt{x+y}$等.

②二次根式$\sqrt{a}$中，被开方数a可以是一个具体的数，也可以是代数式.

③二次根式定义中$a\geqslant0$是定义的一个组成部分，不能省略.

④二次根式$\sqrt{a}$是一个非负数.

⑤二次根式与算术平方根有着内在的联系，$\sqrt{a}(a\geqslant0)$就表示a的算术平方根.

知识2 使二次根式有意义的条件

在二次根式$\sqrt{a}$中，要求字母a必须满足条件$a\geqslant0$，即被开方数是非负的，所以当$a\geqslant0$时，二次根式$\sqrt{a}$有意义，当$a<0$时，二次根式$\sqrt{a}$无意义.

温馨提示 在关于代数式有意义的问题中，要注意二次根式、分式等有意义的综合运用.

例1 已知a、b满足$a=\sqrt{b-2}+\sqrt{2-b}+3$，求$a$、$b$的值.

解析 由题意，知$\begin{cases}b-2\geqslant0,\\2-b\geqslant0,\end{cases}$解得$b=2$.

所以$a=0+0+3=3$.

知识3 二次根式的性质

一般地，二次根式有如下性质：

(1)$(\sqrt{a})^2=a(a\geqslant0)$；

(2)$\sqrt{a^2}=|a|=\begin{cases}a & (a>0),\\0 & (a=0),\\-a & (a<0).\end{cases}$

$(\sqrt{a})^2$与$\sqrt{a^2}$的区别与联系

		$(\sqrt{a})^2$	$\sqrt{a^2}$
不同点	意义不同	$(\sqrt{a})^2$表示$a(a\geqslant0)$的算术平方根的平方	$\sqrt{a^2}$表示a^2的算术平方根
	读法不同	$(\sqrt{a})^2$读作"根号a的平方"或"a的算术平方根的平方"	$\sqrt{a^2}$读作"根号a^2"或"a的平方的算术平方根"
	被开方数不同	$(\sqrt{a})^2$的被开方数是a	$\sqrt{a^2}$的被开方数是a^2
	运算顺序不同	$(\sqrt{a})^2$是先开方后平方	$\sqrt{a^2}$是先平方后开方
	运算依据、结果不同	$(\sqrt{a})^2=a(a\geqslant0)$是根据开平方与平方互为逆运算得到的	$\sqrt{a^2}=\begin{cases}a & (a>0),\\0 & (a=0),\\-a & (a<0)\end{cases}$是根据算术平方根的定义得到的
	作用不同	$(\sqrt{a})^2=a(a\geqslant0)$，正向运用可化简二次根式，逆向运用可以将任意一个非负数写成一个数的平方的形式	$\sqrt{a^2}=\begin{cases}a & (a>0),\\0 & (a=0),\\-a & (a<0),\end{cases}$正向运用可以将根号内能开得尽方的因数(或因式)移到根号外，逆向运用可以将根号外的非负因数(或因式)移到根号内
相同点		①含有两种相同的运算，两者都要进行平方和开方； ②结果的取值范围相同，两者的结果都是非负数； ③当$a\geqslant0$时，两者"合二为一"，即$(\sqrt{a})^2=\sqrt{a^2}=a$	

方法清单

方法1 二次根式概念的应用方法

判定一个根式是二次根式,一定要满足被开方数大于或等于零,根指数是2,当被开方数是字母时,要根据字母的取值进行讨论.

例1 求使下列式子有意义的x的取值范围.

(1)$\frac{1}{\sqrt{4-3x}}$;(2)$\frac{\sqrt{3-x}}{x-2}$;

(3)$\sqrt{2x^2+1}$;(4)$\sqrt{3x}+\sqrt{-x}$.

(解析) (1)式子$\frac{1}{\sqrt{4-3x}}$有意义,则必有$\begin{cases}4-3x\geqslant0,\\4-3x\neq0,\end{cases}$ $\therefore x<\frac{4}{3}$,即x的取值范围为$x<\frac{4}{3}$.

(2)式子$\frac{\sqrt{3-x}}{x-2}$有意义,则必有$\begin{cases}3-x\geqslant0,\\x-2\neq0,\end{cases}$

$\therefore x\leqslant3$且$x\neq2$,即x的取值范围是$x\leqslant3$且$x\neq2$.

(3)$\because 2x^2+1>0$,

$\therefore \sqrt{2x^2+1}$总有意义,

$\therefore x$的取值范围是全体实数.

(4)式子$\sqrt{3x}+\sqrt{-x}$有意义,

则必有$\begin{cases}3x\geqslant0,\\-x\geqslant0,\end{cases}$

$\therefore x=0$,即x的取值范围是$x=0$.

方法2 利用二次根式的非负性解题的方法

因为二次根式$\sqrt{a}(a\geqslant0)$表示a的算术平方根,所以$\sqrt{a}\geqslant0$这个性质也是非负数的算术平方根的性质.对于二次根式非负性的应用,常见题型是"几个非负数之和等于0,则每个非负数都等于0",这一性质在解答题中应用广泛.

例2 已知$\sqrt{x-4}+\sqrt{2x+y}=0$,则$x-y=$________.

(解析) $\because \sqrt{x-4}+\sqrt{2x+y}=0$且$\sqrt{x-4}\geqslant0$,$\sqrt{2x+y}\geqslant0$,$\therefore \sqrt{x-4}=0$,$\sqrt{2x+y}=0$,

$\therefore \begin{cases}x-4=0,\\2x+y=0,\end{cases}$解得$\begin{cases}x=4,\\y=-8,\end{cases}$ $\therefore x-y=4-(-8)=12$.

(答案) 12

方法3 二次根式$\sqrt{a^2}$的化简方法

在化简二次根式时,能直接利用$\sqrt{a^2}=|a|$这一性质的,利用性质去掉根号及绝对值符号,不能直接利用性质的,则需转化成能利用性质的形式,然后去掉根号及绝对值符号,注意"a"的取值范围.

例3 计算:(1)$\left(\sqrt{\frac{5}{13}}\right)^2$;(2)$\sqrt{(-36)^2}$;

(3)$(-5\sqrt{3})^2$;(4)$\sqrt{(x^2+3)^2}$.

(解析) (1)$\left(\sqrt{\frac{5}{13}}\right)^2=\frac{5}{13}$.

(2)$\sqrt{(-36)^2}=|-36|=36$.

(3)$(-5\sqrt{3})^2=(-5)^2\times(\sqrt{3})^2=25\times3=75$.

(3)$\sqrt{(x^2+3)^2}=|x^2+3|=x^2+3$.

10.2 二次根式的运算

知识清单

知识1 二次根式的乘法

一般地,二次根式的乘法法则是$\sqrt{a}\cdot\sqrt{b}=\sqrt{ab}(a\geqslant0,b\geqslant0)$.

温馨提示

①要注意$a\geqslant0,b\geqslant0$这个条件,只有a,b都是非负数时法则才成立.

②$\sqrt{a}\cdot\sqrt{b}=\sqrt{ab}(a\geqslant0,b\geqslant0)$还可以推广:$\sqrt{a}\cdot\sqrt{b}\cdot\sqrt{c}\cdot\sqrt{d}\cdots=\sqrt{abcd\cdots}(a\geqslant0,b\geqslant0,c\geqslant0,d\geqslant0,\cdots)$.

③乘法交换律在二次根式中仍然适用.根据法则,系数的积作为积的系数,被开方数的积作为积的被开方数.

例1 计算:(1)$\sqrt{6}\times\sqrt{2}$;(2)$2\sqrt{3}\times5\sqrt{15}$;(3)$\sqrt{\frac{2a}{3}}\cdot\sqrt{18ab}(a\geqslant0,b\geqslant0)$;(4)$6\sqrt{3a^2b^2}\cdot\frac{1}{5}\sqrt{\frac{12a^2}{b}}(b>0)$.

(解析) (1)$\sqrt{6}\times\sqrt{2}=\sqrt{6\times2}=\sqrt{3\times2^2}=2\sqrt{3}$.

(2)$2\sqrt{3}\times5\sqrt{15}=2\times5\times\sqrt{3\times15}=10\sqrt{3^2\times5}=30\sqrt{5}$.

(3) $\sqrt{\frac{2a}{3}}\cdot\sqrt{18ab}=\sqrt{\frac{2a}{3}\cdot 18ab}=\sqrt{12a^2b}=2a\sqrt{3b}\,(a\geqslant0,b\geqslant0)$.

(4) $6\sqrt{3a^2b^2}\cdot\frac{1}{5}\sqrt{\frac{12a^2}{b}}=6\times\frac{1}{5}\times\sqrt{3a^2b^2\cdot\frac{12a^2}{b}}=\frac{6}{5}\sqrt{36a^4b}=\frac{36}{5}a^2\sqrt{b}\,(b>0)$.

知识 2 二次根式的除法

一般地,二次根式的除法法则是$\frac{\sqrt{a}}{\sqrt{b}}=\sqrt{\frac{a}{b}}\,(a\geqslant0,b>0)$.

注意事项

①要注意 $a\geqslant0,b>0$ 这个条件,因为 $b=0$ 时,分母为0,没有意义.

②在实际解题时,若不考虑 a、b 的正负性,直接得 $\sqrt{\frac{a}{b}}=\frac{\sqrt{a}}{\sqrt{b}}$是错误的.

如:$\sqrt{\frac{-4}{-9}}=\frac{\sqrt{-4}}{\sqrt{-9}}$在实数范围内无意义.

例2 计算:(1) $\sqrt{40}\div\sqrt{5}$;(2) $\frac{3\sqrt{2}}{\sqrt{8}}$;

(3) $\sqrt{3\frac{1}{5}}\div\sqrt{1\frac{3}{5}}$;(4) $4\sqrt{6a^3}\div2\sqrt{\frac{a}{3}}$.

解析 (1) $\sqrt{40}\div\sqrt{5}=\sqrt{40\div5}=\sqrt{8}=2\sqrt{2}$.

(2) $\frac{3\sqrt{2}}{\sqrt{8}}=3\sqrt{\frac{2}{8}}=3\sqrt{\frac{1}{4}}=3\times\frac{1}{2}=\frac{3}{2}$.

(3) $\sqrt{3\frac{1}{5}}\div\sqrt{1\frac{3}{5}}=\sqrt{\frac{16}{5}}\div\sqrt{\frac{8}{5}}=\sqrt{\frac{16}{5}\div\frac{8}{5}}=\sqrt{\frac{16}{5}\times\frac{5}{8}}=\sqrt{2}$.

(4) $4\sqrt{6a^3}\div2\sqrt{\frac{a}{3}}=2\sqrt{6a^3\div\frac{a}{3}}=2\sqrt{6a^3\cdot\frac{3}{a}}=2\sqrt{18a^2}=6\sqrt{2}a$.

知识 3 积的算术平方根

文字语言	积的算术平方根等于积中各个因式的算术平方根的乘积
符号语言	$\sqrt{ab}=\sqrt{a}\cdot\sqrt{b}\,(a\geqslant0,b\geqslant0)$
温馨提示	(1)逆用二次根式的乘法法则可以对二次根式进行化简,在运用时要特别注意符号 (2)公式中的 a、b 可以是数,也可以是代数式,但必须满足 $a\geqslant0,b\geqslant0$ (3)运用积的算术平方根的性质化简时,要将能开得尽方的因式或因数开方后移到根号外

例3 计算:(1) $\sqrt{72}$;(2) $\sqrt{18a^3b^2}\,(a\geqslant0,b\geqslant0)$;

(3) $\sqrt{(-25)\times(-7)}$;(4) $\sqrt{9x^4+4x^2y^2}\,(x\geqslant0,y\geqslant0)$.

解析 (1) $\sqrt{72}=\sqrt{36\times2}=\sqrt{36}\times\sqrt{2}=6\sqrt{2}$.

(2)当 $a\geqslant0,b\geqslant0$ 时,$\sqrt{18a^3b^2}=\sqrt{9a^2b^2\cdot2a}=\sqrt{9a^2b^2}\cdot\sqrt{2a}=3ab\sqrt{2a}$.

(3) $\sqrt{(-25)\times(-7)}=\sqrt{25\times7}=\sqrt{25}\times\sqrt{7}=5\sqrt{7}$.

(4)当 $x\geqslant0,y\geqslant0$ 时,$\sqrt{9x^4+4x^2y^2}=\sqrt{x^2(9x^2+4y^2)}=\sqrt{x^2}\cdot\sqrt{9x^2+4y^2}=x\sqrt{9x^2+4y^2}$.

知识 4 商的算术平方根

商的算术平方根等于被除式的算术平方根除以除式的算术平方根,即$\sqrt{\frac{a}{b}}=\frac{\sqrt{a}}{\sqrt{b}}\,(a\geqslant0,b>0)$.

温馨提示

运用商的算术平方根的性质将二次根式化简时,如果被开方数是一个带分数,则一定要先化成假分数,再化简.

例4 化简:

(1) $\sqrt{\frac{5}{16}}$;(2) $\sqrt{2\frac{7}{9}}$;(3) $\sqrt{\frac{8x}{49y^2}}\,(x\geqslant0,y>0)$.

解析 (1) $\sqrt{\frac{5}{16}}=\frac{\sqrt{5}}{\sqrt{16}}=\frac{\sqrt{5}}{4}$.

(2) $\sqrt{2\frac{7}{9}}=\sqrt{\frac{25}{9}}=\frac{\sqrt{25}}{\sqrt{9}}=\frac{5}{3}$.

(3) $\sqrt{\frac{8x}{49y^2}}=\frac{\sqrt{8x}}{\sqrt{49y^2}}=\frac{\sqrt{4}\cdot\sqrt{2x}}{\sqrt{49}\cdot\sqrt{y^2}}=\frac{2\sqrt{2x}}{7y}\,(x\geqslant0,y>0)$.

知识 5 最简二次根式

<table>
<tr><th></th><th colspan="2">内容</th><th>举例</th></tr>
<tr><td>最简二次根式满足两个条件</td><td colspan="2">1.被开方数的因数是整数,字母因式是整式
2.被开方数不含能开得尽方的因数或因式</td><td>$2\sqrt{2}$,$\frac{\sqrt{30}}{10}$,$\frac{2}{a}\sqrt{2}$</td></tr>
<tr><td rowspan="4">化成最简二次根式的一般方法</td><td colspan="2">将被开方数中能开得尽方的因数或因式进行开方</td><td>$\sqrt{8}=\sqrt{4\times2}=2\sqrt{2}$,$\sqrt{x^2y}=x\sqrt{y}\,(x\geqslant0,y\geqslant0)$</td></tr>
<tr><td rowspan="2">化去根号下的分母</td><td>若被开方数中含有带分数,应先将带分数化成假分数</td><td>$\sqrt{1\frac{1}{3}}=\sqrt{\frac{4}{3}}=\sqrt{\frac{4\times3}{3\times3}}=\frac{2}{3}\sqrt{3}$</td></tr>
<tr><td>若被开方数中含有小数,应先将小数化成分数</td><td>$\sqrt{0.9}=\sqrt{\frac{9}{10}}=\sqrt{\frac{90}{100}}=\frac{3}{10}\sqrt{10}$</td></tr>
<tr><td colspan="2">被开方数是多项式时要先进行因式分解</td><td>$\sqrt{2a^3+4a^2b+2ab^2}$
$=\sqrt{2a(a^2+2ab+b^2)}$
$=\sqrt{2a(a+b)^2}$
$=\sqrt{2a}\cdot|a+b|$</td></tr>
</table>

例5 化简下列二次根式.

(1) $\sqrt{20}$；(2) $\sqrt{1.25}$；(3) $\sqrt{\dfrac{27}{8}}$；

(4) $\sqrt{4b^2+16ab^2}\ (a\geqslant0,b\geqslant0)$.

解析 (1) $\sqrt{20}=\sqrt{2^2\times5}=2\sqrt{5}$.

(2) $\sqrt{1.25}=\sqrt{\dfrac{5}{4}}=\dfrac{\sqrt{5}}{2}$.

(3) $\sqrt{\dfrac{27}{8}}=\sqrt{\dfrac{3^2\times3}{2^2\times2}}=\dfrac{3}{2}\sqrt{\dfrac{3}{2}}=\dfrac{3\sqrt{6}}{4}$.

(4) $\sqrt{4b^2+16ab^2}=\sqrt{4}\cdot\sqrt{b^2}\cdot\sqrt{1+4a}$
$=2b\sqrt{1+4a}\ (a\geqslant0,b\geqslant0)$.

知识6 二次根式的加减

一般地，二次根式进行加减运算时，可以先将二次根式化成最简二次根式，再将被开方数相同的二次根式进行合并.

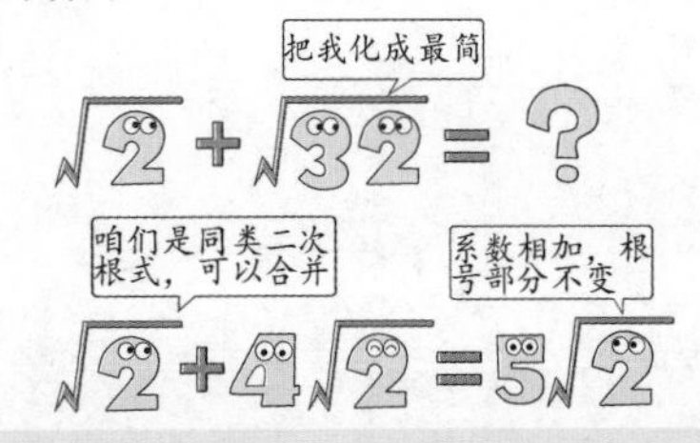

①合并被开方数相同的二次根式与合并同类项类似，将被开方数相同的二次根式的"系数"相加减，被开方数和根指数不变.

②二次根式加减混合运算的实质就是合并被开方数相同的二次根式，被开方数不同的二次根式不能合并.如$\sqrt{a}+\sqrt{b}\ (a\geqslant0,b\geqslant0$，且$a\neq b)$是最简结果，不能再合并.

③二次根式进行加减运算时，根号外的系数因式必须为假分数形式，如$\dfrac{40}{7}\sqrt{3}$，不能写成$5\dfrac{5}{7}\sqrt{3}$的形式.

④合并被开方数相同的二次根式后，若系数为多项式，需添加括号.

例6 计算：(1) $\sqrt{12}-\sqrt{\dfrac{3}{4}}$；

(2) $3\sqrt{18}+\dfrac{1}{5}\sqrt{50}-4\sqrt{\dfrac{1}{2}}$.

解析 (1) $\sqrt{12}-\sqrt{\dfrac{3}{4}}=2\sqrt{3}-\dfrac{\sqrt{3}}{2}=\left(2-\dfrac{1}{2}\right)\times\sqrt{3}$
$=\dfrac{3\sqrt{3}}{2}$.

(2) $3\sqrt{18}+\dfrac{1}{5}\sqrt{50}-4\sqrt{\dfrac{1}{2}}=9\sqrt{2}+\sqrt{2}-2\sqrt{2}=(9+1-2)\sqrt{2}=8\sqrt{2}$.

知识拓展

同类二次根式

把几个二次根式化为最简二次根式以后，如果被开方数相同，那么这几个二次根式叫做同类二次根式.

①同类二次根式类似于整式中的同类项，如$3\sqrt{2}$和$-\dfrac{1}{2}\sqrt{2}$是同类二次根式.

②几个同类二次根式在没有化简之前，被开方数完全可以互不相同，如$\sqrt{\dfrac{1}{2}}$，$\sqrt{8}$，$\sqrt{18}$都是同类二次根式.

③判断两个根式是不是同类二次根式，首先要把它们化为最简二次根式，然后看被开方数是否相同.

例 试判断下列各式中哪些是同类二次根式.

(1) $\sqrt{75}$，$\sqrt{\dfrac{1}{27}}$，$\sqrt{12}$，$\sqrt{2}$，$\sqrt{\dfrac{1}{50}}$，$\sqrt{3}$，$\sqrt{\dfrac{1}{10}}$；

(2) $6\sqrt{a^3b^3c}$，$\sqrt{a^3b^2c^3}$，$\sqrt{\dfrac{ab}{c^4}}$，$a\sqrt{\dfrac{a}{bc}}$（字母均取正数）.

解析 (1) 因为$\sqrt{75}=5\sqrt{3}$，$\sqrt{\dfrac{1}{27}}=\dfrac{1}{9}\sqrt{3}$，$\sqrt{12}=2\sqrt{3}$，$\sqrt{\dfrac{1}{50}}=\dfrac{1}{10}\sqrt{2}$，$\sqrt{\dfrac{1}{10}}=\dfrac{1}{10}\sqrt{10}$，

所以$\sqrt{75}$，$\sqrt{\dfrac{1}{27}}$，$\sqrt{12}$和$\sqrt{3}$是同类二次根式，$\sqrt{2}$与$\sqrt{\dfrac{1}{50}}$是同类二次根式.

(2) 因为$6\sqrt{a^3b^3c}=6ab\sqrt{abc}$，$\sqrt{a^3b^2c^3}=abc\sqrt{ac}$，$\sqrt{\dfrac{ab}{c^4}}=\dfrac{1}{c^2}\sqrt{ab}$，$a\sqrt{\dfrac{a}{bc}}=\dfrac{a}{bc}\sqrt{abc}$，所以$6\sqrt{a^3b^3c}$与$a\sqrt{\dfrac{a}{bc}}$是同类二次根式.

知识7 二次根式的混合运算

	内容	运算顺序
二次根式的混合运算	二次根式的混合运算是指二次根式的加、减、乘、除、乘方的混合运算	二次根式的混合运算顺序与实数的混合运算顺序一样，先乘方、再乘除，最后加减，有括号的先算括号里的（或先去掉括号）
重点解读	(1)二次根式混合运算的结果应写成最简二次根式的形式 (2)在二次根式的混合运算中，乘法公式和实数的运算律仍然适用	
口诀	二次根式混合算，弄清顺序是关键， 先乘方来后乘除，最后再去算加减	

①在运算过程中，每个根式可以看作是一个"单项式"，多个不同类的二次根式的和可以看作"多项式".

②运算结果是根式的，一般应表示为最简二次根式.

方法清单

方法 1 二次根式乘除运算的方法

二次根式乘除混合运算的方法与整式乘除混合运算的方法相同,整式乘除法的一些法则、公式在二次根式乘除法中仍然适用.在运算时要明确运算符号和运算顺序.若被开方数是带分数,则要先将其化为假分数.

例1 计算:(1)$\frac{\sqrt{6}\times\sqrt{3}}{\sqrt{2}}$;

(2)$\sqrt{2\frac{1}{2}}\div3\sqrt{28}\times\left(-5\sqrt{2\frac{2}{7}}\right)$.

(解析) (1)解法一:原式$=\frac{\sqrt{18}}{\sqrt{2}}=\sqrt{\frac{18}{2}}=\sqrt{9}=3$.

解法二:原式$=\frac{\sqrt{2}\times\sqrt{3}\times\sqrt{3}}{\sqrt{2}}=(\sqrt{3})^2=3$.

(2)原式$=\sqrt{\frac{5}{2}}\times\frac{1}{3\sqrt{28}}\times\left(-5\sqrt{\frac{16}{7}}\right)$

$=-\frac{5}{3}\sqrt{\frac{5}{2}\times\frac{1}{28}\times\frac{16}{7}}$

$=-\frac{5}{3}\sqrt{\frac{10}{49}}$

$=-\frac{5}{3}\times\frac{1}{7}\sqrt{10}=-\frac{5}{21}\sqrt{10}$.

方法 2 二次根式加减运算的方法

二次根式的加减与整式的加减相比,可将被开方数相同的二次根式看作整式加减中的同类项进行合并.另外,有理数的加法交换律、结合律,都适用于二次根式的运算.

例2 计算:(1)$\frac{2}{3}\sqrt{9x}+6\sqrt{\frac{x}{4}}-2x\sqrt{\frac{1}{x}}$;

(2)$\left(\sqrt{24}-\sqrt{0.5}+2\sqrt{\frac{2}{3}}\right)-\left(\sqrt{\frac{1}{8}}-\sqrt{6}\right)$.

思路分析 先将二次根式化成最简二次根式,再将被开方数相同的二次根式进行合并.

(解析) (1)原式$=2\sqrt{x}+3\sqrt{x}-2\sqrt{x}=3\sqrt{x}$.

(2)原式$=2\sqrt{6}-\frac{1}{2}\sqrt{2}+\frac{2}{3}\sqrt{6}-\frac{1}{4}\sqrt{2}+\sqrt{6}$

$=\left(2+\frac{2}{3}+1\right)\times\sqrt{6}+\left(-\frac{1}{2}-\frac{1}{4}\right)\times\sqrt{2}=\frac{11}{3}\sqrt{6}-\frac{3}{4}\sqrt{2}$.

方法 3 分母有理化的方法

在二次根式的运算中,最后结果一般要求分母中不含二次根式.把分母中的根号化去的过程称为分母有理化,具体做法:

(1)$\frac{\sqrt{a}}{\sqrt{b}}=\frac{\sqrt{a}\cdot\sqrt{b}}{\sqrt{b}\cdot\sqrt{b}}=\frac{\sqrt{ab}}{b}(a\geqslant0,b>0)$;

(2)可通过类比分式中的“约分”进行分母有理化,如$\frac{ab}{\sqrt{b}}=\frac{a(\sqrt{b})^2}{\sqrt{b}}=a\sqrt{b}(b>0)$.

例3 把下列各式分母有理化:

(1)$\frac{2}{\sqrt{3}}$;(2)$\frac{4}{\sqrt{x+y}}$;(3)$\frac{1}{2\sqrt{2ab}}$;(4)$\frac{1}{\sqrt{6}-\sqrt{2}}$.

(解析) (1)$\frac{2}{\sqrt{3}}=\frac{2\times\sqrt{3}}{\sqrt{3}\times\sqrt{3}}=\frac{2\sqrt{3}}{3}$.

(2)$\frac{4}{\sqrt{x+y}}=\frac{4\sqrt{x+y}}{\sqrt{x+y}\cdot\sqrt{x+y}}=\frac{4\sqrt{x+y}}{x+y}$.

(3)$\frac{1}{2\sqrt{2ab}}=\frac{\sqrt{2ab}}{2\sqrt{2ab}\cdot\sqrt{2ab}}=\frac{\sqrt{2ab}}{4ab}$.

(4)$\frac{1}{\sqrt{6}-\sqrt{2}}=\frac{\sqrt{6}+\sqrt{2}}{(\sqrt{6}-\sqrt{2})(\sqrt{6}+\sqrt{2})}=\frac{\sqrt{6}+\sqrt{2}}{(\sqrt{6})^2-(\sqrt{2})^2}$

$=\frac{\sqrt{6}+\sqrt{2}}{4}$.

方法 4 因式的外移和内移的方法

(1)如果被开方数中的因式能够开得尽方,那么就可以用它的算术平方根代替移到根号外面;(2)如果被开方数是代数式和的形式,那么先分解因式,变形为积的形式,再将因式开方后移到根号外面.也可以将根号外面的正因式,平方后移到根号里面.

例4 若$\sqrt{a^2b}=-a\sqrt{b}$成立,则a、b满足的条件是 ( )

A.$a<0$且$b>0$　　B.$a\leqslant0$且$b\geqslant0$

C.$a<0$且$b\geqslant0$　　D.a、b异号

解析 因为 $\sqrt{a^2b}=\sqrt{a^2}\cdot\sqrt{b}=-a\sqrt{b}$成立,所以 $-a\geqslant0,b\geqslant0,\therefore a\leqslant0,b\geqslant0$,故选 B.

答案 B

例 5 把$-a\sqrt{-\frac{1}{a}}$中根号外面的因式移到根号内的结果是 ( )

A. $\sqrt{-a}$ B. $-\sqrt{a}$

C. $-\sqrt{-a}$ D. $\sqrt{a}$

解析 因为$-\frac{1}{a}\geqslant0$,且 $a\neq0$,所以 $a<0$,

所以$-a\sqrt{-\frac{1}{a}}=\sqrt{-\frac{1}{a}\cdot(-a)^2}=\sqrt{-a}$,故选 A.

答案 A

方法 5 与二次根式相关的混合运算的方法

实数的运算顺序同有理数的运算顺序一样,都是从高级到低级进行运算,有括号先算括号里的.有时一些方法技巧可以简化运算.

例 6 计算:

(1)$\sqrt{3}(\sqrt{6}+\sqrt{8})$;(2)$(4\sqrt{3}-3\sqrt{6})\div2\sqrt{3}$;

(3)$(\sqrt{6}+2)(\sqrt{6}-3)$;(4)$(5+\sqrt{3})(5-\sqrt{3})$;

(5)$(\sqrt{5}+2)^2$;(6)$(2\sqrt{3}-\sqrt{5})^2$.

解析 (1)原式$=\sqrt{18}+\sqrt{24}=3\sqrt{2}+2\sqrt{6}$.

(2)原式$=4\sqrt{3}\div2\sqrt{3}-3\sqrt{6}\div2\sqrt{3}=2-\frac{3}{2}\sqrt{2}$.

(3)原式$=6-3\sqrt{6}+2\sqrt{6}-6=-\sqrt{6}$.

(4)原式$=5^2-(\sqrt{3})^2=25-3=22$.

(5)原式$=5+4\sqrt{5}+4=9+4\sqrt{5}$.

(6)原式$=12-4\sqrt{15}+5=17-4\sqrt{15}$.

方法 6 二次根式比较大小的方法

比较两个二次根式的大小,可以转化成比较两个被开方数的大小,即可以将根号外的正因数平方后移到根号内,计算出被开方数后,再比较被开方数的大小,被开方数大的,其算术平方根也大.也可以将两个数分别平方,计算出结果,再比较大小,依据:当 $a>0,b>0$ 时,若 $a^2>b^2$,则 $a>b$.

例 7 比较 $2\sqrt{11}$ 与 $3\sqrt{5}$的大小.

解析 解法一:$\because 2\sqrt{11}=\sqrt{2^2\times11}=\sqrt{44}$,$3\sqrt{5}=\sqrt{3^2\times5}=\sqrt{45}$,$44<45$,

$\therefore \sqrt{44}<\sqrt{45}$,

即 $2\sqrt{11}<3\sqrt{5}$.

解法二:$\because 2\sqrt{11}>0,3\sqrt{5}>0$,

且$(2\sqrt{11})^2=2^2\times(\sqrt{11})^2=4\times11=44$,

$(3\sqrt{5})^2=3^2\times(\sqrt{5})^2=9\times5=45$,$44<45$,

$\therefore (2\sqrt{11})^2<(3\sqrt{5})^2$,

即 $2\sqrt{11}<3\sqrt{5}$.

第 11–14 章

函数思想

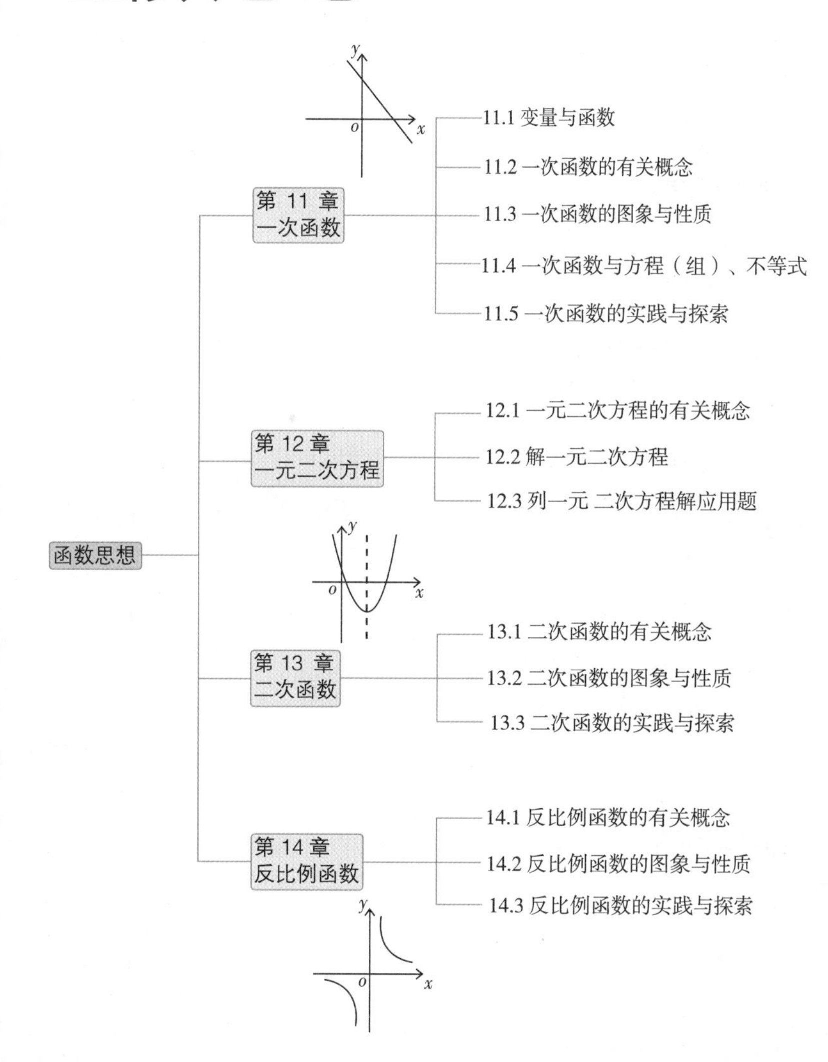

函数思想
第 11 章
一次函数
11.1 变量与函数
11.2 一次函数的有关概念
11.3 一次函数的图象与性质
11.4 一次函数与方程（组）、不等式
11.5 一次函数的实践与探索
第 12 章
一元二次方程
12.1 一元二次方程的有关概念
12.2 解一元二次方程
12.3 列一元 二次方程解应用题
第 13 章
二次函数
13.1 二次函数的有关概念
13.2 二次函数的图象与性质
13.3 二次函数的实践与探索
第 14 章
反比例函数
14.1 反比例函数的有关概念
14.2 反比例函数的图象与性质
14.3 反比例函数的实践与探索
y
x
O

第11章 一次函数

11.1 变量与函数

知识清单

知识1 常量与变量　知识2 函数
知识3 函数自变量的取值范围
知识4 函数值　知识5 函数的解析式
知识6 函数的图象　知识7 函数的表示方法

知识1 常量与变量

名称	概念	区别
变量	在某一变化过程中,数值发生变化的量称为变量	"变量"是可以变化的,而"常量"是已知数
常量	在一个变化过程中,数值始终不变的量称为常量	
温馨提示	(1)常量是已知数,是指在整个变化过程中保持不变的量.不能认为式子中出现的字母都是变量,如π不是变量,而是常量; (2)数值是否发生变化是判断一个量是变量还是常量的重要依据.区分常量与变量,就是看在某个变化过程中,该量的值是否可以改变(即是否会取不同的数值)	

例1 写出下列问题中的关系式,并指出其中的变量和常量.

(1)用20 cm的铁丝围成的长方形的长 x(cm)与面积 S(cm^2)的关系;

(2)直角三角形中一个锐角 α 与另一个锐角 β 之间的关系;

(3)一盛满5吨水的水箱,每小时流出0.5吨水,试用流水时间 t(小时)表示水箱中的剩水量 y(吨).

解析 (1)$S=x(10-x)$,其中 S 和 x 是变量,10是常量.

(2)$\alpha=90°-\beta$,其中 α 和 β 是变量,90°是常量.

(3)$y=5-0.5t$,其中 y 和 t 是变量,5和-0.5是常量.

知识2 函数

1.定义:一般地,在一个变化过程中,如果有两个变量 x 与 y,并且对于 x 的每一个确定的值,y 都有唯一确定的值与其对应,那么我们就说 x 是自变量,y 是 x 的函数.

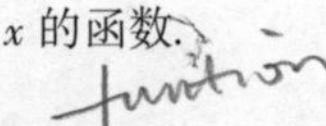

2.对函数概念的理解,主要抓住以下三点:

(1)有两个变量;

(2)一个变量的数值随着另一个变量的数值的变化而变化;

(3)对于自变量每一个确定的值,函数有且只有一个值与之对应.

3.例如:$y=\pm x$,当 $x=1$ 时,y 有两个对应值,所以 $y=\pm x$ 不是函数关系.对于不同的自变量 x 的取值,y 的值可以相同,例如函数 $y=|x|$,当 $x=\pm1$ 时,y 的对应值都是1.

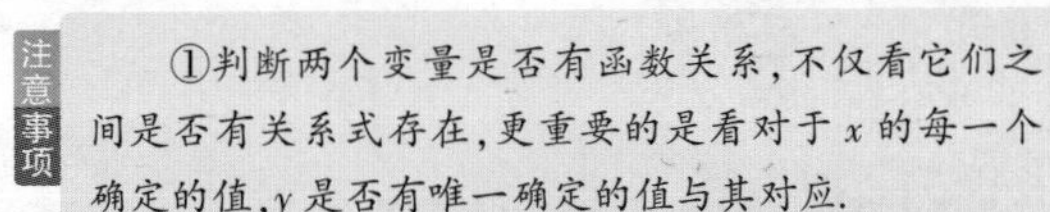

注意事项

①判断两个变量是否有函数关系,不仅看它们之间是否有关系式存在,更重要的是看对于 x 的每一个确定的值,y 是否有唯一确定的值与其对应.

②函数不是数,它是指某一变化过程中两个变量之间的关系.

例2 下列关于变量 x、y、z 的关系:①$3x-2y=5$;②$y=|x|$;③$|y|=x$;④$y=x+z$,其中 y 是 x 的函数的是 ( )

A.①②④　　B.①②
C.②③　　D.①②③

解析 在 $3x-2y=5$ 和 $y=|x|$ 中,对于每一个 x 的值都有唯一确定的 y 值与之对应,符合函数关系,y 是 x 的函数.对于 $|y|=x$,当 $x=7$ 时,$y=\pm7$,即 y 有两个值与 x 的值对应,故 y 不是 x 的函数.对于 $y=x+z$,表达式中有三个变量,故 y 不是 x 的函数.

答案 B

知识3 函数自变量的取值范围

函数自变量的取值范围是指使函数有意义的自变量的全体.

温馨提示

①求自变量的取值范围通常从两个方面考虑:一是要使函数的解析式有意义;二是符合客观实际.

②自变量的取值范围可以是无限的,也可以是有限的,还可以是单独一个(或几个)数.在一个函数关系式中,同时有几个代数式,函数自变量的取值范围应是各个代数式中自变量取值范围的公共部分.

知识 4 函数值

函数值是指自变量在其取值范围内取某个值时,函数与之对应的唯一确定的值.如果当 $x=a$ 时,$y=b$,那么 b 叫做当自变量的值为 a 时的函数值.

知识延伸

①当已知函数解析式及自变量的值,欲求函数值时,实质就是求代数式的值.

②当已知函数解析式,又给出函数值,欲求相应的自变量的值时,实质就是解方程.

③当给定函数值的一个取值范围,欲求相应的自变量的取值范围时,实质就是解不等式.

④当自变量确定时,函数值是唯一确定的.但当函数值唯一确定时,对应的自变量可以是多个,如 $y=x^2-1$ 中,当 $y=3$ 时,$x=\pm2$.

例 3 已知 $y=-2x+1$,求:

(1)当 $x=-2,3$ 时的函数值;

(2)当 $y=0,1$ 时 x 的值.

(解析) (1)当 $x=-2$ 时,$y=-2\times(-2)+1=5$;

当 $x=3$ 时,$y=-2\times3+1=-5$.

(2)当 $y=0$ 时,由 $-2x+1=0$,解得 $x=\frac{1}{2}$;

当 $y=1$ 时,由 $-2x+1=1$,解得 $x=0$.

知识 5 函数的解析式

像 $y=50-0.1x$ 这样,用关于自变量的数学式子表示函数与自变量之间的关系,是描述函数的常用方法,这种式子叫做函数的解析式.

注意事项

①确定实际问题中的函数解析式与列方程解应用题类似,设 x 是自变量,y 是 x 的函数,先列出关于 x,y 的二元方程,再用含 x 的代数式表示 y,最后写出自变量 x 的取值范围.

②在确定实际问题中的函数解析式时,不要忽略自变量的取值范围.

例 4 某地市话的收费标准为(1)通话时间在3分钟以内(包括3分钟)话费0.3元;(2)通话时间超过3分钟时,超过部分的话费按每分钟0.11元计算(不足1分钟按1分钟计算).在一次通话中,如果通话时间超过3分钟,那么话费 y(元)与通话时间 x(分钟)之间的关系式为________.

(解析) 通话时间超过3分钟,超过部分的话费为 $0.11\cdot(x-3)$ 元,则通话时间超过3分钟,话费 y(元)与通话时间 x(分钟)之间的函数关系式为 $y=0.3+0.11(x-3)=0.11x-0.03,x>3$.

(答案) $y=0.11x-0.03,x>3$

知识 6 函数的图象

1.画函数图象的一般步骤

(1)列表:表中给出一些自变量的值及其对应的函数值.

(2)描点:在直角坐标系中,以自变量的值为横坐标,相应的函数值为纵坐标,描出表格中数值对应的各点.

(3)连线:按照横坐标由小到大的顺序,把所描出的各点用平滑的曲线连接起来.

注意事项

①列表时要根据自变量的取值范围取值,从小到大或自中间向两边选取,取值要有代表性,尽量使画出的函数图象能反映出函数的全貌.

②描点时要以表中每对对应值为坐标,取得的点越多,图象越准确.

③连线时要用平滑的曲线把所描的点从左到右顺次连接起来.函数的图象形象直观地反映两个变量之间的对应关系.

2.函数图象上的点的坐标与其解析式之间的关系

(1)通常判断点是否在函数图象上的方法是将这个点的坐标代入函数解析式,若满足函数解析式,则这个点就在其函数的图象上.

(2)两个函数图象的交点坐标就是这两个函数解析式所组成的方程组的解.

例 5 小明的父亲从家走了20分钟到一个离家900米的书店,在书店看了10分钟书后,用15分钟返回家,下列图中表示小明的父亲离家的距离与时间的函数图象的是 ( )

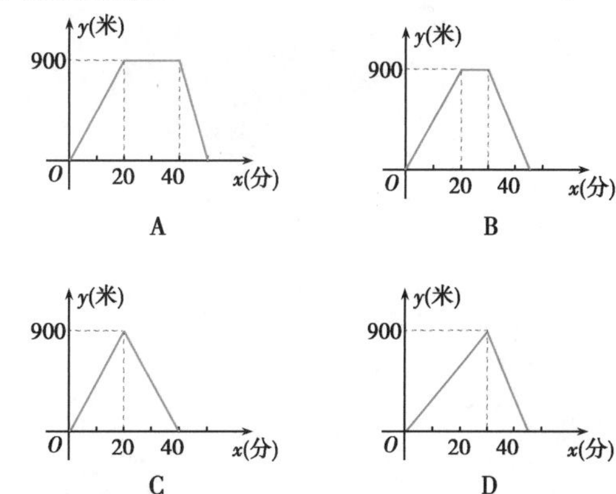

(解析) 根据题意知,在20~30分钟小明的父亲在书店里看书,离家距离没有发生变化,故此时间段对应的图象是一条平行于 x 轴的线段.故选B.

(答案) B

第11—14章

知识7 函数的表示方法

函数的表示方法	定义	优点	缺点
列表法	把自变量 x 的一系列值和函数 y 的对应值列成一个表来表示函数与自变量间的关系的方法称为列表法	列表法一目了然,表格中已有的自变量的每一个值可以直接查到与它对应的函数值,使用起来很方便	列表法有局限性,因为列出的对应值是有限的,而且在表格中也不容易看出自变量与函数的对应关系
图象法	对于一个函数,如果把自变量与函数的每对对应值分别作为点的横坐标与纵坐标,在平面直角坐标系内描出相应的点,那么这些点所组成的图形,就是这个函数的图象.这种表示函数关系的方法叫做图象法	形象直观,通过函数的图象,可以直接、形象地把函数与自变量间的关系表示出来,能够直观地研究函数的一些性质,如函数有无最大值(或最小值)、函数值是随自变量的增大而增大,还是随自变量的增大而减小等,函数的图象是研究函数及其性质的有利工具	由图象观察只能得到近似的数量关系
解析式法	用函数的解析式表示函数的方法叫做解析式法	简单明了,能准确反映整个变化过程中自变量与函数的关系	求对应值时,往往要经过比较复杂的计算,而且实际问题中有的函数关系不一定能用解析式法表示出来

例6 下图是某段河床横断面的示意图,查阅该河段的水文资料,得到下表中的数据.

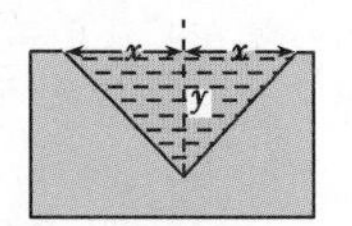

x(m)	5	10	20	30	40	50
y(m)	0.125	0.5	2	4.5	8	12.5

(1)请你把上表中的各对数据(x,y)作为点的坐标,在平面直角坐标系中画出y关于x的函数图象;

(2)①填写下表:

x	5	10	20	30	40	50
$\frac{x^2}{y}$						

②根据所填表中数据呈现的规律,猜想用x表示y的函数解析式为________;

(3)当水面宽度为 36 m 时,一艘吃水深度(船底部到水面的距离)为 1.8 m 的货船能否安全通过这个河段?为什么?

(解析) (1)图象如图所示.

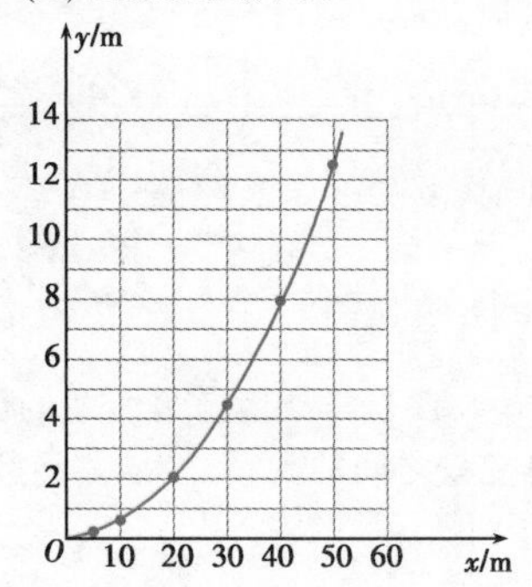

(2)①填表如下:

x	5	10	20	30	40	50
$\frac{x^2}{y}$	200	200	200	200	200	200

②$y=\frac{1}{200}x^2$.

(3)货船不能安全通过这个河段.理由如下:当水面宽度为 36 m 时,相应的 $x=18$,则 $y=\frac{1}{200}\times18^2=1.62$,此时该河段的最大水深为1.62 m,因为货船吃水深度为 1.8 m,而 $1.62<1.8$,所以当水面宽度为 36 m 时,该货船不能安全通过这个河段.

方法清单

方法 1 函数的识别方法

对于函数的定义,其中两个变量是前提,它们的对应关系是基础,必须明确:两个变量之间的对应关系,即一个自变量值对应一个函数值,也可以是两个不同的自变量值对应一个函数值,但绝不能是一个自变量值对应两个不相同的函数值.

例1 下列各曲线中表示 y 是 x 的函数的个数是 ( )

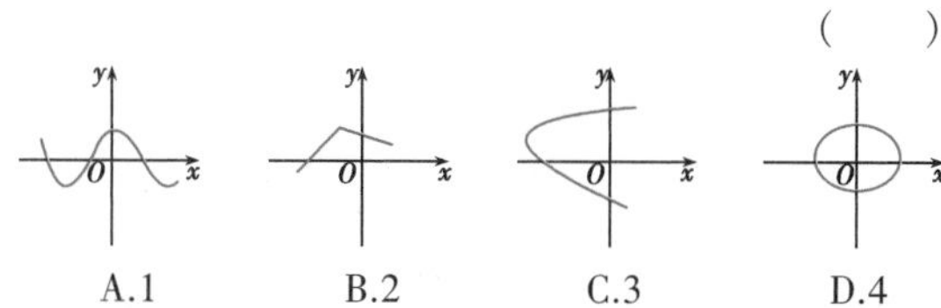

A.1　　B.2　　C.3　　D.4

(解析) 第一个、第二个图象,对每一个确定的 x 的值,都有唯一确定的 y 值与之对应,所以是函数图象;第三个、第四个图象,对给定的某些 x 的值,有两个 y 值与之对应,所以不是函数图象,故表示 y 是 x 的函数的只有第一个、第二个图象,共 2 个.

(答案) B

方法 2 自变量取值范围的确定方法

类型	特征	取值范围
整式型	等式右边是整式	全体实数
分式型	等式右边的自变量在分母的位置上	保证分母不为 0
开平方型	等式右边是开平方的式子	被开方式大于或等于 0

例2 求下列函数中自变量 x 的取值范围.

(1) $y=3x-2$;(2) $y=\dfrac{1}{x-2}$;

(3) $y=\dfrac{x}{\sqrt{1-x}}$;(4) $y=\dfrac{\sqrt{2-x}}{x-1}$.

(解析) (1)自变量 x 取全体实数.

(2)要使 $y=\dfrac{1}{x-2}$有意义,则 $x-2\neq0$,即 $x\neq2$.

(3)要使 $y=\dfrac{x}{\sqrt{1-x}}$有意义,则 $1-x>0$,即 $x<1$.

(4)要使 $y=\dfrac{\sqrt{2-x}}{x-1}$有意义,则 $2-x\geq0$ 且 $x-1\neq0$,即 $x\leq2$ 且 $x\neq1$.

方法 3 利用函数图象正确描述实际问题的方法

对已知的函数图象,要弄清楚函数图象上点的意义,对于实际问题,要正确分清图象的横、纵坐标表示的意义,以及横、纵坐标的单位,图象的变化趋势等,从而表达所反映的实际意义.

例3 右图是某副食品公司销售糖果的总利润 y(元)与销售量 x(千克)之间的函数图象(总利润=总销售额-总成本),该公司想通过“不改变总成本,提高糖果售价”的方案解决销售不佳的现状.

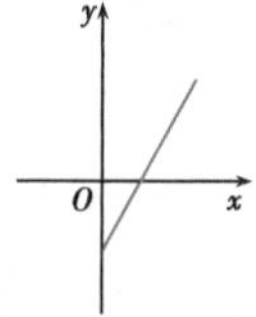

下面给出的四个图象,虚线均表示新的销售方案中总利润与销售量之间的函数图象,则能反映该公司改进方案的是 ( )

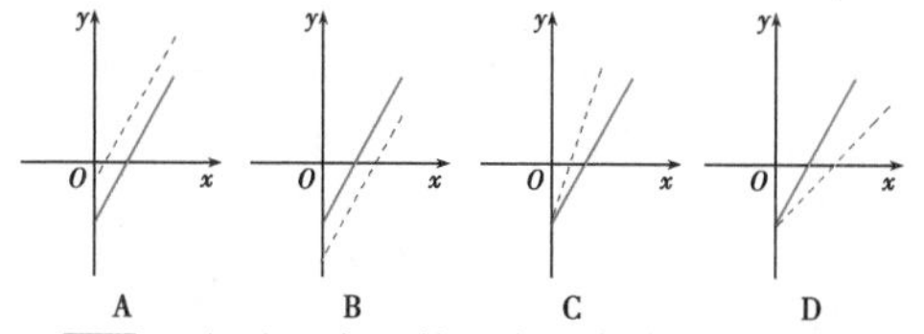

(解析) 选项 A 中函数图象的倾斜程度不变,与 y 轴交点上移,即售价不变,总成本减少;选项 B 中函数图象的倾斜程度不变,与 y 轴交点下降,即售价不变,总成本增加;选项 C 中函数图象的倾斜程度变大,与 y 轴交点不变,即总成本不变,售价增加;选项 D 中函数图象的倾斜程度变小,与 y 轴交点不变,即总成本不变,售价减少,故选 C.

(答案) C

方法 4 分段函数的应用方法

自变量在不同的范围内取值时,函数 y 和自变量 x 有不同的对应关系,这种函数称为分段函数,解决分段函数的有关问题时,关键是弄清自变量的取值范围,选择合适的解析式解决问题.

例4 如图,在矩形 $ABCD$ 中,$AB=2$,$BC=1$,动点 P 从点 B 出发,沿路线 $B\to C\to D$ 做匀速运动,那么$\triangle ABP$ 的面积 S 与点 P 运动的路程 x 之间的函数图象大致是 ( )

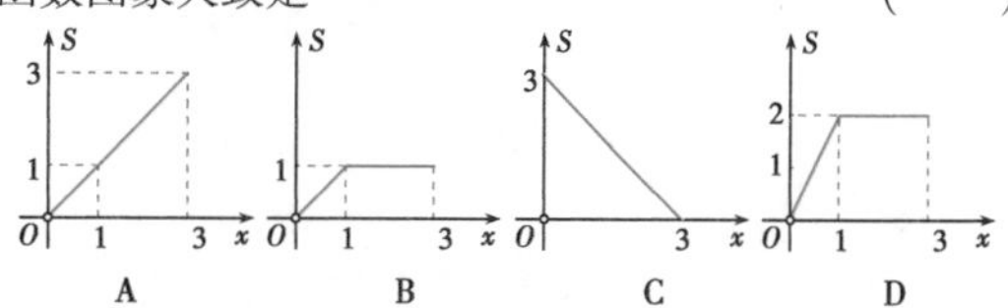

(解析) 当 P 在 BC 上时,$\triangle PAB$ 的面积 $S=\dfrac{1}{2}AB\cdot PB$,即 $S=\dfrac{1}{2}\times2x=x$,此时 $0<x\leq1$.当 P 在 CD 上时,$\triangle PAB$ 的面积 $S=\dfrac{1}{2}\cdot AB\cdot BC=\dfrac{1}{2}\times2\times1=1$,面积是定值,此时 $1<x\leq3$.

(答案) B

11.2 一次函数的有关概念

知识清单

知识1 正比例函数

一般地,形如$y=kx$(k是常数,$k\neq0$)的函数,叫做正比例函数,其中k叫做比例系数.例如$y=\frac{1}{3}x$,$y=-3x$等都是正比例函数.

知识2 一次函数

1.定义

一般地,形如$y=kx+b$(k,b是常数,$k\neq0$)的函数,叫做一次函数.如$y=2x-1$,$y=\frac{1}{2}x+1$等都是一次函数.

特别地,当一次函数$y=kx+b$中的$b=0$时,$y=kx$,所以说正比例函数是一种特殊的一次函数.

2.一次函数的一般形式

一次函数的一般形式为$y=kx+b$,其中k,b为常数,$k\neq0$.

一次函数的一般形式的结构特征:

(1)$k\neq0$,(2)x的次数是1,(3)常数b可以为任意实数.

温馨提示

①正比例函数是一次函数,但一次函数不一定是正比例函数.

②一般情况下,一次函数的自变量的取值范围是全体实数.

③如果一个函数是一次函数,那么含有自变量x的式子是一次的,系数k不等于0,而b可以为任意实数.

④判断一个函数是不是一次函数,就是判断它是否能化成$y=kx+b(k\neq0)$的形式.

⑤一次函数的一般形式可以转化为含x、y的二元一次方程.

例1 函数$y=(m-2)x^{n-1}+n$是一次函数,则m,n应满足的条件是________.

(解析) 要使y是x的一次函数,必须有

$\begin{cases}m-2\neq0,\\n-1=1,\end{cases}$解得$m\neq2$,$n=2$.

(答案) $m\neq2$,$n=2$

点拨 解此类题必须考虑系数不为0,自变量的次数为1,这两个限制条件缺一不可.

知识3 待定系数法

先设出函数解析式,再根据条件确定解析式中未知数的系数,从而得出函数解析式的方法叫做待定系数法.

1.待定系数法求正比例函数解析式的一般步骤

(1)设含有待定系数的函数解析式为$y=kx(k\neq0)$.

(2)把已知条件(自变量与函数的对应值)代入解析式,得到关于系数k的一元一次方程.

(3)解方程,求出待定系数k.

(4)将求得的待定系数k的值代入解析式.

例2 如图所示,正比例函数的图象经过点A,求这个正比例函数的解析式.

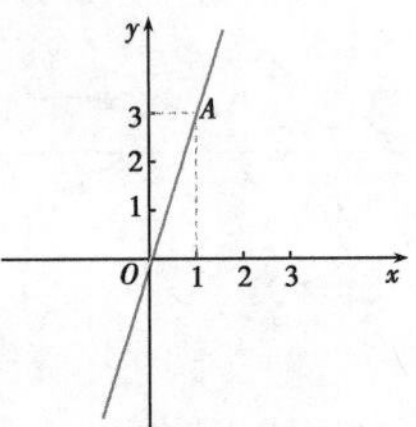

(解析) 设该正比例函数的解析式为$y=kx(k\neq0)$,由题图可知,该函数图象过点$A(1,3)$,$\therefore 3=k$,

$\therefore$ 该正比例函数的解析式为$y=3x$.

2.待定系数法求一次函数解析式的一般步骤

(1)设出含有待定系数k、b的函数解析式$y=kx+b(k\neq0)$.

(2)根据已知条件列关于系数k,b的二元一次方程组.

(3)解二元一次方程组,求出k,b.

(4)将求得的k,b的值代入解析式.

例3 已知一次函数的图象经过$(-4,15)$,$(6,-5)$两点,求此一次函数的解析式.

(解析) 设此一次函数的解析式为$y=kx+b(k\neq0)$,

$\because$ 一次函数的图象经过$(-4,15)$,$(6,-5)$两点,

$\therefore\begin{cases}15=-4k+b,\\-5=6k+b,\end{cases}$解得$\begin{cases}k=-2,\\b=7.\end{cases}$

$\therefore$ 此一次函数的解析式为$y=-2x+7$.

点拨 ①一次函数$y=kx+b(k\neq0)$中,有两个待定系数,分别为k、b,因而需要两个条件才能求出k、b的值.

②待定系数法求一次函数解析式往往选取的条件是图象上的两个点或实际问题中的自变量与函数的两对对应值.

方法清单

方法1 一次函数的判断方法

要判断一个函数是不是一次函数,就要先将式子进行变形,看它能否化成$y=kx+b(k\neq0)$的形式,即x的指数为1,x的系数$k\neq0$,b为任意常数,若符合上述条件,则为一次函数.当$b=0$时,这个函数既

是一次函数,又是正比例函数.

例1 下列函数中,哪些是一次函数?哪些是正比例函数?

(1)$y=-\frac{x}{2}$;(2)$y=-\frac{2}{x}$;

(3)$y=1-3x$;(4)$y=3x^2+x(1-3x)$.

解析 首先看每个函数表达式能否通过恒等变形转化为$y=kx+b(k\neq0)$的形式,若x的次数是1,且$k\neq0$,则是一次函数,否则就不是一次函数;在一次函数中,如果$b=0$,那么它也是正比例函数.

(1)$y=-\frac{x}{2}$是一次函数,而且也是正比例函数.

(2)$y=-\frac{2}{x}$不是一次函数,也不是正比例函数.

(3)因为$y=1-3x=-3x+1$,所以$y=1-3x$是一次函数,但不是正比例函数.

(4)因为$y=3x^2+x(1-3x)=3x^2+x-3x^2=x$,所以$y=3x^2+x(1-3x)$是一次函数,也是正比例函数.所以(1)、(3)、(4)是一次函数,(1)、(4)是正比例函数.

方法 2 解成正比例关系问题的方法

两个变量y与x成正比例关系,则应满足$y=kx(k\neq0)$的形式,这里的y与x可以表示任意整式.

例2 已知$y+5$与$3x+4$成正比例关系,且当$x=1$时,$y=2$.

(1)求y与x之间的函数表达式;

(2)求当$x=-1$时的函数值;

(3)求当$y=8$时x的值.

解析 (1)由题意,设$y+5=k(3x+4)$,k是常数,$k\neq0$.因为当$x=1$时,$y=2$,所以$2+5=k(3\times1+4)$,解得$k=1$,所以y与x之间的函数表达式为$y+5=3x+4$,即$y=3x-1$.

(2)当$x=-1$时,$y=3\times(-1)-1=-4$.

(3)当$y=8$时,由$8=3x-1$,解得$x=3$.

方法 3 一次函数解析式的确定方法

1.待定系数法:就是先设一次函数的解析式是$y=kx+b(k\neq0)$,利用已知条件列出方程组,通过解方程组确定k、b的值,最后确定解析式.

2.对于几何图形中的两个变量的关系,要能够结合几何图形的性质确定两个变量的关系,然后用一个变量表示出另一个变量,并注意自变量的取值范围.

3.对于实际问题中的两个量之间的关系,要分析各个量之间存在的数量关系,并能正确用含一个量的代数式表示另一个量,同时注意自变量的取值范围.

例3 一次函数的图象如图所示,求其表达式.

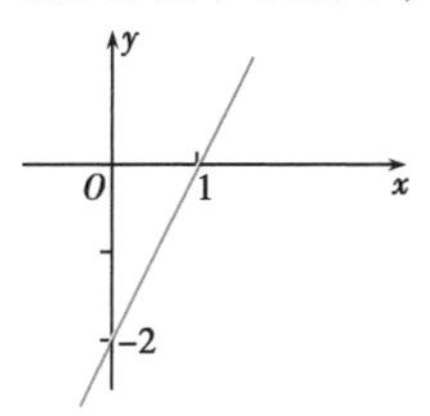

思路分析 函数图象经过点(1,0),(0,-2),根据待定系数法就可以求出函数的表达式.

解析 设一次函数的表达式为$y=kx+b(k\neq0)$,

由题图可知图象经过点(1,0),(0,-2),

则$\begin{cases}0=k\times1+b,\\-2=k\times0+b,\end{cases}$解得$\begin{cases}k=2,\\b=-2.\end{cases}$

所以一次函数的表达式为$y=2x-2$.

例4 已知:如图,在Rt△ABC中,$\angle C=90°$,$AC=6$,$BC=8$,点P在BC上运动,点P不与点B,C重合,设$PC=x$,若用y表示△APB的面积,求y与x的函数关系式,并求自变量x的取值范围.

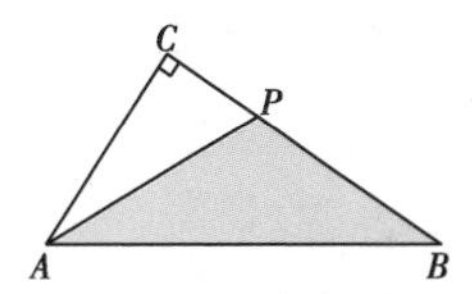

解析 $\because BC=8,PC=x,\therefore PB=8-x$,

$\therefore S_{\triangle APB}=\frac{1}{2}PB\cdot AC=\frac{1}{2}\times(8-x)\times6=24-3x(0<x<8)$.

点拨 本题中注意自变量的取值既要使函数表达式有意义,又要有实际意义.

11.3 一次函数的图象与性质

知识清单

- 知识1 正比例函数的图象特征与性质
- 知识2 一次函数的图象特征与性质
- 知识3 k,b的符号与直线$y=kx+b(k\neq0)$的关系
- 知识4 一次函数与正比例函数的区别与联系

知识 1 正比例函数的图象特征与性质

正比例函数$y=kx(k\neq0)$的图象是经过原点(0,0)的一条直线.

k的符号	函数图象	图象的位置	性质
$k>0$	y O x	图象过第一、三象限	y随x的增大而增大
$k<0$	y O x	图象过第二、四象限	y随x的增大而减小

温馨提示

①通常画正比例函数 $y=kx(k\neq0)$ 的图象时只需取一点 $(1,k)$，然后过原点和这一点画直线.

②当 $k>0$ 时，函数 $y=kx(k\neq0)$ 的图象从左向右呈上升趋势；当 $k<0$ 时，函数 $y=kx(k\neq0)$ 的图象从左向右呈下降趋势.

③正比例函数 $y=kx$ 中，$|k|$ 越大，直线 $y=kx$ 越靠近 y 轴；$|k|$ 越小，直线 $y=kx$ 越靠近 x 轴.

例1 关于函数 $y=2x$，下列结论中正确的是 （　　）

A.函数图象经过点 $(2,1)$

B.函数图象经过第二、四象限

C.y 随 x 的增大而增大

D.无论 x 取何值，总有 $y>0$

（解析） 当 $x=2$ 时，$y=4$，函数图象经过点 $(2,4)$，故选项 A 错误；因为 $k=2>0$，所以函数图象过第一、三象限，y 随 x 的增大而增大，所以选项 B 错误，选项 C 正确；当 $x>0$ 时，才有 $y>0$，故选项 D 错误，故选 C.

（答案） C

知识 2 一次函数的图象特征与性质

1.一次函数的图象特征

一次函数 $y=kx+b(k\neq0)$ 的图象是一条直线，通常也称为直线 $y=kx+b$.一方面，一次函数 $y=kx+b$ 的图象可以用描点法画出；另一方面，由于两点确定一条直线，故画一次函数的图象时，只要先描出两点，再过这两点画直线就可以了，为了方便，常用图象与坐标轴的两个交点 $(0,b)$ 和 $\left(-\frac{b}{k},0\right)$ 来画一次函数的图象.

2.一次函数的性质

k、b 的符号		函数图象	图象的位置	性质
$k>0$	$b>0$		图象过第一、二、三象限	y 随 x 的增大而增大
	$b<0$		图象过第一、三、四象限	
$k<0$	$b>0$		图象过第一、二、四象限	y 随 x 的增大而减小
	$b<0$		图象过第二、三、四象限	

温馨提示

①直线 $y=kx+b(k\neq0)$ 的位置是由 k 和 b 的符号决定的，其中 k 决定直线从左到右呈上升趋势还是呈下降趋势；b 决定直线与 y 轴交点的位置是在 y 轴的正半轴上还是在 y 轴的负半轴上，还是原点.k 与 b 综合起来决定直线 $y=kx+b(k\neq0)$ 在直角坐标系中的位置.

②y 随 x 的增大而增大，还是 y 随 x 的增大而减小，只取决于 k 的符号，与 b 无关.

③一次函数 $y=kx+b(k\neq0)$ 的自变量 x 的取值范围是全体实数.图象是一条直线，因此没有最大值与最小值.但由实际问题得到的一次函数解析式，自变量的取值范围一般受到限制.

例2 关于直线 $l: y=kx+k(k\neq0)$，下列说法不正确的是 （　　）

A.点 $(0,k)$ 在 l 上

B.l 经过定点 $(-1,0)$

C.当 $k>0$ 时，y 随 x 的增大而增大

D.l 经过第一、二、三象限

（解析） A 选项，当 $x=0$ 时，$y=k$，即点 $(0,k)$ 在 l 上，故此选项正确；

B 选项，当 $x=-1$ 时，$y=-k+k=0$，此选项正确；

C 选项，当 $k>0$ 时，y 随 x 的增大而增大，此选项正确；

D 选项，当 $k>0$ 时，l 过第一、二、三象限，当 $k<0$ 时，l 过第二、三、四象限，此选项错误.故选 D.

（答案） D

知识 3 k，b 的符号与直线 $y=kx+b(k\neq0)$ 的关系

直线 $y=kx+b(k\neq0)$，令 $y=0$，则 $x=-\frac{b}{k}$，即直线 $y=kx+b$ 与 x 轴交于 $\left(-\frac{b}{k},0\right)$.

①当 $-\frac{b}{k}>0$，即 k，b 异号时，直线与 x 轴交于正半轴.

②当 $-\frac{b}{k}=0$，即 $b=0$ 时，直线经过原点.

③当 $-\frac{b}{k}<0$，即 k，b 同号时，直线与 x 轴交于负半轴.

温馨提示

①直线 $y=kx+b(k\neq0)$ 与 x 轴的交点为 $\left(-\frac{b}{k},0\right)$，与 y 轴的交点为 $(0,b)$，且这两个交点与坐标原点构成的三角形的面积 $S=\frac{1}{2}\cdot\left|-\frac{b}{k}\right|\cdot|b|$.

②两直线 $y=k_1x+b_1(k_1\neq0)$ 与 $y=k_2x+b_2(k_2\neq0)$ 的位置关系：

a.当 $k_1=k_2$，$b_1\neq b_2$ 时，两直线平行；

b.当 $k_1=k_2$，$b_1=b_2$ 时，两直线重合；

c.当 $k_1\neq k_2$，$b_1=b_2$ 时，两直线交于 y 轴上一点；

d.当 $k_1\cdot k_2=-1$ 时，两直线垂直.

例3 下列图象中，不可能是关于 x 的一次函数 $y=mx-(m-3)(m\neq0)$ 的图象的是 （　　）

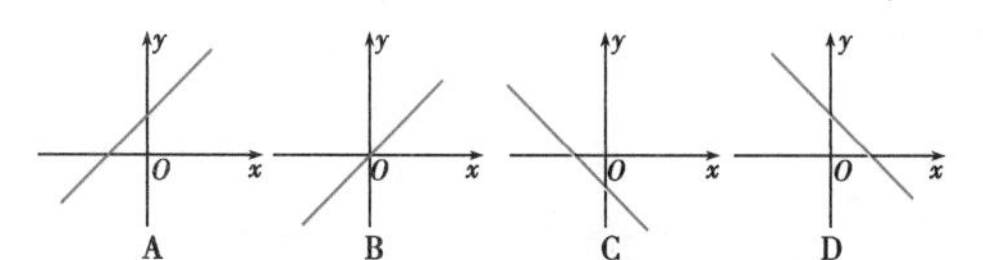

解析 $y=mx-(m-3)=mx+(3-m)$.

在 A 中，函数图象过第一、二、三象限，则 $\begin{cases}m>0,\\3-m>0,\end{cases}$

$\therefore\begin{cases}m>0,\\m<3,\end{cases}$ 即 $0<m<3$. 在 B 中，函数图象过第一、三象限和原点，

则 $\begin{cases}m>0,\\3-m=0,\end{cases}$ $\therefore m=3$.

在 C 中，函数图象过第二、三、四象限，则 $\begin{cases}m<0,\\3-m<0,\end{cases}$ $\therefore\begin{cases}m<0,\\m>3,\end{cases}$ 此不等式组无解，

故此函数图象不可能是题中一次函数的图象.

在 D 中，函数图象过第一、二、四象限，

则 $\begin{cases}m<0,\\3-m>0,\end{cases}$ 即 $\begin{cases}m<0,\\m<3,\end{cases}$ $\therefore m<0$. 故选 C.

答案 C

知识 4 一次函数与正比例函数的区别与联系

		正比例函数	一次函数
区别	一般形式	$y=kx$（k 是常数，且 $k\neq0$）	$y=kx+b$（k,b 是常数，且 $k\neq0$）
	图象	经过原点的直线	直线
	k,b 符号的作用	k 的符号决定其增减性，同时决定直线所经过的象限	k 的符号决定其增减性； b 的符号决定直线与 y 轴的交点位置； k,b 的符号共同决定直线经过的象限
	求解析式的条件	只需要一对 x,y 的对应值或一个点的坐标	需要两对 x,y 的对应值或两个点的坐标
联系	①正比例函数是特殊的一次函数. ②正比例函数图象与一次函数图象的画法一样，都是过两点画直线. ③一次函数 $y=kx+b(k\neq0,b\neq0)$ 的图象可以看作是正比例函数 $y=kx(k\neq0)$ 的图象沿 y 轴向上（$b>0$）或向下（$b<0$）平移 $\|b\|$ 个单位长度得到的. 由此可知直线 $y=kx+b(k\neq0,b\neq0)$ 与直线 $y=kx(k\neq0)$ 平行. ④一次函数与正比例函数有着共同的性质： a.当 $k>0$ 时，y 的值随 x 值的增大而增大；b.当 $k<0$ 时，y 的值随 x 值的增大而减小		

方法清单

方法 1 一次函数的图象与性质的应用方法

（1）从函数图象可以判断函数的类型. 对于实际问题中的正比例函数和一次函数的图象，大多为线段或射线，因为在实际问题中，自变量的取值范围是有一定限制的，即自变量的取值范围必须使实际问题有意义.

（2）一次函数 $y=kx+b(k\neq0)$ 的性质主要是指函数的增减性，即 y 随 x 的变化情况，它只和 k 的符号有关，与 b 的符号无关. $k>0$，y 随 x 的增大而增大；$k<0$，y 随 x 的增大而减小. 反之，若 y 随 x 的增大而增大，则必有 $k>0$；若 y 随 x 的增大而减小，则必有 $k<0$.

例1 函数 $y=kx+b$ 与函数 $y=kbx$（其中 $kb\neq0$）在同一坐标系中的图象大致为 （　　）

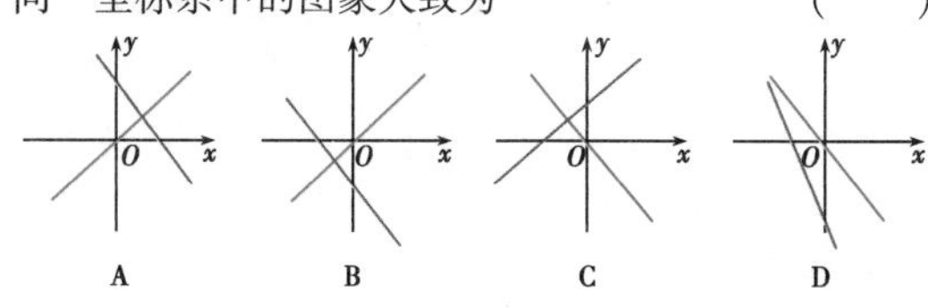

解析　从 C、D 的一次函数 $y=kx+b$ 的图象分析得 k、b 同号，则 $kb>0$，所以函数 $y=kbx$ 的图象应经过第一、三象限，故排除 C、D；从 A 的一次函数 $y=kx+b$ 的图象分析得 k、b 异号，则 $kb<0$，所以函数 $y=kbx$ 的图象应经过第二、四象限，故排除 A，故选 B.

答案　B

方法 2　由 k,b 的值（范围）确定直线的位置及函数增减性的方法

在 $y=kx+b(k\neq0)$ 中，当 $k>0$ 时，y 随 x 的增大而增大，此时若 $b>0$，则直线 $y=kx+b$ 经过第一、二、三象限；若 $b=0$，则直线 $y=kx+b$ 经过原点及第一、三象限；若 $b<0$，则直线 $y=kx+b$ 经过第一、三、四象限. 当 $k<0$ 时，y 随 x 的增大而减小，此时若 $b>0$，则直线 $y=kx+b$ 经过第一、二、四象限；若 $b=0$ 时，则直线 $y=kx+b$ 经过原点及第二、四象限；若 $b<0$，则直线 $y=kx+b$ 经过第二、三、四象限.

例 2　已知一次函数 $y=(m-3)x+(5-n)$.

(1) 当 m、n 为何值时，y 随 x 的增大而减小？

(2) 当 m、n 为何值时，函数图象与 y 轴的交点在 x 轴上方？

(3) 当 m、n 为何值时，函数图象经过原点？

(4) 若函数图象经过第一、二、三象限，求 m、n 的取值范围.

解析　(1) ∵ y 随 x 的增大而减小，

∴ $m-3<0$，即 $m<3$.

故当 $m<3$，n 为任意实数时，y 随 x 的增大而减小.

(2) ∵ 函数图象与 y 轴的交点在 x 轴上方，

∴ $\begin{cases}m-3\neq0,\\5-n>0,\end{cases}$ 解得 $\begin{cases}m\neq3,\\n<5.\end{cases}$

故当 $m\neq3$ 且 $n<5$ 时，函数图象与 y 轴的交点在 x 轴上方.

(3) ∵ 函数图象经过原点，

∴ $\begin{cases}m-3\neq0,\\5-n=0,\end{cases}$ 解得 $\begin{cases}m\neq3,\\n=5.\end{cases}$

故当 $m\neq3$ 且 $n=5$ 时，函数图象经过原点.

(4) ∵ 函数图象经过第一、二、三象限，

∴ $\begin{cases}m-3>0,\\5-n>0,\end{cases}$ 解得 $\begin{cases}m>3,\\n<5.\end{cases}$

故当 $m>3$ 且 $n<5$ 时，函数图象经过第一、二、三象限.

方法 3　一次函数图象的平移规律的应用方法

直线 $y=kx+b(k\neq0,b\neq0)$ 可由直线 $y=kx(k\neq0)$ 向上或向下平移得到，当 $b>0$ 时，将直线 $y=kx$ 沿 y 轴向上平移 b 个单位长度，得到直线 $y=kx+b$；当 $b<0$ 时，将直线 $y=kx$ 沿 y 轴向下平移 $|b|$ 个单位长度，得到直线 $y=kx+b$.

例 3　已知直线 $y=2x$，根据下列条件，分别求出下列直线的解析式.

(1) 将直线向上平移 2 个单位长度；

(2) 将直线向左平移 2 个单位长度；

(3) 先将直线向下平移 2 个单位长度，再向右平移 2 个单位长度.

解析　(1) 直线向上平移 2 个单位长度后，得到的直线的解析式为 $y=2x+2$.

(2) 直线向左平移 2 个单位长度后，得到的直线的解析式为 $y=2(x+2)$，即 $y=2x+4$.

(3) 先将直线向下平移 2 个单位长度，得到的直线的解析式为 $y=2x-2$. 再将直线 $y=2x-2$ 向右平移 2 个单位长度，得到的直线的解析式为 $y=2(x-2)-2$，即 $y=2x-6$.

方法 4　计算一次函数图象与坐标轴围成的三角形的面积的方法

先求出直线与 x 轴、y 轴的交点坐标，从而得出直线与坐标轴所围成的直角三角形的两条直角边长，再利用三角形的面积公式即可求出三角形的面积.

例 4　如图，已知直线 l_1 经过点 $A(-1,0)$ 与点 $B(2,3)$，另一条直线 l_2 经过点 B，且与 x 轴交于点 $P(m,0)$.

(1) 求直线 l_1 的解析式；

(2) 若三角形 APB 的面积为 3，求 m 的值.

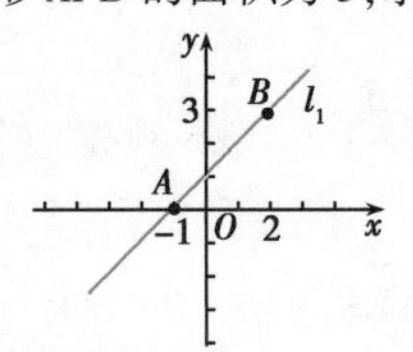

解析　(1) 设直线 l_1 的解析式为 $y=kx+b(k\neq0)$，

由题意，得 $\begin{cases}-k+b=0,\\2k+b=3,\end{cases}$ 解得 $\begin{cases}k=1,\\b=1.\end{cases}$

所以直线 l_1 的解析式为 $y=x+1$.

(2) 当点 P 在点 A 的右侧时，

$AP=m-(-1)=m+1$，

则 $S_{三角形APB}=\frac{1}{2}\times(m+1)\times3=3$，

解得 $m=1$，此时，点 P 的坐标为 $(1,0)$；

当点 P 在点 A 的左侧时，$AP=-1-m$，

则 $S_{三角形APB}=\frac{1}{2}\times(-1-m)\times3=3$，

解得 $m=-3$，

此时，点 P 的坐标为 $(-3,0)$.

综上所述，m 的值为 1 或 -3.

点拨　待定系数法是求函数解析式最常用的方法，在坐标系内求三角形的面积通常以在坐标轴上的边为底.

方法 5 一次函数图象的交点坐标的实际应用方法

一次函数图象的交点坐标的实际应用问题实质是方程思想在函数中的具体体现,两个一次函数图象的交点坐标就是两个一次函数联立形成的二元一次方程组的解.一次函数图象的交点坐标的实际意义往往是解决问题的关键点.

例 5 甲、乙两车从 A 城出发前往 B 城,在整个行程中,两车离开 A 城的距离 y(千米)与时间 x 的对应关系如图所示.

(1)A、B 两城之间的距离是多少千米?

(2)求乙车出发多长时间追上甲车;

(3)直接写出甲车出发多长时间,两车相距 20 千米.

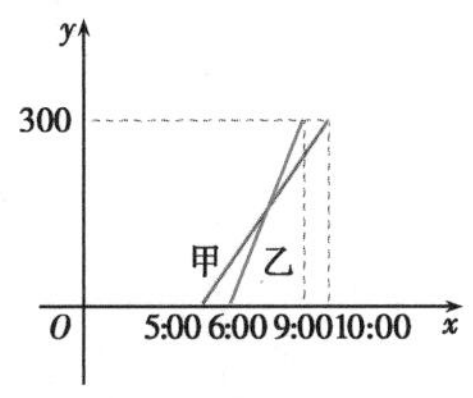

(解析) (1)由题图可知 A、B 两城之间的距离是 300 千米.

(2)设 $y_甲=kx+b(k\neq0)$,则$\begin{cases}5k+b=0,\\10k+b=300,\end{cases}$

解得$\begin{cases}k=60,\\b=-300,\end{cases}$ $\therefore y_甲=60x-300$,

设 $y_乙=k'x+b'(k'\neq0)$,

则$\begin{cases}6k'+b'=0,\\9k'+b'=300,\end{cases}$

解得$\begin{cases}k'=100,\\b'=-600,\end{cases}$

$\therefore y_乙=100x-600$.

根据题意知 $60x-300=100x-600$,

解得 $x=7.5$,$7.5-6=1.5$,

$\therefore$ 乙车出发 1.5 小时追上甲车.

(3)$\because$ 两车相距 20 千米,

$\therefore y_甲-y_乙=20$ 或 $y_乙-y_甲=20$ 或 $y_甲=20$ 或 $y_甲=280$,

即 $60x-300-(100x-600)=20$ 或 $100x-600-(60x-300)=20$ 或 $60x-300=20$ 或 $60x-300=280$,

解得 $x=7$ 或 8 或$\frac{16}{3}$或$\frac{29}{3}$,

$\because 7-5=2$,$8-5=3$,$\frac{16}{3}-5=\frac{1}{3}$,$\frac{29}{3}-5=\frac{14}{3}$,

$\therefore$ 甲车出发 2 小时或 3 小时或$\frac{1}{3}$小时或$\frac{14}{3}$小时,两车相距 20 千米.

11.4 一次函数与方程(组)、不等式

知识清单

知识 1 一次函数与一元一次方程

	叙述	从“数”上看	从“形”上看
一次函数与一元一次方程的关系	由于任何一个一元一次方程可以转化为 $ax+b=0$(a,b 为常数,$a\neq0$)的形式,所以解一元一次方程可以转化为:当某个一次函数的值为 0 时,求自变量的值	方程 $ax+b=0(a\neq0)$ 的解$\Leftrightarrow$函数 $y=ax+b(a\neq0)$ 中,$y=0$ 时对应的 x 的值	方程 $ax+b=0(a\neq0)$的解$\Leftrightarrow$函数 $y=ax+b(a\neq0)$的图象与 x 轴交点的横坐标

温馨提示 ①从函数值的角度看,可令 $y=0$,得方程 $kx+b=0$,解方程得 $x=-\frac{b}{k}$.

②从图象上看,相当于已知直线 $y=kx+b$,确定它与 x 轴交点的横坐标.如解 $2x+6=0$ 时,可以看成是求直线 $y=2x+6$ 与 x 轴交点的横坐标.因为直线 $y=2x+6$ 与 x 轴的交点为$(-3,0)$,所以方程 $2x+6=0$ 的解就是 $x=-3$.

例 1 一次函数 $y=kx+b(k\neq0)$的图象如图所示,则方程 $kx+b=0$ 的解是________,方程 $kx+b=1$ 的解是________.

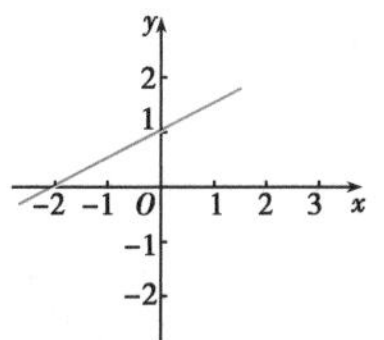

(解析) 观察题图发现:当 $x=-2$ 时,$y=0$;当 $x=0$ 时,$y=1$.所以方程 $kx+b=0$ 的解是 $x=-2$,方程 $kx+b=1$ 的解是 $x=0$.

(答案) $x=-2$;$x=0$

知识 2 一次函数与二元一次方程组

1.一般地,二元一次方程 $mx+ny=p$(m,n,p 是常数,且 $m\neq0,n\neq0$)都能写成 $y=ax+b$(a,b 为常数,且 $a\neq0$)的形式.因此,一个二元一次方程对应一个一次函数,又因为一个一次函数对应一条直线,所以一个二元一次方程也对应一条直线.进一步可知,一个二元一次方程组对应两个一次函数,因而也对应两条直线.

2.(1)从"数"的角度看,解二元一次方程组相当于考虑自变量为何值时,两个函数的值相等,以及这两个函数值是何值;(2)从"形"的角度看,解二元一次方程组相当于确定两条直线的交点坐标.一般地,如果一个二元一次方程组有唯一解,那么这个解就是方程组对应的两条直线的交点坐标.

知识延伸

①二元一次方程组的图解法:画出两个一次函数的图象,找出它们的交点坐标,即得相应的二元一次方程组的解,这种解二元一次方程组的方法叫做二元一次方程组的图解法.

②联立两个一次函数的解析式,构建二元一次方程组,通过解方程组,即可确定两条直线的交点坐标.

例 利用作图的方法解方程组 $\begin{cases}2x-3y+3=0,\\5x-3y-6=0.\end{cases}$

解析 由 $2x-3y+3=0$ 得 $y=\dfrac{2}{3}x+1$,

由 $5x-3y-6=0$ 得 $y=\dfrac{5}{3}x-2$,

在同一直角坐标系中作出直线 $y=\dfrac{2}{3}x+1$ 和 $y=\dfrac{5}{3}x-2$,如图所示,得交点 P 的坐标为(3,3).

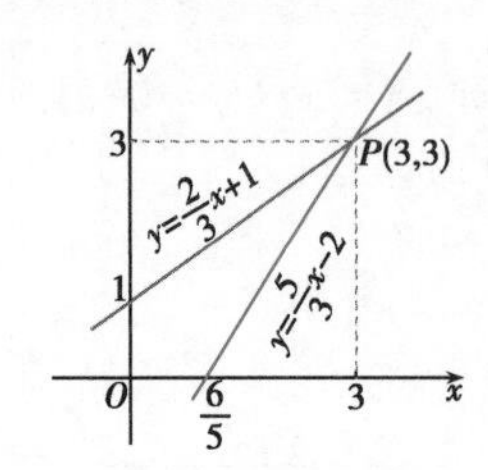

所以方程组 $\begin{cases}2x-3y+3=0,\\5x-3y-6=0\end{cases}$ 的解为 $\begin{cases}x=3,\\y=3.\end{cases}$

知识 3 一次函数与一元一次不等式

1.任何一个一元一次不等式都能写成 $ax+b>0$(或 $ax+b<0$)(a,b 是常数,且 $a\neq0$)的形式.

2.(1)从函数的角度看,解一元一次不等式就是寻求使一次函数 $y=ax+b$($a\neq0$)的值大于(或小于)0 的自变量 x 的取值范围;(2)从函数图象的角度看,就是确定直线 $y=ax+b$($a\neq0$)在 x 轴上(或下)方部分的点的横坐标满足的条件.

①转化思想:把解一元一次不等式问题转化为一次函数的图象问题来解决.

②当一次函数 $y=kx+b$($k\neq0$)中 $y>0$(或 $y<0$)时,它就变成了一元一次不等式 $kx+b>0$(或 $kx+b<0$).$kx+b>0$ 的解集是一次函数的函数值为正值时自变量的取值范围,对应的函数图象在 x 轴的上方;$kx+b<0$ 的解集是一次函数的函数值为负值时自变量的取值范围,对应的函数图象在 x 轴的下方.

例 2 一次函数 $y_1=kx+b$ 与 $y_2=x+a$ 的图象如图所示,则 $kx+b>x+a$ 的解集是________.

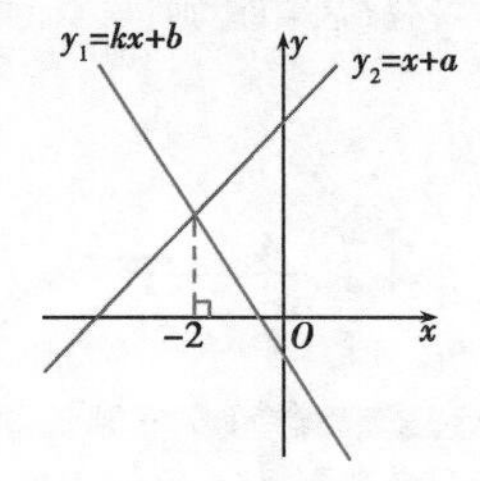

解析 解法一:由题图知在 $x=-2$ 的左侧,直线 $y_1=kx+b$ 在直线 $y_2=x+a$ 的上方,故 $kx+b>x+a$ 的解集是 $x<-2$.

解法二:把 $x=-2$ 代入 $y_1=kx+b$,得 $y_1=-2k+b$,

把 $x=-2$ 代入 $y_2=x+a$,得 $y_2=-2+a$,

由 $y_1=y_2$ 得 $-2k+b=-2+a$,

得 $\dfrac{b-a}{k-1}=2$,即 $\dfrac{a-b}{k-1}=-2$.

由 $kx+b>x+a$ 得 $(k-1)x>a-b$,

因为 $k<0$,所以 $k-1<0$,

所以不等式 $kx+b>x+a$ 的解集为 $x<\dfrac{a-b}{k-1}$,即 $x<-2$.

答案 $x<-2$

方法清单

方法 利用一次函数求解方程组或不等式的方法

方法 利用一次函数求解方程组或不等式的方法

函数、方程和不等式都是刻画现实世界中量与量之间变化规律的重要模型.刻画运动的变化规律需要用函数模型;刻画变化过程中的同类量之间的大小需要用不等式模型;刻画运动变化过程中某一瞬间需要用方程模型.函数、方程和不等式是紧密联系着的一个整体,它们之间相互联系、相互渗透,其相互渗透可以体现在利用一次函数图象解不等式、求二元一次方程组的解.

(1)关于 x 的一元一次方程 $kx+b=0(k\neq0)$ 的解是直线 $y=kx+b$ 与 x 轴交点的横坐标.

(2)关于 x 的一元一次不等式 $kx+b>0(<0)$ 的解集是以直线 $y=kx+b$ 和 x 轴的交点为分界点,x 轴上(下)方的图象所对应的 x 值.

(3)关于 x、y 的二元一次方程组 $\begin{cases}k_1x+b_1=y,\\k_2x+b_2=y\end{cases}$ 的解是直线 $y=k_1x+b_1$ 和 $y=k_2x+b_2$ 的交点坐标.

例 1 画出函数 $y=-3x+12$ 的图象,利用图象解答下列问题:

(1)求不等式 $-3x+12>0$ 的解集;

(2)求不等式 $-3x+12\leqslant0$ 的解集;

(3)如果 $-6\leqslant y\leqslant6$,那么相应的 x 的值在什么范围内?

(解析) 作出函数图象,如图.

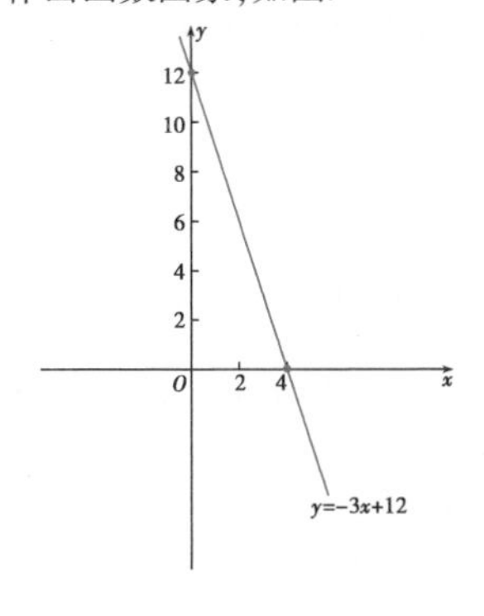

(1)不等式 $-3x+12>0$ 的解集是 $x<4$.

(2)不等式 $-3x+12\leqslant0$ 的解集是 $x\geqslant4$.

(3)当 $y=6$ 时,$x=2$;当 $y=-6$ 时,$x=6$.所以当 $-6\leqslant y\leqslant6$ 时,x 的取值范围是 $2\leqslant x\leqslant6$.

例 2 已知直线 $y_1=kx-2$ 和 $y_2=-3x+b$ 相交于点 $A(2,-1)$.

(1)求 k、b 的值,在同一坐标系中画出两个函数的图象;

(2)利用图象求出:当 x 取何值时①$y_1<y_2$;②$y_1\geqslant y_2$.

(解析) (1)把(2,-1)代入 $y_1=kx-2$,

得 $-1=2k-2$,

$\therefore k=\frac{1}{2}$,

把(2,-1)代入 $y_2=-3x+b$,

得 $-1=-3\times2+b$,

$\therefore b=5$,

$\therefore y_1=\frac{1}{2}x-2$,$y_2=-3x+5$.

在同一坐标系中画出两函数的图象如图.

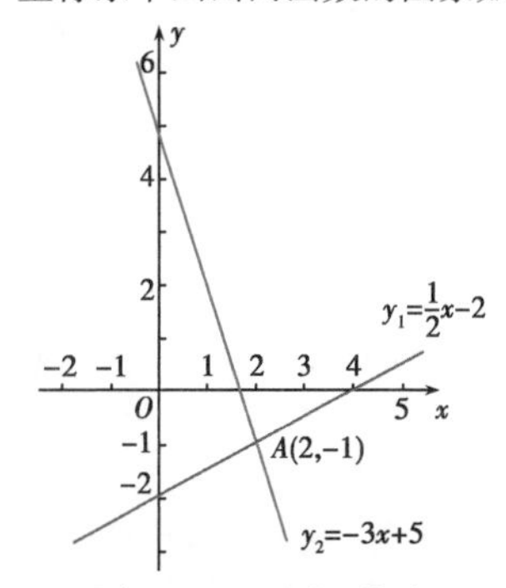

(2)从(1)图象上可以看出:①当 $x<2$ 时,$y_1<y_2$.
②当 $x\geqslant2$ 时,$y_1\geqslant y_2$.

11.5 一次函数的实践与探索

因一次函数应用题综合了一元一次方程、一元一次不等式、二元一次方程组等内容,能体现数形结合、分类讨论等数学思想与方法,并且容易与现实生活中的重大事件联系起来以体现数学的应用价值,近年来一直是中考命题的热点.

一次函数应用题的考点集中在四个方面:(1)学生对数形结合的认识和理解;(2)将实际问题转化为一次函数的能力,即数学建模能力;(3)分类讨论的数学思想方法；(4)对一次函数与方程、不等式关系的理解与转化能力.

一次函数试题的命题形式多样，从近几年的中考题来看，可以大致归为以下几类：(1)方案设计问题(物资调配、方案比较)；(2)分段函数问题(分段价格、几何动点)；(3)一次函数多种变化及其最值问题.

1.数形结合思想

数形结合思想是指将数与形结合起来进行分析、研究、解决问题的一种思想方法，数形结合思想在解决与一次函数有关的问题时，能起到事半功倍的作用.

例1 如图①，一个正方体铁块放置在圆柱形水槽内，现以一定的速度往水槽中注水，28 s 时注满水槽. 水槽内水面的高度 y(cm)与注水时间 x(s)之间的函数图象如图②所示.

(1)正方体铁块的棱长为________cm；

(2)求线段 AB 对应的函数解析式，并写出自变量 x 的取值范围；

(3)如果将正方体铁块取出，又经过 t(s)恰好将此水槽注满，直接写出 t 的值.

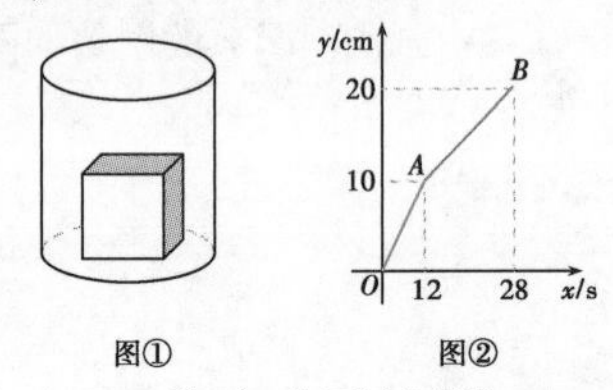

图①　　图②

(解析) (1)12 秒时，水面高度为 10 cm，之后水面上升速度变慢，说明正方体铁块的棱长为 10 cm.

(2)设直线 AB 对应的函数解析式为 $y=kx+b$，$k\neq0$.

$\because$ 图象过 $A(12,10)$，$B(28,20)$，

$\therefore \begin{cases}12k+b=10,\\28k+b=20.\end{cases}$ 解得 $\begin{cases}k=\dfrac{5}{8},\\b=\dfrac{5}{2}.\end{cases}$

$\therefore$ 线段 AB 对应的函数解析式为 $y=\dfrac{5}{8}x+\dfrac{5}{2}(12\leqslant x\leqslant28)$.

(3) $t=4$.

2.转化的思想

在自变量的不同取值范围内比较多个函数值的大小，是利用一次函数解决问题的典型题目，它的实质是将比较函数值的大小问题转化为解方程或解不等式的问题加以解决.

例2 江汉平原享有"中国小龙虾之乡"的美称，甲、乙两家农贸商店，平时以同样的价格出售品质相同的小龙虾，"龙虾节"期间，甲、乙两家商店都让利酬宾，付款金额 $y_甲$、$y_乙$(单位：元)与原价 x(单位：元)之间的函数关系如图所示：

(1)直接写出 $y_甲$，$y_乙$ 关于 x 的函数关系式；

(2)"龙虾节"期间，如何选择甲、乙两家商店购买小龙虾更省钱?

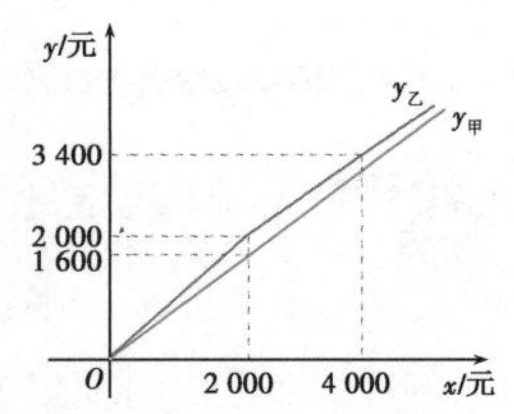

思路分析 (1)利用待定系数法即可求出 $y_甲$，$y_乙$ 关于 x 的函数关系式；

(2)当 $0<x<2\,000$ 时，显然到甲商店购买更省钱；当 $x\geqslant2\,000$ 时，分三种情况进行讨论即可.

(解析) (1)设 $y_甲=kx$，$k\neq0$，把$(2\,000,1\,600)$代入，得 $2\,000k=1\,600$，解得 $k=0.8$，所以 $y_甲=0.8x$；

当 $0<x\leqslant2\,000$ 时，设 $y_乙=ax$，$a\neq0$，

把$(2\,000,2\,000)$代入，得 $2\,000a=2\,000$，解得 $a=1$，所以当 $0<x\leqslant2\,000$ 时，$y_乙=x$；

当 $x\geqslant2\,000$ 时，设 $y_乙=mx+n$，$m\neq0$，

把$(2\,000,2\,000)$，$(4\,000,3\,400)$代入，得 $\begin{cases}2\,000m+n=2\,000,\\4\,000m+n=3\,400,\end{cases}$ 解得 $\begin{cases}m=0.7,\\n=600.\end{cases}$

所以当 $x\geqslant2\,000$ 时，$y_乙=0.7x+600$.

所以 $y_乙=\begin{cases}x(0<x<2\,000),\\0.7x+600(x\geqslant2\,000).\end{cases}$

(2)当 $0<x<2\,000$ 时，$0.8x<x$，到甲商店购买更省钱；

当 $x\geqslant2\,000$ 时，若到甲商店购买更省钱，则 $0.8x<0.7x+600$，解得 $x<6\,000$；

若到乙商店购买更省钱，则 $0.8x>0.7x+600$，解得 $x>6\,000$；

若到甲、乙两商店购买一样省钱，则 $0.8x=0.7x+600$，解得 $x=6\,000$，

故当购买金额按原价小于 6 000 元时，到甲商店购买更省钱；

当购买金额按原价大于 6 000 元时，到乙商店购买更省钱；

当购买金额按原价等于 6 000 元时，到甲、乙两商店购买花钱一样.

3.利用一次函数最值解决最优化问题的方法

最值问题是中考中的热点与难点问题.我们知道，一次函数 $y=kx+b$(k，b 是常数，$k\neq0$)中的自变量 x 的取值范围是全体实数，其图象是一条直线，所以函数既没有最大值，也没有最小值，但由于在实际问题中，所列函数表达式中自变量的取值范围往往有一定的限制，其图象为线段或射线，故其就有了最值.在求函数的最值时，我们应先求出函数的表达式，并确定其增减性，再根据题目条件确定出自变量的取值范围，然后结合增减性确定出最大值或最小值.

例 3 为保障我国海外维和部队官兵的生活，现需通过 A 港口、B 港口分别运送 100 吨和 50 吨生活物资.已知该物资在甲仓库存有 80 吨，乙仓库存有 70 吨，若从甲、乙两仓库运送物资到港口每吨的费用（元）如下表所示：

港口	每吨费用（元）	
	甲仓库	乙仓库
A 港	14	20
B 港	10	8

（1）设从甲仓库运送到 A 港口的物资为 x 吨，求总运费 y（元）与 x（吨）之间的函数关系式，并写出 x 的取值范围；

（2）求出最低费用，并说明费用最低时的调配方案.

（解析）（1）从甲仓库运 x 吨物资往 A 港口，则从甲仓库运往 B 港口的物资有 $(80-x)$ 吨，从乙仓库运往 A 港口的物资有 $(100-x)$ 吨，运往 B 港口的物资有 $50-(80-x)=(x-30)$ 吨，所以 $y=14x+20(100-x)+10(80-x)+8(x-30)=-8x+2\ 560$.

由题可知 $\begin{cases} x\geqslant 0, \\ 80-x\geqslant 0, \\ 100-x\geqslant 0, \\ x-30\geqslant 0, \end{cases}$ 解得 $30\leqslant x\leqslant 80$,

$\therefore$ x 的取值范围是 $30\leqslant x\leqslant 80$.

（2）$\because k=-8<0$, $\therefore$ y 随 x 的增大而减小，

$\therefore$ 当 $x=80$ 时总运费最少.

当 $x=80$ 时，$y=-8\times 80+2\ 560=1\ 920$,

故最低费用为 1 920 元.

此时方案为把甲仓库的全部运往 A 港口，再从乙仓库运往 20 吨往 A 港口，乙仓库余下的全部运往 B 港口.

4.构造一次函数模型解决动态几何问题的方法

在图形运动变化过程中，往往伴随着图形位置关系及数量关系的变化，有些问题能够用一次函数来解决图形运动的变化规律，解决动态几何问题，要动中有静、动静结合，能够在运动变化中提高学生想象能力、综合分析能力.

例 4 如图，正方形 $ABCD$ 的边长为 2，动点 P 从 C 出发，在正方形的边上沿着 $C\to B\to A$ 的方向运动（点 P 与 A 不重合）.设 P 的运动路程为 x，设 $\triangle ADP$ 的面积为 y，则下列图象中能表示 y 关于 x 的函数关系的是（　　）

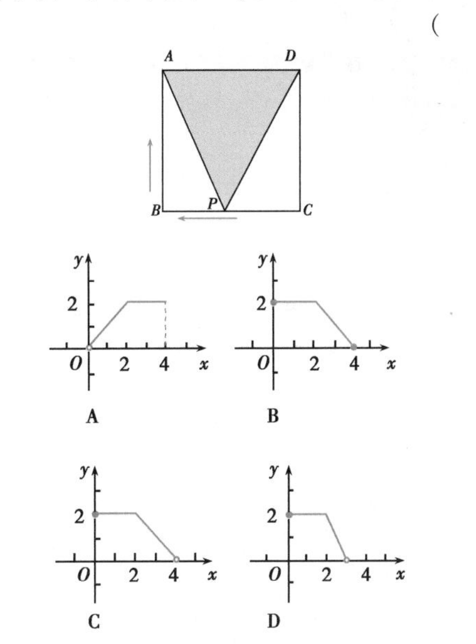

（解析）当 P 在 BC 上时，$\triangle ADP$ 的面积 $y=\frac{1}{2}AD\cdot CD=2$，面积是定值，此时 $0\leqslant x\leqslant 2$.当 P 在 AB 上（点 P 不与点 A、点 B 重合）时，$\triangle ADP$ 的面积 $y=\frac{1}{2}AD\cdot AP=4-x$，$y$ 随 x 的增大而减小，此时 $2<x<4$.据此可知选项 C 能反映这一变化过程，故选 C.

（答案）C

第12章 一元二次方程

12.1 一元二次方程的有关概念

知识清单

知识1 一元二次方程

只含有一个未知数,并且未知数的最高次数是2的整式方程,叫做一元二次方程.

一元二次方程的三要素:
- 整式方程
- 只含有一个未知数
- 未知数的最高次数是2

例1 下列方程是一元二次方程的是 ( )

A. $(x+1)^2=2(x+1)$　　B. $\frac{1}{x^2}+\frac{1}{x}-2=0$

C. $ax^2+bx+c=0$　　D. $x^2+2x=x^2-1$

解析

A	√	方程整理后是 $x^2-1=0$,只含有未知数 x,其最高次数是2,是一元二次方程
B	×	方程中含有 $\frac{1}{x^2}$,$\frac{1}{x}$,不是整式方程
C	×	若 $a\neq0$,则 $ax^2+bx+c=0$ 是一元二次方程;若 $a=0$,则 $ax^2+bx+c=0$ 不是一元二次方程
D	×	方程整理后是 $2x+1=0$,方程中不含有二次项,故不是一元二次方程

答案 A

知识2 一元二次方程的一般形式

一元二次方程的一般形式是 $ax^2+bx+c=0(a\neq0)$.它的特征是等号左边是一个关于未知数的二次多项式,等号右边是0.

其中 ax^2 是二次项,a 是二次项系数;bx 是一次项,b 是一次项系数;c 是常数项.

注意事项

①"$a\neq0$"是一元二次方程的一般形式的重要组成部分.当 $a=0,b\neq0$ 时,它就成为一元一次方程.如果明确了 $ax^2+bx+c=0$ 是一元二次方程,就隐含 $a\neq0$ 这个条件.

②任何一个一元二次方程经过整理都能化成一般形式 $ax^2+bx+c=0(a\neq0)$.在判断一个方程是不是一元二次方程时,要先化成一般形式,再判断.

③二次项系数、一次项系数和常数项都是在一般形式下定义的,所以在确定一元二次方程各项的系数时,应先将方程化为一般形式.

④项的系数包括它前面的符号.如:$\frac{1}{2}x^2-3x-1=0$ 的一次项系数是-3,而不是3.

⑤若一元二次方程化为一般形式,没出现一次项 bx,则 $b=0$.

例2 将下列方程化成一元二次方程的一般形式,并写出其中的二次项系数、一次项系数和常数项.

(1) $x^2+1=2x$;

(2) $x(2x-1)=x$;

(3) $(x+1)(x-1)=2x-4$.

解析 (1) $x^2+1=2x$ 的一般形式为 $x^2-2x+1=0$,

所以二次项系数为1,一次项系数为-2,常数项为1.

(2) $x(2x-1)=x$,$2x^2-x=x$,$2x^2-2x=0$,即 $x(2x-1)=x$ 的一般形式为 $2x^2-2x=0$,

所以二次项系数为2,一次项系数为-2,常数项为0.

(3) $(x+1)(x-1)=2x-4$,$x^2-1=2x-4$,$x^2-2x+3=0$,即 $(x+1)(x-1)=2x-4$ 的一般形式为 $x^2-2x+3=0$,

所以二次项系数为1,一次项系数为-2,常数项为3.

知识3 一元二次方程的根

概念	使方程左、右两边相等的未知数的值就是这个一元二次方程的解,也叫做一元二次方程的根
判断一个数是不是一元二次方程的根	将此数代入这个一元二次方程的左、右两边,看是否相等,若相等,就是方程的根;若不相等,就不是方程的根

例3 判断下列方程后面括号里的数是不是方程的解.

(1) $2x^2-3x+1=0\quad\left(\frac{1}{2},1\right)$;

(2) $x^2-2\sqrt{3}x+3=0\quad(\sqrt{3},1)$.

解析 (1)当 $x=\frac{1}{2}$ 时,左边 $=2\times\left(\frac{1}{2}\right)^2-3\times\frac{1}{2}+1=0=$ 右边;当 $x=1$ 时,左边 $=2\times1^2-3\times1+1=0=$ 右边.

$\therefore x=\frac{1}{2},x=1$ 都是原方程的解.

(2)当 $x=\sqrt{3}$ 时,

左边 $=(\sqrt{3})^2-2\sqrt{3}\times\sqrt{3}+3=0=$ 右边;

当 $x=1$ 时,左边 $=1^2-2\sqrt{3}\times1+3=4-2\sqrt{3}\neq$ 右边.

$\therefore x=\sqrt{3}$ 是原方程的解,$x=1$ 不是原方程的解.

方法清单

方法1 应用一元二次方程的定义求字母参数的方法

方法2 一元二次方程的根的应用方法

方法1 应用一元二次方程的定义求字母参数的方法

应用一元二次方程的定义求字母参数的值或取值范围时,首先正确判断两个字母中哪一个是未知数,哪一个是参数,然后根据一元二次方程的定义,需满足二次项系数不为0,未知数的最高次数为2这些条件,求出参数的值或取值范围.

例1 (1)当 a 取什么实数时,方程 $(a^2-9)x^2+(a+3)x+5=0$ 是关于 x 的一元二次方程?

(2)当 a 为何值时,方程 $(a-1)x^{|a|+1}+2x-7=0$ 为一元二次方程?

解析 (1)当 $a^2-9\neq0$,即 $a\neq\pm3$ 时,方程 $(a^2-9)x^2+(a+3)x+5=0$ 是关于 x 的一元二次方程.

(2)由题意知 $|a|+1=2,a-1\neq0$,解得 $a=-1$,

即当 $a=-1$ 时,方程 $(a-1)x^{|a|+1}+2x-7=0$ 为一元二次方程.

方法2 一元二次方程的根的应用方法

与一元二次方程的根相关的题目多以填空题、选择题的形式出现.利用方程根的概念,将方程的根代入原方程再解方程,就可以求出参数的值.

例2 关于 x 的一元二次方程 $(a-1)x^2+x+a^2-1=0$ 的一个根是 $x=0$,则 a 的值为 ( )

A.1　　B.-1　　C.1或-1　　D.$\frac{1}{2}$

解析 把 $x=0$ 代入一元二次方程,得 $a^2-1=0$,

解得 $a=\pm1$,因为 $a-1\neq0$,即 $a\neq1$,所以 $a=-1$,故选B.

答案 B

点拨 把未知数的值代入方程中得出关于所求字母参数的方程,解方程即可求出参数的值,同时还要注意限制参数取值的其他隐含条件.

12.2 解一元二次方程

知识清单

知识1 一元二次方程的常见解法

知识2 配方法解一元二次方程的一般步骤

知识3 一元二次方程根的判别式

知识4 公式法解一元二次方程的一般步骤

知识5 因式分解法解一元二次方程的一般步骤

知识6 一元二次方程根与系数的关系

知识1 一元二次方程的常见解法

1.直接开平方法

通过开平方运算解一元二次方程的方法叫做直接开平方法.

形如 $x^2=p$ 或 $(mx+n)^2=p(p\geqslant0)$ 的一元二次方程,可利用直接开平方法求解.

注意事项 用直接开平方法求一元二次方程的根,一定要正确运用平方根的性质,即正数的平方根有两个,它们互为相反数,零的平方根是零,负数没有平方根.

例1 用直接开平方法解下列方程.

(1) $x^2-3=0$;(2) $4(x-2)^2-36=0$;(3) $\frac{1}{2}(x+3)^2=4$.

解析 (1)移项得 $x^2=3$,开平方得 $x=\pm\sqrt{3}$,

$\therefore x_1=\sqrt{3},x_2=-\sqrt{3}$.

(2)移项得 $4(x-2)^2=36$,$\therefore (x-2)^2=9$,

开平方得 $x-2=\pm3$,$\therefore x_1=5,x_2=-1$.

(3)方程两边都乘2得 $(x+3)^2=8$,

开平方得 $x+3=\pm2\sqrt{2}$,

$\therefore x_1=-3+2\sqrt{2}, x_2=-3-2\sqrt{2}$.

2.配方法

通过配成完全平方形式来解一元二次方程的方法,叫做配方法.

3.公式法

(1)解一个具体的一元二次方程时,把各系数直接代入求根公式,可以避免配方过程而直接得出根,这种解一元二次方程的方法叫做公式法.它是解一元二次方程的一般方法.一元二次方程 $ax^2+bx+c=0(a\neq 0)$ 的求根公式:

$$x=\frac{-b\pm\sqrt{b^2-4ac}}{2a}(b^2-4ac\geqslant 0).$$

(2)一元二次方程的求根公式的推导过程:

一元二次方程的求根公式的推导过程,就是用配方法解一般形式的一元二次方程 $ax^2+bx+c=0(a\neq 0)$ 的过程.

$\because a\neq 0$, $\therefore$ 方程的两边都除以 a,得 $x^2+\frac{b}{a}x+\frac{c}{a}=0$,

移项,得 $x^2+\frac{b}{a}x=-\frac{c}{a}$,

配方,得 $x^2+\frac{b}{a}x+\left(\frac{b}{2a}\right)^2=-\frac{c}{a}+\left(\frac{b}{2a}\right)^2$,

即 $\left(x+\frac{b}{2a}\right)^2=\frac{b^2-4ac}{4a^2}$. $\because a\neq 0$, $\therefore 4a^2>0$.

$\therefore$ 当 $b^2-4ac\geqslant 0$ 时,$\frac{b^2-4ac}{4a^2}$ 是非负数.

根据平方根的定义,得 $x+\frac{b}{2a}=\frac{\pm\sqrt{b^2-4ac}}{2a}$,

$\therefore x=\frac{-b\pm\sqrt{b^2-4ac}}{2a}$.

温馨提示 求根公式是专门用来解一元二次方程的,故首先明确 $a\neq 0$;又因为开平方运算时,被开方数必须是非负数,所以第二个条件是 $b^2-4ac\geqslant 0$,即求根公式使用的前提条件是 $a\neq 0$ 且 $b^2-4ac\geqslant 0$.

4.因式分解法

先因式分解,使方程化为两个一次因式的乘积等于0的形式,再使这两个一次因式分别等于0,从而实现降次,这种解一元二次方程的方法叫做因式分解法,即如果 $ax^2+bx+c=a(x-m)(x-n)(a\neq 0)$,那么一元二次方程 $ax^2+bx+c=0(a\neq 0)$ 的两个根为 $x_1=m, x_2=n$.

例2 解下列方程:① $x^2-5=0$;② $9x^2-12x-1=0$;③ $2(5x-1)^2=3(5x-1)$,较简便的方法依次是(　　)

A.①开平方法,②配方法,③因式分解法

B.①因式分解法,②公式法,③开平方法

C.①开平方法,②公式法,③因式分解法

D.①开平方法,②公式法,③配方法

解析 方程①移项后用直接开平方法简便;方程②不能用直接开平方法,也不能用因式分解法,用公式法简便;方程③移项得 $2(5x-1)^2-3(5x-1)=0$,含公因式 $(5x-1)$,故用因式分解法简便.

答案 C

知识2 配方法解一元二次方程的一般步骤

移项 ⟶ 将常数项移到等号右边,含未知数的项移到等号左边

↓

二次项系数化为1 ⟶ 如果二次项系数不是1,将方程两边同时除以二次项系数

↓

配方 ⟶ 方程两边同时加上一次项系数一半的平方

↓

写成 $(x+h)^2=k(k\geqslant 0)$ 的形式

↓

用直接开平方法求解

例3 用配方法解下列方程.

(1) $2x^2-5x+2=0$;(2) $x(x+4)=21$.

解析 (1)方程两边同时除以2,得

$x^2-\frac{5}{2}x+1=0$,

移项,得 $x^2-\frac{5}{2}x=-1$.

配方,得 $x^2-\frac{5}{2}x+\left(-\frac{5}{4}\right)^2=-1+\left(-\frac{5}{4}\right)^2$,

即 $\left(x-\frac{5}{4}\right)^2=\frac{9}{16}$,

直接开平方,得 $x-\frac{5}{4}=\pm\frac{3}{4}$,

解得 $x_1=2, x_2=\frac{1}{2}$.

(2)整理,得 $x^2+4x=21$.

配方,得 $x^2+4x+2^2=21+2^2$,

即 $(x+2)^2=25$,

直接开平方,得 $x+2=\pm5$,解得 $x_1=3, x_2=-7$.

知识 3 一元二次方程根的判别式

在推导一元二次方程的求根公式过程中,当 $b^2-4ac\geqslant0$ 时,$\left(x+\dfrac{b}{2a}\right)^2=\dfrac{b^2-4ac}{4a^2}$的两边才能直接开平方,这里的式子 b^2-4ac 叫做一元二次方程 $ax^2+bx+c=0(a\neq0)$ 的根的判别式.

根的判别式		一般地,式子 b^2-4ac 叫做方程 $ax^2+bx+c=0(a\neq0)$ 根的判别式,通常用希腊字母 Δ 表示,即 $\Delta=b^2-4ac$
根的情况与判别式的关系	$\Delta>0$	方程 $ax^2+bx+c=0(a\neq0)$ 有两个不相等的实数根,即 $x=\dfrac{-b\pm\sqrt{b^2-4ac}}{2a}$
	$\Delta=0$	方程 $ax^2+bx+c=0(a\neq0)$ 有两个相等的实数根,即 $x_1=x_2=-\dfrac{b}{2a}$
	$\Delta<0$	方程 $ax^2+bx+c=0(a\neq0)$ 没有实数根

温馨提示

①使用一元二次方程根的判别式,应先将方程整理成一般形式,再确定 a,b,c 的值.

②利用判别式可以判断方程的根的情况,反之,当方程有两个不相等的实数根时,$\Delta>0$;有两个相等的实数根时,$\Delta=0$;没有实数根时,$\Delta<0$.

③当 $\Delta=b^2-4ac=0$ 时,方程有两个相等的实数根,不能说方程只有一个根.

例 4 不解方程,判断下列方程根的情况:

(1) $x^2+3x-18=0$;(2) $x^2-2x+1=0$;

(3) $x^2-2ax=0$;(4) $5x^2-7x+5=0$.

解析 (1) $\because a=1, b=3, c=-18$,

$\therefore \Delta=3^2-4\times1\times(-18)=81>0$,

$\therefore$ 原方程有两个不相等的实数根.

(2) $\because a=1, b=-2, c=1$, $\therefore \Delta=(-2)^2-4\times1\times1=0$,

$\therefore$ 原方程有两个相等的实数根.

(3) $\because \Delta=(-2a)^2-4\times1\times0=4a^2\geqslant0$,

$\therefore$ 原方程有两个实数根.

(4) $\because a=5, b=-7, c=5$,

$\therefore \Delta=(-7)^2-4\times5\times5=49-100=-51<0$,

$\therefore$ 原方程没有实数根.

知识 4 公式法解一元二次方程的一般步骤

把方程化为一般形式 — 确定 a、b、c 的值 — 计算 b^2-4ac — $b^2-4ac\geqslant0$ 代入求解;$b^2-4ac<0$ 无实根

例 5 用公式法解下列方程:

(1) $x^2-3x=2$;(2) $2x^2+x+1=0$;(3) $x^2-4x+4=0$.

解析 (1)将原方程化为一般形式得 $x^2-3x-2=0$,

$\because a=1, b=-3, c=-2$,

$\therefore b^2-4ac=(-3)^2-4\times1\times(-2)=17>0$,

$\therefore x=\dfrac{-(-3)\pm\sqrt{17}}{2\times1}=\dfrac{3\pm\sqrt{17}}{2}$,

$\therefore x_1=\dfrac{3+\sqrt{17}}{2}, x_2=\dfrac{3-\sqrt{17}}{2}$.

(2) $\because a=2, b=1, c=1$,

$\therefore b^2-4ac=1^2-4\times2\times1=-7<0$,

$\therefore$ 原方程没有实数根.

(3) $\because a=1, b=-4, c=4$,

$\therefore b^2-4ac=(-4)^2-4\times1\times4=0$,

$\therefore x=\dfrac{-(-4)\pm\sqrt{0}}{2\times1}=2$, $\therefore x_1=x_2=2$.

知识 5 因式分解法解一元二次方程的一般步骤

移项 → 将方程的右边化为零

↓

化积 → 把方程的左边分解为两个一次因式的积

↓

转化 → 令每个因式分别为零,转化成两个一元一次方程

↓

求解 → 解这两个一元一次方程,它们的解就是原方程的解

温馨提示

①用因式分解法解一元二次方程,常用的公式有 $a^2-b^2=(a+b)(a-b)$;$a^2\pm2ab+b^2=(a\pm b)^2$ 等.

②用因式分解法解方程时,含有未知数的式子可能为零,所以在解方程时,不能在两边同时除以含有未知数的式子,以免丢根.需通过移项,将方程右边化为 0.

如解一元二次方程 $-2(x+4)^2=3(x+4)$ 时,若同时约去 $(x+4)$,则造成丢根.

例6 用因式分解法解下列方程:

(1)$x^2+5x=0$;(2)$3x(x-2)=2x-4$;(3)$16(x-7)^2-9(x+2)^2=0$.

解析 (1)$x^2+5x=0$,

即 $x(x+5)=0$,

$\therefore x=0$ 或 $x+5=0$,

$\therefore x_1=0, x_2=-5$.

(2)移项得 $3x(x-2)-(2x-4)=0$,

即 $3x(x-2)-2(x-2)=0$,

因式分解得 $(3x-2)(x-2)=0$,

$\therefore 3x-2=0$ 或 $x-2=0$, $\therefore x_1=\frac{2}{3}, x_2=2$.

(3)原方程化为 $[4(x-7)]^2-[3(x+2)]^2=0$,

因式分解得 $[4(x-7)+3(x+2)]\cdot[4(x-7)-3(x+2)]=0$,

化简得 $(7x-22)(x-34)=0$,

$\therefore 7x-22=0$ 或 $x-34=0$, $\therefore x_1=\frac{22}{7}, x_2=34$.

知识 6 一元二次方程根与系数的关系

如果 $ax^2+bx+c=0(a\neq0)$ 的两个实数根是 x_1, x_2,那么 $x_1+x_2=-\frac{b}{a}, x_1x_2=\frac{c}{a}$.

推论1:如果方程 $x^2+px+q=0$ 的两个根是 x_1, x_2,那么 $x_1+x_2=-p, x_1x_2=q$.

推论2:以两个数 x_1, x_2 为根的一元二次方程(二次项系数为1)是 $x^2-(x_1+x_2)x+x_1x_2=0$.

> 温馨提示 运用根与系数的关系和运用根的判别式一样,都必须先把方程化为一般形式,以便正确确定 a、b、c 的值.

例7 已知关于 x 的方程 $x^2+px+q=0$ 的两根为 -3 和 -1,则 $p=$____,$q=$____.

解析 因为方程 $x^2+px+q=0$ 的两根为 -3 和 -1,所以 $p=-(-3-1)=4, q=(-3)\times(-1)=3$.

答案 4;3

方法清单

方法 1 解一元二次方程的方法

若方程中含有未知数的代数式是一个完全平方式,可选用直接开平方法;若不是,则把方程化成一般形式,若方程左边能分解因式,则选用因式分解法;若不能分解因式或难以迅速分解因式,则用公式法.配方法一般很少选用,但求根公式是由配方法推得的,且以后学习中还要经常用到,故必须掌握这种重要的数学方法.

例1 用适当的方法解下列方程:

(1)$x^2-3x+1=0$;(2)$(x-1)^2=3$;

(3)$x^2-6x=0$;(4)$x^2-2x=4$.

解析 (1)$\because a=1, b=-3, c=1$,

$\therefore b^2-4ac=(-3)^2-4\times1\times1=5>0$,

$\therefore x=\frac{-(-3)\pm\sqrt{5}}{2\times1}$,

$\therefore x_1=\frac{3+\sqrt{5}}{2}, x_2=\frac{3-\sqrt{5}}{2}$.

(2)由原方程得 $x-1=\pm\sqrt{3}$, $\therefore x=1\pm\sqrt{3}$.

$\therefore x_1=1+\sqrt{3}, x_2=1-\sqrt{3}$.

(3)原方程可化为 $x(x-6)=0$,

$\therefore x=0$ 或 $x-6=0$. $\therefore x_1=0, x_2=6$.

(4)配方,得 $x^2-2x+1=4+1$,即 $(x-1)^2=5$.

$\therefore x-1=\pm\sqrt{5}$, $\therefore x=1\pm\sqrt{5}$. $\therefore x_1=1+\sqrt{5}, x_2=1-\sqrt{5}$.

方法 2 配方法在二次三项式中的应用方法

在二次三项式中应用配方法与一元二次方程的配方法类似,但也有不同:

(1)化二次项系数为1.当二次项系数不是1时,可提取二次项系数,但不能像解方程那样,除以二次项系数(因为二次三项式配方是恒等变形,而配方法解一元二次方程是同解变形).

(2)加上一次项系数一半的平方,使其中的三项成为完全平方式,但又要使此二次三项式的值不变,故在加的同时,还要减去一次项系数一半的平方.

(3)配方后将原二次三项式化为 $a(x+m)^2+n(a\neq0)$ 的形式.

例2 阅读材料:把形如 ax^2+bx+c 的二次三项式(或其一部分)配成完全平方式的方法叫做配方法.配方法是

完全平方公式的逆用,即 $a^2\pm2ab+b^2=(a\pm b)^2$.

例如:$(x-1)^2+\underline{3}$、$(x-2)^2+\underline{2x}$、$\left(\frac{1}{2}x-2\right)^2+\underline{\frac{3}{4}x^2}$是 x^2-2x+4 的三种不同形式的配方(即"余项"分别是常数项、一次项、二次项——见横线上的部分).

请根据阅读材料解决下列问题:

(1)比照上面的例子,写出 x^2-4x+2 三种不同形式的配方;

(2)将 a^2+ab+b^2 配方(至少写出两种形式);

(3)已知 $a^2+b^2+c^2-ab-3b-2c+4=0$,求 $a+b+c$ 的值.

(解析) (1)$x^2-4x+2=(x-2)^2-2$;

$x^2-4x+2=(x-\sqrt{2})^2+(2\sqrt{2}-4)x$;

$x^2-4x+2=(\sqrt{2}x-\sqrt{2})^2-x^2$.

(2)$a^2+ab+b^2=(a+b)^2-ab$;

$a^2+ab+b^2=\left(a+\frac{1}{2}b\right)^2+\frac{3}{4}b^2$.

(答案不唯一)

(3)$a^2+b^2+c^2-ab-3b-2c+4$

$=\left(a-\frac{1}{2}b\right)^2+\frac{3}{4}(b-2)^2+(c-1)^2=0$.

从而 $a-\frac{1}{2}b=0,b-2=0,c-1=0$,

则 $a=1,b=2,c=1$.所以 $a+b+c=4$.

方法 3 一元二次方程根的判别式的应用方法

一元二次方程根的判别式的应用主要有以下三种情况:

(1)不解方程,由根的判别式直接判断根的情况;

(2)根据方程根的情况,确定方程中字母系数的取值范围;

(3)应用根的判别式证明方程根的情况(无实根、有两个不相等实根、有两个相等实根).

例 3 若关于 x 的一元二次方程 $(k-1)x^2+4x+1=0$ 有两个不相等的实数根,则 k 的取值范围是 (　　)

A.$k<5$　　　　B.$k<5$ 且 $k\neq1$

C.$k\leqslant5$ 且 $k\neq1$　　　　D.$k>5$

(解析) ∵ 关于 x 的一元二次方程 $(k-1)x^2+4x+1=0$ 有两个不相等的实数根,

∴ $\begin{cases}k-1\neq0,\\ \Delta>0,\end{cases}$ 即 $\begin{cases}k-1\neq0,\\ 4^2-4(k-1)\times1>0,\end{cases}$

解得 $k<5$ 且 $k\neq1$,故选 B.

(答案) B

方法 4 一元二次方程根与系数的关系的应用方法

利用一元二次方程根与系数的关系求关于 x_1、x_2 的代数式的值时,关键是把所给的代数式经过恒等变形,化为含 x_1+x_2,$x_1\cdot x_2$ 的形式,然后把 x_1+x_2,$x_1\cdot x_2$ 的值整体代入,即可求出所求代数式的值.

例 4 已知方程 $2x^2+3x-6=0$ 的两根是 x_1,x_2,不解方程,求:

(1)$x_1^2+x_2^2$;(2)$\frac{x_2}{x_1}+\frac{x_1}{x_2}$.

(解析) 由题意得 $x_1+x_2=-\frac{3}{2}$,$x_1x_2=-3$.

(1)$x_1^2+x_2^2=(x_1+x_2)^2-2x_1x_2=\left(-\frac{3}{2}\right)^2-2\times(-3)=\frac{9}{4}+6=\frac{33}{4}$.

(2)$\frac{x_2}{x_1}+\frac{x_1}{x_2}=\frac{x_2^2+x_1^2}{x_1x_2}=\frac{\frac{33}{4}}{-3}=-\frac{11}{4}$.

12.3 列一元二次方程解应用题

知识清单

知识1 列一元二次方程解应用题的一般步骤

知识2 列一元二次方程解应用题的常见类型

知识 1 列一元二次方程解应用题的一般步骤

与列一元一次方程解应用题一样,列一元二次方程解应用题的一般步骤也归结为:审、设、列、解、检验、答.

(1)审:读懂题目,弄清题意,明确哪些是已知量,哪些是未知量以及它们之间的等量关系.

(2)设:设未知数.

(3)列:找出等量关系,列出方程.

(4)解:解方程,求出未知数的值.

(5)检验:检验方程的解能否保证实际问题有意义.

(6)答:写出答案.

知识 2 列一元二次方程解应用题的常见类型

常见题型	常用数量关系、相等关系
数字问题	若一个两位数十位、个位上的数字分别为 a、b,则这个两位数表示为 $10a+b$; 若一个三位数百位、十位、个位上的数字分别为 a、b、c,则这个三位数表示为 $100a+10b+c$
平均增长率问题	设 a 为起始量,b 为终止量,n 为增长(降低)的次数,平均增长率公式:$a(1+x)^n=b$(x 为平均增长率),平均降低率公式:$a(1-x)^n=b$(x 为平均降低率)
面积(体积)问题	将不规则图形分割或组合成规则图形,找出未知量与已知量的内在联系,根据面积(体积)公式列出一元二次方程
传染问题	传染源+第一轮被传染的+第二轮被传染的=第二轮被传染后的总数

续表

常见题型	常用数量关系、相等关系
销售利润问题	利润=售价-进价;利润率 $=\frac{利润}{进价}=\frac{售价-进价}{进价}$;售价=进价×(1+利润率);总利润=总售价-总成本=单个利润×总销售量

注重解法的选择与验根.在具体问题中要注意恰当地选择解法,以保证解题过程简单流畅,特别注意要对方程的解进行检验,根据实际情况进行正确取舍,以保证结论的准确性.

例 某养鸡场 1 只患禽流感的小鸡经过两天的时间传染了 168 只小鸡,那么在每一天的传染中平均 1 只小鸡传染了几只小鸡?

解析 设在每一天的传染中平均 1 只小鸡传染了 x 只小鸡,

由题意,得 $1+x+(1+x)x=169$,

解得 $x_1=12$,$x_2=-14$,$x=-14$ 不符合题意,应舍去,所以 $x=12$.

答:在每一天的传染中平均 1 只小鸡传染了 12 只小鸡.

方法清单

方法1 列一元二次方程解决平均增长率问题的方法

方法2 利用一元二次方程解决"每每型"问题的方法

方法3 利用一元二次方程解决几何图形问题的方法

方法 1 列一元二次方程解决平均增长率问题的方法

有关增长率问题的等量关系:①原产量+增产量=现在的产量;②增产量=原产量×增长率;③现在的产量=原产量×(1+增长率).对于连续变化的问题,都是以前一个时间段为基础,平均增长(降低)率也是如此,如二月份的产量是在一月份的基础上变化的,三月份的产量是在二月份的基础上变化的.

例 1 受益于国家支持新能源汽车发展和"一带一路"倡议等多重利好因素,某汽车零部件生产企业的利润逐年提高,据统计,2015 年利润为 2 亿元,2017 年利润为 2.88 亿元.

(1)求该企业从 2015 年到 2017 年利润的年平均增长率;

(2)若 2018 年保持前两年利润的年平均增长率不变,该企业 2018 年的利润能否超过 3.4 亿元?

解析 (1)设该企业从 2015 年到 2017 年利润的年平均增长率为 x,根据题意得 $2(1+x)^2=2.88$,

解得 $x_1=0.2=20\%$,$x_2=-2.2$(不合题意,舍去).

答:该企业从 2015 年到 2017 年利润的年平均增长率为 20%.

(2)如果 2018 年仍保持相同的平均增长率,那么该企业 2018 年的利润为 $2.88\times(1+20\%)=3.456$(亿元).

$\because 3.456>3.4$,$\therefore$ 能超过 3.4 亿元.

答:该企业 2018 年的利润能超过 3.4 亿元.

方法 2 利用一元二次方程解决"每每型"问题的方法

在经济问题中常常出现这样的描述:单价每降低 1 元,每天可多售出 10 件.我们把这种经济问题称为"每每型"问题.解决此类问题的关键在于理清销售量随着单价的变化而变化的数量关系.

例 2 某玩具厂生产一种玩具,按照控制固定成本降价促销的原则,使生产的玩具能够及时售出,据市场调查:每个玩具按 480 元销售时,每天可销售 160 个;若销售单价每降低 1 元,每天可多售出 2 个,已知每个玩具的固定成本为 360 元,问这种玩具的销售单价为多少元时,厂家每天可获利润 20 000 元?

思路分析 设这种玩具的销售单价为 x 元,用含 x 的式子表示出销售量是解决问题的关键,根据单位利润×数量=总利润列出方程求解,注意判断所求的解是否符合题意.

解析 设这种玩具的销售单价为 x 元,

由题意,得 $(x-360)[160+2(480-x)]=20\ 000$,

整理,得 $x^2-920x+211\ 600=0$,

解得 $x_1=x_2=460$.

答:这种玩具的销售单价为 460 元时,厂家每天可获利润 20 000 元.

方法 3 利用一元二次方程解决几何图形问题的方法

几何图形问题,一般是从面积(或体积)等方面找相等关系,规则的几何图形直接利用面积(或体积)公式列方程即可,不规则图形一般通过分割或组合成规则图形,再运用规则图形的面积(或体积)公式列方程.

例 3 如图所示,一农户要建一个矩形猪舍,猪舍的一边利用长为 12 m 的住房墙,另外三边用 25 m 长的建筑材料围成,为方便进出,在垂直于住房墙的一边留一个 1 m 宽的门.所围矩形猪舍的长、宽分别为多少时,猪舍面积为 80 m^2?

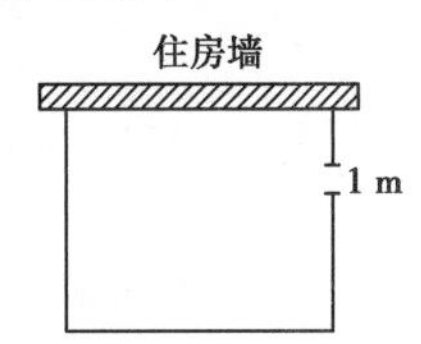

思路分析 本题需要利用矩形的面积等于 80 m^2 列方程求解,由于矩形的面积等于长乘宽,因此需要用含未知数的式子表示出矩形的长与宽.设矩形猪舍垂直于住房墙的一边长为 x m,则其邻边长为 $(26-2x)$ m.根据矩形的面积公式列出方程求解.最后利用住房墙的长为 12 m 确定矩形的长与宽.

解析 设矩形猪舍垂直于住房墙的一边长为 x m,

则其邻边长为 $(26-2x)$ m.

根据题意,得 $x(26-2x)=80$.

化简,得 $x^2-13x+40=0$.

解这个方程,得 $x_1=5$,$x_2=8$.

当 $x=5$ 时,$26-2x=16>12$(舍去);

当 $x=8$ 时,$26-2x=10<12$.

答:所围矩形猪舍的长为 10 m,宽为 8 m 时,猪舍面积为 80 m^2.

点拨 (1)列方程解应用题的关键是认真读题,找出题中的等量关系;(2)本题中的墙的长度对于方程的解有限制作用.

第13章 二次函数

13.1 二次函数的有关概念

知识清单

知识1 二次函数

	内容
概念	一般地,形如 $y=ax^2+bx+c$(a、b、c 是常数,$a\neq 0$)的函数叫做二次函数,其中 x 是自变量,a、b、c 分别是函数表达式的二次项系数、一次项系数和常数项
举例	函数 $y=x^2-14x+8$ 是二次函数,其中 $1,-14,8$ 分别是二次项系数、一次项系数和常数项
温馨提示	①所谓二次函数就是说自变量 x 的最高次数是 2. ②二次函数 $y=ax^2+bx+c(a\neq 0)$ 中,x、y 是变量,a、b、c 是常量.自变量 x 的取值范围是全体实数,b 和 c 可以是任意实数,a 是不等于 0 的实数. ③二次函数 $y=ax^2+bx+c(a\neq 0)$ 与一元二次方程 $ax^2+bx+c=0(a\neq 0)$ 有密切联系,如果将变量 y 换成一个常数,那么这个二次函数就是一个一元二次方程

例1 当 m 取何值时,函数 $y=(m+1)x^{m^2-m}-2x+1$ 是二次函数?

(解析) 根据二次函数的定义,得 $\begin{cases} m^2-m=2, \\ m+1\neq 0. \end{cases}$

解 $m^2-m=2$,得 $m_1=-1$,$m_2=2$.

解 $m+1\neq 0$,得 $m\neq -1$,$\therefore m=2$.$\therefore$ 当 $m=2$ 时,函数 $y=(m+1)x^{m^2-m}-2x+1$ 是二次函数.

知识2 二次函数的一般形式

任何一个二次函数的解析式都可以化成 $y=ax^2+bx+c$(a、b、c 是常数,$a\neq 0$)的形式,因此,把 $y=ax^2+bx+c$(a、b、c 是常数,$a\neq 0$)叫做二次函数的一般形式.

二次函数的一般形式的结构特征

(1)函数的关系式是整式;(2)自变量的最高次数是 2;(3)二次项系数不等于零.

温馨提示

①二次函数的一般形式中,等号右边是关于自变量 x 的二次三项式.

②当 $b=0$,$c=0$ 时,$y=ax^2$ 是特殊的二次函数.

③判断一个函数是不是二次函数,在关系式是整式的前提下,如果把关系式化简、整理(去括号、合并同类项)后,能写成 $y=ax^2+bx+c(a\neq 0)$ 的形式,那么这个函数就是二次函数.否则,它就不是二次函数.

知识3 二次函数的常见表达式

(1)由于从 $y=a(x-h)^2+k(a\neq 0)$ 中可直接看出抛物线的顶点坐标,所以通常把 $y=a(x-h)^2+k(a\neq 0)$ 叫做二次函数的顶点式;

(2)由于从 $y=a(x-x_1)(x-x_2)(a\neq 0)$ 中可直接看出抛物线与 x 轴的两个交点的坐标 $(x_1,0)$,$(x_2,0)$,所以通常把 $y=a(x-x_1)(x-x_2)(a\neq 0)$ 叫做二次函数的交点式.

①一般式、顶点式、交点式是二次函数常见的表达式,它们之间可以互相转化.

②顶点式、交点式化为一般式,主要运用去括号、合并同类项等方法.

③一般式化为顶点式、交点式,主要运用配方法、因式分解等方法.

知识4 二次函数的顶点坐标及其意义

1.顶点式的推导过程

$$y=ax^2+bx+c=a\left(x^2+\frac{b}{a}x+\frac{c}{a}\right)$$ ← 提出 a,而不是除以 a

$$=a\left[x^2+2\cdot\frac{b}{2a}x+\left(\frac{b}{2a}\right)^2-\left(\frac{b}{2a}\right)^2+\frac{c}{a}\right]$$

加上一次项系数一半的平方 $\left(\frac{b}{2a}\right)^2$,再减去 $\left(\frac{b}{2a}\right)^2$,确保代数式的值不变

$$=a\left(x+\frac{b}{2a}\right)^2+\frac{4ac-b^2}{4a}.$$

2.特点:$y=a\left(x+\frac{b}{2a}\right)^2+\frac{4ac-b^2}{4a}$ 的图象的顶点坐标

为$\left(-\frac{b}{2a},\frac{4ac-b^2}{4a}\right)$，对称轴为直线 $x=-\frac{b}{2a}$.

温馨提示

顶点式 $y=a(x-h)^2+k(a\neq0)$，

当 $h=0$ 时，抛物线的顶点坐标为$(0,k)$，顶点位于纵轴上；

当 $k=0$ 时，抛物线的顶点坐标为$(h,0)$，顶点位于横轴上；

当 $h=0,k=0$ 时，抛物线的顶点坐标为$(0,0)$，顶点位于原点处.

例2 二次函数 $y=-x^2+bx+c$ 的图象的最高点是$(-1,-3)$，则 $b=$______，$c=$______.

(解析) $\because -1<0$，

$\therefore$ 二次函数图象的开口向下，

$\therefore$ 二次函数图象的最高点坐标就是顶点坐标，

$\therefore -1=-\frac{b}{2\times(-1)}$，$-3=\frac{4\times(-1)c-b^2}{4\times(-1)}$，解得 $b=-2$，$c=-4$.

(答案) -2；-4

方法清单

方法1 二次函数的识别方法

方法2 用待定系数法求二次函数解析式的方法

方法1 二次函数的识别方法

判断一个函数是不是二次函数可从三个方面考虑：

(1)看它是不是整式，若不是整式，则必不是二次函数；

(2)当它是整式时，再看它是不是一个二次的整式；

(3)考虑其二次项的系数是不是0.

只有综合考虑了上述三点，才能得出正确的判断.

例1 下列函数中，y 一定是 x 的二次函数的是____(填序号).

(1)$y=x^2-\frac{1}{x}$；(2)$y=(x+1)^2-x^2$；(3)$y=-\frac{3}{5}x^2+x-1$；(4)$y=ax^2+bx+c$.

(解析)

序号	分析	判断
(1)	含自变量 x 的代数式 $x^2-\frac{1}{x}$ 不是整式	不是
(2)	$y=(x+1)^2-x^2=2x+1$，是一次函数	不是
(3)	符合二次函数的定义及特征	是
(4)	没有强调 $a\neq0$	不一定

(答案) (3)

点拨 二次函数 $y=ax^2+bx+c$ 中的二次项系数 $a\neq0$ 这一重要条件往往易被忽略，只有当二次项系数 $a\neq0$ 时，$y=ax^2+bx+c$ 才是二次函数.

方法2 用待定系数法求二次函数解析式的方法

用待定系数法可求出二次函数的解析式，确定二次函数一般需要三个独立条件，根据不同条件选择不同的设法.

(1)设一般式：$y=ax^2+bx+c(a\neq0)$.若已知条件是图象上的三个点，则设所求二次函数为 $y=ax^2+bx+c(a\neq0)$，将已知条件代入解析式，得到关于 a,b,c 的三元一次方程组，解方程组求出 a,b,c 的值，即可得到解析式.

(2)设顶点式：$y=a(x-h)^2+k(a\neq0)$.若已知二次函数图象的顶点坐标或对称轴方程与最大值(或最小值)，则设所求二次函数为 $y=a(x-h)^2+k(a\neq0)$，将已知条件代入，求出待定系数，最后将解析式化为一般形式.

(3)设交点式：$y=a(x-x_1)(x-x_2)(a\neq0)$.若已知二次函数图象与 x 轴的两个交点的坐标为$(x_1,0)$，$(x_2,0)$，则设所求二次函数为 $y=a(x-x_1)(x-x_2)(a\neq0)$，将第三个点的坐标$(m,n)$(其中 m,n 为已知数)或其他已知条件代入，求出待定系数 a，最后将解析式化为一般形式.

例2 根据下列条件，分别求出对应的二次函数的表达式.

(1)二次函数的图象经过点$(0,-1)$，$(1,0)$，$(-1,2)$；

(2)抛物线的顶点为$(1,-3)$，且与 y 轴交于点$(0,1)$；

(3)抛物线与 x 轴交于点$(-3,0)$、$(5,0)$，且与 y 轴交于点$(0,-3)$.

(解析) (1)设二次函数的表达式为 $y=ax^2+bx+c(a\neq0)$.

因为这个函数的图象过点$(0,-1)$，所以 $c=-1$.

则有 $y=ax^2+bx-1$，

又因为其图象过点$(1,0)$、$(-1,2)$，

所以有$\begin{cases}a+b-1=0,\\a-b-1=2,\end{cases}$

解得$\begin{cases}a=2,\\b=-1.\end{cases}$

所以所求二次函数的表达式是 $y=2x^2-x-1$.

(2)因为抛物线的顶点为$(1,-3)$，所以设二次函数的表达式为 $y=a(x-1)^2-3(a\neq0)$.

又因为抛物线经过点$(0,1)$，

所以 $1=a(0-1)^2-3$，解得 $a=4$.

所以所求二次函数的表达式是 $y=4(x-1)^2-3=4x^2-8x+1$.

(3)因为抛物线与 x 轴交于点 $(-3,0)$、$(5,0)$，

所以设二次函数的表达式为 $y=a(x+3)(x-5)(a\neq0)$.

又因为抛物线经过点 $(0,-3)$，

所以 $-3=a(0+3)\times(0-5)$，

解得 $a=\frac{1}{5}$.

所以所求二次函数的表达式是 $y=\frac{1}{5}(x+3)(x-5)=\frac{1}{5}x^2-\frac{2}{5}x-3$.

13.2 二次函数的图象与性质

知识清单

知识1 抛物线

1.定义

二次函数的图象是一条关于某条直线对称的曲线，叫做抛物线，该直线叫做抛物线的对称轴，对称轴与抛物线的交点叫做抛物线的顶点.

2.示例

二次函数 $y=ax^2+bx+c(a\neq0)$ 的图象是以 $\left(-\frac{b}{2a},\frac{4ac-b^2}{4a}\right)$ 为顶点，直线 $x=-\frac{b}{2a}$ 为对称轴的抛物线.

3.二次函数的图象

(1)二次函数 $y=ax^2(a\neq0)$ 的图象是关于 y 轴对称的抛物线，顶点坐标为原点 $(0,0)$.

描点法画二次函数 $y=ax^2(a\neq0)$ 的图象的步骤(以 $y=x^2$ 为例).

①列表：

x	…	−3	−2	−1	0	1	2	3	…
y	…	9	4	1	0	1	4	9	…

②描点：如图1.

③连线：如图2所示.

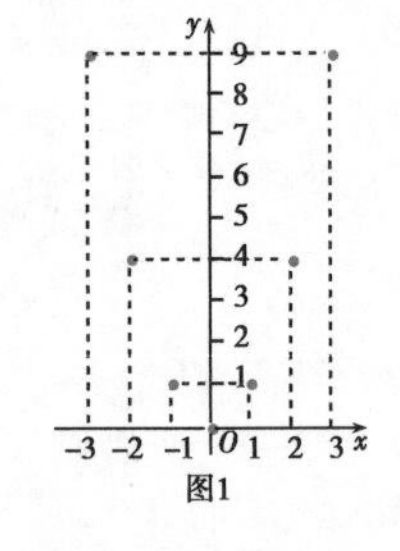
图1

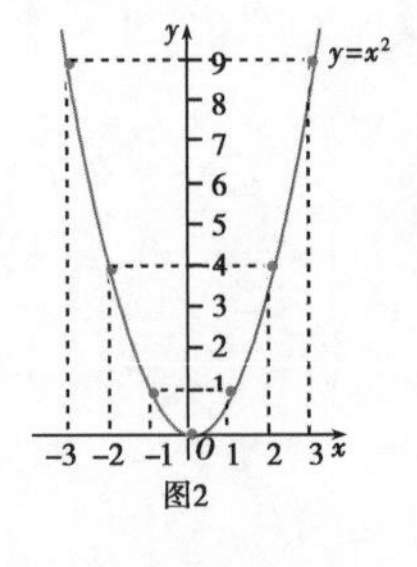

图2

温馨提示

①抛物线是向两方无限延伸的.由于自变量可以取全体实数，而画图象时取值有限，故不应画到“两端”为止，而应当向两个方向延伸.

②自变量 x 应以原点 O 为中心，对称取值.可以先画出图象在 y 轴右边的部分，然后利用对称性画出图象在 y 轴左边的部分.

③在列表时考虑到 x 可以取任意实数，应在顶点的左右两侧对称地选取 x 的值，然后计算 y 的值.为计算、描点的方便，x 取整数，x 取值的个数为5或7较合适.

④在连线时，用平滑曲线顺次(自变量的取值由小到大或由大到小)连接各点，连线时注意平滑，两边要顺势伸展出去一部分.画出的图象是近似的，点取得越多就越精确.

(2)二次函数 $y=ax^2+c(a\neq0)$ 的图象是与 $y=ax^2(a\neq0)$ 的图象形状相同，顶点坐标为 $(0,c)$ 的一条抛物线，因此画它的图象时，可以用描点法，也可以用平移法.

温馨提示

当 $c>0$ 时，$y=ax^2+c(a\neq0)$ 的图象是由 $y=ax^2(a\neq0)$ 的图象向上平移 c 个单位长度得到的；当 $c<0$ 时，$y=ax^2+c(a\neq0)$ 的图象是由 $y=ax^2(a\neq0)$ 的图象向下平移 $|c|$ 个单位长度得到的.

(3)二次函数 $y=a(x-h)^2(a\neq0)$ 的图象是与 $y=ax^2(a\neq0)$ 的图象形状相同，顶点坐标为 $(h,0)$ 的一条抛物线，同样画它的图象时，可以用描点法，也可以用平移法.

温馨提示

当 $h>0$ 时，$y=a(x-h)^2(a\neq0)$ 的图象是由 $y=ax^2(a\neq0)$ 的图象向右平移 h 个单位长度得到的；当 $h<0$ 时，$y=a(x-h)^2(a\neq0)$ 的图象是由 $y=ax^2(a\neq0)$ 的图象向左平移 $|h|$ 个单位长度得到的.

(4)二次函数 $y=ax^2+bx+c$ 或 $y=a\left(x+\frac{b}{2a}\right)^2+\frac{4ac-b^2}{4a}(a\neq0)$ 的图象是与 $y=ax^2(a\neq0)$ 的图象形状相同，顶点坐标为 $\left(-\frac{b}{2a},\frac{4ac-b^2}{4a}\right)$ 的一条抛物线.

①描点法画抛物线 $y=ax^2+bx+c(a\neq0)$ 的步骤：

a.把二次函数 $y=ax^2+bx+c$ 配方为 $y=a(x-h)^2+k$ 的形式；

b.确定抛物线的顶点、对称轴和开口方向；

c.在对称轴两侧,对称地取自变量的值,并列表、描点、连线.

②平移法画抛物线 $y=ax^2+bx+c$ 的步骤：

a.把二次函数 $y=ax^2+bx+c$ 配方为 $y=a(x-h)^2+k$ 的形式；

b.作出函数 $y=ax^2$ 的图象；

c.把抛物线 $y=ax^2$ 向右($h>0$)或向左($h<0$)平移 $|h|$ 个单位长度,再把所得图象向上($k>0$)或向下($k<0$)平移 $|k|$ 个单位长度.

若抛物线与 x 轴有交点,最好选取交点描点,特别是作抛物线草图时,应抓住以下几点:开口方向;对称轴;顶点;与 x 轴交点;与 y 轴交点.

知识 2 二次函数图象的平移

二次函数 $y=ax^2+k(a\neq0)$, $y=a(x-h)^2(a\neq0)$, $y=a(x-h)^2+k(a\neq0)$ 的图象与 $y=ax^2(a\neq0)$ 的图象都是抛物线且形状相同,只是位置不同.它们都可由 $y=ax^2(a\neq0)$ 的图象平移得到.

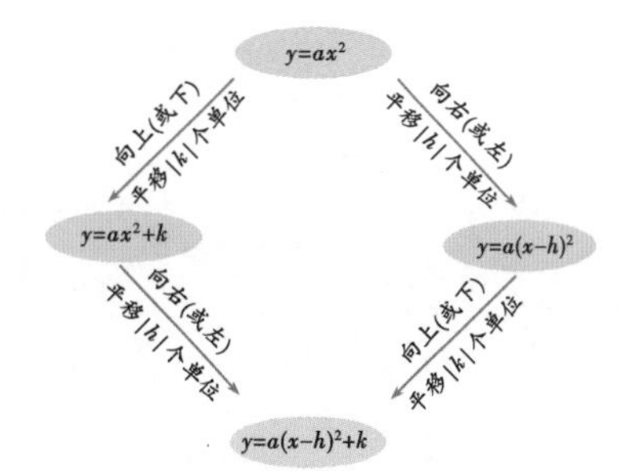

其平移的规律可归纳如下：

移动方向($m>0$)	平移前的解析式	平移后的解析式	简记
向左平移 m 个单位	$y=a(x-h)^2+k$	$y=a(x-h+m)^2+k$	左加
向右平移 m 个单位	$y=a(x-h)^2+k$	$y=a(x-h-m)^2+k$	右减
向上平移 m 个单位	$y=a(x-h)^2+k$	$y=a(x-h)^2+k+m$	上加
向下平移 m 个单位	$y=a(x-h)^2+k$	$y=a(x-h)^2+k-m$	下减

①抛物线在平移的过程中, a 的值不发生变化,变化的只是顶点的位置,且与平移方向有关.

②涉及抛物线的平移时,首先将表达式转化为顶点式 $y=a(x-h)^2+k$ 的形式.

③抛物线的移动主要看顶点的移动, $y=ax^2$ 的顶点是 $(0,0)$, $y=ax^2+k$ 的顶点是 $(0,k)$, $y=a(x-h)^2$ 的顶点是 $(h,0)$, $y=a(x-h)^2+k$ 的顶点是 (h,k) .我们只需在坐标系中画出这几个顶点,即可看出平移的方向.

④抛物线的平移口诀:自变量加减左右移,函数值加减上下移.

知识 3 二次函数的图象特征与性质

1.二次函数 $y=ax^2(a\neq0)$ 的图象特征与性质

二次函数 $y=ax^2(a\neq0)$ 的图象是一条抛物线,它的对称轴是 y 轴,顶点是原点 $(0,0)$,二次函数 $y=ax^2(a\neq0)$ 的图象与性质总结如下：

函数	a 的符号	图象	开口方向	对称轴	顶点	增减性	最值
$y=ax^2$ $(a\neq0)$	$a>0$		向上	y 轴(即 $x=0$)	原点 $O(0,0)$	当 $x<0$ 时, y 随 x 的增大而减小;当 $x>0$ 时, y 随 x 的增大而增大	当 $x=0$ 时, y 有最小值, $y_{最小值}=0$
	$a<0$		向下	y 轴(即 $x=0$)	原点 $O(0,0)$	当 $x<0$ 时, y 随 x 的增大而增大;当 $x>0$ 时, y 随 x 的增大而减小	当 $x=0$ 时, y 有最大值, $y_{最大值}=0$

2.二次函数 $y=ax^2+k(a\neq0)$ 的图象特征与性质

二次函数 $y=ax^2+k(a\neq0)$ 的图象是一条抛物线，它的对称轴是 y 轴，顶点是点 $(0,k)$. 二次函数 $y=ax^2+k(a\neq0)$ 的图象与性质总结如下：

a 的符号	$a>0$	$a<0$
图象	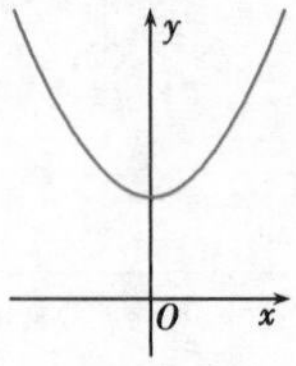	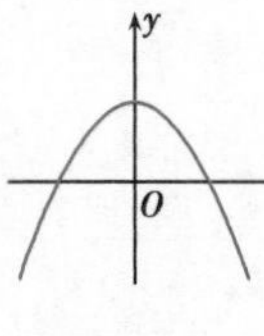
开口方向	向上	向下
对称轴	y 轴	y 轴
顶点坐标	$(0,k)$	$(0,k)$
增减性	当 $x<0$ 时，y 随 x 的增大而减小；当 $x>0$ 时，y 随 x 的增大而增大	当 $x<0$ 时，y 随 x 的增大而增大；当 $x>0$ 时，y 随 x 的增大而减小
最值	当 $x=0$ 时，y 有最小值，$y_{最小值}=k$	当 $x=0$ 时，y 有最大值，$y_{最大值}=k$

3.二次函数 $y=a(x-h)^2(a\neq0)$ 的图象特征与性质

二次函数 $y=a(x-h)^2(a\neq0)$ 的图象是一条抛物线，它的对称轴是直线 $x=h$，顶点是 $(h,0)$，二次函数 $y=a(x-h)^2(a\neq0)$ 的图象与性质总结如下：

a 的符号	$a>0$	$a<0$
图象	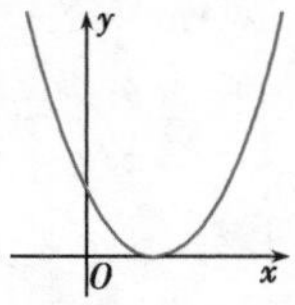	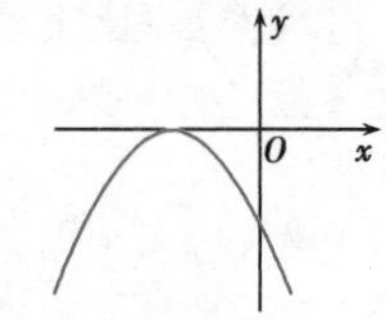
开口方向	向上	向下
对称轴	$x=h$	$x=h$
顶点坐标	$(h,0)$	$(h,0)$
增减性	当 $x<h$ 时，y 随 x 的增大而减小；当 $x>h$ 时，y 随 x 的增大而增大	当 $x<h$ 时，y 随 x 的增大而增大；当 $x>h$ 时，y 随 x 的增大而减小
最值	当 $x=h$ 时，y 有最小值，$y_{最小值}=0$	当 $x=h$ 时，y 有最大值，$y_{最大值}=0$

4.二次函数 $y=ax^2+bx+c(a\neq0)$ 的图象特征与性质

		一般式 $y=ax^2+bx+c(a\neq0)$	顶点式 $y=a(x-h)^2+k(a\neq0)$
图象形状		抛物线	
开口方向		当 $a>0$ 时，开口向上；当 $a<0$ 时，开口向下	
顶点坐标		$\left(-\frac{b}{2a},\frac{4ac-b^2}{4a}\right)$	(h,k)
对称轴		直线 $x=-\frac{b}{2a}$	直线 $x=h$
图象		$a>0$	$a<0$
		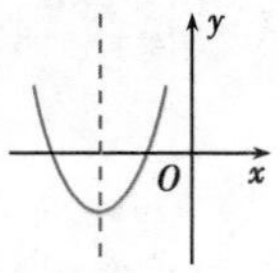	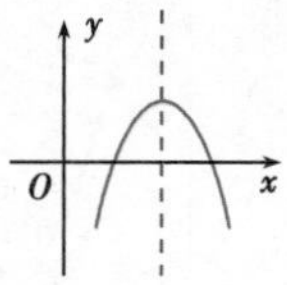
增减性	$a>0$	在对称轴左侧，即 $x<-\frac{b}{2a}$ 或 $x<h$ 时，y 随 x 的增大而减小；在对称轴右侧，即 $x>-\frac{b}{2a}$ 或 $x>h$ 时，y 随 x 的增大而增大	
	$a<0$	在对称轴左侧，即 $x<-\frac{b}{2a}$ 或 $x<h$ 时，y 随 x 的增大而增大；在对称轴右侧，即 $x>-\frac{b}{2a}$ 或 $x>h$ 时，y 随 x 的增大而减小	
最大(小)值	$a>0$	当 $x=-\frac{b}{2a}$ 时，y 取得最小值，$y_{最小值}=\frac{4ac-b^2}{4a}$	当 $x=h$ 时，y 取得最小值，$y_{最小值}=k$
	$a<0$	当 $x=-\frac{b}{2a}$ 时，y 取得最大值，$y_{最大值}=\frac{4ac-b^2}{4a}$	当 $x=h$ 时，y 取得最大值，$y_{最大值}=k$

> **温馨提示** 二次函数的解析式中，a 决定抛物线的形状和开口方向，h、k 仅决定抛物线的位置．若两个二次函数的图象形状完全相同且开口方向相同，则它们的二次项系数 a 必相等．

例 1 关于抛物线 $y=(x-1)^2-2$，下列说法错误的是 (　　)

A.顶点坐标为$(1,-2)$

B.对称轴是直线 $x=-1$

C.开口向上

D.当 $x=1$ 时，y 有最小值

(解析) 根据函数解析式 $y=(x-1)^2-2$ 可知：顶点坐标为$(1,-2)$，故 A 正确．对称轴为直线 $x=1$，故 B 错误．图象开口向上，故 C 正确．当 $x=1$ 时，y 有最小值，故 D 正确．故选 B．

(答案) B

知识 4 二次函数 $y=ax^2+bx+c(a\neq0)$ 的最值

(1)若自变量 x 的取值范围是全体实数，则当 $a>0$ 时，抛物线开口向上，有最低点，当 $x=-\dfrac{b}{2a}$时，函数取得最小值$\dfrac{4ac-b^2}{4a}$，如图①；当 $a<0$ 时，抛物线开口向下，有最高点，当 $x=-\dfrac{b}{2a}$时，函数取得最大值$\dfrac{4ac-b^2}{4a}$，如图②．

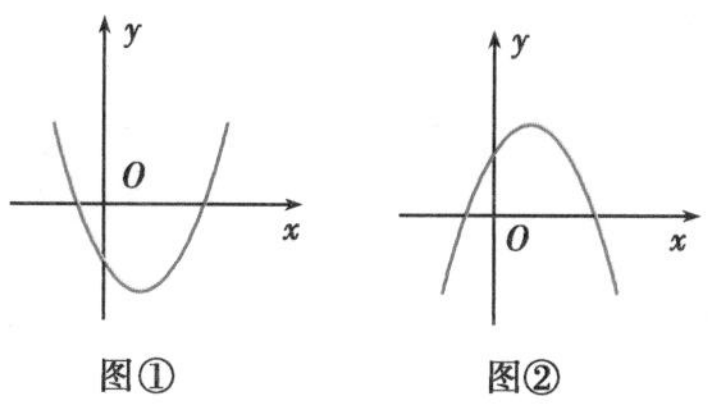

图①　　图②

(2)当自变量 x 的取值范围是 $x_1\leqslant x\leqslant x_2$ 时，如图．

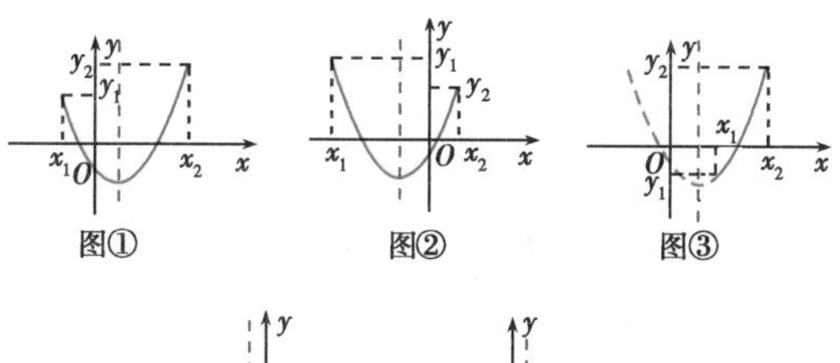

图①　　图②　　图③

图④　　图⑤

在图①中，当 $x=x_2$ 时，函数取得最大值 y_2；当 $x=-\dfrac{b}{2a}$时，函数取得最小值$\dfrac{4ac-b^2}{4a}$．

在图②中，当 $x=x_1$ 时，函数取得最大值 y_1；当 $x=-\dfrac{b}{2a}$时，函数取得最小值$\dfrac{4ac-b^2}{4a}$．

在图③中，当 $x=x_2$ 时，函数取得最大值 y_2；当 $x=x_1$ 时，函数取得最小值 y_1．

在图④中，当 $x=-\dfrac{b}{2a}$时，函数取得最大值$\dfrac{4ac-b^2}{4a}$；当 $x=x_1$ 时，函数取得最小值 y_1．

在图⑤中，当 $x=-\dfrac{b}{2a}$时，函数取得最大值$\dfrac{4ac-b^2}{4a}$；当 $x=x_2$ 时，函数取得最小值 y_2．

例 2 已知二次函数 $y=x^2-2mx$(m 为常数)，当$-1\leqslant x\leqslant2$ 时，函数值 y 的最小值为-2，则 m 的值是 (　　)

A.$\dfrac{3}{2}$　　B.$\sqrt{2}$

C.$\dfrac{3}{2}$或$\sqrt{2}$　　D.$-\dfrac{3}{2}$或$\sqrt{2}$

思路分析 将二次函数配方成顶点式，分 $m<-1$、$m>2$ 和$-1\leqslant m\leqslant2$ 三种情况，根据 y 的最小值为-2，结合二次函数的性质求解可得结论．

(解析) $y=x^2-2mx=(x-m)^2-m^2$，当 $x>m$ 时，y 随 x 的增大而增大；当 $x<m$ 时，y 随 x 的增大而减小．

①当 $m<-1$ 时，此时 $x=-1$，y 取得最小值，即 $y_{最小值}=1+2m=-2$，解得 $m=-\dfrac{3}{2}$；

②当 $m>2$ 时，此时 $x=2$，y 取得最小值，即 $y_{最小值}=4-4m=-2$，解得 $m=\dfrac{3}{2}<2$(舍)；

③当$-1\leqslant m\leqslant2$ 时，此时 $x=m$，y 取得最小值，即 $y_{最小值}=-m^2=-2$，

解得 $m=\sqrt{2}$或 $m=-\sqrt{2}<-1$(舍)．

$\therefore$ m 的值为$-\dfrac{3}{2}$或$\sqrt{2}$．故选 D．

(答案) D

知识 5 二次函数图象与 a、b、c 的关系

二次函数 $y=ax^2+bx+c(a\neq0)$的图象与 a、b、c 及 b^2-4ac 的符号之间的关系：

	符号	图象的特征
a	$a>0$	开口向上
	$a<0$	开口向下
b	$b=0$	对称轴为 y 轴
	$ab>0$(a、b 同号)	对称轴在 y 轴左侧
	$ab<0$(a、b 异号)	对称轴在 y 轴右侧

续表

	符号	图象的特征
c	$c=0$	图象过原点
	$c>0$	与 y 轴的正半轴相交
	$c<0$	与 y 轴的负半轴相交
b^2-4ac	$b^2-4ac=0$	与 x 轴有唯一交点(顶点)
	$b^2-4ac>0$	与 x 轴有两个不同的交点
	$b^2-4ac<0$	与 x 轴无交点

温馨提示

①抛物线的开口大小由$|a|$确定:$|a|$越大,抛物线的开口越小;$|a|$越小,抛物线的开口越大.

②由 a 的符号及对称轴 $x=-\frac{b}{2a}$ 的位置可确定 b 的符号.特殊地,对称轴为 y 轴时,$b=0$;一般情况可简记为"左同右异",即对称轴在 y 轴左侧,a、b 同号,对称轴在 y 轴右侧,a、b 异号.

③对于二次函数 $y=ax^2+bx+c(a\neq0)$,当横坐标 $x=1$,图象上的对应点在 x 轴的上方时,$a+b+c>0$;当 $x=1$,图象上的对应点在 x 轴上时,$a+b+c=0$;当 $x=1$,图象上的对应点在 x 轴下方时,$a+b+c<0$.

④对于二次函数 $y=ax^2+bx+c(a\neq0)$,当横坐标 $x=-1$,图象上的对应点在 x 轴的上方时,$a-b+c>0$;当 $x=-1$,图象上的对应点在 x 轴上时,$a-b+c=0$;当 $x=-1$,图象上的对应点在 x 轴下方时,$a-b+c<0$.

知识 6 二次函数与一元二次方程的关系

二次函数 $y=ax^2+bx+c(a\neq0)$,当 $y=0$ 时,得到一元二次方程 $ax^2+bx+c=0(a\neq0)$.一元二次方程的解就是二次函数的图象与 x 轴交点的横坐标,因此,二次函数图象与x轴的交点情况决定一元二次方程根的情况.

如下表所示:

判别式情况		$\Delta>0$	$\Delta=0$	$\Delta<0$
二次函数 $y=ax^2+bx+c(a\neq0)$ 与 x 轴的交点	$a>0$	有两个交点	有一个交点	无交点
	$a<0$	有两个交点	有一个交点	无交点
一元二次方程 $ax^2+bx+c=0(a\neq0)$ 的实数根		有两个不相等的实数根	有两个相等的实数根	没有实数根

温馨提示

①解一元二次方程实质上就是求当二次函数值为0时的自变量 x 的取值,反映在图象上就是求抛物线与 x 轴交点的横坐标.

②若一元二次方程 $ax^2+bx+c=0(a\neq0)$ 的两根为 $x_1,x_2(x_1<x_2)$,则抛物线 $y=ax^2+bx+c(a\neq0)$ 与 x 轴的交点为 $(x_1,0)$,$(x_2,0)$,对称轴为直线 $x=\frac{x_1+x_2}{2}$.

③若 $a>0$,当 $x<x_1$ 或 $x>x_2$ 时,$y>0$;当 $x_1<x<x_2$ 时,$y<0$.若 $a<0$,当 $x_1<x<x_2$ 时,$y>0$;当 $x<x_1$ 或 $x>x_2$ 时,$y<0$.

④如果抛物线 $y=ax^2+bx+c(a\neq0)$ 与 x 轴交于 $M(x_1,0)$,$N(x_2,0)$,则 $MN=\frac{\sqrt{b^2-4ac}}{|a|}$.

例 3 已知抛物线 $y=x^2-px+\frac{p}{2}-\frac{1}{4}$.

(1)若抛物线与 y 轴交点的坐标为(0,1),求抛物线与 x 轴交点的坐标;

(2)证明:无论 p 为何值,抛物线与 x 轴必有交点;

(3)若抛物线的顶点在 x 轴上,求出此时顶点的坐标.

解析 (1)对于抛物线 $y=x^2-px+\frac{p}{2}-\frac{1}{4}$,

将 $x=0,y=1$ 代入得 $\frac{p}{2}-\frac{1}{4}=1$,

解得 $p=\frac{5}{2}$,

∴ 抛物线的解析式为 $y=x^2-\frac{5}{2}x+1$,

令 $y=0$,得到 $x^2-\frac{5}{2}x+1=0$,

解得 $x_1=\frac{1}{2},x_2=2$,

则抛物线与 x 轴交点的坐标为 $\left(\frac{1}{2},0\right)$,(2,0).

(2)证明:$\because \Delta=(-p)^2-4\times1\times\left(\frac{p}{2}-\frac{1}{4}\right)=p^2-2p+1$ $=(p-1)^2\geqslant0$,

$\therefore$ 无论 p 为何值,抛物线与 x 轴必有交点.

(3)$\because$ 抛物线的顶点在 x 轴上,

$\therefore \Delta=(-p)^2-4\times1\times\left(\frac{p}{2}-\frac{1}{4}\right)=0$,

解得 $p=1$,

$\therefore y=x^2-x+\frac{1}{4}=\left(x-\frac{1}{2}\right)^2$,

此时顶点坐标为 $\left(\frac{1}{2},0\right)$.

知识 7 二次函数图象的对称性

二次函数 $y=ax^2+bx+c(a\neq0)$ 的图象是轴对称图形,它关于直线 $x=-\frac{b}{2a}$ 对称.对称轴与抛物线的交点为二次函数图象的顶点.

温馨提示 ①抛物线上两点若关于直线 $x=-\frac{b}{2a}$ 对称,则这两点的纵坐标相同,横坐标与 $-\frac{b}{2a}$ 的差的绝对值相等.

②若二次函数与 x 轴有两个交点,则这两个交点关于直线 $x=-\frac{b}{2a}$ 对称.

③二次函数 $y=ax^2+bx+c$ 与 $y=ax^2-bx+c$ 的图象关于 y 轴对称;二次函数 $y=ax^2+bx+c$ 与 $y=-ax^2-bx-c$ 的图象关于 x 轴对称.

例 4 如图,已知抛物线 $y=x^2+bx+c$ 的对称轴方程为 $x=2$,点 A,B 均在抛物线上,且 AB 与 x 轴平行,其中点 A 的坐标为 $(0,3)$,则点 B 的坐标为 ( )

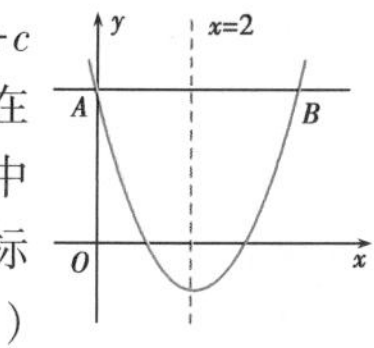

A.(2,3) B.(3,2) C.(3,3) D.(4,3)

(解析) 抛物线为轴对称图形.抛物线的对称轴为直线 $x=2$,由图可知点 A 与点 B 为对称点.又点 A 的坐标为 $(0,3)$,所以点 B 的坐标为 $(4,3)$.故选 D.

(答案) D

方法清单

方法 1 求抛物线的顶点、对称轴的方法

(1)公式法:$y=ax^2+bx+c(a\neq0)$,

顶点是 $\left(-\frac{b}{2a},\frac{4ac-b^2}{4a}\right)$,对称轴是直线 $x=-\frac{b}{2a}$.

(2)配方法:运用配方的方法,将抛物线的解析式化为 $y=a(x-h)^2+k$ 的形式,得到顶点为 (h,k),对称轴是直线 $x=h$.

(3)运用抛物线的对称性:由于抛物线是轴对称图形,所以关于对称轴对称的两点的连线的垂直平分线是抛物线的对称轴,对称轴与抛物线的交点是顶点.

用配方法求得的顶点,再用公式法或对称性进行验证,能做到万无一失.

例 1 求抛物线 $y=-\frac{1}{2}x^2+4x-5$ 的对称轴和顶点坐标.

(解析) 解法一(配方法):$y=-\frac{1}{2}x^2+4x-5=-\frac{1}{2}(x^2-8x+10)=-\frac{1}{2}(x^2-8x+16-6)=-\frac{1}{2}(x-4)^2+3$,

$\therefore$ 抛物线 $y=-\frac{1}{2}x^2+4x-5$ 的对称轴为直线 $x=4$,顶点坐标为 $(4,3)$.

解法二(公式法):$\because a=-\frac{1}{2},b=4,c=-5$,

$\therefore -\frac{b}{2a}=-\frac{4}{2\times\left(-\frac{1}{2}\right)}=4$,

$\frac{4ac-b^2}{4a}=\frac{4\times\left(-\frac{1}{2}\right)\times(-5)-4^2}{4\times\left(-\frac{1}{2}\right)}=3$,

$\therefore$ 抛物线 $y=-\frac{1}{2}x^2+4x-5$ 的对称轴为直线 $x=4$,顶点坐标为 $(4,3)$.

方法 2 二次函数图象的平移规律的应用方法

只要 a 相同,那么抛物线的形状就完全相同,抛

物线之间就可以通过相互平移得到,上下平移看顶点的纵坐标,左右平移看顶点的横坐标.

例 2 将抛物线 $y=2x^2-4x+1$ 先向左平移 3 个单位,再向下平移 2 个单位,求平移后对应的函数解析式.

(解析) $y=2x^2-4x+1=2(x^2-2x+1)-1=2(x-1)^2-1$,该抛物线的顶点坐标是$(1,-1)$,将其向左平移 3 个单位,再向下平移 2 个单位后,抛物线的形状、开口方向不变,这时顶点坐标为$(1-3,-1-2)$,即$(-2,-3)$,所以平移后抛物线的解析式为 $y=2(x+2)^2-3$,即 $y=2x^2+8x+5$.

方法 3 抛物线对称性的应用方法

二次函数 $y=ax^2+bx+c(a\neq0)$ 的图象是轴对称图形,它关于直线 $x=-\dfrac{b}{2a}$ 对称,由此我们可以利用对称性求对称点的坐标、函数值、两点间的距离,我们还可以利用对称点的坐标求其对称轴.理解和掌握这种性质,可以帮助我们解决许多函数问题.

例 3 如图,已知二次函数 $y=ax^2-4x+c$ 的图象与坐标轴交于点 $A(-1,0)$ 和点$B(0,-5)$.

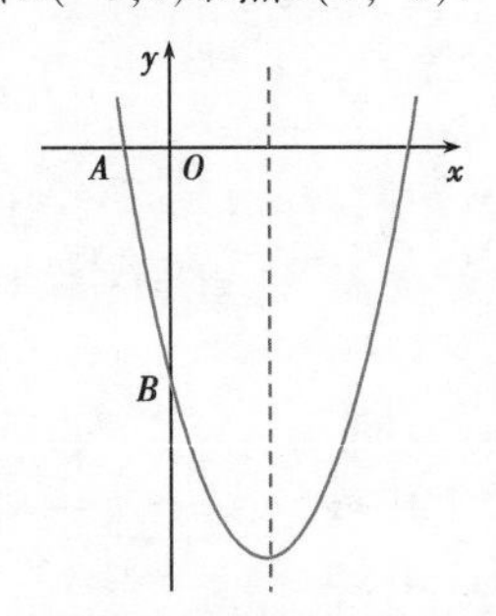

(1)求该二次函数的解析式;

(2)已知该函数图象的对称轴上存在一点 P,使得$\triangle ABP$ 的周长最小,请求出点 P 的坐标.

(解析) (1)根据题意,得

$$\begin{cases}0=a\times(-1)^2-4\times(-1)+c,\\-5=a\times0^2-4\times0+c,\end{cases}$$

解得$\begin{cases}a=1,\\c=-5,\end{cases}$

所以二次函数的解析式为 $y=x^2-4x-5$.

(2)令 $y=0$,得 $x^2-4x-5=0$,

解得 $x_1=-1,x_2=5$,

所以二次函数 $y=x^2-4x-5$ 的图象与 x 轴的另一个交点坐标为 $C(5,0)$.

连接 AB,$AB=\sqrt{OA^2+OB^2}=\sqrt{26}$,

要使$\triangle ABP$ 的周长最小,只要 $PA+PB$ 最小.

由于点 A 与点 C 关于对称轴 $x=2$ 对称,

连接 BC 交对称轴于点 P,

则 $PA+PB=PC+BP$,根据两点之间,线段最短,

可得 $PA+PB$ 的最小值为 BC 的长度.

因而 BC 与对称轴 $x=2$ 的交点 P 就是所求的点,如图.

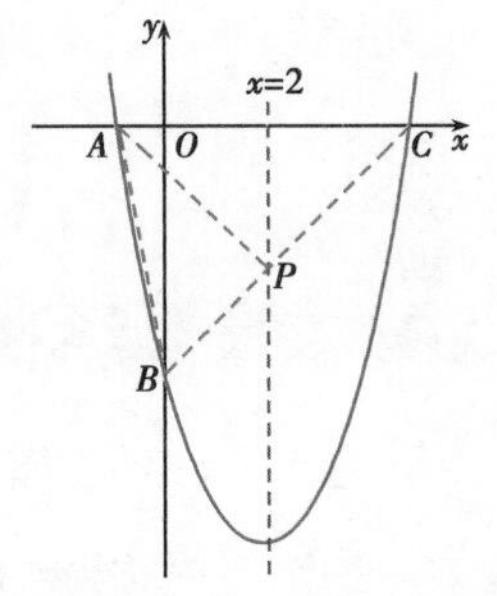

设直线 BC 的解析式为 $y=kx+b(k\neq0)$,

根据题意,可得$\begin{cases}b=-5,\\0=5k+b,\end{cases}$ 解得$\begin{cases}k=1,\\b=-5.\end{cases}$

所以直线 BC 的解析式为 $y=x-5$.

联立得$\begin{cases}x=2,\\y=x-5,\end{cases}$ 解得$\begin{cases}x=2,\\y=-3.\end{cases}$

故所求的点 P 的坐标为$(2,-3)$.

方法 4 二次函数的图象特征与系数关系的应用方法

二次函数 $y=ax^2+bx+c(a\neq0)$,a 的符号由抛物线开口方向决定;b 的符号由对称轴的位置及 a 的符号决定;c 的符号由抛物线与 y 轴交点的位置决定;抛物线与 x 轴的交点个数决定了 b^2-4ac 的符号.

例 4 二次函数 $y=ax^2+bx+c(a\neq0)$ 的图象如图所示,对称轴是直线 $x=-1$,有以下结论:① $abc>0$;② $4ac<b^2$;③ $2a+b=0$;④ $a-b+c>2$.其中正确的结论的个数是 ( )

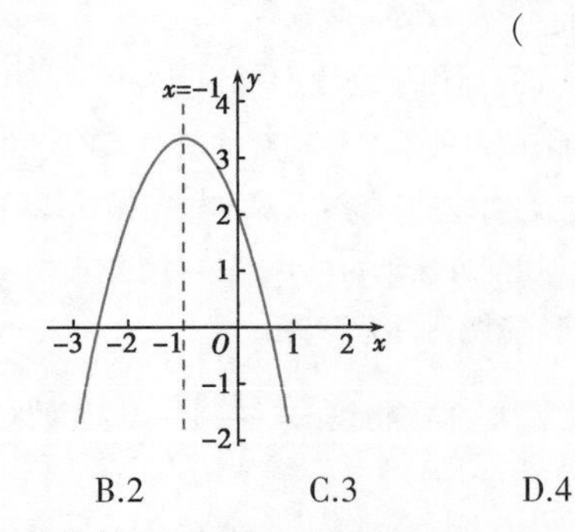

A.1　　B.2　　C.3　　D.4

(解析) ∵ 抛物线开口向下,∴ $a<0$,

∵ 抛物线的对称轴为直线 $x=-\frac{b}{2a}=-1$,

∴ $b=2a<0$,

∵ 抛物线与 y 轴的交点在 x 轴上方,∴ $c>0$,

∴ $abc>0$,∴ ①正确;

∵ 抛物线与 x 轴有 2 个交点,

∴ $\Delta=b^2-4ac>0$,

即 $4ac<b^2$,②正确;

∵ $b=2a<0$,∴ $2a+b<0$,∴ ③错误;

∵ 抛物线开口向下,且对称轴为直线 $x=-1$,

∴ $x=-1$ 对应的 y 值是最大值,

∴ $a-b+c>2$,∴ ④正确.故选 C.

(答案) C

方法 5 二次函数与一元二次方程、不等式综合应用的方法

抛物线 $y=ax^2+bx+c(a\neq0)$ 与 x 轴的交点个数及相应的一元二次方程根的情况都由 $\Delta=b^2-4ac$ 决定.

当 $\Delta>0$,即抛物线与 x 轴有两个交点时,方程 $ax^2+bx+c=0$ 有两个不相等的实数根,这两个交点的横坐标即为一元二次方程的两个根.

当 $\Delta=0$,即抛物线与 x 轴有一个交点(即顶点)时,方程 $ax^2+bx+c=0$ 有两个相等的实数根,此时一元二次方程的根即为抛物线顶点的横坐标.

当 $\Delta<0$,即抛物线与 x 轴无交点时,方程 $ax^2+bx+c=0$ 无实数根,此时抛物线在 x 轴的上方($a>0$ 时)或在 x 轴的下方($a<0$ 时).

抛物线 $y=ax^2+bx+c(a\neq0)$ 与直线 $y=h$ 的交点的横坐标即为一元二次方程 $ax^2+bx+c=h(a\neq0)$ 的实数根.

例 5 已知函数表达式为 $y=x^2-4x+3$.

(1)该函数的图象与 x 轴有几个交点?并求出交点坐标;

(2)画出函数 $y=x^2-4x+3$ 的图象,观察图象直接写出当 $y>0$ 和 $y<0$ 时相应的 x 的取值范围;

(3)试问:当 x 为何值时,函数值 y 为 15?

(解析) (1)∵ $\Delta=b^2-4ac=(-4)^2-4\times3\times1=4>0$,

∴ 该函数图象与 x 轴有 2 个交点.

解方程 $x^2-4x+3=0$,得 $x_1=1$,$x_2=3$,

所以该函数的图象与 x 轴的交点坐标分别为(1,0),(3,0).

(2)$y=x^2-4x+3=(x-2)^2-1$,画出函数图象如图所示.

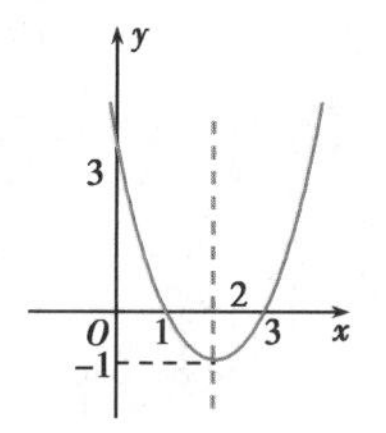

观察图象可知当 $x<1$ 或 $x>3$ 时,$y>0$;当 $1<x<3$ 时,$y<0$.

(3)令 $x^2-4x+3=15$,得 $x^2-4x-12=0$.

解得 $x_1=-2$,$x_2=6$.

故当 $x=-2$ 或 $x=6$ 时,函数 $y=x^2-4x+3$ 的值为 15.

13.3 二次函数的实践与探索

二次函数在中考中占有很重要的地位,考查的内容包括求二次函数关系式,确定图象的顶点坐标、对称轴,根据图象求一元二次方程的解、自变量的取值范围等.

在生活中,我们常会遇到与二次函数及其图象有关的问题,解决这类问题的一般思路:首先要读懂题意,弄清题目中牵连的几个量的关系,并且建立适当的直角坐标系,再根据题目中的已知条件建立数学模型,即列出函数关系式,然后运用数形结合的思想,根据函数性质去解决实际问题.

1.数形结合思想、转化思想

把问题的数量关系和图形结合起来考查,根据解决问题的需要,可以把数量关系的问题转化为图形的性质问题来讨论,也可以把图形的性质问题转化为数量关系的问题来研究.

例 1 设 $A(-2,y_1)$,$B(1,y_2)$,$C(2,y_3)$是抛物线 $y=-(x+1)^2+m$ 上的三点,则 y_1,y_2,y_3 的大小关系为( )

A.$y_1>y_2>y_3$　　B.$y_1>y_3>y_2$

C.$y_3>y_2>y_1$　　D.$y_2>y_1>y_3$

(解析) 因为函数的解析式是 $y=-(x+1)^2+m$,其

大致图象如图所示，所以对称轴是直线 $x=-1$，所以点 A 关于对称轴对称的点 A' 是 $(0,y_1)$，因为点 A',B,C 都在对称轴的右侧，且在对称轴右侧，y 随 x 的增大而减小，所以 $y_1>y_2>y_3$. 故选 A.

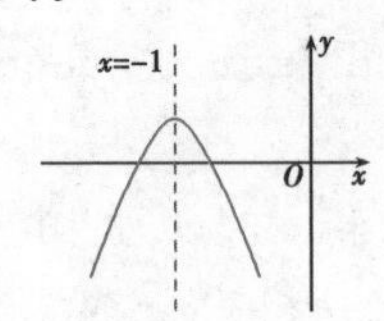

(答案) A

2. 方程思想

(1) 求二次函数的图象与 x 轴的交点的横坐标就是令 $y=0$，解一元二次方程 $ax^2+bx+c=0(a\neq0)$.

(2) 任给一 y 值 h，即 $ax^2+bx+c=h$，求自变量 x 的值可转化为解一元二次方程. 一元二次方程的根就是二次函数 $y=ax^2+bx+c$ 的图象与直线 $y=h$(h 为实数) 交点的横坐标.

例 2 把一个足球垂直水平地面向上踢，时间为 t(秒) 时该足球离地面的高度 h(米) 满足 $h=20t-5t^2$ $(0\leqslant t\leqslant4)$.

(1) 当 $t=3$ 时，求足球距地面的高度；

(2) 求经过多少秒，足球距地面的高度为 10 米；

(3) 若存在实数 $t_1,t_2(t_1\neq t_2)$，当 $t=t_1$ 或 t_2 时，足球距地面的高度都为 m(米)，求 m 的取值范围.

(解析) (1) 当 $t=3$ 时，$h=20t-5t^2=20\times3-5\times9=15$(米)，

$\therefore$ 当 $t=3$ 时，足球距地面的高度为 15 米.

(2) $\because h=10$，

$\therefore 20t-5t^2=10$，

即 $t^2-4t+2=0$，

解得 $t=2+\sqrt{2}$ 或 $t=2-\sqrt{2}$，

故经过 $2+\sqrt{2}$ 秒或 $2-\sqrt{2}$ 秒，足球距地面的高度为 10 米.

(3) 由题意得 t_1,t_2 是方程 $20t-5t^2=m$ 的两个不相等的实数根，将方程转化为一般形式为 $5t^2-20t+m=0$，

由题意得 $b^2-4ac=(-20)^2-20m>0$，$\therefore m<20$，又 $m\geqslant0$，

故 m 的取值范围是 $0\leqslant m<20$.

3. 利用二次函数求最大面积的方法

(1) 求几何图形的最大面积，应在分析图形的基础上，引入自变量，用含自变量的代数式分别表示出与所求几何图形相关的量，再根据图形的特征列出其面积的计算公式，并且用函数表示这个面积，最后根据函数关系式求出最值及取得最值时相应的自变量的值.

(2) 在求解几何图形的最大面积时，应注意自变量的取值范围，一定要注意题目中隐含的每一个几何量的取值范围，一般有以下几种情况：边长、周长、面积大于 0，三角形中任意两边之和大于第三边.

例 3 某农场拟建一间矩形种牛饲养室，饲养室的一面靠现有墙(墙足够长)，已知计划中的建筑材料可建围墙的总长为 50 m. 设饲养室的长为 x(m)，占地面积为 y(m^2).

(1) 如图 1，问饲养室的长 x 为多少时，占地面积 y 最大？

(2) 如图 2，现要求在图中所示位置留 2 m 宽的门，且仍使饲养室的占地面积最大，小敏说："只要饲养室的长比 (1) 中的长多 2 m 就行了." 请你通过计算，判断小敏的说法是否正确.

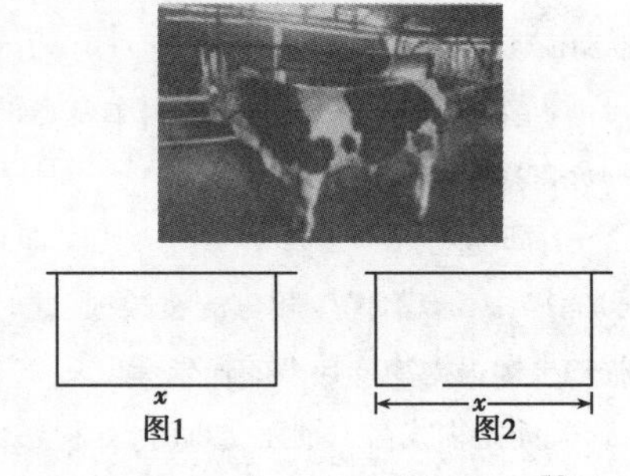

图1　图2

(解析) (1) 由题意知饲养室的宽为 $\frac{50-x}{2}$m. 则 $y=x\cdot\frac{50-x}{2}=-\frac{1}{2}(x-25)^2+\frac{625}{2}$，

$\therefore$ 当 $x=25$ 时，占地面积最大，

即饲养室的长 x 为 25 m 时，占地面积 y 最大.

(2) 由题意知饲养室的宽为 $\frac{50-(x-2)}{2}=\frac{52-x}{2}$m，

则 $y=x\cdot\frac{52-x}{2}=-\frac{1}{2}(x-26)^2+338$，

$\therefore$ 当 $x=26$ 时，占地面积最大，

即饲养室的长 x 为 26 m 时，占地面积 y 最大.

$\because 26-25=1\neq2$，

$\therefore$ 小敏的说法不正确.

4. 利用二次函数求最大利润的方法

利用二次函数解决实际生活中的利润问题，应认清变量所表示的实际意义，注意隐含条件的使用，同

时考虑问题要全面.此类问题一般是先运用“总利润=总售价-总成本”或“总利润=每件商品所获利润×销售数量”,建立利润与价格之间的函数关系式,求出这个函数关系式的最大值,即求得最大利润.

例4 某企业设计了一款工艺品,每件的成本是50元,为了合理定价,投放市场进行试销.据市场调查,销售单价是100元时,每天的销售量是50件,而销售单价每降低1元,每天就可多售出5件,但要求销售单价不得低于成本.

(1)求出每天的销售利润 y(元)与销售单价 x(元)之间的函数关系式;

(2)求出销售单价为多少元时,每天的销售利润最大,最大利润是多少?

(3)如果该企业要使每天的销售利润不低于4 000元,且每天的总成本不超过7 000元,那么销售单价应控制在什么范围内?(每天的总成本=每件的成本×每天的销售量)

解析 (1) $y=(x-50)\cdot[50+5(100-x)]=(x-50)(-5x+550)=-5x^2+800x-27\ 500$,

$\therefore y=-5x^2+800x-27\ 500(50\leqslant x\leqslant100)$.

(2) $y=-5x^2+800x-27\ 500=-5(x-80)^2+4\ 500$,

$\because a=-5<0$,

$\therefore$ 抛物线开口向下.

$\because 50\leqslant x\leqslant100$,对称轴是直线 $x=80$,

$\therefore$ 当 $x=80$ 时,y 取得最大值,且 $y_{最大值}=4\ 500$.

$\therefore$ 销售单价为80元时,每天的销售利润最大,最大销售利润为4 500元.

(3)当 $y=4\ 000$ 时,$-5(x-80)^2+4\ 500=4\ 000$,

解这个方程,得 $x_1=70$,$x_2=90$.

$\therefore$ 当 $70\leqslant x\leqslant90$ 时,每天的销售利润不低于4 000元.

由每天的总成本不超过7 000元,得 $50(-5x+550)\leqslant7\ 000$,

解这个不等式,得 $x\geqslant82$.

$\therefore 82\leqslant x\leqslant90$.

$\because 50\leqslant x\leqslant100$,$\therefore$ 销售单价应该控制在82元至90元之间.

5.利用二次函数解决方案设计问题的方法

解答此类应用题的一般步骤:

(1)阅读理解.读懂题意,理解实际背景,收集并处理有关信息.

(2)数学建模.将应用性问题中的信息翻译成数学语言,抽象、归纳其中的数量关系,转化成数学问题.

(3)合理决策.在得到的数学模型上进行推理与对比,计算最优的方案.

例5 某公司销售一种新型节能产品,现准备从国内和国外两种销售方案中选择一种进行销售.若只在国内销售,销售价格 y(元/件)与月销量 x(件)的函数关系式为 $y=-\frac{1}{100}x+150$,成本为20元/件,无论销售多少,每月还需支出广告费62 500元,设月利润为 $w_{内}$(元)(利润=销售额-成本-广告费).

若只在国外销售,销售价格为150元/件,受各种不确定因素影响,成本为 a 元/件(a 为常数,$10\leqslant a\leqslant40$),当月销量为 x(件)时,每月还需缴纳 $\frac{1}{100}x^2$ 元的附加费,设月利润为 $w_{外}$(元)(利润=销售额-成本-附加费).

(1)当 $x=1\ 000$ 时,$y=$________,$w_{内}=$________;

(2)分别求出 $w_{内}$,$w_{外}$ 与 x 间的函数关系式(不必写 x 的取值范围);

(3)当 x 为何值时,在国内销售的月利润最大?若在国外销售月利润的最大值与在国内销售月利润的最大值相同,求 a 的值;

(4)如果某月要将5 000件产品全部销售完,请你通过分析帮公司决策,选择在国内还是在国外销售才能使所获月利润较大.

解析 (1)140;57 500.

(2) $w_{内}=x(y-20)-62\ 500=-\frac{1}{100}x^2+130x-62\ 500$,

$w_{外}=-\frac{1}{100}x^2+(150-a)x$.

(3)当 $x=-\frac{130}{2\times\left(-\frac{1}{100}\right)}=6\ 500$ 时,$w_{内}$ 最大;

由题意得 $\frac{0-(150-a)^2}{4\times\left(-\frac{1}{100}\right)}=\frac{4\times\left(-\frac{1}{100}\right)\times(-62\ 500)-130^2}{4\times\left(-\frac{1}{100}\right)}$,

解得 $a_1=30$,$a_2=270$(不合题意,舍去).

所以 $a=30$.

(4)当 $x=5\ 000$ 时,$w_{内}=337\ 500$,$w_{外}=-5\ 000a+500\ 000$.

若 $w_{内}<w_{外}$，则 $a<32.5$；

若 $w_{内}=w_{外}$，则 $a=32.5$；

若 $w_{内}>w_{外}$，则 $a>32.5$.

所以当 $10\leqslant a<32.5$ 时，选择在国外销售；当 $a=32.5$ 时，在国外和国内销售都一样；当 $32.5<a\leqslant 40$ 时，选择在国内销售.

6.运动型几何问题中二次函数的应用方法

对于运动型几何问题中的函数应用问题，解题时应深入理解运动图形所在的条件与环境，用运动的眼光去观察和研究问题，挖掘运动、变化的全过程，并特别关注运动与变化的不变量、不变关系和特殊关系，然后化“动态”为“静态”、化“变化”为“不变”，通过分析找出题中各图形的结合点，借助函数的性质予以解决.当图形(或某一事物)在运动的过程中达到最大值或最小值时，其位置必定在一个特殊的位置，这是普遍规律.

例6 如图，四边形 $OABC$ 为直角梯形，$A(4,0)$，$B(3,4)$，$C(0,4)$.点 M 从 O 出发以每秒 2 个单位长度的速度向 A 运动；点 N 从 B 同时出发，以每秒 1 个单位长度的速度向 C 运动.其中一个动点到达终点时，另一个动点也随之停止运动.过点 N 作 NP 垂直 x 轴于点 P，连接 AC 交 NP 于 Q，连接 MQ.

(1)点________(填 M 或 N)能到达终点；

(2)求△AQM 的面积 S 与运动时间 t 的函数关系式，并写出自变量 t 的取值范围，当 t 为何值时，S 的值最大？

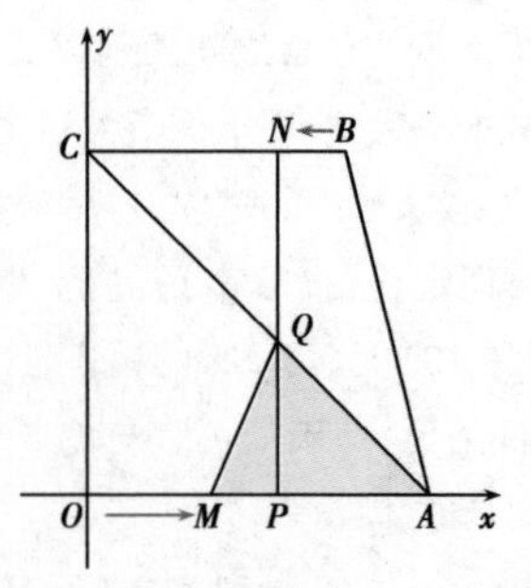

(解析) (1)M.

(2)经过 t 秒时，$NB=t$，$OM=2t$，

则 $CN=3-t$，$AM=4-2t$，

$\because A(4,0)$，$C(0,4)$，

$\therefore \angle BCA=\angle CAO=45^{\circ}$，

$\therefore QN=CN=3-t$，

$\therefore PQ=1+t$，

$\therefore S_{\triangle AMQ}=\dfrac{1}{2}AM\cdot PQ=\dfrac{1}{2}(4-2t)(1+t)$

$=-t^2+t+2$，

$\therefore S=-t^2+t+2=-\left(t-\dfrac{1}{2}\right)^2+\dfrac{9}{4}$.

$\because 0\leqslant t\leqslant 2$，

$\therefore$ 当 $t=\dfrac{1}{2}$ 时，S 的值最大.

第14章

反比例函数

14.1 反比例函数的有关概念

知识清单

知识1 反比例函数

一般地,形如$y=\frac{k}{x}$(k是常数,$k\neq0$)的函数叫做反比例函数.

注意事项

①反比例函数的表达式中,等号左边是函数值y,等号右边是关于自变量x的分式,分子是不为零的常数k,分母不能是多项式,只能是x的一次单项式.

如:$y=\frac{1}{2x}$,$y=-\frac{\frac{1}{2}}{x}$等都是反比例函数,而$y=\frac{1}{x+1}$就不是反比例函数.

②反比例函数表达式中,常数(也叫比例系数)$k\neq0$是反比例函数定义的一个重要组成部分.

③反比例函数$y=\frac{k}{x}$($k\neq0$)的自变量x的取值范围是不等于0的任意实数,函数值y的取值范围也是非零实数.

例1 下列函数:①$y=\frac{x}{6}$;②$y=-\frac{3}{x}$;③$y=\frac{5}{2x}$;④$y=\frac{4}{x^2}$;⑤$y=x-1$;⑥$y=\frac{k}{x}$(k为常数,$k\neq0$)中,是反比例函数的有__________(填序号).

(解析) ②③⑥满足$y=\frac{k}{x}$(k为常数,$k\neq0$)的形式,故②③⑥均是反比例函数,其余的不满足反比例函数的特征.

(答案) ②③⑥

知识2 反比例函数的一般形式

反比例函数的一般形式为$y=\frac{k}{x}$(其中k为常数,$k\neq0$).反比例函数的一般形式的结构特征:

(1)$k\neq0$,(2)以分式形式呈现,(3)在分母中x的指数为1.

知识延伸

①反比例函数可以理解为两个变量的乘积是一个不为0的常数,因此可以写成$xy=k$($k\neq0,x\neq0,y\neq0$)的形式.

②由负整数指数幂的意义可知反比例函数表达式也可写成$y=kx^{-1}$($k\neq0$)的形式.

③反比例函数的三种表示形式是等价的,即都可以从一种形式推出另一种形式,要根据情况灵活选用.

知识3 待定系数法求反比例函数解析式的一般步骤

(1)设反比例函数解析式为$y=\frac{k}{x}$(k为常数,$k\neq0$);

(2)把已知的一对x、y的值代入解析式,得到一个关于待定系数k的方程;

(3)解这个方程求出待定系数k;

(4)将所求得的待定系数k的值代回所设的函数解析式.

例2 若反比例函数的图象过点(3,-2),则其函数解析式为________.

(解析) 设反比例函数的解析式为$y=\frac{k}{x}$(k为常数,且$k\neq0$),

$\because$ 该函数图象过点$(3,-2)$，

$\therefore k=3\times(-2)=-6$.

$\therefore$ 该反比例函数解析式为 $y=-\frac{6}{x}$.

答案 $y=-\frac{6}{x}$

知识 4 反比例关系与反比例函数的区别与联系

在小学时，我们学过反比例关系.如果 $xy=k$(k 是常数，$k\neq0$)，那么 x 与 y 这两个量成反比例关系，这里 x、y 可以代表多项式或单项式，例如：若 $y+3$ 与 $x-1$ 成反比例，则 $y+3=\frac{k}{x-1}(k\neq0)$；若 y 与 x^2 成反比例，则 $y=\frac{k}{x^2}(k\neq0)$.成反比例关系的不一定是反比例函数，但反比例函数 $y=\frac{k}{x}(k\neq0)$ 中的两个变量必成反比例关系.

例 3 已知 $y-2$ 与 $2x+1$ 成反比例，并且当 $x=2$ 时，$y=3$.求 y 与 x 的函数关系式.

解析 $\because y-2$ 与 $2x+1$ 成反比例，

$\therefore y-2=\frac{k}{2x+1}(k\neq0)$，

把 $x=2$，$y=3$ 代入得 $3-2=\frac{k}{2\times2+1}$，

解得 $k=5$.

$\therefore y$ 与 x 的函数关系式为 $y=2+\frac{5}{2x+1}$.

方法清单

方法1 根据反比例函数的概念求字母参数的值的方法

方法2 待定系数法确定反比例函数解析式的方法

方法3 反比例函数关系式在实际问题中的确定方法

方法 1 根据反比例函数的概念求字母参数的值的方法

在反比例函数 $y=kx^{-1}$ 中，$k\neq0$ 与 x 的指数为 -1 这两个条件必须同时具备，缺一不可，解此类概念性的题目最容易犯的错误就是忽视 $k\neq0$ 这一条件，而得出错误的结论.

例 1 函数 $y=(m-2)x^{3-m^2}$ 是反比例函数，则 m 的值是多少？

解析 因为函数 $y=(m-2)x^{3-m^2}$ 是反比例函数，

所以 $\begin{cases}3-m^2=-1,\\ m-2\neq0,\end{cases}$

解得 $m=-2$.

方法 2 待定系数法确定反比例函数解析式的方法

反比例函数的解析式 $y=\frac{k}{x}(k\neq0)$ 中，只有一个待定系数 k，确定了 k 值，也就确定了反比例函数，因而要确定反比例函数的解析式，只需给出一对 x、y 的对应值或图象上一个点的坐标，代入 $y=\frac{k}{x}$ 中即可.

例 2 已知 y 是 x 的反比例函数，请根据下表回答下列问题.

x		$\frac{3}{4}$	-12	-6	
y	-4		$\frac{1}{3}$		24

(1)求出这个反比例函数的解析式；

(2)把表填完整.

解析 (1)设反比例函数的解析式为 $y=\frac{k}{x}(k\neq0)$，

则 $\frac{1}{3}=\frac{k}{-12}$，解得 $k=-4$，

$\therefore$ 反比例函数的解析式为 $y=-\frac{4}{x}$.

(2)填表如下.

x	1	$\frac{3}{4}$	-12	-6	$-\frac{1}{6}$
y	-4	$-\frac{16}{3}$	$\frac{1}{3}$	$\frac{2}{3}$	24

点拨 由表格可知当 $x=-12$ 时，$y=\frac{1}{3}$，所以反比例函数的解析式可求.由反比例函数的解析式，自变量和函数值可以互求.

方法 3 反比例函数关系式在实际问题中的确定方法

在实际问题中,我们不知道变量间是什么函数关系,在这种情况下和列方程解题的思路一样,找出等量关系,把变量联系起来就得到函数关系式.

例 3 列出下列问题中的函数表达式,指出它们是什么函数,并写出自变量的取值范围.

(1)三角形的面积 S 是常数,该三角形的一边长 y 和这条边上的高 x 的函数关系;

(2)食堂存煤 16 000 kg,可使用天数 m 和平均每天用煤量 Q(kg)的函数关系.

思路分析 (1)根据三角形面积公式列出函数表达式.

(2)根据可使用天数 $m=\frac{\text{存煤量}}{\text{平均每天用煤量}}$列出函数表达式.

(解析) (1)$y=\frac{2S}{x}(x>0)$.

此函数是反比例函数.

(2)$m=\frac{16\ 000}{Q}(Q>0)$.

此函数是反比例函数.

14.2 反比例函数的图象与性质

知识清单

知识1 双曲线

知识2 反比例函数的图象特征与性质

知识3 反比例函数 $y=\frac{k}{x}(k\neq 0)$ 中比例系数 k 的几何意义

知识4 反比例函数图象的对称性

知识5 反比例函数与正比例函数的区别与联系

知识6 正比例函数与反比例函数图象的交点特征

温馨提示

①反比例函数的图象是由两条曲线共同组成的.

②画反比例函数图象应多取一些点,描点越多,图象越准确,连线时,要注意用平滑的曲线连接各点.

③随着$|x|$的增大,双曲线逐渐向坐标轴靠近,但永远不与坐标轴相交,因为反比例函数 $y=\frac{k}{x}$ 中 $x\neq 0$ 且 $y\neq 0$.

知识 1 双曲线

1. 定义:反比例函数的图象由两条曲线组成,我们称之为双曲线.它的两个分支分别位于第一、三象限或第二、四象限,它们关于原点对称.

2. 用描点法画双曲线

(1)列表:自变量的取值,应以 0 为中心,向两边分别取三对(或三对以上)互为相反数的数,如 1 和 -1,2 和 -2,3 和 -3,等等,填 y 值时,只需计算右侧的函数值,如分别计算出 $x=1,2,3$ 的函数值,那么 $x=-1,-2,-3$ 的函数值应是与之对应的相反数.

(2)描点:先描出一侧,另一侧可根据中心对称的性质去找.

(3)连线:按照从左到右的顺序连接各点并延伸.注意双曲线的两个分支是断开的,延伸部分有逐渐靠近坐标轴的趋势,但永远不与坐标轴相交.

例 1 用描点法画出反比例函数 $y=\frac{2}{x}$ 的图象,并求 $y>2$ 时对应的 x 的取值范围.

(解析) 列表:

x	…	-4	-2	-1	$-\frac{1}{2}$	$\frac{1}{2}$	1	2	4	…
y	…	$-\frac{1}{2}$	-1	-2	-4	4	2	1	$\frac{1}{2}$	…

描点、连线,函数 $y=\frac{2}{x}$ 的图象如图所示.

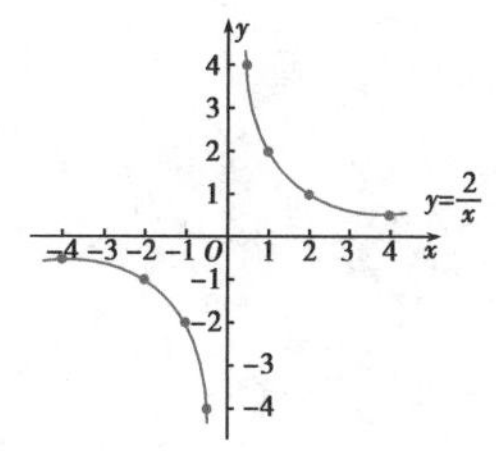

由图象可知,当 $0<x<1$ 时,$y>2$.

知识 2 反比例函数的图象特征与性质

反比例函数	$y=\frac{k}{x}(k\neq0)$	
k的符号	$k>0$	$k<0$
图象		
性质	当$k>0$时,函数的图象在第一、三象限,在每个象限内,y随x的增大而减小	当$k<0$时,函数的图象在第二、四象限,在每个象限内,y随x的增大而增大

温馨提示

①反比例函数$y=\frac{k}{x}(k\neq0)$,因为$x\neq0,y\neq0$,所以图象不经过原点.双曲线是由两个分支组成的,一般不说两个分支经过第一、三象限(或第二、四象限),而说图象的两个分支分别在第一、三象限(或第二、四象限).

②反比例函数的图象不是连续的,因此所谈到的反比例函数的增减性,都是在各自象限内的增减情况.当$k>0$时,在每一象限(第一、三象限)内y随x的增大而减小,但不能笼统地说当$k>0$时,y随x的增大而减小.同样,当$k<0$时,也不能笼统地说y随x的增大而增大.

③双曲线的两个分支关于原点对称,它与x轴、y轴都没有交点,即双曲线的两个分支无限接近于坐标轴,但永远不与坐标轴相交.

例2 反比例函数$y=\frac{m}{x}$的图象如图所示,有以下结论:

①$m<-1$;

②在各自象限内,y随x的增大而增大;

③若$A(-1,h)$、$B(2,k)$在图象上,则$h<k$;

④若$P(x,y)$在图象上,则$P'(-x,-y)$也在图象上.

其中正确的是 ( )

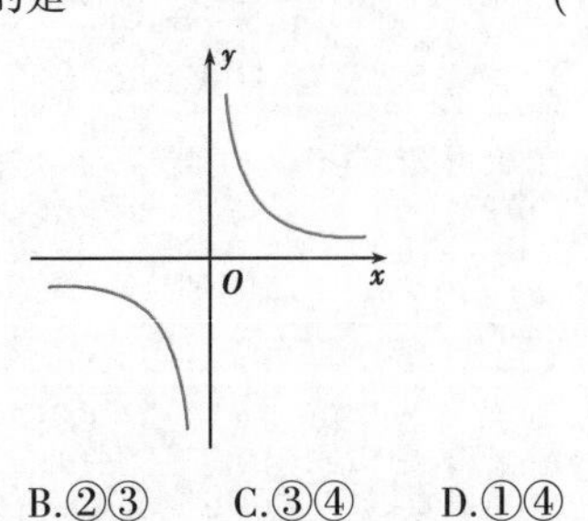

A.①② B.②③ C.③④ D.①④

解析 ∵反比例函数的图象位于第一、三象限,∴$m>0$,故①错误;当反比例函数的图象位于第一、三象限时,在各自象限内,y随x的增大而减小,故②错误;将$A(-1,h)$、$B(2,k)$代入$y=\frac{m}{x}$得到$h=-m,k=\frac{m}{2}$,∵$m>0$,∴$h<k$,故③正确;将$P(x,y)$代入$y=\frac{m}{x}$得到$m=xy=(-x)\cdot(-y)$,

∴$P'(-x,-y)$也在$y=\frac{m}{x}$的图象上,故④正确.

答案 C

知识 3 反比例函数$y=\frac{k}{x}(k\neq0)$中比例系数k的几何意义

$y=\frac{k}{x}(k<0)$的图象如图所示,过双曲线上任一点$P(x,y)$作x轴、y轴的垂线PM、PN,所得的矩形$PMON$的面积$S=PM\cdot PN=|y|\cdot|x|=|xy|$.因为$y=\frac{k}{x}$,所以$xy=k$,所以$S=|k|$,即过双曲线上任意一点作$x$轴、$y$轴的垂线,所得的矩形的面积为$|k|$.

$y=\frac{k}{x}(k<0)$的图象如图所示,过双曲线上任一点E作EF垂直于y轴,连接EO,所得的三角形OEF的面积为$\frac{|k|}{2}$.

注意事项

①因为反比例函数$y=\frac{k}{x}(k\neq0)$中的k有正负之分,所以在利用解析式求矩形或三角形的面积时,都应加上绝对值符号.

②若三角形的面积为$\frac{1}{2}|k|$,则满足条件的三角形的三个顶点分别为原点,反比例函数图象上一点及过此点向坐标轴所作垂线的垂足.

例3 如图,A是反比例函数图象上一点,过点A作$AB\perp y$轴于点B,点P在x轴上,$\triangle ABP$面积为2,则这个反比例函数的解析式为________.

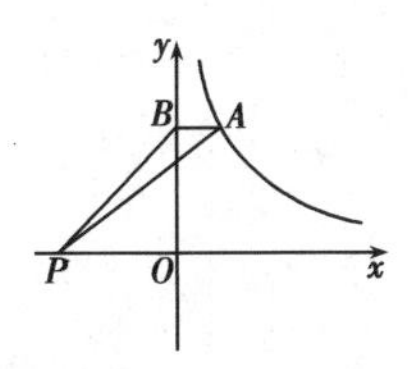

(解析) 如图,连接 OA,

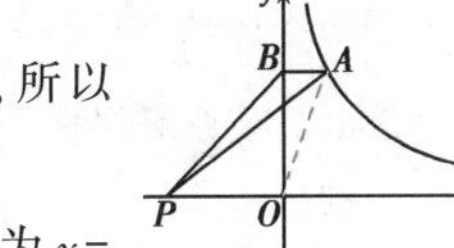

$\triangle ABP$ 和 $\triangle AOB$ 同底等高,所以面积相等.

设所求反比例函数的解析式为 $y=\frac{k}{x}(k>0)$,则 $S_{\triangle AOB}=\frac{1}{2}|k|$.又 $S_{\triangle APB}=2$,$\therefore \frac{1}{2}|k|=2$,

又 $k>0$,$\therefore k=4$,$\therefore y=\frac{4}{x}$.

(答案) $y=\frac{4}{x}$

知识 4 反比例函数图象的对称性

反比例函数的图象既是轴对称图形,又是中心对称图形.其对称轴为直线 $y=x$ 和 $y=-x$,对称中心为原点.

例4 如图,以原点为圆心的圆与反比例函数 $y=\frac{3}{x}$ 的图象交于 A、B、C、D 四点,已知点 A 的横坐标为 1,则点 C 的横坐标为 ( )

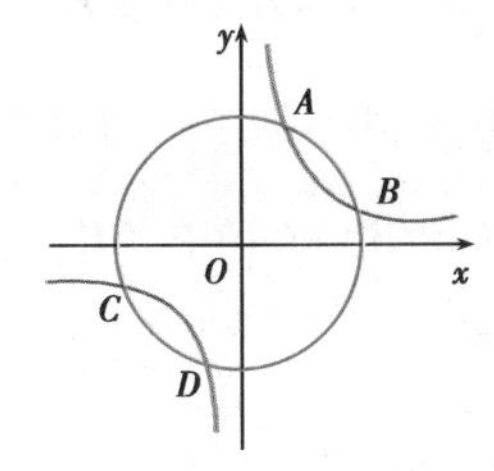

A.−4　B.−3　C.−2　D.−1

(解析) 把 $x=1$ 代入 $y=\frac{3}{x}$,得 $y=3$,

故 A 点坐标为(1,3).

易知 A、B 关于直线 $y=x$ 对称,

$\therefore B$ 点坐标为(3,1).

易知 B 和 C 关于原点对称,

$\therefore C$ 点坐标为(−3,−1),

$\therefore$ 点 C 的横坐标为−3.故选 B.

(答案) B

知识 5 反比例函数与正比例函数的区别与联系

		正比例函数	反比例函数
区别	定义	$y=kx$(k 是常数,且 $k\neq0$)	$y=\frac{k}{x}$(k 是常数,且 $k\neq0$)
	自变量的指数	1	−1
	自变量的取值范围	全体实数	不等于 0 的全体实数
	图象	经过原点的直线	双曲线
	增减性	当 $k>0$ 时,y 随 x 的增大而增大;当 $k<0$ 时,y 随 x 的增大而减小	当 $k>0$ 时,在每个象限内,y 随 x 的增大而减小;当 $k<0$ 时,在每个象限内,y 随 x 的增大而增大
联系	①两函数的图象都关于原点对称; ②两函数图象都经过点$(1,k)$; ③两函数中都只有一个待定系数,因此确定解析式时,都只需要一对 x、y 的对应值		

知识 6 正比例函数与反比例函数图象的交点特征

当正比例函数 $y=k_1x(k_1\neq0)$ 中的 k_1 与反比例函数 $y=\frac{k_2}{x}(k_2\neq0)$ 中的 k_2 的符号相同时,两函数图象必有两个交点,并且这两个交点关于原点对称.例如,当 $k_1<0$,$k_2<0$ 时,两个函数的图象如图①所示,有两个交点.

当 k_1 与 k_2 的符号不同时,两函数图象没有交点.例如,当 $k_1>0$,$k_2<0$ 时,两个函数的图象如图②所示,无交点.

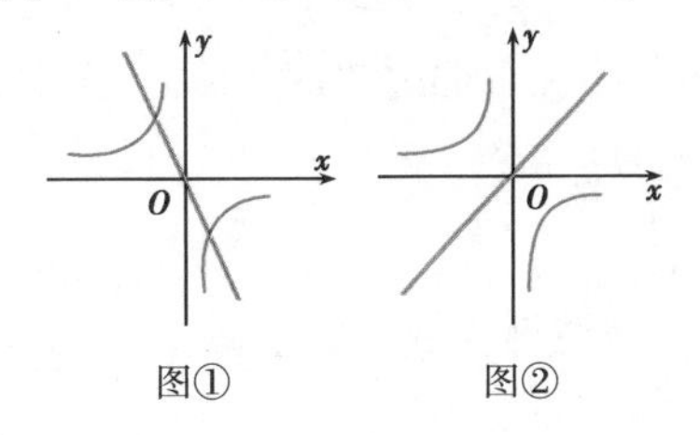

图①　图②

例5 如图,直线 $y=kx$ 与双曲线 $y=-\frac{2}{x}$ 交于 $A(x_1,y_1)$,$B(x_2,y_2)$ 两点,则 $2x_1y_2-8x_2y_1$ 的值为 ( )

第11—14章

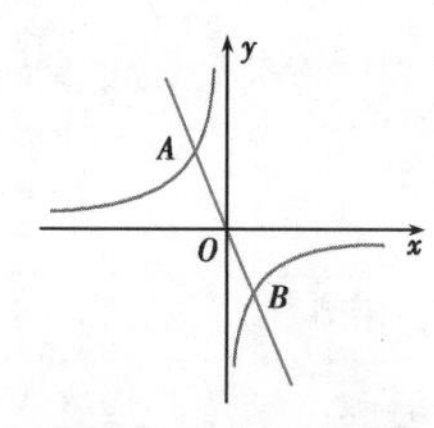

A.-6　　B.-12　　C.6　　D.12

(解析) 解法一:令 $kx=-\frac{2}{x}$,则 $kx^2=-2$,

解得 $x_1=-\sqrt{-\frac{2}{k}}$,$x_2=\sqrt{-\frac{2}{k}}$,

$\therefore y_1=kx_1=\sqrt{-2k}$,$y_2=kx_2=-\sqrt{-2k}$,

$\therefore 2x_1y_2-8x_2y_1=2\times\left(-\sqrt{-\frac{2}{k}}\right)\times(-\sqrt{-2k})-8\times\sqrt{-\frac{2}{k}}\times\sqrt{-2k}=-12$.故选 B.

解法二:正比例函数 $y=kx$ 和反比例函数 $y=-\frac{2}{x}$ 的图象都关于原点对称,它们的交点也是关于原点对称的,所以 $x_2=-x_1$,$y_2=-y_1$,所以 $2x_1y_2-8x_2y_1=-2x_1y_1+8x_1y_1=6x_1y_1=6\times(-2)=-12$,故选 B.

(答案) B

方法清单

方法1 判断点是否在反比例函数的图象上的方法

判断点是否在反比例函数图象上的方法:(1)把点的横坐标代入解析式,求出 y 的值,若所求值等于点的纵坐标,则点在图象上;若所求值不等于点的纵坐标,则点不在图象上.(2)把点的横、纵坐标相乘,若乘积等于 k,则点在图象上;若乘积不等于 k,则点不在图象上.

例1 点(2,-4)在反比例函数 $y=\frac{k}{x}(k\neq0)$ 的图象上,则下列各点在此函数图象上的是　(　　)

A.(2,4)　　B.(-1,-8)

C.(-2,-4)　　D.(4,-2)

(解析) ∵点(2,-4)在反比例函数 $y=\frac{k}{x}(k\neq0)$ 的图象上,∴ $k=2\times(-4)=-8$.

∵ A 中,2×4=8;B 中,-1×(-8)=8;C 中,-2×(-4)=8;D 中,4×(-2)=-8,

∴点(4,-2)在反比例函数 $y=\frac{k}{x}(k\neq0)$ 的图象上.故选 D.

(答案) D

方法2 与几何知识相结合确定反比例函数解析式的方法

反比例函数 $y=\frac{k}{x}(k\neq0)$ 中,只有一个待定系数 k,因而只需给出一对 x,y 的对应值或图象上一点的坐标,代入 $y=\frac{k}{x}$ 中即可求出 k 值,从而确定反比例函数的解析式.另外,反比例函数 $y=\frac{k}{x}(k\neq0)$ 也可以变形为 $k=xy(k\neq0)$,所以只要求出双曲线上任意一点的横、纵坐标之积,即可确定反比例函数表达式.

例2 如图所示,双曲线 $y=\frac{k}{x}(k>0)$ 在第一象限内经过矩形 $OABC$ 的边 BC 的中点 E,交 AB 于点 D.若梯形 $ODBC$ 的面积为3,则双曲线的解析式为 (　　)

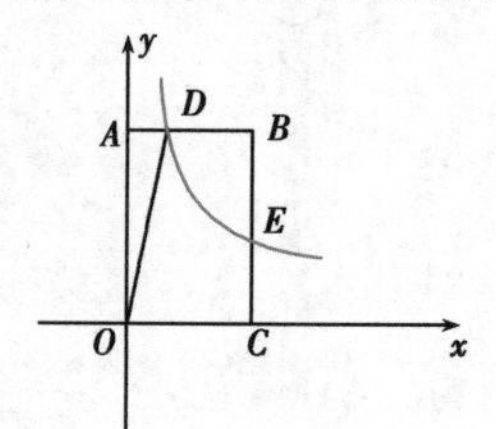

A.$y=\frac{1}{x}$　　B.$y=\frac{2}{x}$

C.$y=\frac{3}{x}$　　D.$y=\frac{6}{x}$

(解析) 设点 E 的坐标为 (a,b),$a>0$,$b>0$,则点 B 的坐标为 $(a,2b)$,$k=ab$,则点 A 的坐标为 $(0,2b)$,点 D 的纵坐标为 $2b$,又∵点 D 在反比例函数的图象上,

∴点 D 的坐标为 $\left(\frac{1}{2}a,2b\right)$.

$\therefore BD=AB-AD=a-\frac{1}{2}a=\frac{1}{2}a.$

$\because$ 梯形 $ODBC$ 的面积为 3,

$\therefore \frac{1}{2}\left(\frac{1}{2}a+a\right)\cdot 2b=3,$

$\therefore \frac{3}{2}ab=3.\therefore \frac{3}{2}k=3,\therefore k=2.$故选 B.

答案 B

方法 3 反比例函数值的大小的比较方法

反比例函数中,y 随 x 的大小而变化的情况应分 $x>0$ 与 $x<0$ 两种情况讨论,而不能笼统地说成“$k>0$ 时,y 随 x 的增大而减小;$k<0$ 时,y 随 x 的增大而增大”.在每个象限内,y 随 x 的变化是一致的.但在不同象限的两个点比较函数值的大小时,不能按这个规律.当 $k>0$ 时,第一象限点的纵坐标值都为正,第三象限点的纵坐标值都为负;当 $k<0$ 时,第二象限点的纵坐标值都为正,第四象限点的纵坐标值都为负.

例 3 在反比例函数 $y=-\frac{1}{x}$ 的图象上有三点 $(x_1,y_1),(x_2,y_2),(x_3,y_3)$,若 $x_1>x_2>0>x_3$,则 ( )

A.$y_3>y_1>y_2$ B.$y_3>y_2>y_1$

C.$y_1>y_2>y_3$ D.$y_1>y_3>y_2$

解析 解法一:由题意,得 $y_1=-\frac{1}{x_1},y_2=-\frac{1}{x_2},y_3=-\frac{1}{x_3}$,因为 $x_1>x_2>0>x_3$,所以 $y_3>y_1>y_2$,故选 A.

解法二:图象法.

在直角坐标系中作出 $y=-\frac{1}{x}$ 的草图,如图,描出符合条件的三个点,观察图象直接得到 $y_3>y_1>y_2$,故选 A.

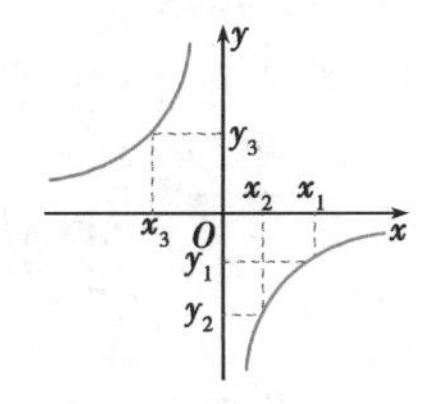

答案 A

方法 4 计算与反比例函数有关的图形面积的方法

遇到涉及反比例函数图象与矩形面积(或直角三角形面积)的关系问题时,一定要注意 $y=\frac{k}{x}$(k 为常数,且 $k\neq 0$)的本质特征是两个变量 y 与 x 的乘积是一个常数 k,k 又与矩形面积相联系.这样,我们就可以找到解决问题的方法.

例 4 如图,点 A 是反比例函数 $y=\frac{3}{x}(x>0)$ 的图象上任意一点,$AB\parallel x$ 轴交反比例函数 $y=-\frac{2}{x}(x<0)$ 的图象于点 B,以 AB 为边作平行四边形 $ABCD$,其中 C、D 在 x 轴上,则 $S_{平行四边形ABCD}=$ ( )

A.2 B.3 C.4 D.5

解析 连接 OA、OB,设 AB 交 y 轴于 E,如图,

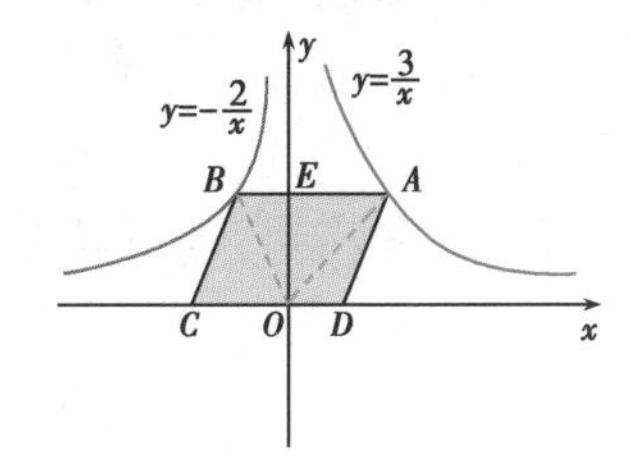

$\because AB\parallel x$ 轴,$\therefore AB\perp y$ 轴,

$\therefore S_{\triangle OEA}=\frac{1}{2}\times 3=\frac{3}{2},S_{\triangle OBE}=\frac{1}{2}\times 2=1,$

$\therefore S_{\triangle OAB}=1+\frac{3}{2}=\frac{5}{2},$

$\because$ 四边形 $ABCD$ 为平行四边形,

$\therefore S_{平行四边形ABCD}=2S_{\triangle OAB}=5$,故选 D.

答案 D

方法 5 一次函数与反比例函数综合题的解法

一次函数与反比例函数综合题的主要题型:已知直线与双曲线表达式求交点坐标;用待定系数法确定直线与双曲线的表达式;应用函数图象性质比较一次函数值与反比例函数值的大小等.解题时,一定要灵活运用一次函数与反比例函数的知识,并结合图象分析、解答问题.

例 5 已知 $A(-4,2)$、$B(n,-4)$ 两点是一次函数 $y=kx+b$ 和反比例函数 $y=\frac{m}{x}$ 图象的两个交点.

(1)求一次函数和反比例函数的解析式；

(2)求△AOB的面积；

(3)观察图象，直接写出不等式 $kx+b-\frac{m}{x}>0$ 的解集.

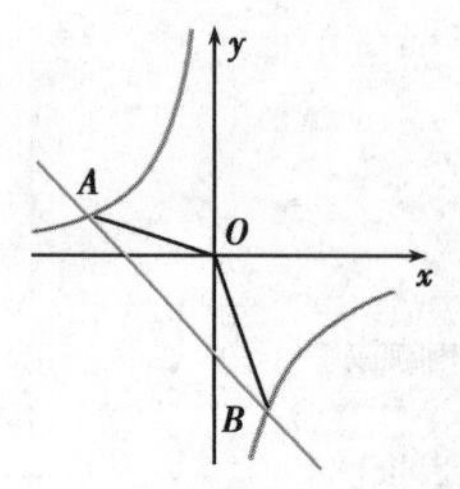

思路分析 (1)先把点 A 的坐标代入反比例函数解析式，即可得到 $m=-8$，再把点 B 的坐标代入反比例函数解析式，即可求出 $n=2$，然后利用待定系数法确定一次函数的解析式；

(2)先求出一次函数的图象与 x 轴的交点 C 的坐标，然后利用 $S_{\triangle AOB}=S_{\triangle AOC}+S_{\triangle BOC}$ 进行计算；

(3)观察函数图象得到当 $x<-4$ 或 $0<x<2$ 时，一次函数的图象在反比例函数图象上方，据此可得不等式的解集.

解析 (1)把 $A(-4,2)$ 代入 $y=\frac{m}{x}$，得 $m=2\times(-4)=-8$,

所以反比例函数的解析式为 $y=-\frac{8}{x}$,

把 $B(n,-4)$ 代入 $y=-\frac{8}{x}$，得 $-4=-\frac{8}{n}$，解得 $n=2$,

把 $A(-4,2)$ 和 $B(2,-4)$ 代入 $y=kx+b$,

得 $\begin{cases}-4k+b=2,\\2k+b=-4,\end{cases}$ 解得 $\begin{cases}k=-1,\\b=-2,\end{cases}$

所以一次函数的解析式为 $y=-x-2$.

(2)在 $y=-x-2$ 中，令 $y=0$，则 $x=-2$,

即直线 $y=-x-2$ 与 x 轴交于点 $C(-2,0)$,

$\therefore S_{\triangle AOB}=S_{\triangle AOC}+S_{\triangle BOC}=\frac{1}{2}\times2\times2+\frac{1}{2}\times2\times4=6$.

(3)由图可得，不等式 $kx+b-\frac{m}{x}>0$ 的解集为 $x<-4$ 或 $0<x<2$.

例6 如图，在直角坐标系中，矩形 $OABC$ 的顶点 O 与坐标原点重合，顶点 A, C 分别在坐标轴上，顶点 B 的坐标为(4,2).过点 $D(0,3)$ 和 $E(6,0)$ 的直线分别与 AB, BC 交于点 M, N.

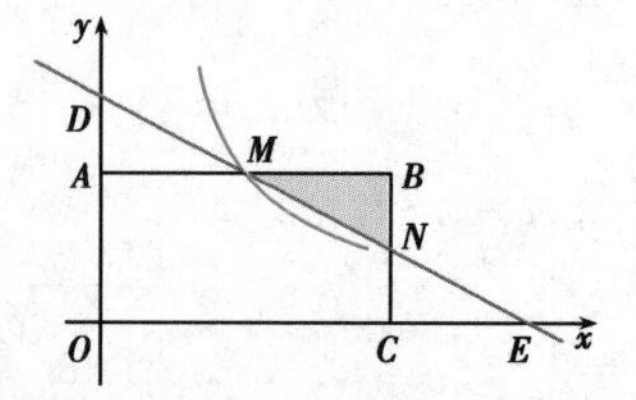

(1)求直线 DE 的解析式和点 M 的坐标；

(2)若反比例函数 $y=\frac{m}{x}(x>0)$ 的图象经过点 M，求反比例函数的解析式，并通过计算判断点 N 是否在该函数的图象上；

(3)若反比例函数 $y=\frac{m}{x}(x>0)$ 的图象与△MNB 有公共点，请直接写出 m 的取值范围.

解析 (1)设直线 DE 的解析式为 $y=kx+b$, $k\neq0$,

$\because$ 点 D, E 的坐标分别为(0,3),(6,0),

$\therefore\begin{cases}3=b,\\0=6k+b.\end{cases}$

解得 $\begin{cases}k=-\frac{1}{2},\\b=3.\end{cases}$ $\therefore y=-\frac{1}{2}x+3$.

$\because$ 点 M 在 AB 边上，$B(4,2)$，而四边形 $OABC$ 是矩形，

$\therefore$ 点 M 的纵坐标为2.

又$\because$ 点 M 在直线 $y=-\frac{1}{2}x+3$ 上,

$\therefore 2=-\frac{1}{2}x+3$, $\therefore x=2$, $\therefore M(2,2)$.

(2)$\because y=\frac{m}{x}(x>0)$ 经过点 $M(2,2)$, $\therefore m=4$.

$\therefore y=\frac{4}{x}(x>0)$.

又$\because$ 点 N 在 BC 边上，$B(4,2)$,

$\therefore$ 点 N 的横坐标为4.

$\because$ 点 N 在直线 $y=-\frac{1}{2}x+3$ 上,

$\therefore y_N=1$, $\therefore N(4,1)$.

$\because$ 当 $x=4$ 时，$y=\frac{4}{x}=1$,

$\therefore$ 点 N 在函数 $y=\frac{4}{x}$ 的图象上.

(3)$4\leqslant m\leqslant8$.

14.3 反比例函数的实践与探索

与反比例函数有关的问题，是中考必考的内容，近年来甚至有开放探索型问题出现. 关于反比例函数的概念、性质的考查多以填空题、选择题的形式出现. 由实际问题确定反比例函数的关系、用待定系数法确定函数解析式多以解答题的形式出现，考查数形结合、分类讨论、灵活转化等数学思想方法.

利用反比例函数解决实际问题是近年来中考的热点. 把实际问题转化为反比例函数的关键是建立反比例函数模型，即列出符合题意的反比例函数解析式，然后根据反比例函数的性质结合方程(组)、不等式(组)求解，实际问题中的反比例函数的自变量的取值往往受到限制，这时对应的函数图象是双曲线的一支或是双曲线的一段.

1. 数形结合思想

应用数形结合思想主要体现在：通过图象分析函数解析式，通过函数解析式分析图象，从而深刻理解函数解析式与图象之间的关系.

例1 某火力发电站的燃烧塔的轴截面如图所示，$ABCD$ 是一个矩形，DE、CF 分别是两个反比例函数图象的一部分，已知 $AB=87$ m，$BC=10$ m，上口宽 $EF=16$ m，求整个燃烧塔的高.

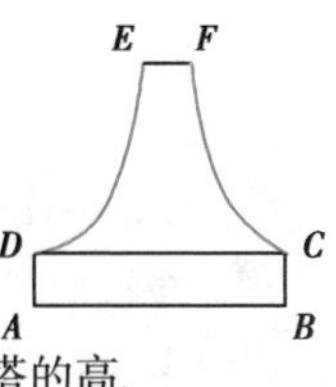

(解析) 如图，以 AB 所在直线为 x 轴，线段 AB 的垂直平分线为 y 轴建立平面直角坐标系.

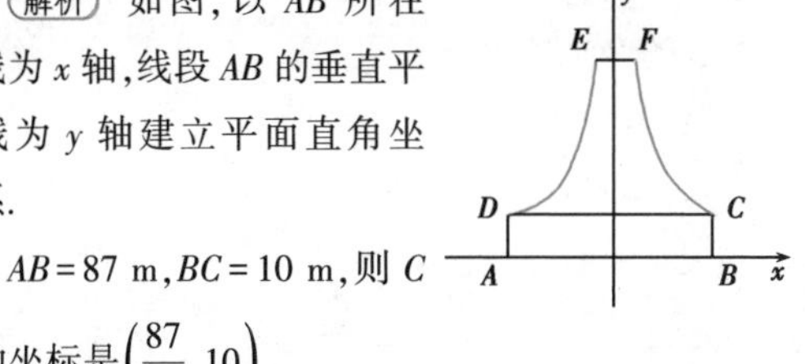

$AB=87$ m，$BC=10$ m，则 C 点的坐标是 $\left(\frac{87}{2},10\right)$.

设 CF 所在双曲线的解析式是 $y=\frac{k}{x}(k\neq0,x>0)$，

把 C 的坐标代入得 $k=\frac{87}{2}\times10=435$，

所以 $y=\frac{435}{x}(x>0)$，

当 $x=\frac{16}{2}=8$ 时，$y=\frac{435}{8}$.

答：整个燃烧塔的高是 $\frac{435}{8}$ m.

2. 建模思想

建模思想是解决各种实际问题的一种思想方法，利用反比例函数来解决生活中的实际问题，其关键是从实际问题中抽象出函数关系，从而将文字语言转化为数学语言，通过反比例函数的概念列出函数关系式，再利用反比例函数的性质去解决实际问题.

例2 某采石场，碎石车间要加工 1 600 吨白石粉.

(1) 加工所需的时间 t(单位：天) 与加工速度 v(单位：吨/天) 有怎样的函数关系？

(2) 车间有白石粉加工机 8 台，每天最多可加工 40 吨白石粉，预计最快可在几天内完成？

(3) 在(2)的条件下，若要 32 天完成任务，应增加多少台白石粉加工机？

(解析) (1) 由题意，得 $tv=1\ 600$，

所以 t 与 v 的函数关系式为 $t=\frac{1\ 600}{v}$.

(2) 把 $v=40$ 代入 $t=\frac{1\ 600}{v}$，得 $t=\frac{1\ 600}{40}=40$.

预计最快可在 40 天内完成.

(3) 把 $t=32$ 代入 $t=\frac{1\ 600}{v}$，

得 $v=50$，8 台机器每天加工40 吨，

所以每台机器每天加工 5 吨.

每天加工 50 吨需要机器 $\frac{50}{5}=10$(台)，

所以应增加 2 台白石粉加工机.

3. 利用反比例函数与其他函数相结合解决实际问题的方法

利用反比例函数与一次函数或二次函数相结合解决实际问题是近年中考的热点题型. 两种函数图象的交点的实际意义往往是分析问题的切入点，要注意自变量的取值范围，特别要考虑实际情况.

例3 实验数据显示，一般成年人喝半斤低度白酒后，1.5 小时内其血液中酒精含量 y(毫克/百毫升) 与时间 x(时) 的关系可近似地用二次函数 $y=-200x^2+400x$ 刻画；1.5 小时后(包括 1.5 小时) y 与 x 可近似地用反比例函数 $y=\frac{k}{x}(k>0)$ 刻画，如图所示.

第11—14章

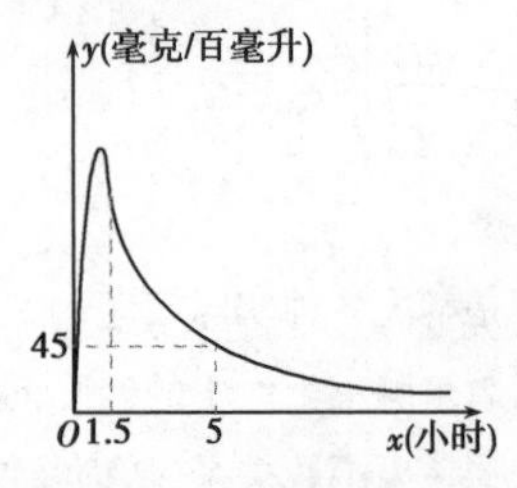

(1)根据上述数学模型计算:

①喝酒后几小时血液中的酒精含量达到最大值?最大值为多少?

②根据图象求 k 的值.

(2)按国家规定,车辆驾驶人员血液中的酒精含量大于或等于20毫克/百毫升时属于“酒后驾驶”,不能驾车上路.参照上述数学模型,假设某驾驶员晚上20:00在家喝完半斤低度白酒,那么他第二天早上7:00能否驾车去上班?请说明理由.

解析 (1)①$y=-200x^2+400x=-200(x-1)^2+200$,

∴ 喝酒后1小时血液中的酒精含量达到最大值,最大值为200毫克/百毫升.

②由图知当 $x=5$ 时,$y=45$,又$(5,45)$在双曲线 $y=\frac{k}{x}(k>0)$上,

∴ $k=xy=45\times5=225$.

(2)不能驾车上班.

理由:∵ 晚上20:00到第二天早上7:00,一共有11个小时,

将 $x=11$ 代入 $y=\frac{225}{x}$,得 $y=\frac{225}{11}$,又$\frac{225}{11}>20$,

∴ 第二天早上7:00不能驾车去上班.

4.利用反比例函数与几何知识相结合解题的方法

在近年的中考题中,常常把几何知识与反比例函数结合在一起,综合性强,对学生的思维能力要求高.解决此类问题的关键是熟悉常见几何图形的特征.

例4 如图,矩形 $OABC$ 的顶点 A、C 分别在 x、y 轴的正半轴上,点 D 为对角线 OB 的中点,点 $E(4,n)$ 在边 AB 上,反比例函数 $y=\frac{k}{x}(k\neq0)$在第一象限内的图象经过点 D、E,且 $OA=2AB$.

(1)求反比例函数的解析式和 n 的值;

(2)若反比例函数的图象与矩形的边 BC 交于点 F,将矩形折叠,使点 O 与点 F 重合,折痕分别与 x、y 轴正半轴交于点 H、G,求线段 OG 的长.

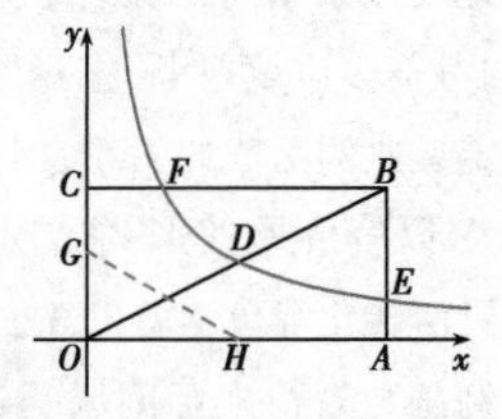

解析 (1)∵ 点 $E(4,n)$在边 AB 上,

∴ $OA=4$,

∵ $OA=2AB$,∴ $AB=2$,

可得点 B 的坐标为$(4,2)$.

∵ 点 D 为 OB 的中点,

∴ 点 $D(2,1)$,

∴ $\frac{k}{2}=1$,解得 $k=2$,

∴ 反比例函数的解析式为 $y=\frac{2}{x}$,

又∵ 点 $E(4,n)$在反比例函数图象上,

∴ $\frac{2}{4}=n$,解得 $n=\frac{1}{2}$.

(2)如图,设点 $F(a,2)$,

∵ 反比例函数的图象与矩形的边 BC 交于点 F,

∴ $\frac{2}{a}=2$,解得 $a=1$,∴ $CF=1$,

连接 FG,设 $OG=t$,

则 $FG=t$,$CG=2-t$,

在 Rt△CGF 中,$GF^2=CF^2+CG^2$,

即 $t^2=(2-t)^2+1^2$,

解得 $t=\frac{5}{4}$,∴ $OG=t=\frac{5}{4}$.

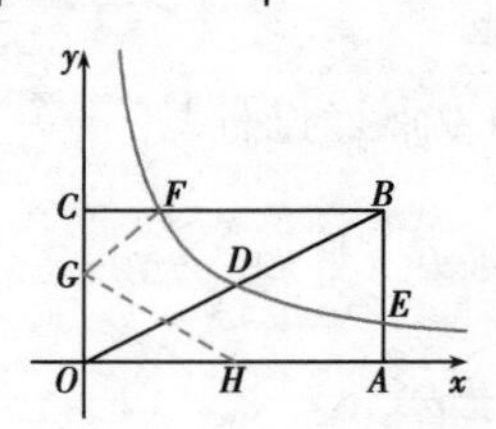

第15–21章

空间与图形

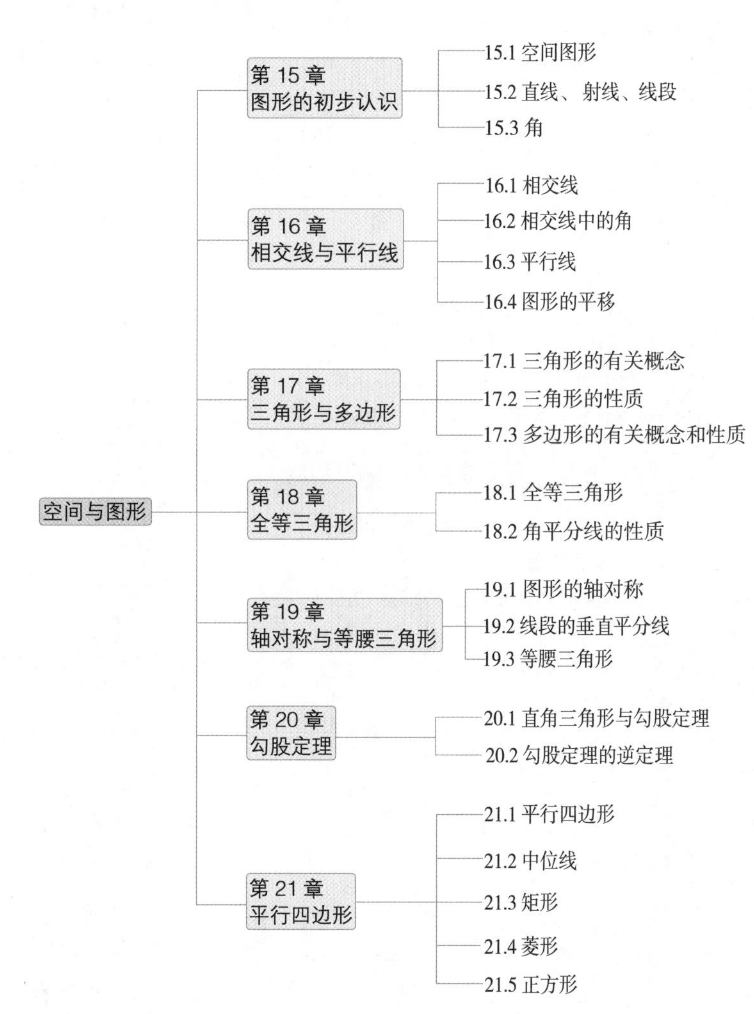

空间与图形
第15章
图形的初步认识
15.1 空间图形
15.2 直线、射线、线段
15.3 角
第16章
相交线与平行线
16.1 相交线
16.2 相交线中的角
16.3 平行线
16.4 图形的平移
第17章
三角形与多边形
17.1 三角形的有关概念
17.2 三角形的性质
17.3 多边形的有关概念和性质
第18章
全等三角形
18.1 全等三角形
18.2 角平分线的性质
第19章
轴对称与等腰三角形
19.1 图形的轴对称
19.2 线段的垂直平分线
19.3 等腰三角形
第20章
勾股定理
20.1 直角三角形与勾股定理
20.2 勾股定理的逆定理
第21章
平行四边形
21.1 平行四边形
21.2 中位线
21.3 矩形
21.4 菱形
21.5 正方形

第15章 图形的初步认识

15.1 空间图形

知识清单

知识1 常见的立体图形

1.现实生活中蕴含着大量的图形,为了方便研究问题,我们把具有共同特征的物体抽象为各种几何体,即各种立体图形、平面图形都是从实际生活中抽象出来的,如书本给我们以长方体的形象,笔筒给我们以圆柱的形象,等等.

2.常见的立体图形有如下分类:

立体图形
- 球
- 柱体
  - 圆柱
  - 棱柱(三棱柱,四棱柱,……)
- 锥体
  - 圆锥
  - 棱锥(三棱锥,四棱锥,……)

3.还可以按围成立体图形的面是平的面或曲的面分类:

立体图形
- 多面体(由平的面围成的立体图形)
- 曲面体(围成立体图形的面中有曲的面)

4.几何图形的元素及其关系

图形是由点、线、面构成的,几何体简称体;包围着体的是面;面和面相交形成线;线和线相交形成点.点动成线,线动成面,面动成体.

常见的旋转体如下表:

几何体	圆锥	圆柱	圆台	球
立体图形				
旋转的平面图形				

知识2 立体图形的平面展开图

有些立体图形是由一些平面图形围成的,将它们的表面适当剪开,可以展开成平面图形.这样的平面图形称为相应立体图形的展开图.

常见几何体的平面展开图:

几何体	正方体	长方体	圆柱	圆锥
图形				
平面展开图				

几何体	三棱锥	三棱柱	六棱柱
图形			
平面展开图			

温馨提示

①同一个立体图形按不同的方式展开得到的平面展开图是不一样的.

②虽然不同的几何体以不同的方式展开会得到不同的图形,但组成这些图形的基本图形是一致的.常常是三角形、四边形、圆等.

③我们常见的棱柱主要是直棱柱(侧面垂直于底面),但一个棱柱的侧面不一定是完全相同的长方形.

知识3 正方体的平面展开图

正方体的平面展开图由6个小正方形组成,为得到它的展开图,在其表面要剪7次.正方体的平面展开图的4个代表图形为:

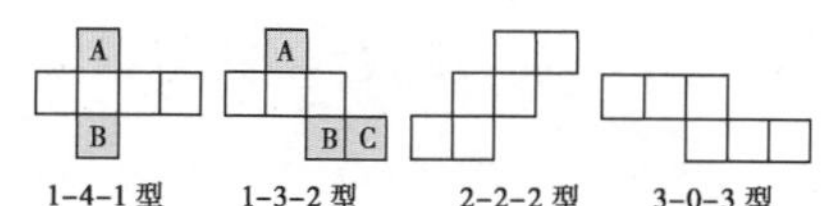

以上四种类型可以编成如下口诀来辅助记忆：中间四个面，上下各一面；中间三个面，一二隔河现；中间两个面，楼梯天天见；中间没有面，三三连一线.

上面图形通过适当的变换还能得到多种展开图，如移动 1-4-1 型中 A，B 两个面，还能得到另外的 5 种，移动 1-3-2 型中的 A 面和 B，C 面(B，C 面作为一个整体)还能得到另外的 2 种，即正方体共有 11 种展开图.

易错警示

①在正方体的展开图中，一条直线上的小正方形不会超过四个，如下所示的展开图都不是正方体的展开图.

②正方体的展开图中不会有"田"字形、"凹"字形的形状，如下所示的展开图都不是正方体的展开图.

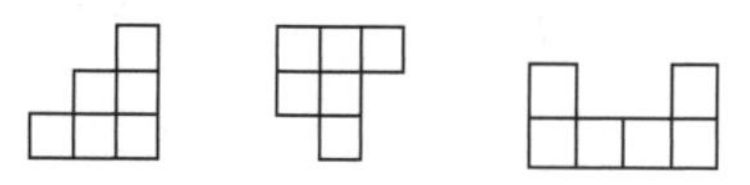

知识 4 从三个方向看的常见几何体的形状

几何体 / 形状						
从正面看						
从左面看						
从上面看						

例 (1)画出下面几何体从正面、左面、上面看到的图形.

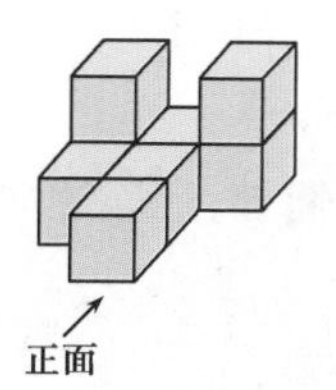

(2)下图是一个由小立方体搭成的几何体从上面看的图形，小正方形中的数字表示在该位置的小立方体的个数，请画出这个几何体从另外两个方向看的图形.

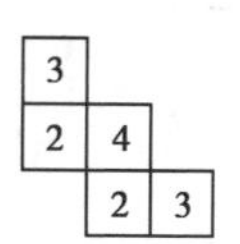

解析 (1)如图所示：

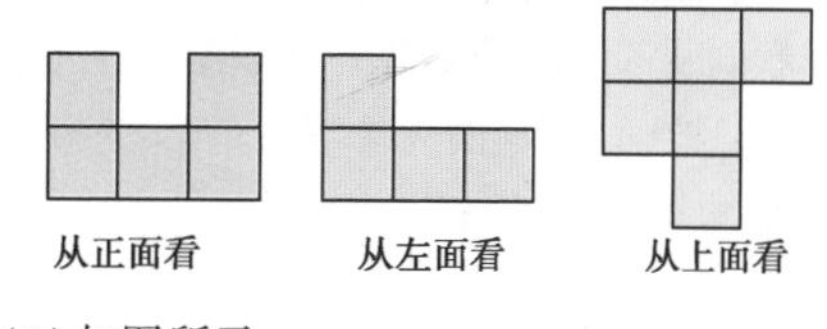

(2)如图所示：

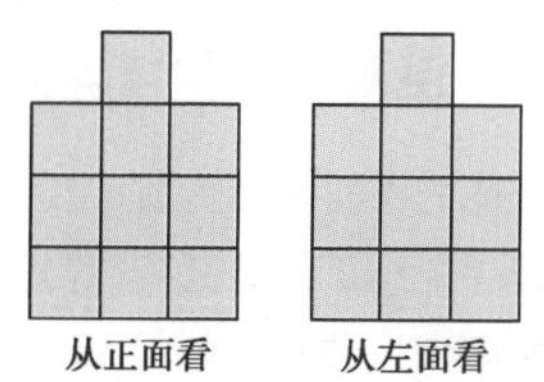

方法清单

方法1 几何体的特征的应用方法
方法2 截几何体所得截面的形状的判断方法
方法3 正方体展开图相对面的确定方法
方法4 多面体的棱数、面数与顶点数之间的关系的确定方法

方法 1 几何体的特征的应用方法

柱体、锥体是我们常见的几何体.柱体有两个平行的底面，锥体只有一个底面.柱体的两个平行的底面是全等的两个多边形，或是半径相等的两个圆.

例1 中央电视台曾经有一个非常受欢迎的娱乐节目：墙来了！选手需按墙上的空洞造型摆出相同姿势，才能穿墙而过，否则会被墙推入水池.类似地，有一个几何体恰好无缝隙地以三个不同形状的"姿势"穿过"墙"上的三个空洞，则该几何体为 ( )

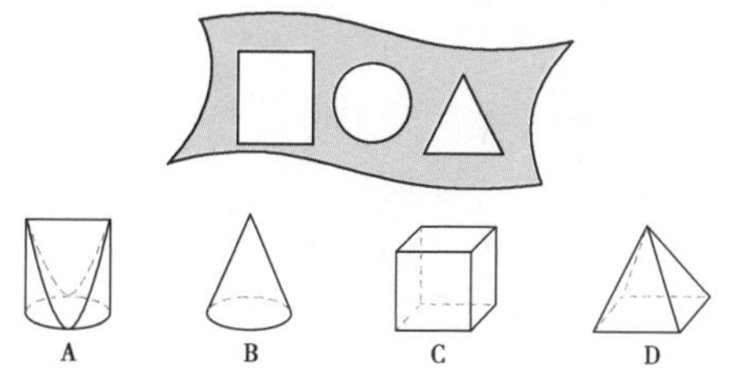

(解析) A选项中的几何体从三个方向看与“墙”上的三个空洞的形状相同,故选A.

(答案) A

方法2 截几何体所得截面的形状的判断方法

用一个平面截一个几何体,首先判断平面与围成几何体的面相交的线是直线还是曲线,再判断截面的形状.

例2 下列几何体的截面为圆形的是 ( )

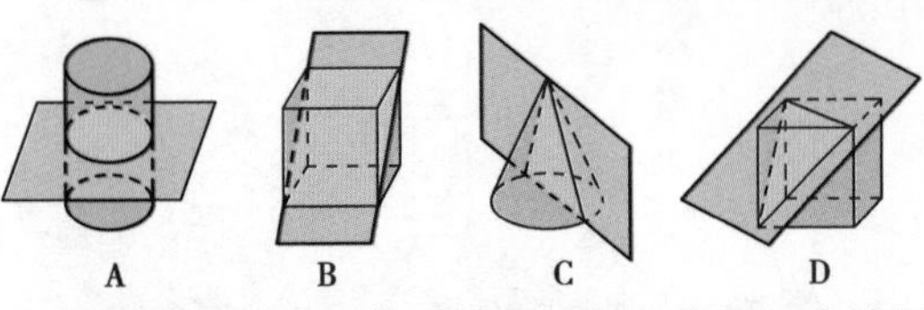

A B C D

(解析) 根据几何体与截面的相交线所组成的图形的形状判断可知选项A的截面为圆;选项B的截面为长方形;选项C的截面为等腰三角形;选项D的截面为等边三角形,故选A.

(答案) A

方法3 正方体展开图相对面的确定方法

根据正方体的平面展开图的特点,相对的两个面中间一定隔着一个小正方形,且没有公共边和公共顶点,即“对面无邻点”,以此来找相对面,也可亲自动手实践,观察了解图形的变化过程,找到相对面.

例3 一个正方体的表面展开图如图所示,将其折叠成正方体后,“你”字相对面的字是 ( )

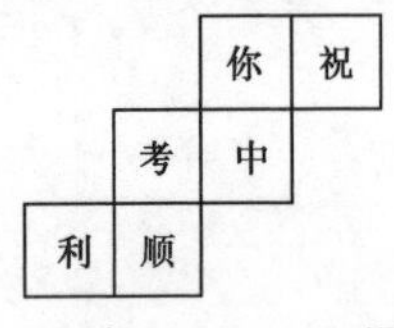

A.中 B.考 C.顺 D.利

(解析) 正方体的表面展开图,相对的面之间一定相隔一个正方形,“祝”与“考”是相对面,“你”与“顺”是相对面,“中”与“利”是相对面.故选C.

(答案) C

方法4 多面体的棱数、面数与顶点数之间的关系的确定方法

多面体是由平面围成的,每一个多面体的顶点数(V)、棱数(E)和面数(F)满足关系式:

顶点数(V)+面数(F)-棱数$(E)=2$.

例4 18世纪瑞士数学家欧拉证明了简单多面体中顶点数(V)、面数(F)、棱数(E)之间存在的一个有趣的关系式,被称为欧拉公式.请你观察下列几种简单多面体模型,解答下列问题:

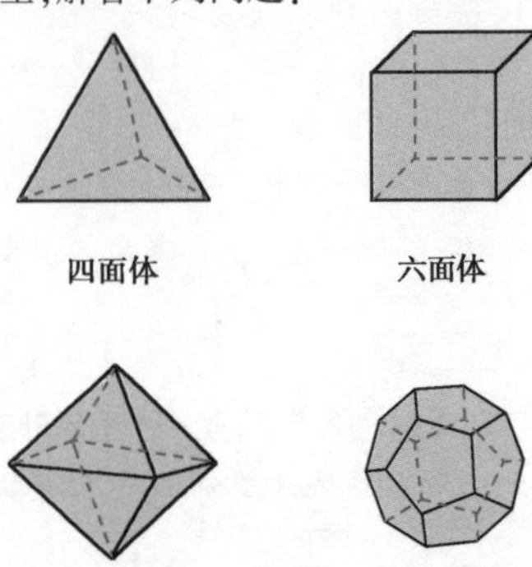

四面体 六面体

正八面体 正十二面体

(1)根据上面的多面体模型,完成表格:

多面体	顶点数(V)	面数(F)	棱数(E)
四面体	4	4	
六面体	8	6	12
正八面体		8	12
正十二面体	20	12	30

你发现顶点数(V)、面数(F)、棱数(E)之间存在的关系式是________;

(2)一个多面体的面数比顶点数大8,且有30条棱,则这个多面体的面数是________;

(3)某个玻璃饰品的外形是简单多面体,它的外表面是由三角形和八边形两种多边形拼接而成的,且有24个顶点,每个顶点处都有3条棱,设该多面体外表面三角形的个数为x,八边形的个数为y,求$x+y$的值.

(解析) (1)6;6;$V+F-E=2$.

(2)20.

(3)这个多面体的面数为$x+y$,棱数为$\frac{24\times3}{2}=36$.

根据$V+F-E=2$可得$24+(x+y)-36=2$,

$\therefore x+y=14$.

15.2 直线、射线、线段

知识清单

知识 1 直线及其表示方法

1.直线：直线是从客观事物中抽象出来的，直线没有尽头，是向两方无限延伸的.

2.直线有两种表示方法：

(1)用直线上任意两点的大写字母表示.如图所示，可表示为直线 AB 或直线 BA(字母是无序的).

(2)可用一个小写字母表示.如上图所示，可表示为直线 l.

点与直线有且只有两种位置关系.

a.如图所示，我们说点 P 在直线 l 上，或直线 l 经过点 P.

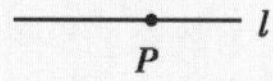

b.如图所示，我们说点 M 在直线 AB 外，或直线 AB 不经过点 M.

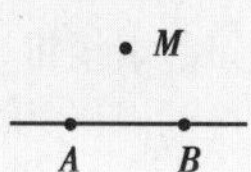

知识 2 射线及其表示方法

1.直线上的一点和它一旁的部分叫做射线，如图，把线段 OA 向一方无限延伸，就是一条射线，点 O 是这条射线的端点.

2.射线有两种表示方法：

(1)用两个大写字母表示，一条射线可用它的端点和射线上另一点来表示.如图所示的射线可表示为"射线 OA"，注意表示端点的字母必须写在前面.

(2)用一个小写字母表示.如图，可记作射线 l.

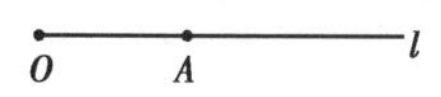

①射线是直线的一部分.

②射线向一方无限延伸，有一个端点，不能度量，不能比较大小.

知识 3 线段及其表示方法

直线上两个点和它们之间的部分叫做线段.这两个点叫做线段的端点.

1.线段有两种表示方法

(1)可用表示端点的两个大写字母表示.如图所示，可表示为线段 AB 或线段 BA(字母是无序的).

(2)也可用一个小写字母表示.如图，可以表示为线段 a.

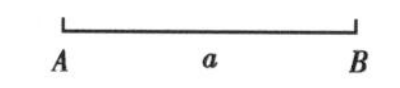

2.线段的延长线

线段的延长线是指线段向一方延长的部分.如图(1)，延长 AB 是指按 A 到 B 的方向延长；如图(2)，延长 BA 是指按 B 到 A 的方向延长(也可说成反向延长 AB).

A B　　A B

图(1)　　图(2)

温馨提示

①线段是直线(或射线)的一部分.

②线段不能向两方无限延伸，可度量.

③延长线常画成虚线.

④射线可作反向延长线，但不存在射线的延长线.

例1 已知平面上四点 A、B、C、D，如图：

(1)画直线 AD；

(2)画射线 BC，与 AD 相交于 O；

(3)连接 AC、BD，相交于点 F.

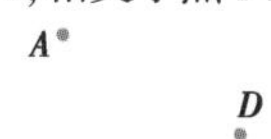

解析 (1)如图.

(2)如图.

(3)如图.

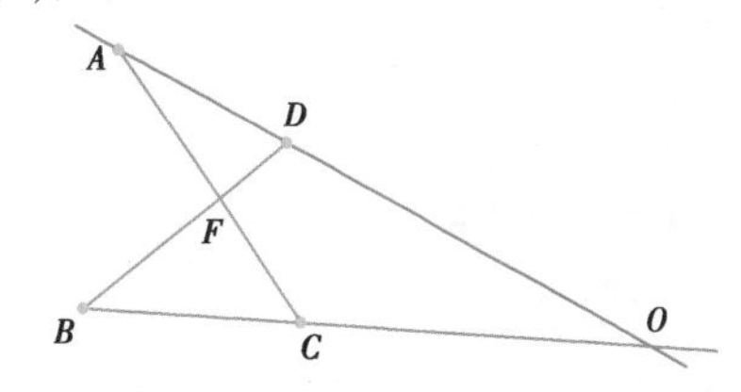

知识 4 直线、射线、线段的区别与联系

名称	图形及表示法	不同点		联系	共同点
		延伸、度量情况	端点个数		
线段	a A B 线段 AB（或线段 a）	不能延伸，可度量	2	线段向一方延伸就成为射线，向两方延伸就成为直线	都是直的线，非曲线
射线	O A l 射线 OA（或射线 l）	只能向一方无限延伸，不可度量	1		
直线	A B l 直线 AB（或直线 l）	可向两方无限延伸，不可度量	无		

例 2 下列语句中，正确的个数是 （ ）

①延长线段 AB；

②延长射线 OA；

③在线段 AB 的延长线上任取一点 C；

④延长线段 AB 至 C，使 $AC=BC$.

A.1 B.2 C.3 D.4

解析 因为线段有两个端点，故可以延长，①③正确；②中射线只能反向延长；④中延长线段 AB 至 C，只能使 $AB=BC$.

答案 B

知识 5 直线公理

直线公理：经过两点有一条直线，并且只有一条直线，简述为两点确定一条直线."有"表示"存在性"，"只有"体现"唯一性".直线公理也称直线性质公理.

注意事项

①两条直线相交，只有一个交点.

②两条射线（或线段）不一定有交点，如图，线段 a 与线段 b，射线 OA 与射线 $O'A'$，射线 l 与射线 MN 都没有交点.

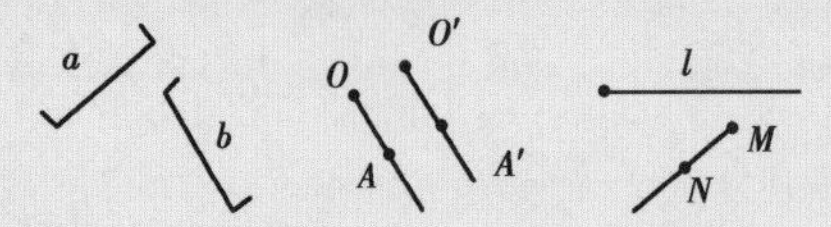

例 3 开学整理教室时，老师总是先把每一列最前和最后的课桌摆好，然后依次摆中间的课桌，一会儿一列课桌摆在一条线上，整整齐齐，这是因为________________.

解析 根据两点确定一条直线.

答案 两点确定一条直线

知识 6 两点间的距离

连接两点间的线段的长度，叫做这两点的距离.它是线段的长度，是数量.

温馨提示

两点间的距离是指连接两点的线段的长度，是非负数.

知识 7 线段最短

两点的所有连线中，线段最短，简述为两点之间，线段最短.

如图，在所有连接 A，B 两点的线中，线段 AB 的长度是最短的.

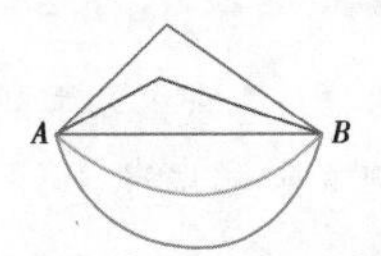

例 4 如图，田亮同学用剪刀沿虚线将一片平整的树叶剪掉一小部分，发现剩下树叶的周长比原树叶的周长要小，能正确解释这一现象的数学知识是 （ ）

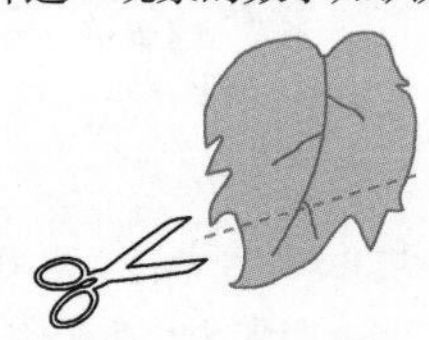

A.垂线段最短

B.经过一点有无数条直线

C.经过两点，有且仅有一条直线

D.两点之间，线段最短

解析 ∵ 用剪刀沿虚线将一片平整的树叶剪掉一小部分，发现剩下树叶的周长比原树叶的周长要小，

∴ 线段 AB 的长小于点 A 绕点 C 到 B 的长度，

∴ 能正确解释这一现象的数学知识是两点之间，线段最短，故选 D.

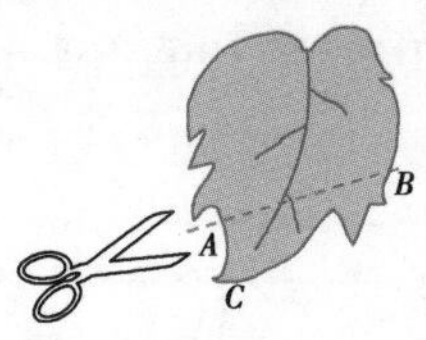

答案 D

知识 8 线段的中点

1.如图，点 C 将线段 AB 分成相等的两条线段 AC 与 BC，点 C 叫做线段 AB 的中点.

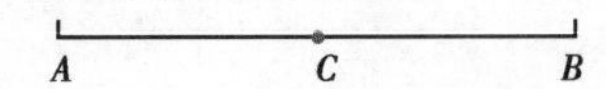

2.如图所示，B，C 是线段 AD 上的两点，且 $AB=BC=CD=\frac{1}{3}AD$，或 $AD=3AB=3BC=3CD$，我们称 B，C 是

线段 AD 的三等分点.

3.类似地,还有线段的四等分点,如图所示,$AB=BC=CD=DE=\frac{1}{4}AE$,等等.

温馨提示

①一条线段的中点只有一个.

②某一点要成为一条线段的中点必须同时满足两个条件:点必须在这条线段上;它把这条线段分为相等的两条线段.

③若点 C 是线段 AB 的中点,则 $AB=2AC=2BC$,或 $AC=BC=\frac{1}{2}AB$;反之,若 $AB=2AC=2BC$,或 $AC=BC=\frac{1}{2}AB$,则点 C 是线段 AB 的中点.

例5 下面说法中,正确的是 ( )

A.若 $AP=\frac{1}{2}AB$,则点 P 为线段 AB 的中点

B.若 $AP=PB$,则点 P 为线段 AB 的中点

C.若 $AB=2PB$,则点 P 为线段 AB 的中点

D.若 $AP=PB=\frac{1}{2}AB$,则 P 为线段 AB 的中点

解析 某一点为一线段的中点要同时具备两个条件:(1)该点必须在线段上;(2)它把线段分成相等的两条线段.A 如图①所示,虽然满足 $AP=\frac{1}{2}AB$,但 P 点不是线段 AB 的中点;如图②所示,虽然满足 $AP=PB$,但 P 点不是线段 AB 的中点;C 如图③所示,满足 $AB=2PB$,但 P 点不是 AB 的中点.故选 D.

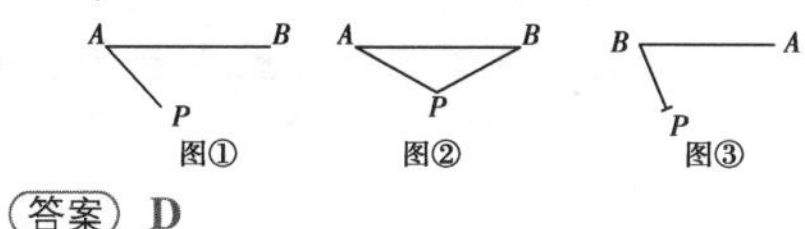

答案 D

知识9 尺规作图:作线段的和、差

名称	画法	图例
线段的和	用直尺画直线 AF,在直线 AF 上用圆规截取线段 $AB=a$,再在 AB 的延长线上用圆规截取线段 $BC=b$,线段 AC 就是 a 与 b 的和,记作 $AC=a+b$	
线段的差	用直尺画直线 AF,在直线 AF 上用圆规截取线段 $AB=a$,再在 AB 上用圆规截取线段 $BD=b$,那么线段 AD 就是 a 与 b 的差,记作 $AD=a-b$	
重要提示	(1)我们常限定用无刻度的直尺和圆规作图,这就是尺规作图.(2)线段的和与差也是线段,将两条线段用“>”“<”或“=”连接起来时,字母前面的“线段”就省略不写了,因为只有线段才能度量,才能比较大小	

例6 如图,已知线段 a、b、c,用圆规和直尺画线段,使它等于 $2a+b-c$.(只需画图,不要求写画法)

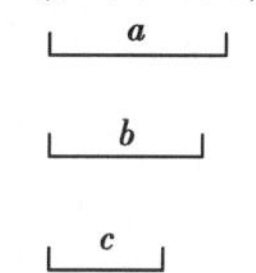

思路分析 先作直线 AF,然后在该直线上连续画线段 $AB=BC=a$,再在线段 AC 的延长线上画 $CD=b$,最后在线段 CD 上画线段 $DE=c$.

解析 如图所示,线段 $AE=2a+b-c$,即线段 AE 就是所求作的线段.

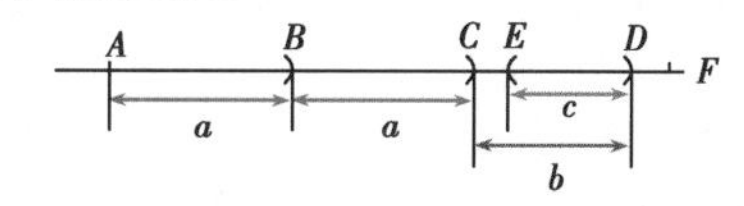

方法清单

方法1 直线、射线、线段的辨别方法

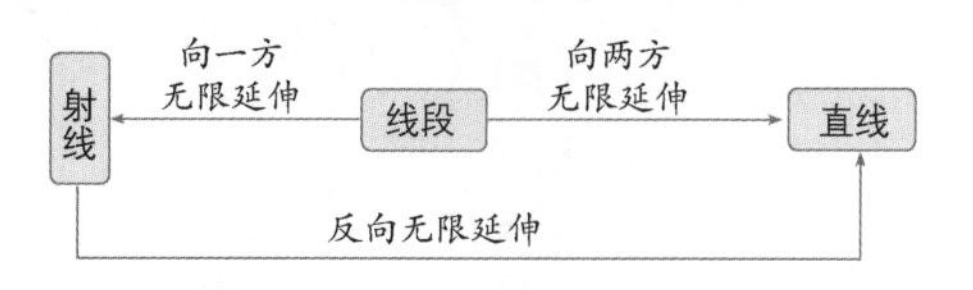

例1 如图所示,下列说法正确的是 ( )

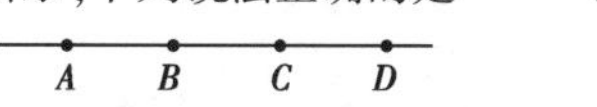

A.直线 AC 与直线 AD 是不同的直线

B.射线 AB 与射线 BA 是同一条射线

C.线段 AB 与线段 BA 是同一条线段

D.以上说法都不对

解析 在直线上任取两个点都可以表示这条直线,故 A 错;射线 AB 与射线 BA 的端点不同,端点不同的两条射线必然不是同一条射线,故 B 错;线段 AB 与线段 BA 表示同一条线段,故 C 对.选 C.

答案 C

方法 2 线段大小的比较方法

方法	内容	示例
叠合比较法(形的比较)	把要比较的两条线段的一个端点重合,然后把两条线段叠合在一起,由另一个端点的位置可以得出两条线段的大小关系	如图所示,有四条线段 AB,CD,EF,GH. A B C D E F G H 将 AB 与其余三条分别叠合,得到对应线段的大小关系. $AB>CD$ 或 $CD<AB$ $AB=EF$ $AB<GH$ 或 $GH>AB$
测量比较法(数的比较)	用刻度尺测出线段的长度(单位相同),再根据长度的数值判断线段的大小关系	A B C D 通过测量知 $AB=1.5$ cm,$CD=2$ cm,则 $AB<CD$ 或 $CD>AB$

例 2 如图,$AB>CD$,则 AC 与 BD 的大小关系是 ( )

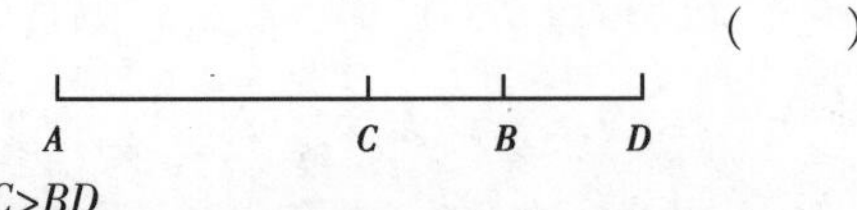

A.$AC>BD$

B.$AC=BD$

C.$AC<BD$

D.AC 与 BD 的大小关系不能确定

解析 因为 $AB>CD$,$AB=AC+BC$,$CD=BC+BD$,所以 $AC+BC>BC+BD$.根据不等式的性质可得 $AC>BD$,故选 A.

答案 A

方法 3 线段的计数方法

数线段时要掌握一定的方法和规律,必须做到不重不漏.一般方法是从左起第一个点数起,使第一个点和其右边的每个点各组合一次,得到$(n-1)$条线段,然后再从左起第二个点数起,使它和它右边的每个点组合一次,又得到$(n-2)$条线段,……,依次数下去,最后再相加.若一条直线上有 n 个点,则线段的条数为$(n-1)+(n-2)+\cdots+2+1=\frac{n(n-1)}{2}$.

例 3 如图,点 A,B,C,D 是直线 l 上的四个点,则图中共有几条线段?

A B C D l

解析 解法一:(端点确定法)

以点 A 为左端点的线段有 3 条:线段 AB,线段 AC,线段 AD;以点 B 为左端点的线段有 2 条:线段 BC 和线段 BD;以点 C 为左端点的线段有 1 条:线段 CD.因此共有 $3+2+1=6$ 条线段.

说明:用端点确定法确定线段条数时,直线上的任意一点只能作为左端点(或右端点),否则线段会重复.

解法二:(画线确定法)

先从左边第一个点(A)开始向右依次画弧线,共有 3 条,再从第二个点(B)开始向右依次画弧线,共有 2 条,再从第三个点(C)开始向右画弧线,共有 1 条,最后一点不再考虑.故题图中共有 $3+2+1=6$ 条线段.

说明:画弧线时都要朝同一方向,否则有的线段会重复.

解法三:(公式法)

当一条直线上有 n 个点时,共有 $1+2+3+\cdots+(n-1)=\frac{n(n-1)}{2}$条线段.因此,题图中共有$\frac{4\times(4-1)}{2}=6$ 条线段.

方法 4 利用数学思想计算线段长度的方法

计算线段长度是几何中的重要题型.若没有指明图形中字母的位置,则需要分类讨论.

例 4 已知线段 $AB=10$ cm,直线 AB 上有一点 C,$BC=6$ cm,M 为线段 AB 的中点,N 为线段 BC 的中点,求线段 MN 的长.

解析 当点 C 在线段 AB 上时,如图 1,

$\because M$ 为 AB 的中点,$AB=10$ cm,

$\therefore MB=\frac{1}{2}AB=5$ cm,

$\because N$ 为 BC 的中点,$BC=6$ cm,

$\therefore NB=\frac{1}{2}BC=3$ cm,

$\therefore MN=MB-NB=2$ cm.

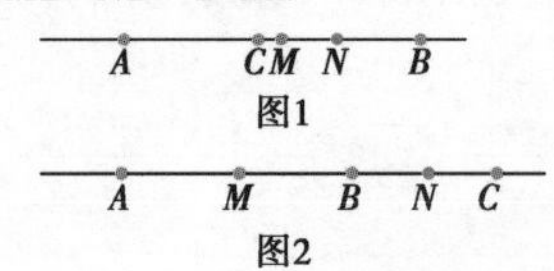

图1

图2

当点 C 在线段 AB 的延长线上时,如图 2,

$\because M$ 为 AB 的中点,$AB=10$ cm,

$\therefore MB=\frac{1}{2}AB=5$ cm,

$\because N$ 为 BC 的中点,$BC=6$ cm,

$\therefore NB=\frac{1}{2}BC=3$ cm,

$\therefore MN=MB+BN=8$ cm.

$\therefore MN$ 的长为 2 cm 或 8 cm.

方法 5 线段的和、差、倍、分

在解答有关线段的计算问题时,一般要注意以下几个方面:①按照已知条件画出图形是正确解题的关键;②观察图形,找出线段之间的关系;③简单的问题可通过列算式求出,复杂的问题可设未知数,利用方程解决.

例 5 如图所示,点 C 是线段 AB 的三等分点,点 D 在线段 CB 上,$CD:DB=17:2$,且 $CD-AC=3$ cm,求线段 AB 的长.

A C D B

解析 设 $CD=17x$ cm,$x>0$,则 $BD=2x$ cm,故 $CB=19x$ cm,

因为点 C 是线段 AB 的三等分点,

所以 $AC=\frac{1}{2}CB=\frac{19}{2}x$ cm,

又因为 $CD-AC=3$ cm,

所以 $17x-\frac{19}{2}x=3$.解得 $x=0.4$,

所以 $AC=\frac{19}{2}\times0.4=3.8$(cm).

所以 $AB=3AC=11.4$ cm.

15.3 角

知识清单

知识1 角的定义　知识2 角的表示方法
知识3 角的度量　知识4 角平分线
知识5 余角和补角　知识6 方向角与方位角

知识 1 角的定义

1.角的静态定义

角由两条具有公共端点的射线组成,两条射线的公共端点是这个角的顶点.如图,射线 OA,OB 是这个角的两条边,点 O 是这个角的顶点.

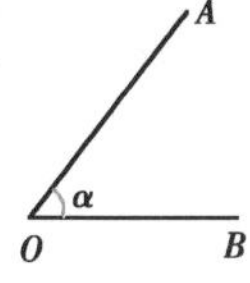

2.角的动态定义

角也可以看作是由一条射线绕着它的端点旋转而形成的图形.如图,这个角可以看作是由射线 OA 绕点 O 按顺时针方向转 α 到射线 OB 的位置形成的.

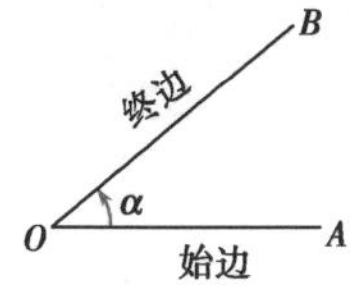

射线旋转时经过的平面部分称为角的内部,平面其余部分称为角的外部.

温馨提示

(1)因为射线是向一方无限延伸的,所以角的两边无所谓长短,即角的大小与边的长短无关.

(2)角的大小可以度量,可以比较.

(3)根据角的度数,角可以分为锐角、直角、钝角、平角和周角.

锐角:大于0°而小于90°的角叫做锐角.

直角:90°的角,即射线 OA 绕点 O 旋转,当终边与始边垂直时所成的角.

钝角:大于90°而小于180°的角叫做钝角.

平角:180°的角,即射线 OA 绕点 O 旋转,当终边在始边 OA 的反向延长线上时所成的角.

周角:360°的角,即射线 OA 绕点 O 旋转,当终边与始边重合时所成的角.

如图,依次是锐角、直角、钝角、平角、周角.

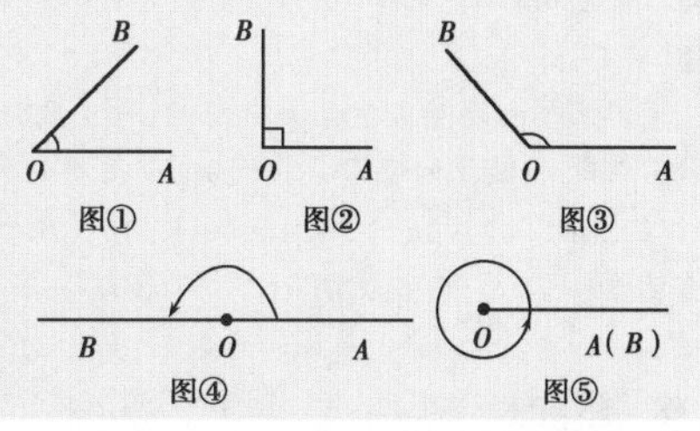

例 1 下列说法:①射线是周角;②大于90°的角是钝角;③平角的两边在同一条直线上;④在角的一边的延长线上取一点 D;⑤角可以看作由一条射线绕着它的端点旋转而形成的图形,其中正确的是 ( )

A.①②③　　B.③④⑤

C.③⑤　　D.①②⑤

（解析） 射线和角是两个不同的概念，周角的两边是两条重合的射线，不能说射线就是周角，所以①错；大于90°而小于180°的角是钝角，所以②错；角的边是射线，射线没有延长线，只有反向延长线，所以④错.③⑤正确.

（答案） C

知识 2 角的表示方法

角的表示	图例	适用范围
用三个大写字母表示	记作$\angle AOB$或$\angle BOA$	任何情况都适用，表示顶点的字母必须写在中间
用一个大写字母表示	记作$\angle O$	以这一点为顶点的角只有一个
用数字表示	记作$\angle 1$	任何情况都适用，在靠近顶点处加上弧线，表示出角的范围，并注上数字或小写希腊字母
用希腊字母α、β、γ等表示	记作$\angle\alpha$	

注意事项

①数字或小写的希腊字母不能表示超过一个以上的角.如图，$\angle BAE$，$\angle BAC$，$\angle DAC$等不能用一个数字或小写的希腊字母表示.

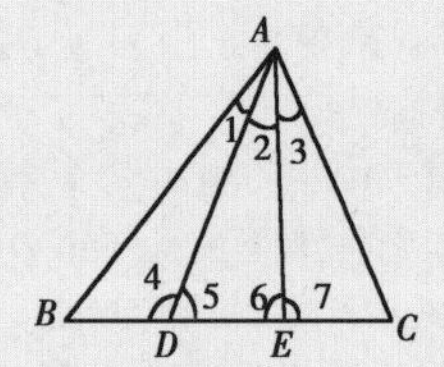

②当在一个顶点处有两个或两个以上的角时，其中的任一个角都不能用一个大写英文字母表示.如图中的$\angle 4$、$\angle 5$都不能记作“$\angle D$”，$\angle 1$、$\angle 2$、$\angle 3$都不能记作“$\angle A$”.

③用三个大写英文字母表示角时，一定要把顶点字母写在中间，边上的字母写在两侧，如图中的$\angle 7$可记作“$\angle AEC$”或“$\angle CEA$”，以A为顶点，AB，AE为边的角可记作“$\angle BAE$”或“$\angle EAB$”.

知识 3 角的度量

以度、分、秒为单位的角的度量制，叫做角度制.

度、分、秒的意义如下：

①把一个平角180等分，每一份就是1度的角，记作1°.

②把1度的角60等分，每一份就是1分的角，记作1′.

③把1分的角60等分，每一份就是1秒的角，记作1″.

$1°=60'$，$1'=60''$，$1°=3\ 600''$，$1''=\left(\frac{1}{60}\right)'$，$1'=\left(\frac{1}{60}\right)°$，$1''=\left(\frac{1}{3\ 600}\right)°$，1周角$=360°$，1平角$=180°$.

温馨提示

①度、分、秒是60进制.

②在进行度、分、秒运算时，由低级单位向高级单位转化或由高级单位向低级单位转化要逐级进行.

例2 (1)用度、分、秒表示47.53°；

(2)用度表示$54°4'12''$.

（解析） (1)因为$47.53°=47°+0.53°$，

$0.53\times60'=31.8'$(把0.53°化成分)，

$0.8\times60''=48''$(把0.8′化成秒)，

所以$47.53°=47°31'48''$.

(2)因为$54°4'12''=54°+4'+12''$，

$12\times\left(\frac{1}{60}\right)'=0.2'$(把12″化成分)，

$4.2\times\left(\frac{1}{60}\right)°=0.07°$(把4.2′化成度)，

所以$54°4'12''=54.07°$.

知识 4 角平分线

一般地，从一个角的顶点出发，把这个角分成两个相等的角的射线，叫做这个角的平分线.如图，射线OC是$\angle BOA$的平分线，则$\angle BOC=\angle COA=\frac{1}{2}\angle BOA$，$\angle BOA=2\angle BOC=2\angle COA$.

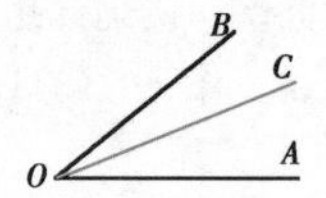

注意事项

①一条射线要成为一个角的平分线必须同时满足两个条件：射线必须在角的内部；它把这个角分为相等的两个角.

②若OC是$\angle AOB$的平分线，则$\angle AOB=2\angle AOC=2\angle BOC$或$\angle AOC=\angle BOC=\frac{1}{2}\angle AOB$；反之，若$\angle AOB=2\angle AOC=2\angle BOC$或$\angle AOC=\angle BOC=\frac{1}{2}\angle AOB$，则射线$OC$是$\angle AOB$的平分线.

例3 如图，已知$\angle 1=25°40'$，OD平分$\angle BOC$，求$\angle AOD$的度数.

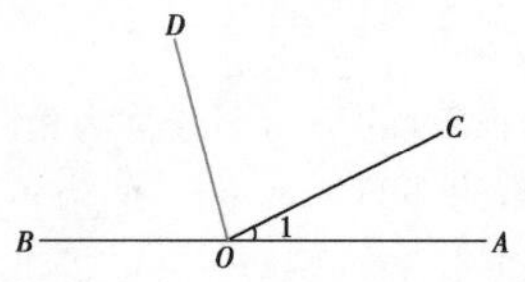

（解析） 因为$\angle 1=25°40'$，

所以$\angle BOC=180°-25°40'=179°60'-25°40'=154°20'$.

因为OD平分$\angle BOC$，

所以$\angle BOD=\angle DOC=\frac{1}{2}\angle BOC$,

所以$\angle DOC=154°20'\div2=77°10'$.

所以$\angle AOD=\angle AOC+\angle COD=25°40'+77°10'=102°50'$.

知识 5 余角和补角

1.余角和补角

	定义	图形	语言表述
互余	如果两个角的和等于90°(直角),则这两个角互为余角,即其中每一个角是另一个角的余角		$\angle1+\angle2=90°$,则$\angle1$是$\angle2$的余角,或$\angle1$与$\angle2$互为余角
互补	如果两个角的和等于180°(平角),则这两个角互为补角,即其中每一个角是另一个角的补角		$\angle3+\angle4=180°$,则$\angle3$是$\angle4$的补角,或$\angle3$与$\angle4$互为补角

2.余角和补角的性质

同角或等角的余角相等;同角或等角的补角相等.

注意事项

①钝角没有余角.

②互为余角、补角是两个角之间的关系.如$\angle1+\angle2+\angle3=90°$,不能说$\angle1,\angle2,\angle3$互为余角;同样,如$\angle1+\angle2+\angle3=180°$,也不能说$\angle1,\angle2,\angle3$互为补角.

③互为余角、补角只与角的度数有关,与角的位置无关.只要它们的度数之和等于90°或180°,就一定互为余角或补角.如图a中的两种情况,$\angle1$与$\angle2$都是互余的.同样,图b中的两种情况,$\angle3$与$\angle4$也都是互补的.

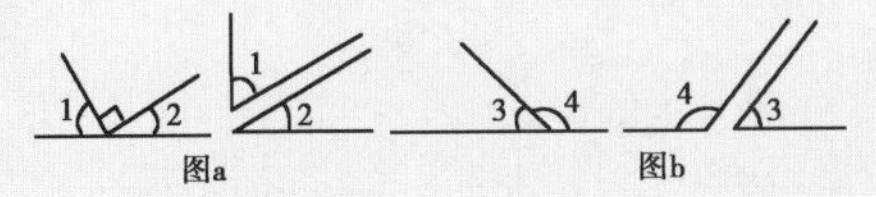

图a 图b

例4 如图,已知$\angle COE=\angle BOD=\angle AOC=90°$,则图中与$\angle BOC$相等的角为________,与$\angle BOC$互补的角为________,与$\angle BOC$互余的角为____________.

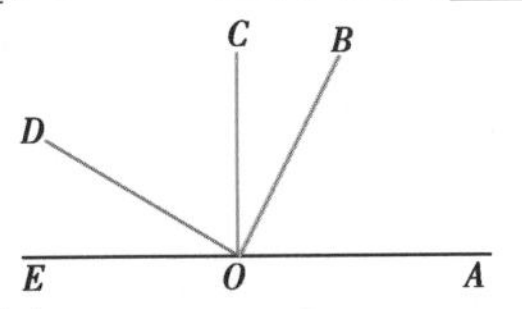

解析 因为$\angle COE=\angle BOD=90°$,所以$\angle BOC+\angle COD=90°$,$\angle EOD+\angle DOC=90°$,所以$\angle BOC=\angle EOD$,所以与$\angle BOC$相等的角为$\angle EOD$;因为$\angle EOD+\angle AOD=180°$,所以$\angle BOC+\angle AOD=180°$,所以与$\angle BOC$互补的角为$\angle AOD$;因为$\angle BOD=\angle AOC=90°$,所以$\angle BOC+\angle COD=\angle BOC+\angle AOB=90°$,所以与$\angle BOC$互余的角为$\angle AOB,\angle COD$.

答案 $\angle EOD$;$\angle AOD$;$\angle AOB,\angle COD$

知识 6 方向角与方位角

1.方向角:指正北或指正南方向线与目标方向线所成的小于90°的角叫做方向角.如图,射线OA与正北方向的夹角为40°,则OA的方向角是北偏东40°;OB与正北方向的夹角为65°,则OB的方向角是北偏西65°;同理,OC的方向角为南偏西45°或说成是西南方向;OD的方向角为南偏东20°.

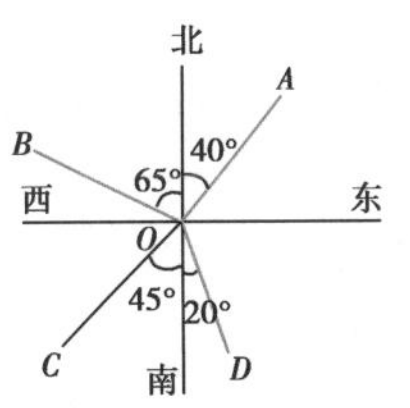

2.方位角:从正北方向顺时针转到目标方向线的水平角,叫做方位角.取值范围为0到360度,比如正东方向就是方位角为90度,正西方向就是方位角为270度.

温馨提示

在描述方向角时,一般应先说北或南,再说偏西或偏东多少度,而不说成东偏北(南)多少度或西偏北(南)多少度.当方向角在45°方向上时,又常常说成东南、东北、西南、西北方向.

例5 如图,学校(记作A)在蕾蕾家(记作B)南偏西25°的方向上,且与蕾蕾家的距离是4 km,若$\angle ABC=90°$,且$AB=BC$,则超市(记作C)在蕾蕾家的
( )

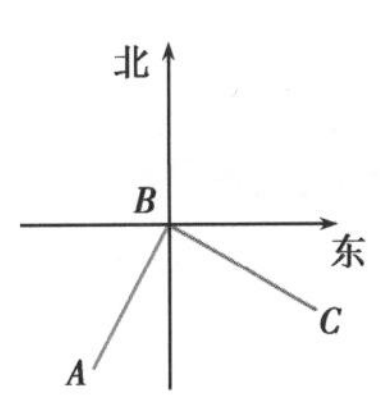

A.南偏东65°的方向上,相距4 km

B.南偏东55°的方向上,相距4 km

C.北偏东55°的方向上,相距4 km

D.北偏东65°的方向上,相距4 km

解析 如图,$\because\angle1=25°,\angle ABC=90°,AB=4$ km,$AB=BC$,$\therefore\angle2=65°,BC=4$ km.

故超市在蕾蕾家的南偏东65°的方向上,相距4 km.故选A.

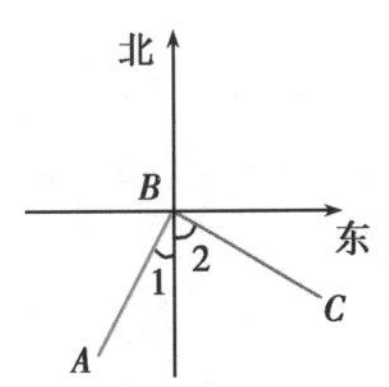

答案 A

第15—21章

方法清单

方法1 角的大小的比较方法
方法2 度、分、秒的运算方法
方法3 角平分线的应用方法
方法4 余角和补角的性质的应用方法
方法5 方程思想求角的度数的方法
方法6 时针和分针夹角的求解方法

方法 1 角的大小的比较方法

(1)叠合法:将两个角叠放在一起,使两个角的顶点和一条边分别重合,并使它们的另一边都落在重合的那条边的同旁,根据两个角的另一边的位置确定出两个角的大小.

(2)度量法:两个角大小的比较,实际上是两个角的度数的大小比较,度量法就是先用量角器分别量出两个角的度数,再比较其度数的大小.

例1 如图所示,点 D 在 $\angle AOB$ 的内部,点 E 在 $\angle AOB$ 的外部,点 F 在射线 OA 上,试比较下列各角的大小.

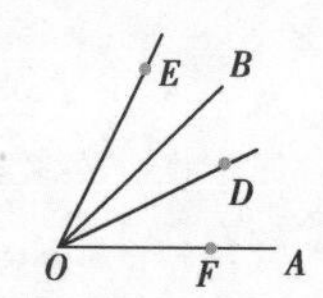

(1) $\angle AOB$________ $\angle BOD$;

(2) $\angle AOE$________ $\angle AOB$;

(3) $\angle BOD$________ $\angle FOB$;

(4) $\angle AOB$________ $\angle FOB$;

(5) $\angle DOE$________ $\angle BOD$.

解析 根据叠合法确定角的边的位置,进而比较角的大小.(1) OB 重合,OD 在 $\angle AOB$ 的内部,故 $\angle AOB>\angle BOD$.(2) OA重合,OB 在 $\angle AOE$ 的内部,故 $\angle AOE>\angle AOB$.(3) OB 重合,OD 在 $\angle FOB$ 的内部,故 $\angle BOD<\angle FOB$.(4) OB重合,OF 与 OA 重合,故 $\angle AOB=\angle FOB$.(5) OD重合,OB 在 $\angle DOE$ 的内部,故 $\angle DOE>\angle BOD$.

答案 (1)> (2)> (3)< (4)= (5)>

方法 2 度、分、秒的运算方法

进行角度的加减运算时,同单位相加减,即度与度相加减、分与分相加减、秒与秒相加减.做加法时,秒够 60 进 1 分,分够 60 进 1 度;做减法时,不够减的,从上一级借 1,再进行减法运算.在乘法运算中,从最低位开始乘所给的因数,够 60 则进 1;除法运算中,按从高到低的顺序相除,余数乘 60,再加到下一级单位中进行计算.

例2 计算:(1) $54°28'36''+26°50'28''$;

(2) $180°-76°46'23''$;

(3) $15°32'20''\times5$;

(4) $54°20'\div6$.

解析 (1) $54°28'36''+26°50'28''$

$=80°78'64''=81°19'4''$.

(2) $180°-76°46'23''$

$=179°59'60''-76°46'23''$

$=(179°-76°)+(59'-46')+(60''-23'')$

$=103°13'37''$.

(3) $15°32'20''\times5$

$=15°\times5+32'\times5+20''\times5$

$=75°160'100''$

$=77°41'40''$.

(4) $54°20'\div6$

$=9°+20'\div6=9°+3'+120''\div6$

$=9°+3'+20''=9°3'20''$.

方法 3 角平分线的应用方法

角平分线的定义在使用中根据解题的需要,既可以写作两角相等的形式,也可以写作一个角是另一个角的 2 倍的形式,还可以写作一个角是另一个角一半的形式,应灵活选择.同时在计算中应注意整体代入思想的运用.

例3 如图所示,OC 是 $\angle AOD$ 的平分线,OE 是 $\angle BOD$ 的平分线.

(1)如果 $\angle AOB=130°$,那么 $\angle COE$ 是多少度?

(2)在(1)的条件下,如果 $\angle DOC=20°$,那么 $\angle BOE$ 是多少度?

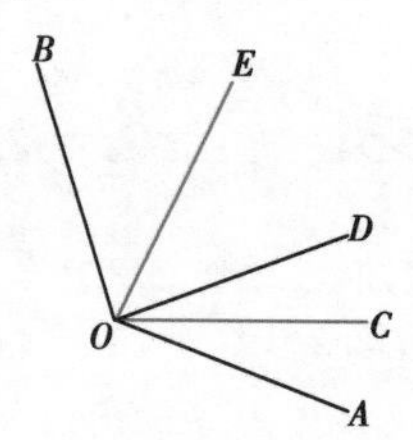

解析 (1)因为 OC 是 $\angle AOD$ 的平分线,所以 $\angle DOC=\frac{1}{2}\angle AOD$.因为 OE 是 $\angle BOD$ 的平分线,所以 $\angle DOE=\frac{1}{2}\angle BOD$.又 $\angle COE=\angle DOC+\angle DOE=\frac{1}{2}\angle AOD+\frac{1}{2}\angle BOD=\frac{1}{2}(\angle AOD+\angle BOD)=\frac{1}{2}\angle AOB$,

因为 $\angle AOB=130°$,所以 $\angle COE=65°$.

(2)因为$\angle COE=65°$，$\angle DOC=20°$，

所以$\angle DOE=\angle COE-\angle DOC=45°$.

又因为OE平分$\angle BOD$，

所以$\angle BOE=\angle DOE=45°$.

方法 4 余角和补角的性质的应用方法

互余、互补是表示两个角之间的数量关系的两个概念.解决与此有关的问题的方法一般是先将一个角的余角或补角用关于这个角的代数式表示出来，再利用题目中已知的数量关系列出方程.需要明确的是互余、互补是对相关的两个角而言的，它们都是由数量来定义的，与它们的位置无关.

例 4 一个角的补角比这个角的余角的2倍还多40°，求这个角的度数.

解析 设这个角的度数为$x°$，则其余角为$(90-x)°$，补角为$(180-x)°$，依题意有$180-x=2(90-x)+40$，解得$x=40$.

答：这个角的度数是40°.

方法 5 方程思想求角的度数的方法

在求角的度数问题时，通常把角的度数设为未知数，并根据所求的角与其他角之间的关系列方程求解.用方程来解几何问题能清楚、简洁地表示出几何图形中的数量关系，是解决几何计算题的一种重要方法.

例 5 如图，$\angle BOC=4\angle AOC$，OD平分$\angle AOB$，$\angle COD=36°$，求$\angle AOB$的度数.

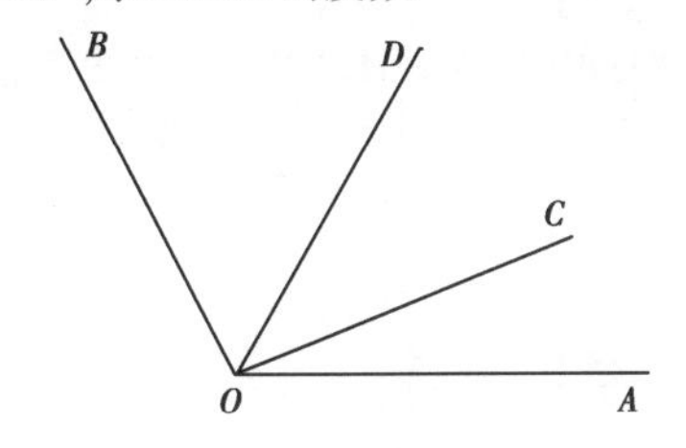

解析 设$\angle AOC=x$，则$\angle BOC=4x$.

因为OD平分$\angle AOB$，

所以$\angle AOD=\frac{1}{2}\angle AOB=\frac{1}{2}(\angle AOC+\angle BOC)$

$=\frac{1}{2}(x+4x)=\frac{5}{2}x$，

所以$\angle COD=\angle AOD-\angle AOC=\frac{5}{2}x-x=\frac{3}{2}x$，

即$36°=\frac{3}{2}x$.

所以$x=24°$，所以$\angle AOB=5x=120°$.

方法 6 时针和分针夹角的求解方法

时针和分针夹角问题实际上就是行程问题，只不过有两个速度，一个是时针的速度，为$\frac{360°}{12}=30$(度/时)$=0.5$(度/分)；另一个是分针的速度，为$\frac{360°}{60}=6$(度/分).用时针与分针走的时间分别乘它们的速度，即得它们各自转过的角度.

例 6 小明每天下午5:20放学，此时钟面上时针和分针的夹角是________.

解析 钟面上时针12小时转360度，1小时转30度，1分钟转0.5度；分针1小时转360度，1分钟转6度.如图，$\angle AOC=30°$，$\angle BOC$表示时针在20分钟内转动的角度，$\angle BOC=0.5°\times20=10°$，所以$\angle AOB=\angle AOC+\angle BOC=40°$.

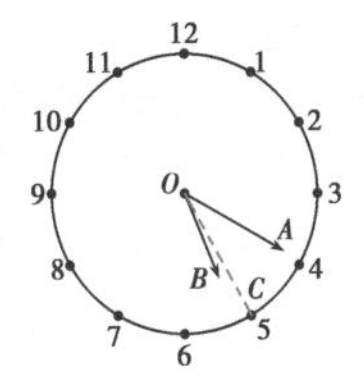

答案 40°

第15—21章

第16章

相交线与平行线

16.1 相交线

知识清单

知识 1 直线的位置关系

在同一平面内不重合的两条直线的位置关系只有两种:相交和平行.

例1 如图,一个三棱柱,它的每条棱都是线段,试从这些线段所在的直线中找出符合下列要求的直线.

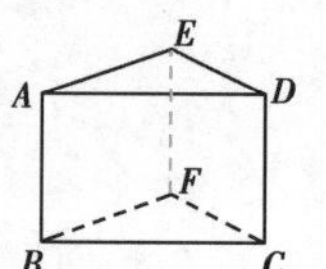

(1)与 AE 平行的直线;

(2)与 AE 相交的直线.

解析 (1)与 AE 平行的直线是 BF.

(2)与 AE 相交的直线有 DA,DE,BA,FE.

知识 2 垂线

1.定义:当两条直线相交所成的四个角中,有一个角是直角时,就说这两条直线互相垂直,其中一条直线叫做另一条直线的垂线,它们的交点叫做垂足.

2.示例:如图所示,直线 AB,CD 互相垂直,记作"$AB\perp CD$"(或 $CD\perp AB$),读作"AB 垂直于 CD".如果垂足是 O,记作"$AB\perp CD$,垂足为 O".

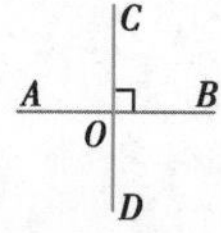

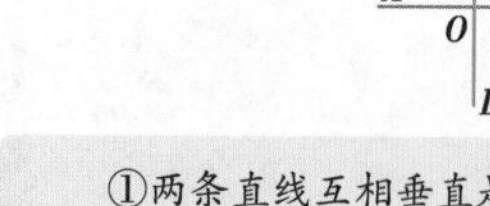

温馨提示

①两条直线互相垂直是两条直线相交的一种特殊情形,垂线是其中一条直线对另一条直线的称呼,如 AB 的垂线是 CD,CD 的垂线是 AB.

②线段与线段、线段与射线、线段与直线、射线与射线或射线与直线垂直,是特指它们所在的直线互相垂直.

③"垂直"与"垂线"是两个彼此相关但又不同的概念,垂直是指两条直线的位置关系,而垂线是特殊位置关系(垂直)下的两条直线的名称.

④根据两条直线互相垂直的定义可知:两条直线互相垂直,则四个角为直角;若两条直线的夹角为直角,则这两条直线互相垂直.

知识 3 垂线的性质

1.平面内,过一点有且只有一条直线与已知直线垂直.

2.示例:如图所示,点 P 分别为直线 l 外和直线 l 上一点,过点 P 有且只有一条直线 m 与 l 垂直.

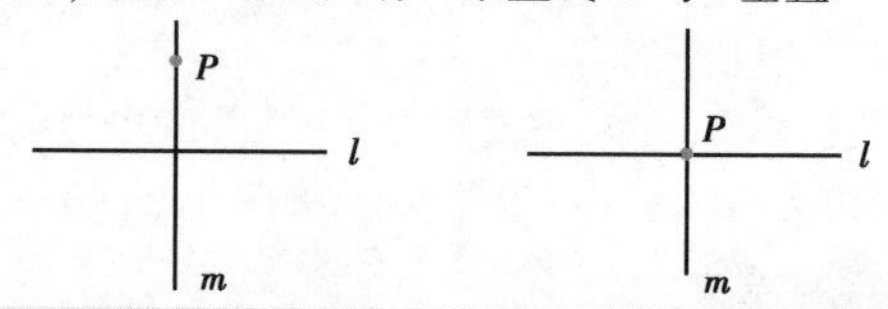

注意事项

①画已知直线的垂线可以画出无数条,但过一点画已知直线的垂线,只能画出一条.

②必须强调"在同一平面内",否则,在空间里,经过一点与已知直线垂直的直线有无数条.

例2 下列说法中,不正确的是 ( )

A.经过一点能画一条直线和已知直线垂直

B.一条直线可以有无数条垂线

C.在平面内,过射线的端点与该射线垂直的直线有且只有一条

D.过直线外一点并过直线上一点一定能画一条直线与该直线垂直

解析 D 项中所画的直线经过了两个点,这样的直线就不能保证与已知直线一定垂直了,所以 D 项错误.

答案 D

知识 4 垂线的画法

过一点画已知直线的垂线有两种方法:

	三角板画法	量角器画法
垂线	"一落",让直角三角板的一条直角边落在已知直线上,即与已知直线重合;"二移",沿已知直线移动三角板,使其另一条直角边经过已知点;"三画",沿与已知直线不重合的直角边画直线,这条直线就是已知直线的垂线	"一落",将量角器的0°刻度线与已知直线重合;"二移",沿已知直线移动量角器,使90°刻度线经过已知点,作出90°刻度线上的另一点;"三画",用量角器的底边连接已知点和另一点,这条直线就是已知直线的垂线

注意事项

经过一点画射线或线段的垂线，是指画它们所在直线的垂线，垂足有时在射线的反向延长线或线段的延长线上，如图所示.

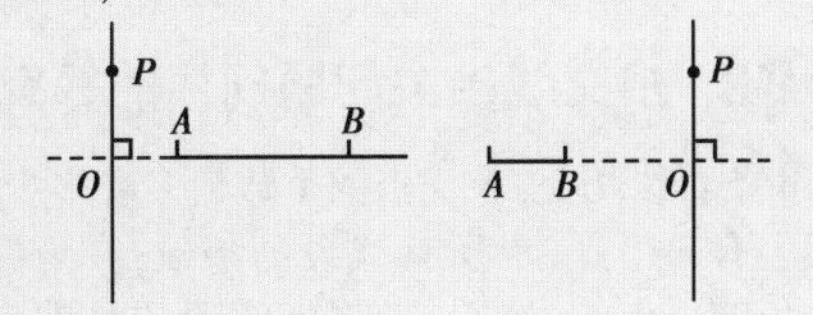

例3 画一条线段的垂线，垂足在 （　　）

A.线段上　　　　B.线段的端点处

C.线段的延长线上　　　　D.以上都有可能

（解析） 画已知线段的垂线是指画线段所在直线的垂线，所以垂足可能在线段上，可能在线段的端点处，也可能在线段的延长线上.故选 D.

（答案） D

知识 5 垂线段最短

1.定理：连接直线外一点与直线上各点的所有线段中，垂线段最短.简述为垂线段最短.

2.示例：如图所示，$PO\perp l$，垂足为 O，则线段 PO 叫做点 P 到直线 l 的垂线段.

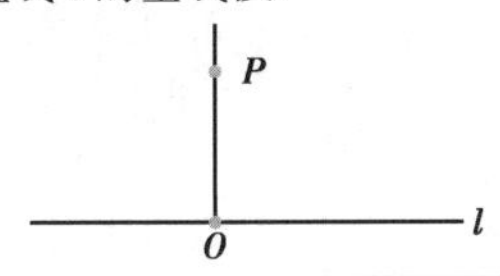

温馨提示

①垂线是指一条直线，而垂线段是指一条线段.

②直线外一点到这条直线的垂线段只有一条.

例4 如图，$\angle BAC=90^\circ$，$AD\perp BC$ 于 D，则下列结论正确的个数是 （　　）

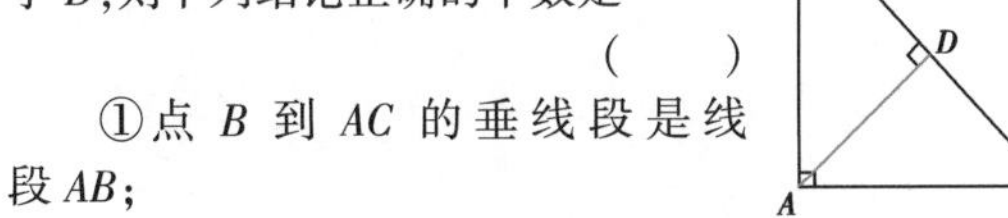

①点 B 到 AC 的垂线段是线段 AB；

②线段 AC 是点 C 到 AB 的垂线段；

③线段 AD 是点 D 到 BC 的垂线段；

④线段 BD 是点 B 到 AD 的垂线段.

A.1　　　　B.2

C.3　　　　D.4

（解析） 线段 AD 是点 A 到 BC 的垂线段，③不正确，易知①②④正确，故选 C.

（答案） C

知识 6 点到直线的距离

1.定义：直线外一点到这条直线的垂线段的长度，叫做点到直线的距离.

2.示例：如图所示，线段 PO 的长度是点 P 到直线 l 的距离，其余线段 PA，PB 等的长度都不是点 P 到直线 l 的距离，它们的长度都比线段 PO 的长度长.

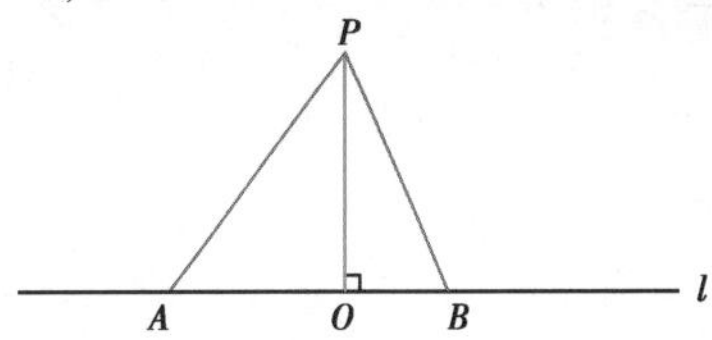

3.两点间的距离与点到直线的距离的区别

	两点间的距离	点到直线的距离
定义	连接两点的线段的长度	从直线外一点到这条直线的垂线段的长度
性质	两点之间，线段最短	垂线段最短

易错警示

①“垂线段”是指一个具体的几何图形，而“点到直线的距离”是指垂线段的长度，是一个数量，不能说“垂线段是距离”或“作出点到直线的距离”，这些都是常见的错误语句.

②确定点到直线的距离，首先要作出这点到直线的垂线段，然后求垂线段的长度.

例5 已知，如图，$OD\perp BC$，D 是垂足，连接 OB，下列说法中：

①线段 OB 是 O、B 两点间的距离；

②线段 OB 的长度是 O、B 两点间的距离；

③线段 OD 是 O 点到直线 BC 的距离；

④线段 OD 的长度是 O 点到直线 BC 的距离.

正确的个数是 （　　）

A.1　　B.2　　C.3　　D.4

（解析） 根据两点间的距离及点到直线的距离的定义可知②、④是正确的，所以选 B.

（答案） B

点拨 两点间的距离是指连接两点的线段的长度，而不是线段；点到直线的距离是指点到直线的垂线段的长度，而不是垂线段.

方法清单

方法1 垂线性质的应用方法

方法2 利用“垂线段最短”解决实际问题的方法

方法3 相交线相关问题规律的探究方法

方法 1 垂线性质的应用方法

解有关垂直的计算问题，一方面要运用“数形结合”，另一方面要充分运用垂直得直角这一特征.将直线的位置关系转化为角度之间的数量关系来求解.

例1 如图所示，$OA\perp OC$，$OB\perp OD$，$\angle AOB=150^\circ$，求 $\angle COD$ 的度数.

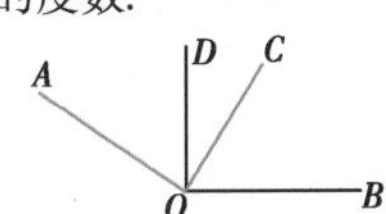

解析 解法一：∵ $OA\perp OC$，$OB\perp OD$，

∴ $\angle AOC=\angle BOD=90°$.

∴ $\angle AOC+\angle BOD=180°$，

即 $\angle AOC+\angle BOC+\angle DOC=180°$，

又∵ $\angle AOB=150°$，

∴ $\angle DOC=180°-\angle AOB=30°$.

解法二：∵ $OA\perp OC$，∴ $\angle AOC=90°$，

∴ $\angle BOC=\angle AOB-\angle AOC=150°-90°=60°$.

∵ $OB\perp OD$，∴ $\angle BOD=90°$，

∴ $\angle COD=\angle BOD-\angle BOC=90°-60°=30°$.

方法 2 利用“垂线段最短”解决实际问题的方法

在解决实际问题时，首先将实际问题转化为“数学模型”，例如“求某点到河边的最短距离”，实质上是过这一点向河边作垂线，应用垂线段最短这个性质.

例 2 如图所示，AB 是一条河流，要铺设管道将河水引到 C、D 两个用水点，现有两种铺设管道的方案：

方案一：分别过点 C、D 作 AB 的垂线，垂足为 E、F，沿 CE、DF 铺设管道；

方案二：连接 CD 交 AB 于点 P，沿 PC、PD 铺设管道.

这两种铺设管道的方案哪一种更节省材料？为什么？

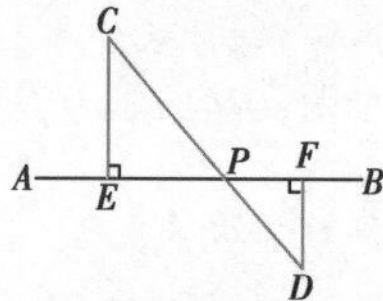

解析 按方案一铺设管道更节省材料.理由如下：由题意得 $CE\perp AB$，$DF\perp AB$，CD 不垂直于 AB，

根据“垂线段最短”可知，$CE<PC$，$DF<DP$，

所以 $CE+DF<PC+PD$，

所以沿 CE、DF 铺设管道更节省材料.

方法 3 相交线相关问题规律的探究方法

n 条直线相交，求交点的个数最多有多少；在一条直线上有 n 个点，求所有线段的条数；在角的内部从这个角的顶点出发的 n 条射线组成的角的个数等题目都有相同的规律，即许多事物都存在一定的共性，只要我们乐于去寻找，就可以不断地揭示出它们的规律.

此类问题主要考查学习能力和实验探究能力，试题设计新颖，不拘泥于一般的解题方法.如：探究 n 条直线的交点个数，可先从简单的图形入手，然后加一条线，注意这条线与其余线都要相交，多了几个交点，依此类推下去，就可以找到规律.

例 3 根据题意，完成下列填空：

l_1 和 l_2 是同一平面内的两条相交直线，它们有 1 个交点，如果在这个平面内，再画第三条直线 l_3，那么这 3 条直线最多可有________个交点；如果在这个平面内，再画第四条直线 l_4，那么这 4 条直线最多可有________个交点，由此我们可以猜测：在同一平面内，6 条直线最多可有________个交点，n（n 为大于 1 的整数）条直线最多可有________个交点.

解析 一共有 n 条直线，其中每一条直线都和其他 $(n-1)$ 条直线相交，交点有 $n(n-1)$ 个，再考虑重复计算的交点，所以共有交点 $\frac{n(n-1)}{2}$ 个.

答案 3；6；15；$\frac{n(n-1)}{2}$

16.2 相交线中的角

知识清单

知识1 对顶角　　知识2 邻补角

知识3 同位角、内错角与同旁内角

知识 1 对顶角

1.定义：有一个公共顶点，且一个角的两条边分别是另一个角的两条边的反向延长线，那么这两个角就叫做对顶角.如图，∠1 和∠2，∠3 和∠4 都是对顶角.

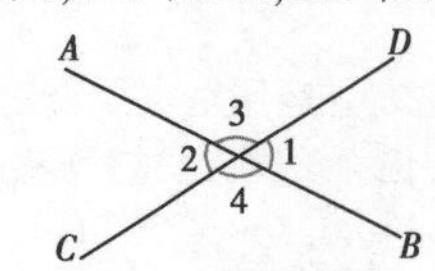

2.对顶角的性质：对顶角相等.

温馨提示

①判断两个角是不是对顶角的关键是看这两个角是否有公共顶点，一个角的两边是不是另一个角的两边的反向延长线.

②对顶角是成对出现的.

③两条直线相交所构成的四个角中，有两对对顶角.

④若两个角互为对顶角，则它们一定相等；反之，若两个角相等，则它们不一定互为对顶角.

例 1 下列说法中，正确的是（　　）

A.有公共顶点的两个角是对顶角

B.有公共顶点并且相等的两个角是对顶角

C.有公共顶点，且一个角的两边是另一个角的两边的反向延长线的两个角是对顶角

D.相等的两个角一定是对顶角

(解析) 判断两个角互为对顶角,不仅仅要求两个角相等或有公共顶点,而且要求其中一个角的两边是另一个角的两边的反向延长线,故选 C.

(答案) C

知识 2 邻补角

两个角有一条公共边,且它们的另一边互为反向延长线,具有这种关系的两个角,互为邻补角.如图,∠1 和∠2、∠1 和∠4、∠3 和∠4、∠2 和∠3 互为邻补角.

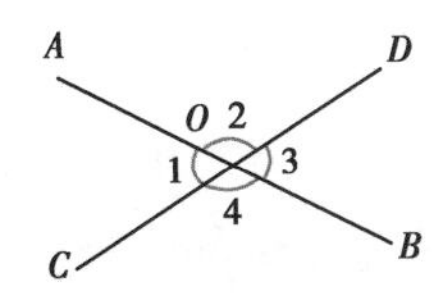

注意事项

①判断两个角是不是邻补角,关键是看这两个角的两边,其中一边是公共边,它们的另一边互为反向延长线.

②邻补角是成对出现的,是具有特殊位置关系的互补的两个角.

③两条直线相交所成的四个角中,有 4 对邻补角.

④邻补角与补角是两个不同的概念,互补的两个角只有数量关系,没有位置关系,只要这两个角的和等于 180°即可.而邻补角不但有数量上的关系,还有位置上的关系.

例 2 下列各图中,∠1 与∠2 互为邻补角的是 ( )

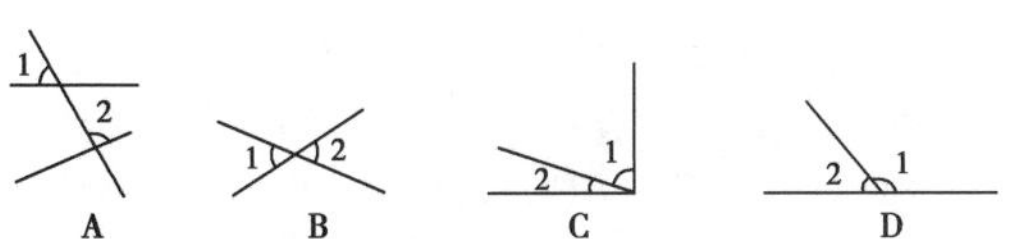

(解析) 根据邻补角的定义可知:只有 D 图中的是邻补角,故选 D.

(答案) D

知识 3 同位角、内错角与同旁内角

名称	定义	图例
同位角	∠1 与∠5 在直线 a,b 的同一方,在直线 l 的同一侧,具有这种位置关系的一对角叫做同位角	
内错角	∠3 与∠5 在直线 a,b 之间,在直线 l 的两侧,具有这种位置关系的一对角叫做内错角	
同旁内角	∠4 与∠5 在直线 a,b 之间,在直线 l 的同侧,具有这种位置关系的一对角叫做同旁内角	

温馨提示

①同位角、内错角、同旁内角是指具有特殊位置关系的两个角,是成对出现的,对它们的识别要结合图形.

②同位角、内错角、同旁内角中每对角的顶点都不相同.

③三线八角的识别:三线八角指的是两条直线被第三条直线所截而形成的 8 个角,其中同位角有 4 对,内错角有 2 对,同旁内角有 2 对.正确认识这八个角要抓住:同位角位置相同即"同旁和同侧";内错角要抓住"内部,异侧";同旁内角要抓住"同旁,内部".

例 3 如图所示.

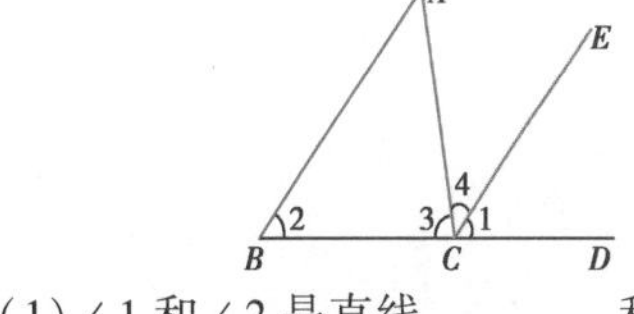

(1) ∠1 和∠2 是直线______和直线______被第三条直线______所截而成的______角;

(2) ∠2 与∠3 是直线______和直线______被第三条直线______所截而成的______角;

(3) ∠4 与∠A 是直线______和直线______被第三条直线______所截而成的______角.

(解析) 根据同位角、内错角、同旁内角的定义进行判断.

(答案) (1) BA;CE;BD;同位

(2) AB;AC;BC;同旁内

(3) AB;CE;AC;内错

方法清单

方法 1 对顶角、邻补角的识别方法

方法 2 同位角、内错角与同旁内角的识别方法

方法 3 利用对顶角、邻补角的性质进行角度的计算的方法

方法 1 对顶角、邻补角的识别方法

判断对顶角和邻补角,首先是看两个角两边涉及的直线是否只有两条,还应注意对顶角没有公共边,邻补角有公共边,两条直线相交形成的四个角中,共有两对对顶角,四对邻补角.

第 15-21 章

例1 如图,直线 a、b、c 交于点 O,下列判断正确的是 ( )

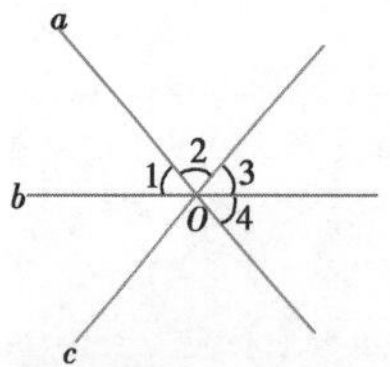

A. $\angle 1$ 与 $\angle 2$ 是对顶角　B. $\angle 1$ 与 $\angle 3$ 是邻补角

C. $\angle 4$ 的对顶角是 $\angle 1$　D. $\angle 2$ 的邻补角是 $\angle 4$

(解析) 根据对顶角与邻补角的定义进行判断.

(答案) C

方法 2 同位角、内错角与同旁内角的识别方法

判断同位角、内错角、同旁内角时,需要弄清它们是由哪两条直线被第三条直线所截而成的.最简单的方法是两个角公共边所在的直线是截线,其余两边就是被截的两条直线.

名称	同位角	内错角	同旁内角
截线	在截线的同一侧	在截线的两侧	在截线的同一侧
被截线	在被截线的同一旁	在两被截线之间	在两被截线之间
构成图形			

例2 如图所示,$\angle 1$,$\angle 2$,$\angle 3$,$\angle 4$,$\angle 5$ 中哪几对角是同位角?哪几对角是内错角?哪几对角是同旁内角?

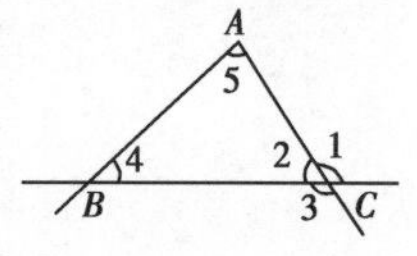

思路分析 把题图中相关的两个角从图中分离出来,观察哪两个角能构成"F"形,哪两个角能构成"Z"形,哪两个角能构成"U"形.

(解析) 由图①中的两种"F"形图形可知 $\angle 1$ 和 $\angle 4$,$\angle 5$ 和 $\angle 3$ 是两对同位角.

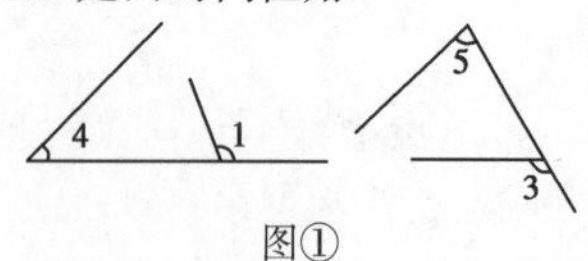

图①

由图②中的两种"Z"形图形可知 $\angle 1$ 和 $\angle 5$,$\angle 4$ 和 $\angle 3$ 是两对内错角.

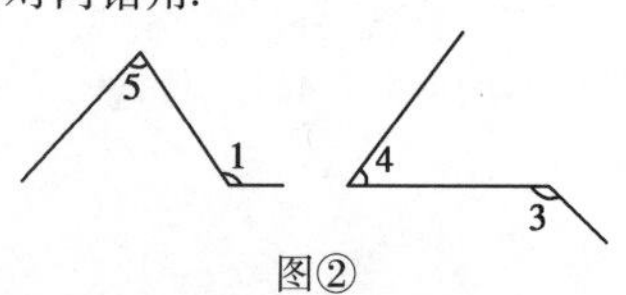

图②

由图③中的三种"U"形图形可知 $\angle 4$ 和 $\angle 2$,$\angle 4$ 和 $\angle 5$,$\angle 5$ 和 $\angle 2$ 是三对同旁内角.

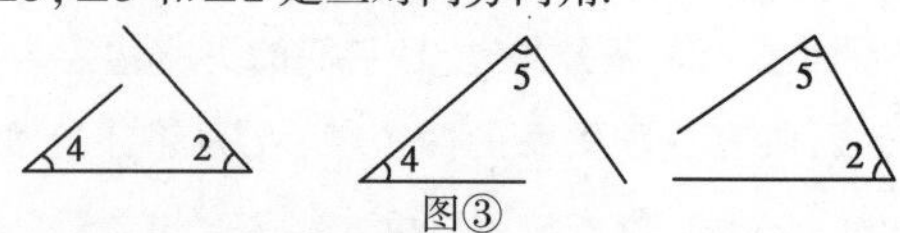

图③

点拨 在复杂图形中分析同位角、内错角、同旁内角时,应把图形分解成几个"两条直线与同一条直线相交"的图形,灵活运用"F""Z""U"形来辨识.

方法 3 利用对顶角、邻补角的性质进行角度的计算的方法

在角度的计算中,常常要用到对顶角或邻补角的有关性质,求一个角的度数时,注意这个角与哪些角具有数量关系,然后结合已知条件选择一个适当的关系去求角.另外,也常常借用代数方法,达到求解的目的.

例3 如图,直线 AB 与 CD 相交于点 O,$OE\perp CD$,$OF\perp AB$,$\angle DOF=65°$,求 $\angle BOE$ 和 $\angle AOC$ 的度数.

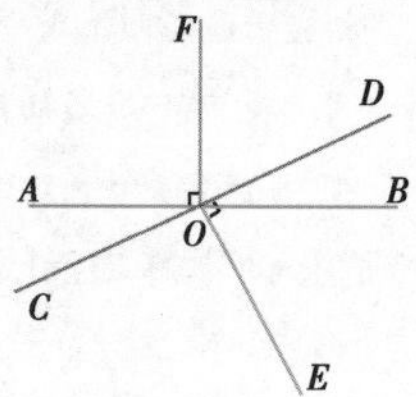

思路分析 由垂直定义,可知 $\angle BOF$、$\angle DOE$ 均为 $90°$,可先求 $\angle BOD$,再求 $\angle BOE$,$\angle AOC$.

(解析) 因为 $AB\perp OF$,$CD\perp OE$,

所以 $\angle BOF=\angle DOE=90°$,又因为 $\angle DOF=65°$,

所以 $\angle BOD=\angle BOF-\angle DOF=90°-65°=25°$,

所以 $\angle BOE=\angle DOE-\angle BOD=90°-25°=65°$,

$\angle AOC=\angle BOD=25°$(对顶角相等).

16.3 平行线

知识清单

知识 1 平行线

在同一平面内,不相交的两条直线叫做平行线,平行用符号"//"表示,如图,直线 AB 与 CD 平行,记作"$AB // CD$",读作"AB 平行于 CD".

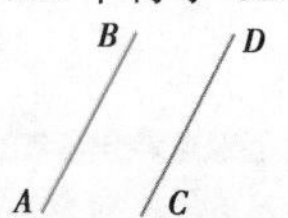

温馨提示 ①平行线必在同一平面内,分别在两个平面内的两条直线,即使不相交,也可以不平行,因此"在同一平面内"是平行线存在的前提条件.

②"不相交"就是说两条直线没有交点.

③平行线指的是“两条直线”而不是两条射线或线段.今后遇到线段、射线平行时,特指线段、射线所在的直线平行.

④平行是相互的,使用符号表示时,$AB/\!/CD$ 也可以写成 $CD/\!/AB$.

知识 2 平行线的画法

分四个步骤:“一落”“二靠”“三移”“四画”.

一落:用三角板的一边落在已知直线上,如图(1);

二靠:用直尺紧靠三角板的另一边,如图(2);

三移:沿直尺移动三角板,使三角板中与已知直线重合的边过已知点,如图(3);

四画:沿过已知点的三角板的边画直线,如图(4).

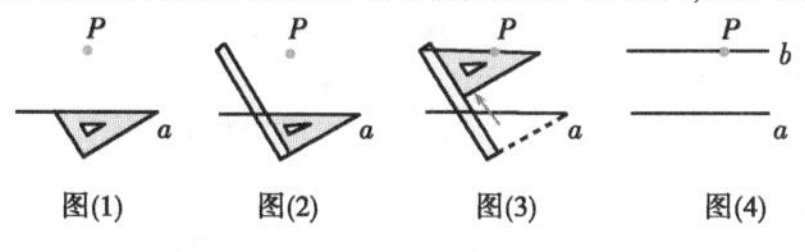

图(1) 图(2) 图(3) 图(4)

知识 3 平行公理

(1)平行公理:经过直线外一点,有且只有一条直线与这条直线平行.

(2)推论:如果两条直线都和第三条直线平行,那么这两条直线也互相平行.

即:如果 $a/\!/b$,$c/\!/b$,那么 $a/\!/c$,如图所示.

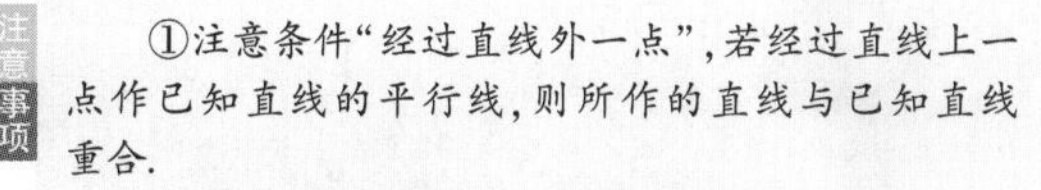

注意事项 ①注意条件“经过直线外一点”,若经过直线上一点作已知直线的平行线,则所作的直线与已知直线重合.

②平行公理体现了平行线的存在性和唯一性.

③平行公理的推论体现了平行线的传递性.

知识 4 平行线的判定

	判定方法 1	判定方法 2	判定方法 3
两条直线平行的判定	两条直线被第三条直线所截,如果同位角相等,那么这两条直线平行,即同位角相等,两直线平行	两条直线被第三条直线所截,如果内错角相等,那么这两条直线平行,即内错角相等,两直线平行	两条直线被第三条直线所截,如果同旁内角互补,那么这两条直线平行,即同旁内角互补,两直线平行
图例			
符号语言	如果 $\angle1=\angle2$,那么 $AB/\!/CD$	如果 $\angle1=\angle2$,那么 $AB/\!/CD$	如果 $\angle1+\angle2=180°$,那么 $AB/\!/CD$

温馨提示 ①还可以根据平行线的传递性(如果两条直线都和第三条直线平行,那么这两条直线也互相平行)判定两直线平行.

②判定方法1,2,3主要利用“三线八角”这个基本图形,要有“八角”,首先要有“三线”,因此这三个判定方法有一个共同的前提条件:两条直线被第三条直线所截.

③已知同位角相等可推导出内错角相等、同旁内角互补,三者可以相互推出.

例 1 如图,根据下列条件,可以判定哪两条直线平行? 并说明理由.

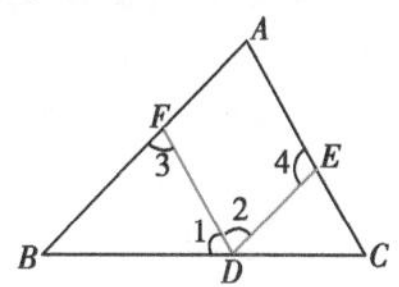

(1) $\angle1=\angle C$;(2) $\angle2=\angle3$;(3) $\angle2+\angle4=180°$.

(解析) (1) $DF/\!/CA$.理由:因为 $\angle1=\angle C$,

所以 $DF/\!/CA$(同位角相等,两直线平行).

(2) $AB/\!/DE$.理由:因为 $\angle2=\angle3$,

所以 $AB/\!/DE$(内错角相等,两直线平行).

(3) $AC/\!/DF$.理由:因为 $\angle2+\angle4=180°$,

所以 $AC/\!/DF$(同旁内角互补,两直线平行).

知识 5 平行线的性质

性质 1:两条平行线被第三条直线所截,同位角相等.即两直线平行,同位角相等.如图,因为 $a/\!/b$(已知),所以 $\angle1=\angle2$.

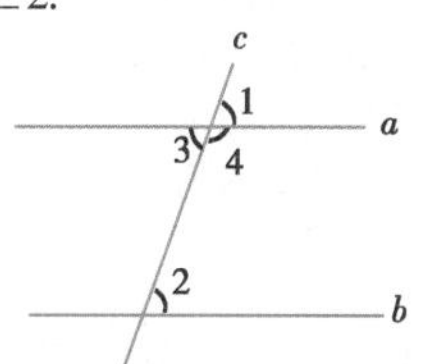

性质 2:两条平行线被第三条直线所截,内错角相等.即两直线平行,内错角相等.如图,因为 $a/\!/b$(已知),所以 $\angle2=\angle3$.

性质 3:两条平行线被第三条直线所截,同旁内角互补.即两直线平行,同旁内角互补.如图,因为 $a/\!/b$(已知),所以 $\angle2+\angle4=180°$.

温馨提示 在两直线平行的前提下才存在同位角相等、内错角相等、同旁内角互补的结论.这是平行线特有的性质.不要一提同位角或内错角就认为它们相等,一提同旁内角就认为互补,若没有两直线平行的条件,它们是不成立的.

例 2 如图,已知 $AD\perp BC$,$EF\perp BC$,D、F 分别为垂足,且 $\angle E=\angle3$,那么 AD 平分 $\angle BAC$ 吗? 为什么?

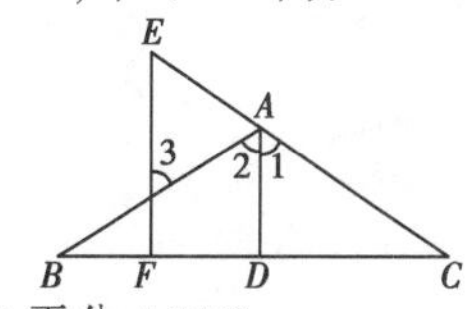

(解析) AD 平分 $\angle BAC$.

理由:$\because AD\perp BC$,$EF\perp BC$,

$\therefore AD/\!/EF$,$\therefore \angle1=\angle E$,$\angle2=\angle3$.

又$\because \angle E=\angle3$,$\therefore \angle1=\angle2$,$\therefore AD$ 平分 $\angle BAC$.

知识 6 平行线的判定与性质的区别与联系

(1)平行线的性质描述的是“数量关系”,它的前提是两直线平行,然后得出角的相等或互补的关系,是由“位置关系”到“数量关系”.平行线的判定是以角的相等或互补为前提,推导出两直线平行,是由“数量关系”到“位置关系”.

两角间的数量关系$\xrightleftharpoons[\text{性质}]{\text{判定}}$两直线间的位置关系

(2)从作用上看:平行线的判定是说明两条直线平行的依据;平行线的性质是说明两个角相等或互补的依据.

方法清单

方法1 平行线的判定与性质的应用方法
方法2 平行线相关问题作辅助线的方法
方法3 平行线的判定在实际问题中的应用

方法 1 平行线的判定与性质的应用方法

(1)判定两直线平行的方法有六种:①平行线的定义;②平行公理的推论;③同位角相等,两直线平行;④内错角相等,两直线平行;⑤同旁内角互补,两直线平行;⑥在同一平面内,垂直于同一条直线的两条直线平行.

判定两直线平行时,定义一般不常用,其他五种方法要灵活运用,说明时要注意书写格式.

(2)对于平行线的判定和性质的综合题,先用判定方法再用性质或先用性质再用判定方法都是几何中的基本应用,需要重点掌握.

例1 如图所示,点 E 在 AD 的延长线上,下列条件中能判定 $BC/\!/AD$ 的是 ( )

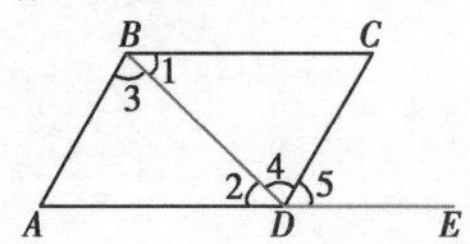

A. $\angle 3=\angle 4$ B. $\angle A+\angle ADC=180°$

C. $\angle 1=\angle 2$ D. $\angle A=\angle 5$

(解析) 结合图形分析两角的位置关系,根据平行线的判定方法判断. A 中,由 $\angle 3=\angle 4$ 可得出 $AB/\!/DC$;B 中,由 $\angle A+\angle ADC=180°$可得出 $AB/\!/DC$;C 中,由 $\angle 1=\angle 2$ 可得出 $BC/\!/AD$;D 中,由 $\angle A=\angle 5$ 可得出 $AB/\!/DC$.故选 C.

(答案) C

例2 如图所示,已知 $\angle ADE=\angle B$, $FG\perp AB$, $\angle EDC=\angle GFB$,求证:$CD\perp AB$.

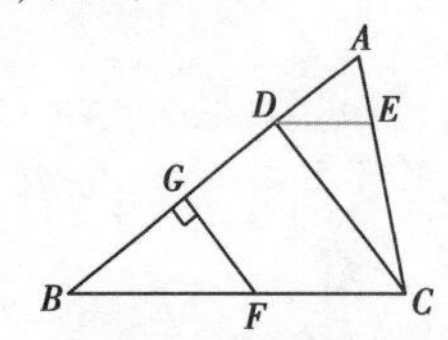

(证明) $\because \angle ADE=\angle B$(已知),

$\therefore DE/\!/BC$(同位角相等,两直线平行),

$\therefore \angle BCD=\angle EDC$(两直线平行,内错角相等).

又$\because \angle EDC=\angle GFB$(已知),

$\therefore \angle BCD=\angle GFB$(等量代换),

$\therefore FG/\!/CD$(同位角相等,两直线平行).

又$\because FG\perp AB$(已知),

$\therefore CD\perp AB$(如果一条直线和两条平行线中的一条垂直,那么这条直线也和另一条垂直).

方法 2 平行线相关问题作辅助线的方法

涉及利用平行线求一些角的度数时,遇到不规则图形,常常通过作辅助线构造“三线八角”,把问题转化为平行线的相关角进行求解.

例3 将两张长方形纸片按如图所示的方式摆放,使其中一张长方形纸片的一个顶点恰好落在另一张长方形纸片的一条边上,则$\angle 1+\angle 2=$________.

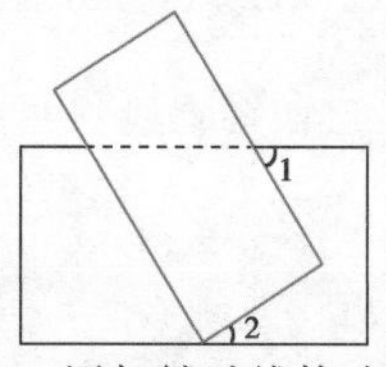

(解析) 解法一:添加辅助线构造内错角.

如图,过 E 作 $EF/\!/AB$.

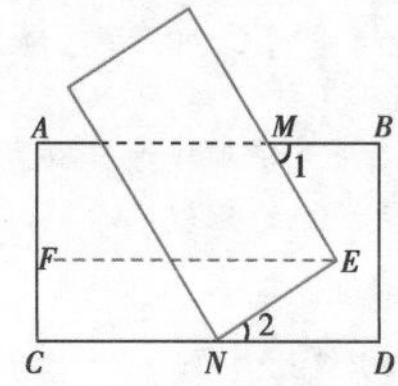

$\because EF/\!/AB$, $\therefore \angle 1=\angle MEF$.

$\because AB/\!/CD$, $EF/\!/AB$, $\therefore EF/\!/CD$, $\therefore \angle 2=\angle NEF$.

$\because \angle MEF+\angle NEF=\angle MEN=90°$,

$\therefore \angle 1+\angle 2=90°$.

解法二:添加辅助线构造同旁内角.

如图,过 E 作 $EH/\!/AB$.

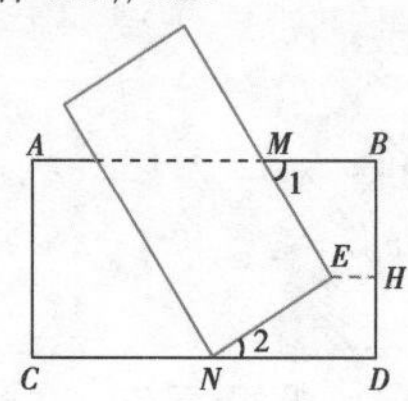

$\because EH/\!/AB$,

$\therefore \angle 1+\angle MEH=180°$.

$\because AB/\!/CD$, $EH/\!/AB$,

$\therefore EH/\!/CD$,

$\therefore \angle 2+\angle NEH=180°$,

$\therefore \angle 1+\angle 2+\angle MEH+\angle NEH=360°$.

$\because \angle MEN+\angle MEH+\angle NEH=360°$,

$\therefore\ \angle MEN=\angle 1+\angle 2$.

$\because\ \angle MEN=90°$，$\therefore\ \angle 1+\angle 2=90°$.

解法三：添加辅助线构造三角形.

如图，延长 ME 交直线 CD 于 G.

$\because\ AB/\!/CD$，$\therefore\ \angle 1=\angle EGN$.

$\because\ \angle MEN$ 为 $\triangle EGN$ 的外角，

$\therefore\ \angle MEN=\angle 2+\angle EGN$，

$\therefore\ \angle MEN=\angle 1+\angle 2$.

$\because\ \angle MEN=90°$，$\therefore\ \angle 1+\angle 2=90°$.

答案 90°

方法 3 平行线的判定在实际问题中的应用

在平行线的判定的应用中，角起着关键的作用，欲说明两条直线平行就需找到角相等或互补，解决这类问题，在准确理解题意的同时，还需将实际问题转化为数学问题.

例 4 一辆汽车在公路上行驶，两次拐弯后，仍在原来的方向上行驶，那么两次拐弯的角度可能是 （　　）

A.先右转 50°，后右转 40°

B.先右转 50°，后左转 40°

C.先右转 50°，后左转 130°

D.先右转 50°，后左转 50°

解析 汽车的方向不变，即汽车拐弯前与拐弯后的方向所在直线互相平行，如图所示.先右转后左转的两个角是同位角，根据同位角相等，两直线平行，可知选项 D 正确.

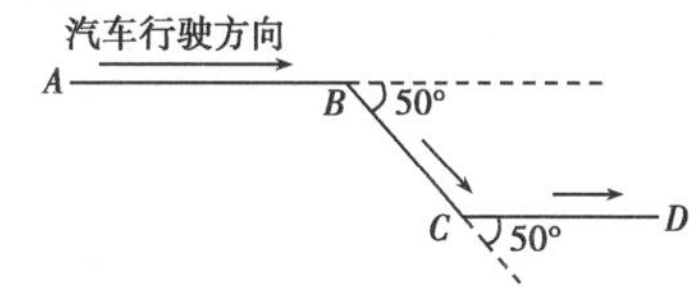

答案 D

点拨 解答本题的关键是画出示意图，准确地找到拐角，将实际问题转化为数学问题.

16.4 图形的平移

知识清单
知识1 平移　　知识2 平移的性质
知识3 作平移图形的一般步骤

知识 1 平移

某一基本的平面图形沿着一定的方向移动，这种图形的平行移动，简称为平移，它是由移动的方向和距离决定的.

如图，$\triangle ABC$ 沿着直线 PQ 平移到 $\triangle A'B'C'$，我们把点 A 与点 A' 叫做对应点，把线段 AB 与线段 $A'B'$ 叫做对应线段，把 $\angle A$ 与 $\angle A'$ 叫做对应角，$\triangle ABC$ 平移的方向就是由点 B 到点 B' 的方向，平移的距离就是线段 BB'（或 AA' 或 CC'）的长.

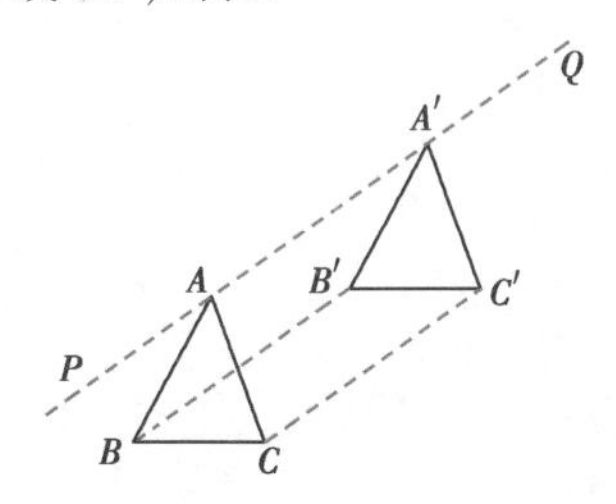

例 1 下列各组图形，可经过平移变换由一个图形得到另一个图形的是 （　　）

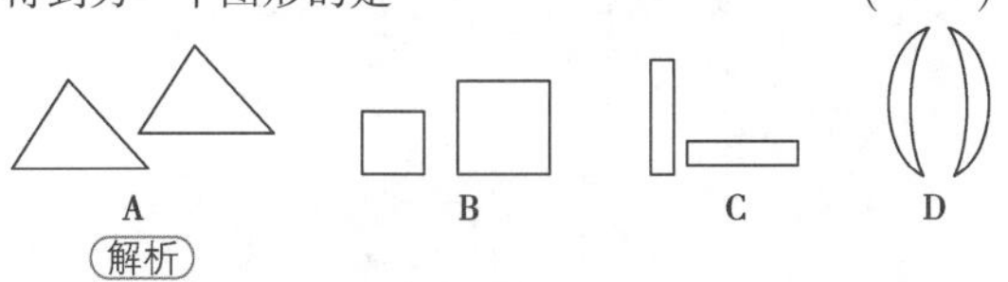

解析

A	两个三角形的形状和大小完全相同，且一个图形上各点沿同一个方向移动相同的距离能得到另一个图形，是图形的平移	是

续表

B	两个正方形的大小不同，不是图形的平移	不是
C	两个长方形虽然形状和大小相同，但一个图形上各点沿同一个方向移动相同的距离，不能得到另一个图形，不是图形的平移	不是
D	两个图形形状和大小一样，但一个图形上各点沿同一个方向移动相同的距离，不能得到另一个图形，不是图形的平移	不是

答案 A

知识 2 平移的性质

(1)平移不改变图形的大小、形状，只改变图形的位置.

(2)图形上的每个点都平移了相同的距离，对应点之间的距离就是平移的距离.

(3)连接各组对应点的线段平行（或在同一直线上）且相等.

例 2 如图，将周长为 8 cm 的 $\triangle ABC$ 沿 BC 方向平移 1 cm 得到 $\triangle DEF$，则四边形 $ABFD$ 的周长为 （　　）

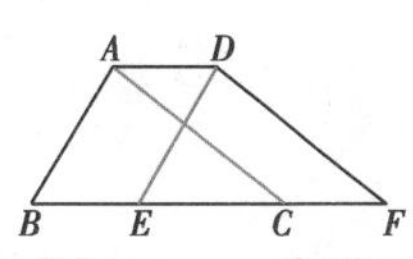

A.6 cm　　B.8 cm　　C.10 cm　　D.12 cm

解析 将周长为 8 cm 的 $\triangle ABC$ 沿 BC 方向平移 1 cm得到 $\triangle DEF$，故 $AD=CF=1$ cm，$AB+BC+AC=8$ cm，所以 $AB+BC+CF+DF+AD=10$ cm. 故四边形 $ABFD$ 的周长为 10 cm，故选 C.

答案 C

知识 3 作平移图形的一般步骤

(1)确定平移的方向和平移的距离.

(2)确定图形的关键点.如三角形、四边形等图形所有的顶点,圆的圆心等.

(3)过这些关键点作与平移的方向平行的射线,在射线上截取与平移的距离相等的线段,得到关键点的对应点.

(4)通过关键点作出平移后的图形.

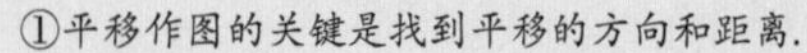

温馨提示

①平移作图的关键是找到平移的方向和距离.

②画出简单图形的平移图形,关键是确定一些关键点平移后的位置.

③在通过平移得到的基本图案中,探索图案之间的平移关系,首先要确定基本图案,然后通过连续平移得到组合图案.

例 3 如图,D 点是$\triangle ABC$ 平移后 A 点的对应点,请作出平移后的$\triangle DEF$.

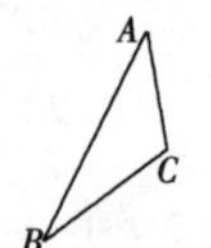

(解析) 作法:①连接 AD(找到平移方向、平移距离).

②分别过 B、C 两点作射线平行于 AD(找到关键点,并作出它们的平移方向).

③分别在这两条射线上截取线段 $BE=AD$、$CF=AD$(截取平移距离,找到关键点的平移对应点).

④顺次连接 D、E、F(连接关键点的对应点,构成平移后的图形).

$\triangle DEF$ 即为所求作图形,如图所示(写出结论).

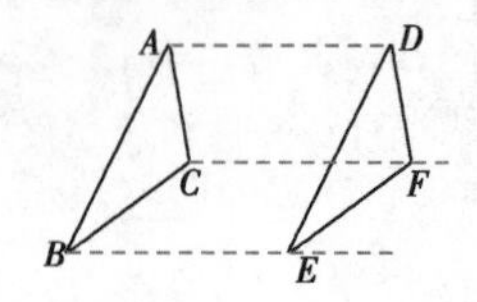

方法清单

方法1 与图形的平移相关的作图方法

方法2 图形平移的性质的应用方法

方法 1 与图形的平移相关的作图方法

平移作图是利用"对应点的连线平行(或在同一直线上)且相等"或"对应线段相等,对应角相等"作图,在分析图形的平移关系时,一定要找准"基本图形".若原图形较复杂,则要找出其中的关键点,再作图.

例 1 原图画有三角形 ABC 及其经过平移所得的三角形 $A'B'C'$,但其中过顶点 C 和 B'的四条边都被擦去了(如图),请你将被擦去的图复原.

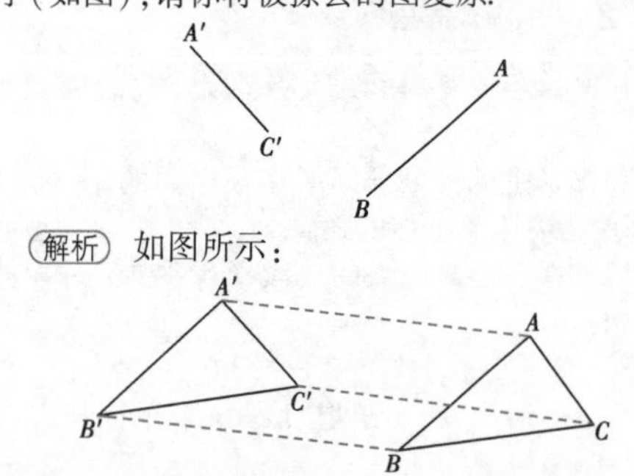

(解析) 如图所示:

方法 2 图形平移的性质的应用方法

平移的特征:

(1)平移后的新图形与原图形的形状、大小完全相同.

(2)新图形中的每一个点,都是由原图形中的某一点平移后得到的,这两个点是对应点.

(3)连接各对对应点的线段平行(或共线)且相等.

例 2 如图,在宽为 20 m,长为 30 m 的长方形花园中,要修建两条同样宽的长方形道路,余下部分进行绿化.根据图中数据,可计算出绿化部分的面积为 ( )

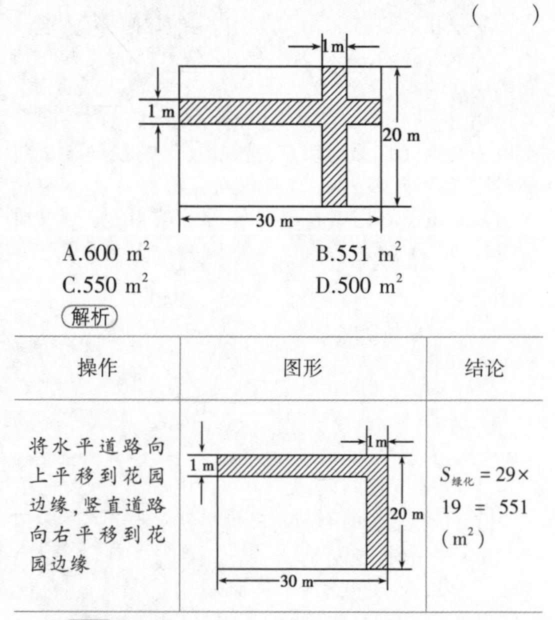

A.600 m^2　　B.551 m^2

C.550 m^2　　D.500 m^2

(解析)

操作	图形	结论
将水平道路向上平移到花园边缘,竖直道路向右平移到花园边缘	1 m, 1 m, 20 m, 30 m	$S_{绿化}=29\times19=551(m^2)$

(答案) B

点拨 在解决面积问题时,如果图形是不规则图形或者是由几个图形组成的,可设法将图形转化为规则图形求面积,而平移是其中的手段之一.

第17章 三角形与多边形

17.1 三角形的有关概念

知识清单

- 知识1 三角形及其有关概念
- 知识2 三角形的表示方法
- 知识3 三角形的分类
- 知识4 三角形的角平分线
- 知识5 三角形的中线
- 知识6 三角形的高

知识1 三角形及其有关概念

	概念	图形
三角形	由不在同一直线上的三条线段首尾顺次相接所构成的图形	
三角形的边	组成三角形的线段叫做三角形的边	
三角形的顶点	相邻两边的公共端点叫做三角形的顶点	
三角形的内角	相邻两边组成的角叫做三角形的内角	

①如图,线段AB、BC、CA是三角形的边,点A、B、C是三角形的顶点,$\angle A$、$\angle B$、$\angle C$是三角形的内角.

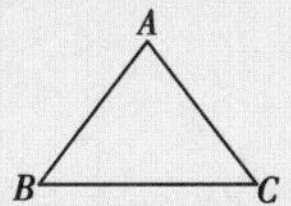

②三角形的边与角因位置关系有"夹边、夹角"之说,如图,边BC是$\angle B$与$\angle C$的夹边,$\angle B$是BA、BC两边的夹角.也有"对边、对角"之说,如图,$\angle B$的对边是AC,边AB的对角是$\angle C$.

知识2 三角形的表示方法

一个三角形是由三条边和三个内角组成的.如图,三角形的三个顶点分别为A,B,C,那么三角形可表示为"$\triangle ABC$",读作"三角形ABC".

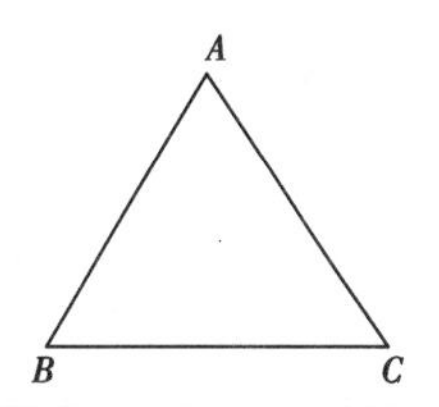

温馨提示

①三角形的表示方法中"$\triangle$"代表"三角形",后边的字母为三角形的三个顶点,字母的顺序可以自由安排,即$\triangle ABC$,$\triangle ACB$,$\triangle BAC$,$\triangle BCA$,$\triangle CAB$,$\triangle CBA$为同一个三角形.

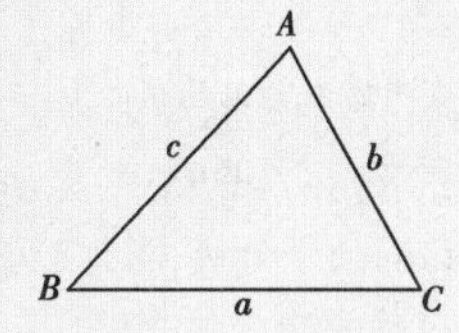

②习惯上为方便起见,$\angle A$所对的边用a来表示,$\angle B$所对的边用b来表示,$\angle C$所对的边用c来表示,当然,有时$\angle A$所对的边也可不用a来表示,而是用其他小写字母表示,但应以不产生混淆为宜.

知识3 三角形的分类

1.按角分类

三角形$\begin{cases}直角三角形\\斜三角形\begin{cases}锐角三角形\\钝角三角形\end{cases}\end{cases}$

2.按边分类

三角形$\begin{cases}不等边三角形\\等腰三角形\begin{cases}等边三角形\\底边和腰不等的等腰三角形\end{cases}\end{cases}$

温馨提示

①把三条边互不相等的三角形称为不等边三角形;把有两条边相等的三角形称为等腰三角形,相等的两边叫做等腰三角形的腰;把三条边都相等的三角形称为等边三角形(或正三角形).

②等腰三角形中至少有两边相等,而等边三角形中三边都相等.所以等边三角形是特殊的等腰三角形.

③在三角形中,三个内角都是锐角的三角形是锐角三角形;有一个内角是直角的三角形是直角三角形;有一个内角是钝角的三角形是钝角三角形.

知识4 三角形的角平分线

三角形的一个角的平分线与这个角的对边相交,这个角的顶点和交点之间的线段叫做三角形的角平分线.

如图,AD 是 $\triangle ABC$ 的角平分线,所以 $\angle 1=\angle 2=\frac{1}{2}\angle BAC$.

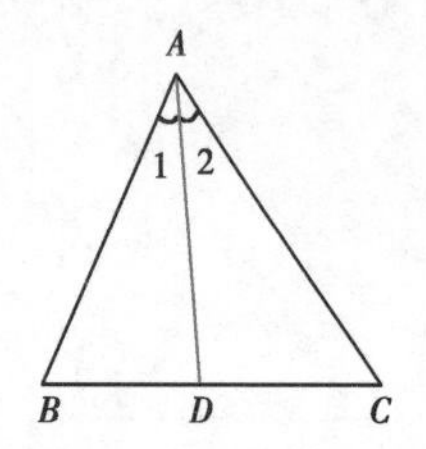

注意事项

①三角形的角平分线是一条线段,而角的平分线是一条射线.

②三角形的角平分线的画法与角的平分线的画法相同.

③三角形的三条角平分线都在三角形的内部,且交于一点,交点叫做三角形的内心.

例1 如图所示,在 $\triangle ABC$ 中,$\angle BAC=60°$,$\angle B=45°$,AD 是 $\triangle ABC$ 的角平分线,求 $\angle ADB$ 的度数.

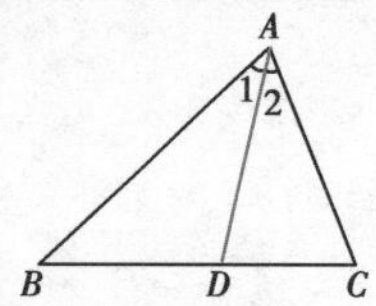

解析 $\because AD$ 是 $\triangle ABC$ 的角平分线,$\therefore \angle 1=\angle 2$.

又$\because \angle BAC=60°$,

$\therefore \angle 1=\frac{1}{2}\angle BAC=30°$,

又$\because \angle B=45°$,

$\therefore \angle ADB=180°-30°-45°=105°$.

知识5 三角形的中线

在三角形中,连接一个顶点和它所对的边的中点的线段叫做三角形的中线.

如图,AD 为 $\triangle ABC$ 中 BC 边上的中线,所以 $BD=DC=\frac{1}{2}BC$,或 $BC=2BD=2DC$,或 D 为 BC 的中点.

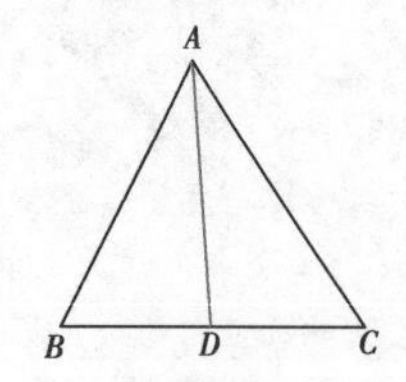

温馨提示

①三角形的中线是一条线段.

②三角形的三条中线都在三角形的内部,且交于一点,交点叫做三角形的重心.

③三角形的一条中线将这个三角形分成面积相等的两个三角形.

④$\triangle ABC$ 的中线 AD 也可称为"BC 边上的中线 AD".

⑤三角形的重心把中线分为 $2:1$ 的两部分(重心到顶点的距离占2份,重心到对边中点的距离占1份).

知识6 三角形的高

从三角形一个顶点向它的对边所在直线画垂线,顶点和垂足间的线段叫做三角形的高.

如图所示,AD 为 $\triangle ABC$ 的高,所以 $AD\perp BC$ 于 D(或 $\angle ADB=\angle ADC=90°$).

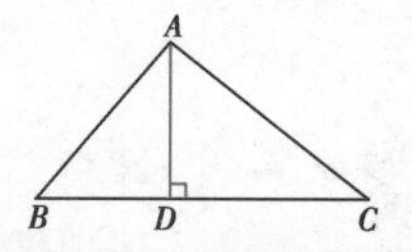

温馨提示

①三角形边上的高是线段,而该边的垂线是直线.

②三角形的三条高交于一点,交点叫做三角形的垂心.

③如图,锐角三角形的三条高在其内部,三条高的交点在三角形内部;直角三角形的两条直角边互为高,三条高的交点在直角顶点处;钝角三角形有两条高在三角形的外部,三条高的延长线的交点在三角形的外部.

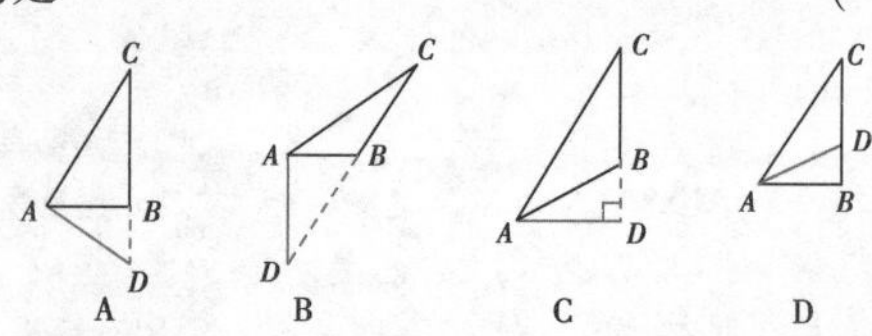

④画钝角三角形两较短边上的高时,先要延长边,再画垂线段.

例2 如图所示,画 $\triangle ABC$ 中 BC 边上的高 AD,正确的是 ( )

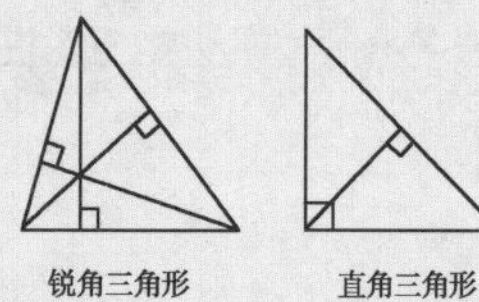

解析 选项A中,AD 不是 BC 边上的垂线,不符合题意;选项B中,AD 不是 BC 边上的垂线,不符合题意;选项D中,AD 与 BC 相交但不垂直,不符合题意.故选C.

答案 C

方法清单

- 方法1 三角形的相关概念的辨别方法
- 方法2 利用三角形的角平分线的性质解题的方法
- 方法3 利用三角形的中线解决面积计算问题的方法
- 方法4 利用三角形的高的性质解题的方法

方法 1 三角形的相关概念的辨别方法

对于三角形的相关概念，切忌死记硬背，要理解概念的本质属性.复杂的图形应重视图形的分解与组合.

例1 如图所示，回答下列问题：

(1)图中有几个三角形？试写出这些三角形；

(2)$\angle 1$是哪几个三角形的内角？

(3)以CE为边的三角形有哪几个？

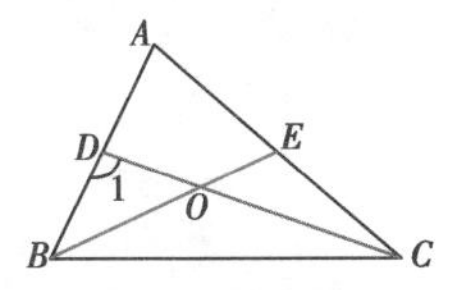

(解析) (1)图中有8个三角形，它们是$\triangle ABC$，$\triangle ABE$，$\triangle ACD$，$\triangle DBC$，$\triangle EBC$，$\triangle DBO$，$\triangle ECO$，$\triangle OBC$.

(2)$\angle 1$是$\triangle BDO$和$\triangle BDC$的内角.

(3)以CE为边的三角形有$\triangle ECB$和$\triangle ECO$.

方法 2 利用三角形的角平分线的性质解题的方法

三角形的角平分线是三角形中重要的线段，由三角形的角平分线可得两个角之间的关系.在综合问题中，充分利用角平分线的性质和三角形的内外角的关系建立所求角与已知条件的联系是解决问题的关键.

例2 (1)如图①，点O在$\triangle ABC$的内部，且BO、CO分别平分$\angle ABC$、$\angle ACB$，则$\angle BOC$与$\angle A$有怎样的数量关系？并说明理由；

(2)如图②，点O在$\triangle ABC$的外部，且BO、CO分别平分$\angle ABC$、$\angle ACE$，则$\angle BOC$与$\angle A$又有怎样的数量关系？并说明理由.

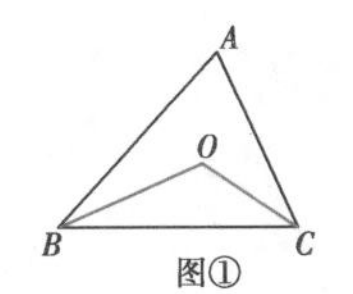

图①

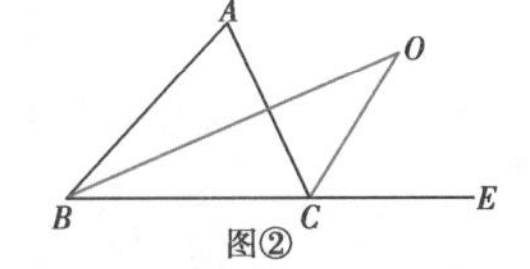

图②

(解析) (1)$\angle BOC$与$\angle A$的数量关系是$\angle BOC=90^\circ+\frac{1}{2}\angle A$.

理由如下：$\because BO$、CO分别平分$\angle ABC$、$\angle ACB$，

$\therefore \angle OBC=\frac{1}{2}\angle ABC$，

$\angle OCB=\frac{1}{2}\angle ACB$，

$\therefore \angle OBC+\angle OCB=\frac{1}{2}(\angle ABC+\angle ACB)=\frac{1}{2}(180^\circ-\angle A)=90^\circ-\frac{1}{2}\angle A$.

$\therefore \angle BOC=180^\circ-(\angle OBC+\angle OCB)=180^\circ-\left(90^\circ-\frac{1}{2}\angle A\right)=90^\circ+\frac{1}{2}\angle A$.

(2)$\angle BOC$与$\angle A$的数量关系是$\angle BOC=\frac{1}{2}\angle A$.

理由如下：$\because BO$、CO分别平分$\angle ABC$、$\angle ACE$，

$\therefore \angle OBC=\frac{1}{2}\angle ABC$，$\angle OCE=\frac{1}{2}\angle ACE$.

$\because \angle OCE+\angle OCB=180^\circ$，

$\angle OBC+\angle BOC+\angle OCB=180^\circ$，

$\therefore \angle OCE=\angle OBC+\angle BOC$，

同理，$\angle ACE=\angle ABC+\angle A$，

$\therefore \angle OCE=\frac{1}{2}\angle ACE=\frac{1}{2}(\angle ABC+\angle A)$

$=\frac{1}{2}\angle ABC+\frac{1}{2}\angle A=\angle OBC+\frac{1}{2}\angle A$，

$\therefore \angle BOC=\frac{1}{2}\angle A$.

方法 3 利用三角形的中线解决面积计算问题的方法

三角形的一条中线把原三角形分成两个等底同高的三角形，因此分得的两个三角形面积相等，利用这一特点可以求解有关的面积问题.

例3 如图所示，在$\triangle ABC$中，已知点D,E,F分别为边BC,AD,CE的中点，且$S_{\triangle ABC}=4\ \text{cm}^2$，则$S_{阴影}$等于 ( )

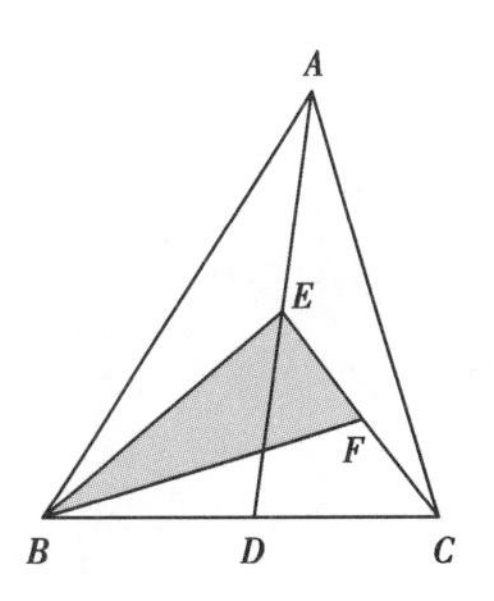

A.2 cm^2　　B.1 cm^2

C.$\frac{1}{2}$ cm^2　　D.$\frac{1}{4}$ cm^2

解析　因为 D 是 BC 的中点,

所以 $BD=DC$,

所以 $S_{\triangle ABD}=S_{\triangle ADC}=\frac{1}{2}S_{\triangle ABC}=2\ cm^2$,

又因为 E 是 AD 的中点,

所以 $AE=DE$,

所以 $S_{\triangle BED}=\frac{1}{2}S_{\triangle ABD}=1\ cm^2$,

$S_{\triangle DEC}=\frac{1}{2}S_{\triangle ADC}=1\ cm^2$,

所以 $S_{\triangle BEC}=S_{\triangle BDE}+S_{\triangle DCE}=2\ cm^2$,

又因为 F 是 CE 的中点,

所以 $EF=CF$,

所以 $S_{阴影}=\frac{1}{2}S_{\triangle BEC}=1\ cm^2$,

故选 B.

答案　**B**

方法 4　利用三角形的高的性质解题的方法

三角形的高是三角形中重要的线段,由三角形的高可得 90°的角,与三角形内角和、外角和相联系可解决三角形相关角度的计算问题;同时三角形的高是计算三角形面积的重要条件.

例 4　如图,在△ABC 中,$AB=AC$,D 是 BC 上任意一点,过 D 分别向 AB,AC 作垂线,垂足分别为 E,F,CG 是 AB 边上的高.

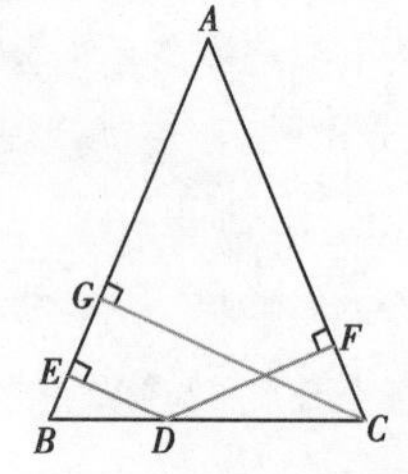

(1)DE,DF,CG 间存在着怎样的数量关系?并加以证明;

(2)若 D 在底边的延长线上,(1)中的结论还成立吗?若不成立,又存在怎样的关系?请说明理由.

解析　(1)$DE+DF=CG$.

证明:连接 AD,

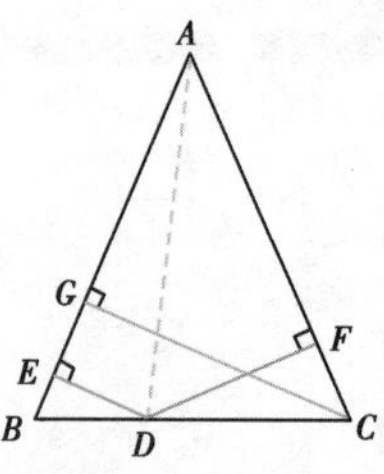

则 $S_{\triangle ABC}=S_{\triangle ABD}+S_{\triangle ACD}$,

即$\frac{1}{2}AB\cdot CG=\frac{1}{2}AB\cdot DE+\frac{1}{2}AC\cdot DF$,

因为 $AB=AC$,

所以 $CG=DE+DF$.

(2)当点 D 在 BC 的延长线上时,

如图,(1)中的结论不成立,

此时有 $DE-DF=CG$.

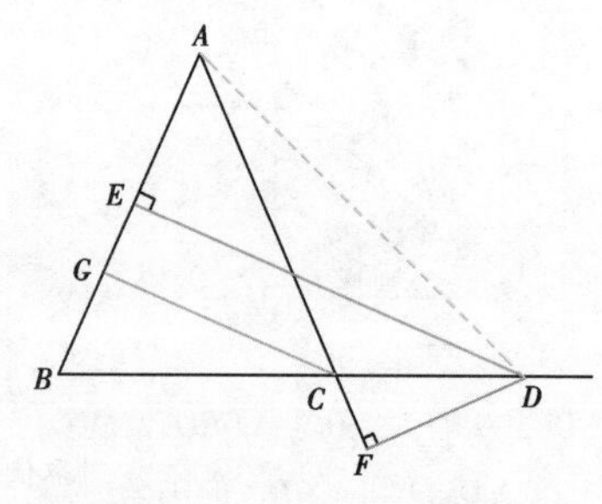

理由:连接 AD,则 $S_{\triangle ABD}=S_{\triangle ABC}+S_{\triangle ACD}$,

即有$\frac{1}{2}AB\cdot DE=\frac{1}{2}AB\cdot CG+\frac{1}{2}AC\cdot DF$.

因为 $AB=AC$,

所以 $DE=CG+DF$,

即 $DE-DF=CG$.

当 D 在 CB 的延长线上时,

(1)中的结论不成立,此时有 $DF-DE=CG$.

理由:连接 AD.

则 $S_{\triangle ADC}=S_{\triangle ABD}+S_{\triangle ABC}$,

即有$\frac{1}{2}AC\cdot DF=\frac{1}{2}AB\cdot DE+\frac{1}{2}AB\cdot CG$,

因为 $AB=AC$,

所以 $DF=DE+CG$,

即 $DF-DE=CG$.

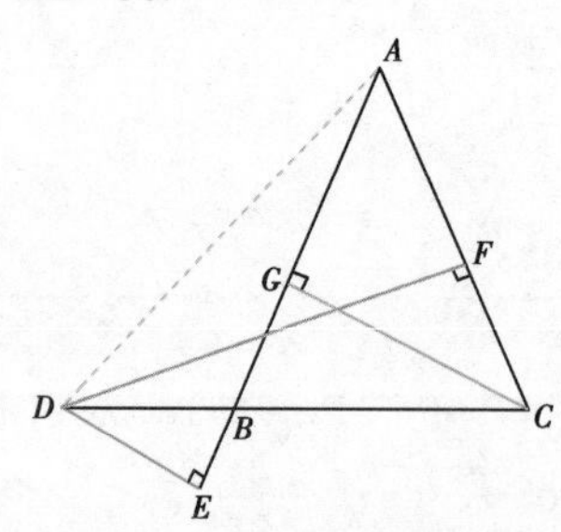

17.2 三角形的性质

知识清单

- 知识1 三角形的三边关系
- 知识2 三角形内角和定理
- 知识3 三角形的外角
- 知识4 三角形的外角和
- 知识5 三角形的稳定性

知识 1 三角形的三边关系

<table>
<tr><th colspan="2"></th><th>文字叙述</th><th>数学语言</th><th>理论依据</th><th>图形</th></tr>
<tr><td rowspan="3">三角形的三边关系</td><td rowspan="2">内容</td><td>三角形的任意两边之和大于第三边</td><td>在△ABC 中，a,b,c 为三边长，则有 a+b>c,b+c>a,a+c>b</td><td rowspan="2">两点之间，线段最短</td><td rowspan="2"></td></tr>
<tr><td>三角形的任意两边之差小于第三边</td><td>在△<i>ABC</i> 中，<i>a</i>,<i>b</i>,<i>c</i> 为三边长，则有 <i>a</i>−<i>b</i><<i>c</i>,<i>b</i>−<i>c</i><<i>a</i>,<i>c</i>−<i>a</i><<i>b</i></td></tr>
<tr><td>应用</td><td colspan="4">(1)判断三条线段能否组成三角形.
(2)已知三角形的两边，求第三边的取值范围</td></tr>
</table>

温馨提示　①三角形的三边关系是判断三条线段能否组成三角形的依据，应用时要注意“任意”二字.

②在具体应用三角形的三边关系时，并不一定要列出三个不等式，只要两条较短的线段的长度之和大于第三条线段的长即可判定这三条线段能构成一个三角形，例如长度为3,4,5的线段中，5>4>3，长度为4和3的这两条线段是较短的，又3+4>5，所以这三条线段能构成三角形；又如长度为1,2,4的三条线段不能构成三角形，因为较短的两条线段长度之和为1+2=3，小于较长的线段的长度4.

例1 下列长度的三根小木棒能构成三角形的是 (　　)

A.2 cm,3 cm,5 cm　　B.7 cm,4 cm,2 cm

C.3 cm,4 cm,8 cm　　D.3 cm,3 cm,4 cm

解析 A中，因为2+3=5，所以不能构成三角形，故A错误；

B中，因为2+4<7，所以不能构成三角形，故B错误；

C中，因为3+4<8，所以不能构成三角形，故C错误；

D中，因为3+3>4，所以能构成三角形，故D正确.故选D.

答案 D

知识 2 三角形内角和定理

	内容	数学语言	应用
三角形内角和定理	三角形三个内角的和等于180°	在△ABC中，$\angle A+\angle B+\angle C=180°$	(1)在三角形中，已知两个内角的度数，可以求出第三个内角的度数；(2)在三角形中，已知三个内角的比例关系，可以求出三个内角的度数；(3)在直角三角形中，已知一个锐角的度数，可以求出另一个锐角的度数

温馨提示　由三角形内角和定理可得直角三角形的两个锐角互余，反之，有两个角互余的三角形是直角三角形.

例2 如图，在△ABC中，$\angle C=\angle ABC=2\angle A$，$BD\perp AC$于$D$，试求$\angle DBC$的度数.

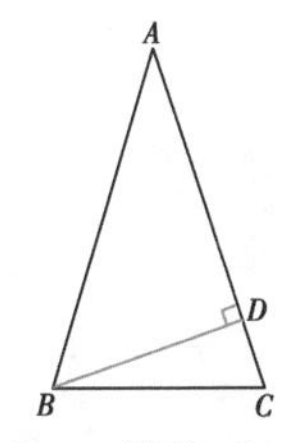

解析 因为$\angle C=\angle ABC=2\angle A$，所以$2\angle A+2\angle A+\angle A=180°$，即$5\angle A=180°$，所以$\angle A=36°$，所以$\angle C=2\times36°=72°$.又因为$BD\perp AC$，所以$\angle BDC=90°$，所以$\angle DBC=90°-\angle C=90°-72°=18°$.

知识 3 三角形的外角

1.三角形的外角

三角形的一边与另一边的反向延长线所组成的角叫做三角形的外角.如图，$\angle ABD$是△ABC的一个外角.

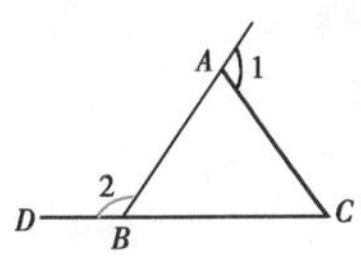

2.三角形外角的性质

性质1:三角形的一个外角等于与它不相邻的两个内角的和.

如上图，因为$\angle 1$是△ABC的外角，

所以$\angle 1=\angle ABC+\angle C$.

性质2:三角形的一个外角大于与它不相邻的任

何一个内角.

如上图,因为∠2是△ABC的外角,

所以∠2>∠BAC,∠2>∠C.

①三角形的外角有三个特征:

a.顶点在三角形的一个顶点上;

b.一条边是三角形的一边;

c.另一条边是三角形某条边的延长线.

②一个三角形有六个外角.

③要证明角的不等关系,常常要用到三角形的外角的性质2.

例3 如图,∠A+∠B+∠C+∠D+∠E=______.

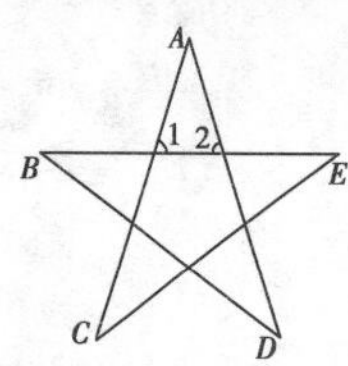

解析 由题图知,∠1=∠C+∠E,∠2=∠B+∠D,

又∠1+∠2+∠A=180°,

故∠A+∠B+∠C+∠D+∠E=180°.

答案 180°

知识4 三角形的外角和

1.如图,∠1、∠2、∠3、∠4、∠5、∠6都是△ABC的外角,而△ABC的外角和指的是∠2+∠4+∠6或∠1+∠3+∠5.即从每个内角的两个外角中分别取一个相加,得到的和称为三角形的外角和.

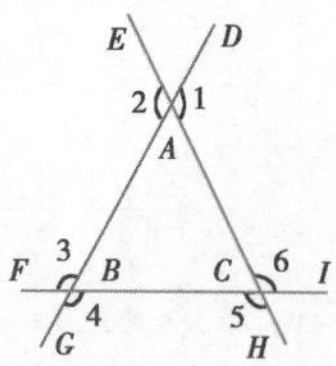

2.三角形外角和定理:三角形的外角和是360°.

知识5 三角形的稳定性

如果三角形的三条边固定,那么三角形的形状和大小就完全确定了,三角形的这个特征,叫做三角形的稳定性.

①要看图形是否具有稳定性,关键在于它的结构是不是三角形结构.

②除了三角形外,其他图形都不具备稳定性,因此在生产建设中,三角形的应用非常广泛.

方法清单

方法1 三角形三边关系的应用方法

1.三角形两边之和大于第三边,这其中的"两边"应是任意的两边,所以按三角形两边之和大于第三边得出的不等式应有三个:$a+b>c$,$a+c>b$,$b+c>a$.但在具体解题时,我们可以加以简化.

2."三角形的两边之和大于第三边,两边之差小于第三边"也可表述为:三角形的第三边小于两边之和而大于两边之差.即已知两边长为a、b,则第三边长x的取值范围是$|a-b|<x<a+b$,这种表达方式在解决已知两边求第三边的取值范围问题时有重要作用.

例1 若三角形的三边长分别为3,4,$x-1$,则x的取值范围是 ( )

A.$0<x<8$　　B.$2<x<6$

C.$0<x<6$　　D.$2<x<8$

解析 由题意可得$4-3<x-1<3+4$,解得$2<x<8$,故选D.

答案 D

方法2 利用三角形内角和定理判定三角形形状的方法

判定三角形的形状一般只需求出三角形中各角的大小.由三角形的最大角就可以判定三角形是锐角三角形、直角三角形还是钝角三角形.在求角的过程中,可根据三角形内角和定理结合角与角之间的关系达到求角的目的.

例2 适合下列条件的△ABC是锐角三角形、直角三角形还是钝角三角形?

(1)∠A=80°,∠B=25°;

(2)∠A∶∠B∶∠C=1∶2∶3;

(3)∠A=$\frac{1}{2}$∠B=$\frac{1}{6}$∠C.

解析 (1)因为∠A=80°,∠B=25°,所以∠C=180°-∠A-∠B=180°-80°-25°=75°.因为∠A是最大角且为锐角,所以△ABC是锐角三角形.

(2)设∠A=x°,则∠B=$2x$°,∠C=$3x$°,因为∠A+∠B+∠C=180°(三角形内角和定理),所以$x+2x+3x=180$,解得$x=30$,所以最大角∠C=$3x$°=3×30°=90°,所以△ABC是直角三角形.

(3)设∠A=x°,则∠B=$2x$°,∠C=$6x$°,所以$x+2x+6x=180$(三角形内角和定理),解得$x=20$,所以最大角∠C=$6x$°=6×20°=120°,所以△ABC是钝角三角形.

方法 3 三角形外角的应用方法

三角形的外角实质上是与它相邻内角的邻补角，求角时，当在图中发现了外角，或所求角本身是另一个三角形的外角时，通常要考虑三角形的外角性质，将这些结合起来，问题就容易解决了.

例 3 将一副直角三角板按如图所示叠放在一起，则图中$\angle\alpha$的度数是（　　）

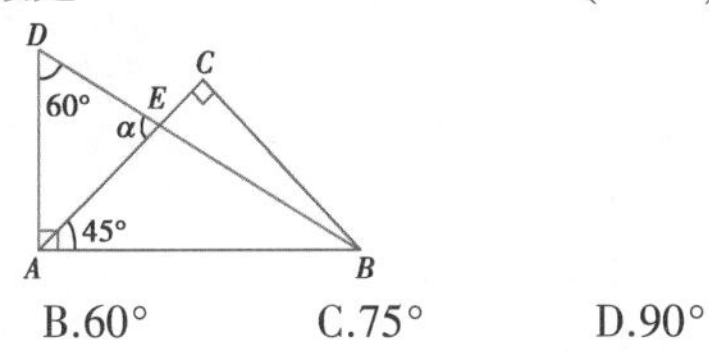

A.45°　　B.60°　　C.75°　　D.90°

解析 解法一：在$\triangle ABD$中，

$\angle BAD=90°$，$\angle D=60°$，

所以$\angle ABD=180°-\angle BAD-\angle D$

$=180°-90°-60°=30°$，

所以$\angle\alpha=\angle BAE+\angle ABE=45°+30°=75°$.

解法二：因为$\angle BAD=90°$，$\angle BAC=45°$，

所以$\angle CAD=\angle BAD-\angle BAC=90°-45°=45°$.

在$\triangle ADE$中，$\angle\alpha+\angle D+\angle EAD=180°$，

所以$\angle\alpha=180°-\angle D-\angle EAD$

$=180°-60°-45°=75°$.

答案 C

17.3 多边形的有关概念和性质

知识清单

- 知识1 多边形及其组成要素
- 知识2 正多边形
- 知识3 凸多边形
- 知识4 多边形的内角和定理
- 知识5 多边形的外角和定理
- 知识6 四边形的不稳定性

知识 1 多边形及其组成要素

	概念	图形
多边形	在平面内，由一些线段首尾顺次相接组成的封闭图形叫做多边形. 如果一个多边形由n（n是大于或等于3的自然数）条线段组成，那么这个多边形就叫做n边形，如三角形，四边形，五边形，……，三角形是最简单的多边形	AB是五边形$ABCDE$的一条边；$\angle B$是五边形$ABCDE$的一个内角；点C是五边形$ABCDE$的一个顶点；$\angle 1$是五边形$ABCDE$的一个外角；AC，AD是五边形$ABCDE$的两条对角线
多边形的边	组成多边形的各条线段叫做多边形的边	
多边形的顶点	每相邻两边的公共端点叫做多边形的顶点	
多边形的内角	多边形相邻两边所组成的在多边形内部的角叫做多边形的内角，简称多边形的角	
多边形的外角	多边形的一边和它的邻边的延长线组成的角叫做多边形的外角	
多边形的对角线	连接多边形不相邻的两个顶点的线段叫做多边形的对角线	

温馨提示

①多边形是由同一平面内若干条不在同一直线上的线段组成的；

②多边形是平面内的一些线段首尾顺次相接形成的封闭图形；

③多边形的边数、顶点数及角的个数相等；

④把多边形转化成三角形求解的常用方法是连接对角线；

⑤多边形的对角线的条数：从n边形的一个顶点可以引$(n-3)$条对角线，n边形共有$\frac{n(n-3)}{2}$条对角线.

例 1 填空.

（1）从八边形的一个顶点出发的对角线将八边形分成________个三角形；

（2）七边形共有________条对角线；

（3）从六边形的一个顶点出发可以引________条对角线，这些对角线将六边形分成________个三角形，六边形共有________条对角线.

解析 从n边形的一个顶点出发可以引$(n-3)$条对角线，这些对角线将n边形分成$(n-2)$个三角形，n边形共有$\frac{n(n-3)}{2}$条对角线.

答案 （1）6　（2）14　（3）3；4；9

知识 2 正多边形

各个角都相等，各条边都相等的多边形叫做正多边形. 正多边形必须同时满足以下两个条件：

（1）各边都相等；（2）各角都相等.

如图是正多边形的一些例子.

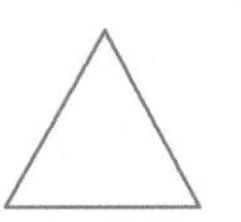
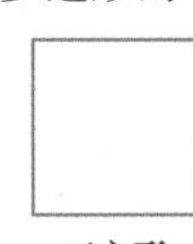
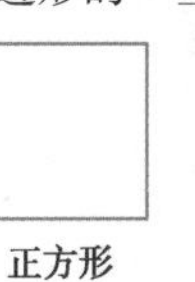
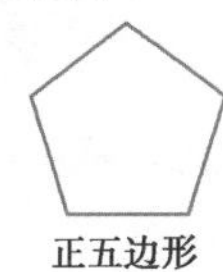
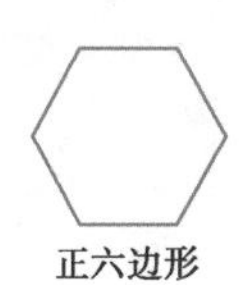

正三角形　正方形　正五边形　正六边形

第 15-21 章

易混对比

①各边都相等的多边形不一定是正多边形，因为它的内角不一定都相等.如菱形.

②一个多边形的内角都相等，它也不一定是正多边形，因为它的边不一定都相等.如：长方形的内角都是直角，但它的边不都相等.

例2 下列说法错误的是 ( )

A.正多边形的各条边都相等

B.正多边形的各个角都相等

C.各个角都相等的多边形不一定是正多边形

D.各条边都相等的多边形一定是正多边形

(解析) 正多边形必须同时满足两个条件：(1)各边都相等；(2)各角都相等.故选 D.

(答案) D

知识 3 凸多边形

多边形分为凸多边形和凹多边形，如图(1)，画出四边形 $ABCD$ 的任何一条边所在的直线，整个图形都在这条直线的同一侧，这样的多边形称为凸多边形；而图(2)就不满足上述凸多边形的特征，因为我们画出 CD 所在的直线，整个多边形不都在这条直线的同一侧，我们称它为凹多边形.我们在学习中提到的多边形大都是凸多边形.

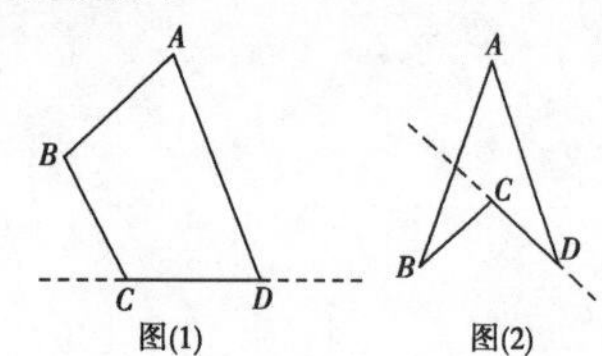

图(1) 图(2)

提示：凸多边形的每一个内角都大于 0°，小于 180°.

知识 4 多边形的内角和定理

1.多边形的内角和定理

n边形的内角和等于$(n-2)\cdot180°$.

2.多边形内角和定理的证明方法

证明多边形的内角和定理，一般是将多边形的所有内角通过作辅助线的方法转化为一些三角形的内角.

(1)如图①所示，在 n 边形内任取一点，并把这个点与各顶点连接起来，共构成 n 个三角形，这 n 个三角形的内角和为 $n\cdot180°$，再减去一个周角，即得到多边形的内角和为$(n-2)\cdot180°$.

(2)如图②所示，过 n 边形的一个顶点作对角线，可以将 n 边形分成$(n-2)$个三角形，这$(n-2)$个三角形的内角和恰好是多边形的内角和，等于$(n-2)\cdot180°$.

(3)如图③所示，在 n 边形的一边上取一点与各顶点相连，得$(n-1)$个三角形，n 边形内角和等于这$(n-1)$个三角形的内角和减去在所取的一点处的一个平角，即$(n-1)\cdot180°-180°=(n-2)\cdot180°$.

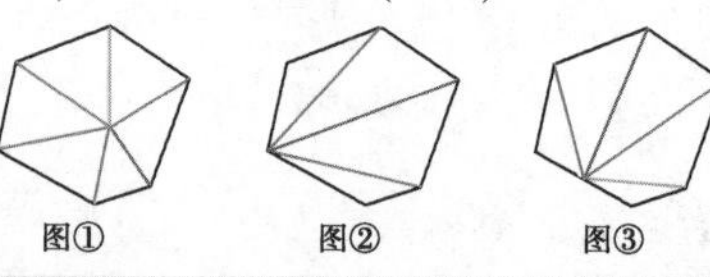
图① 图② 图③

温馨提示

四边形的四个内角中，最多有三个钝角或四个直角或三个锐角.

例3 已知两个多边形的内角和为 1 800°，且两个多边形的边数比为 2∶5，求这两个多边形的边数.

(解析) 设这两个多边形的边数分别是 $2x$ 和 $5x$，则由多边形内角和公式可得：

$(2x-2)\cdot180°+(5x-2)\cdot180°=1\,800°$.

解得 $x=2$，$\therefore 2x=4$，$5x=10$.

故这两个多边形的边数分别为 4 和 10.

知识 5 多边形的外角和定理

1.多边形的外角和

在多边形的每个顶点处各取一个外角，这些外角的和叫做多边形的外角和.

2.多边形外角和定理

多边形的外角和等于360°.

3.多边形外角和定理的证明

方法一：多边形的每个内角和与它相邻的外角是邻补角，所以 n 边形内角和加外角和等于 $n\cdot180°$，外角和等于 $n\cdot180°-(n-2)\cdot180°=360°$.

方法二：如图，过平面内一点 O 分别作与多边形各边平行的射线 OA'，OB'，OC'，OD'，OE'，得到 $\angle\alpha$，$\angle\beta$，$\angle\gamma$，$\angle\delta$，$\angle\theta$，其中，$\angle\alpha=\angle1$，$\angle\beta=\angle2$，$\angle\gamma=\angle3$，$\angle\delta=\angle4$，$\angle\theta=\angle5$. $\angle\alpha$，$\angle\beta$，$\angle\gamma$，$\angle\delta$，$\angle\theta$ 恰好组成一个周角，所以多边形的外角和等于 360°.

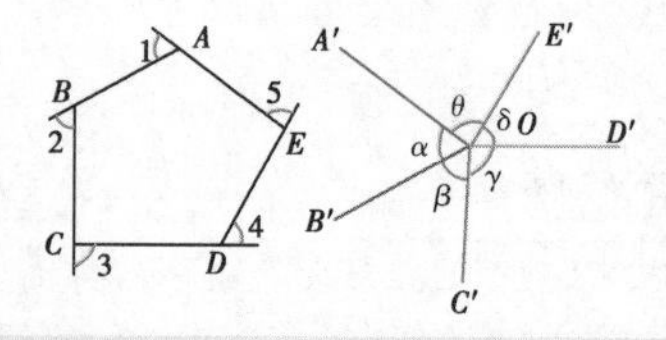

注意事项

①多边形的外角和等于 360°，与边数无关.

②四边形的内角和，外角和相等.

例4 如图所示的七边形 $ABCDEFG$，AB、ED 的延长线相交于 O 点.若图中$\angle1$、$\angle2$、$\angle3$、$\angle4$ 的度数和为 220°，则$\angle BOD$ 的度数为 ( )

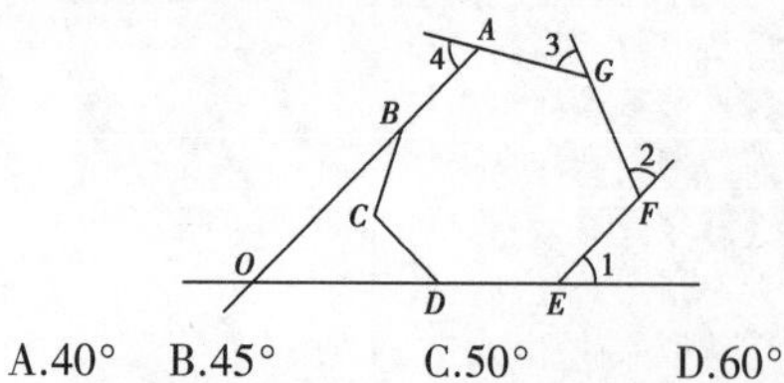

A.40° B.45° C.50° D.60°

(解析) 在 DO 的延长线上取一点 M, $\angle BOM$ 为五边形 $OAGFE$ 的一个外角,根据多边形的外角和为 $360°$, $\angle1,\angle2,\angle3,\angle4$ 的度数和为 $220°$,可得 $\angle BOM=360°-220°=140°$,所以 $\angle BOD=180°-140°=40°$,故选 A.

(答案) A

知识 6 四边形的不稳定性

三角形的三边确定后,它的大小、形状就确定了,这是三角形的稳定性.但是,四边形的四边确定后,它的形状不能确定,这就是四边形的不稳定性.

例 5 下图是人们在生活中常用的活动挂架的简易图,这种活动挂架的制作依据是__________.

活动挂架

(解析) 四边形具有不稳定性,活动挂架可根据人们所需要的尺寸进行伸缩来放置衣物.

(答案) 四边形具有不稳定性

知识拓展

1. 镶嵌

用形状、大小完全相同的一种或几种平面图形进行拼接,彼此之间不留空隙、不重叠地铺成一片,叫做平面图形的镶嵌,又称作平面图形的密铺.

2. 镶嵌成立的条件

实现镶嵌的条件:围绕一点拼在一起的几个多边形的内角的和等于360°.

(1)用正多边形镶嵌

在正多边形中,若一个正多边形的顶点落在另一个正多边形的边上,这种情况比较简单,我们不进行讨论.限定镶嵌的正多边形的顶点不落在另一个正多边形的边上.这个镶嵌的限定即指选用的正多边形无论什么形状,它们在镶嵌时,只能边与边重合,因而,实际上有三个限制条件:边长都要相等;顶点公共;在一个顶点处各正多边形的内角的和为 360°.这三个限制条件是正多边形镶嵌的一个基本依据.

①用同一种正多边形镶嵌

设由 k 个正 n 边形在同一顶点镶嵌成平面,则有

$k\times\frac{(n-2)\cdot180°}{n}=360°$,

$\therefore (n-2)(k-2)=4.$

故 $\begin{cases}k=3,\\n=6\end{cases}$ 或 $\begin{cases}k=4,\\n=4\end{cases}$ 或 $\begin{cases}k=6,\\n=3.\end{cases}$

∴ 用 3 个正六边形或 4 个正方形或 6 个正三角形可在同一顶点处镶嵌成平面.

②用两种正多边形镶嵌

(i)正三角形与正方形

设在一个顶点周围有 m 个正三角形的角,n 个正方形的角,则 $m\cdot60°+n\cdot90°=360°$,即 $2m+3n=12$.

$\therefore \begin{cases}m=3,\\n=2.\end{cases}$ ∴ 用正三角形与正方形镶嵌平面,一个顶点处需 3 个正三角形,2 个正方形.

(ii)正三角形和正六边形

设在一个顶点周围有 m 个正三角形的角,n 个正六边形的角,则有 $m\cdot60°+120°\cdot n=360°$,即 $m+2n=6$.解得 $\begin{cases}m=4,\\n=1\end{cases}$ 或 $\begin{cases}m=2,\\n=2.\end{cases}$

∴ 用正三角形和正六边形镶嵌平面有两种方案:一是一个顶点处有 4 个正三角形和 1 个正六边形;二是一个顶点处有 2 个正三角形和 2 个正六边形.

(2)用一般凸多边形镶嵌

用同一种三角形可以镶嵌.三角形的内角和是 180°,一般地,用 6 个同一种三角形就可以在同一顶点处不重叠、无缝隙地镶嵌.

用同一种四边形也能镶嵌.四边形内角和是 360°,用 4 个同一种四边形就可以在同一顶点处不重叠、无缝隙地镶嵌.

如图所示,一批形状、大小完全相同,但不规则的四边形地砖也可按图拼接,使地板平整、无空隙,此时 $\alpha+\beta+\gamma+\delta=360°$.

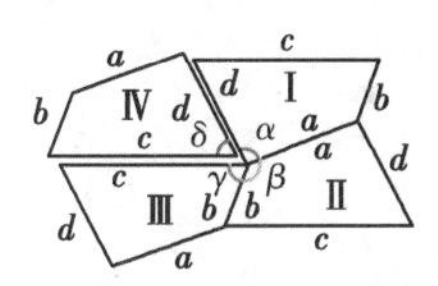

方法清单

方法 1 多边形对角线的条数的计算方法

n 边形有 $\frac{n(n-3)}{2}$ 条对角线,利用这个规律可以在已知多边形边数时求对角线条数,也可以利用对角线条数求多边形的边数.

例 1 分别画出下列各多边形的对角线，并观察图形完成下列问题：

(1)试写出用 n 边形的边数 n 表示对角线总条数 S 的式子：__________；

(2)从十五边形的一个顶点可以引出________条对角线，十五边形共有________条对角线.

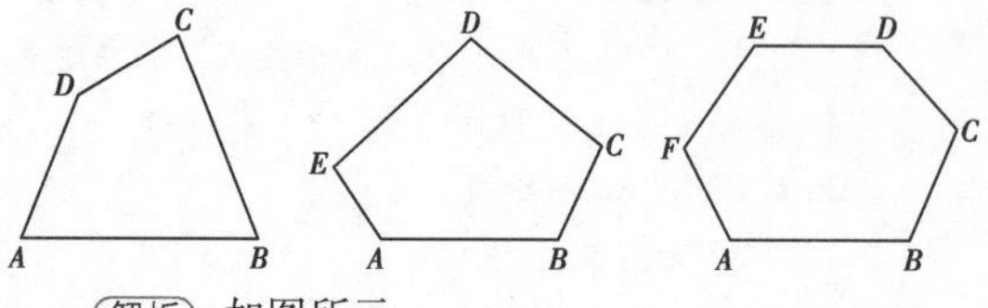

(解析) 如图所示.

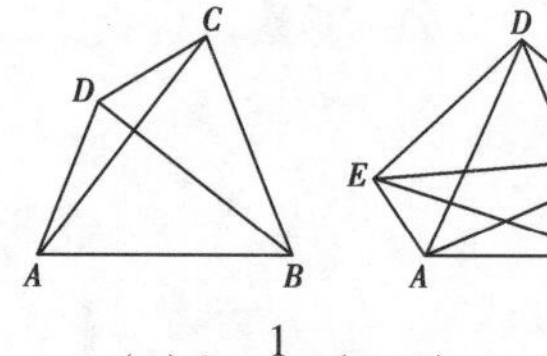

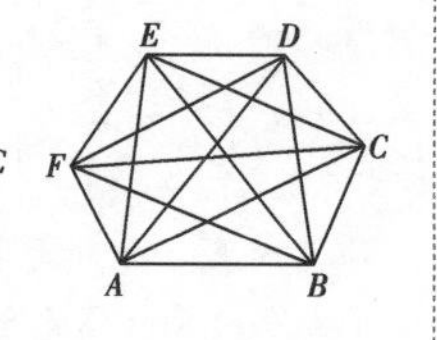

(1)$S=\frac{1}{2}n(n-3)$.

(2)从十五边形的一个顶点可引出 $15-3=12$ 条对角线；十五边形共有$\frac{1}{2}\times15\times(15-3)=90$ 条对角线.

方法 2 利用多边形的内角和、外角和定理求边数的方法

1.多边形的内角和可以表示为$(n-2)\cdot180°$的形式，根据已知条件表示出有关内角的表达式，可以列出方程求解.

2.若由已知数据很容易求得每个外角的度数，则利用多边形的外角和为 360°，可求边数.

例 2 一个多边形的内角和是外角和的 2 倍，则这个多边形是 ( )

A.四边形　B.五边形　C.六边形　D.八边形

(解析) 设多边形的边数为 n，由题意得

$(n-2)\cdot180°=360°\times2$,

解得 $n=6$.

则这个多边形是六边形.故选 C.

(答案) C

方法 3 正多边形的外角和的应用方法

每个外角都相等，且边长相等，这样的多边形是正多边形.利用正多边形的外角和始终等于 360°这一性质，用 360°除以一个外角的度数，就得到了多边形的边的条数.这一方法经常用于正多边形的计算中.

例 3 如图所示，小明从 A 点出发，沿直线前进 10 米后左转 24°，再沿直线前进 10 米，又向左转 24°，……，照这样走下去，他第一次回到出发地 A 点时，一共走的路程是 ( )

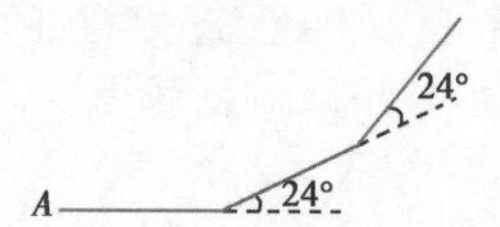

A.140 米　B.150 米　C.160 米　D.240 米

(解析) ∵ 多边形的外角和为 360°，且每一个外角为 24°，∴ 多边形的边数为 $360°\div24°=15$，

∴ 小明一共走了 $15\times10=150$ 米.故选 B.

(答案) B

方法 4 利用逼近法确定多边形的边数的方法

多边形的边数为自然数，而内角和只与边数有关，无论多了一个角，还是少了一个角，都可以用逼近法去求解.

例 4 已知多边形一个内角的外角与其他各内角和为 600°，则该多边形的边数为 ( )

A.5　B.6

C.5 或 6　D.不存在这样的多边形

(解析) 设这个多边形的边数为 n，这个外角的度数为 x，则与这个外角相邻的内角为 $180°-x$，列方程，得 $x+(n-2)\times180°-(180°-x)=600°$，∴ $x=570°-90°n$.
∵ $0°<x<180°$，n 为正整数，∴ $n=5$ 或 $n=6$.

(答案) C

第18章 全等三角形

18.1 全等三角形

知识清单

知识1 全等形与全等三角形

1.全等形

能够完全重合的两个图形叫做全等形.

温馨提示

①"能够完全重合"是指在一定的叠放条件下,可以完全重合,不是胡乱摆放都能重合.

②全等形⇔大小、形状都相同.

③平移、翻折、旋转前后的图形是全等形.

2.全等三角形

能够完全重合的两个三角形叫做全等三角形.

两个三角形全等,互相重合的顶点叫做对应顶点,互相重合的边叫做对应边,互相重合的角叫做对应角.

例1 下列图形中为全等图形的是 ( )

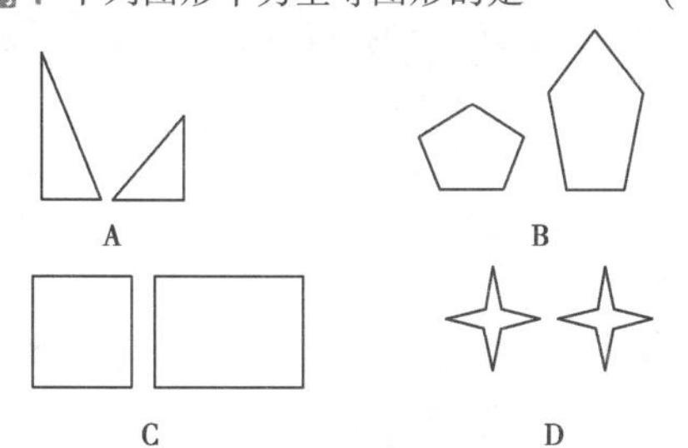

解析 A、B、C中的两个图形形状、大小均不相同,不能够重合,均不是全等图形,只有D中的两个图形形状、大小均相同,能够完全重合,根据全等图形的定义可以判断D中的两个图形是全等图形,故选D.

答案 D

知识2 全等三角形的表示

全等用符号"≌"表示,读作"全等于".在书写三角形全等时,应注意对应顶点的字母要写在对应位置上.如图,两个全等三角形的对应顶点分别是A和A_1,B和B_1,C和C_1,则应写为$\triangle ABC \cong \triangle A_1B_1C_1$或$\triangle BCA \cong \triangle B_1C_1A_1$等.

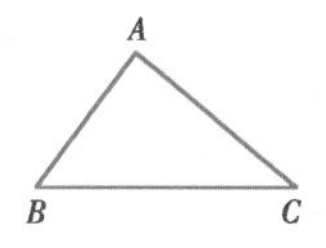

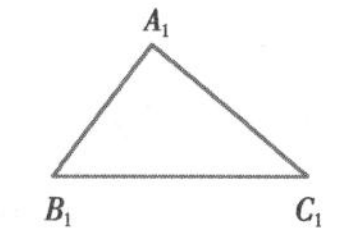

知识3 全等变换

全等变换是指只改变图形的位置,而不改变图形的形状和大小的变换.

如图①,把$\triangle ABC$沿直线BC平移得到$\triangle ECD$;如图②,以直线BC为轴把$\triangle ABC$翻折,得到$\triangle DBC$;如图③,以点A为中心,把$\triangle ABC$旋转180°,得到$\triangle AED$.像这样,只改变图形的位置,而不改变其形状、大小的图形变换叫做全等变换.在全等变换中可以清楚地识别全等三角形的对应元素.以上三种全等变换分别叫做平移变换、翻折变换和旋转变换.

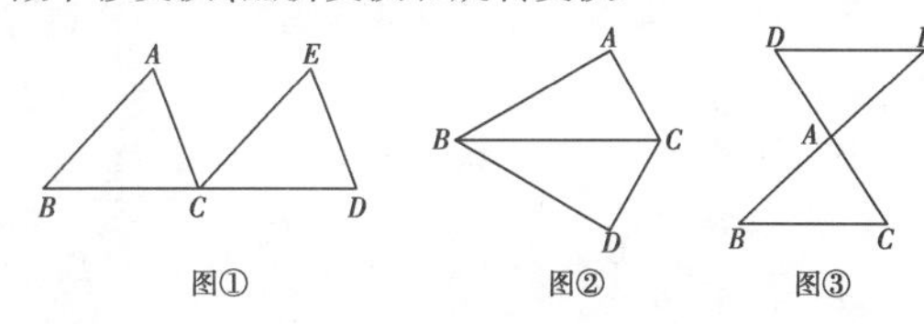

知识4 全等三角形的性质

	性质	图形
全等三角形	全等三角形的对应边相等; 全等三角形的对应角相等	如图,∵ $\triangle ABC \cong \triangle A'B'C'$, ∴ $\angle A=\angle A'$, $\angle B=\angle B'$, $\angle C=\angle C'$(全等三角形的对应角相等), $AB=A'B'$, $AC=A'C'$, $BC=B'C'$(全等三角形的对应边相等) 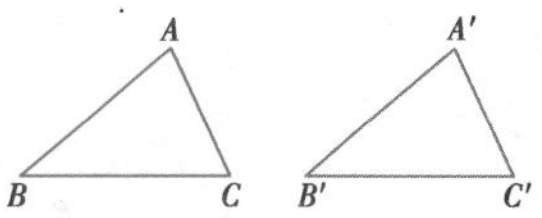
应用	判断线段相等或角相等	

温馨提示

①对应边、对应角是对两个三角形而言的，指两条边、两个角的关系，而对边、对角是指同一个三角形的边和角的位置关系.

②可以进一步推广到全等三角形对应边上的高相等，对应角的平分线相等，对应边上的中线相等，周长及面积相等.

③全等三角形有传递性，若$\triangle ABC$与$\triangle DEF$全等，$\triangle DEF$与$\triangle MNP$全等，则$\triangle ABC$与$\triangle MNP$也全等.

例2 如图，B、E、C、F在同一直线上，$\triangle ABC\cong\triangle DEF$，$\angle A=75^\circ$，$\angle B=60^\circ$，$BE=5$，求$\angle F$的度数与$CF$的长.

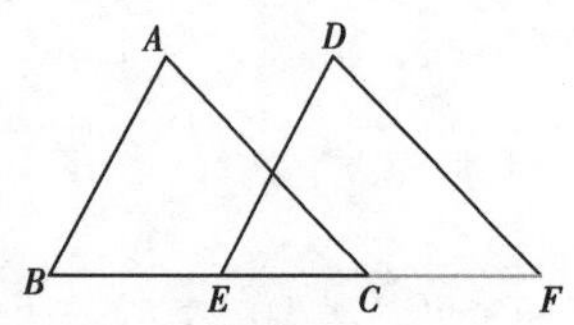

解析 因为$\triangle ABC\cong\triangle DEF$，

所以$\angle F=\angle ACB=180^\circ-\angle A-\angle B$，

即$\angle F=180^\circ-75^\circ-60^\circ=45^\circ$.

因为$\triangle ABC\cong\triangle DEF$，所以$BC=EF$，

所以$BC-EC=EF-EC$，即$CF=BE=5$.

知识5 全等三角形的判定

1.边边边定理

三边对应相等的两个三角形全等（简写成“边边边”或“SSS”）.

书写格式：如图，在$\triangle ABC$和$\triangle A'B'C'$中，

$\begin{cases}AB=A'B',\\BC=B'C',\\AC=A'C',\end{cases}$

$\therefore\triangle ABC\cong\triangle A'B'C'$（SSS）.

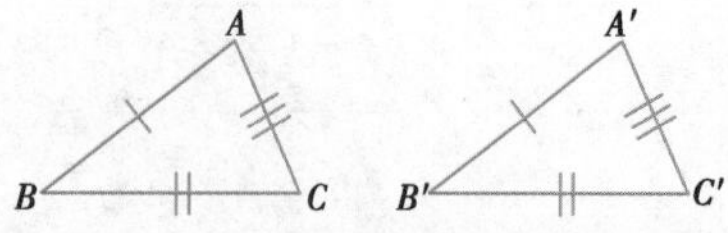

利用“边边边”来证明三角形全等时，要注意隐含条件，如公共边，中线等.

例3 如图，点C是AB的中点，$AD=CE$，$CD=BE$.求证：$\triangle ACD\cong\triangle CBE$.

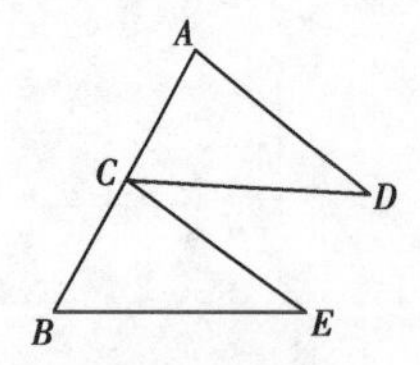

证明 $\because$点C是AB的中点，$\therefore AC=CB$.

在$\triangle ACD$和$\triangle CBE$中，$\because\begin{cases}AD=CE,\\CD=BE,\\AC=CB,\end{cases}$

$\therefore\triangle ACD\cong\triangle CBE$（SSS）.

2.边角边定理

两边和它们的夹角对应相等的两个三角形全等（简写成“边角边”或“SAS”）.

书写格式：如图，在$\triangle ABC$和$\triangle A'B'C'$中，

$\begin{cases}AB=A'B',\\\angle BAC=\angle B'A'C',\\AC=A'C',\end{cases}\therefore\triangle ABC\cong\triangle A'B'C'$（SAS）.

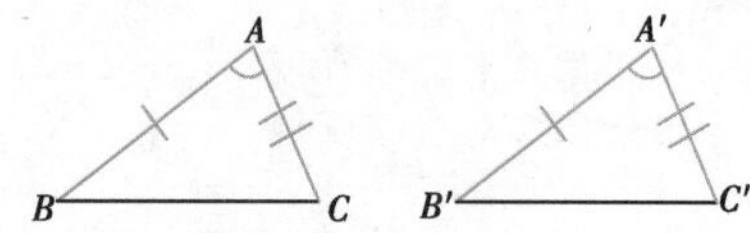

运用“SAS”证明三角形全等时，一定要找准对应相等的边、角，要注意隐含的等角，如公共角、对顶角等；在书写“SAS”的格式时，要按照“SAS”的顺序书写，以表明三个元素的位置关系；“SSA”不能证明两个三角形全等.

例4 如图，$AB=CB$，$BE=BF$，$\angle1=\angle2$，证明：$\triangle ABE\cong\triangle CBF$.

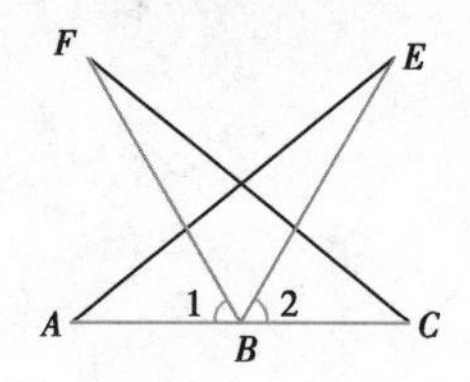

证明 $\because\angle1=\angle2$，

$\therefore\angle1+\angle FBE=\angle2+\angle FBE$，即$\angle ABE=\angle CBF$，

在$\triangle ABE$与$\triangle CBF$中，

$\begin{cases}AB=CB,\\\angle ABE=\angle CBF,\\BE=BF,\end{cases}\therefore\triangle ABE\cong\triangle CBF$（SAS）.

3.角边角定理

两角及其夹边分别相等的两个三角形全等（简写成“角边角”或“ASA”）.

书写格式：如图，在$\triangle ABC$和$\triangle A'B'C'$中，

$\begin{cases}\angle B=\angle B',\\BC=B'C',\\\angle C=\angle C',\end{cases}\therefore\triangle ABC\cong\triangle A'B'C'$（ASA）.

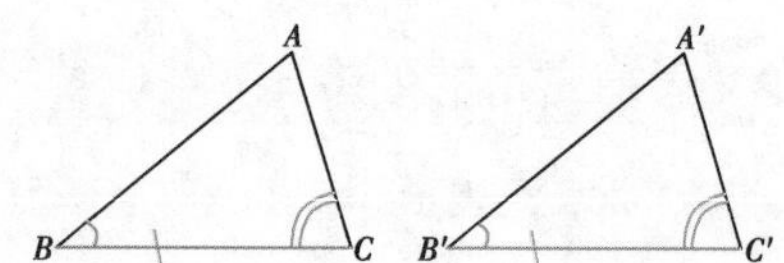

例5 如图，点D在AB上，点E在AC上，BE和CD交于点O，$AB=AC$，$\angle B=\angle C$，求证：$BD=CE$.

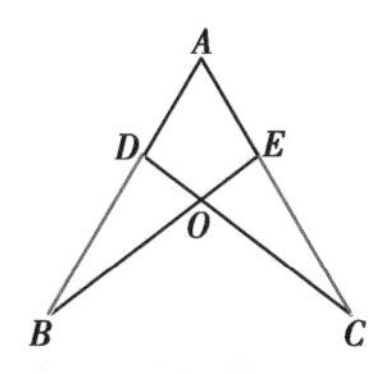

(证明) 在$\triangle ABE$和$\triangle ACD$中,$\begin{cases}\angle A=\angle A,\\ AB=AC,\\ \angle B=\angle C,\end{cases}$

$\therefore \triangle ABE \cong \triangle ACD$(ASA),$\therefore AE=AD$.

$\because AB=AC$,$\therefore AB-AD=AC-AE$,即$BD=CE$.

4.角角边定理

两角及其中一个角的对边对应相等的两个三角形全等(简写成"角角边"或"AAS").

书写格式:如图,在$\triangle ABC$和$\triangle A'B'C'$中,

$\begin{cases}\angle B=\angle B',\\ \angle A=\angle A',\\ AC=A'C',\end{cases}$ $\therefore \triangle ABC \cong \triangle A'B'C'$(AAS).

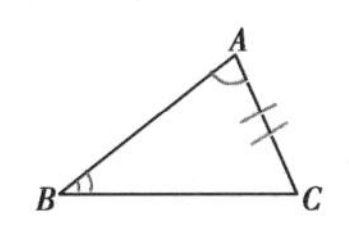

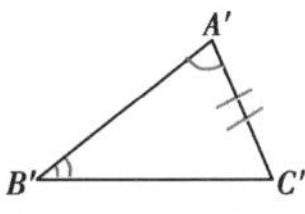

"AAS"是由"ASA"推导得出的,将两者结合起来可知:两个三角形如果具备两个角和一条边对应相等,就可判定其全等.

例6 如图,$\angle 1=\angle 2$,$\angle C=\angle D$.求证:$AC=BD$.

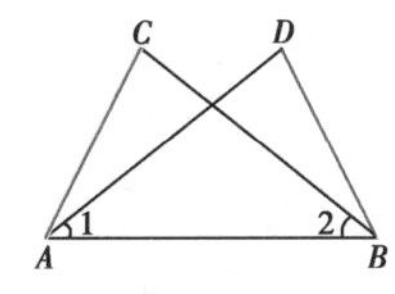

(证明) 在$\triangle ACB$和$\triangle BDA$中,

$\begin{cases}\angle C=\angle D(\text{已知}),\\ \angle 2=\angle 1(\text{已知}),\\ AB=BA(\text{公共边}),\end{cases}$

$\therefore \triangle ACB \cong \triangle BDA$(AAS),

$\therefore AC=BD$(全等三角形的对应边相等).

5.斜边、直角边定理

斜边和一条直角边分别相等的两个直角三角形全等(简写成"斜边、直角边"或"HL").

书写格式:如图,在$\text{Rt}\triangle ABC$和$\text{Rt}\triangle A'B'C'$中,

$\begin{cases}AB=A'B',\\ BC=B'C',\end{cases}$ $\therefore \text{Rt}\triangle ABC \cong \text{Rt}\triangle A'B'C'$(HL).

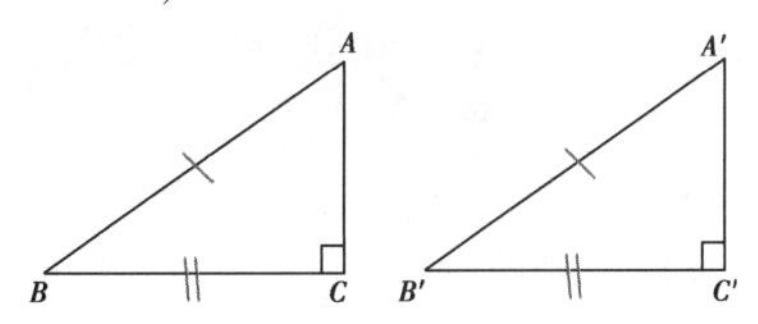

例7 如图,已知$AB=CD$,$AE\perp BD$,$CF\perp BD$,垂足分别为E,F,$BF=DE$,求证:$AB /\!/ CD$.

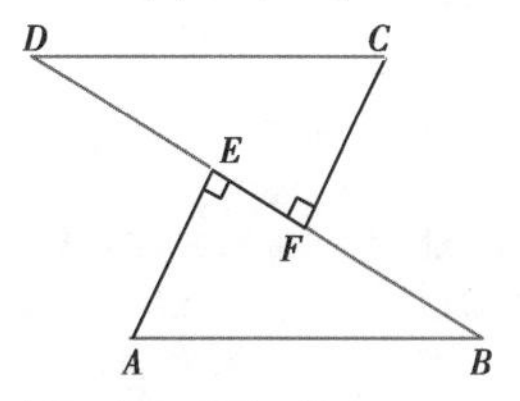

(证明) $\because AE\perp BD$,$CF\perp BD$,

$\therefore \angle AEB=\angle CFD=90°$,

$\because BF=DE$,$\therefore BF+EF=DE+EF$,$\therefore BE=DF$.

在$\text{Rt}\triangle AEB$和$\text{Rt}\triangle CFD$中,$\begin{cases}AB=CD,\\ BE=DF,\end{cases}$

$\therefore \text{Rt}\triangle AEB \cong \text{Rt}\triangle CFD$(HL),

$\therefore \angle B=\angle D$,$\therefore AB /\!/ CD$.

关于三角形全等的总结:

一般三角形的判定方法	1.定义法:能够完全重合的两个三角形全等
	2.SAS:两条边及其夹角对应相等的两个三角形全等
	3.ASA:两个角及其夹边对应相等的两个三角形全等
	4.AAS:两个角及其中一个角的对边对应相等的两个三角形全等
	5.SSS:三条边对应相等的两个三角形全等
直角三角形的判定方法	1.定义法;2.SAS;3.ASA;4.AAS;5.SSS;6.HL
不能判定三角形全等的两种情况	1.SSA:有两边和其中一边的对角对应相等的两个三角形不一定全等
	2.AAA:有三个角对应相等的两个三角形不一定全等

①判定两个三角形全等的条件中,"边"是必不可少的.

②"SAS"包含"边"和"角"两种元素,是两边夹一角,而不是两边和其中一边对角对应相等,一定要注意元素的"对应"关系.

③"HL"是直角三角形所独有的,对于一般三角形不成立.

方法清单

方法1 全等三角形对应边、对应角的确定方法

1.有公共边,则公共边一般是对应边.

2.两个全等三角形中,一对最长的边一定是对应边,一对最短的边也一定是对应边,当然,一对第二长的边也一定是对应边.

3.有公共角,则公共角一般是对应角.

4.有对顶角,则对顶角一般是对应角.

5.一对最大的角一定是对应角,一对最小的角也一定是对应角,一对第二大的角也一定是对应角.

6.两边是对应的,则它们所对的角也一定是对应的;反过来,两个角是对应的,则它们所对的边也是对应的.

7.两条对应边所夹的角是对应角,两对对应角所夹的边是对应边.

例1 如图,$\triangle ABC\cong\triangle ADE$,$\angle 1=\angle 2$,$\angle B=\angle D$,指出其他的对应边和对应角.

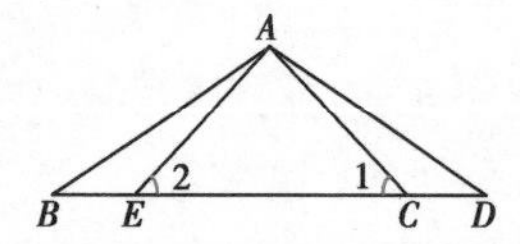

(解析) 由$\angle 1=\angle 2$推出$AB=AD$,依据是对应角的对边是对应边;

由$\angle B=\angle D$推出$AC=AE$,依据是对应角的对边是对应边;

由$\angle 1=\angle 2$,$\angle B=\angle D$推出$\angle BAC=\angle DAE$,再推出$BC=DE$,依据是三角形内角和定理,对应角的对边是对应边.

所以AB与AD、AC与AE、BC与DE是对应边,$\angle BAC$与$\angle DAE$是对应角.

方法2 利用全等三角形的性质证明线段、角相等的方法

由于全等三角形具有对应边、对应角相等的特性,因此在证明线段、角相等时,可以找出边、角所在的三角形,然后寻找条件证明这两个三角形全等,再根据全等三角形的性质得出对应边、对应角相等.

例2 如图,已知AD是$\triangle ABC$的中线,分别过点B,C作$BE\perp AD$于点E,$CF\perp AD$交AD的延长线于点F.求证:$BE=CF$.

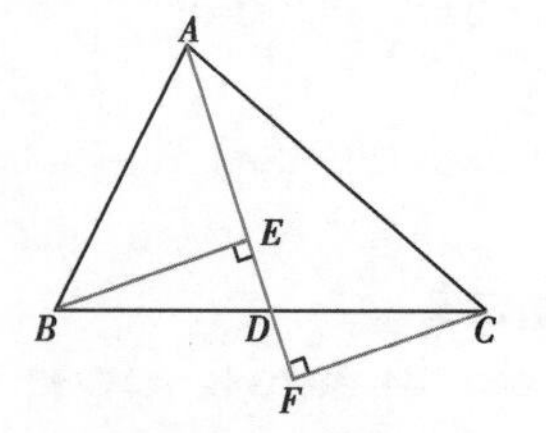

(证明) $\because AD$是$\triangle ABC$的中线,

$\therefore BD=CD$.

$\because BE\perp AD,CF\perp AD$,

$\therefore \angle BED=\angle CFD=90°$.

在$\triangle DBE$与$\triangle DCF$中,

$$\begin{cases}\angle BED=\angle CFD,\\ \angle BDE=\angle CDF,\\ BD=CD,\end{cases}$$

$\therefore \triangle DBE\cong\triangle DCF$(AAS),

$\therefore BE=CF$.

例3 如图,$AB=DC$,$AD=BC$,O是DB的中点,过点O的直线分别交DA和BC的延长线于E、F.求证:$\angle E=\angle F$.

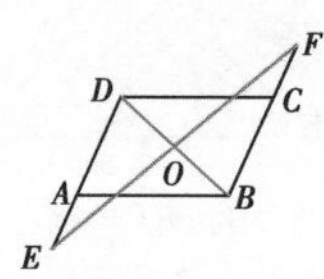

(证明) 如图,在$\triangle ABD$和$\triangle CDB$中,

因为$AB=CD,AD=CB,DB=BD$,

所以$\triangle ABD\cong\triangle CDB$(SSS),

所以$\angle 1=\angle 2$(全等三角形的对应角相等),

所以$AD/\!/BC$(内错角相等,两直线平行),

所以$\angle E=\angle F$(两直线平行,内错角相等).

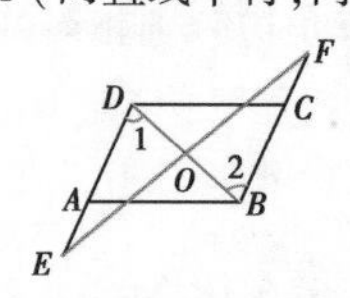

方法3 利用全等三角形的性质解决实际问题的方法

根据实际问题的特点,建立全等三角形的模型,将问题归结为全等三角形的边或角之间的关系,利用全等三角形的性质解决问题.

例4 杨阳同学沿一段笔直的人行道行走,在由 A 步行到达 B 处的过程中,通过隔离带的空隙 O,刚好浏览完对面人行道宣传墙上的社会主义核心价值观标语,其具体信息汇集如下:

如图,$AB/\!/OH/\!/CD$,相邻两平行线间的距离相等,AC,BD 相交于 O,$OD\perp CD$,垂足为 D.已知 $AB=20$ 米,请根据上述信息求标语 CD 的长度.

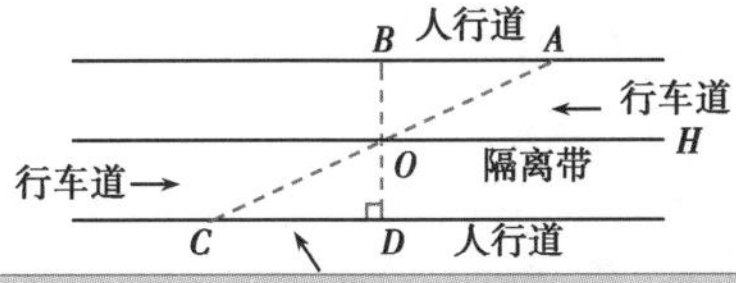

解析 $\because AB/\!/CD$,$\therefore \angle ABO=\angle CDO$,

$\because OD\perp CD$,$\therefore \angle CDO=90^\circ$,

$\therefore \angle ABO=90^\circ$,即 $OB\perp AB$,

$\because$ 相邻两平行线间的距离相等,$\therefore OD=OB$,

在 $\triangle ABO$ 与 $\triangle CDO$ 中,

$$\begin{cases}\angle ABO=\angle CDO,\\ OB=OD,\\ \angle AOB=\angle COD,\end{cases}$$

$\therefore \triangle ABO\cong\triangle CDO$(ASA),

$\therefore AB=CD$.

$\because AB=20$ 米,$\therefore CD=20$ 米.

即标语 CD 的长度为 20 米.

方法4 全等三角形的判定方法的合理选择

从判定两个三角形全等的方法可知,要判定两个三角形全等,需要知道这两个三角形分别有三个元素(其中至少一个元素是边)对应相等,这样就可以利用题目中的已知边角迅速、准确地确定要补充的边角,有目的地完善三角形全等的条件,从而得到判定两个三角形全等的思路.

(1)已知两边 $\begin{cases}\text{找夹角}\to\text{SAS},\\ \text{找直角}\to\text{HL},\\ \text{找第三边}\to\text{SSS}.\end{cases}$

(2)已知一边、一角 $\begin{cases}\text{一边为角的对边}\to\text{找另一角}\to\text{AAS};\\ \text{一边为角的邻边}\begin{cases}\text{找夹角的另一边}\to\text{SAS},\\ \text{找夹边的另一角}\to\text{ASA},\\ \text{找边的对角}\to\text{AAS}.\end{cases}\end{cases}$

(3)已知两角 $\begin{cases}\text{找夹边}\to\text{ASA},\\ \text{找其中一角的对边}\to\text{AAS}.\end{cases}$

例5 如图,已知 $\text{Rt}\triangle ABC\cong\text{Rt}\triangle ADE$,$\angle ABC=\angle ADE=90^\circ$,$BC$ 与 DE 相交于点 F,连接 CD,EB.

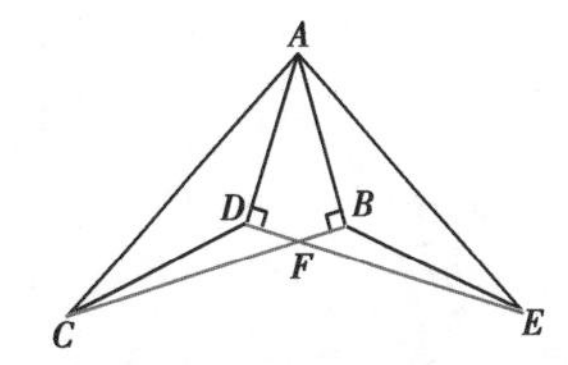

(1)图中还有几对全等三角形?请你一一列举;

(2)求证:$CF=EF$.

解析 (1)还有 2 对全等三角形.$\triangle ADC\cong\triangle ABE$,$\triangle CDF\cong\triangle EBF$.

(2)证法一:连接 CE,如图.

$\because \text{Rt}\triangle ABC\cong\text{Rt}\triangle ADE$,$\therefore AC=AE$,

$\therefore \angle ACE=\angle AEC$.

$\because \text{Rt}\triangle ABC\cong\text{Rt}\triangle ADE$,$\therefore \angle ACB=\angle AED$,

$\therefore \angle ACE-\angle ACB=\angle AEC-\angle AED$,

即 $\angle FCE=\angle FEC$,$\therefore CF=EF$.

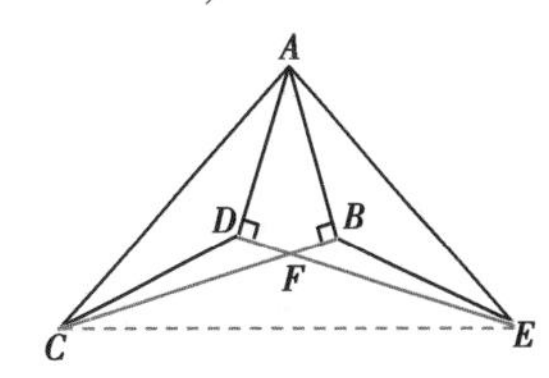

证法二:$\because \text{Rt}\triangle ABC\cong\text{Rt}\triangle ADE$,

$\therefore AC=AE$,$\angle CAB=\angle EAD$,$AB=AD$,

$\therefore \angle CAB-\angle DAB=\angle EAD-\angle DAB$,

即 $\angle CAD=\angle EAB$,$\therefore \triangle ACD\cong\triangle AEB$(SAS),

$\therefore CD=EB$,$\angle ADC=\angle ABE$.

又$\because \angle ADE=\angle ABC$,$\therefore \angle CDF=\angle EBF$.

又$\because \angle DFC=\angle BFE$,$\therefore \triangle CDF\cong\triangle EBF$(AAS),

$\therefore CF=EF$.

证法三:连接 AF,如图.

$\because \text{Rt}\triangle ABC\cong\text{Rt}\triangle ADE$,

$\therefore AB=AD$,$BC=DE$.

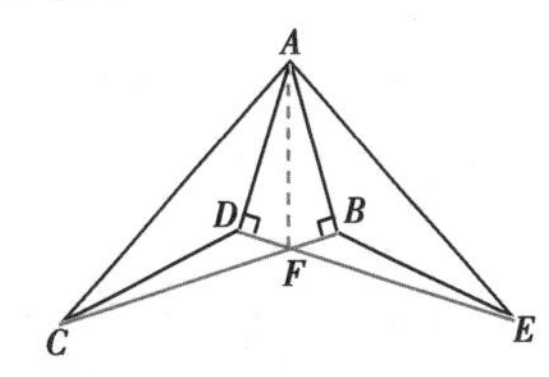

在 $\triangle ABF$ 和 $\triangle ADF$ 中,$\angle ABF=\angle ADF=90^\circ$,

$AF=AF$,$AB=AD$,$\therefore \text{Rt}\triangle ABF\cong\text{Rt}\triangle ADF$(HL),

$\therefore BF=DF$.又$\because BC=DE$,

$\therefore BC-BF=DE-DF$,即 $CF=EF$.

方法5 运用"倍长中线"构造全等的方法

全等三角形的对应边相等,对应角相等是证线段相等或角相等的重要依据,在解题过程中若不能直接运用,则需要通过作辅助线来构造全等三角形.若已知条件中存在中线，可将中线延长，将证明的结论进行转化，进而解决问题.

例6 已知在$\triangle ABC$中，AD是BC边上的中线，E是AD上一点，且$BE=AC$，延长BE交AC于F.求证：$AF=EF$.

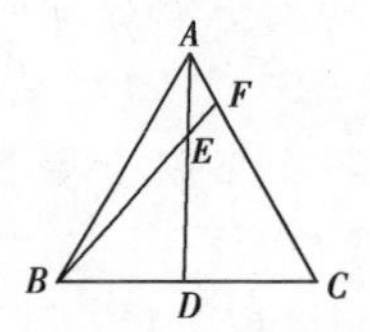

(证明) 如图，延长AD到G，使$AD=DG$，连接BG.

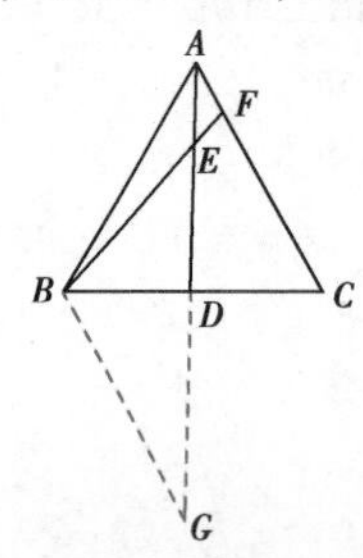

因为AD是BC边上的中线，所以$BD=DC$.

在$\triangle ADC$与$\triangle GDB$中，$\begin{cases}CD=BD,\\ \angle ADC=\angle GDB,\\ AD=GD,\end{cases}$

所以$\triangle ADC\cong\triangle GDB$，

所以$\angle FAE=\angle G$，$BG=AC$，

因为$BE=AC$，所以$BE=BG$，所以$\angle G=\angle BEG$，

又$\angle BEG=\angle AEF$，所以$\angle AEF=\angle FAE$，

所以$AF=EF$.

方法6 “截长补短”的应用方法

“截长法”和“补短法”是证明线段和差关系的重要方法.无论用哪一种方法都是要将证明线段的和差关系问题转化为证明线段相等的问题，而添加辅助线，构造全等三角形是通向结论的桥梁.

例7 在$\triangle ABC$中，$\angle B=2\angle C$，$\angle BAC$的平分线交BC于D.求证：$AB+BD=AC$.

(证明) 证法一：如图所示，在AC上取一点E，使得$AE=AB$，连接DE.

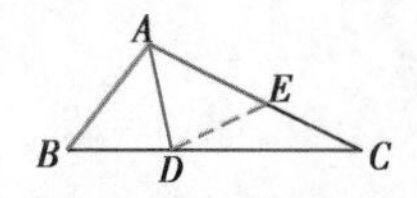

$\because AD$平分$\angle BAC$，$\therefore \angle BAD=\angle CAD$.

在$\triangle ABD$和$\triangle AED$中，$AB=AE$，$\angle BAD=\angle EAD$，$AD=AD$，$\therefore \triangle ABD\cong\triangle AED$(SAS).

$\therefore BD=DE$，$\angle B=\angle AED$.

又$\angle AED=\angle EDC+\angle C$，$\angle B=2\angle C$，

$\therefore \angle EDC=\angle C$，$\therefore ED=EC$.

$\therefore AB+BD=AE+ED=AE+EC=AC$.

证法二：如图所示，在AB的延长线上取一点E，使得$AC=AE$，连接DE.

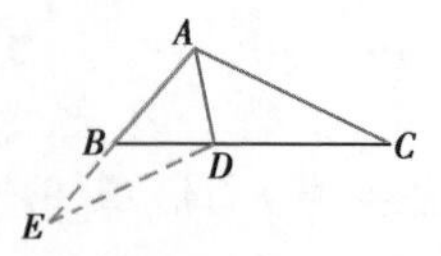

$\because AD$平分$\angle BAC$，$\therefore \angle BAD=\angle CAD$.

在$\triangle AED$和$\triangle ACD$中，$AE=AC$，$\angle EAD=\angle CAD$，$AD=AD$，$\therefore \triangle AED\cong\triangle ACD$(SAS).$\therefore \angle C=\angle E$.

又$\angle ABC=\angle E+\angle BDE=2\angle C$，

$\therefore \angle E=\angle BDE$，$\therefore BE=BD$.

$\therefore AB+BD=AB+BE=AE=AC$.

方法7 解探索开放性问题的方法

动态几何题是指图形中的某一个(或几个)元素的运动变化，导致问题的结论或者改变，或者保持不变的几何问题.解此类问题要抓住以下几点：(1)变化前的结论及说理过程对变化后的结论及说理过程起着至关重要的作用；(2)在变化过程中，弄清哪些关系发生了变化，哪些关系没有发生变化，原来的等角、等线段是否依然存在是解题的关键；(3)不同变化得到的图形之间必然存在内在联系.

例8 如图①，已知矩形$ABED$，点C是边DE的中点，且$AB=2AD$.

(1)判断$\triangle ABC$的形状，并说明理由；

(2)保持图①中$\triangle ABC$固定不变，绕点C旋转DE所在的直线MN到图②中的位置(垂线段AD、BE在直线MN的同侧).试探究线段AD、BE、DE长度之间有什么关系，并给予证明；

(3)保持图②中$\triangle ABC$固定不变，继续绕点C旋转DE所在的直线MN到图③中的位置(垂线段AD、BE在直线MN的异侧).试探究线段AD、BE、DE长度之间有什么关系.

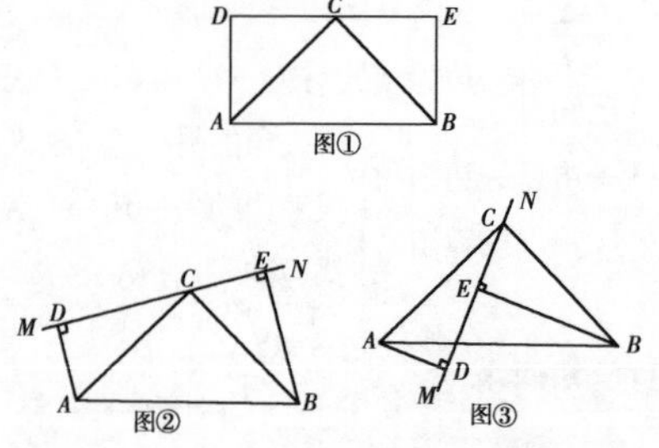

(解析) (1)$\triangle ABC$为等腰直角三角形.

如图a，在矩形$ABED$中，$\because$点C是边DE的中点，

且 $AB=2AD$，$\therefore AD=DC=CE=EB$，$\angle D=\angle E=90°$，

$\therefore Rt\triangle ADC\cong Rt\triangle BEC$. $\therefore AC=BC$，$\angle 1=\angle 2=45°$，$\therefore \angle ACB=90°$，$\therefore \triangle ABC$ 为等腰直角三角形.

(2) $DE=AD+BE$.

如图 b，$\because \angle 1+\angle CAD=90°$，$\angle 1+\angle 2=90°$，

$\therefore \angle CAD=\angle 2$.

又$\because AC=CB$，$\angle ADC=\angle CEB=90°$，

$\therefore Rt\triangle ADC\cong Rt\triangle CEB$.

$\therefore DC=BE$，$AD=CE$，

$\therefore DC+CE=BE+AD$，即 $DE=AD+BE$.

(3) $DE=BE-AD$.

如图 c，$\because \angle 1+\angle CAD=90°$，$\angle 1+\angle 2=90°$，

$\therefore \angle CAD=\angle 2$.

又$\because \angle ADC=\angle CEB=90°$，$AC=CB$，

$\therefore Rt\triangle ADC\cong Rt\triangle CEB$，$\therefore DC=BE$，$CE=AD$，

$\therefore DC-CE=BE-AD$，即 $DE=BE-AD$.

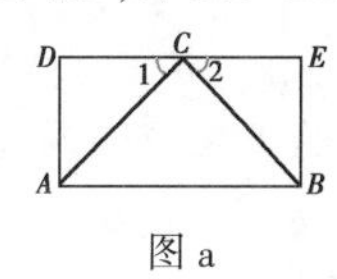

图 a

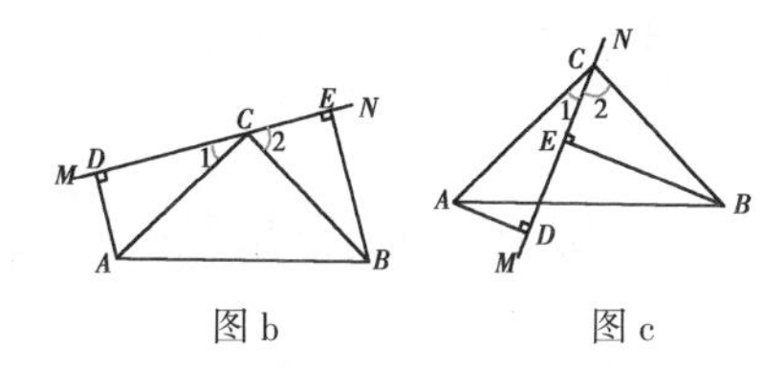

图 b　　图 c

18.2　角平分线的性质

知识清单
- 知识1 角平分线的性质定理
- 知识2 点在角平分线上的判定
- 知识3 三角形中角平分线的性质

知识 1　角平分线的性质定理

1.性质定理：角的平分线上的点到角的两边的距离相等.也就是说，一个点只要在角的平分线上，那么这个点到该角的两边的距离相等.

2.示例：如图，$\because$ 点 P 在 $\angle AOB$ 的平分线上，且 $PD\perp OA$，$PE\perp OB$，垂足分别为点 D，E，$\therefore PD=PE$.

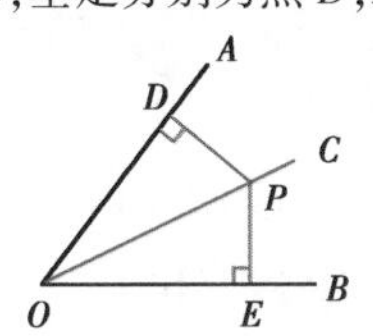

温馨提示　①性质中的“距离”是指“点到角两边所在直线的距离”，因此在应用时必须含有“垂直”这个条件，否则不能得到线段相等.

②本性质也可用来证明线段相等.

例1　如图所示，$\triangle ABC$ 中，$\angle C=90°$，AD 平分 $\angle BAC$，交 BC 于点 D，已知 $AB=10$ cm，$CD=3$ cm，则 $\triangle ABD$ 的面积为__________.

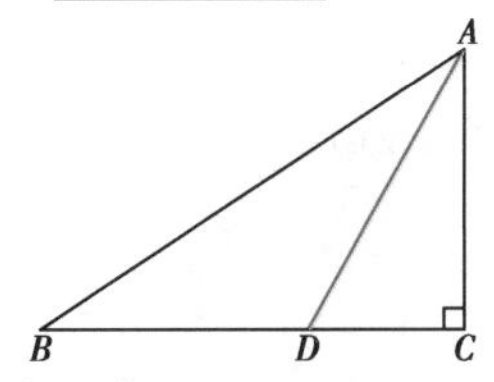

(解析)　过点 D 作 $DE\perp AB$ 于 E，

$\because AD$ 平分 $\angle BAC$，$DC\perp AC$，$DE\perp AB$，$\therefore DE=DC$.

$\because CD=3$ cm，$\therefore DE=3$ cm，

$\therefore S_{\triangle ABD}=\frac{1}{2}AB\cdot DE=\frac{1}{2}\times 10\times 3=15$ cm^2.

(答案)　15 cm^2

知识 2　点在角平分线上的判定

1.定理：角的内部到角两边距离相等的点在角的平分线上.也就是说，一个点只要到角的两边的距离相等，那么这个点一定在这个角的平分线上.

2.示例：如图，$\because PD\perp OA$，$PE\perp OB$，且 $PD=PE$，

$\therefore$ 点 P 在 $\angle AOB$ 的平分线上.

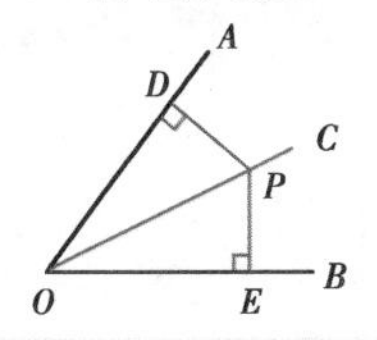

温馨提示　此结论是角平分线的判定，它与角平分线的性质是互逆的.

例2　如图，AP、CP 分别平分 $\angle MAC$、$\angle ACN$. 求证：点 P 在 $\angle MBN$ 的平分线上.

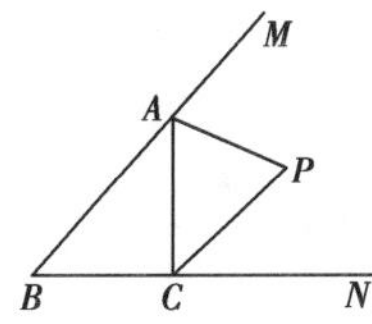

(证明)　如图，过点 P 分别作 $PD\perp MB$ 于 D，$PE\perp AC$ 于 E，$PF\perp BN$ 于 F.

第15—21章

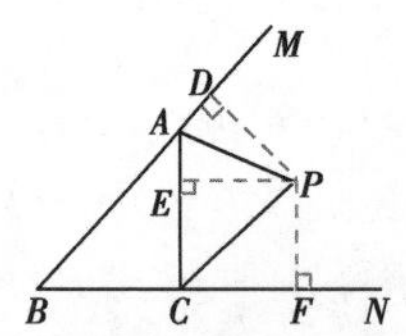

$\because AP$、CP 分别平分 $\angle MAC$、$\angle NCA$，$\therefore PD=PE$，$PE=PF$（角平分线上的点到角的两边的距离相等），$\therefore PD=PF$.

又 $\because PD\perp MB$，$PF\perp BN$，$\therefore$ 点 P 在 $\angle MBN$ 的平分线上（角的内部到角的两边的距离相等的点在这个角的平分线上）.

知识 3 三角形中角平分线的性质

	内容	符号语言	图形
三角形三个内角的平分线的性质	三角形的三条角平分线相交于一点，并且这一点到三条边的距离相等	若 AD，BE，CF 为 $\triangle ABC$ 的三条角平分线，则它们交于一点 I，若 $IL\perp AB$，$IM\perp BC$，$IN\perp AC$，垂足分别为 L，M，N，则 $IL=IM=IN$	

温馨提示 ①在三角形内部，要找一点到三边距离相等，只要作出两个角的平分线，其交点即是.

②由角平分线的判定方法知这个结论的逆命题也是正确的，即在三角形内，到三角形三边的距离相等的点是三角形三条角平分线的交点.

例 3 如图是一块三角形的草坪，现要在草坪上建一凉亭供大家休息，要使凉亭到草坪三条边的距离相等，凉亭的位置应选在 （ ）

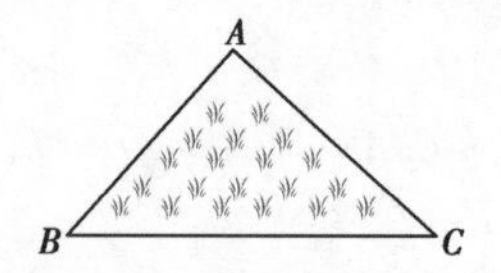

A. $\triangle ABC$ 的三条中线的交点处

B. $\triangle ABC$ 三条角平分线的交点处

C. $\triangle ABC$ 三条高所在直线的交点处

D. $\triangle ABC$ 三边的中垂线的交点处

解析 $\because$ 凉亭到草坪三条边的距离相等，

$\therefore$ 凉亭应选在 $\triangle ABC$ 三条角平分线的交点处. 故选 B.

答案 B

方法清单

- 方法 1 角平分线的性质定理的应用方法
- 方法 2 三角形的三条角平分线的性质定理的应用方法

方法 1 角平分线的性质定理的应用方法

1. 在证明线段相等或角相等的问题中，能用角平分线的性质定理时就直接用，若仍去找全等三角形，则相当于重新证明了这个结论. 所以，能用简单方法时，不要绕远路.

2. 有角平分线时，常过角平分线上的点向角两边作垂线，利用角平分线上的点到角两边的距离相等证题.

例 1 如图所示，$\angle B=\angle C=90°$，E 是 BC 的中点，DE 平分 $\angle ADC$.

（1）求证：AE 平分 $\angle BAD$；

（2）求证：$AD=AB+CD$.

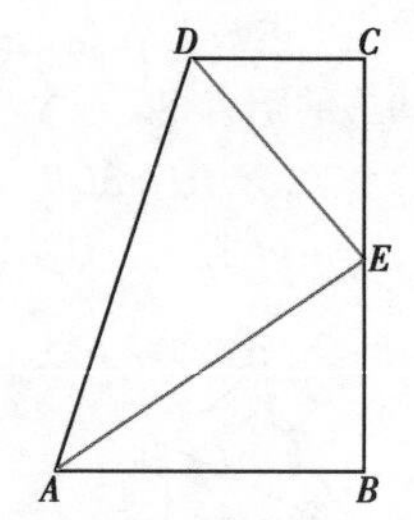

证明 （1）如图，过 E 作 $EF\perp AD$ 于 F，

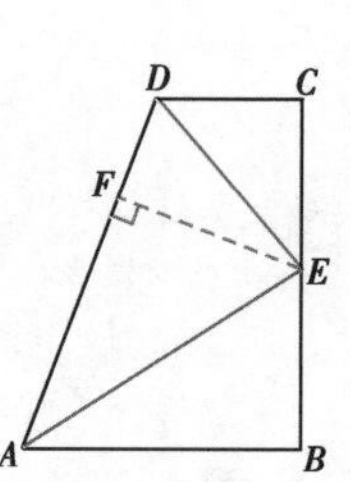

$\because \angle C=90°$，DE 平分 $\angle ADC$，

$\therefore EC=EF$.

$\because E$ 是 BC 的中点，$\therefore EC=EB$.

$\therefore EF=EB$.

又 $\because EF\perp AD$，$EB\perp AB$，

$\therefore$ 点 E 在 $\angle BAD$ 的平分线上，即 AE 平分 $\angle BAD$.

（2）$\because DE$ 平分 $\angle ADC$，

$\therefore \angle CDE=\angle FDE$.

$\because EF\perp FD$，$EC\perp CD$，

$\therefore \angle EFD=\angle DCE=90°$.

又$\because DE=DE$,

$\therefore \triangle CDE\cong\triangle FDE$,

$\therefore CD=DF$.同理可证,$FA=AB$.

$\therefore AD=FA+DF=AB+CD$.

方法 2 三角形的三条角平分线的性质定理的应用方法

三角形的三条角平分线相交于一点,这个交点是三角形的内心,它到三角形三边的距离相等.当解决与三角形的内心相关的问题时,结合这一性质容易判定三角形全等,进而解决问题.

例 2 如图,OP 是$\angle MON$ 的平分线,请你利用该图形画一对以 OP 所在直线为对称轴的全等三角形.请你参考这个作全等三角形的方法解答下列问题:

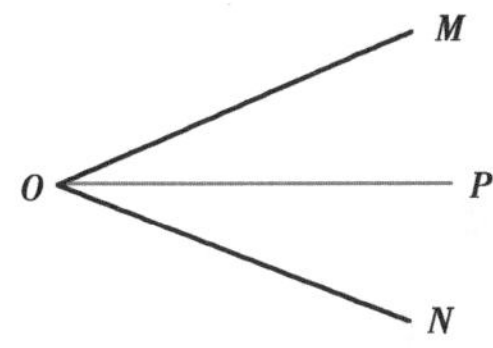

(1)如图,在$\triangle ABC$ 中,$\angle ACB$ 是直角,$\angle B=60°$,AD、CE 分别是$\angle BAC$、$\angle BCA$ 的平分线,AD、CE 相交于点 F.请你判断并写出 FE 与 FD 之间的数量关系;

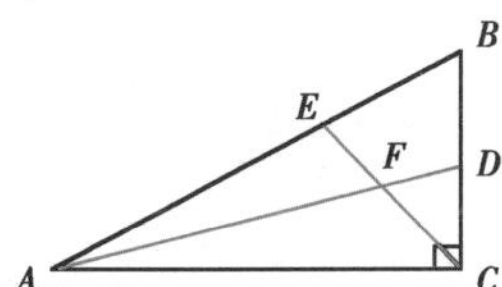

(2)如图,在$\triangle ABC$ 中,如果$\angle ACB$ 不是直角,而(1)中的其他条件不变,请问,你在(1)中所得结论是否仍然成立?若成立,请证明;若不成立,请说明理由.

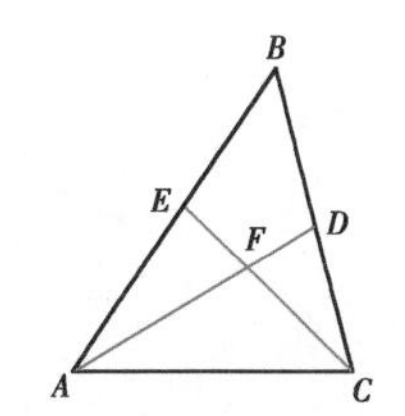

(解析) 所作的全等三角形如图:

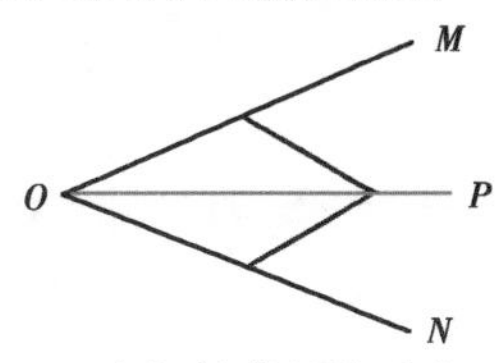

(1)FE 与 FD 之间的数量关系为 $FE=FD$.

(2)(1)中的结论 $FE=FD$ 仍然成立.

如图,在 AC 上截取 $AG=AE$,连接 FG.

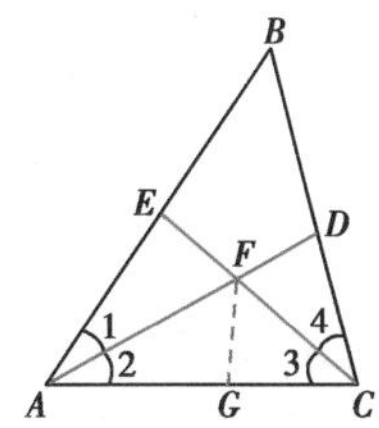

因为 $AE=AG$,$\angle 1=\angle 2$,$AF=AF$,

所以$\triangle AEF\cong\triangle AGF$.

所以$\angle AFE=\angle AFG$,$FE=FG$.

由$\angle B=60°$,AD、CE 分别是$\angle BAC$、$\angle BCA$ 的平分线,可得$\angle 2+\angle 3=60°$.

所以$\angle AFE=\angle CFD=\angle AFG=60°$.

所以$\angle CFG=60°$.

所以$\angle CFG=\angle DFC$,

又$\angle 3=\angle 4$,$FC=FC$,

所以$\triangle CFG\cong\triangle CFD$.

所以 $FG=FD$.所以 $FE=FD$.

第19章 轴对称与等腰三角形

19.1 图形的轴对称

知识清单

- 知识1 轴对称
- 知识2 轴对称图形
- 知识3 对称轴
- 知识4 轴对称图形与轴对称的区别与联系
- 知识5 轴对称的性质
- 知识6 轴对称的识别
- 知识7 作轴对称图形的一般步骤

知识1 轴对称

1.定义:把一个图形沿着某一条直线折叠,如果它能够与另一个图形重合,那么就说这两个图形关于这条直线对称,也叫做轴对称.折叠后重合的点是对应点,叫做对称点,这条直线叫做对称轴.

2.示例:如图,$\triangle ABC$ 与 $\triangle A'B'C'$ 关于直线 MN 对称,直线 MN 为对称轴.

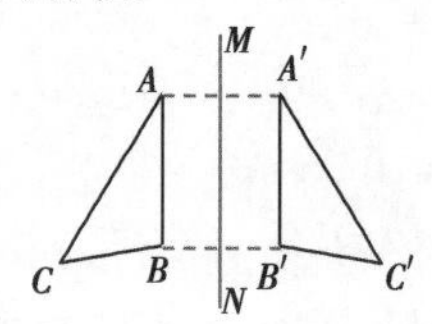

例1 下列每组左右两个图形成轴对称的是 (　　)

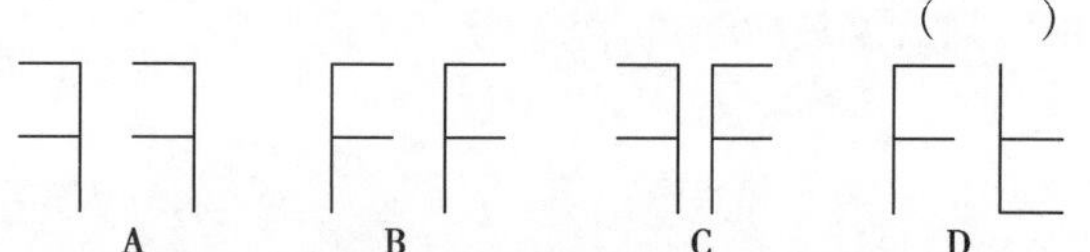

(解析) C中的两个图形沿图中所画的虚线折叠,左右两个图形能够完全重合,所以C的左右两个图形成轴对称.

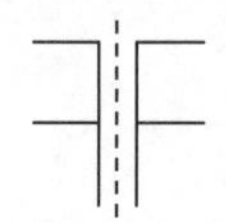

(答案) C

知识2 轴对称图形

如果一个平面图形沿着一条直线折叠,直线两旁的部分能够互相重合,那么这个图形叫做轴对称图形.这条直线就是它的对称轴.

例2 下列图形中,是轴对称图形的是 (　　)

A

B

C

D

(解析) 根据轴对称图形的概念可得选项A、B、D都不是轴对称图形,只有选项C是轴对称图形,故选C.

(答案) C

知识3 对称轴

1.对称轴是一条直线,不是一条射线,也不是一条线段.

2.轴对称图形的对称轴有的只有一条,有的存在多条.

常见的轴对称图形的对称轴的特点:

轴对称图形	对称轴	对称轴条数
角	角平分线所在的直线	1条
等腰三角形	底边的垂直平分线	1条
等边三角形	每条边的垂直平分线	3条
正方形	①对角线所在直线; ②对边中点所在直线	4条
圆	直径所在直线	无数条

知识4 轴对称图形与轴对称的区别与联系

	轴对称图形	轴对称
图形	F, A, E, B, C, D	M, A, A′, B, B′, D, D′, C, C′, N

续表

	轴对称图形	轴对称
区别	(1)轴对称图形是一个具有特殊形状的图形,只对一个图形而言; (2)对称轴不一定只有一条	(1)轴对称是指两个图形的位置关系,必须涉及两个图形; (2)只有一条对称轴
联系	(1)沿对称轴对折,对称轴两旁的部分重合; (2)如果把轴对称图形沿对称轴分成两个图形,那么这两个图形就关于这条直线成轴对称	(1)沿对称轴翻折,两个图形重合; (2)如果把两个成轴对称的图形看成一个整体,那么它就是一个轴对称图形

①轴对称变换:由一个平面图形得到它的轴对称图形的过程叫做轴对称变换.

②成轴对称的两个图形中的任何一个都可以看作由另一个图形经过轴对称变换得到的,一个轴对称图形也可以看作以它的一部分为基础,经轴对称变换得到的.

知识 5 轴对称的性质

1.关于某条直线对称的两个图形是全等形.

2.如果两个图形关于某直线对称,那么对称轴是任何一对对应点所连线段的垂直平分线.

3.两个图形关于某直线对称,如果它们的对应线段或对应线段的延长线相交,那么交点在对称轴上.

①全等的图形不一定是轴对称的,轴对称的图形一定是全等的.

②轴对称的性质是证明线段相等、线段垂直及角相等的依据之一,例如:若已知两个图形关于某直线成轴对称,则它们的对应边相等,对应角相等.

例3 下列说法正确的是 ( )

A.两个全等三角形一定关于某条直线对称

B.关于某条直线对称的两个三角形一定是全等三角形

C.关于某条直线对称的两个三角形的对应点的连线平行于对称轴

D.关于某条直线对称的两个三角形可能是全等三角形,也可能不是全等三角形

(解析) 关于某条直线对称的两个三角形的对应点的连线被对称轴垂直平分,故C错误;全等的两个三角形不一定对称,但是成轴对称的两个三角形一定全等,故A、D错误.选B.

(答案) B

知识 6 轴对称的识别

如果两个图形的对应点连线被同一条直线垂直平分,那么这两个图形关于这条直线对称.

①它可以用来判断两个图形是否关于某直线对称,它是作轴对称图形的主要依据.

②画图形的对称轴:

成轴对称的两个图形或轴对称图形的对称轴是任何一对对应点所连线段的垂直平分线.因此,只要找到其任意一对对应点,作出所连线段的垂直平分线就可以得到对称轴.

知识 7 作轴对称图形的一般步骤

1.作某点关于某直线的对称点的一般步骤:

(1)过已知点作已知直线(对称轴)的垂线,标出垂足,并延长;

(2)在延长线上从垂足出发截取与已知点到垂足的距离相等的线段,那么截点就是这点关于该直线的对称点.

2.作已知图形关于某直线的对称图形的一般步骤:

(1)找——在原图形上找特殊点(如线段的端点、线与线的交点等);

(2)作——作各个特殊点关于已知直线的对称点;

(3)连——按原图对应连接各对称点.

例4 如图所示,已知$\triangle ABC$和直线MN,求作$\triangle A'B'C'$,使$\triangle A'B'C'$和$\triangle ABC$关于直线MN对称.(不要求写作法,只保留作图痕迹)

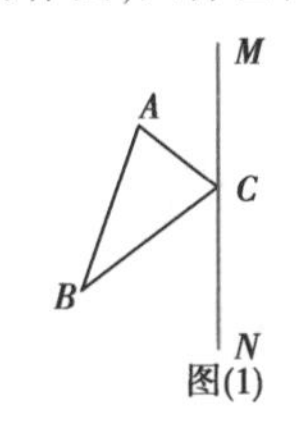

图(1)

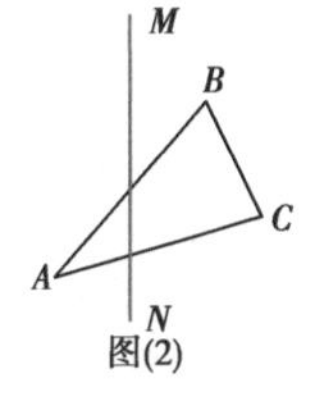

图(2)

(解析) 如图所示.

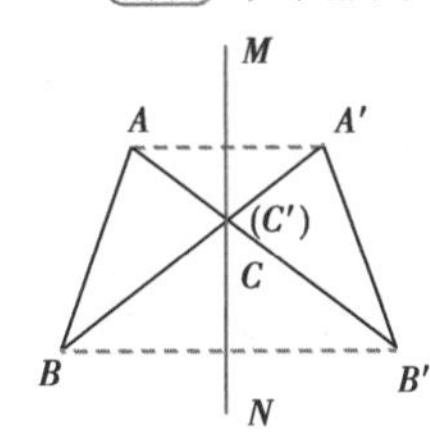

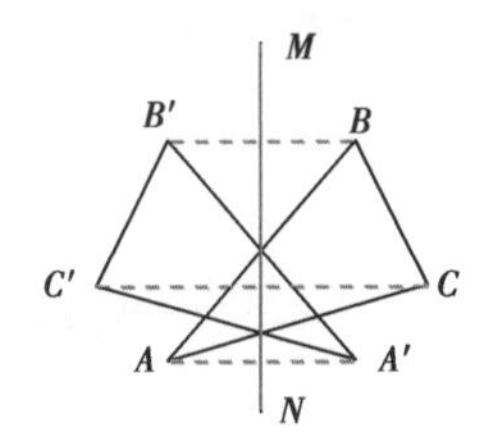

第15-21章

方法清单

方法1 画对称轴的方法

方法2 利用轴对称解决几何最值问题的方法

方法 1 画对称轴的方法

画对称轴的一般步骤：

(1)找出轴对称图形或成轴对称的两个图形的任意一组对应点；

(2)连接这组对应点；

(3)作出对应点所连线段的垂直平分线.

这条垂直平分线就是该轴对称图形或成轴对称的两个图形的对称轴.

提示：对于轴对称图形或两个图形成轴对称，它们的对应点有一个共同的规律——对应点所连线段被对称轴垂直平分，这是我们画图形的对称轴的依据.

例 1 如图，已知四边形 $ABCD$ 与四边形$A'B'C'D'$关于某条直线对称，试画出这条直线.

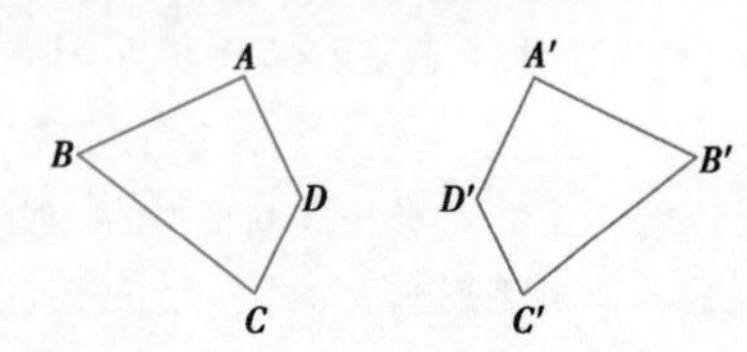

(解析) 解法一：点 O 为 DD'的中点. 如图(1)，直线 l 即为所求作的直线.

解法二：点 O、H 分别为 DD'、AA' 的中点. 如图(2)，直线 l 即为所求作的直线.

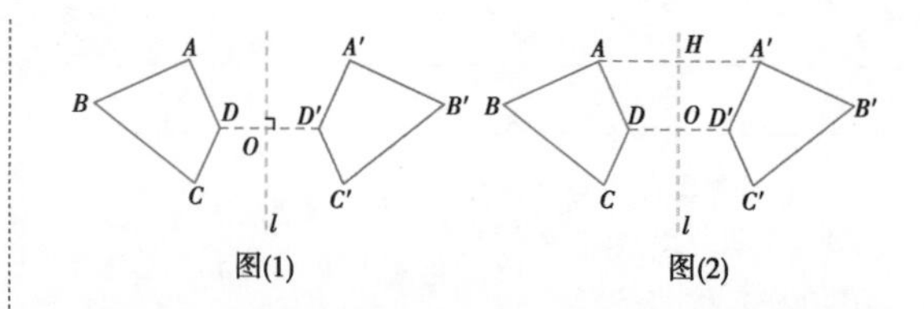

图(1)　　图(2)

方法 2 利用轴对称解决几何最值问题的方法

解几条线段之和最小(短)类问题，一般是运用轴对称变换将处于直线同侧的点转化为直线异侧的点，从而把两条线段的位置关系转换，再根据两点之间线段最短或垂线段最短来确定方案，使两条线段之和转化为一条线段.

例 2 如图所示，牧童在 A 处放牛，其家在 B 处，牧童从 A 处把牛牵到河边饮水后再回家，试问在何处饮水，所走路程最短？在图中作出该处.

河

C　　D

A•　　•B

思路分析　本题运用轴对称的性质，找到点 A 关于直线 CD 的对称点 A'，连接 $A'B$，$A'B$ 与 CD 的交点 M 即为所求饮水处.

(解析) ①作点 A 关于 CD 的对称点 A'；②连接 $A'B$交 CD 于点 M，则点 M 即为所求的点. 最短路程为 $AM+BM$ 的长.

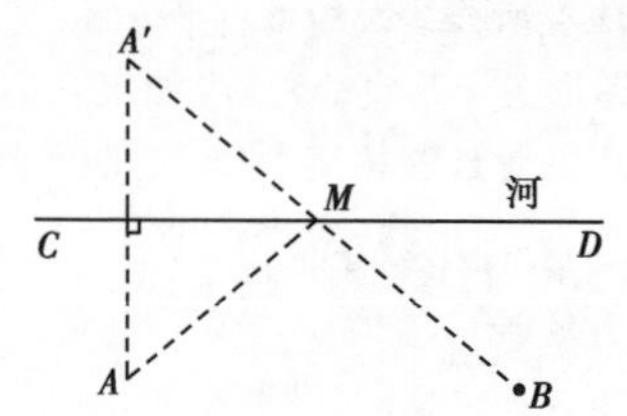

19.2 线段的垂直平分线

知识清单

知识1 线段的垂直平分线

知识2 线段的垂直平分线的性质定理

知识3 线段的垂直平分线的性质定理的逆定理

知识4 三角形三边的垂直平分线的性质

知识5 垂直平分线与角平分线的区别与联系

知识 1 线段的垂直平分线

1.定义：垂直于一条线段，并平分这条线段的直线叫做这条线段的垂直平分线.

线段的垂直平分线可以看作和线段两个端点距离相等的所有点的集合.

2.示例：如图，O 为线段 AB 的中点，$CD\perp AB$，则直线 CD 为线段 AB 的垂直平分线.

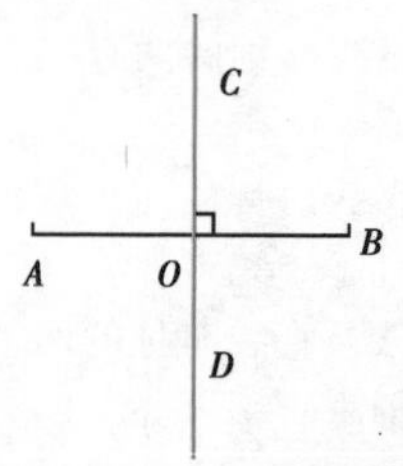

提示：线段的垂直平分线不同于垂线，它与线段之间有两种关系：a. 位置关系——垂直；b. 数量关系——平分.

知识 2 线段的垂直平分线的性质定理

1. 性质：线段垂直平分线上的点到这条线段两个端点的距离相等.

2. 几何表示：如图，CD 是线段 AB 的垂直平分线，则 $AC=BC$.

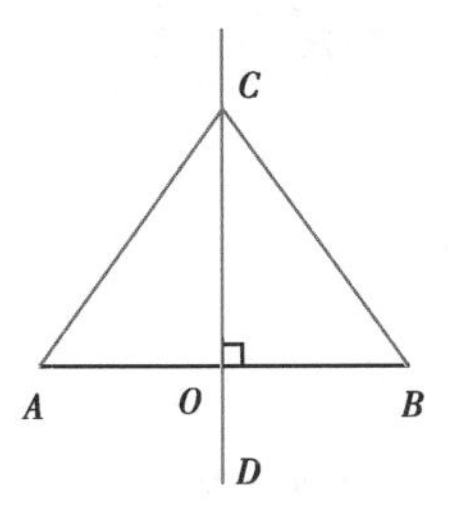

温馨提示 ①"线段垂直平分线上的点到这条线段两个端点的距离相等"的作用是证明两条线段相等.

②若 CD 垂直平分线段 AB，则 $\triangle ABC$ 是等腰三角形；不仅有 $CA=CB$，取 CD 上任意一点 P，都有 $PA=PB$.

例 1 如图，已知在 $\triangle ABC$ 中，DE 是 BC 的垂直平分线，垂足为 E，交 AC 于点 D，若 $AB=6$，$AC=9$，则 $\triangle ABD$ 的周长是________.

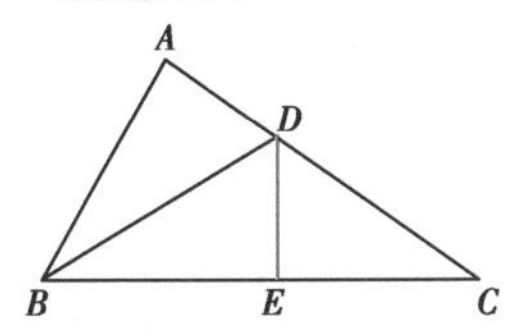

(解析) $\because$ DE 垂直平分 BC，

$\therefore$ $DB=DC$，

$\therefore$ $\triangle ABD$ 的周长 $=AB+AD+BD=AB+AD+DC=AB+AC=15$.

(答案) 15

知识 3 线段的垂直平分线的性质定理的逆定理

1. 线段的垂直平分线的性质定理的逆定理：到一条线段两个端点距离相等的点在这条线段的垂直平分线上.

2. 几何表示：如图，$AC=BC$，

则点 C 在线段 AB 的垂直平分线上.

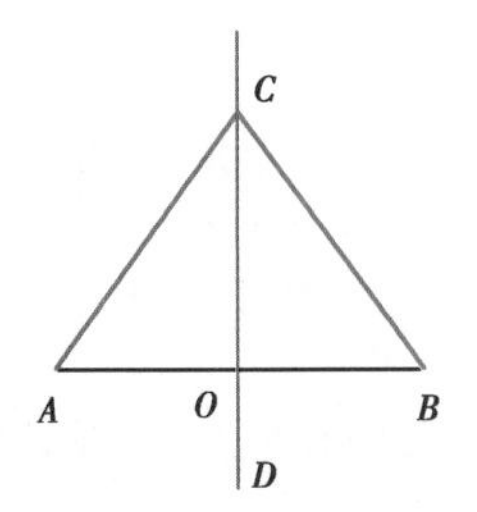

温馨提示 ①线段的垂直平分线的性质定理的逆定理可以判定一点在线段的垂直平分线上.

②等腰三角形的顶点在底边的垂直平分线上.

③线段的垂直平分线的性质定理的逆定理可用于证明某直线是线段的垂直平分线.

例 2 如图，已知 $\triangle ABC$ 中，$\angle ACB=90°$. D 是 BC 的延长线上一点，E 是 AB 上一点，且在 BD 的垂直平分线上，连接 DE 交 AC 于 F. 求证：E 在 AF 的垂直平分线上.

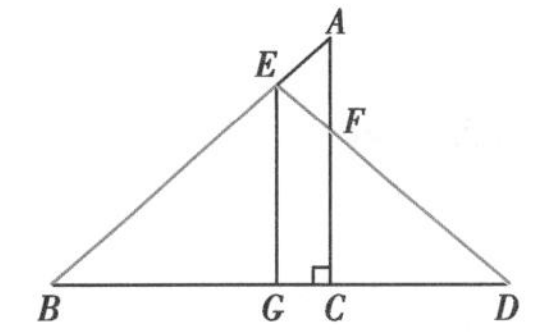

(证明) 因为 $\angle ACB=\angle FCD=90°$，

所以 $\angle A+\angle B=90°$，$\angle CFD+\angle D=90°$.

因为 E 在 BD 的垂直平分线上，所以 $EB=ED$（线段垂直平分线上的点到线段两端点的距离相等），

所以 $\angle B=\angle D$，所以 $\angle A=\angle CFD$.

因为 $\angle EFA=\angle CFD$，

所以 $\angle EFA=\angle A$，

所以 $EF=EA$，

所以 E 在 AF 的垂直平分线上（到线段两端点距离相等的点在线段的垂直平分线上）.

知识 4 三角形三边的垂直平分线的性质

根据线段垂直平分线的性质定理可以得到：三角形三边的垂直平分线相交于一点，这个点到三个顶点的距离相等.

三角形三边的垂直平分线的交点又称三角形的外心.

温馨提示 ①三角形三边的垂直平分线的性质的作用是证明线段相等，如图所示，若边 AB、BC、CA 的垂直平分线交于点 P，则 $PA=PB=PC$.

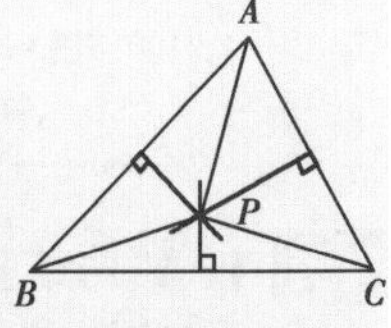

②三角形两边的垂直平分线的交点必在第三边的垂直平分线上.

③锐角三角形三边垂直平分线的交点在三角形内部，直角三角形三边垂直平分线的交点恰是斜边中点，钝角三角形三边垂直平分线的交点在三角形外部.

④三角形三边的垂直平分线的性质给出了作一个点到三个不共线的点距离相等的方法，只需顺次连接这三个点组成一个三角形，作这个三角形任意两边的垂直平分线，交点即为所求.

例 3 某公园有海盗船、摩天轮、碰碰车三个娱乐项目，现要在公园内建一个售票中心，使得三个娱乐项目所处位置到售票中心的距离相等，请在图中确定售票中心的位置.

摩天轮

海盗船

碰碰车

解析 如图,①连接 AB,AC,

②分别作线段 AB,AC 的垂直平分线,两垂直平分线相交于点 P,

则 P 点的位置即为售票中心.

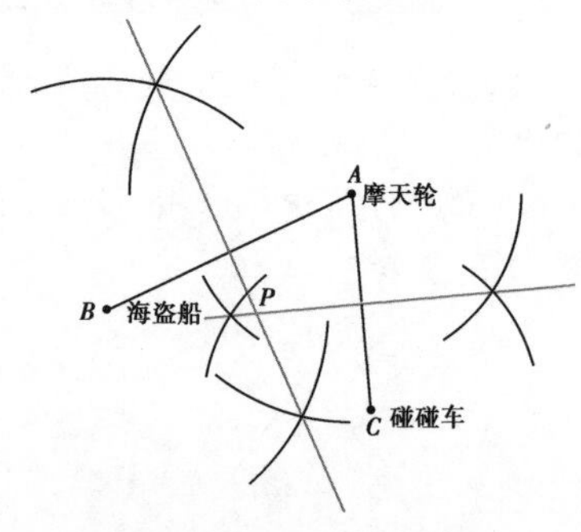

知识 5 垂直平分线与角平分线的区别与联系

		角平分线	垂直平分线
不同点	原始定义	从一个角的顶点引出的一条分原角为两个相等角的射线	垂直于一条线段,并且平分这条线段的直线
	性质定理	角平分线上的点到角两边的距离相等	线段垂直平分线上的点到这条线段两个端点的距离相等
	在三角形中的位置	三条角平分线交于三角形内部一点,交点为内心	锐角三角形三边垂直平分线的交点在三角形内部;直角三角形三边垂直平分线的交点恰是斜边中点;钝角三角形三边垂直平分线的交点在三角形外部,交点为外心
	作用及条件	角平分线性质定理可用于证明线段相等,但线段必须含有“垂直”这个条件且公共端点在角平分线上	垂直平分线性质定理可用于证明线段相等,但线段的公共端点必须在垂直平分线上
相同点		①两个性质定理都可通过三角形全等推出; ②两个性质定理都有逆定理存在; ③两个性质定理都可证明线段相等,都与垂直相关; ④当三角形为等边三角形时,三角形的三条角平分线分别与其对边的垂直平分线共线,内心、外心重合	

方法清单

方法1 利用线段的垂直平分线性质解题的方法

方法2 证明某条直线是一条线段的垂直平分线的方法

方法3 线段垂直平分线与角平分线性质相结合解题的方法

方法 1 利用线段的垂直平分线性质解题的方法

在运用线段垂直平分线的性质时,常利用它把已知线段和未知线段转化到同一个三角形中,从而使复杂问题简单化.

例1 已知:如图,在 $\triangle ABC$ 中,$\angle BAC=120°$,若 PM、QN 分别垂直平分 AB、AC.

(1)求 $\angle PAQ$ 的度数;

(2)如果 $BC=10$ cm,求 $\triangle APQ$ 的周长.

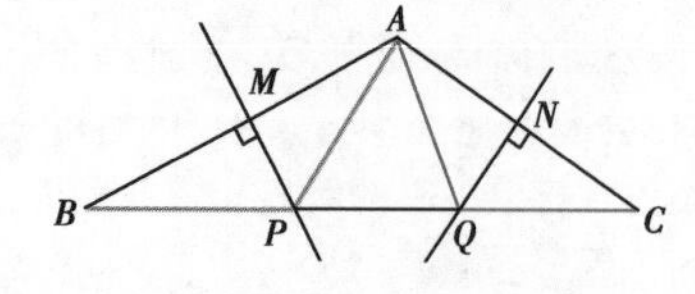

解析 (1)$\because$ PM 垂直平分 AB,

$\therefore PA=PB$,$\therefore \angle PAB=\angle B$,

同理,$QA=QC$,$\therefore \angle QAC=\angle C$,

$\because \angle BAC=120°$,$\therefore \angle B+\angle C=180°-120°=60°$,

$\therefore \angle PAQ=\angle BAC-(\angle PAB+\angle QAC)=\angle BAC-(\angle B+\angle C)=120°-60°=60°$.

(2)由(1)可知 $PA=PB$,$QA=QC$,

$\therefore PA+PQ+QA=PB+PQ+QC=BC=10$ cm,

即 $\triangle APQ$ 的周长为 10 cm.

方法 2 证明某条直线是一条线段的垂直平分线的方法

证明某一条直线是一条线段的垂直平分线有两种方法:

第一种:根据线段垂直平分线的定义,也就是经过线段的中点,并且垂直于这条线段的直线,叫做这条线段的垂直平分线.使用这种方法必须满足两个条件:一是垂直,二是平分.

第二种:可以证明有两个点在线段的垂直平分线

上,根据两点确定一条直线,可以判断这两点所在的直线就是这条线段的垂直平分线.

例2 如图所示,AD 平分 $\angle BAC$,$DE \perp AB$,$DF \perp AC$,垂足分别为 E,F,连接 EF,EF 与 AD 交于点 G.求证:AD 垂直平分 EF.

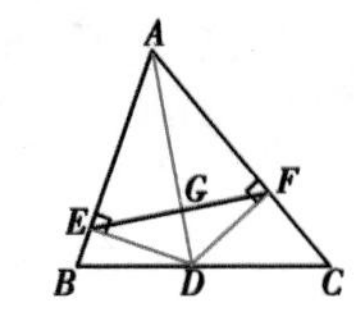

(证明) 证法一:

$\because AD$ 平分 $\angle BAC$,$DE \perp AB$,$DF \perp AC$,$\therefore DE=DF$.

在 Rt$\triangle AED$ 和 Rt$\triangle AFD$ 中,$AD=AD$,$DE=DF$,

$\therefore$ Rt$\triangle AED \cong$ Rt$\triangle AFD$(HL),$\therefore AE=AF$.

又 $AG=AG$,$\angle EAG=\angle FAG$,

$\therefore \triangle AEG \cong \triangle AFG$(SAS).$\therefore EG=FG$,$\angle AGE=\angle AGF=90°$.$\therefore AD$ 垂直平分 EF.

证法二:

$\because AD$ 平分 $\angle BAC$,$DE \perp AB$,$DF \perp AC$,$\therefore DE=DF$.

又 $AD=AD$,$\therefore$ Rt$\triangle AED \cong$ Rt$\triangle AFD$(HL).

$\therefore AE=AF$.$\therefore$ 点 A 在 EF 的垂直平分线上.

又由 $DE=DF$ 知点 D 在 EF 的垂直平分线上,

$\therefore AD$ 垂直平分 EF(两点确定一条直线).

方法3 线段垂直平分线与角平分线性质相结合解题的方法

线段垂直平分线的性质和判定是历年来中考的常考内容,一般很少单独命题,多与全等三角形、角平分线的知识综合命题.

例3 如图所示,$\angle CAB$ 的平分线 AD 与 BC 的垂直平分线 DE 交于点 D,$DM \perp AB$ 于点 M,$DN \perp AC$,交 AC 的延长线于点 N.求证:$BM=CN$.

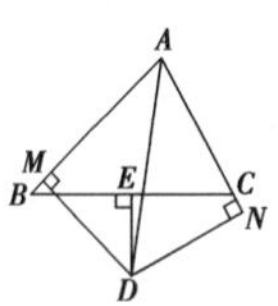

(证明) 连接 BD、CD,如图.

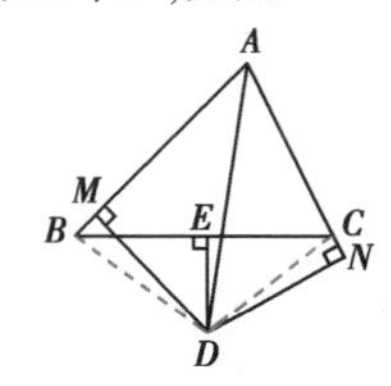

$\because AD$ 平分 $\angle CAB$,$DM \perp AB$,$DN \perp AC$,

$\therefore DM=DN$.

$\because DE$ 垂直平分 BC,$\therefore BD=CD$.

在 Rt$\triangle BDM$ 和 Rt$\triangle CDN$ 中,$\begin{cases} BD=CD, \\ DM=DN, \end{cases}$

$\therefore$ Rt$\triangle BDM \cong$ Rt$\triangle CDN$,

$\therefore BM=CN$.

19.3 等腰三角形

知识清单

知识1 等腰三角形

	相关概念	图形
等腰三角形	有两条边相等的三角形是等腰三角形,相等的两条边叫做腰,剩余的一条边叫做底边,两腰的夹角叫做顶角,底边与腰的夹角叫做底角	如图,$\triangle ABC$ 是等腰三角形,其中 AB,AC 是腰,BC 是底边,$\angle A$ 是顶角,$\angle B$,$\angle C$ 是底角 A 顶角 腰 腰 底角 底角 B 底边 C

温馨提示

①等边三角形是等腰三角形的特例.

②等腰三角形的边有腰、底之分,角有顶角、底角之分,若题目中的边没有明确是底还是腰,角没有明确是顶角还是底角,需要分类讨论.

③顶角是直角的等腰三角形叫做等腰直角三角形.

例1 若等腰三角形的周长为 10 cm,其中一边长为 2 cm,则该等腰三角形的底边长为 (　　)

A.2 cm　　B.4 cm

C.6 cm　　D.8 cm

思路分析 分为两种情况:2 cm 是等腰三角形的腰长和 2 cm 是等腰三角形的底边长,然后进一步根据三角形的三边关系进行分析.

(解析) 当腰长为 2 cm 时,

底边长为 6 cm,

但是 $2+2=4<6$,即两边之和小于第三边,不合题意;当底边长为 2 cm 时,

腰长为 4 cm,符合题意,故选 A.

(答案) A

知识 2 等腰三角形的性质定理

1. 等腰三角形两个底角相等，简称等边对等角.

几何表示：

如图，$\triangle ABC$ 中，因为 $AB=AC$，所以 $\angle B=\angle C$.

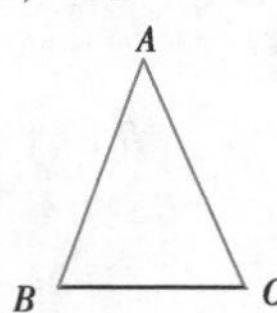

2. 等腰三角形顶角的平分线、底边上的中线、底边上的高互相重合，简称“三线合一”.

几何表示：

如图，$\triangle ABC$ 中，因为 $AB=AC$，AD 平分 $\angle BAC$，

所以 $AD\perp BC$，$BD=DC$.

或因为 $AB=AC$，$AD\perp BC$，

所以 $\angle BAD=\angle DAC$，$BD=DC$.

或因为 $AB=AC$，$BD=DC$，

所以 $AD\perp BC$，$\angle BAD=\angle DAC$.

①“三线合一”是证明两角相等、两线段相等及两直线垂直的重要依据.

②等腰直角三角形的两个底角都为 $45°$.

例 2 如图，在 $\triangle ABC$ 中，$AB=AC$，D 为 BC 上一点，且 $DA=DC$，$BD=BA$，则 $\angle B$ 的大小为 （　　）

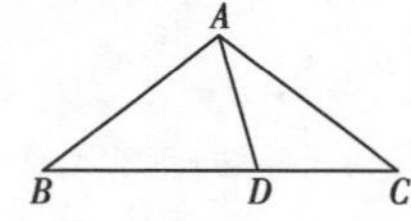

A. $40°$　　B. $36°$　　C. $80°$　　D. $25°$

（解析） $\because AB=AC$，$\therefore \angle B=\angle C$，

$\because CD=DA$，$\therefore \angle C=\angle DAC$，

$\because BA=BD$，

$\therefore \angle BDA=\angle BAD=2\angle C=2\angle B$，

又 $\because \angle B+\angle BAD+\angle BDA=180°$，

$\therefore 5\angle B=180°$，

$\therefore \angle B=36°$.

故选 B.

（答案） B

知识 3 等腰三角形的对称性

等腰三角形是轴对称图形，其顶角的平分线、底边上的中线、底边上的高所在的直线是对称轴.

例 3 如图，在等腰三角形 ABC 中，AD 为底边 BC 上的中线，E 为 AD 上一点，请比较 $\angle ABE$ 与 $\angle ACE$ 的大小，并说明理由.

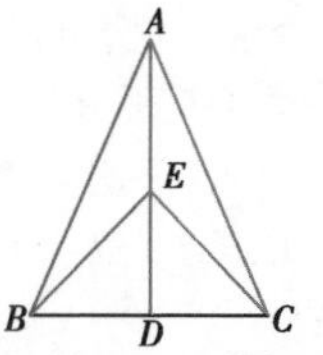

（解析） $\angle ABE=\angle ACE$. 理由如下：

$\because \triangle ABC$ 是等腰三角形，AD 为底边 BC 上的中线，

$\therefore AD$ 所在的直线为 $\triangle ABC$ 的对称轴.

又 $\because E$ 为 AD 上一点，

$\therefore \triangle ABE$ 与 $\triangle ACE$ 关于 AD 所在的直线对称，

$\therefore \angle ABE=\angle ACE$.

知识 4 等腰三角形的判定定理

如果一个三角形有两个角相等，那么这两个角所对的边也相等（简写成“等角对等边”）.

几何表示：

如图，$\triangle ABC$ 中，因为 $\angle B=\angle C$，所以 $AB=AC$.

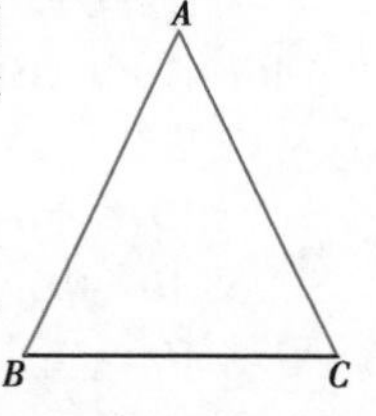

温馨提示

①等腰三角形的判定定理是证明两条线段相等的重要依据，是把三角形中的角的相等关系转化为边的相等关系的重要依据.

②判定一个三角形是等腰三角形有两种方法：a. 定义法；b. 判定定理.

③底角为顶角的 2 倍的等腰三角形非常特殊，其底角平分线将原等腰三角形分成两个等腰三角形.

例 4 如图，在 $\triangle ABC$ 中，$\angle A=36°$，$AB=AC$，BD 平分 $\angle ABC$. 若在边 AB 上截取 $BE=BC$，连接 DE，则图中的等腰三角形有 （　　）

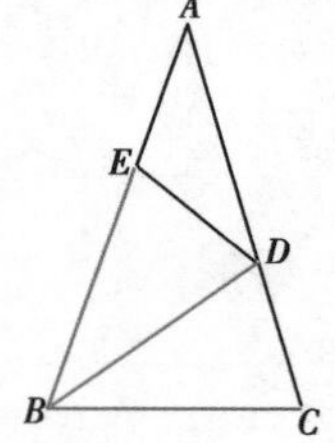

A. 2 个　　B. 3 个　　C. 4 个　　D. 5 个

（解析） $\because AB=AC$，$\angle A=36°$，$\therefore \angle ABC=\angle C=72°$.

$\because BD$ 平分 $\angle ABC$，$\therefore \angle ABD=\angle DBC=36°$，

$\therefore \angle BDC=180°-36°-72°=72°$，$\therefore \angle BDC=\angle C$，

$\therefore BD=BC$，$\therefore \triangle BDC$ 为等腰三角形.

由 $BE=BC$，可得 $BE=BD$，$\therefore \triangle BDE$ 为等腰三角形. $\because \angle A=\angle ABD=36°$，$\therefore AD=BD$，$\therefore \triangle ABD$ 为等腰三角形.

$\because \angle BDC=\angle BDE=72°$，$\therefore \angle ADE=\angle A=36°$，

$\therefore AE=DE$，即 $\triangle AED$ 为等腰三角形.

$\because AB=AC$，$\therefore \triangle ABC$ 为等腰三角形，

$\therefore$ 图中的等腰三角形有 5 个．故选 D．

（答案） D

知识 5 等边三角形及其性质

1．等边三角形

三条边都相等的三角形叫做等边三角形，又称正三角形．

2．等边三角形的性质

等边三角形的三边都相等，三个内角都相等，并且每一个内角都等于60°．

温馨提示 ①等边三角形具有等腰三角形的一切性质．
②等边三角形是轴对称图形，它有三条对称轴．
③等边三角形的内心、外心、重心和垂心重合．

例 5 如图，在等边$\triangle ABC$ 中，D 是 AC 边的中点，延长 BC 到点 E，使 $CE=CD$，连接 DE，试判断$\triangle BDE$ 的形状，并说明理由．

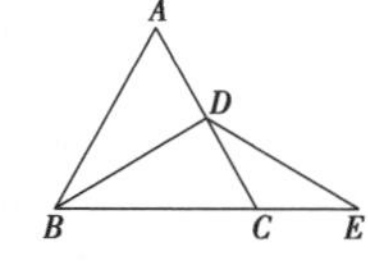

（解析） $\triangle BDE$ 是等腰三角形．

理由如下：$\because \triangle ABC$ 是等边三角形，D 是 AC 边的中点，

$\therefore \angle ABC=\angle ACB=60°$，

$\angle ABD=\angle DBC=\frac{1}{2}\angle ABC=30°$．

$\because CE=CD$，

$\therefore \angle E=\angle CDE$．

又$\because \angle ACB=\angle E+\angle CDE$，

$\therefore \angle E=\frac{1}{2}\angle ACB=30°$，

$\therefore \angle DBC=\angle E$，

$\therefore BD=DE$，

$\therefore \triangle BDE$ 是等腰三角形．

知识 6 等边三角形的判定

等边三角形的判定方法	(1)三条边都相等的三角形是等边三角形； (2)三个内角都相等的三角形是等边三角形； (3)有一个内角是60°的等腰三角形是等边三角形
温馨提示	(1)等边三角形的定义是等边三角形的一种判定方法； (2)“三个角都相等的三角形是等边三角形”也可理解为“有两个角等于60°的三角形是等边三角形”； (3)第三种判定方法是在等腰三角形的条件下，60°的角无论是顶角还是底角都成立

例 6 如图所示，E 为等边$\triangle ABC$ 的边 AC 上的一点，$\angle 1=\angle 2$，$CD=BE$．

求证：$\triangle ADE$ 为等边三角形．

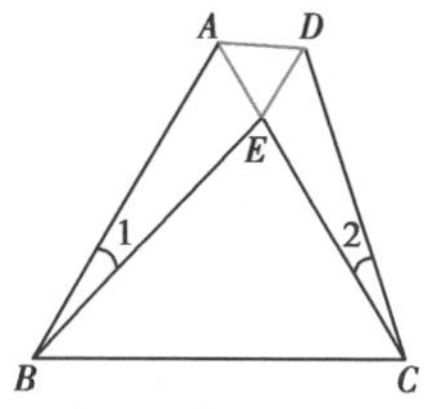

（证明） $\because \triangle ABC$ 为等边三角形，

$\therefore AB=AC$，$\angle BAE=60°$．

在$\triangle ABE$ 和$\triangle ACD$ 中，$\begin{cases} AB=AC, \\ \angle 1=\angle 2, \\ BE=CD, \end{cases}$

$\therefore \triangle ABE \cong \triangle ACD$(SAS)，

$\therefore AD=AE$，$\angle BAE=\angle CAD=60°$．

$\therefore \triangle ADE$ 为等边三角形．

方法清单

方法 1 利用等腰三角形的概念解题的方法

等腰三角形是一种特殊而且十分重要的三角形，正是因为等腰三角形具有特殊性，所以我们在解关于等腰三角形的计算这类题目时要慎重，有些同学在解具体问题时往往由于考虑不全面而出现漏解．避免漏解的方法：正确认识等腰三角形中的有关概念，审题要细心，考虑要全面．

例 1 已知 AD 为等腰$\triangle ABC$ 的腰 BC 上的高，$\angle DAB=60°$，求三角形 ABC 中各内角的度数．

思路分析 已知 AD 为腰上的高，则 A 为底角顶点，但 AB 与 AC 不能确定哪个为腰、哪个为底，要分情况讨论，另外还要注意腰上的高有可能在三角形内部(顶角为锐角的等腰三角形)，也有可能在三角形外部

第15－21章

(顶角为钝角的等腰三角形)，因此要进行画图讨论分析.

(解析) 有三种情况：

(1)如图①所示，$AB=CB$.

$\because \angle ADB=90°, \angle DAB=60°$,

$\therefore \angle B=30°$.

又$\because AB=CB$,

$\therefore \angle BAC=\angle C=75°$.

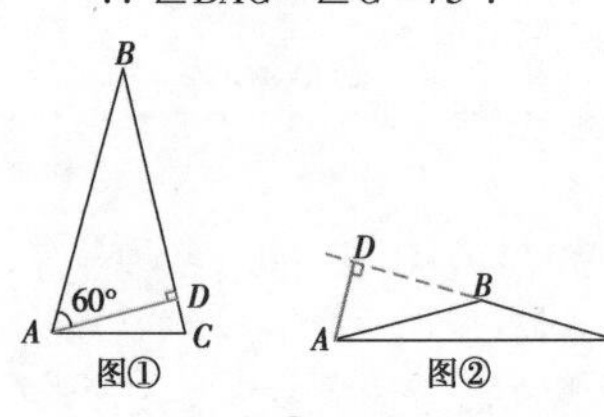

图①　图②

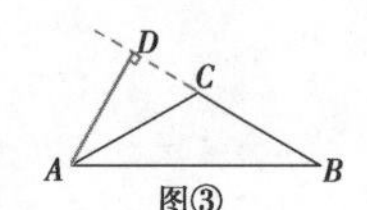

图③

(2)如图②所示，$AB=CB$,

则$\angle BAC=\angle C$.

$\because \angle ADB=90°, \angle DAB=60°$,

$\therefore \angle ABC=90°+60°=150°$.

$\therefore \angle BAC=\angle C=15°$.

(3)如图③所示，$AC=BC$,

则$\angle CAB=\angle B$.

$\because \angle ADB=90°, \angle DAB=60°$,

$\therefore \angle B=30°, \therefore \angle CAB=30°$.

$\therefore \angle ACB=120°$.

综上所述，$\triangle ABC$三个内角的度数分别为$30°$，$75°$，$75°$或$150°$，$15°$，$15°$或$120°$，$30°$，$30°$.

方法 2　利用等腰三角形的性质定理解题的方法

在三角形中，证明两条线段或两个角相等，常用的方法如下：①如果线段或角在同一个三角形中，先考虑用“等边对等角”或“等角对等边”来证明；②如果线段和角不在同一个三角形中，可证明两个三角形全等来解决.

例2 如图，在$\triangle ABC$中，$AB=AC$，AD是BC边上的中线，$BE\perp AC$于点E.求证：$\angle CBE=\angle BAD$.

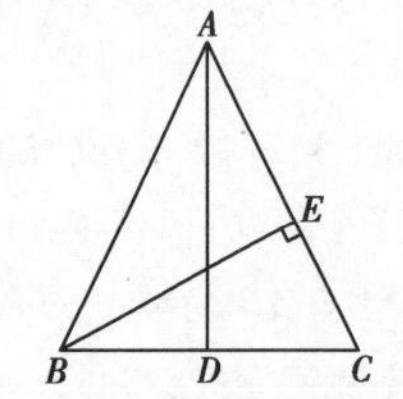

(证明) $\because AB=AC$，AD是BC边上的中线，

$\therefore AD\perp BC, \angle BAD=\angle CAD$.

$\because BE\perp AC, \therefore \angle BEC=\angle ADC=90°$.

$\therefore \angle CBE=90°-\angle C, \angle CAD=90°-\angle C$.

$\therefore \angle CBE=\angle CAD$.

$\therefore \angle CBE=\angle BAD$.

方法 3　利用“等角对等边”证明线段相等的方法

等腰三角形的判定是证明线段相等的重要方法，它把三角形中角的相等关系转化为边的相等关系，运用时要特别注意必须是在同一个三角形中.

例3 已知：如图，在$\triangle ABC$中，D为BC上的一点，DA平分$\angle EDC$，且$\angle E=\angle B$，$ED=DC$.

求证：$AB=AC$.

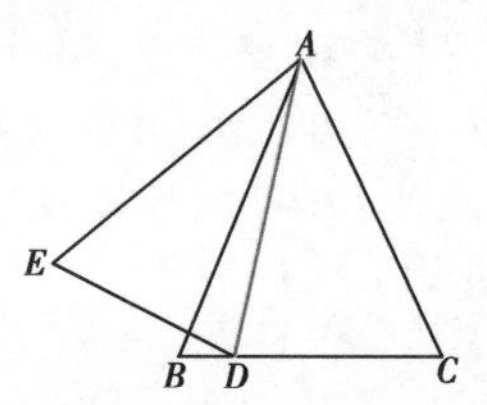

(证明) $\because DA$平分$\angle EDC$,

$\therefore \angle ADE=\angle ADC$.

又$DE=DC, AD=AD$,

$\therefore \triangle ADE\cong\triangle ADC, \therefore \angle E=\angle C$.

又$\angle E=\angle B, \therefore \angle B=\angle C, \therefore AB=AC$.

方法 4　等腰三角形与角平分线、平行线相结合解题的方法

角平分线、平行线和等腰三角形常常综合在一起考查：①角平分线+平行线⇒等腰三角形；②角平分线+等腰三角形⇒平行线；③平行线+等腰三角形⇒角平分线.

例4 已知：如图，$\angle ACD$是$\triangle ABC$的一个外角，CE、CF分别平分$\angle ACB$、$\angle ACD$，过点E作$EF\parallel BC$，分别交AC、CF于点H、F.求证：$EH=HF$.

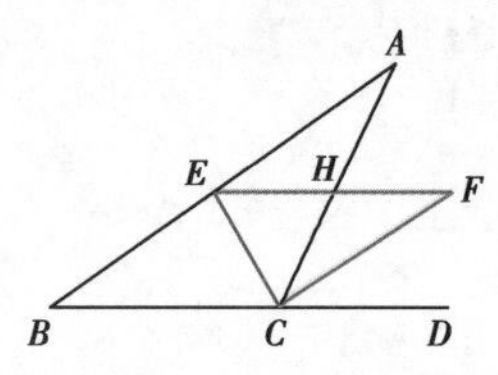

(证明) $\because EF\parallel BC$,

$\therefore \angle HEC=\angle ECB$,

$\because CE$平分$\angle ACB$,

$\therefore \angle ECB=\angle ECA$,

$\therefore \angle ECA=\angle HEC, \therefore EH=HC$,

同理，$HC=HF, \therefore EH=HF$.

方法 5 利用等边三角形的性质进行计算的方法

等边三角形是等腰三角形的特例，在有等边三角形的条件下求角的度数时，要充分挖掘等边三角形的性质，从而达到解题的目的.

例 5 如图，$\triangle ABC$ 是等边三角形，AD 为中线，$AD=AE$，E 在 AC 上，求 $\angle EDC$ 的度数.

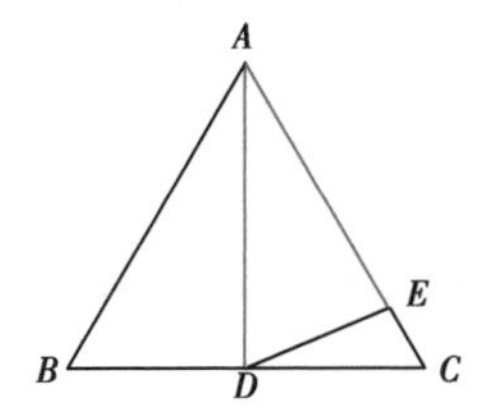

(解析) $\because \triangle ABC$ 是等边三角形，AD 为中线，

$\therefore AD\perp BC, \angle CAD=\dfrac{1}{2}\angle BAC=30°$，

$\because AD=AE$，

$\therefore \angle ADE=\angle AED=\dfrac{180°-\angle CAD}{2}$

$=\dfrac{180°-30°}{2}=75°$，

$\therefore \angle EDC=\angle ADC-\angle ADE=90°-75°=15°$.

方法 6 等边三角形的性质在全等证明中的应用方法

在全等证明题目中往往把等边三角形作为背景图形，在解题时我们要善于运用等边三角形的特殊性来达到证明全等的目的.

例 6 如图，已知点 B,C,D 在同一条直线上，$\triangle ABC$ 和 $\triangle CDE$ 都是等边三角形. BE 交 AC 于点 F，AD 交 CE 于点 H，连接 FH.

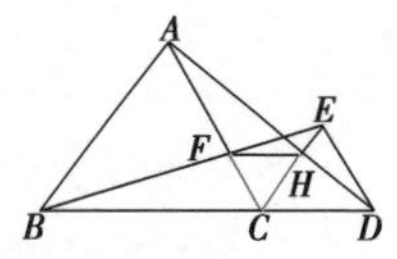

(1) 求证：$\triangle BCE\cong\triangle ACD$；

(2) 求证：$CF=CH$；

(3) 判断 $\triangle CFH$ 的形状并说明理由.

(解析) (1) 证明：$\because \triangle ABC$ 和 $\triangle CDE$ 都是等边三角形，

$\therefore BC=AC, CE=CD$，

$\angle ACB=\angle ECD=60°$，

$\therefore \angle BCE=\angle ACD$，

$\therefore \triangle BCE\cong\triangle ACD$.

(2) 证明：$\because \triangle BCE\cong\triangle ACD$，

$\therefore \angle FBC=\angle HAC$，

$\because \angle ACB=\angle ECD=60°$，

$\therefore \angle BCF=\angle ACH=60°$，

又 $BC=AC$，

$\therefore \triangle BCF\cong\triangle ACH$，

$\therefore CF=CH$.

(3) $\triangle CFH$ 是等边三角形.

理由：由 (2) 知 $CF=CH, \angle FCH=60°$，

$\therefore \triangle CFH$ 是等边三角形.

第20章 勾股定理

20.1 直角三角形与勾股定理

知识清单 知识1 直角三角形的性质　知识2 勾股定理　知识3 勾股定理的验证

知识 1 直角三角形的性质

(1)直角三角形的两个锐角互余.

(2)直角三角形斜边上的中线等于斜边的一半.

几何表示：

如图,因为$\angle ACB=90°$,$AD=BD$,所以$CD=\frac{1}{2}AB$.

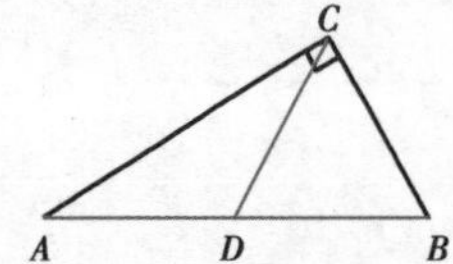

(3)在直角三角形中,如果一个锐角等于30°,那么它所对的直角边等于斜边的一半.

几何表示：

如图,因为$\angle C=90°$,$\angle A=30°$,

所以$BC=\frac{1}{2}AB$.

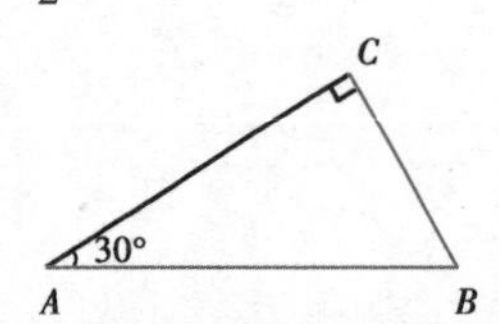

温馨提示

①由三角形内角和定理可推出性质(1);由等腰三角形的判定(或矩形的性质)可推出性质(2);由等边三角形的性质可推出性质(3).

②性质(2)和(3)主要应用于计算和证明线段的倍数关系.

③不要认为有一个角等于30°,那么它所对的边就一定等于另一条边的一半,前提是在直角三角形中.

例1 如图,已知Rt△ABC中,$\angle ACB=90°$,CD是高,$\angle A=30°$,$BD=2$ cm,则AB的长为　(　　)

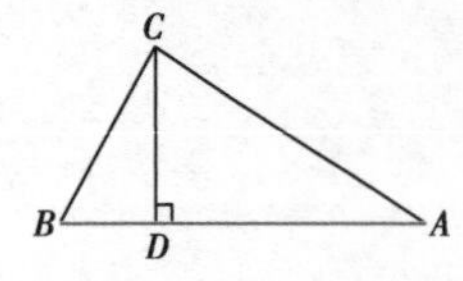

A.4 cm　　B.6 cm　　C.8 cm　　D.10 cm

(解析) $\because \angle ACB=90°$,$\angle A=30°$,

$\therefore AB=2BC$,$\angle B=60°$,又CD是高,

$\therefore \angle BCD=30°$,

又$BD=2$ cm,$\therefore BC=2BD=4$ cm,

$\therefore AB=8$ cm,故选C.

(答案) C

例2 如图,BD,CE是△ABC的高,G,F分别是BC,DE的中点,求证:$GF\perp DE$.

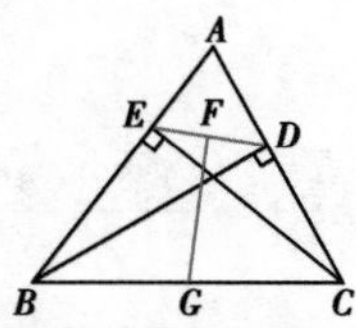

思路分析　题目中有中点,有直角,由此联想应用直角三角形中斜边上的中线等于斜边的一半.

(证明) 连接EG,DG,如图.

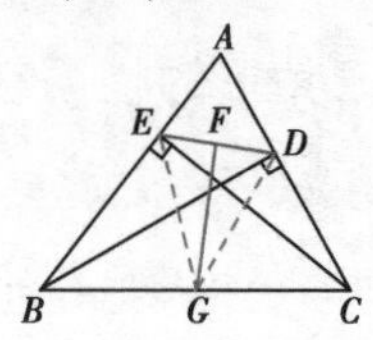

$\because CE$是AB边上的高,$\therefore CE\perp AB$.

$\because G$为BC的中点,

$\therefore EG$为Rt△BEC斜边上的中线,

$\therefore EG=\frac{1}{2}BC$.同理,$DG=\frac{1}{2}BC$,$\therefore EG=DG$.

$\because F$为DE的中点,$\therefore GF\perp DE$.

知识 2 勾股定理

文字语言	符号语言	变式	图示
直角三角形两条直角边的平方和等于斜边的平方	如果直角三角形的两直角边长分别为a,b,斜边长为c,那么$a^2+b^2=c^2$	$a^2=c^2-b^2$,$b^2=c^2-a^2$	

温馨提示

①勾股定理应用的前提是这个三角形必须是直角三角形，解题时，只能在同一直角三角形中，才能利用勾股定理求第三边边长.

②在式子 $a^2+b^2=c^2$ 中，a、b 代表直角三角形的两条直角边的长，c 代表斜边的长，它们之间的关系不能弄错.

③遇到直角三角形中的线段求值问题时，要首先想到勾股定理.勾股定理把“数”与“形”有机地结合起来，把直角三角形这一“形”与三边关系这一“数”结合起来，是数形结合思想方法的典型.

例3 在△ABC 中，角 A，B，C 所对的边的长分别为 a，b，c，$\angle C=90°$.

(1)若 $a=6$，$b=8$，则 $c=$________；

(2)若 $a=5$，$c=13$，则 $b=$________；

(3)若 $c=34$，$a:b=8:15$，则 $a=$________，$b=$________.

解析 (1)已知直角三角形的两直角边长 a、b，则由 $c^2=a^2+b^2=6^2+8^2=100$，得 $c=10$.

(2)已知直角三角形的斜边长 c 和一条直角边长 a，则由 $b^2=c^2-a^2=13^2-5^2=144$，得 $b=12$.

(3)因为 $a:b=8:15$，

所以可设 $a=8k$，$b=15k(k>0)$，

又因为 $\angle C=90°$，$c=34$，

所以 $c^2=a^2+b^2$，

即 $34^2=(8k)^2+(15k)^2$.

所以 $k=2$.

所以 $a=16$，$b=30$.

答案 (1)10 (2)12 (3)16;30

知识3 勾股定理的验证

运用拼图的方式，即利用两种不同的方法计算同一个图形的面积来验证勾股定理.

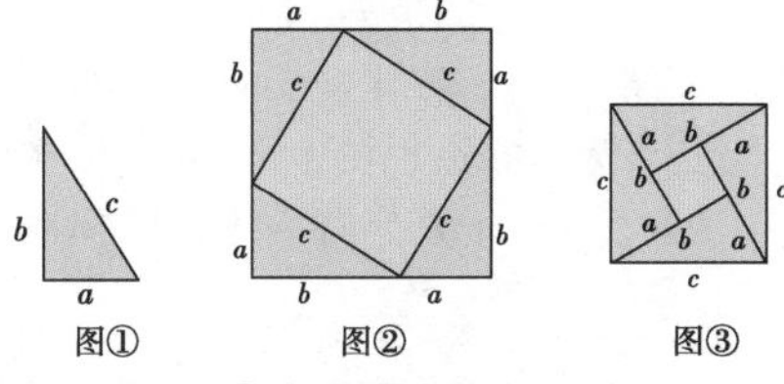

图① 图② 图③

验证过程：图②是由 4 个全等的直角三角形拼成的一个以 $(a+b)$ 为边长的大正方形和以直角三角形的斜边 c 为边长的小正方形，则大正方形的面积可表示为 $(a+b)^2$，又可表示为 $\frac{1}{2}ab\cdot 4+c^2$，所以 $(a+b)^2=\frac{1}{2}ab\cdot 4+c^2$，整理得 $a^2+b^2=c^2$.

用四个与图①完全相同的直角三角形，还可以拼成图③所示的图形，与上面的方法类似，也能证明勾股定理.

例4 图①是用硬纸板做成的两个全等的直角三角形，两直角边的长分别为 a 和 b，斜边长为 c.图②是以 c 为直角边的等腰直角三角形.请你将它们拼成一个能证明勾股定理的图形.

(1)画出拼成的图形的示意图，写出它是什么图形；

(2)用这个图形证明勾股定理；

(3)假设图①中的直角三角形有若干个，你能运用图①中所给的直角三角形拼出另一种能证明勾股定理的图形吗？请画出示意图(无需证明).

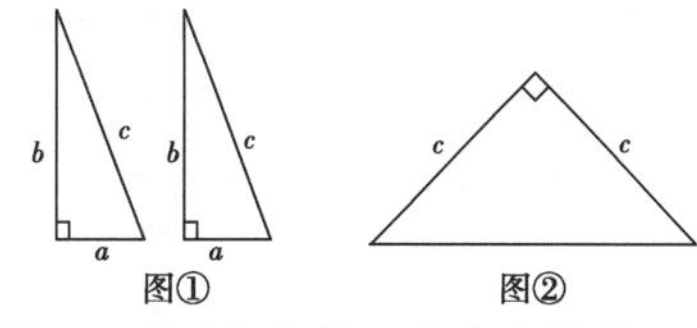

图① 图②

解析 (1)如图，它是一个直角梯形.

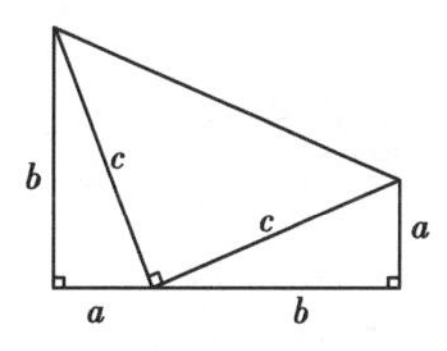

(2)证明：∵ $S_{梯形}=\frac{1}{2}(a+b)(a+b)=\frac{1}{2}(a+b)^2$，

$S_{梯形}=\frac{1}{2}ab\cdot 2+\frac{1}{2}c^2$

$=ab+\frac{1}{2}c^2$，

∴ $\frac{1}{2}(a+b)^2=ab+\frac{1}{2}c^2$，

整理，得 $a^2+b^2=c^2$.

(3)拼图方案较多，现给出四种，如图所示.

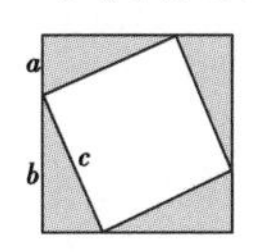
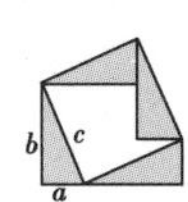
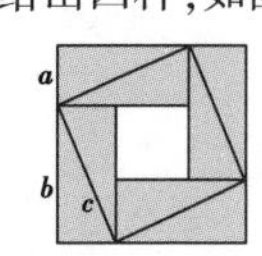
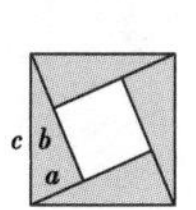

方法清单

方法 1 利用直角三角形的性质进行解题的方法

因为直角三角形斜边上的中线等于斜边的一半，所以我们在图形中至少可以找到三条相等的线段，进而可以运用等腰三角形的性质解决问题.在解决线段倍、分关系的问题时，我们要充分利用直角三角形的这一性质求解.

例1 如图，$\triangle ABC$ 中，$AB=AC$，点 D 是 BC 上一点，$DE\perp AB$ 于 E，$FD\perp BC$ 于 D，G 是 FC 的中点，连接 GD.求证：$GD\perp DE$.

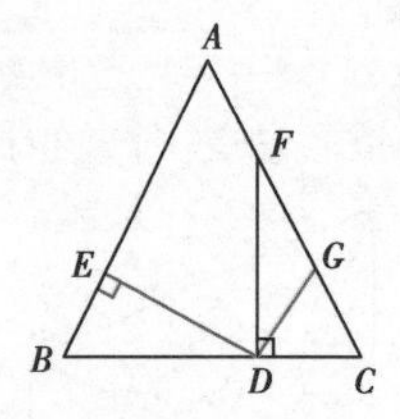

证明 如图，$\because AB=AC$，

$\therefore \angle B=\angle C$，

$\because DE\perp AB$，$FD\perp BC$，

$\therefore \angle BED=\angle FDC=90°$，

$\therefore \angle 1+\angle B=90°$，$\angle 3+\angle C=90°$，

$\therefore \angle 1=\angle 3$，

$\because G$ 是直角三角形 FDC 斜边的中点，$\therefore GD=GF$，

$\therefore \angle 2=\angle 3$，$\therefore \angle 1=\angle 2$，

$\because \angle FDC=\angle 2+\angle 4=90°$，

$\therefore \angle 1+\angle 4=90°$，

$\therefore \angle 2+\angle FDE=90°$，

$\therefore \angle GDE=90°$，

$\therefore GD\perp DE$.

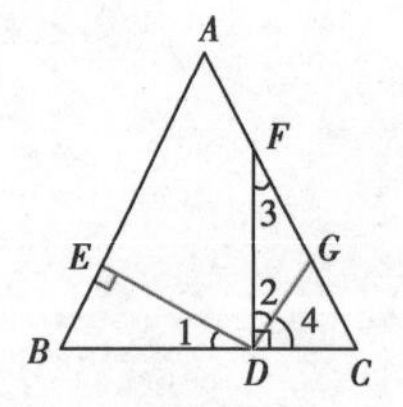

方法 2 构造含30°角的直角三角形进行解题的方法

在直角三角形中，30°的角所对的直角边等于斜边的一半.这个性质常常用于计算三角形的边长，也是证明一边(30°角所对的直角边)等于另一边(斜边)的一半的重要依据.当已知的条件或结论倾向于该性质时，我们可运用转化思想，将线段或角转化，构造直角三角形，从而将陌生的问题转化为熟悉的问题.

例2 如图，$\triangle ABC$ 中，$AB=AC$，$\angle BAC=120°$，E、F 分别在 AB、BC 上，且 EF 所在直线为 AB 的垂直平分线，$BF=5$ cm，求 CF 的长.

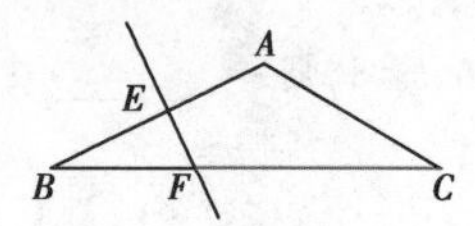

解析 连接 AF，

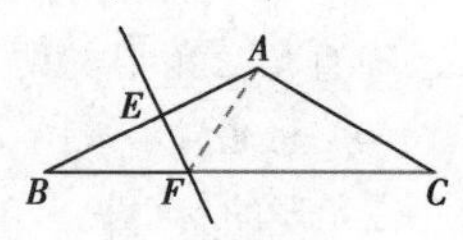

$\because AB=AC$，$\angle BAC=120°$，

$\therefore \angle B=\angle C=30°$，

$\because EF$ 所在直线为 AB 的垂直平分线，

$\therefore AF=BF=5$ cm.

$\therefore \angle BAF=\angle B=30°$，$\therefore \angle FAC=90°$，

在 $\mathrm{Rt}\triangle AFC$ 中，$\angle FAC=90°$，$\angle C=30°$，

$\therefore FC=2AF$，$\therefore FC=10$ cm.

方法 3 利用勾股定理解决几何体表面最短距离的方法

几何体表面最短距离的问题，通常都是将几何体表面展开，变为平面展开图中两点之间的最短距离问题，从中抽象出直角三角形，正确运用勾股定理进行解题.

例3 如图，一个长方体盒子的高为30 cm，底面是正方形，边长为20 cm，现在 A 处有一只壁虎想沿长方体盒子表面去吃位于 C 处的一只虫子，问壁虎经过的最短路程是多少？

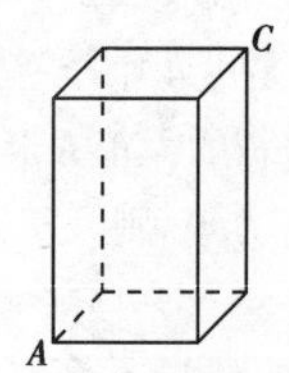

解析 将表面展开，分三种情况讨论：在此只说明路径最短时的情况.如图，将该长方体盒子的右表面

展开,使 C 点到达 E 点位置,连接 AE,根据勾股定理,得 $AE=\sqrt{30^2+40^2}=50$ cm,所以壁虎经过的最短路程是 50 cm.

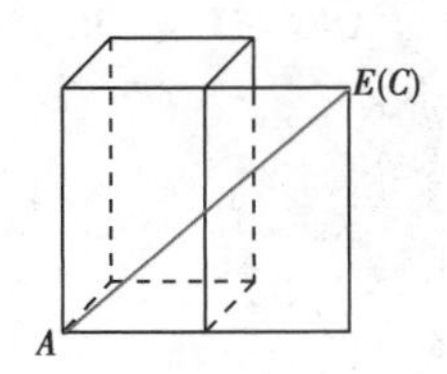

点拨 几何体表面最短距离的问题,通常都是将几何体表面展开,变为平面展开图中两点之间的最短距离,但要注意的是平面展开图与原立体图形之间的点与点要对应.

方法 4 利用勾股定理解决实际问题的方法

对于实际问题,要分析问题的情境,从已知信息中提炼出几何图形,构造直角三角形,由勾股定理计算出所求线段的长.

例 4 如图所示,一架梯子 AB 斜靠在墙面上,且 AB 的长为 25 米.

(1)若梯子底端离墙角的距离 OB 为 7 米,求这个梯子的顶端 A 距地面有多高?

(2)在(1)的条件下,如果梯子的顶端 A 下滑 4 米到点 A',那么梯子的底端 B 在水平方向滑动的距离 BB' 为多少米?

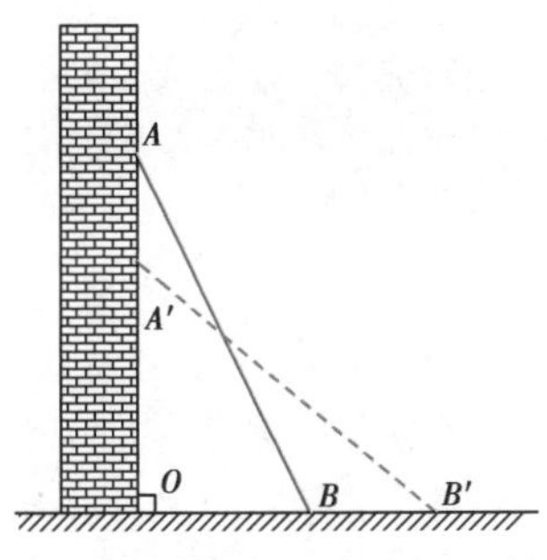

思路分析 (1)利用勾股定理可以得出梯子的顶端距离地面的高度.(2)由(1)可以得出梯子的初始高度,下滑 4 米后,可得出梯子的顶端距离地面的高度,再次使用勾股定理,已知梯子的底端距离墙的距离为 7 米,即可得出梯子滑行的距离.

解析 (1)根据勾股定理得梯子距离地面的高度为 $AO=\sqrt{AB^2-OB^2}=\sqrt{25^2-7^2}=24$(米).

(2)梯子下滑了 4 米即梯子距离地面的高度为 $OA'=24-4=20$(米),

根据勾股定理得 $OB'=\sqrt{A'B'^2-OA'^2}=15$(米),

所以当梯子的顶端下滑 4 米时,梯子的底端水平滑动了 $15-7=8$(米).

答:当梯子的顶端下滑 4 米时,梯子的底端水平滑动了 8 米.

方法 5 "构造直角三角形"的方法

勾股定理是解决三角形中线段问题最有效的方法之一,若图中没有含特征线段的直角三角形,则需添加辅助线,构造满足条件的直角三角形.

例 5 在 $\triangle ABC$ 中,$AB=15$,$BC=14$,$AC=13$,求 $\triangle ABC$ 的面积.

某学习小组经过合作交流,给出了下面的解题思路,请你按照他们的解题思路完成解答过程.

作 $AD\perp BC$ 于 D,设 $BD=x$,用含 x 的代数式表示 CD→根据勾股定理,利用 AD 作为"桥梁",建立方程模型求出 x→利用勾股定理求出 AD 的长,再计算三角形的面积.

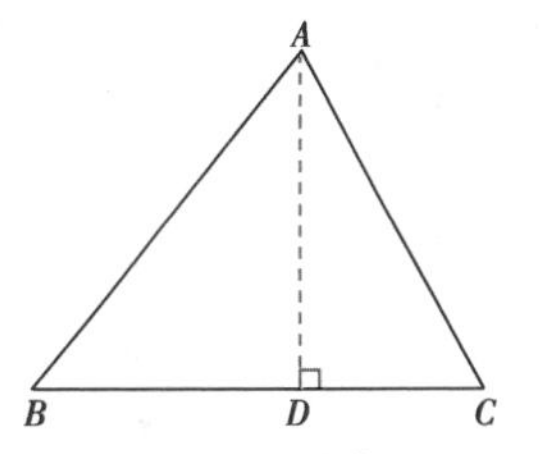

解析 设 $BD=x$,则 $CD=14-x$,

由勾股定理得 $AD^2=AB^2-BD^2=15^2-x^2$,

$AD^2=AC^2-CD^2=13^2-(14-x)^2$,

$\therefore 15^2-x^2=13^2-(14-x)^2$,

解得 $x=9$,$\therefore AD=12$,

$\therefore S_{\triangle ABC}=\frac{1}{2}BC\cdot AD=\frac{1}{2}\times14\times12=84$.

方法 6 利用勾股定理解决有关几何图形面积问题的方法

勾股定理是中学阶段的一个重要定理,迄今为止有多种证明勾股定理的方法,其中大部分是用面积作为桥梁来证明的.因此,勾股定理与面积有密切关系,勾股定理还是连接几何与代数的纽带.

例 6 如图①,分别以直角三角形 ABC 三边为直径向外作三个半圆,其面积分别用 S_1,S_2,S_3 表示,则不难证明 $S_1=S_2+S_3$.

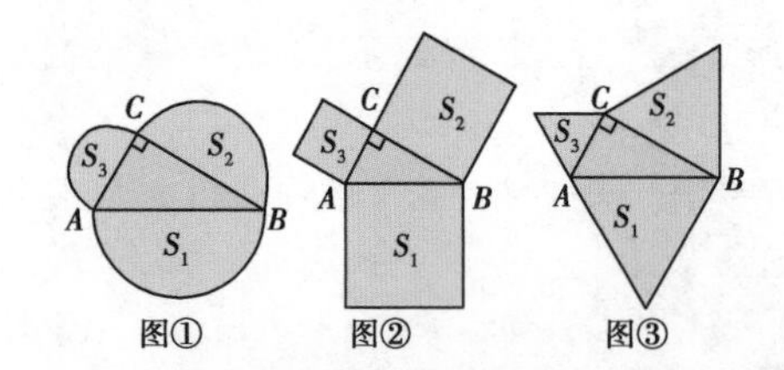

图①　　图②　　图③

(1)如图②,分别以直角三角形 ABC 三边为边向外作三个正方形,其面积分别用 S_1、S_2、S_3 表示,那么 S_1、S_2、S_3 之间有什么关系?(不必证明)

(2)如图③,分别以直角三角形 ABC 三边为边向外作三个正三角形,其面积分别用 S_1、S_2、S_3 表示,请你确定 S_1、S_2、S_3 之间的关系并加以证明.

解析 (1) $S_1=S_2+S_3$.

(2) $S_1=S_2+S_3$.证明如下:

设直角三角形 ABC 的三边 BC、CA、AB 的长分别为 a、b、c,则 $c^2=a^2+b^2$.

显然,$S_1=\frac{\sqrt{3}}{4}c^2$,$S_2=\frac{\sqrt{3}}{4}a^2$,$S_3=\frac{\sqrt{3}}{4}b^2$,

$\therefore S_2+S_3=\frac{\sqrt{3}}{4}(a^2+b^2)=\frac{\sqrt{3}}{4}c^2=S_1$.

20.2 勾股定理的逆定理

知识清单

知识1 勾股数

知识2 勾股定理的逆定理

知识 1 勾股数

名称	定义	举例
勾股数	能够成为直角三角形三条边长的三个正整数,称为勾股数	常见的勾股数有:3,4,5;5,12,13;8,15,17;7,24,25;9,40,41 等
判断方法	(1)确定是三个正整数 a,b,c; (2)确定最大数 c; (3)计算较小两数的平方和 a^2+b^2 是否等于 c^2	

温馨提示

①3、4、5 是勾股数,又是三个连续整数,但并不是所有三个连续整数都是勾股数.

②每组勾股数的相同整数倍也是勾股数.

③对于 $n^2-1,2n,n^2+1$(n 为大于 1 的正整数),任取一个合适的值,即可得到一组勾股数.

知识 2 勾股定理的逆定理

如果三角形两边的平方和等于第三边的平方,那么该三角形是直角三角形.即△ABC 的三边长分别是 a,b,c,若 $a^2+b^2=c^2$,则△ABC 是直角三角形,∠C 为直角.

温馨提示

①勾股定理的逆定理是判定一个三角形是直角三角形的一种理论依据,它通过数形结合来确定三角形的形状.在运用这一定理时,可用两短边的平方和 a^2+b^2 与长边的平方 c^2 进行比较:若 $a^2+b^2=c^2$,则此三角形为直角三角形;若 $a^2+b^2>c^2$,则此三角形为锐角三角形;若 $a^2+b^2<c^2$,则此三角形为钝角三角形.

②定理中 a,b,c 及 $a^2+b^2=c^2$ 只是一种表达形式,若 $a^2+c^2=b^2$,则此三角形也是直角三角形,这时 b 边为斜边.

③在应用勾股定理的逆定理时,注意要计算准确.

④勾股定理的逆定理在用文字叙述时不能说成"当斜边的平方等于两条直角边的平方和时,这个三角形是直角三角形".

⑤勾股定理与勾股定理的逆定理的联系与区别:

联系:两者都与三角形的三边有关且都包含等式 $a^2+b^2=c^2$;两者都与直角三角形有关;两者是互逆定理.

区别:勾股定理是以"一个直角三角形"为条件,进而得到这个直角三角形三边的数量关系,即 $a^2+b^2=c^2$;勾股定理的逆定理是以"一个三角形的三边满足 $a^2+b^2=c^2$"为条件,进而得到这个三角形是直角三角形,两者的条件和结论相反.前者是直角三角形的性质,而后者是直角三角形的判定方法.

例 如图,正方形网格中每个小正方形的边长为 1,则△ABC 是 (　　)

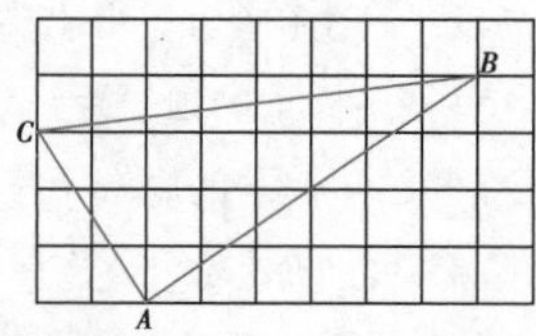

A.直角三角形　　B.锐角三角形
C.钝角三角形　　D.以上都不对

解析 由勾股定理可求得 $AC^2=13$,$AB^2=52$,$BC^2=65$,则 $AC^2+AB^2=BC^2$,因此△ABC 是直角三角形.

答案 A

方法清单

方法1 运用勾股定理的逆定理判断三角形形状的方法

方法2 利用勾股定理的逆定理求不规则图形的面积的方法

方法 1 运用勾股定理的逆定理判断三角形形状的方法

运用勾股定理的逆定理判定一个三角形是直角三角形的方法:(1)先确定最长边,算出最长边的平方;(2)计算另两边的平方和;(3)比较最长边的平方与另两边的平方和是否相等,若相等,则此三角形为直角三角形.

例1 判断满足下列条件的三角形是不是直角三角形:

(1) $\triangle ABC$ 中,$AB=12$,$BC=16$,$AC=20$;

(2)一个三角形三边长之比为 $5:12:13$;

(3)一个三角形三边长 a,b,c 满足 $a=3,b=7,c=9$.

思路分析 (1)(3)可直接利用勾股定理的逆定理判断;(2)中是三边长的比,可以设三边长分别是 $5x$、$12x$、$13x(x>0)$,再判断.

解析 (1) $\triangle ABC$ 中,$AC^2=20^2=400$,$AB^2+BC^2=12^2+16^2=144+256=400$,

所以 $AC^2=AB^2+BC^2$,

所以 $\triangle ABC$ 是直角三角形.

(2)根据题意可设三边长分别为 $5x,12x,13x(x>0)$.

因为 $(13x)^2=169x^2$,

$(5x)^2+(12x)^2=25x^2+144x^2=169x^2$,

所以 $(13x)^2=(5x)^2+(12x)^2$,

所以该三角形是直角三角形.

(3)因为 $3^2+7^2=58$,$9^2=81$,

所以 $3^2+7^2\neq 9^2$,

所以这个三角形不是直角三角形.

方法 2 利用勾股定理的逆定理求不规则图形的面积的方法

在日常生活中,经常遇到求一些不规则图形的面积问题.解决这样的问题常常需要添加辅助线构造三角形,转化成三角形的相关问题.有时图形中并没有明显地给出直角三角形,但是其中一些已知的边长满足直角三角形的条件,所以可考虑利用勾股定理的逆定理解决.

例2 一块地如图所示,已知 $AD=4$ m,$CD=3$ m,$AD\perp DC$,$AB=13$ m,$BC=12$ m.求这块地的面积.

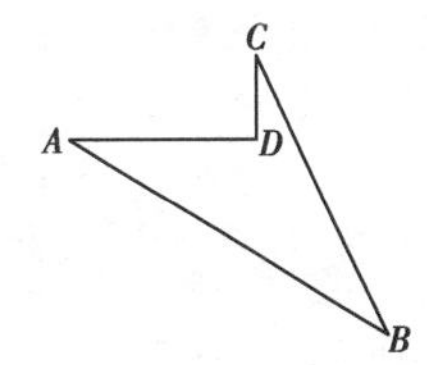

思路分析 连接 AC,利用勾股定理求出 AC 的长度,再利用勾股定理的逆定理证明 $\triangle ACB$ 是直角三角形,进而证明 $AC\perp BC$,由图形可知所求面积为这两个三角形的面积之差.

解析 连接 AC,在 $\triangle ADC$ 中,

$\because AD=4$ m,$DC=3$ m,$\angle D=90^\circ$,

$\therefore AC=5$ m,在 $\triangle ACB$ 中,

$\because BC^2+AC^2=12^2+5^2=169$,

$AB^2=13^2=169$,

$\therefore BC^2+AC^2=AB^2$,

$\therefore \triangle ABC$ 为直角三角形,

$\therefore AC\perp BC$,

则 $\triangle ABC$ 和 $\triangle ADC$ 都是直角三角形,

$\therefore$ 这块地的面积为 $S_{\triangle ABC}-S_{\triangle ADC}=\frac{1}{2}\times5\times12-\frac{1}{2}\times3\times4=24(\text{m}^2)$.

第15-21章

第21章 平行四边形

21.1 平行四边形

知识清单

知识 1 平行四边形

两组对边分别平行的四边形叫做平行四边形.

(1)平行四边形用符号“▱”表示,平行四边形 $ABCD$ 记作“▱$ABCD$”,读作“平行四边形 $ABCD$”.

(2)平行四边形的基本元素:边、角、对角线.

邻边:AD 和 AB,BC 和 DC,AD 和 DC,AB 和 BC.

对边:AB 和 DC,AD 和 BC.

邻角:$\angle BAD$ 和 $\angle ADC$,$\angle BAD$ 和 $\angle ABC$,$\angle ABC$ 和 $\angle BCD$,$\angle ADC$ 和 $\angle BCD$.

对角:$\angle BAD$ 和 $\angle BCD$,$\angle ADC$ 和 $\angle ABC$.

对角线:AC 和 BD.

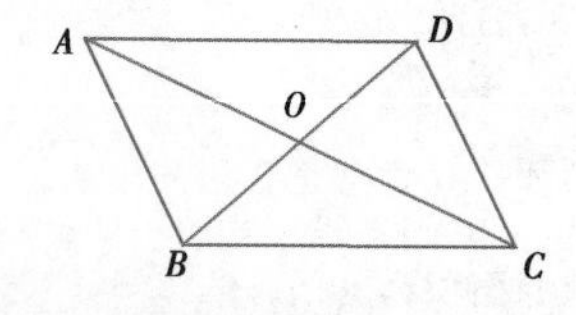

温馨提示

①平行四边形必须满足:a.是四边形;b.两组对边分别平行,这两个条件缺一不可.

②平行四边形的表示一般按一定的方向(顺时针或逆时针)依次书写各顶点.

③平行四边形的定义提供了一种平行四边形的判定方法.

知识 2 平行四边形的性质定理

		性质	符号表示	图形
平行四边形	边	平行四边形的对边平行且相等	∵ 四边形 $ABCD$ 是平行四边形, ∴ $AD=BC$,$AD\parallel BC$,$AB=CD$,$AB\parallel CD$	(图:平行四边形 $ABCD$,对角线交于点 O)
	角	平行四边形的对角相等、邻角互补	∵ 四边形 $ABCD$ 是平行四边形, ∴ (1) $\angle BAD=\angle BCD$,$\angle ABC=\angle ADC$; (2) $\angle ABC+\angle BAD=180°$,$\angle ABC+\angle BCD=180°$,$\angle BCD+\angle ADC=180°$,$\angle ADC+\angle BAD=180°$	
	对角线	平行四边形的对角线互相平分	∵ 四边形 $ABCD$ 是平行四边形, ∴ $OA=OC=\frac{1}{2}AC$,$OB=OD=\frac{1}{2}BD$	

温馨提示

①由平行四边形的定义可知它的“两组对边分别平行”,由对边平行可得到它的“邻角互补”.

②平行四边形的对边从位置关系上看是互相平行的,从数量关系上看是相等的.

③平行四边形的性质为证明线段平行或相等、角相等提供了新的理论依据.

④利用对角线互相平分可解决对角线或边的取值范围的问题,在解答时应联系“三角形的三边关系”来解决.

例 如图，▱$ABCD$ 的对角线 AC，BD 交于点 O，已知 $AD=8$，$BD=12$，$AC=6$，则△OBC 的周长为 （　　）

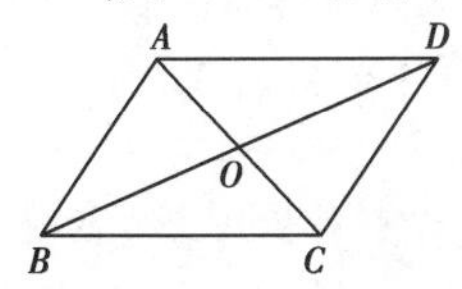

A.13　　B.17　　C.20　　D.26

解析 ∵ 四边形 $ABCD$ 是平行四边形，

$AC=6$，$BD=12$，$AD=8$，

∴ $OA=OC=3$，$OB=OD=6$，$BC=AD=8$，

∴ △OBC 的周长 $=OB+OC+BC=6+3+8=17$．故选 B.

答案 B

知识 3 平行线间的距离

1.定义：两条平行线中，一条直线上的任意一点到另一条直线的距离，叫做这两条平行线间的距离.

2.性质：

(1)两条平行线间的距离处处相等.

利用平行四边形的定义及性质可以说明平行线之间的垂线段处处相等.

如图，直线 $a∥b$，过直线 a 上任意两点 A，B 分别向 b 作垂线，交直线 b 于点 C，D，线段 AC，BD 的长度叫做平行线 a，b 间的距离．由于 $AC⊥CD$，$BD⊥CD$，所以 $AC∥BD$，又 $a∥b$，所以四边形 $ABDC$ 是平行四边形，所以 $AC=BD$，即平行线间的距离处处相等.

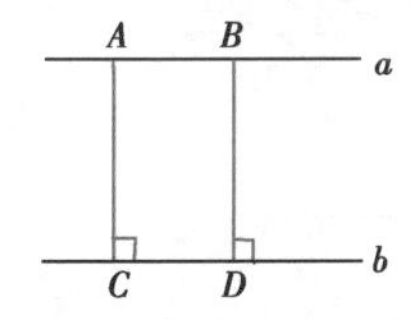

(2)两条平行线间的任何两条平行线段都是相等的.

如图所示，直线 $l_1∥l_2$，$AB∥CD$，则四边形 $ABCD$ 是平行四边形，所以 $AB=CD$.

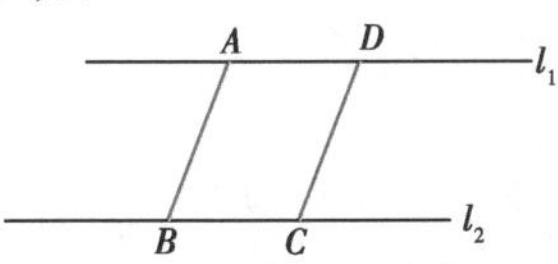

温馨提示

①平行线间的距离和平行线间的平行线段是不同概念，不能混为一谈.

②同底(等底)同高(等高)的平行四边形的面积相等.

知识 4 平行四边形的判定定理

1.判定定理 1：两组对边分别相等的四边形是平行四边形.

如图，连接 BD，由 $AD=BC$，$AB=CD$，$BD=DB$，可证 △ABD ≌ △CDB，得 ∠ABD = ∠CDB，∠ADB = ∠CBD，则 $AB∥CD$，$AD∥BC$．由定义得四边形 $ABCD$ 为平行四边形.

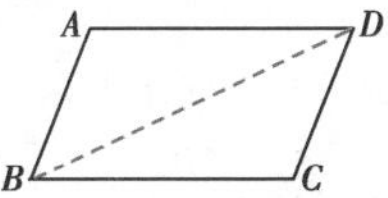

2.判定定理 2：两组对角分别相等的四边形是平行四边形.

如图，由 ∠BAD=∠BCD，∠ABC=∠ADC，∠BAD+∠ABC+∠BCD+∠ADC=360°，可得 ∠ABC+∠BCD=180°，∠BAD+∠ABC=180°．从而得 $AB∥DC$，$AD∥BC$．由定义得四边形 $ABCD$ 是平行四边形.

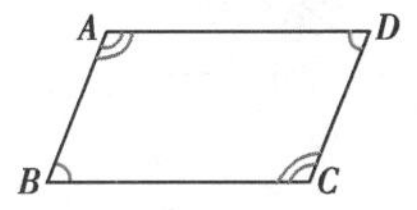

3.判定定理 3：对角线互相平分的四边形是平行四边形.

如图，由 $OA=OC$，$OB=OD$，∠AOB=∠COD，可得 △AOB≌△COD，所以 ∠ABO=∠CDO，所以 $AB∥DC$．同理，$AD∥BC$．由定义得四边形 $ABCD$ 是平行四边形.

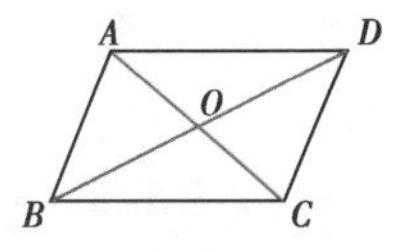

4.判定定理 4：一组对边平行且相等的四边形是平行四边形.

知识延伸

①平行四边形的判定方法有五种，在选择判定方法时应根据具体条件而定．对于平行四边形的判定方法，应从边、角及对角线三个角度出发，而对于边又应考虑边的位置关系及数量关系两方面.

②一组对边平行，另一组对边相等的四边形不一定是平行四边形，可能是等腰梯形.

③"平行且相等"用符号"$\underline{\underline{∥}}$"表示.

④一组对边平行，一组对角相等的四边形是平行四边形.

例 已知四边形 $ABCD$，有以下四个条件：①$AB∥CD$；②$AB=CD$；③$BC∥AD$；④$BC=AD$．从这四个条件中任选两个，能使四边形 $ABCD$ 为平行四边形的选法种数共有 （　　）

A.6 种　　B.5 种　　C.4 种　　D.3 种

解析 ①②组合，符合一组对边平行且相等的四边形是平行四边形；①③组合，符合有两组对边分别平行的四边形是平行四边形；①④组合，②③组合，不能判定四边形是平行四边形，例如等腰梯形也符合一组对边平行，另一组对边相等；②④组合，符合两组对边分别相等的四边形是平行四边形；③④组合，符合一组对边平行且相等的四边形是平行四边形．故能使四边形 $ABCD$ 为平行四边形的选法种数共有 4 种．故选 C.

答案 C

知识 5 平行四边形的对称性

平行四边形是中心对称图形，它的对称中心是两条对角线的交点. 如图，▱$ABCD$ 绕着它的对角线的交点 O 旋转 180°后，与原图形能够完全重合，此时 A 点旋转到 C 点，B 点旋转到 D 点，C 点旋转到 A 点，D 点旋转到 B 点.

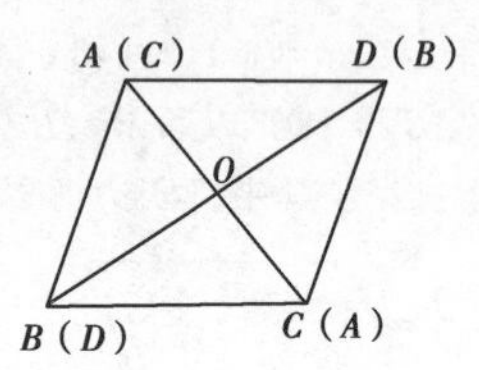

知识延伸

①若一条直线过平行四边形对角线的交点，则这条直线被一组对边截得的线段以对角线的交点为中点.

②过平行四边形对角线交点的直线平分平行四边形的面积. 如图，EF 平分 ▱$ABCD$ 的面积，即 $S_{四边形ABFE}=S_{四边形EFCD}$.

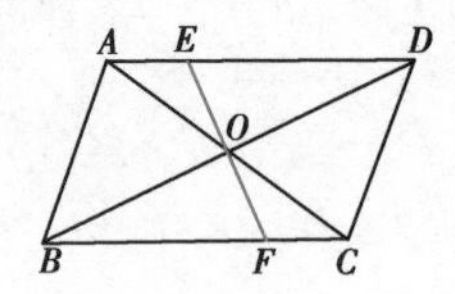

方法清单

方法 1 利用平行四边形的性质进行计算的方法

平行四边形的性质是我们研究平行四边形的角或边的重要依据. 利用平行四边形的性质，可以求角的度数、线段的长度.

例1 如图，已知四边形 $ABCD$ 是平行四边形，$AB=10$ cm，$AD=8$ cm，$AC\perp BC$，求 BC，CD，AC，OA 的长以及▱$ABCD$ 的面积.

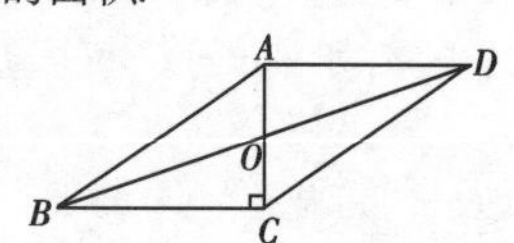

（解析）∵ 四边形 $ABCD$ 是平行四边形，

∴ $BC=AD=8$ cm，$CD=AB=10$ cm.

∵ $AC\perp BC$，∴ $\angle ACB=90°$.

∴ $AC=\sqrt{AB^2-BC^2}=\sqrt{10^2-8^2}=6$(cm).

又 $OA=OC$，∴ $OA=\frac{1}{2}AC=3$(cm).

$S_{▱ABCD}=BC\cdot AC=8\times6=48$(cm²).

方法 2 平行线间距离的应用方法

“等面积法”是数学中重要的解题方法. 在三角形和四边形中，以不同的边为底，其高也不相同，但面积是定值，从而可以得到不同底上的高的关系. 若以相同的边为底，其高都为平行线间的距离，面积仍是定值.

例2 正方形 $ABCD$ 与正方形 $CEFG$ 的位置如图所示，点 G 在线段 CD 或 CD 的延长线上. 分别连接 BD、BF、FD，得到△BFD.

(1)在图①~③中，若正方形 $CEFG$ 的边长分别为 1、3、4，且正方形 $ABCD$ 的边长均为 3，请通过计算填写下表：

正方形 $CEFG$ 的边长	1	3	4
△BFD 的面积			

(2)若正方形 $CEFG$ 的边长为 a，正方形 $ABCD$ 的边长为 b，猜想 $S_{\triangle BFD}$ 的大小，并结合图③证明你的猜想.

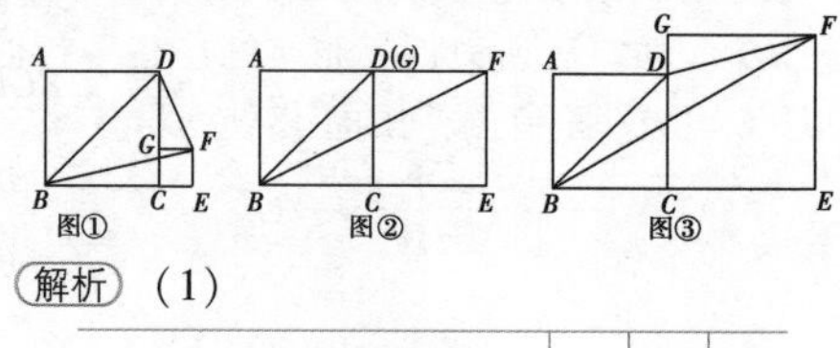

（解析）(1)

正方形 $CEFG$ 的边长	1	3	4
△BFD 的面积	$\frac{9}{2}$	$\frac{9}{2}$	$\frac{9}{2}$

(2)猜想：$S_{\triangle BFD}=\frac{1}{2}b^2$.

证明：如图，连接 CF，可知 $\angle DBC=\angle FCE=45°$，

∴ $BD\parallel CF$，

∴ △BFD 与△BCD 在 BD 边上的高相等，

∴ $S_{\triangle BFD}=S_{\triangle BCD}=\frac{1}{2}b^2$.

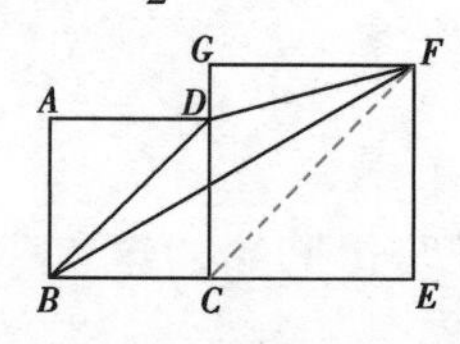

方法 3 平行四边形的判定方法

平行四边形的性质是证明边角相等的有效途径之一，因此，解题时往往先判定一个四边形是平行四边形，然后利用其性质解决问题，至于使用哪种判定

定理应依题目条件灵活确定.

平行四边形判定方法的选择：

已知条件		选择的判定定理
边	一组对边相等	判定定理 1 或判定定理 4
	一组对边平行	定义或判定定理 4
角	一组对角相等	判定定理 2
对角线互相平分		判定定理 3

例 3 如图，在▱$ABCD$ 中，点 E,F 在对角线 AC 上，且 $AE=CF$.求证：

(1) $DE=BF$；

(2) 四边形 $DEBF$ 是平行四边形.

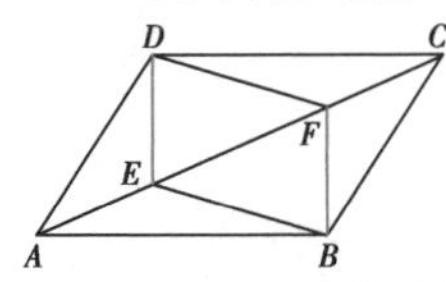

证明 (1) ∵ 四边形 $ABCD$ 是平行四边形，

∴ $AD \parallel CB, AD=CB$，∴ $\angle DAE=\angle BCF$.

在△ADE 和△CBF 中，$\begin{cases} AD=CB, \\ \angle DAE=\angle BCF, \\ AE=CF, \end{cases}$

∴ $\triangle ADE \cong \triangle CBF$，∴ $DE=BF$.

(2) 证法一：由(1)知$\triangle ADE \cong \triangle CBF$，

∴ $\angle ADE=\angle CBF$，

∵ $\angle DEF=\angle DAE+\angle ADE$，$\angle BFE=\angle BCF+\angle CBF$，∴ $\angle DEF=\angle BFE$，∴ $DE \parallel BF$，

又∵ $DE=BF$，∴ 四边形 $DEBF$ 是平行四边形.

证法二：如图，连接 BD 交 AC 于点 O.

∵ 四边形 $ABCD$ 为平行四边形，

∴ $OB=OD, OA=OC$.

∵ $AE=CF$，∴ $OA-AE=OC-CF$，即 $OE=OF$，

∴ 四边形 $DEBF$ 是平行四边形.

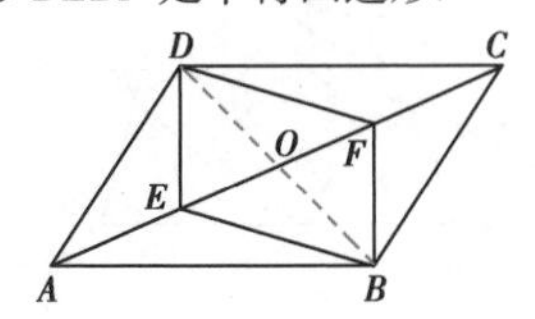

方法 4 平行四边形与全等相结合在解题中的应用方法

利用平行四边形的性质，我们可以证明线段平行或线段相等，在中考题中常与全等三角形或等腰三角形的知识相结合进行考查.

例 4 如图，四边形 $ABCD$ 是平行四边形，E 为 CD 的中点，连接 AE 并延长交 BC 的延长线于点 F.

(1) 求证：$\triangle ADE \cong \triangle FCE$；

(2) 若 $AB=2BC$，$\angle F=36°$，求$\angle B$ 的度数.

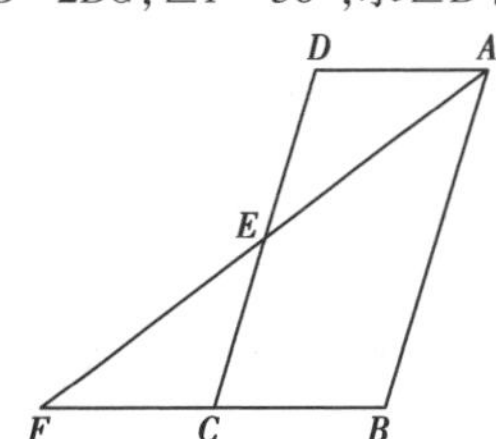

思路分析 (1) 利用平行四边形的性质得到 $AD \parallel BC, AD=BC$，证出$\angle D=\angle ECF$，又由 E 为 CD 的中点，得 $DE=CE$，然后由 ASA 即可证出$\triangle ADE \cong \triangle FCE$；(2) 由$\triangle ADE \cong \triangle FCE$ 可得 $AD=FC$，进而得出 $AB=FB$，由等腰三角形的性质和三角形内角和定理即可求出$\angle B$.

解析 (1) 证明：∵ 四边形 $ABCD$ 是平行四边形，

∴ $AD \parallel BC, AD=BC$，∴ $\angle D=\angle ECF$，

∵ E 为 DC 的中点，∴ $DE=CE$.

在△ADE 和△FCE 中，$\begin{cases} \angle D=\angle ECF, \\ DE=CE, \\ \angle AED=\angle FEC, \end{cases}$

∴ $\triangle ADE \cong \triangle FCE$(ASA).

(2) ∵ $\triangle ADE \cong \triangle FCE$，

∴ $AD=FC$，

∵ $AD=BC, AB=2BC$，

∴ $AB=FB$，

∴ $\angle BAF=\angle F=36°$，

∴ $\angle B=180°-36°-36°=108°$.

21.2 中位线

知识清单

知识1 三角形的中位线

知识2 三角形中位线定理

知识3 平行线等分线段定理

知识 1 三角形的中位线

1.定义：连接三角形两边中点的线段叫做三角形的中位线.

2.示例：如图，点 D、E 分别为 AB、AC 的中点，则线段 DE 为△ABC 的中位线.

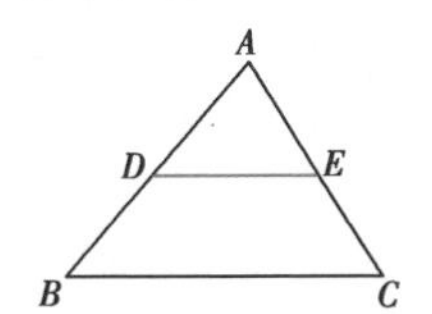

温馨提示

①三角形有三条中位线.

②不要把三角形的中位线与三角形的中线混淆,应从它们的定义加以区别.

知识 2 三角形中位线定理

1.定理:三角形的中位线平行于第三边,并且等于第三边的一半.

2.几何表示:

如图,因为线段 DE 为 $\triangle ABC$ 的中位线,所以 $DE\parallel BC$,且 $DE=\frac{1}{2}BC$.

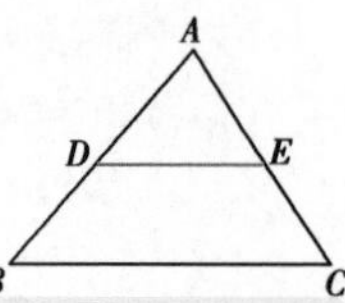

温馨提示

①三角形中位线定理的作用:可以证明两条直线平行;可以证明一条线段与另一条线段的倍分关系.

②三角形三条中位线把原三角形分成四个全等的三角形.

③在解题过程中,如果出现多条线段的中点,常借助辅助线构造三角形的中位线,使解题简便.

例 如图,在 $\triangle ABC$ 中,$AB=4$,$BC=6$,DE、DF 是 $\triangle ABC$ 的中位线,则四边形 $BEDF$ 的周长是 ( )

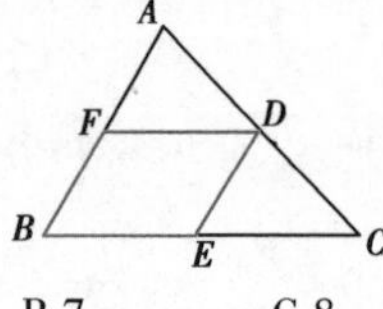

A.5 B.7 C.8 D.10

思路分析 由题意可知 $DE=\frac{1}{2}AB$,$DF=\frac{1}{2}BC$,$DE\parallel BF$,$DF\parallel BE$,可知四边形 $BEDF$ 为平行四边形,从而可得周长.

解析 $\because$ DE、DF 是 $\triangle ABC$ 的中位线,

$\therefore DE=\frac{1}{2}AB=2$,$DE\parallel BF$,

$DF=\frac{1}{2}BC=3$,$DF\parallel BE$,

$\therefore$ 四边形 $BEDF$ 是平行四边形,

$\therefore BF=DE=2$,$BE=DF=3$,

$\therefore$ 四边形 $BEDF$ 的周长为 $2+2+3+3=10$,故选 D.

答案 D

知识 3 平行线等分线段定理

如果一组平行线在一条直线上截得的线段相等,那么在其他直线上截得的线段也相等.

几何表示:

如图,因为 $a\parallel b\parallel c$,$AB=BC$,所以 $DE=EF$.

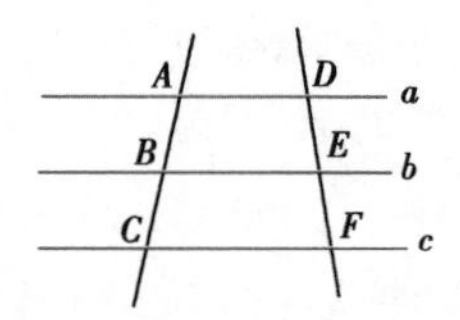

知识拓展

中点四边形

顺次连接四边形各边中点所组成的四边形叫做中点四边形.

如图,点 E、F、G、H 分别为四边形 $ABCD$ 的各边中点,则四边形 $EFGH$ 为中点四边形.

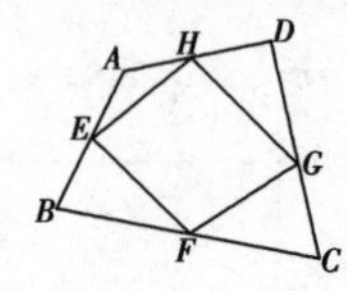

温馨提示

①中点四边形一定是平行四边形.

②连接对角线相等的四边形的各边中点所得的中点四边形是菱形(如:连接矩形各边中点所得的中点四边形为菱形).

③连接对角线互相垂直的四边形的各边中点所得的中点四边形是矩形(如:连接菱形各边中点所得的中点四边形为矩形).

④中点四边形的面积等于原四边形面积的一半.

例 如图,在四边形 $ABCD$ 中,E,F,G,H 分别是 AB,BC,CD,DA 的中点.求证:四边形 $EFGH$ 是平行四边形.

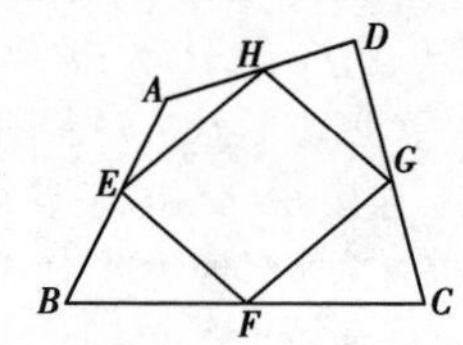

证明 如图,连接 AC.

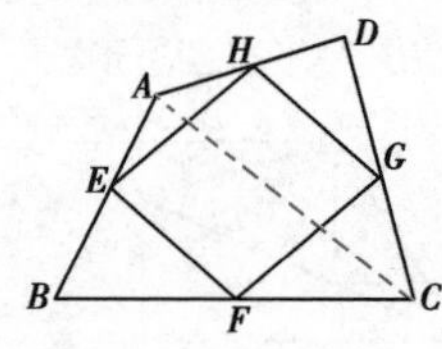

在 $\triangle DAC$ 中,

$\because H$,G 分别是 AD,DC 的中点,

$\therefore HG$ 是 $\triangle DAC$ 的中位线,

$\therefore HG\parallel AC$,$HG=\frac{1}{2}AC$.

同理可证,$EF\parallel AC$,$EF=\frac{1}{2}AC$.$\therefore HG\parallel EF$ 且 $HG=EF$.

$\therefore$ 四边形 $EFGH$ 是平行四边形.

方法清单

方法1 利用三角形中位线进行计算的方法
方法2 利用三角形中位线证明线段平行的方法

方法1 利用三角形中位线进行计算的方法

三角形中位线的性质为我们证明两线段的位置关系和数量关系提供了一个重要的依据，当题目中遇到中点问题时，常作出三角形的中位线.

例1 如图，在四边形 $ABCD$ 中，$\angle ABC=90°$，$AC=AD$，M，N 分别为 AC，CD 的中点，连接 BM，MN，BN.

(1)求证：$BM=MN$；

(2)若$\angle BAD=60°$，AC 平分$\angle BAD$，$AC=2$，求 BN 的长.

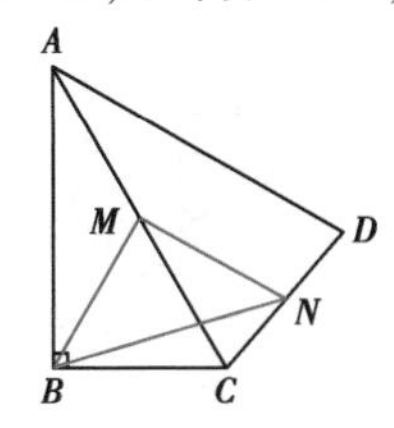

思路分析 (1)根据三角形中位线定理得 $MN=\frac{1}{2}AD$，又根据题意得 $BM=\frac{1}{2}AC$，从而证明 $BM=MN$.

(2)首先证明$\angle BMN=90°$，根据 $BN^2=BM^2+MN^2$ 即可解决问题.

解析 (1)证明：在$\triangle CAD$ 中，

$\because M$、N 分别是 AC、CD 的中点，

$\therefore MN\parallel AD$，$MN=\frac{1}{2}AD$，

在 Rt$\triangle ABC$ 中，$\because M$ 是 AC 中点，

$\therefore BM=\frac{1}{2}AC$，

又$\because AC=AD$，

$\therefore BM=\frac{1}{2}AD$，$\therefore MN=BM$.

(2)$\because \angle BAD=60°$，AC 平分$\angle BAD$，

$\therefore \angle BAC=\angle DAC=30°$，

由(1)可知，$BM=\frac{1}{2}AC=AM=MC$，

$\therefore \angle BMC=\angle BAM+\angle ABM=2\angle BAM=60°$，

$\because MN\parallel AD$，$\therefore \angle NMC=\angle DAC=30°$，

$\therefore \angle BMN=\angle BMC+\angle NMC=90°$，

$\therefore BN^2=BM^2+MN^2$，

由(1)可知，$MN=BM=\frac{1}{2}AC=1$，$\therefore BN=\sqrt{2}$.

方法2 利用三角形中位线证明线段平行的方法

当已知三角形一边中点时，可以设法找出另一边的中点，构造三角形中位线，进一步可以利用其证明线段平行或倍分问题.

例2 如图，$\triangle ABC$ 中，AD 平分$\angle BAC$，$AD\perp BD$，E 为 BC 的中点.

(1)求证：$DE\parallel AC$；

(2)若 $AB=4$，$AC=6$，求 DE 的长.

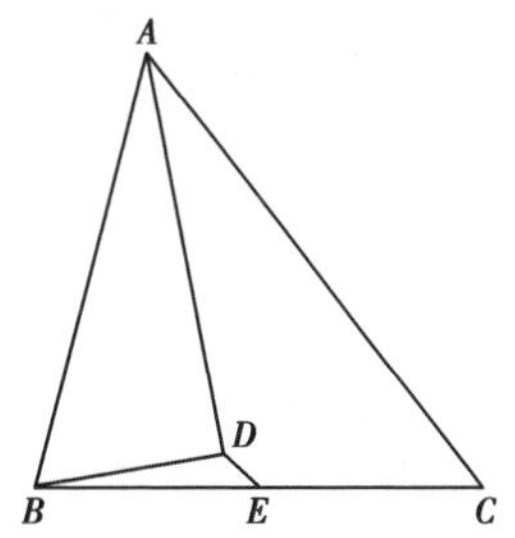

思路分析 (1)延长 BD 交 AC 于 H，证明$\triangle ADB\cong\triangle ADH$，得到 $BD=HD$，根据三角形中位线定理可证明 $DE\parallel AC$；(2)根据全等三角形的性质得到 $AH=AB=4$，求出 CH，然后根据三角形中位线定理计算即可.

解析 (1)证明：延长 BD 交 AC 于 H，

在$\triangle ADB$ 和$\triangle ADH$ 中，

$\begin{cases}\angle BAD=\angle HAD,\\ AD=AD,\\ \angle ADB=\angle ADH,\end{cases}$

$\therefore \triangle ADB\cong\triangle ADH$，$\therefore BD=HD$，

$\therefore D$ 为 BH 的中点，

又 E 为 BC 的中点，

$\therefore DE$ 为$\triangle BHC$ 的中位线，$\therefore DE\parallel AC$.

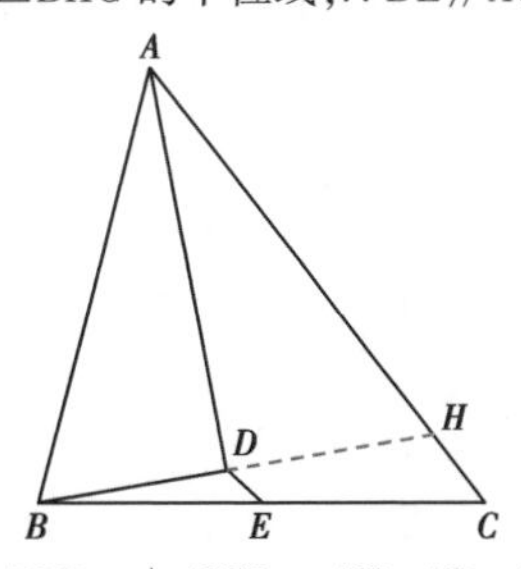

(2)$\because \triangle ADB\cong\triangle ADH$，$\therefore AH=AB=4$，

$\therefore CH=AC-AH=2$，

由(1)知 DE 为$\triangle BHC$ 的中位线，

$\therefore DE=\frac{1}{2}CH=1$.

21.3 矩 形

知识清单

知识1 矩形
知识2 矩形的性质定理
知识3 矩形的判定定理
知识4 矩形的对称性

知识 1 矩形

有一个角是直角的平行四边形叫做矩形(通常也叫做长方形).

如图,在▱$ABCD$ 中,若$\angle B=90°$,则四边形 $ABCD$ 是矩形.

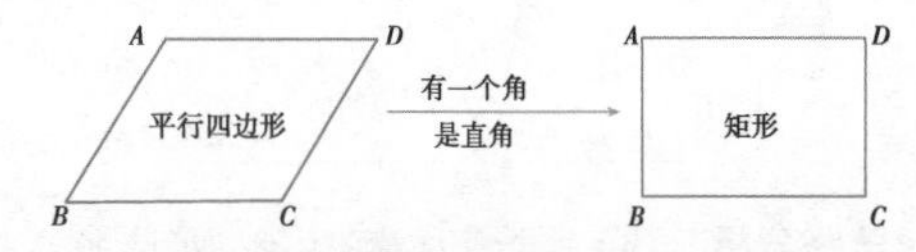

注意事项

①对于矩形的定义要注意两点:

a.是平行四边形;b.有一个角是直角.

②定义说有一个角是直角的平行四边形才是矩形,不要错误地理解为有一个角是直角的四边形是矩形.

③矩形的定义不仅是矩形的性质,而且还提供了矩形的一种判定方法.

知识 2 矩形的性质定理

1.性质定理 1:矩形的四个角都是直角.

(1)示例:如图,在矩形 $ABCD$ 中,$\angle ABC=90°$,由邻角互补、对角相等可得$\angle BAD=\angle ADC=\angle DCB=\angle ABC=90°$.

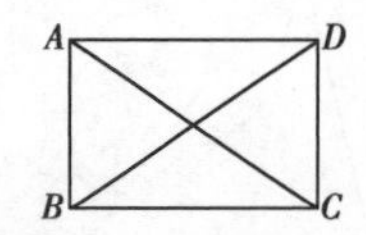

(2)几何表示:

$\because$ 四边形 $ABCD$ 是矩形,

$\therefore \angle BAD=\angle ABC=\angle BCD=\angle CDA=90°$.

2.性质定理 2:矩形的对角线相等.

(1)示例:如上图,在矩形 $ABCD$ 中,$AB=DC$,$\angle ABC=\angle BCD=90°$,$BC$ 为公共边,可得$\triangle ABC\cong\triangle DCB$.从而证得 $AC=BD$.

(2)几何表示:

$\because$ 四边形 $ABCD$ 是矩形,$\therefore AC=BD$.

温馨提示

①矩形具有平行四边形的一切性质.

②利用矩形的性质可以推出直角三角形斜边中线的性质,即在直角三角形中,斜边上的中线等于斜边的一半.

③"矩形的四个角都是直角"这一性质可用来证两条线段互相垂直或角相等,"矩形的对角线相等"这一性质可用来证线段相等.

④矩形的两条对角线分矩形为面积相等的四个等腰三角形.

例1 如图,在矩形 $ABCD$ 中,对角线 AC、BD 交于点 O,以下说法错误的是 ( )

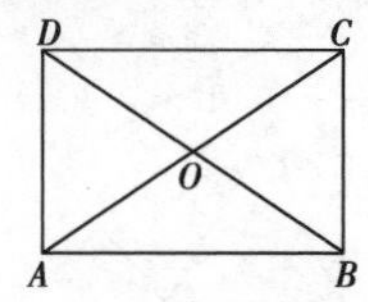

A.$\angle ABC=90°$ B.$AC=BD$

C.$OA=OB$ D.$OA=AD$

(解析) $\because$ 四边形 $ABCD$ 是矩形,

$\therefore \angle ABC=\angle BCD=\angle CDA=\angle BAD=90°$,

$AC=BD$,$OA=\frac{1}{2}AC$,$OB=\frac{1}{2}BD$,

$\therefore OA=OB$,$\therefore$ A、B、C 正确,故选 D.

(答案) D

知识 3 矩形的判定定理

<table>
<tr><th colspan="2"></th><th>判定定理</th><th>符号语言</th><th>图示</th></tr>
<tr><td rowspan="3">矩形的判定</td><td rowspan="2">角</td><td>有一个角是直角的平行四边形是矩形</td><td>如图所示,在平行四边形 $ABCD$ 中,$\because \angle BAD=90°$,$\therefore$ 平行四边形 $ABCD$ 是矩形</td><td rowspan="3">(图:矩形 $ABCD$,对角线交于点 O)</td></tr>
<tr><td>有三个角是直角的四边形是矩形</td><td>如图所示,在四边形 $ABCD$ 中,$\because \angle BAD=\angle ADC=\angle DCB=90°$,$\therefore$ 四边形 $ABCD$ 是矩形</td></tr>
<tr><td>对角线</td><td>对角线相等的平行四边形是矩形</td><td>如图所示,在平行四边形 $ABCD$ 中,$\because AC=BD$,$\therefore$ 平行四边形 $ABCD$ 是矩形</td></tr>
</table>

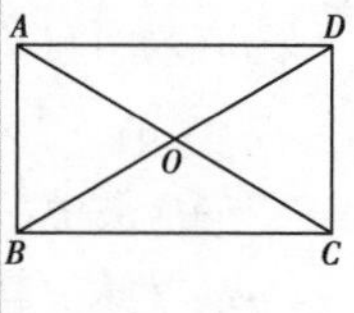

温馨提示 ①若易证得四边形是平行四边形,则再证一角为直角或对角线相等,即可证得其是矩形.

②四个角均相等的四边形是矩形.

③有两条对角线相等的四边形不一定是矩形,必须加上"平行四边形"这个条件,它才是矩形.

④对角线相等且互相平分的四边形是矩形.

例2 如图,四边形 $ABCD$ 为平行四边形,延长 AD 到 E,使 $DE=AD$,连接 EB,EC,DB.添加一个条件,不能使四边形 $DBCE$ 成为矩形的是 ( )

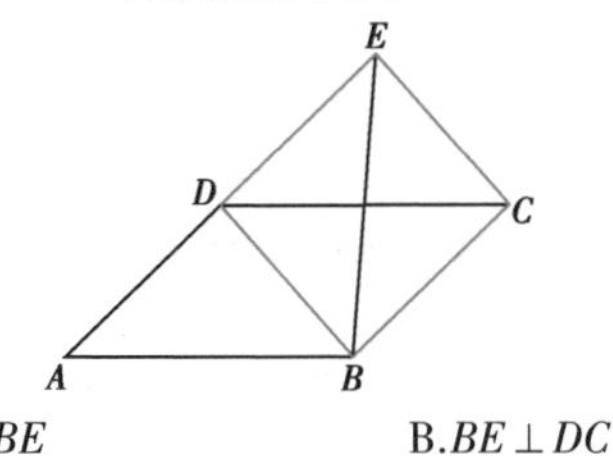

A.$AB=BE$ B.$BE\perp DC$

C.$\angle ADB=90°$ D.$CE\perp DE$

解析 $\because$ 四边形 $ABCD$ 是平行四边形,$\therefore AD/\!/BC,AD=BC,AB=CD,\therefore DE/\!/BC,\because DE=AD,\therefore DE=BC,\therefore$ 四边形 $DBCE$ 是平行四边形.若 $AB=BE$,则 $CD=BE$,则平行四边形 $DBCE$ 是矩形.若 $CE\perp DE$,即 $\angle DEC=90°$,则平行四边形 $DBCE$ 是矩形.若 $\angle ADB=90°$,则 $\angle BDE=90°$,则平行四边形 $DBCE$ 是矩形.若 $BE\perp DC$,则平行四边形 $DBCE$ 不一定是矩形.故选 B.

答案 B

知识 4 矩形的对称性

1.矩形是轴对称图形,有两条对称轴且对称轴都是过对边中点的直线.

2.矩形是中心对称图形,对角线的交点为对称中心.

温馨提示 ①矩形的对称中心是其两条对称轴的交点.

②过对称中心的任意直线可将矩形分成全等的两部分.

方法清单

方法1 矩形有关性质的应用方法

方法2 矩形的判定方法

方法 1 矩形有关性质的应用方法

矩形的性质是求角度,线段的长度等问题常用的知识,可以用来验证两条线段是否相等、两条直线是否平行、两角是否相等.

例1 如图,在矩形 $ABCD$ 中,对角线 AC,BD 相交于点 O,$\angle AOB=60°$,$AC=6$ cm,则 AB 的长是 ( )

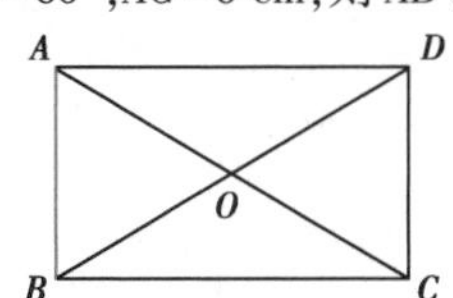

A.3 cm B.6 cm C.10 cm D.12 cm

思路分析 根据矩形的对角线相等且互相平分可得 $OA=OB=OD=OC$,由 $\angle AOB=60°$,判断出 $\triangle AOB$ 是等边三角形,根据等边三角形的性质求出 AB 即可.

解析 $\because$ 四边形 $ABCD$ 是矩形,$AC=6$ cm,$\therefore OA=OC=OB=OD=3$ cm,$\because \angle AOB=60°,\therefore \triangle AOB$ 是等边三角形,$\therefore AB=OA=3$ cm.故选 A.

答案 A

例2 如图,在矩形 $ABCD$ 中,对角线 AC,BD 相交于点 O,点 E,F 分别在边 AD,BC 上,且 $DE=CF$,连接 OE,OF.求证:$OE=OF$.

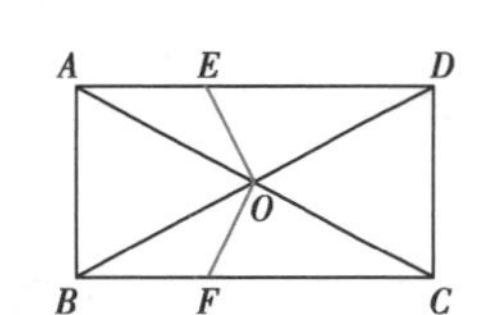

证明 $\because$ 四边形 $ABCD$ 为矩形,$\therefore \angle ADC=\angle BCD=90°,AC=BD,OD=\frac{1}{2}BD,OC=\frac{1}{2}AC.\therefore OD=OC.\therefore \angle ODC=\angle OCD.\therefore \angle ADC-\angle ODC=\angle BCD-\angle OCD$,即 $\angle EDO=\angle FCO$.又 $\because DE=CF,\therefore \triangle ODE\cong\triangle OCF,\therefore OE=OF$.

方法 2 矩形的判定方法

矩形判定方法的使用:在平行四边形的基础上,增加"一个角是直角"或"对角线相等"的条件即为矩形;在四边形的基础上,有三个角是直角(第四个角必是直角),则可判定该四边形为矩形.

例3 如图,在▱$ABCD$ 中,点 O 是边 BC 的中点,连接 DO 并延长,交 AB 的延长线于点 E,连接 BD,EC.

(1)求证:四边形 $BECD$ 是平行四边形;

(2)若 $\angle A=50°$,则当 $\angle BOD=$________时,四边形 $BECD$ 是矩形.

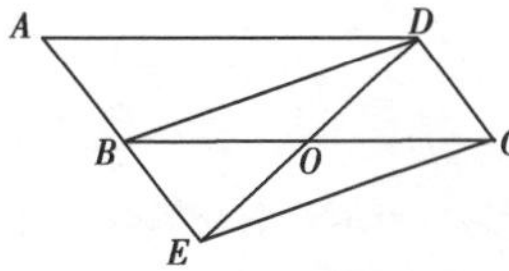

思路分析 (1)由题意根据 AAS 证明 $\triangle BOE\cong\triangle COD$,得出 $OE=OD$,然后利用对角线互相平分的四

边形是平行四边形得出结论；

(2)由平行四边形的性质得出$\angle BCD=\angle A=50°$，当$\angle BOD=100°$时，由三角形的外角性质求出$\angle ODC=\angle BCD$，得出$OC=OD$，进而$DE=BC$，即可得出结论.

解析 (1)证明：∵ 四边形$ABCD$为平行四边形，

∴ $AB/\!/DC, AB=CD$，

∴ $\angle OEB=\angle ODC$，

又∵ O为BC的中点，

∴ $BO=CO$，

在$\triangle BOE$和$\triangle COD$中，$\begin{cases}\angle OEB=\angle ODC,\\ \angle BOE=\angle COD,\\ BO=CO,\end{cases}$

∴ $\triangle BOE\cong\triangle COD$(AAS)，

∴ $OE=OD$，

∴ 四边形$BECD$是平行四边形.

(2)若$\angle A=50°$，则当$\angle BOD=100°$时，四边形$BECD$是矩形.理由如下：

∵ 四边形$ABCD$是平行四边形，

∴ $\angle BCD=\angle A=50°$，

∵ $\angle BOD=\angle BCD+\angle ODC$，

∴ $\angle ODC=100°-50°=50°=\angle BCD$，

∴ $OC=OD$，

∵ $BO=CO, OD=OE$，

∴ $DE=BC$，

又∵ 四边形$BECD$是平行四边形，

∴ 四边形$BECD$是矩形.

21.4 菱 形

知识清单

- 知识1 菱形
- 知识2 菱形的性质定理
- 知识3 菱形的判定定理
- 知识4 菱形的面积公式

知识1 菱形

1.定义：有一组邻边相等的平行四边形叫做菱形.

2.示例：如图，在▱$ABCD$中，若$AB=BC$，则▱$ABCD$是菱形.

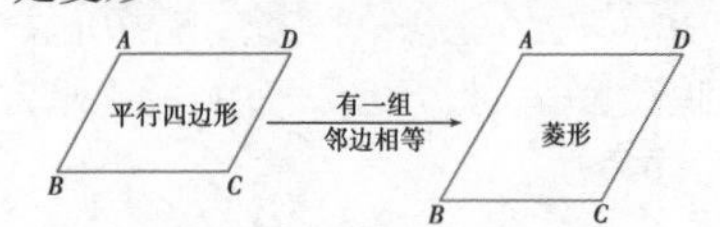

注意事项

①菱形必须满足两个条件：一是平行四边形；二是一组邻边相等.

②菱形是特殊的平行四边形，即当一个平行四边形满足一组邻边相等时，该平行四边形是菱形，不能错误地认为有一组邻边相等的四边形就是菱形.

③菱形的定义既提供了菱形的基本性质，也提供了基本的判定方法.

知识2 菱形的性质定理

1.性质定理1：菱形的四条边都相等.

几何表示：

∵ 四边形$ABCD$为菱形，

∴ $AB=BC=CD=AD$.

2.性质定理2：菱形的对角线互相垂直，并且每一条对角线平分一组对角.

几何表示：

如图，∵ 四边形$ABCD$为菱形，

∴ $AC\perp BD$，AC平分$\angle BAD$，CA平分$\angle BCD$；BD平分$\angle ABC$，DB平分$\angle ADC$.

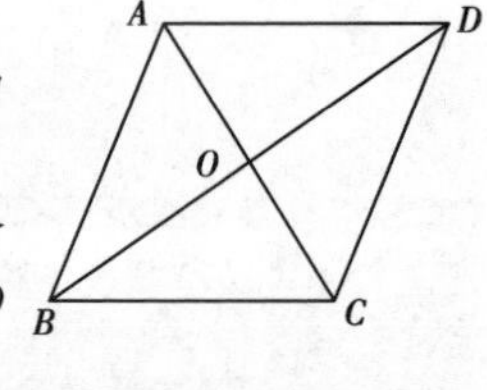

温馨提示

①菱形具有平行四边形的一切性质.

②“菱形的对角线互相垂直”这一性质可用来证明两条线段互相垂直，“菱形的每一条对角线平分一组对角”这一性质可用来证明角相等.

③菱形的两条对角线分菱形为四个全等的直角三角形.

例1 如图，菱形$ABCD$的对角线AC，BD的长分别为6 cm，8 cm，则这个菱形的周长为 ( )

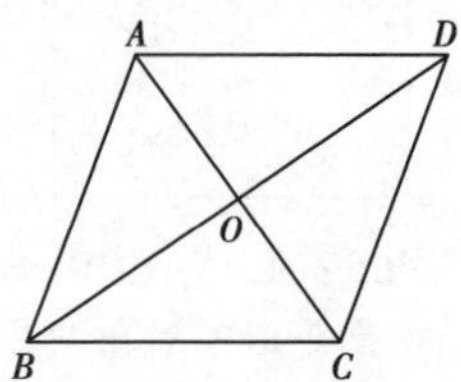

A.5 cm B.10 cm C.14 cm D.20 cm

思路分析 根据菱形的对角线互相垂直平分可得$AC\perp BD$，$OA=\frac{1}{2}AC$，$OB=\frac{1}{2}BD$，再利用勾股定理求出AB，然后根据菱形的四条边都相等即可得解.

解析 ∵ 四边形$ABCD$是菱形，

∴ $AC\perp BD$，$OA=\frac{1}{2}AC=\frac{1}{2}\times6=3$ cm，

$OB=\frac{1}{2}BD=\frac{1}{2}\times8=4$ cm，

根据勾股定理，得 $AB=\sqrt{OA^2+OB^2}=\sqrt{3^2+4^2}=5$ cm，

所以，这个菱形的周长 $=4\times5=20$ cm. 故选 D.

(答案) D

知识 3 菱形的判定定理

		判定定理	符号语言	图示
菱形的判定	边	一组邻边相等的平行四边形是菱形	如图所示，在平行四边形 $ABCD$ 中，若 $AB=AD$，则平行四边形 $ABCD$ 是菱形	
		四条边都相等的四边形是菱形	如图所示，在四边形 $ABCD$ 中，$\because AB=BC=CD=DA$，$\therefore$ 四边形 $ABCD$ 是菱形	(A, B, C, D, O)
	对角线	对角线互相垂直的平行四边形是菱形	如图所示，在平行四边形 $ABCD$ 中，$\because AC\perp BD$，$\therefore$ 平行四边形 $ABCD$ 是菱形	

温馨提示

①证明一个四边形是菱形，一般情况下，先证明它是一个平行四边形，然后要么证明“一组邻边相等”，要么证明“对角线互相垂直”. 若要直接证明一个四边形是菱形，只要证明“四条边相等”即可.

②对角线互相垂直平分的四边形是菱形.

③对角线平分一组内角的平行四边形是菱形.

例 2 如图，在 $\triangle ABC$ 中，D 是 BC 边的中点，F，E 分别是 AD 及其延长线上的点，$CF /\!/ BE$，连接 BF，CE.

(1) 求证：四边形 $BFCE$ 是平行四边形；

(2) 当边 AB、AC 满足什么条件时，四边形 $BFCE$ 是菱形？并说明理由.

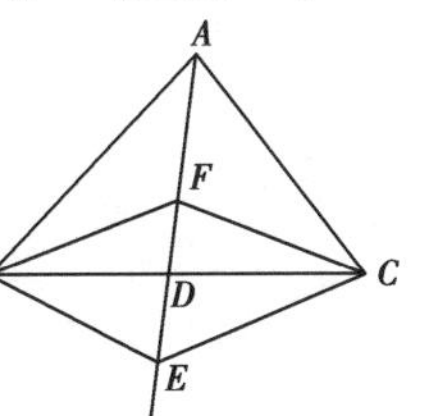

(解析) (1) 证明：$\because$ 在 $\triangle ABC$ 中，D 是 BC 边的中点，$\therefore BD=CD$，

$\because CF /\!/ BE$，$\therefore \angle CFD=\angle BED$，

在 $\triangle CFD$ 和 $\triangle BED$ 中，$\begin{cases}\angle CFD=\angle BED,\\ \angle FDC=\angle EDB,\\ CD=BD,\end{cases}$

$\therefore \triangle CFD\cong\triangle BED$，$\therefore CF=BE$，

$\therefore$ 四边形 $BFCE$ 是平行四边形.

(2) 当 $AB=AC$ 时，

四边形 $BFCE$ 是菱形.

理由如下：

$\because AB=AC$，D 是 BC 边的中点，$\therefore AD\perp BC$，

$\therefore EF\perp BC$，又四边形 $BFCE$ 为平行四边形，

$\therefore$ 四边形 $BFCE$ 是菱形.

知识 4 菱形的面积公式

计算菱形的面积可利用平行四边形的面积公式，另外当 a，b 分别表示两条对角线长时，菱形的面积 $S=\frac{1}{2}ab$.

①菱形的面积 $S=\frac{1}{2}ab$ 适用于对角线互相垂直的任意四边形的面积的计算.

②在求菱形面积时，要根据图形特点及已知条件，灵活选择面积公式来解决问题.

③在利用对角线长求菱形的面积时，要特别注意，不要漏掉计算公式中的 $\frac{1}{2}$.

例 3 已知菱形的周长为 24，一条对角线长为 8，求菱形的面积.

(解析) 如图所示，$\because$ 菱形的周长为 24，$\therefore AB=6$.

令 $AC=8$，则 $OA=4$.

$\because AC\perp BD$，

$\therefore$ 在 $\text{Rt}\triangle AOB$ 中，

$OB=\sqrt{AB^2-OA^2}=\sqrt{6^2-4^2}=2\sqrt{5}$，则 $BD=4\sqrt{5}$，

$\therefore S_{菱形}=\frac{1}{2}AC\cdot BD=\frac{1}{2}\times8\times4\sqrt{5}=16\sqrt{5}$.

方法清单

方法 1 菱形有关性质的应用方法

由于菱形的对角线互相垂直平分，因此涉及菱形的问题常会在直角三角形中解决；同样菱形的四条边都相等，因此菱形与等腰三角形、等边三角形的综合应用较多. 利用菱形的性质求线段、角时，注意菱形与其他几何知识的结合.

例 1 如图，在菱形 $ABCD$ 中，过点 D 作 $DE\perp AB$ 于点 E，作 $DF\perp BC$ 于点 F，连接 EF.

求证：(1) $\triangle ADE\cong\triangle CDF$；

(2) $\angle BEF=\angle BFE$.

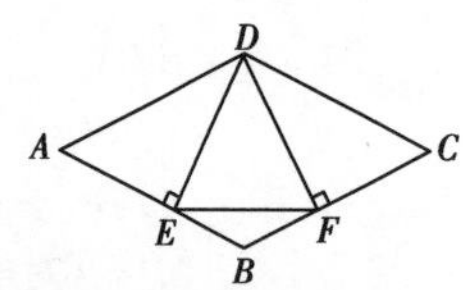

思路分析　(1)利用菱形的性质得到 $AD=CD$，$\angle A=\angle C$，进而利用 AAS 证明两三角形全等；(2)根据 $\triangle ADE\cong\triangle CDF$ 得到 $AE=CF$，结合菱形的四条边相等得到 $BE=BF$，从而得到结论.

(证明) (1)$\because$ 四边形 $ABCD$ 是菱形，

$\therefore AD=CD$，$\angle A=\angle C$，

$\because DE\perp AB$，$DF\perp CB$，$\therefore \angle AED=\angle CFD=90°$.

$\therefore \triangle ADE\cong\triangle CDF$.

(2)$\because$ 四边形 $ABCD$ 是菱形，$\therefore AB=CB$，

$\because \triangle ADE\cong\triangle CDF$，$\therefore AE=CF$，

$\therefore BE=BF$，$\therefore \angle BEF=\angle BFE$.

方法 2　菱形面积的计算方法

菱形被对角线分成四个全等的直角三角形，利用三角形的面积公式可推知菱形面积等于它的两条对角线长的乘积的一半.在求菱形面积时，要根据图形特点及已知条件，灵活地选择面积公式来解决问题.

例 2　如图，四边形 $ABCD$ 是菱形，$AC=8$，$DB=6$，$DH\perp AB$ 于 H，则 DH 等于　　(　　)

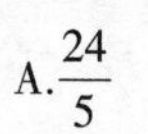

A. $\frac{24}{5}$　　B. $\frac{12}{5}$

C. 5　　D. 4

(解析) $\because$ 四边形 $ABCD$ 是菱形，

$\therefore AO=OC$，$BO=OD$，$AC\perp BD$，

$\because AC=8$，$DB=6$，$\therefore AO=4$，$OB=3$，

由勾股定理得 $AB=\sqrt{3^2+4^2}=5$，

$\because S_{菱形ABCD}=\frac{1}{2}AC\cdot BD=AB\cdot DH$，

$\therefore \frac{1}{2}\times8\times6=5DH$，解得 $DH=\frac{24}{5}$，故选 A.

(答案) A

方法 3　菱形的判定方法

判定一个四边形是菱形的关键是能把已知条件转化为判定时所需要的条件，在平行四边形的基础上，增加"一组邻边相等"或"对角线垂直"的条件即为菱形；若在四边形的基础上，则需有四条边都相等才可判定其为菱形.

例 3　如图所示，▱$ABCD$ 的对角线 AC 的垂直平分线与 AD，BC，AC 分别相交于 E，F，O，连接 AF，EC，则四边形 $AFCE$ 是菱形吗？为什么？

(解析) 四边形 $AFCE$ 是菱形.

理由：解法一：$\because$ 四边形 $ABCD$ 是平行四边形，

$\therefore AD/\!/BC$，$\therefore \angle EAO=\angle FCO$.

$\because EF$ 垂直平分 AC，$\therefore AO=CO$.

在 $\triangle AOE$ 和 $\triangle COF$ 中，$\angle EAO=\angle FCO$，$AO=CO$，$\angle AOE=\angle COF$，

$\therefore \triangle AOE\cong\triangle COF$(ASA).$\therefore AE=CF$.

又$\because AE/\!/CF$，

$\therefore$ 四边形 $AFCE$ 是平行四边形.

又$\because AC\perp EF$，

$\therefore$ 平行四边形 $AFCE$ 是菱形.

解法二：判定四边形 $AFCE$ 是平行四边形同解法一.

$\because EF$ 是 AC 的垂直平分线，$\therefore EA=EC$.

$\therefore$ 平行四边形 $AFCE$ 是菱形.

解法三：$\because E$，F 在 AC 的垂直平分线上，

$\therefore AE=EC$，$AF=FC$，$\therefore \angle EAC=\angle ECA$.

又$\because AE/\!/FC$，

$\therefore \angle EAC=\angle FCA$.

$\therefore \angle FCA=\angle ECA$.

又$\because CO\perp EF$，

$\therefore EC=FC$，

$\therefore AE=EC=CF=FA$.

$\therefore$ 四边形 $AFCE$ 是菱形.

21.5　正方形

知识清单

知识 1　正方形

有一组邻边相等且有一个角是直角的平行四边形叫做正方形.

温馨提示

①正方形既是有一组邻边相等的矩形,又是有一个角是直角的菱形.

②既是矩形又是菱形的四边形是正方形.

③正方形不仅是特殊的平行四边形,而且是特殊的矩形,还是特殊的菱形.平行四边形,矩形,菱形,正方形的关系如图.

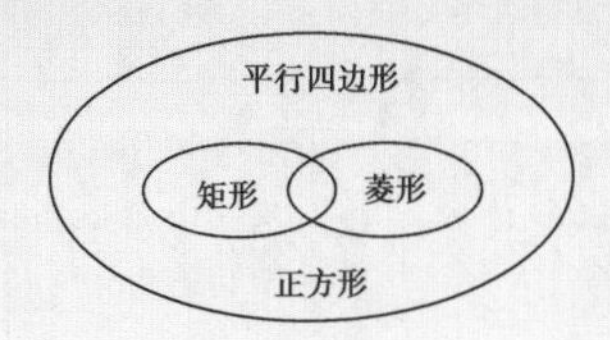

知识 2 正方形的性质

1.正方形的四个角都是直角,四条边都相等.

2.正方形的两条对角线相等,并且互相垂直平分,每条对角线平分一组对角.

温馨提示

①正方形的性质=矩形的性质+菱形的性质.

②正方形具有平行四边形、矩形、菱形的所有性质.

③一条对角线把正方形分成两个全等的等腰直角三角形,对角线与边的夹角是45°.两条对角线把正方形分成四个全等的等腰直角三角形.

例1 如图,在正方形 $ABCD$ 的外侧,作等边三角形 ADE,AC,BE 相交于点 F,则 $\angle BFC$ 为 ( )

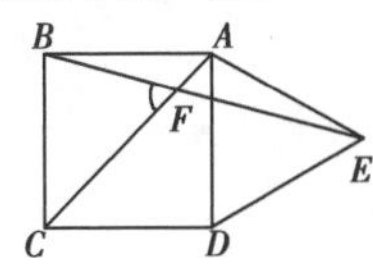

A.45°　　B.55°　　C.60°　　D.75°

(解析) 由已知得 $AB=AE$,$\angle BAE=150°$,$\therefore \angle ABF=15°$,$\therefore \angle BFC=\angle ABF+\angle BAF=60°$.

(答案) C

知识 3 正方形的判定

正方形的判定方法:

(1)平行四边形+一组邻边相等+一个角为直角(定义法);

(2)矩形+一组邻边相等;

(3)矩形+对角线互相垂直;

(4)菱形+一个角为直角;

(5)菱形+对角线相等.

温馨提示

①以菱形和矩形的判定为基础,可以引申出更多正方形的判定方法,如对角线互相垂直平分且相等的四边形是正方形.

②证明四边形是正方形的一般步骤是先证出四边形是矩形或菱形,再根据以上判定方法证明四边形是正方形.

例2 如图所示,已知 $\triangle ABC$ 中,$\angle ACB=90°$,CD 平分 $\angle ACB$,$DE\perp BC$ 于 E,$DF\perp AC$ 于 F.求证:四边形 $CFDE$ 是正方形.

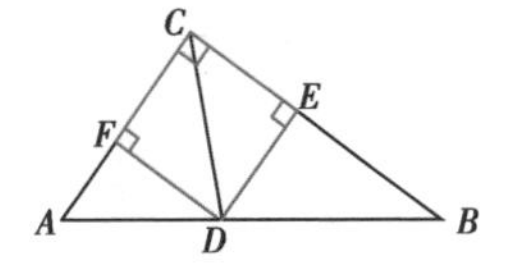

(证明) 证法一:$\because DF\perp AC$,$\angle ACB=90°$,

$\therefore DF/\!/BC$,同理,$DE/\!/FC$.

$\therefore$ 四边形 $CFDE$ 是平行四边形,

$\because CD$ 平分 $\angle ACB$,$DF\perp AC$,$DE\perp BC$,$\therefore DF=DE$,

$\therefore \square CFDE$ 是菱形.

又 $\angle ACB=90°$,

$\therefore$ 四边形 $CFDE$ 是正方形.

证法二:$\because DF\perp AC$,$DE\perp BC$,

$\therefore \angle DFC=\angle DEC=90°$,

又 $\angle ACB=90°$,$\therefore$ 四边形 $CFDE$ 是矩形,

又 $\because CD$ 平分 $\angle ACB$,$\therefore DF=DE$,

$\therefore$ 四边形 $CFDE$ 是正方形.

知识 4 正方形的对称性

1.正方形是轴对称图形,它有四条对称轴,分别是对边中点所在的直线和两条对角线所在的直线.

2.正方形是中心对称图形,对角线的交点是对称中心.

知识 5 四边形之间的区别与联系

1.平行四边形、矩形、菱形、正方形之间的关系

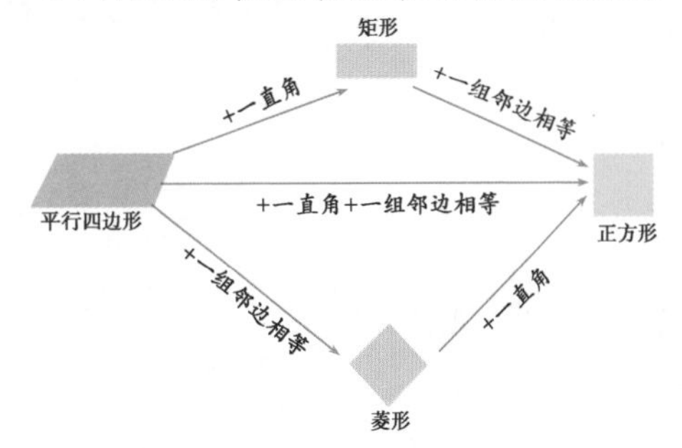

2.四边形之间的从属关系

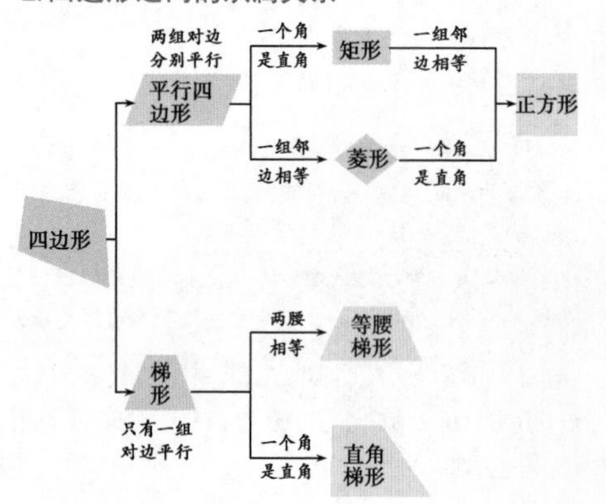

3.四种特殊四边形的性质

	边	角	对角线	对称性
平行四边形	对边平行且相等	对角相等	两条对角线互相平分	中心对称图形
矩形	对边平行且相等	四个角都是直角	两条对角线互相平分且相等	轴对称图形,中心对称图形
菱形	对边平行、四条边都相等	对角相等	两条对角线互相垂直平分,且每一条对角线平分一组对角	轴对称图形,中心对称图形
正方形	对边平行、四条边都相等	四个角都是直角	两条对角线互相垂直平分且相等,每条对角线平分一组对角	轴对称图形,中心对称图形

4.四种特殊四边形的判定

续表

	边	角	对角线
平行四边形	①两组对边分别平行, ②两组对边分别相等, ③一组对边平行且相等	两组对角分别相等	两条对角线互相平分
矩形		①有一个角是直角的平行四边形, ②有三个角是直角的四边形	两条对角线相等的平行四边形
菱形	①一组邻边相等的平行四边形, ②四条边都相等的四边形		两条对角线互相垂直的平行四边形
正方形	一组邻边相等的矩形	有一个角是直角的菱形	两条对角线互相垂直平分且相等的四边形

知识拓展

1.梯形

(1)定义

一组对边平行,另一组对边不平行的四边形叫做梯形.

(2)梯形的组成要素

①底:梯形中平行的一组对边叫做梯形的底.

②腰:梯形中不平行的一组对边叫做梯形的腰.

> 注意事项 梯形的定义易忽略"另一组对边不平行"这个条件.

2.梯形的分类

(1)直角梯形:有一个角是直角的梯形.

(2)等腰梯形:两腰相等的梯形.

梯形{一般梯形；特殊梯形{直角梯形；等腰梯形}}

> 注意事项 ①等腰梯形平行的两边不能相等,如果相等,就成了平行四边形.
> ②直角梯形不能有三个角或四个角是直角,若是这样,就成了矩形.

3.等腰梯形及其性质

(1)定义:两腰相等的梯形叫做等腰梯形.

(2)等腰梯形的性质:

①两底平行,两腰相等.

②等腰梯形同一底边上的两个角相等.

③等腰梯形的两条对角线相等.

④等腰梯形是轴对称图形,只有一条对称轴,底边的垂直平分线是它的对称轴.两腰延长线的交点、对角线的交点都在对称轴上.

温馨提示

①等腰梯形同一底上的两个角相等,不能说成:等腰梯形两底上的角相等.

②等腰梯形同一底边上的两个角既可能是下底边上的两个角,也可能是上底边上的两个角.等腰梯形同一腰上的两个角互补.

③对角线相等是等腰梯形特有的性质,一般梯形不具有这一特征.

4.等腰梯形的判定

判定梯形为等腰梯形的依据:

(1)等腰梯形的定义.

(2)对角线相等的梯形是等腰梯形.

(3)在同一底边上的两个角相等的梯形是等腰梯形.

注意事项

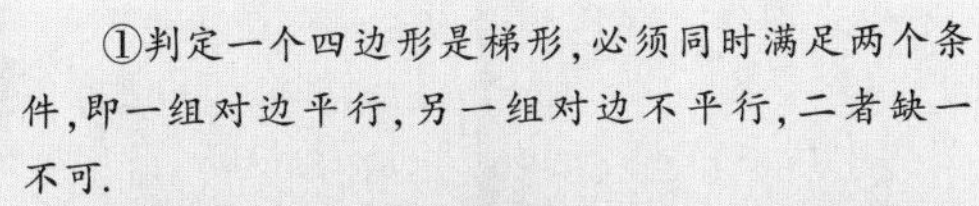

①判定一个四边形是梯形,必须同时满足两个条件,即一组对边平行,另一组对边不平行,二者缺一不可.

②判定一个四边形是等腰梯形,必须先判定四边形是梯形,再证明同一底边上的两个角相等或两腰相等或两条对角线相等.

③证明四边形是梯形时,一定要考虑平行边不相等.

5.梯形中常见的辅助线的作法

要解决梯形问题,通常添加辅助线将其转化为平行四边形与三角形的组合图形,再运用相关知识加以解决.添加辅助线的方法:

(1)"作高":使两腰在两个直角三角形中,如图①;

(2)"平移对角线":使两条对角线在同一个三角形中,如图②;

(3)"延长两腰":构造具有公共角的两个三角形,如图③;

(4)"等积变形":连接梯形一腰的端点和另一腰中点并延长,与底边的延长线交于一点,构造三角形,如图④;

(5)"平移腰":过上底端点作一腰的平行线,构造一个平行四边形和一个三角形,如图⑤;

(6)"过上底中点平移两腰":过上底中点作两腰的平行线,构造两个平行四边形和一个三角形,如图⑥.

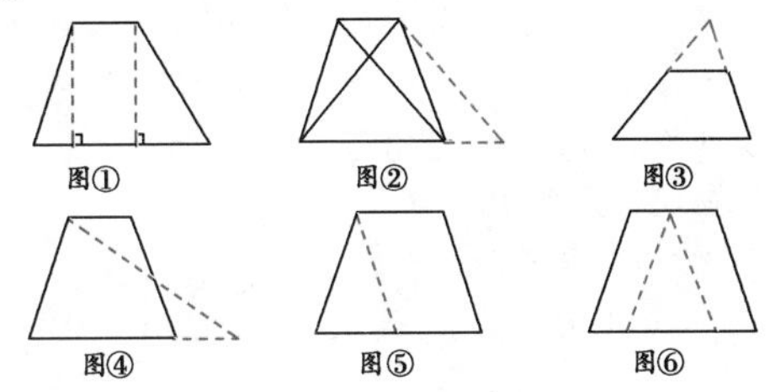

第15-21章

方法清单

方法1 正方形性质的应用方法

在正方形问题中,一般可以通过证三角形全等来证两条线段相等,也可以利用正方形的角是直角来构造直角三角形,利用勾股定理解题.在正方形中,也常用对角线互相垂直平分证明线段相等.

例1 如图,正方形 $ABCD$ 中,G 为 BC 边上一点,$BE\perp AG$ 于 E,$DF\perp AG$ 于 F,连接 DE.

(1)求证:$\triangle ABE\cong\triangle DAF$;

(2)若 $AF=1$,三角形 AED 的面积为 $\frac{9}{2}$,求 EF 的长.

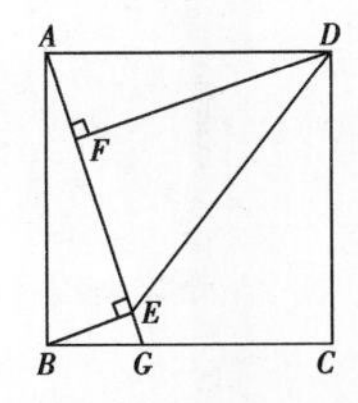

思路分析 (1)由 $\angle BAE+\angle DAF=90°$,$\angle DAF+\angle ADF=90°$,推出 $\angle BAE=\angle ADF$,即可根据 AAS 证明 $\triangle ABE\cong\triangle DAF$;(2)设 $EF=x$,则 $AE=DF=x+1$,根据三角形 AED 的面积为 $\frac{9}{2}$ 可得 $\frac{1}{2}\times(x+1)^2=\frac{9}{2}$,解方程即可求 EF 的长.

(解析) (1)证明:$\because$ 四边形 $ABCD$ 是正方形,$\therefore AB=AD$,$\angle BAD=90°$,$\therefore \angle BAE+\angle DAF=90°$.

$\because DF\perp AG,BE\perp AG$,$\therefore \angle AFD=\angle BEA=90°$,

$\therefore \angle ADF+\angle DAF=90°$,

$\therefore \angle BAE=\angle ADF$,

在 $\triangle ABE$ 和 $\triangle DAF$ 中,$\begin{cases}\angle AEB=\angle DFA,\\ \angle BAE=\angle ADF,\\ AB=AD,\end{cases}$

$\therefore \triangle ABE\cong\triangle DAF$(AAS).

(2)$\because \triangle ABE\cong\triangle DAF$,$\therefore AE=DF$,设 $EF=x$,则 $AE=DF=x+1$,$\because$ 三角形 AED 的面积为 $\frac{9}{2}$,

$\therefore \frac{1}{2}\times(x+1)^2=\frac{9}{2}$,

解得 $x=2$ 或 $x=-4$(舍去),$\therefore EF=2$.

方法 2 正方形的判定方法

在判定一个四边形是正方形时，要弄清是在“四边形”还是在“平行四边形”的基础之上来求证的，要熟悉各判定定理的联系和区别.解答此类问题时要认真审题，通过对已知条件的分析、综合，最后确定用哪一种判定方法.

例 2 如图，已知▱$ABCD$中，对角线AC、BD交于点O，E是BD延长线上的点，且$\triangle ACE$是等边三角形.

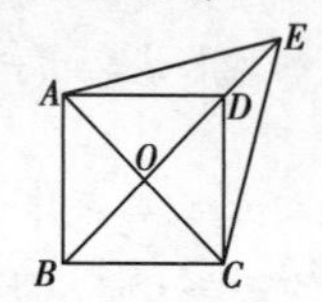

(1)求证：四边形$ABCD$是菱形；

(2)若$\angle AED=2\angle EAD$，求证：四边形$ABCD$是正方形.

证明 (1)$\because$ 四边形$ABCD$是平行四边形，

$\therefore AO=CO$.

又$\because \triangle ACE$是等边三角形，

$\therefore EO\perp AC$，即$DB\perp AC$.

$\therefore$ ▱$ABCD$是菱形.

(2)$\because \triangle ACE$是等边三角形，$\therefore \angle AEC=60^\circ$.

$\because EO\perp AC$，$\therefore \angle AEO=\frac{1}{2}\angle AEC=30^\circ$.

$\because \angle AED=2\angle EAD$，$\therefore \angle EAD=15^\circ$.

$\therefore \angle ADO=\angle EAD+\angle AED=45^\circ$.

$\because$ 四边形$ABCD$是菱形，

$\therefore \angle ADC=2\angle ADO=90^\circ$.

$\therefore$ 四边形$ABCD$是正方形.

方法 3 正方形的性质在探索开放性问题中的应用方法

近年来，中考中出现了许多与正方形有关的开放探究题、操作题，综合性较强.解决这类问题通常有以下思路：其一是弄清图形中存在哪些不变量及不变的关系；其二是通过观察，类比，联想，进而解决拓展性问题.

例 3 感知：如图 1，在正方形$ABCD$中，E是AB上一点，将点E绕点C顺时针旋转90°到点F，易知$\triangle CEB\cong\triangle CFD$.

探究：如图 2，在图 1 的基础上作$\angle ECF$的平分线CG，交AD于点G，连接EG，求证：$EG=BE+GD$.

应用：如图 3，在直角梯形$ABCD$中，$AD\parallel BC$($BC>AD$)，$\angle B=90^\circ$，$AB=BC$.E是AB上一点，且$\angle DCE=45^\circ$，$AD=6$，$DE=10$，求直角梯形$ABCD$的面积.

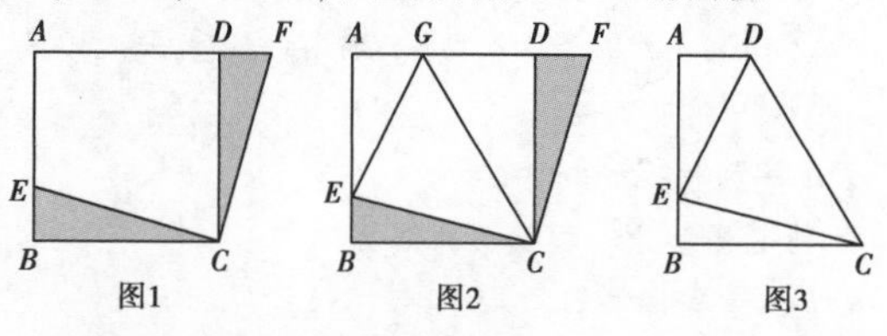

图1 图2 图3

解析 探究：

证明：$\because \triangle EBC\cong\triangle FDC$，

$\therefore CE=CF$，$DF=BE$，

$\because CG$平分$\angle ECF$，$\therefore \angle ECG=\angle FCG$，

在$\triangle ECG$和$\triangle FCG$中，$\begin{cases}CE=CF,\\ \angle ECG=\angle FCG,\\ CG=CG,\end{cases}$

$\therefore \triangle ECG\cong\triangle FCG$(SAS)，$\therefore EG=GF$，

$\because GF=DG+DF=DG+BE$，$\therefore EG=BE+GD$.

应用：如图，过C作$CH\perp AD$，交AD的延长线于H，旋转$\triangle BCE$到$\triangle HCM$，

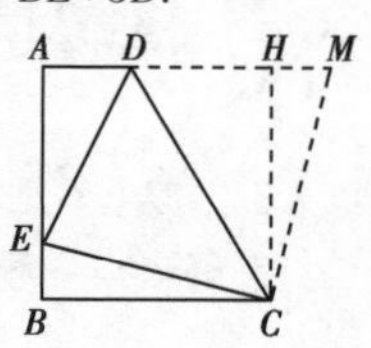

则$\angle A=\angle B=\angle CHA=90^\circ$，

$\because AB=BC$，$\therefore$ 四边形$ABCH$是正方形，

$\because \angle DCE=45^\circ$，$AH=BC$，

$\therefore \angle DCH+\angle ECB=90^\circ-45^\circ=45^\circ$，

由题意知$\triangle EBC\cong\triangle MHC$，$\therefore \angle ECB=\angle MCH$，

$\therefore \angle DCH+\angle MCH=45^\circ$，$\therefore CD$平分$\angle ECM$，

$\therefore$ 由探究知：$DE=BE+DH$，

在$Rt\triangle AED$中，$DE=10$，$AD=6$，

由勾股定理得$AE=8$，

设$BE=x$，则$BC=AB=x+8=AH$，即$x+8=6+10-x$，

解得$x=4$，即$BE=4$，

$\therefore AB=4+8=12$，$BC=AB=12$，

$\therefore$ 梯形$ABCD$的面积是$\frac{1}{2}\times(6+12)\times12=108$.

第22–27章

空间与图形

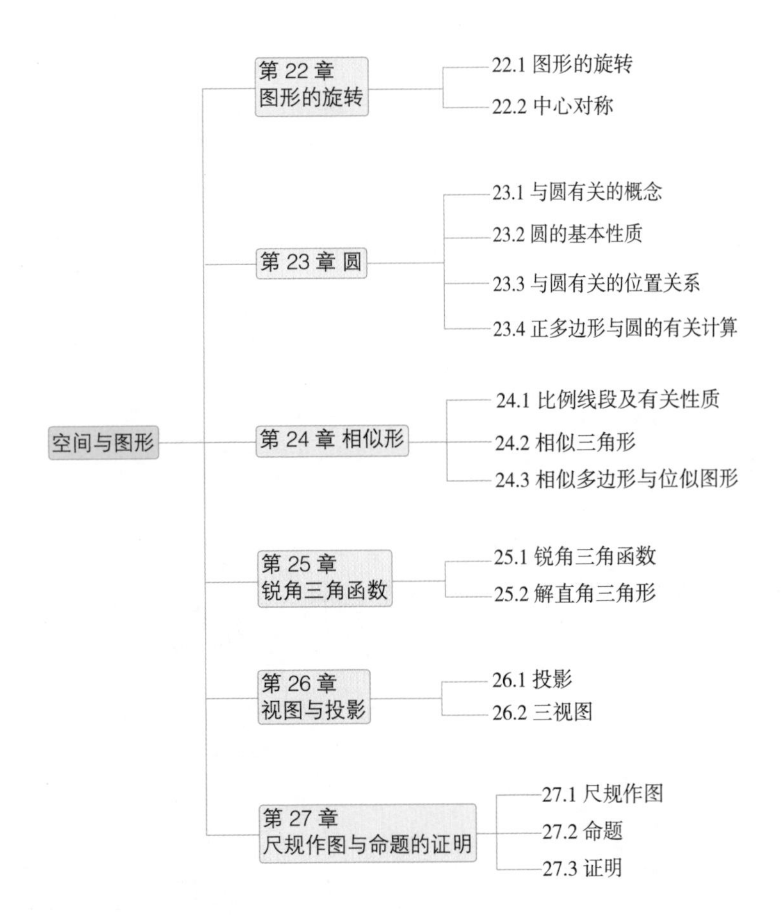
空间与图形
第22章
图形的旋转
22.1 图形的旋转
22.2 中心对称
第23章 圆
23.1 与圆有关的概念
23.2 圆的基本性质
23.3 与圆有关的位置关系
23.4 正多边形与圆的有关计算
第24章 相似形
24.1 比例线段及有关性质
24.2 相似三角形
24.3 相似多边形与位似图形
第25章
锐角三角函数
25.1 锐角三角函数
25.2 解直角三角形
第26章
视图与投影
26.1 投影
26.2 三视图
第27章
尺规作图与命题的证明
27.1 尺规作图
27.2 命题
27.3 证明

第22章 图形的旋转

22.1 图形的旋转

知识清单

知识1 旋转的相关概念

1.定义:把一个平面图形绕平面内某一点O转动一个角度,叫做图形的旋转,这个定点O叫做旋转中心,转动的角叫做旋转角.

2.示例:如图所示,$\triangle A'OB'$是$\triangle AOB$绕定点O按逆时针方向旋转45°得到的,其中点A与点A'是对应点,线段OB与线段OB'是对应线段,$\angle A$与$\angle A'$是对应角,点O是旋转中心,$\angle AOA'$(或$\angle BOB'$)是旋转角.图形的旋转由旋转中心、旋转方向与旋转角决定.

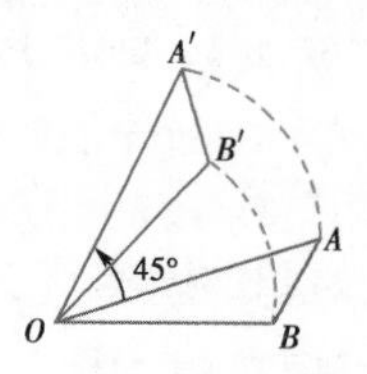

温馨提示

①旋转中心可以在图形上,也可以在图形外.

②确定旋转中心的方法:分别作两组对应点所连线段的垂直平分线,其交点即为旋转中心.

例1 如图所示,$\triangle ABC$为等边三角形,D为BC边上一点,$\triangle ABD$经过旋转后到达$\triangle ACP$的位置,连接DP.

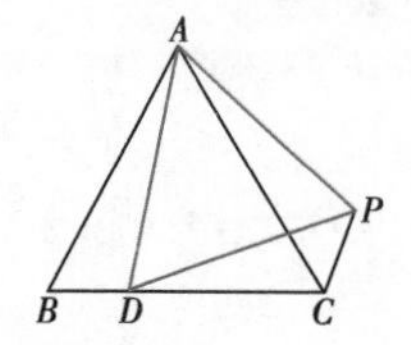

(1)旋转中心是点________;

(2)旋转角度是________;

(3)$\triangle ADP$是________三角形.

解析 在图形中,A点在旋转过程中始终保持不动,AB转到了AC处,AD转到了AP处,即AB的对应线段是AC,AD的对应线段是AP,而旋转角是对应线段的夹角,所以$\angle BAC$与$\angle DAP$都是旋转角,而$\triangle ABC$为等边三角形,所以$\angle BAC=\angle DAP=60°$,又$AD=AP$,所以$\triangle ADP$是等边三角形.

答案 (1)A (2)60° (3)等边

知识2 旋转的性质

旋转的性质	(1)对应点到旋转中心的距离相等; (2)对应点与旋转中心所连线段的夹角等于旋转角; (3)旋转前后的图形全等
温馨提示	(1)图形中的每一个点都绕旋转中心旋转了同样大小的角度; (2)对应点到旋转中心的距离相等,对应线段相等,对应角相等; (3)图形的大小和形状都没有发生改变,只改变了图形的位置

温馨提示

①旋转后的图形与原来图形的形状、大小都相同,但形状、大小都相同的两个图形不一定能通过旋转得到.

②旋转前后图形的形状与大小都没有发生变化,只改变了位置.

③如果某图形绕着某一定点转动一定角度后能与自身重合,那么这种图形就叫做旋转对称图形.一般来说,此时的旋转中心不在图形的外部,旋转的角度也是不确定的.

例2 如图,在$\triangle ABC$中,$\angle C=90°$,$AC=4$,$BC=3$,将$\triangle ABC$绕点A逆时针旋转,使点C落在线段AB上的点E处,点B落在点D处,则B、D两点间的距离为 ( )

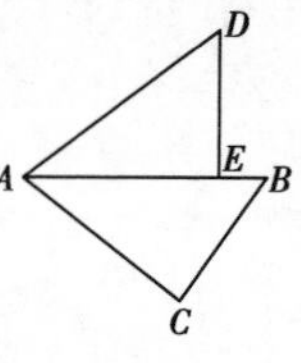

A. $\sqrt{10}$ B. $2\sqrt{2}$

C. 3 D. $2\sqrt{5}$

解析 连接BD,$\because$在$\triangle ABC$中,$\angle C=90°$,$AC=4$,$BC=3$,$\therefore AB=5$,$\because$将$\triangle ABC$绕点A逆时针旋转,使点C落在线段AB上的点E处,点B落在点D处,$\therefore AE=4$,$DE=3$,$\therefore BE=1$,$\therefore$在$\mathrm{Rt}\triangle BED$中,$BD=\sqrt{BE^2+DE^2}=\sqrt{10}$.即$B$、$D$两点间的距离为$\sqrt{10}$.故选A.

答案 A

知识 3 作旋转图形的一般步骤

旋转作图的依据	(1)任意一对对应点与旋转中心所连线段的夹角等于旋转角; (2)对应点到旋转中心的距离相等
作图要素	(1)原图;(2)旋转中心;(3)旋转方向;(4)旋转角;(5)一对对应点
作图步骤	(1)连:连接原图形中一个关键点与旋转中心. (2)转:根据旋转方向与旋转角度,以(1)中关键点与旋转中心的连线为一边作一个旋转角. (3)截:在该旋转角的另一边上,从旋转中心开始截取此关键点到旋转中心的长度,得到该点的对应点. 重复上述操作,作出所有关键点的对应点. (4)接:即按原图形连接所得到的各点. 注意:为了避免作图时的混乱,以上连、转、截这三步每个点独立完成后,再进行下一个点的旋转

例 3 如图,四边形 $ABCD$ 绕点 O 旋转后,顶点 A 的对应点为点 E,试确定 B,C,D 的对应点的位置以及旋转后的四边形.

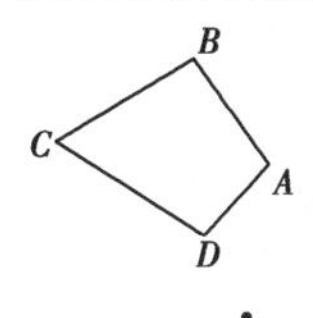

(解析) 作法:(1)连接 OA, OB,OC,OD,OE;

(2)分别以 OB,OC,OD 为一边作 $\angle BOB'$, $\angle COC'$, $\angle DOD'$,使 $\angle BOB'=\angle COC'=\angle DOD'=\angle AOE$;

(3)分别在射线 OB',OC',OD' 上截取 $OF=OB$, $OG=OC,OH=OD$;

(4)连接 EF,FG,GH, HE.则四边形 $EFGH$ 就是所要求作的图形,如图.B,C,D 的对应点分别为 F,G,H.

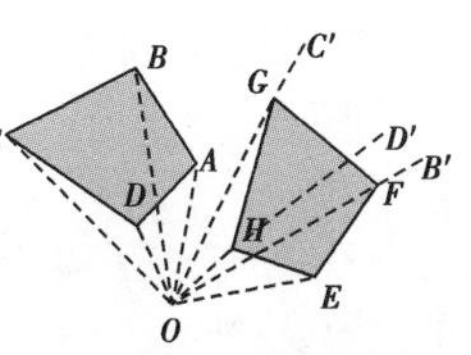

知识 4 平移、旋转与轴对称的区别与联系

1.平移、旋转、轴对称的区别

(1)变换方式不同:平移是将一个图形沿某个方向移动一定的距离;旋转是将一个图形绕一个定点沿某个方向转动一个角度;轴对称是将一个图形沿着某一条直线折叠.

(2)对应线段、对应角之间的关系不同:平移变换前后图形的对应线段平行(或在同一条直线上),对应点的连线平行(或在同一条直线上),对应角的两边分别平行(或有一边在同一条直线上)、方向一致;轴对称的对应线段或延长线如果相交,那么交点在对称轴上,成轴对称的两个图形对应点的连线被对称轴垂直平分;旋转变换前后图形的任意一对对应点与旋转中心的连线所成的角都是旋转角.

(3)确定条件不同:平移变换要确定平移的距离和方向;旋转变换要确定旋转中心和旋转角;轴对称要确定对称轴.

2.平移、旋转、轴对称的联系

平移、旋转、轴对称都不改变图形的形状和大小,对应线段相等,对应角相等.

方法清单

方法 1 图形旋转的概念与性质的应用方法

由于旋转前后的两个图形的大小、形状未发生改变,所以我们在利用旋转来解决问题时要注意抓住以下几点:(1)找准旋转中的"变"与"不变";(2)找准旋转前后的"对应关系";(3)充分挖掘旋转过程中线段之间的关系.

例 1 如图,将△ABC 绕点 C 顺时针旋转,使点 B 落在 AB 边上点 B'处,此时,点 A 的对应点 A'恰好落在 BC 的延长线上,下列结论错误的是 ( )

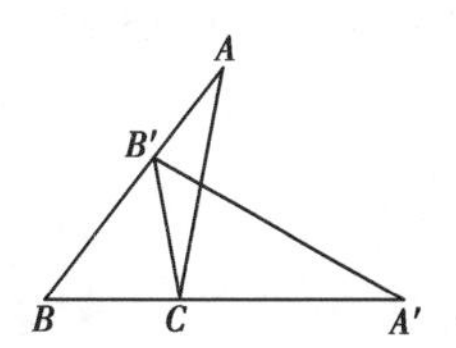

A. $\angle BCB'=\angle ACA'$　　B. $\angle ACB=2\angle B$

C. $\angle B'CA=\angle B'AC$　　D. $B'C$ 平分 $\angle BB'A'$

(解析) 由旋转的性质可知 $\angle BCB'=\angle ACA'$, $BC=B'C$, $\angle B=\angle CB'A'$, $\angle B'A'C=\angle B'AC$, $\angle ACB=\angle A'CB'$,

由 $BC=B'C$ 可得 $\angle B=\angle CB'B$,

$\therefore \angle CB'B=\angle CB'A'$,

$\therefore B'C$ 平分 $\angle BB'A'$,

又 $\angle A'CB'=\angle B+\angle CB'B=2\angle B$,

$\therefore \angle ACB=2\angle B$.由已知推不出 $\angle B'CA=\angle B'AC$,

$\therefore$ C 错误.

(答案) C

方法 2 旋转中心的确定方法

确定旋转中心时，要看旋转中心是在图形上还是在图形外.若在图形上，哪一点在旋转过程中位置没有改变，哪一点就是旋转中心；若在图形外，对应点连线的中垂线的交点就是旋转中心.旋转角就是对应线段的夹角或对应点与旋转中心连线所形成的夹角.

例 2 如图，图形 B 是由图形 A 旋转得到的，则旋转中心的坐标为________.

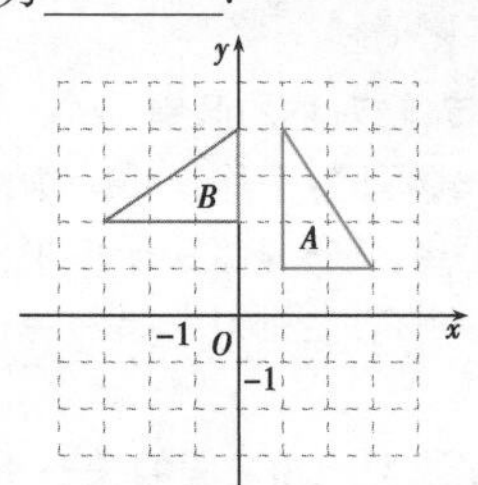

(解析) 如图，分别作两组对应点所连线段的垂直平分线，其交点 $P(0,1)$ 即为旋转中心.

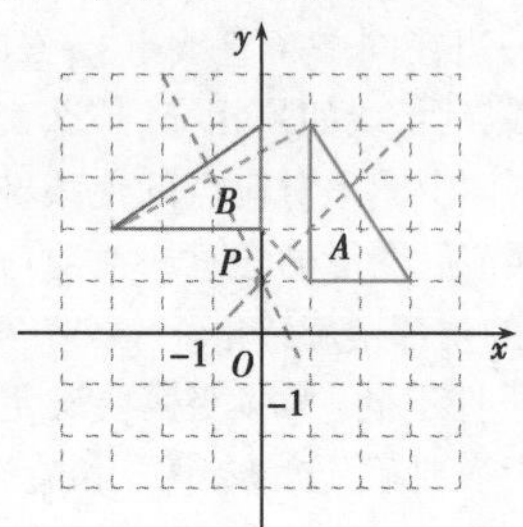

(答案) $(0,1)$

方法 3 与图形旋转相关的作图方法

旋转作图的关键在"转线"，即找出各个关键点的对应点."转线"这一步要弄清旋转中心和旋转角，"转线"的实质是"转化"，即将要求的旋转作图问题转化为线段的旋转作图问题.

例 3 如图，在平面直角坐标系中，已知 $\triangle ABC$ 的三个顶点分别为 $A(-1,1)$，$B(-3,1)$，$C(-1,4)$.

(1) 画出 $\triangle ABC$ 关于 y 轴对称的 $\triangle A_1B_1C_1$；

(2) 将 $\triangle ABC$ 绕点 B 顺时针旋转 $90°$ 后得到 $\triangle A_2BC_2$.请在图中画出 $\triangle A_2BC_2$.

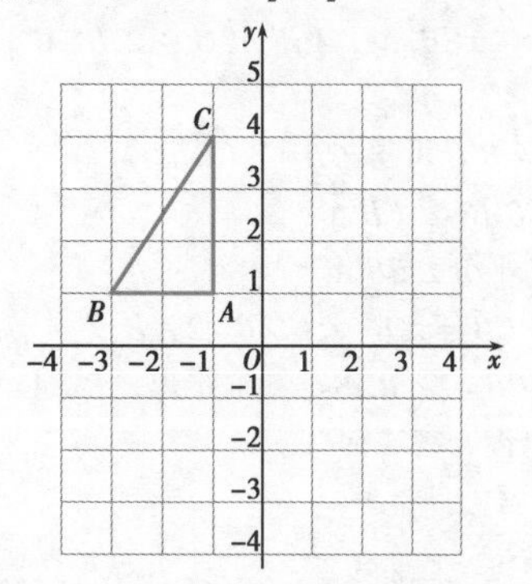

(解析) (1) $\triangle A_1B_1C_1$ 如图所示.

(2) $\triangle A_2BC_2$ 如图所示.

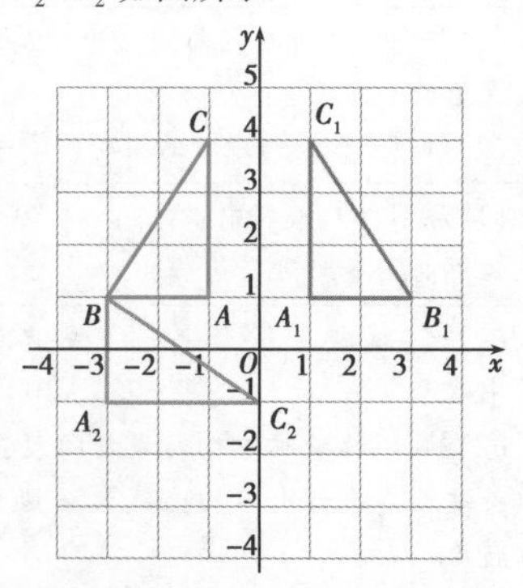

方法 4 利用图形的平移、旋转、轴对称进行方案设计的方法

根据旋转的特征，结合平移可以进行一些图案的设计.这要求大家在学好旋转知识的情况下，善于动脑思考，动手操作.应注意根据图形的平移、旋转进行图案的绘制.

例 4 如图，有一张菱形纸片 $ABCD$，$AC=8$，$BD=6$.

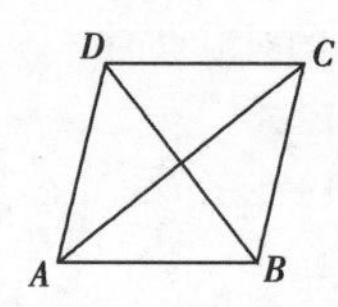

(1) 请沿着 AC 剪一刀，把它分成两部分，把剪开的两部分拼成一个平行四边形，在图①中用实线画出你所拼成的平行四边形；若沿着 BD 剪开，请在图②中用实线画出你所拼成的平行四边形，并直接写出这两个平行四边形的周长；

(2) 沿着一条直线剪开，拼成与上述两种都不全等的平行四边形，请在图③中用实线画出你所拼成的平行四边形.

（注：上述所画的平行四边形都不能与原菱形全等）

图①　　图②　　图③

(解析) (1) 如图.

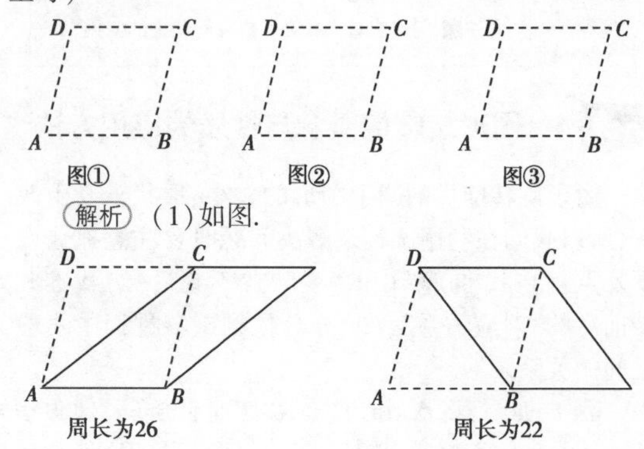

(2)(答案不唯一)如图.

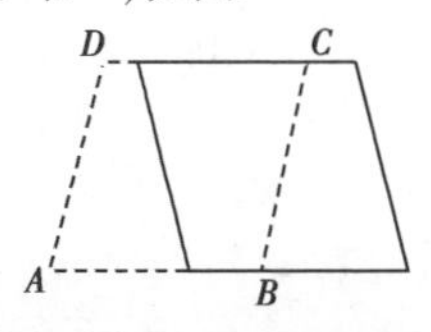

方法 5 图形旋转在探索开放性问题中的应用

与旋转有关的综合性问题,是近几年中考考查的热点,主要与平面直角坐标系、勾股定理、相似、全等、圆等知识综合考查.题目常以熟悉的图形为背景,设计旋转变换,由此引出对图形变换前后的线段、面积的有关探究.因此我们要在旋转的过程中去感受动与静、变与不变、由特殊到一般再由一般到特殊的辩证统一关系,这有利于培养学生的想象能力.

例 5 如图①,在 $\triangle ABC$ 中,$\angle A=36°$,$AB=AC$,$\angle ABC$ 的平分线 BE 交 AC 于 E.

(1)求证:$AE=BC$;

(2)如图②,过点 E 作 $EF\parallel BC$ 交 AB 于 F,将 $\triangle AEF$ 绕点 A 逆时针旋转角 $\alpha(0°<\alpha<144°)$ 得到 $\triangle AE'F'$,连接 CE',BF',求证:$CE'=BF'$;

(3)在(2)的旋转过程中是否存在 $CE'\parallel AB$? 若存在,求出相应的旋转角 α;若不存在,请说明理由.

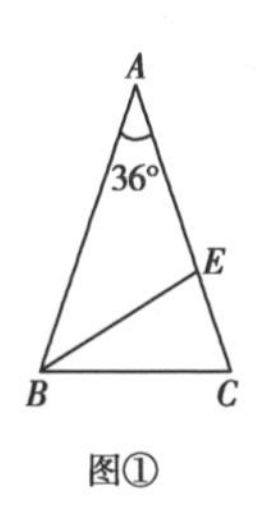

图①

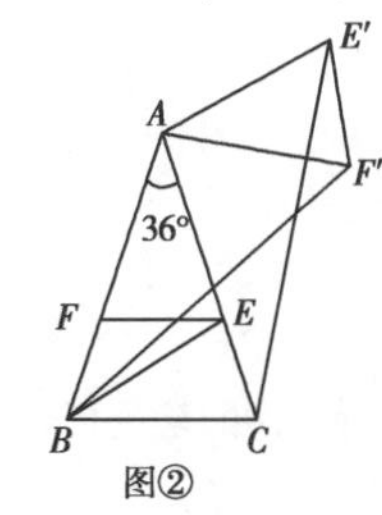

图②

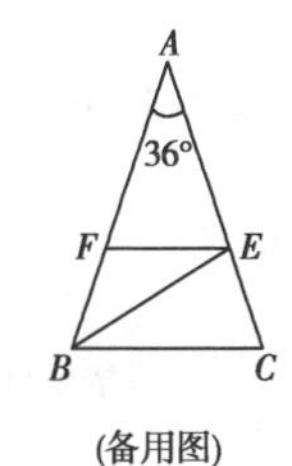

(备用图)

解析 (1)证明:$\because AB=AC$,$\angle A=36°$,

$\therefore \angle ABC=\angle C=72°$,

又 BE 平分 $\angle ABC$,$\therefore \angle ABE=\angle CBE=36°$,

$\therefore \angle BEC=180°-\angle C-\angle CBE=72°$,

$\therefore \angle ABE=\angle A$,$\angle BEC=\angle C$,

$\therefore AE=BE$,$BE=BC$,$\therefore AE=BC$.

(2)证明:$\because AC=AB$ 且 $EF\parallel BC$,

$\therefore AE=AF$.

由旋转的性质可知:$\angle E'AC=\angle F'AB$,$AE'=AF'$,

$\therefore \triangle CAE'\cong\triangle BAF'$,$\therefore CE'=BF'$.

(3)存在 $CE'\parallel AB$.

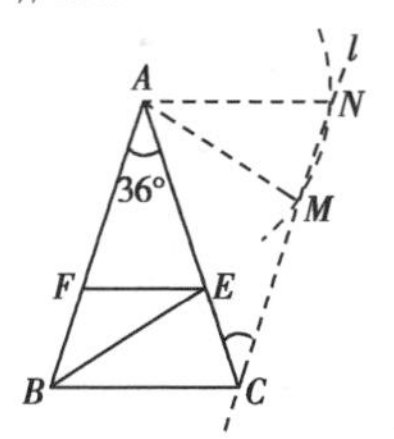

由(1)可知 $AE=BC$,所以在 $\triangle AEF$ 绕点 A 逆时针旋转的过程中,E 点经过的路径(圆弧)与过点 C 且与 AB 平行的直线 l 交于 M、N 两点,如图.

①当点 E' 与点 M 重合时,四边形 $ABCM$ 为等腰梯形,

$\therefore \angle BAM=\angle ABC=72°$,

又 $\angle BAC=36°$,

$\therefore \alpha=\angle CAM=36°$;

②当点 E' 与点 N 重合时,由 $AB\parallel l$ 得,$\angle AMN=\angle BAM=72°$,

$\because AM=AN$,$\therefore \angle ANM=\angle AMN=72°$,

$\therefore \angle MAN=180°-2\times72°=36°$,

$\therefore \alpha=\angle CAN=\angle CAM+\angle MAN=72°$.

$\therefore$ 当旋转角为 36°或 72°时,$CE'\parallel AB$.

22.2 中心对称

知识清单

- 知识1 中心对称
- 知识2 中心对称图形
- 知识3 中心对称的基本性质
- 知识4 作与已知图形成中心对称的图形的一般步骤
- 知识5 中心对称与中心对称图形的区别与联系

知识 1 中心对称

把一个图形绕着某一点旋转180°,如果它能够与另一个图形重合,那么就说这两个图形关于这个点对称或中心对称,这个点叫对称中心,这两个图形在旋转后能重合的对应点叫做关于对称中心的对称点.

温馨提示 对称中心是旋转中心,但旋转中心不一定是对称中心.

例 1 如图,已知 $\triangle ABC$ 与 $\triangle DEF$ 是成中心对称的两个图形,则对称中心是 ( )

A.点 C

B.点 D

C.线段 BC 的中点

D.线段 FC 的中点

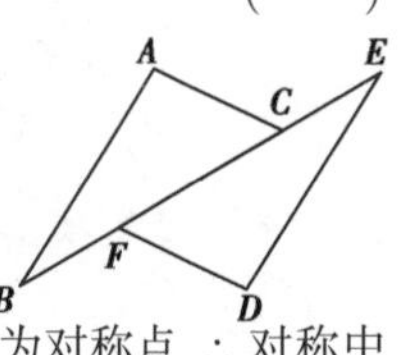

解析 由题图知点 C 和点 F 为对称点,$\therefore$ 对称中心是线段 FC 的中点.故选 D.

答案 D

知识 2 中心对称图形

把一个图形绕着某一个点旋转 180°,如果旋转后的图形能够与原来的图形重合,那么这个图形称为中心对称图形,这个点就是它的对称中心.中心对称图形是一种特殊的旋转对称图形.

旋转对称图形 $\xrightarrow{\text{旋转角为}180^\circ}$ 中心对称图形.

> **注意事项**
> ①中心对称图形只有一个对称中心,而轴对称图形可以有几条不同的对称轴;如果一个图形是轴对称图形,又是中心对称图形,那么对称中心一定在对称轴上,不同对称轴的交点必是对称中心.
> ②常见的中心对称图形:平行四边形、矩形、菱形、正方形、圆、线段、相交直线等.

例 2 晋商大院的许多窗格图案蕴含着对称之美,现从中选取以下四种窗格图案,其中是中心对称图形但不是轴对称图形的是 ( )

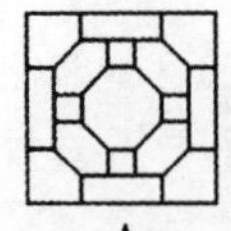
A

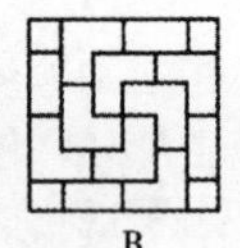
B

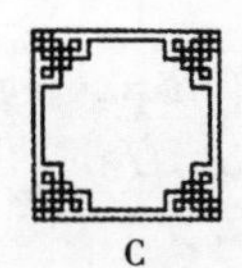
C

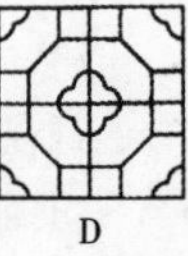
D

(解析) 选项 A、C、D 中的图形既是轴对称图形,又是中心对称图形,选项 B 中的图形是中心对称图形,不是轴对称图形,故选 B.

(答案) B

知识 3 中心对称的基本性质

1. 中心对称的两个图形是全等图形;

2. 中心对称的两个图形,对称点所连线段都经过对称中心,而且被对称中心所平分;

3. 中心对称的两个图形,对应线段平行(或在同一条直线上)且相等.

> 如果两个图形的对应点连线都经过某一点,并且都被该点平分,那么这两个图形一定关于这一点中心对称.

例 3 如图,$\triangle ABC$ 与 $\triangle A_1B_1C_1$ 关于点 O 成中心对称,下列说法:① $\angle BAC=\angle B_1A_1C_1$;② $AC=A_1C_1$;③ $OA=OA_1$;④ $\triangle ABC$ 与 $\triangle A_1B_1C_1$ 的面积相等,其中正确的有 ( )

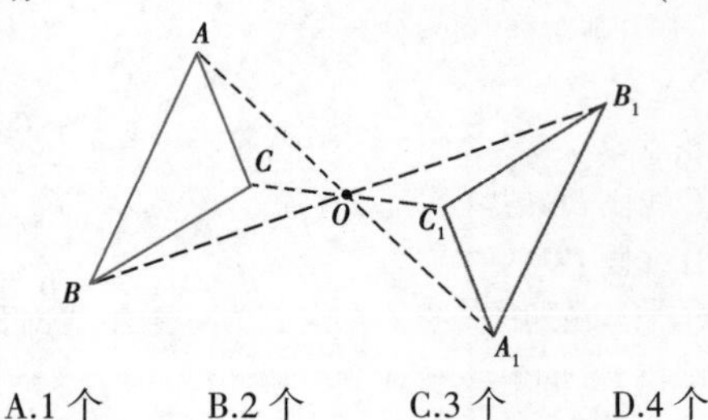

A. 1 个 B. 2 个 C. 3 个 D. 4 个

(解析) 由中心对称的两个图形是全等图形可知 $\triangle ABC\cong\triangle A_1B_1C_1$,$\therefore$ $\angle BAC=\angle B_1A_1C_1$,$AC=A_1C_1$,$\triangle ABC$ 的面积与 $\triangle A_1B_1C_1$ 的面积相等,故①②④正确;由对称点所连线段被对称中心所平分可知 $OA=OA_1$,故③正确.故选 D.

(答案) D

知识 4 作与已知图形成中心对称的图形的一般步骤

作图关键	作出原图形上关键点关于对称中心的对称点
作图步骤	(1) 连接原图形上的所有关键点与对称中心; (2) 再将以上连线延长找对称点,使得关键点与其对称点到对称中心的距离相等; (3) 将对称点按原图形的形状顺次连接起来,即可得出与原图形成中心对称的图形

例 4 如图,已知 $\triangle ABC$ 和点 P.

求作:$\triangle A'B'C'$,使 $\triangle A'B'C'$ 与 $\triangle ABC$ 关于点 P 成中心对称.

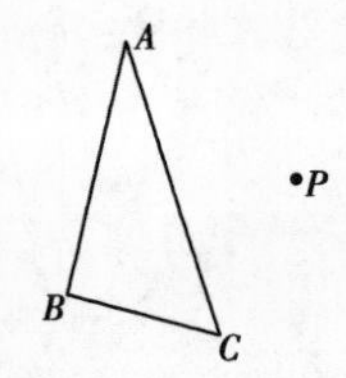

(解析) 作法:①连接 AP,并延长 AP 到点 A',使 $PA'=AP$,A' 为点 A 关于点 P 的对称点;

②用同样的方法作出点 B 关于点 P 的对称点 B',点 C 关于点 P 的对称点 C';

③连接 $A'B'$,$B'C'$,$C'A'$.

$\triangle A'B'C'$ 就是所求作的三角形,如图所示.

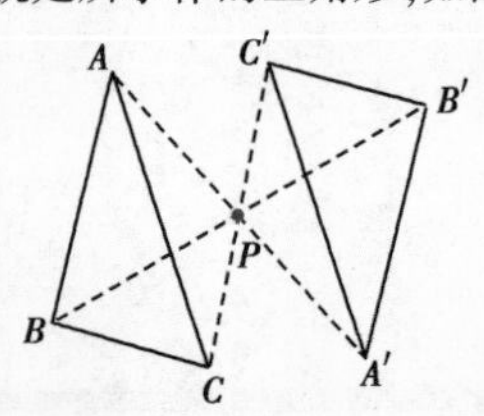

知识 5 中心对称与中心对称图形的区别与联系

	区别	联系
中心对称	中心对称是指两个图形的关系	把中心对称的两个图形看成一个"整体",则成为中心对称图形; 把中心对称图形的两个部分看成"两个图形",则它们成中心对称
中心对称图形	中心对称图形是指具有某种特性的一个图形	

方法清单

方法1 对称中心的确定方法

方法2 中心对称的性质的应用方法

方法3 利用中心对称等分面积的方法

方法 1 对称中心的确定方法

确定成中心对称的两个图形的对称中心的方法：

(1)连接任意一对对称点，取这条线段的中点，则该点为对称中心.

(2)任意连接两对对称点，这两条线段的交点即是对称中心.

例1 如图所示的两个四边形能否关于某一点中心对称？若能，请你画出其对称中心.

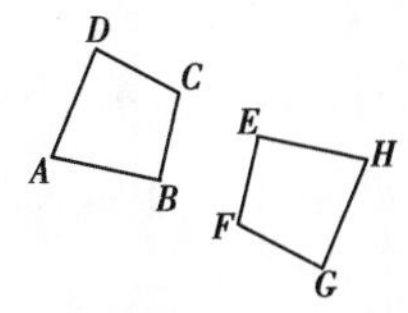

解析 如图所示，连接 AH、DG、BE、CF，发现它们交于点 O，经测量知 $CO=FO$，$BO=EO$，$AO=HO$，$DO=GO$，所以四边形 $ABCD$ 与四边形 $EFGH$ 关于点 O 中心对称.

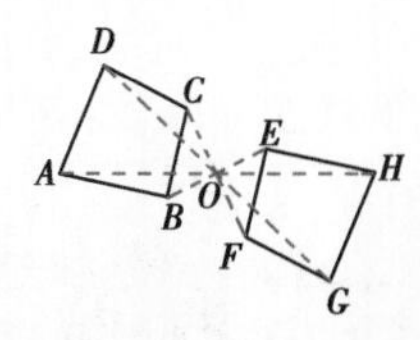

方法 2 中心对称的性质的应用方法

关于某点中心对称的两个图形，对称点所连线段都经过对称中心，而且被对称中心平分. 在直角坐标系中，若两个点关于原点对称，那么这两个点的坐标符号相反.

例2 如图，将 $\triangle ABC$ 绕点 $C(0,1)$ 旋转 $180°$ 得到 $\triangle A'B'C$，设点 A 的坐标为 (a,b)，则点 A' 的坐标为 ( )

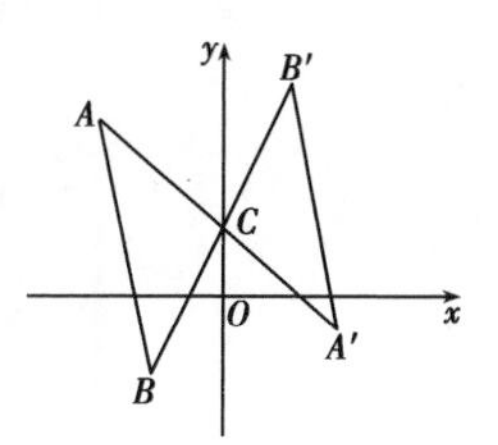

A. $(-a,-b)$　　B. $(-a,-b-1)$

C. $(-a,-b+1)$　　D. $(-a,-b+2)$

解析 根据题意知点 A、A' 关于点 C 对称，

设点 A' 的坐标是 (x,y)，则 $\frac{a+x}{2}=0$，$\frac{b+y}{2}=1$，

解得 $x=-a$，$y=-b+2$，

$\therefore$ 点 A' 的坐标是 $(-a,-b+2)$.

答案 D

方法 3 利用中心对称等分面积的方法

过中心对称图形的对称中心的任意一条直线，将该图形分成完全相同的两部分，当然其面积也相等.

例3 有一块方角形钢板如图所示，如何用一条直线将其分为面积相等的两部分？

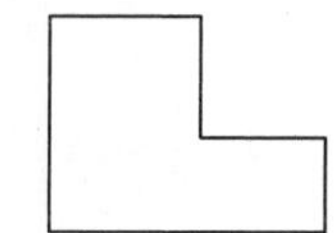

解析 如图，有下面三种画法：

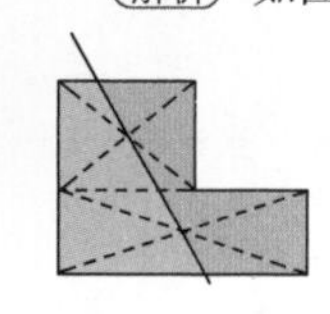
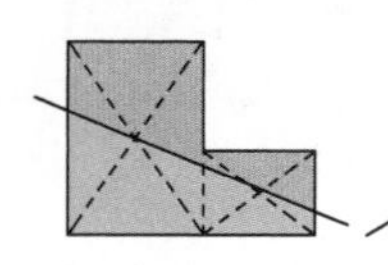
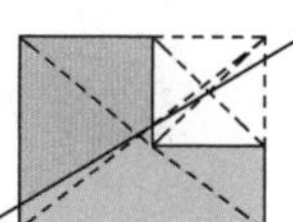

第22—27章

第23章 圆

23.1 与圆有关的概念

知识清单

知识1 圆的定义

	表述形式	图形
圆的定义	由描述圆的形成过程进行定义,如图,在一个平面内,线段 OA 绕它固定的一个端点 O 旋转一周,另一个端点 A 所形成的图形叫做圆,记作“$\odot O$”,读作“圆 O”	O r A
	由圆的特性进行定义,将圆心为 O,半径为 r 的圆看成是所有到定点 O 的距离等于定长 r 的点的集合	
温馨提示	①圆的描述性定义,直观形象地描述了圆的形成过程,由圆的定义可知,确定圆有两个条件:一个是圆心,它确定圆的位置;另一个是半径,它确定圆的大小,两者缺一不可. ②根据圆的定义可以知道“圆”指的是“圆周”,即那条封闭的曲线,而不是圆面	

知识2 弦与直径

1.弦:连接圆上任意两点的线段叫做弦,如图中的 CD、AB.

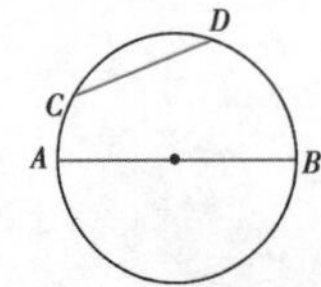

2.直径:经过圆心的弦叫做直径,如图中的 AB.直径等于半径的2倍.

温馨提示

①在一个圆中可以画出无数条弦和直径.

②直径是弦,但弦不一定是直径.

③在同一个圆中,直径是最长的弦.

知识3 弧、半圆、优弧、劣弧与等弧

1.弧:圆上任意两点间的部分叫做圆弧,简称弧,弧用符号“⌒”表示,以 A,B 为端点的弧记作“$\overset{\frown}{AB}$”,读作“圆弧 AB”或“弧 AB”.

2.圆的任意一条直径的两个端点把圆分成两条弧,每一条弧都叫做半圆.大于半圆的弧叫做优弧,用三个字母表示,如图中的$\overset{\frown}{ACB}$,小于半圆的弧叫做劣弧,如图中的$\overset{\frown}{AB}$.

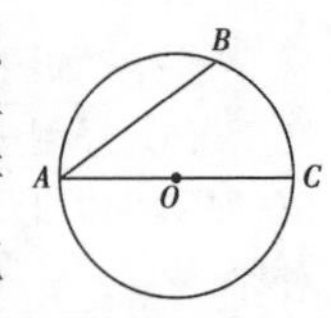

3.等弧:在同圆或等圆中,能够互相重合的弧叫做等弧.

易混对比

①半圆是弧,但弧不一定是半圆.

②弧有长度和度数,规定半圆的度数为180°,劣弧的度数小于180°,优弧的度数大于180°.

③在同圆或等圆中能够互相重合的弧是等弧,度数或长度相等的弧不一定是等弧.

知识4 同心圆和等圆

1.同心圆:圆心相同,半径不相等的两个圆叫做同心圆.如图,半径为 r_1 与半径为 r_2 的$\odot O$是同心圆.

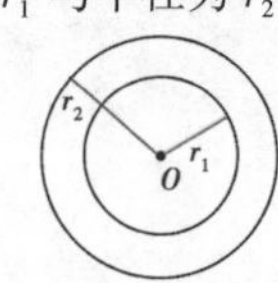

2.等圆:能够完全重合的两个圆叫做等圆.容易看出:半径相等的两个圆是等圆;反过来,同圆或等圆的半径相等.

易混对比

①同圆是指同一个圆;等圆、同心圆是指两个及两个以上圆的关系.

②等圆是指半径相等,圆心不同的两个圆;同心圆是指圆心相同,半径不相等的圆.

知识5 圆心角和圆周角

1.圆心角:顶点在圆心的角叫做圆心角,如图中的$\angle AOB$.

2.圆周角:顶点在圆上且两边都和圆相交的角叫做圆周角,如图中的$\angle ACB$.

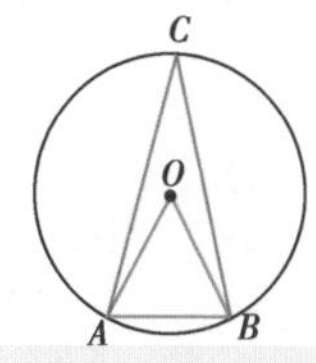

注意事项

①圆心角的度数等于它所对弧的度数,把顶点在圆心的周角等分成360份,每一份的圆心角是1°的角,1°的圆心角对着1°的弧.

②圆周角要具备两个特征:a.顶点在圆上;b.角的两边都和圆相交,二者缺一不可.

例 如图,在图中标出的4个角中,圆周角有 (　　)

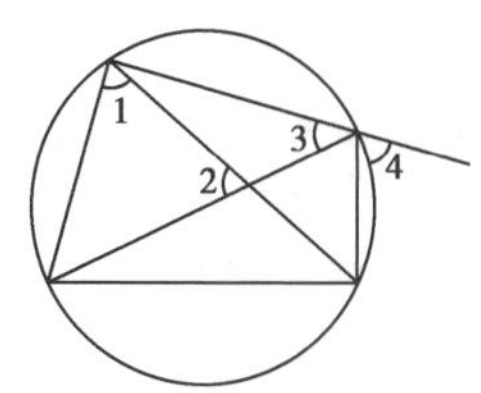

A.1个　　B.2个　　C.3个　　D.4个

解析 $\angle1$和$\angle3$符合圆周角的定义,$\angle2$的顶点不在圆周上,$\angle4$有一边不和圆相交,故圆周角有2个.故选B.

答案 B

知识 6 三角形的外接圆与外心

1.经过三角形三个顶点的圆叫做三角形的外接圆,这个三角形叫做圆的内接三角形.

2.三角形外接圆的圆心叫做三角形的外心,三角形的外心是三角形三条边垂直平分线的交点.

3.如图,$\odot O$是$\triangle ABC$的外接圆,$\triangle ABC$是$\odot O$的内接三角形,点O是$\triangle ABC$的外心.

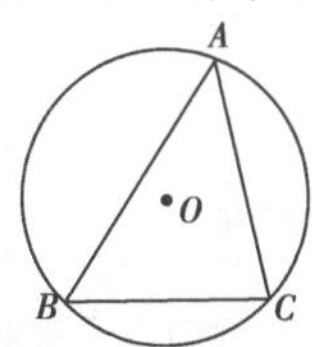

温馨提示

①外心的位置:三角形的外心实质上是三角形三边垂直平分线的交点.锐角三角形的外心在三角形内部;直角三角形的外心是直角三角形斜边的中点;钝角三角形的外心在三角形的外部.

②三角形外心的性质:三角形的外心到三角形的三个顶点的距离相等,等于外接圆半径.

③理解外接圆与内接三角形时应注意:a."接"说明三角形的顶点在圆上,圆经过三角形的各个顶点;b."内"与"外"是相对来说的,"外"是指在三角形外,"内"是指在圆内.

④一个三角形有且只有一个外接圆,而一个圆有无数个内接三角形.

知识 7 圆内接四边形

如果一个四边形的所有顶点都在同一个圆上,那么这个四边形叫做圆内接四边形,这个圆叫做这个四边形的外接圆.如图,四边形$ABCD$是$\odot O$的内接四边形,$\odot O$是四边形$ABCD$的外接圆.

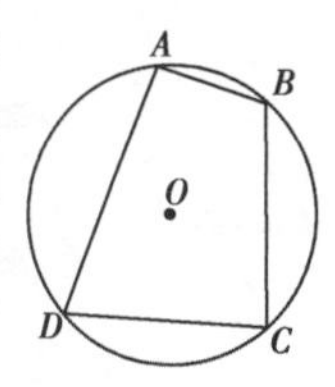

温馨提示

①任意一个三角形都有一个外接圆,但任意一个四边形不一定有外接圆,所以圆内接四边形是特殊的四边形.

②四边形的外接圆圆心到这个四边形的各个顶点的距离相等且等于外接圆的半径;反过来,如果四边形的各个顶点到某一点的距离相等,那么这个四边形的四个顶点在同一个圆上(四点共圆).

知识 8 弓形、扇形

1.弓形:由弦及其所对的弧组成的图形叫做弓形.如图,弦AB和$\overset{\frown}{AB}$与$\overset{\frown}{ACB}$组成两个不同的弓形.

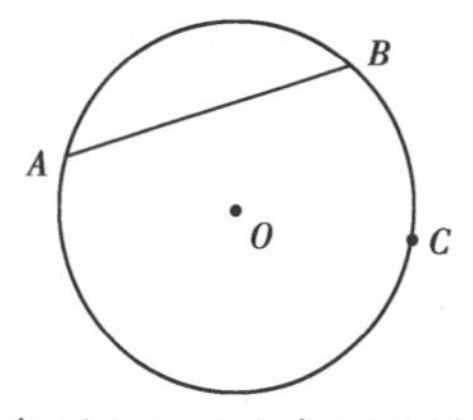

2.扇形:一条弧和经过这条弧的端点的两条半径所组成的图形叫做扇形.如图所示,$\overset{\frown}{AB}$和半径OA,OB组成的图形是一个扇形,读作"扇形AOB".

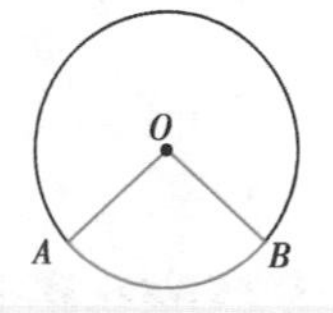

温馨提示

①弓形和扇形都是圆形的组成部分.当弓形中的弦为直径时,弓形为半圆形;当扇形的圆心角为180°时,扇形为半圆形.

②常见的弓形一般包括以下几种情况:如图,每个图中阴影部分的面积都是一个弓形的面积,从图中可以看出,把扇形AOB的面积和$\triangle AOB$的面积计算出来,就可得到弓形AMB的面积.当弓形所含的弧是劣弧时,如图a,$S_{弓形}=S_{扇形AOB}-S_{\triangle AOB}$;当弓形所含的弧是优弧时,如图b,$S_{弓形}=S_{扇形AOB}+S_{\triangle AOB}$;当弓形所含的弧是半圆时,如图c,$S_{弓形}=\frac{1}{2}S_{圆}$.

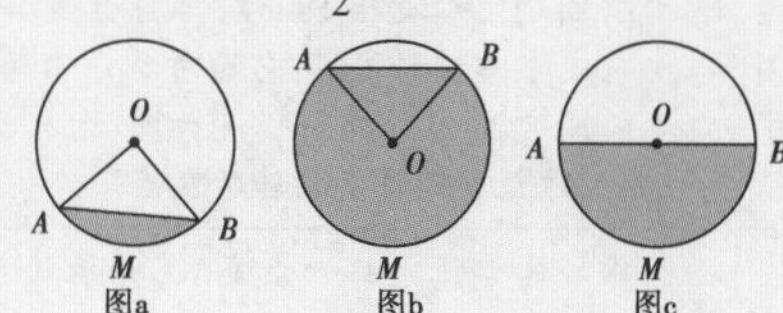

图a　图b　图c

方法清单

方法1 弧、弦、半径、直径等概念的区分方法
方法2 利用圆的半径相等进行计算的方法

方法 1 弧、弦、半径、直径等概念的区分方法

对于弧、弦、半径、直径等概念的正确理解，除了要对概念本身进行剖析外，还要将其与相关概念进行比较，确定相互的联系和区别.

例1 下列命题：①直径是弦，但弦不一定是直径；②半圆是弧，但弧不一定是半圆；③半径相等的两个圆是等圆；④一条弦把圆分成的两段弧中，至少有一段是优弧；⑤长度相等的两条弧是等弧，其中正确的有 ( )

A.3个　　B.2个　　C.1个　　D.0个

解析 ①是正确的，直径是圆中最长的弦；②③显然正确；一条直径将圆分为两个半圆，它们既不是优弧，也不是劣弧，故④是错误的；在同圆或等圆中，能互相重合的弧叫做等弧，故⑤是错误的.故选A.

答案 A

温馨提示 要注意等弧的概念是在同圆或等圆中，另外，直径是弦，但弦不一定是直径，直径是同一个圆中最长的弦.

方法 2 利用圆的半径相等进行计算的方法

在圆与其他图形相结合的题目中，圆的半径在图形间承担着“链接”的角色，利用圆的半径相等容易构建方程，这就把图形间的大小关系联系起来，也就达到解题的目的.

例2 如图，两正方形彼此相邻，且大正方形$ABCD$的A、D两点在半圆O上，B、C两点在半圆O的直径上，小正方形$BEFG$的点F在半圆O上，B、E两点在半圆O的直径上，点G在正方形的边AB上，若小正方形的边长为4 cm，则该半圆的半径为 ( )

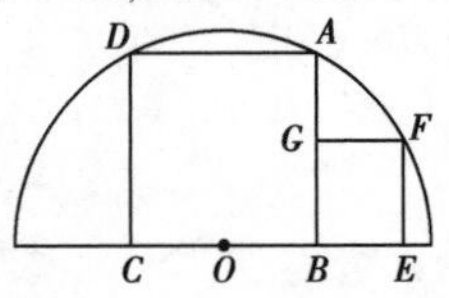

A.$(4+\sqrt{5})$cm　　B.9 cm

C.$4\sqrt{5}$ cm　　D.$6\sqrt{2}$ cm

解析 如图，连接半径OD、OA、OF，则$OD=OA=OF$.

在正方形$ABCD$中，$AB=CD$，$\angle DCO=\angle ABO=90°$，

$\therefore \text{Rt}\triangle OCD\cong\text{Rt}\triangle OBA$，$\therefore OC=OB$.

设大正方形的边长为$2x$ cm，

则$OB=OC=x$ cm，$OE=(x+4)$cm，$\therefore OA^2=OB^2+AB^2=5x^2$，$OF^2=OE^2+EF^2=(x+4)^2+4^2$，

$\therefore 5x^2=(x+4)^2+4^2$，

解得$x=4$或$x=-2$(舍去).

$\therefore OA=4\sqrt{5}$ cm.即该半圆的半径为$4\sqrt{5}$ cm.故选C.

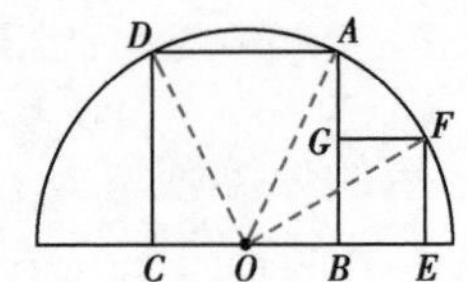

答案 C

23.2 圆的基本性质

知识清单

知识1 圆的对称性
知识2 垂径定理及其推论
知识3 圆心角、弧、弦之间的关系
知识4 圆周角定理及其推论
知识5 圆内接四边形的性质定理

知识 1 圆的对称性

名称	内容
圆的中心对称性	将圆绕圆心旋转180°能与自身重合，因此它是中心对称图形，它的对称中心是圆心，将圆绕圆心旋转任意角度都能与自身重合，这说明圆具有旋转不变性
圆的轴对称性	经过圆心任意画一条直线，并沿此直线将圆对折，直线两旁的部分能够完全重合，所以圆是轴对称图形，每一条直径所在的直线都是它的对称轴，圆有无数条对称轴
温馨提示	①圆的旋转不变性是其他中心对称图形所没有的性质. ②圆的对称轴不是直径，而是直径所在的直线. ③圆是一个特殊的对称图形，它的许多性质都可以由它的对称性推出

知识 2 垂径定理及其推论

1.垂径定理：垂直于弦的直径平分这条弦，并且平分弦所对的两条弧.

2.如图，CD是$\odot O$的直径，AB为弦，$CD\perp AB$，垂足为E，则$AE=EB$，$\overset{\frown}{AD}=\overset{\frown}{DB}$，$\overset{\frown}{AC}=\overset{\frown}{BC}$.

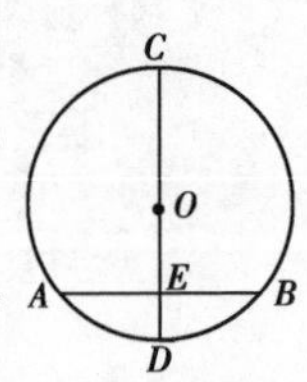

3.推论：平分弦(非直径)的直径垂直于弦，并且平分弦所对的两条弧.

温馨提示

①这里的“垂径”可以是直径、半径或过圆心的直线或线段，其本质是过圆心.

②垂径定理中的“弦”为直径时，结论仍然成立.

③垂径定理是证明线段相等、弧相等的重要依据，同时也为圆的计算和作图问题提供了理论依据.

④一条直线如果具有 a.经过圆心，b.垂直于弦，c.平分弦(被平分的弦不是直径)，d.平分弦所对的优弧，e.平分弦所对的劣弧这五条中的任意两条，则必然具备其余的三条，简称“知二推三”.

⑤圆的两条平行弦所夹的弧相等.

例1 如图是一圆柱形输水管的横截面，阴影部分为有水部分，如果水面 AB 宽为 8 cm，水面最深地方的高度为 2 cm，则该输水管的半径为________cm.

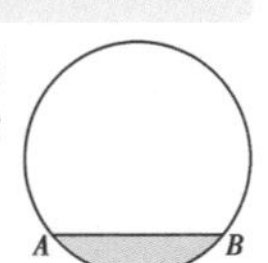

解析 设该圆的圆心为 O，过点 O 作 $OD\perp AB$ 于点 D，连接 OA，如图，$\because OD\perp AB$，$\therefore AD=\frac{1}{2}AB=\frac{1}{2}\times 8=4$ cm，设 $OA=r$ cm，则 $OD=(r-2)$ cm，在 Rt$\triangle AOD$ 中，$OA^2=OD^2+AD^2$，即 $r^2=(r-2)^2+4^2$，解得 $r=5$.

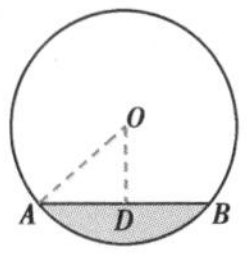

$\therefore$ 该输水管的半径为 5 cm.

答案 5

知识 3 圆心角、弧、弦之间的关系

1.定理：在同圆或等圆中，相等的圆心角所对的弧相等，所对的弦也相等.

2.推论：在同圆或等圆中，如果两个圆心角、两条弧、两条弦中有一组量相等，那么它们所对应的其余各组量都分别相等.

如图所示，在⊙O 中，

若$\angle AOB=\angle COD$，则 $AB=CD$，$\overset{\frown}{AB}=\overset{\frown}{CD}$；

若 $AB=CD$，则$\angle AOB=\angle COD$，$\overset{\frown}{AB}=\overset{\frown}{CD}$；

若$\overset{\frown}{AB}=\overset{\frown}{CD}$，则$\angle AOB=\angle COD$，$AB=CD$.

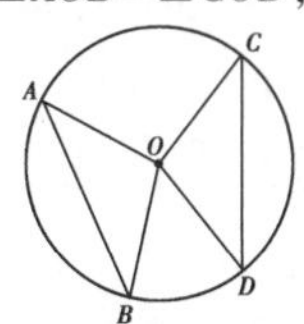

注意事项

①这里所说的圆心角一般指小于平角的角，因此，它所对的弧是劣弧.

②不能忽略“在同圆或等圆中”这个前提条件，否则定理及推论都不成立.

③结合图形深刻理解定理中“所对的”一词的含义.如一条弦对应着两条弧(一条优弧、一条劣弧)，所对的弧相等是指优弧对应相等或劣弧对应相等.

知识延伸

①圆心到弦的距离叫做弦心距.有关弦的问题常常添加圆心到弦的垂线(即弦心距)作为辅助线.

②在同圆或等圆中，相等的圆心角所对的弧相等，所对的弦相等，弦心距相等.

③在同圆或等圆中，如果两个圆心角、两条弧、两条弦或两条弦的弦心距中有一组量相等，那么它们所对应的其余各组量都分别相等.

例 如图，AB、CD 为⊙O 的直径，$\overset{\frown}{AC}=\overset{\frown}{CE}$，求证：$BD=CE$.

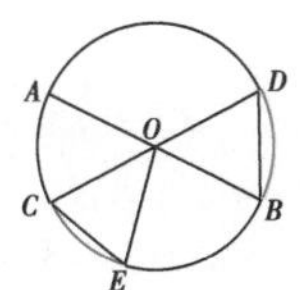

证明 连接 AC，$\because \overset{\frown}{AC}=\overset{\frown}{CE}$，$\therefore AC=CE$.

$\because \angle AOC=\angle BOD$，$\therefore AC=BD$，$\therefore BD=CE$.

知识 4 圆周角定理及其推论

1.圆周角定理

在同圆或等圆中，一条弧所对的圆周角等于它所对的圆心角的一半.

如图所示，圆周角$\angle A$ 和圆心角$\angle BOC$ 同对着$\overset{\frown}{BC}$，则$\angle A=\frac{1}{2}\angle BOC$.

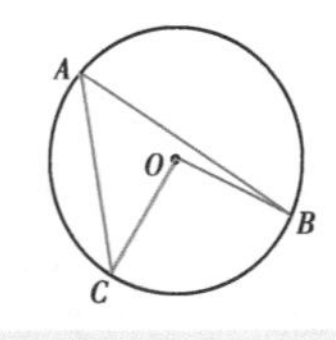

温馨提示

①定理有两个方面的意义：a.圆心角和圆周角在同圆或等圆中；b.它们对着同一条弧或者所对的弧是等弧.

②因为圆心角的度数与它所对的弧的度数相等，所以圆周角的度数等于它所对的弧的度数的一半.

2.圆周角定理的推论

推论 1：同弧或等弧所对的圆周角相等.

推论 2：半圆(或直径)所对的圆周角是直角；90°的圆周角所对的弦是直径.

温馨提示

圆周角定理的推论 2 的应用非常广泛，要把直径与 90°圆周角联系起来，一般来说，当条件中有直径时，通常会作出直径所对的圆周角，从而得到直角三角形，为进一步解题创造条件.

例2 如图，AB 是⊙O 的直径，C，D 是⊙O 上位于 AB 异侧的两点.下列四个角中，一定与$\angle ACD$ 互余的角是 (　　)

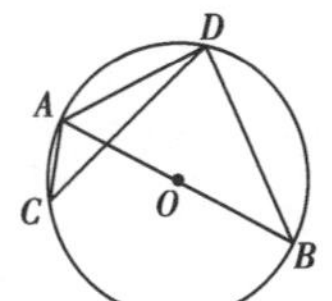

A.$\angle ADC$　　B.$\angle ABD$　　C.$\angle BAC$　　D.$\angle BAD$

解析 $\because AB$ 是⊙O 的直径，$\therefore \angle ADB=90°$，

$\therefore \angle BAD+\angle B=90°$，

易知$\angle ACD=\angle B$，$\therefore \angle BAD+\angle ACD=90°$，故选 D.

答案 D

知识 5 圆内接四边形的性质定理

圆内接四边形的对角互补,并且任何一个外角都等于它的内对角.

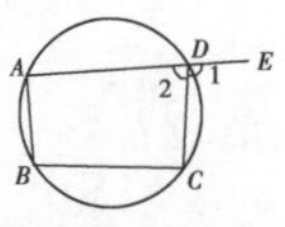

如图,$\angle A+\angle C=180°$,$\angle B+\angle 2=180°$,$\angle 1=\angle B$.

> **温馨提示**
> ①"内对角"是圆内接四边形的专用名词,圆内接四边形的某一外角的内对角是指与其相邻的内角的对角.
> ②若四边形的一组对角互补,则这个四边形内接于圆.
> ③若四边形的一个外角等于与其相邻的内角的对角,则这个四边形内接于圆.

例3 如图,四边形 $ABCD$ 是⊙O 的内接四边形,$\angle B=130°$,则 $\angle AOC=$________°.

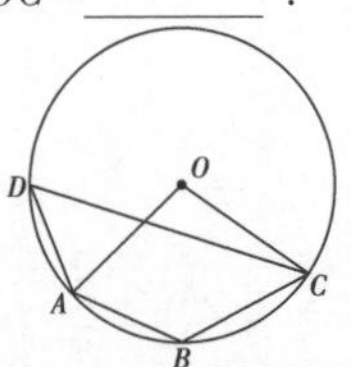

(解析) ∵ 四边形 $ABCD$ 是⊙O 的内接四边形,
∴ $\angle D+\angle B=180°$,∴ $\angle D=180°-\angle B=50°$.

又∵ $\angle AOC$ 和 $\angle D$ 分别是 $\overset{\frown}{AC}$ 所对的圆心角和圆周角,∴ $\angle AOC=2\angle D=100°$.

(答案) 100

方法清单

- 方法1 运用垂径定理进行有关弦的计算
- 方法2 圆心角、弧、弦的关系的应用方法
- 方法3 圆心角与圆周角的关系的应用方法
- 方法4 圆周角定理及其推论的应用方法

方法 1 运用垂径定理进行有关弦的计算

用垂径定理进行有关弦的计算时,常需作出圆心到弦的垂线段(弦心距),则垂足为弦的中点,再利用半径、弦心距和弦长的一半组成的直角三角形来求解.

例1 已知 AB、CD 是⊙O 的两条平行弦,⊙O 的半径为 10 cm,$AB=12$ cm,$CD=16$ cm,求 AB、CD 间的距离.

(解析) 过圆心 O 作 $OF\perp AB$,垂足为点 F,OF 或其反向延长线交 CD 于点 E,连接 OA、OC.

∵ $AB/\!/CD$,∴ $OE\perp CD$.

(1)当 AB、CD 在圆心 O 的同侧时,如图所示.

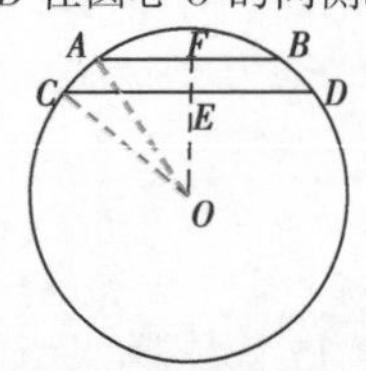

由垂径定理,得 $AF=\frac{1}{2}AB=6$ cm,$CE=\frac{1}{2}CD=8$ cm.

在 Rt△AFO 中,

$OF=\sqrt{OA^2-AF^2}=\sqrt{10^2-6^2}=8$(cm).

在 Rt△CEO 中,

$OE=\sqrt{OC^2-CE^2}=\sqrt{10^2-8^2}=6$(cm).

∴ $EF=OF-OE=8-6=2$(cm).

(2)当 AB、CD 在圆心 O 的异侧时,如图所示.

同(1)得 $OF=8$ cm,$OE=6$ cm.

∴ $EF=OF+OE=8+6=14$(cm).

∴ AB、CD 间的距离为 2 cm 或 14 cm.

方法 2 圆心角、弧、弦的关系的应用方法

圆心角、弧、弦之间的关系定理及推论是说明线段相等、角相等、弧相等的主要依据.解决此类问题的关键在于充分利用圆中的角、弧、弦之间的关系,灵活地进行相互转化,达到解题的目的.

例2 如图所示,AB 为⊙O 的弦,C、D 为弦 AB 上的两点,且 $OC=OD$,延长 OC、OD 分别交⊙O 于点 E、F,试说明 $\overset{\frown}{AE}=\overset{\frown}{BF}$.

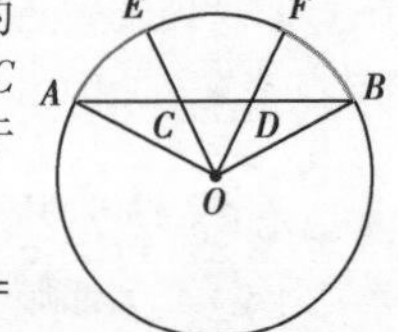

(证明) ∵ $OC=OD$,∴ $\angle OCD=\angle ODC$.∵ $OA=OB$,∴ $\angle A=\angle B$.

∴ $\angle OCD-\angle A=\angle ODC-\angle B$.即 $\angle AOE=\angle BOF$.∴ $\overset{\frown}{AE}=\overset{\frown}{BF}$.

点拨 在证明弧相等时,通常转化为证明它们所对的圆心角相等,有时也可转化为证明它们所对的弦相等.

方法 3 圆心角与圆周角的关系的应用方法

当圆中出现同弧或等弧时,常常利用弧所对的圆周角或圆心角,通过相等的弧把角联系起来.

例3 如图,BD 是⊙O 的直径,点 A、C 在⊙O 上,$\overset{\frown}{AB}=\overset{\frown}{BC}$,$\angle AOB=60°$,则 $\angle BDC$ 的度数是 ( )

A.60° B.45°

C.35° D.30°

(解析) 连接 OC,如图,

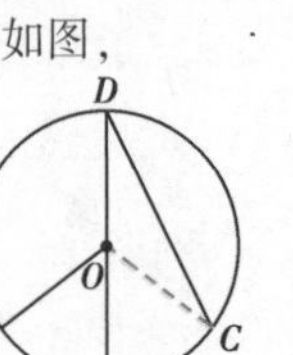

∵ $\overset{\frown}{AB}=\overset{\frown}{BC}$,∴ $\angle BDC=\frac{1}{2}\angle BOC=\frac{1}{2}\angle AOB=\frac{1}{2}\times 60°=30°$.故选 D.

(答案) D

方法 4 圆周角定理及其推论的应用方法

圆周角定理及其推论与弧、弦、圆心角的关系类似,其前提都是在同圆或等圆中,运用圆周角定理及其推论,可以将圆周角相等的问题转化成弧相等、弦相等及线段相等等问题.在圆的计算与证明中,经常要用到圆周角定理及其推论.

例 4 如图,AB 是⊙O 的直径,C,P 是$\overset{\frown}{AB}$上两点,$AB=13,AC=5$.

(1)如图①,若点 P 是$\overset{\frown}{AB}$的中点,求 PA 的长;

(2)如图②,若点 P 是$\overset{\frown}{BC}$的中点,求 PA 的长.

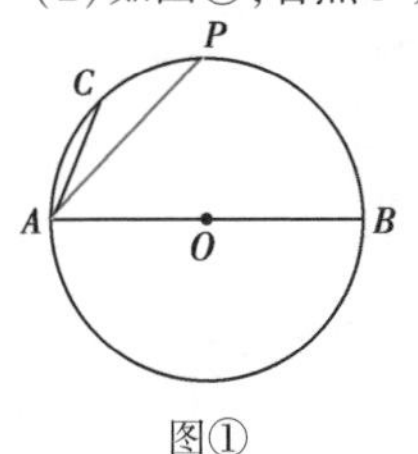

图①

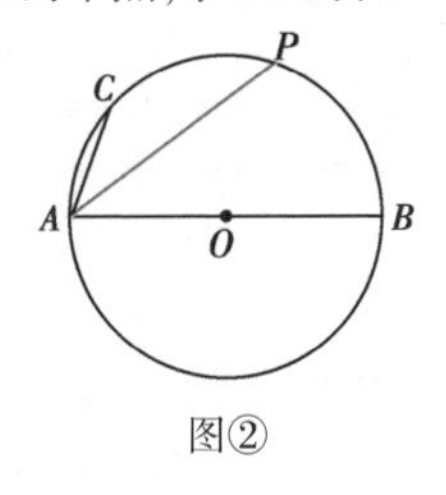

图②

解析 (1)连接 PB.$\because AB$ 是⊙O 的直径,P 是$\overset{\frown}{AB}$的中点,$\therefore PA=PB$,$\angle APB=90°$.

$\because AB=13$,$\therefore PA=\frac{\sqrt{2}}{2}AB=\frac{13\sqrt{2}}{2}$.

(2)如图,连接 PB,BC.连接 OP 交 BC 于 D 点.

$\because P$ 是$\overset{\frown}{BC}$的中点,$\therefore OP\perp BC$ 于 D,$BD=CD$.

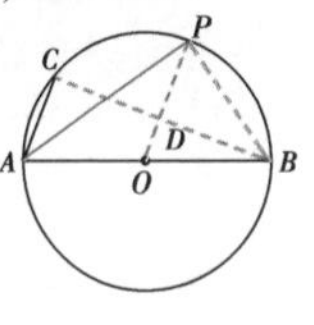

$\because OA=OB$,$\therefore OD=\frac{1}{2}AC=\frac{5}{2}$.

$\because OP=\frac{1}{2}AB=\frac{13}{2}$,$\therefore PD=OP-OD=\frac{13}{2}-\frac{5}{2}=4$.

$\because AB$ 是⊙O 的直径,$\therefore \angle ACB=90°$.

$\because AB=13,AC=5$,$\therefore BC=12$,$\therefore BD=\frac{1}{2}BC=6$.

$\therefore PB=\sqrt{PD^2+BD^2}=2\sqrt{13}$.

$\because AB$ 是⊙O 的直径,$\therefore \angle APB=90°$,

$\therefore PA=\sqrt{AB^2-PB^2}=3\sqrt{13}$.

23.3 与圆有关的位置关系

知识清单

知识1 点与圆的位置关系　知识2 过已知点的圆
知识3 直线与圆的位置关系
知识4 直线和圆的位置关系的性质与判定
知识5 切线的性质定理
知识6 切线的判定定理　知识7 切线长定理
知识8 三角形的内切圆与内心
知识9 圆外切四边形

知识 1 点与圆的位置关系

1.点与圆的位置关系:①点在圆内;②点在圆上;③点在圆外.

2.如图,设⊙O 的半径为 r,平面上的点 A,B,C 到圆心的距离分别为 d_A,d_B,d_C,则有点 A 在⊙O 外$\Leftrightarrow d_A>r$;点 B 在⊙O 上$\Leftrightarrow d_B=r$;点 C 在⊙O 内$\Leftrightarrow d_C<r$.

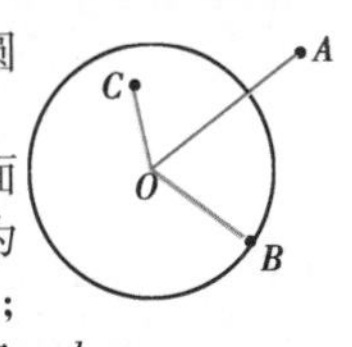

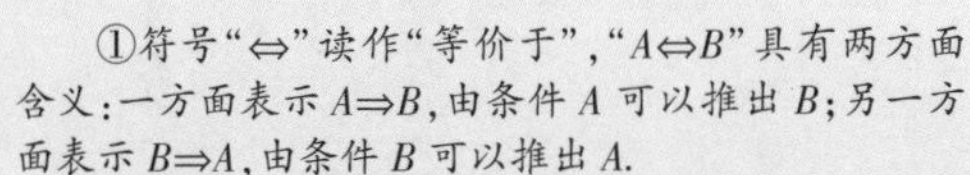

温馨提示

①符号"$\Leftrightarrow$"读作"等价于","$A\Leftrightarrow B$"具有两方面含义:一方面表示 $A\Rightarrow B$,由条件 A 可以推出 B;另一方面表示 $B\Rightarrow A$,由条件 B 可以推出 A.

②上述结论在运用时,"向左推出"是由 d 与 r 的大小关系判定点与圆的位置关系;"向右推出"是由点与圆的位置关系确定 d 与 r 的大小关系.

③圆的内部可以看作是到圆心的距离小于半径的点的集合.它包括两个方面的意义:a.圆的内部各点到圆心的距离小于半径;b.到圆心的距离小于半径的点都在圆的内部.

④圆的外部可以看作是到圆心的距离大于半径的点的集合.它包括两个方面的意义:a.圆的外部各点到圆心的距离大于半径;b.到圆心的距离大于半径的点都在圆的外部.

知识 2 过已知点的圆

点的个数	作法	圆的个数	图例
一个点(如点 A)	经过一个点 A 作圆,只要以点 A 以外的任意一点为圆心,这一点与点 A 的距离为半径就可以作出如图所示的圆	无数个	
两个点(如点 A,B)	经过两个点 A、B 作圆,那么就要以与点 A、B 距离相等的点为圆心,即以线段 AB 的垂直平分线上任意一点为圆心,这一点与点 A(或点 B)的距离为半径,就可以作出如图所示的圆	无数个	

续表

点的个数	作法	圆的个数	图例
不在同一直线上的三个点(如点 A,B,C)	经过不在同一直线上的三点 A、B、C 作圆,圆心到这三个点的距离相等,因此,圆心为线段 AB、BC 的垂直平分线的交点 O,以 O 为圆心,OA(或 OB、OC)的长为半径可作出经过 A、B、C 三点的圆,这样的圆有且只有一个,如图	1个	

①经过一个点作圆,圆心的位置具有任意性;经过两个点作圆,圆心的位置就有了规律性,即圆心位于两点连线的垂直平分线上.

②在理解"不在同一直线上的三个点确定一个圆"时应注意:a."不在同一直线上"这个条件不可缺少;b."确定"应理解为"有且只有".

③经过同一直线上的三点不能作圆(可用反证法证明).

④过任意四点不一定能作出圆.

知识 3 直线与圆的位置关系

直线和圆有三种位置关系:相交、相切、相离.

(1)相交:直线和圆有两个公共点时,叫做直线和圆相交,这时直线叫做圆的割线(如图①).

(2)相切:直线和圆有唯一公共点时,叫做直线和圆相切,这时直线叫做圆的切线,唯一的公共点叫做切点(如图②).

(3)相离:直线和圆没有公共点时,叫做直线和圆相离(如图③).

两个公共点 图①　唯一公共点 图②　没有公共点 图③

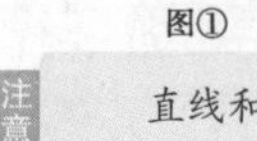

直线和圆相切时,要明确:直线和圆"有唯一公共点"是指"有且只有一个公共点".

知识 4 直线和圆的位置关系的性质与判定

如果⊙O 的半径为 r,圆心 O 到直线 l 的距离为 d,那么

(1)直线 l 和⊙O 相交 $\Leftrightarrow d<r$(如图①);

(2)直线 l 和⊙O 相切 $\Leftrightarrow d=r$(如图②);

(3)直线 l 和⊙O 相离 $\Leftrightarrow d>r$(如图③).

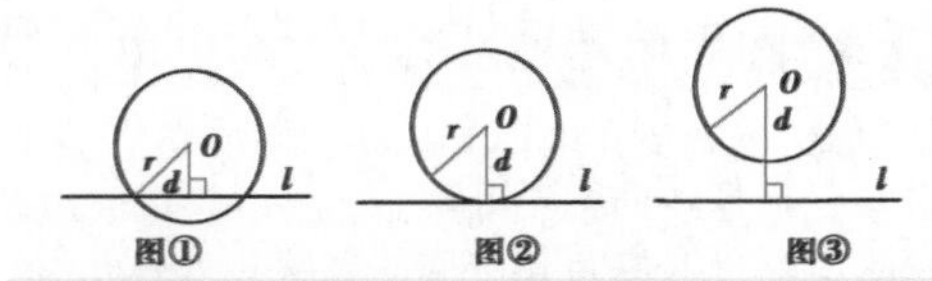

①从左端推出右端是直线和圆的位置关系的性质,从右端推出左端是直线和圆的位置关系的判定.

②直线和圆的位置关系可以转化为直线与圆的公共点的个数来研究;也可转化为圆心到直线的距离 d 与半径 r 的大小关系来研究.这两个角度的论述其实是等价的.

知识 5 切线的性质定理

1.切线的性质定理:圆的切线垂直于过切点的半径.

2.几何语言描述:如图,若 AB 是⊙O 的切线,C 是切点,则 $OC\perp AB$.

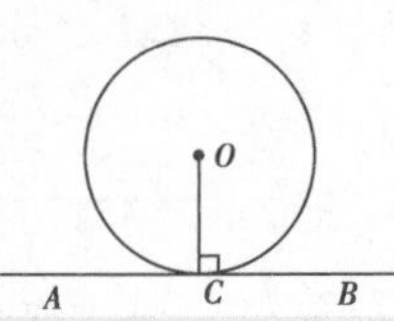

温馨提示

有圆的切线时,常常连接圆心和切点得切线垂直于半径,这是圆中常用到的作辅助线的方法.

例 1 如图,圆 O 是 $\mathrm{Rt}\triangle ABC$ 的外接圆,$\angle ACB=90°$,$\angle A=25°$,过点 C 作圆 O 的切线,交 AB 的延长线于点 D,则 $\angle D$ 的度数是（　　）

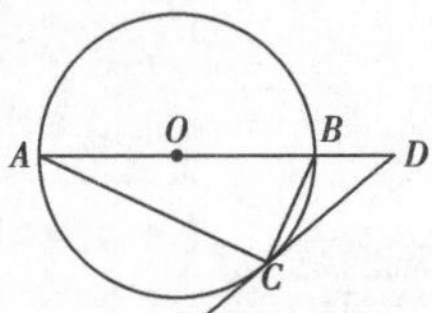

A.25°　　B.40°

C.50°　　D.65°

解析 连接 OC,

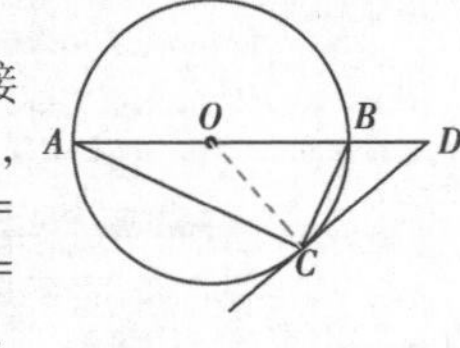

$\because$ 圆 O 是 $\mathrm{Rt}\triangle ABC$ 的外接圆,$\angle ACB=90°$,$\therefore AB$ 是直径,$\because \angle A=25°$,$OA=OC$,$\therefore \angle A=\angle OCA=25°$,$\therefore \angle BOC=2\angle A=50°$,$\because CD$ 是圆 O 的切线,$\therefore OC\perp CD$,$\therefore \angle D=90°-\angle BOC=40°$.故选 B.

答案 B

知识 6 切线的判定定理

1.切线的判定定理:经过半径的外端并且垂直于这条半径的直线是圆的切线.

2.几何语言描述:如图,OC 是⊙O 的半径,直线 $AB\perp OC$ 于点 C,则直线 AB 是圆 O 的切线.

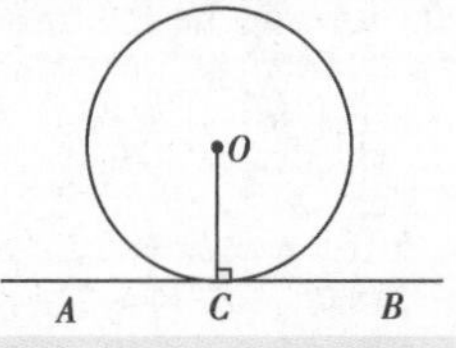

①两个条件缺一不可:a.经过半径的外端点;b.垂直于这条半径.

②切线的识别方法:

a.定义:和圆只有一个公共点的直线是圆的切线.

b.数量关系:和圆心的距离等于半径的直线是圆的切线.

c.定理:过半径的外端且与这条半径垂直的直线是圆的切线.

知识 7 切线长定理

1.在经过圆外一点的圆的切线上,这点和切点之间的线段的长叫做这点到圆的切线长.如图中的 PA,PB 两条线段的长为点 P 到⊙O 的切线长(PA、PB 与⊙O 相切).

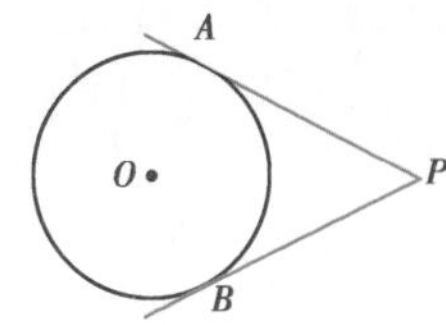

2.切线长定理:从圆外一点可以引圆的两条切线,它们的切线长相等,这一点和圆心的连线平分这两条切线的夹角.

3.几何语言叙述:如图,因为 PA、PB 是⊙O 的两条切线,A、B 为切点,所以 $PA=PB$,$\angle APO=\angle OPB=\frac{1}{2}\angle APB$.

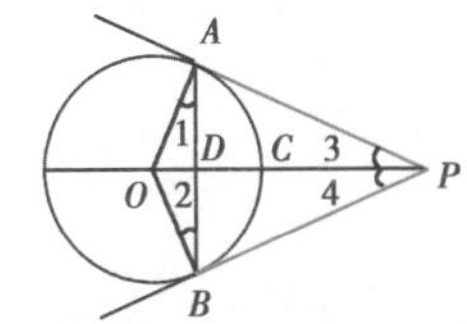

上图是切线长定理的一个基本图形,还可以得出以下结论:① $PO\perp AB$;② $AD=BD$;③ $\overset{\frown}{AC}=\overset{\frown}{BC}$;④ $PA\perp OA$,$PB\perp OB$;⑤ $\angle1=\angle2=\angle3=\angle4$ 等.

注意:千万不要理解为切线长就是切线的长度.

例 2 如图所示,PA,PB 是⊙O 的两条切线,A,B 为切点,AC 是⊙O 的直径,若 $\angle P=46°$,则 $\angle BAC=$________.

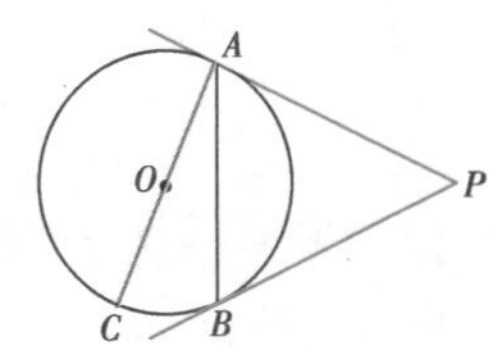

(解析) 由 PA,PB 是⊙O 的切线得到 $PA=PB$,即 $\triangle APB$ 为等腰三角形,因为 $\angle P=46°$,所以 $\angle PAB=67°$,再由 AP 为⊙O 的切线,AC 为⊙O 的直径,得到 OA 与 AP 垂直,即 $\angle OAP=90°$,则 $\angle BAC=90°-67°=23°$.

(答案) 23°

知识 8 三角形的内切圆与内心

1.定义:与三角形各边都相切的圆叫做三角形的内切圆.三角形的内切圆的圆心叫做三角形的内心,这个三角形叫做圆的外切三角形.

2.示例:如图,⊙I 是△ABC 的内切圆,△ABC 是⊙I 的外切三角形,点 I 是△ABC 的内心.

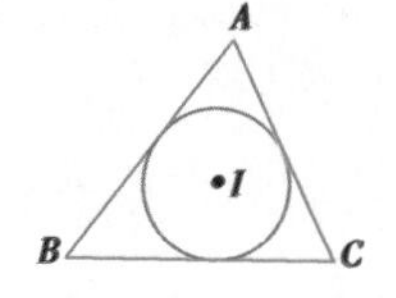

温馨提示

①一个三角形有且只有一个内切圆,而一个圆有无数个外切三角形.

②三角形的内心是三条角平分线的交点,因此,钝角三角形、直角三角形、锐角三角形的内心都在三角形的内部.

③三角形的内心到三边的距离相等,且等于三角形内切圆的半径.

④如果三角形三边长分别为 a、b、c,内切圆半径为 r,则三角形的面积 $S=\frac{1}{2}(a+b+c)r$.

⑤如果直角三角形的两条直角边长分别为 a、b,斜边长为 c,则此直角三角形的内切圆的半径 $r=\frac{a+b-c}{2}$.

3.三角形的内心与外心的区别:

名称	确定方法	图形	性质
外心(三角形外接圆的圆心)	三角形三条边的中垂线的交点	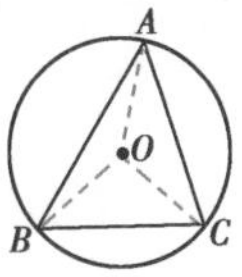 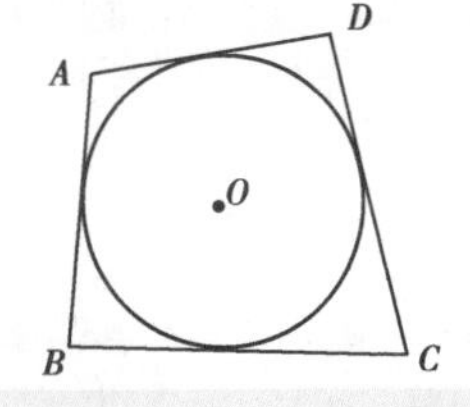	(1)到△ABC 三个顶点距离相等,即 $OA=OB=OC$,(2)不一定在△ABC 内部
内心(三角形内切圆的圆心)	三角形三条角平分线的交点	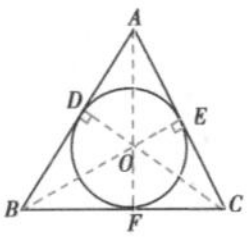	(1)到三边距离相等,即 $OD=OE=OF$,(2)AO、BO、CO 分别平分 $\angle BAC$、$\angle ABC$、$\angle ACB$,(3)一定在三角形内部

知识 9 圆外切四边形

各边都与圆相切的四边形叫做圆的外切四边形.如图,四边形 $ABCD$ 是⊙O 的外切四边形,⊙O 是四边形 $ABCD$ 的内切圆.

温馨提示

①任意一个四边形不一定有内切圆,但一个圆可以有无数个外切四边形.

②四边形内切圆的圆心到各边的距离相等,且都等于内切圆的半径.

知识延伸

圆外切四边形的两组对边之和相等.

如图,四边形 $ABCD$ 为⊙O 的外切四边形,则 $AD+BC=AB+DC$.

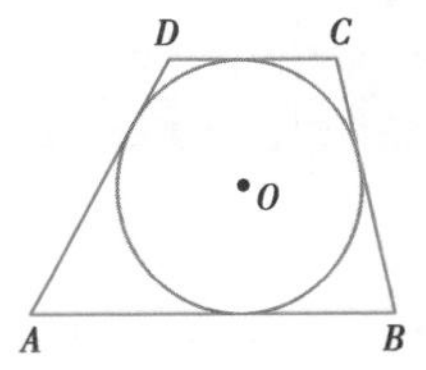

第22-27章

> 温馨提示
>
> ①圆外切平行四边形是菱形，圆外切矩形是正方形.
>
> ②若一个四边形的两组对边之和相等，则这个四边形是圆外切四边形.换言之，若一个四边形的两组对边之和相等，则这个四边形有一个内切圆.

知识拓展

1.圆与圆的位置关系

圆与圆的位置关系有**外离、外切、相交、内切、内含**(包括同心圆)这五种位置关系.

(1)**外离**:两个圆没有公共点，并且每个圆上的点都在另一个圆的外部时，就说这两个圆外离(如图①).

(2)**外切**:两个圆有唯一的公共点，并且除了这个公共点以外，每个圆上的点都在另一个圆的外部时，就说这两个圆外切.这个唯一的公共点叫做切点(如图②).

(3)**相交**:两个圆有两个公共点，此时就说这两个圆相交(如图③).

(4)**内切**:两个圆有唯一的公共点，并且除了这个公共点以外，一个圆上的点都在另一个圆的内部时，就说这两个圆内切.这个唯一的公共点叫做切点(如图④).

(5)**内含**:两个圆没有公共点，并且一个圆上的点都在另一个圆的内部时，就说这两个圆内含(如图⑤).两圆同心(如图⑥)是两圆内含的一个特例.

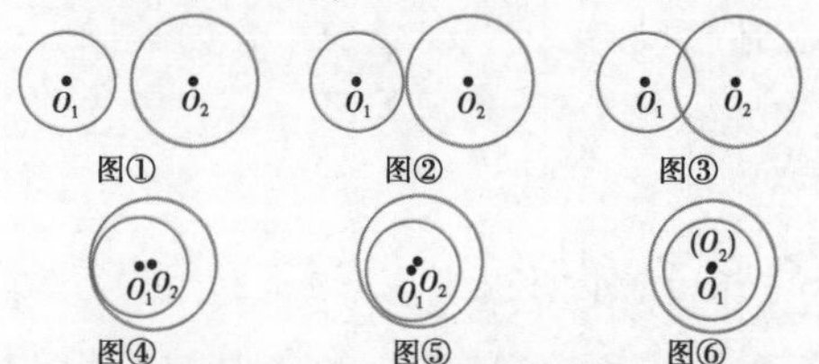

图①　图②　图③

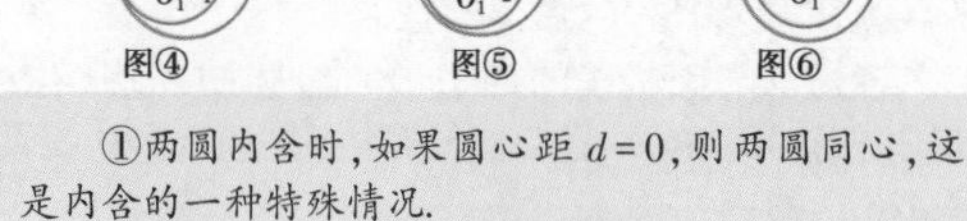

图④　图⑤　图⑥

> 温馨提示
>
> ①两圆内含时，如果圆心距 $d=0$，则两圆同心，这是内含的一种特殊情况.
>
> ②两圆外离与内含时，两圆都无公共点.
>
> ③两圆外切和内切统称两圆相切，外切和内切的共性是只有唯一的公共点.

> 温馨提示
>
> ④理解两圆的位置关系，要抓住两个因素:a.公共点的个数;b.一个圆上的点在另一个圆的外部还是内部.
>
> ⑤两圆的五种位置关系按公共点的个数可分为三大类.
>
> a.相离 $\begin{cases}\text{外离}\\ \text{内含(包括同心圆)}\end{cases}$ (没有公共点)
>
> b.相切 $\begin{cases}\text{外切}\\ \text{内切}\end{cases}$ (有一个公共点)
>
> c.相交　(有两个公共点)

2.两圆的位置关系与两圆的半径、圆心距之间的数量关系

设两圆半径分别为 r_1 和 r_2，圆心距为 d.

位置关系	图示	公共点	数量关系
外离		无	$d>r_1+r_2$
外切		一个切点	$d=r_1+r_2$
相交		两个交点	$r_2-r_1<d<r_2+r_1$ $(r_2>r_1)$
内切		一个切点	$d=r_2-r_1$ $(r_2>r_1)$
内含		无	$0\leqslant d<r_2-r_1$ $(r_2>r_1)$

> 温馨提示
>
> 上述的数量特征既可以理解为位置关系的性质，也可以理解为判定两圆位置关系的依据.

方法清单

方法1 点与圆的位置关系的识别方法

要确定平面上一点与圆的位置关系，只需比较该点到圆心的距离与半径的大小关系.点与圆心的距离大于半径，点在圆外;点与圆心的距离等于半径，点在圆上;点与圆心的距离小于半径，点在圆内，反之亦然.

例1 如图，在矩形 $ABCD$ 中，$AB=3$，$AD=4$，以点 A 为圆心作圆，使 B，C，D 三点中至少有一点在圆内，至少有一点在圆外，试确定此圆半径 R 的取值范围.

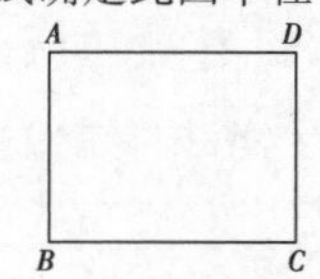

(解析) 连接 AC.由矩形的性质和勾股定理可得 $AC=5$，所以 $AB<AD<AC$.由题意可知，B 点一定在圆内，C 点一定在圆外，所以 $AB<R$，且 $AC>R$，即 $3<R$，且 $5>R$，所以此圆半径 R 的取值范围是 $3<R<5$.

方法2 直线与圆的位置关系的识别方法

判断直线和圆的位置关系的方法有两种:(1)根据定义看直线和圆的公共点个数;(2)根据圆心到直

线的距离 d 与圆的半径 r 的关系.

例2 在△ABC 中，$\angle C=90°$，$\angle B=30°$，O 为 AB 上一点，$AO=m$，⊙O 的半径为$\frac{1}{2}$，问 m 在什么范围内取值时：

(1)直线 AC 与⊙O 相离？

(2)直线 AC 与⊙O 相切？

(3)直线 AC 与⊙O 相交？

(解析) 如图所示，过点 O 作 $OD\perp AC$ 于点 D，则 $OD/\!/BC$，

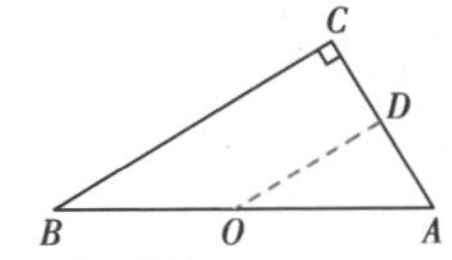

$\therefore \angle AOD=\angle B=30°$，

$\therefore AD=\frac{1}{2}AO=\frac{m}{2}$，$\therefore OD=\sqrt{OA^2-AD^2}=\frac{\sqrt{3}}{2}m$.

(1)当 $OD>r$，即$\frac{\sqrt{3}}{2}m>\frac{1}{2}$，$m>\frac{\sqrt{3}}{3}$时，直线 AC 与⊙O 相离.

(2)当 $OD=r$，即$\frac{\sqrt{3}}{2}m=\frac{1}{2}$，$m=\frac{\sqrt{3}}{3}$时，直线 AC 与⊙O 相切.

(3)当 $0<OD<r$，即 $0<\frac{\sqrt{3}}{2}m<\frac{1}{2}$，$0<m<\frac{\sqrt{3}}{3}$时，直线 AC 与⊙O 相交.

方法 3 切线的判定和性质的应用方法

1.运用切线的性质来进行计算或论证的常见辅助线是连接圆心和切点，利用垂直构造直角三角形解决有关问题.

2.证明直线与圆相切有如下三种途径：

(1)证直线和圆有唯一公共点(运用定义).

(2)证直线过半径外端且垂直于这条半径(运用判定定理).

(3)证圆心到直线的距离等于圆的半径(证 $d=r$).

当题目已知直线与圆的公共点时，一般用方法(2)，当题目未知直线与圆的公共点时，一般用方法(3)，方法(1)运用较少.

例3 如图，已知⊙O 的直径 $AB=10$，弦 $AC=6$，$\angle BAC$ 的平分线交⊙O 于点 D，过点 D 作 $DE\perp AC$ 交 AC 的延长线于点 E.

(1)求证：DE 是⊙O 的切线；

(2)求 DE 的长.

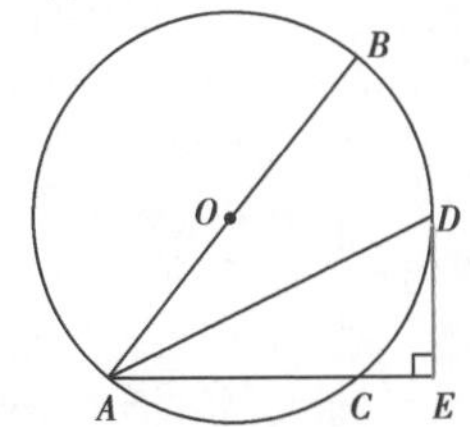

思路分析 (1)连接 OD，欲证明 DE 是⊙O 的切线，只要证明 $OD\perp DE$.

(2)过点 O 作 $OF\perp AC$ 于点 F，在 Rt△AOF 中利用勾股定理求出 OF，只要证明四边形 $OFED$ 是矩形即可得到 $DE=OF$.

(解析) (1)证明：连接 OD，

$\because AD$ 平分$\angle BAC$，

$\therefore \angle DAE=\angle DAB$，

$\because OA=OD$，$\therefore \angle ODA=\angle DAO$，

$\therefore \angle ODA=\angle DAE$，$\therefore OD/\!/AE$.

$\because DE\perp AC$，$\therefore OD\perp DE$.

$\therefore DE$ 是⊙O 的切线.

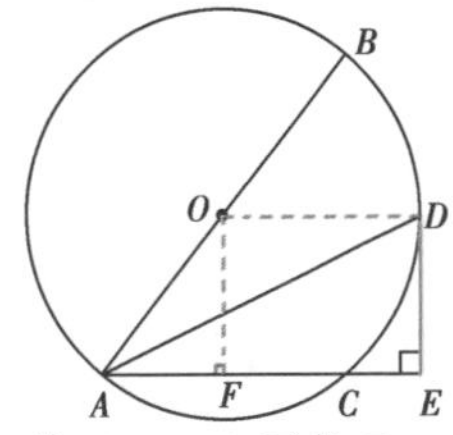

(2)过点 O 作 $OF\perp AC$ 于点 F，

$\therefore AF=CF=3$，

$\therefore OF=\sqrt{AO^2-AF^2}=\sqrt{5^2-3^2}=4$.

$\because \angle OFE=\angle DEF=\angle ODE=90°$，

$\therefore$ 四边形 $OFED$ 是矩形.

$\therefore DE=OF=4$.

方法 4 三角形内心和外心的应用方法

外接圆及内切圆的实际用途非常广泛，在选址、定位等方面经常使用.画图时，要根据具体问题来判断是到三边距离相等，还是到三点距离相等，以此来决定作内心还是外心.

例4 (1)如图，某地有三条两两相交的铁路，现要建一个仓库到三条铁路的距离相等且在图中三角形区域内，问仓库应建在何处？作图说明；

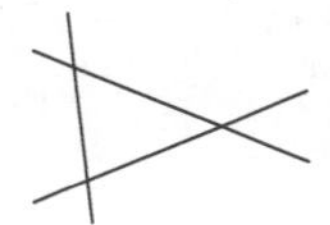

(2)如图，有 A、B、C 三个村庄，现要修建一个电视信号发射中心，保证三村收视信号相同，问电视信号发射中心应建在何处？作图说明.

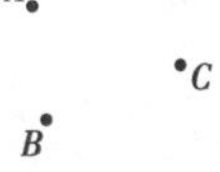

思路分析 (1)到三条铁路的距离相等，且在三角形区域内，则应确定为三角形的内心；(2)三村收视信号要保证相同，则信号发射中心必须到三村的距离相等，因此应确定为以 A、B、C 三点为顶点的三角形的外心.

(解析) (1)如图①，仓库应建在 O 点处.

(2)如图②，电视信号发射中心应建在 D 点处.

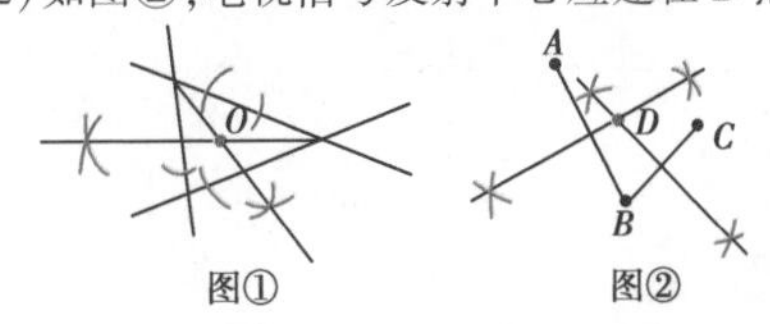

图① 图②

方法 5 利用切线长定理进行计算的方法

切线长定理包含两个方面:一是从圆外一点引的这两条切线长相等;二是这点和圆心的连线平分这两条切线的夹角.切线长相等可以判断两条线段相等,连线平分夹角可以证明角相等和求角的度数.

例5 如图,P 为⊙O 外一点,PA、PB 分别切⊙O 于点 A、B,CD 切⊙O 于点 E 且分别交 PA、PB 于点 C、D,若 $PA=4$,则△PCD 的周长为 ( )

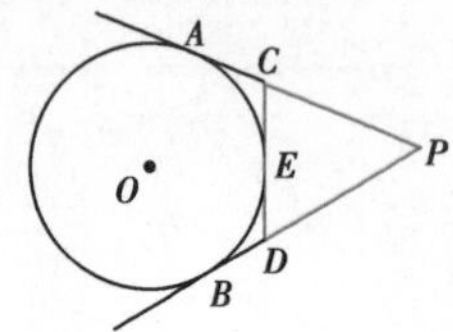

A.5　　B.7　　C.8　　D.10

(解析) ∵ PA、PB 分别切⊙O 于点 A、B,$PA=4$,

∴ $PB=PA=4$,

∵ CD 切⊙O 于点 E 且分别交 PA、PB 于点 C、D,

∴ $CA=CE$,$DE=DB$,

∴ △PCD 的周长 $=PC+PD+CD=PC+CA+PD+DB=PA+PB=8$,故选 C.

(答案) C

方法 6 解决与圆的位置关系有关的多解问题的方法

在解没有给出图形的几何题时,常常把题目中的图形画成自己平时所熟悉的图形,可能出现解答不完整,导致漏解.解决此类问题,要认真挖掘题目中可能出现的不同情况,并用分类讨论的思想加以解决.

例6 在平面直角坐标系 xOy 中,直线 l 经过 $A(-3,0)$,$B(0,\sqrt{3})$ 两点,点 P 的坐标为 $(1,0)$,⊙P 与 y 轴相切于点 O,若将⊙P 沿 x 轴向左平移,平移后得到⊙P'(点 P 的对应点为点 P'),当⊙P' 与直线 l 相交时,横坐标为整数的点 P' 共有 ( )

A.1 个　　B.2 个　　C.3 个　　D.4 个

(解析) 如图,当点 P' 在 $(-1,0)$ 和 $(-5,0)$ 处时,⊙P' 与直线 l 相切.因此横坐标为整数的点有 $(-2,0)$,$(-3,0)$,$(-4,0)$,故选 C.

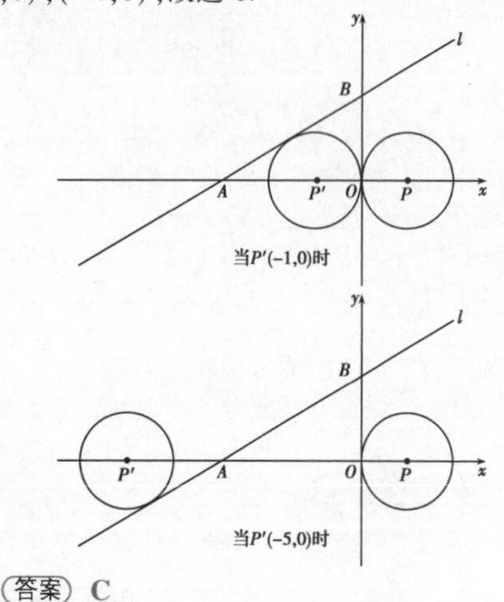

(答案) C

方法 7 圆中常见的辅助线作法

1.遇到直径时,一般要找直径所对的圆周角,将直径这一条件转化为直角.

2.遇到切线时,一般要引过切点的半径,以便利用切线的性质定理.

3.遇到过圆外一点作圆的两条切线时,常常引这点到圆心的线段,以便利用切线长定理.

作辅助线的规律不止这些,同学们要通过练习注意体会和总结,从而不断提高分析和解决问题的能力.

例7 如图,在 Rt△ABC 中,$\angle C=90°$,以 BC 为直径的⊙O 交 AB 于点 D,切线 DE 交 AC 于点 E.

(1)求证:$\angle A=\angle ADE$;

(2)若 $AD=16$,$DE=10$,求 BC 的长.

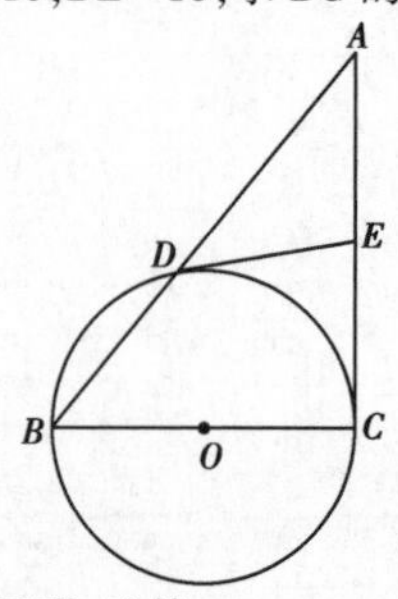

(解析) (1)证明:连接 OD,

∵ DE 是切线,∴ $\angle ODE=90°$,

∴ $\angle ADE+\angle BDO=90°$,

∵ $\angle ACB=90°$,∴ $\angle A+\angle B=90°$,

∵ $OD=OB$,∴ $\angle B=\angle BDO$,

∴ $\angle ADE=\angle A$.

(2)连接 CD.∵ $\angle ADE=\angle A$,

∴ $AE=DE$,

∵ BC 是⊙O 的直径,$\angle ACB=90°$,∴ EC 是⊙O 的切线,又 DE 是⊙O 的切线,

∴ $ED=EC$,∴ $AE=EC$,

∵ $DE=10$,∴ $AC=2DE=20$,

在 Rt △ADC 中,$DC=\sqrt{20^2-16^2}=12$,

设 $BD=x$,在 Rt△BDC 中,$BC^2=x^2+12^2$,

在 Rt△ABC 中,$BC^2=(x+16)^2-20^2$,

∴ $x^2+12^2=(x+16)^2-20^2$,解得 $x=9$,∴ $BC=\sqrt{12^2+9^2}=15$.

方法 8 圆的有关知识在动态问题中的应用

动态问题指的是点的运动问题和图形的运动问题.这类问题是通过点(或图形)的运动过程,研究其变化规律,探讨其所具有的某些性质.解决这类问题,首先要发挥想象力,抓住动点运动的范围和特点,观察动点的运动引起了其他哪些点的运动,造成了图形的什么变化;其次,重点分析动点运动到图形的特殊位置时,图形与图形,量与量之间的特殊关系,以此作为突破口解决问题.

例8 某种在同一平面进行传动的机械装置如图

①，图②是它的示意图.其工作原理：滑块 Q 在平直滑道 l 上可以左右滑动，在 Q 滑动的过程中，连杆 PQ 也随之运动，并且 PQ 带动连杆 OP 绕固定点 O 摆动.在摆动过程中，两连杆的接点 P 在以 OP 为半径的⊙O 上运动.数学兴趣小组为进一步研究其中所蕴含的数学知识，过点 O 作 $OH\perp l$ 于点 H，并测得 $OH=4$ 分米，$PQ=3$ 分米，$OP=2$ 分米.

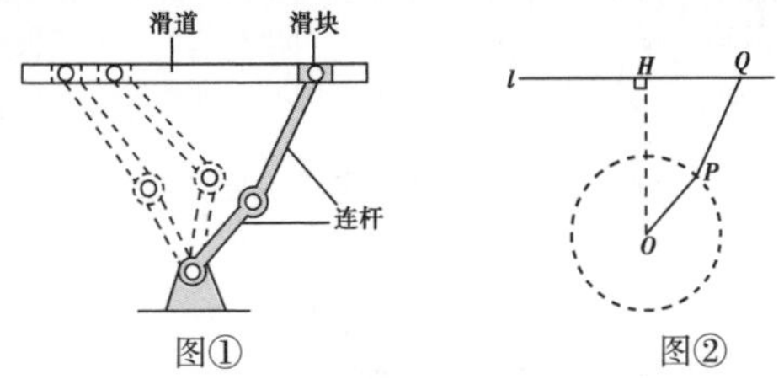

图①　　图②

(1)点 Q 与点 O 间的最小距离是________分米；点 Q 与点 O 间的最大距离是________分米；点 Q 在 l 上滑到最左端的位置与滑到最右端位置间的距离是________分米；

(2)如图③，小明同学说："当点 Q 滑动到点 H 的位置时，PQ 与⊙O 是相切的."你认为他的判断对吗？为什么？

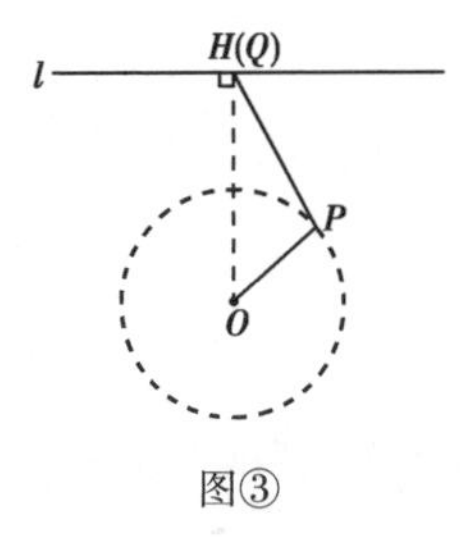

图③

(3)①小丽同学发现："当点 P 运动到 OH 上时，点 P 到 l 的距离最小."事实上，还存在着点 P 到 l 距离最大的位置，此时，点 P 到 l 的距离是________分米；

②当 OP 绕点 O 左右摆动时，所扫过的区域为扇形，求这个扇形面积最大时圆心角的度数.

解析 (1)4;5;6.

(2)不对.

$\because OP=2,PQ=3,OQ=4$，且 $4^2\neq 3^2+2^2$，

即 $OQ^2\neq PQ^2+OP^2$，$\therefore OP$ 与 PQ 不垂直.

$\therefore PQ$ 与⊙O 不相切.

(3)①3.

②由①知，在⊙O 上存在点 P、P'到 l 的距离为 3，此时，OP 将不能再向下转动，如图，OP 在绕点 O 左右摆动过程中所扫过的最大扇形就是扇形 $P'OP$.连接 $P'P$，交 OH 于点 D，过 P'作 $P'Q'\perp l$ 于 Q'.

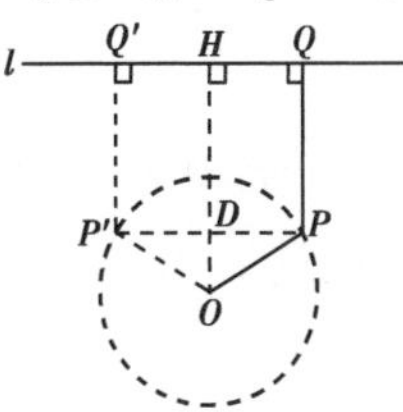

$\because PQ,P'Q'$均与 l 垂直，且 $PQ=P'Q'=3$，

$\therefore$ 四边形 $PQQ'P'$是矩形.

$\therefore OH\perp PP',PD=P'D$.

由 $OP=2,OD=OH-HD=1$，得 $\angle DOP=60°$.

$\therefore \angle POP'=120°$.

$\therefore$ 所求圆心角的度数为 120°.

23.4　正多边形与圆的有关计算

知识清单

- 知识1 正多边形与圆的关系
- 知识2 正多边形的中心与中心角
- 知识3 正多边形的半径与边心距
- 知识4 正多边形的有关计算
- 知识5 正多边形的对称性　知识6 弧长公式
- 知识7 扇形面积公式　知识8 圆柱侧面展开图
- 知识9 圆锥侧面展开图

知识1 正多边形与圆的关系

1.定理1：把圆分成 $n(n\geqslant 3)$ 等份，

①依次连接各分点所得的多边形是这个圆的内接正 n 边形；

②经过各分点作圆的切线，以相邻切线的交点为顶点的多边形是这个圆的外切正 n 边形.

2.定理2：任何正多边形都有一个外接圆和一个内切圆，这两个圆是同心圆.

温馨提示

①判定一个多边形是正多边形，除根据定义判定外，还可以根据定理1来判定；定理2揭示了正多边形特有的性质，被称为正多边形的性质定理.

②任意三角形都有外接圆和内切圆，但只有正三角形的外接圆和内切圆是同心圆.

③任意多边形(边数大于3)不一定具有外接圆和内切圆，但当多边形是正多边形时，则一定有外接圆和内切圆，并且是同心圆.

④从发展变化的角度来看：在一个圆中，它的内接正多边形的边数越多，正多边形就越像圆，它的周长和面积就更接近圆的周长和面积.我国古代用"割圆术"求圆周率的近似值.

知识2 正多边形的中心与中心角

1.把一个正多边形的外接圆的圆心叫做正多边形的中心.

2.正多边形每一边所对的圆心角叫做正多边形的中心角.正n边形的每个中心角都等于$\dfrac{360°}{n}$.

3. 如图，正六边形 $ABCDEF$ 的中心为点 O，$\angle AOB$ 为中心角.

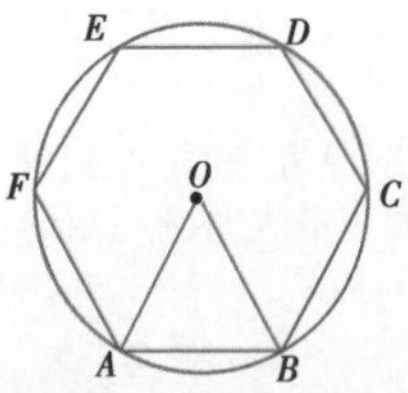

注意：正 n 边形的中心角等于它的外角.

知识 3 正多边形的半径与边心距

正多边形的外接圆半径叫做正多边形的半径. 正多边形的中心到正多边形的一边的距离叫做正多边形的边心距. 如图，OC，OE，OF 为正六边形 $ABCDEF$ 的半径；OG 为正六边形 $ABCDEF$ 的边心距.

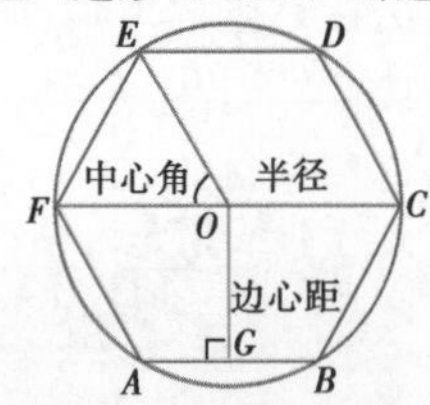

知识 4 正多边形的有关计算

1. 正 n 边形的半径和边心距把正 n 边形分成 $2n$ 个全等的直角三角形（如图）.

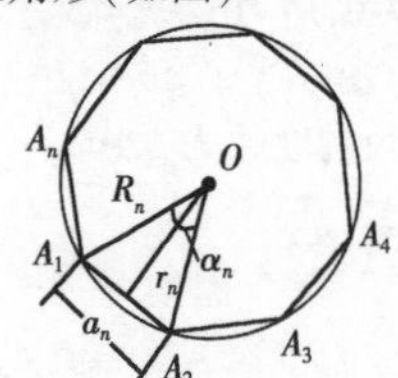

这些直角三角形的斜边都是正 n 边形的半径 R_n，一条直角边是正 n 边形的边心距 r_n，另一条直角边是正 n 边形边长 a_n 的一半，一个锐角是正 n 边形中心角 α_n 的一半，即$\frac{180^\circ}{n}$，另一个锐角为一个内角的一半，即$\frac{(n-2)\cdot 90^\circ}{n}$或 $90^\circ-\frac{180^\circ}{n}$.

2. 正 n 边形的半径 R_n、边心距 r_n、边长 a_n、半中心角 θ、半内角 α、周长 C_n、面积 S_n 之间的关系（θ：中心角的一半；α：内角的一半）：

(1) $2\alpha=\frac{(n-2)\cdot 180^\circ}{n}$,

$\alpha=\frac{(n-2)\cdot 90^\circ}{n}=90^\circ-\frac{180^\circ}{n}$;

(2) $2\theta=\frac{360^\circ}{n}$，$\theta=\frac{180^\circ}{n}$;

(3) $R_n^2=r_n^2+\frac{a_n^2}{4}$;

(4) $a_n=2R_n\cdot\sin\frac{180^\circ}{n}$;

(5) $r_n=R_n\cos\frac{180^\circ}{n}$;

(6) $C_n=na_n$;

(7) $S_n=\frac{1}{2}C_nr_n=\frac{1}{2}na_nr_n$.

知识 5 正多边形的对称性

1. 正 n 边形是旋转对称图形，最小旋转角为$\frac{360^\circ}{n}$，即任一正 n 边形绕其中心旋转$\frac{360^\circ}{n}$的整数倍后，所得图形与原图形重合.

2. 所有的正多边形都是轴对称图形，一个正 n 边形共有 n 条对称轴，每条对称轴都经过正 n 边形的中心.

3. 如果正多边形有偶数条边，那么它既是轴对称图形，又是中心对称图形，它的中心就是对称中心.

知识 6 弧长公式

1. 圆周长公式：$C=2\pi R$ 或 $C=\pi d$，其中 R 为圆的半径，d 为圆的直径，$\pi=3.141\ 592\ 6\cdots$，π 这个无限不循环小数叫做圆周率.

2. 弧长公式：$l=\frac{n\pi R}{180}$（n° 为圆心角的度数，R 表示圆的半径）.

由于 1° 的圆心角的弧长等于圆周长的$\frac{1}{360}$，即$\frac{1}{360}\times 2\pi R$，所以 n° 的圆心角所对的弧长为 $l=n\times\frac{1}{360}\times 2\pi R=\frac{n\pi R}{180}$.

①在弧长公式中，n 表示 1° 的圆心角的倍数，不带单位.

②在弧长公式中，已知 l、n、R 中的任意两个量，都可以求出第三个量.

知识 7 扇形面积公式

1. 圆的面积：$S=\pi R^2$（R 为圆的半径）.

2. 扇形的面积

(1) 在半径为 R 的圆中，因为 360° 的圆心角所对的扇形的面积就是圆的面积 πR^2，所以圆心角为 1° 的扇形面积是$\frac{\pi R^2}{360}$，所以圆心角为 n° 的扇形面积的计算公式为$S_{扇形}=\frac{n\pi R^2}{360}$.

(2) 利用扇形的弧长的计算公式转化，$S_{扇形}=\frac{n\pi R^2}{360}=\frac{1}{2}\cdot\frac{n\pi R}{180}\cdot R$，得扇形面积的另一个计算公式为$S_{扇形}=\frac{1}{2}lR$.

温馨提示

①扇形面积公式 $S_{扇形}=\frac{1}{2}lR$ 与三角形面积公式十分类似.为了便于记忆,只要把扇形看成一个曲边三角形,把弧长 l 看成底,R 看成底边上的高即可.

②根据扇形面积公式和弧长公式,已知 $S_{扇形}$、l、n、R 四个量中的任意两个,都可以求出另外两个量.

例 如图,已知扇形 OAB 的圆心角为 $60°$,扇形的面积为 6π,则该扇形的弧长为________.

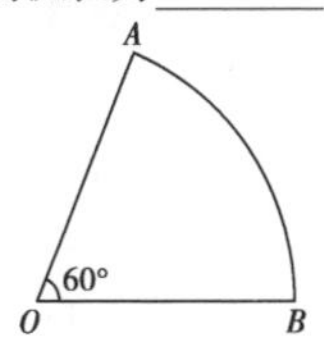

思路分析 首先根据扇形的面积公式 $S_{扇形}=\frac{n\pi R^2}{360}$ 求得扇形的半径,然后根据扇形的面积公式 $S_{扇形}=\frac{1}{2}lR$(其中 l 为扇形的弧长),求得扇形的弧长.

解析 设扇形的半径是 R,则 $\frac{60\cdot\pi\cdot R^2}{360}=6\pi$,解得 $R=6$,

设扇形的弧长是 l,则 $\frac{1}{2}lR=6\pi$,解得 $l=2\pi$.

答案 2π

知识 8 圆柱侧面展开图

圆柱的侧面展开图是矩形.这个矩形的一边长等于圆柱的高,即圆柱的母线长,与其相邻的一边长等于底面圆的周长,如图.

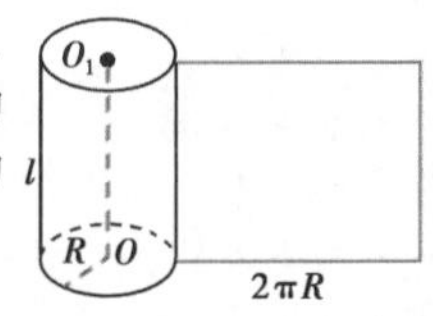

设圆柱的母线长为 l,底面半径为 R,则圆柱的侧面积 $S_{圆柱侧}=2\pi Rl$.

圆柱的表面积:

$S_{圆柱表}=S_{圆柱侧}+2S_{圆柱底}=2\pi Rl+2\pi R^2=2\pi R(l+R)$.

知识 9 圆锥侧面展开图

如果把圆锥的侧面沿着它的一条母线剪开,那么它的侧面展开图是一个扇形,这个扇形的半径是圆锥的母线长,弧长是圆锥底面圆的周长,圆锥的侧面积等于扇形的面积.(如图)

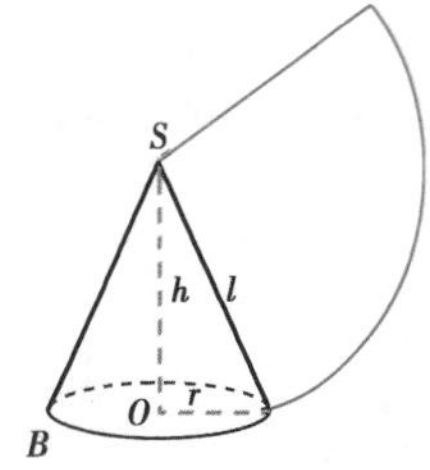

若圆锥的底面半径为 r,母线长为 l,则这个扇形的半径为 l,扇形的弧长为 $2\pi r$,圆锥的侧面积为 $S_{圆锥侧}=\frac{1}{2}l\cdot 2\pi r=\pi rl$.

圆锥的表面积:$S_{圆锥表}=S_{圆锥侧}+S_{圆锥底}=\pi rl+\pi r^2=\pi r\cdot(l+r)$.

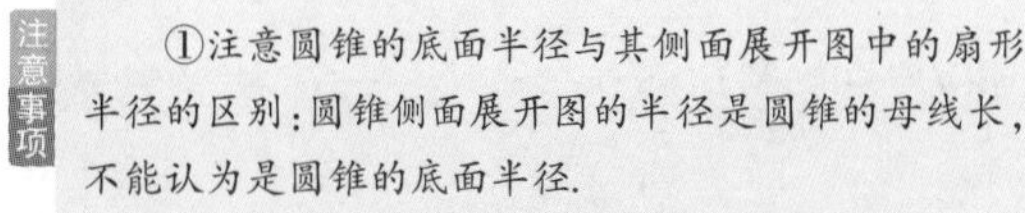

注意事项

①注意圆锥的底面半径与其侧面展开图中的扇形半径的区别:圆锥侧面展开图的半径是圆锥的母线长,不能认为是圆锥的底面半径.

②在进行计算时要区别开扇形的两个面积公式与圆锥侧面积公式中字母的含义.

方法清单

方法 1 正多边形有关计算的方法

正多边形的半径、边心距和边长的一半组成一个直角三角形,有关正多边形的计算常常转化为解这个直角三角形,在解题时要根据已知条件先作出这个直角三角形以及所在的等腰三角形.

例1 如图,在⊙O 中,$OA=AB$,$OC\perp AB$,则下列结论错误的是 ( )

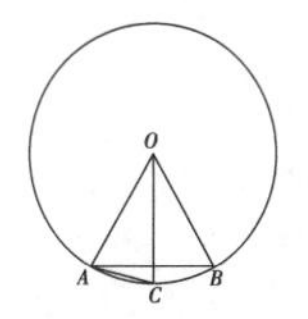

A.弦 AB 的长等于圆内接正六边形的边长

B.弦 AC 的长等于圆内接正十二边形的边长

C.$\overset{\frown}{AC}=\overset{\frown}{BC}$

D.$\angle BAC=30°$

解析 $\because OA=AB=OB$,$\therefore \triangle OAB$ 为等边三角形,$\therefore \angle AOB=60°$,$\because 360°\div60°=6$,故 AB 的长等于圆内接正六边形的边长,故 A 正确;$\because \triangle OAB$ 为等边三角形,$OC\perp AB$,$\therefore \angle AOC=30°$,$\because 360°\div30°=12$,故 AC 的长等于圆内接正十二边形的边长,故 B 正确;$\because OC\perp AB$,$\therefore \overset{\frown}{AC}=\overset{\frown}{BC}$,故 C 正确;$\angle BAC=\frac{1}{2}\angle BOC=15°$,故 D 错误.故选 D.

答案 D

方法 2 弧长、扇形面积与圆锥侧面积的计算方法

1.熟练使用公式求弧长，同时要学会灵活多变，题目中的一些数据没有直接给出时，要综合其他所给条件求得，同时要注意将公式变形求其他量.

2.当已知半径 R 与圆心角的度数求扇形的面积时，选用公式 $S_{扇形}=\frac{n}{360}\pi R^2$；当已知弧长 l、半径 R 求扇形的面积时，选用公式 $S_{扇形}=\frac{1}{2}lR$.

3.圆锥侧面展开图的半径是圆锥的母线长，扇形的弧长是圆锥的底面周长，在学习中要结合实际物体观察和比较，分清要计算的量是哪个.

例2 如图，$\odot O$ 是 $\triangle ABC$ 的外接圆，$BC=2$，$\angle BAC=30°$，则劣弧 $\overset{\frown}{BC}$ 的长等于 （　　）

A.$\frac{2\pi}{3}$　　B.$\frac{\pi}{3}$　　C.$\frac{2\sqrt{3}\pi}{3}$　　D.$\frac{\sqrt{3}\pi}{3}$

思路分析　连接 OB、OC，利用圆周角定理求得 $\angle BOC=60°$，利用弧长公式 $l=\frac{n\pi r}{180}$ 来计算劣弧 $\overset{\frown}{BC}$ 的长.

解析　如图，连接 OB、OC，$\because\ \angle BAC=30°$，$\therefore\ \angle BOC=2\angle BAC=2\times30°=60°$，又 $\because\ OB=OC$，$\therefore\ \triangle BOC$ 是等边三角形，$\therefore\ OB=OC=BC=2$，

$\therefore\ l_{\overset{\frown}{BC}}=\frac{60\cdot\pi\cdot2}{180}=\frac{2\pi}{3}$.

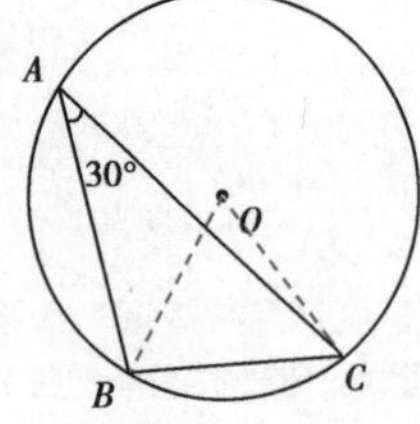

答案　A

例3 如图，圆锥的侧面展开图是一个圆心角为 120°的扇形，若圆锥的底面圆半径是 $\sqrt{5}$，则圆锥的母线 $l=$________.

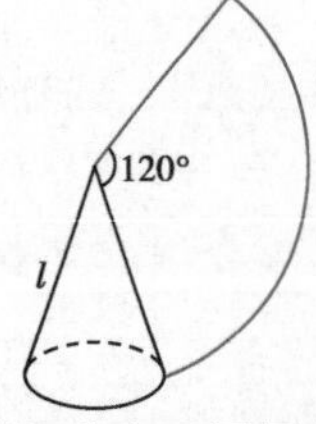

思路分析　圆锥的底面圆周长就是侧面展开图扇形的弧长，进而利用弧长公式即可求得圆锥的母线长.

解析　由题意得 $2\times\pi\times\sqrt{5}=\frac{120\pi l}{180}$，$\therefore\ l=3\sqrt{5}$.

答案　$3\sqrt{5}$

方法 3 不规则图形的面积的计算方法

在计算不规则图形的面积时，常采用以下几种方法进行求解：

(1)公式法；
(2)割补法；
(3)拼凑法；
(4)等积变形法；
(5)构造方程法；
(6)迁移变换法.

例4 如图，在 $\text{Rt}\triangle ABC$ 中，$\angle ACB=90°$，$AC=BC=1$，将 $\text{Rt}\triangle ABC$ 绕 A 点逆时针旋转 30°后得到 $\text{Rt}\triangle ADE$，点 B 经过的路径为 $\overset{\frown}{BD}$，则图中阴影部分的面积是 （　　）

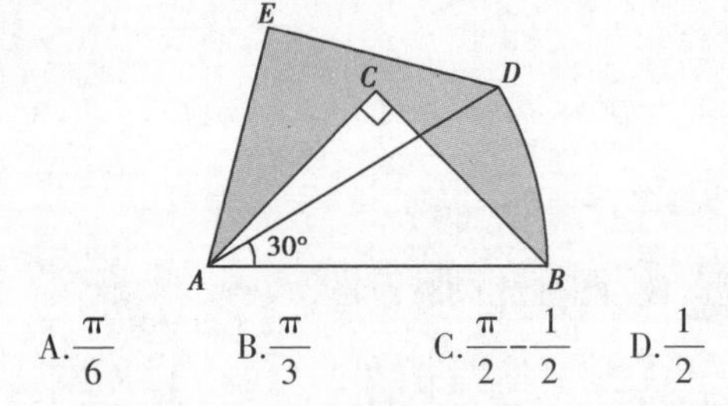

A.$\frac{\pi}{6}$　　B.$\frac{\pi}{3}$　　C.$\frac{\pi}{2}-\frac{1}{2}$　　D.$\frac{1}{2}$

思路分析　先根据勾股定理得到 $AB=\sqrt{2}$，再根据扇形的面积公式计算出 $S_{扇形ABD}$，由旋转的性质得到 $\text{Rt}\triangle AED\cong\text{Rt}\triangle ACB$，于是 $S_{阴影部分}=S_{\triangle AED}+S_{扇形ABD}-S_{\triangle ABC}=S_{扇形ABD}$.

解析　$\because\ \angle ACB=90°$，$AC=BC=1$，$\therefore\ AB=\sqrt{2}$，

$\therefore\ S_{扇形ABD}=\frac{30\cdot\pi\cdot(\sqrt{2})^2}{360}=\frac{\pi}{6}$.

又 $\because$ $\text{Rt}\triangle ABC$ 绕 A 点逆时针旋转 30°后得到 $\text{Rt}\triangle ADE$，

$\therefore\ \text{Rt}\triangle ADE\cong\text{Rt}\triangle ABC$，

$\therefore\ S_{阴影部分}=S_{\triangle ADE}+S_{扇形ABD}-S_{\triangle ABC}=S_{扇形ABD}=\frac{\pi}{6}$. 故选 A.

答案　A

方法 4 求圆锥侧面上两点之间的最短距离的方法

圆锥的侧面展开图是一个扇形，扇形的弧长等于圆锥底面圆的周长，扇形的半径等于圆锥的母线长. 在圆锥上求最短距离，需把圆锥侧面展开为平面，然后利用“两点之间线段最短”和勾股定理解决问题.

例5 如图所示，有一个圆锥形的粮堆，其轴截面是边长为 6 m 的等边三角形，在圆锥的母线 AC 的中点 P 处有一只老鼠在偷吃粮食，此时小猫正在 B 处，

它要沿圆锥侧面到 P 处捕捉老鼠,求小猫所经过的最短路程.

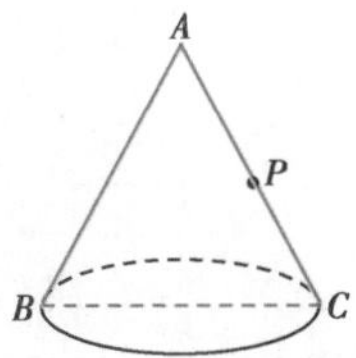

(解析) 由题意知,圆锥底面圆的直径 $BC=6$ m,故圆锥底面圆的周长为 6π m.

设圆锥侧面展开后的扇形圆心角为 $n°$.

因为底面圆的周长等于展开后扇形的弧长,且母线长 $AB=6$ m,所以 $6\pi=\frac{n\pi\cdot 6}{180}$,

解得 $n=180$.

所以圆锥的侧面展开图为如图所示的扇形,

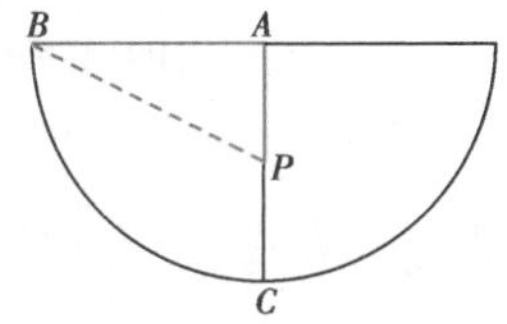

连接 BP,则 BP 为小猫所经过的最短路径.

在 Rt $\triangle ABP$ 中, $BP=\sqrt{AB^2+AP^2}=\sqrt{6^2+3^2}=3\sqrt{5}$(m),

所以小猫所经过的最短路程为 $3\sqrt{5}$ m.

方法 5 运用圆锥侧面积知识解决实际问题的方法

解决实际问题的一般思路:实际问题⟶转化为数学问题⟶数学模型⟶数学结论⟶回归实际问题⟶实际问题的解答.

在解决有关圆锥及侧面展开图的问题时,常借助"圆锥底面周长等于扇形弧长,即 $2\pi r=\frac{n\pi R}{180}$",建立圆锥底面半径 r、圆锥母线 R、侧面展开图扇形圆心角 $n°$ 之间的关系来解决问题.

例 6 在一次数学探究性学习活动中,某学习小组要制作一个圆锥体模型,操作规则:在一块边长为16 cm的正方形纸片上剪出一个扇形和一个圆,使得扇形围成圆锥的侧面时,圆恰好是该圆锥的底面.他们首先设计了如图所示的方案一,发现这种方案不可行,于是他们调整了扇形和圆的半径,设计了如图所示的方案二.(两个方案的图中,圆与正方形相邻两边及扇形的弧均相切.方案一中扇形的弧与正方形的两边相切)

(1)请说明方案一不可行的理由;

(2)判断方案二是否可行.若可行,请确定圆锥的母线长及其底面圆半径;若不可行,请说明理由.

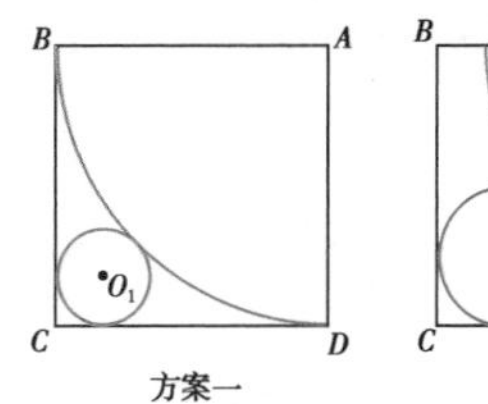

方案一

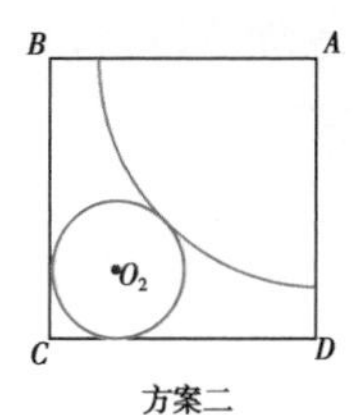

方案二

(解析) (1)理由如下:

$\because$ 扇形的弧长 $=\frac{90\pi}{180}\times16=8\pi$ cm,

$\therefore$ 圆锥底面圆的半径为 4 cm.

由于所给正方形纸片的对角线长为 $16\sqrt{2}$ cm,而制作这样的圆锥实际需要正方形纸片的对角线长为 $16+4+4\sqrt{2}=(20+4\sqrt{2})$ cm, $20+4\sqrt{2}>16\sqrt{2}$,

$\therefore$ 方案一不可行.

(2)方案二可行.求解过程如下:

设圆锥底面圆的半径为 r cm,圆锥的母线长为 R cm,则 $(1+\sqrt{2})r+R=16\sqrt{2}$, ①

$2\pi r=\frac{90}{180}\pi R$. ②

由①②可得 $R=\frac{64\sqrt{2}}{5+\sqrt{2}}=\frac{320\sqrt{2}-128}{23}$ cm,

$r=\frac{16\sqrt{2}}{5+\sqrt{2}}=\frac{80\sqrt{2}-32}{23}$ cm.

故所求圆锥的母线长为 $\frac{320\sqrt{2}-128}{23}$ cm,底面圆的半径为 $\frac{80\sqrt{2}-32}{23}$ cm.

第22-27章

第24章

相似形

24.1 比例线段及有关性质

知识清单

知识1 两条线段的比

如果选用同一长度单位的两条线段 a,b 的长分别是 m 和 n,就说这两条线段的比是 $a:b=m:n$或写成$\frac{a}{b}=\frac{m}{n}$,和数的比一样,两条线段的比 $a:b$ 中 a 叫做比的前项,b 叫做比的后项.

温馨提示

①若 $a:b=k$,说明 a 是 b 的 k 倍,由于线段 a、b 的长度都是正数,所以 k 是正数.

②求比时两条线段的长度单位要一致.

③比例尺就是图上长度与实际长度的比.

知识2 比例线段

1.比例线段

在四条线段中,如果其中的两条线段的比等于另外两条线段的比,那么这四条线段叫做成比例线段,简称比例线段.

已知四条线段 a、b、c、d,如果$\frac{a}{b}=\frac{c}{d}$,那么 a、b、c、d 叫做组成比例的项,线段 a、d 叫做比例外项,线段 b、c 叫做比例内项.

注意事项

①通常四条线段 a、b、c、d 的单位应该一致,但有时为了计算方便,a 和 b 统一为一个单位,c 和 d 统一为另一个单位也可以.

②若四条线段 a、b、c、d 成比例,则$\frac{a}{b}=\frac{c}{d}$(或 $a:b=c:d$),是有顺序的,位置不能随意颠倒.

2.比例中项

如果比例线段的内项是两条相同的线段,即 $a:b=b:c$ 或$\frac{a}{b}=\frac{b}{c}$,那么线段 b 叫做线段 a、c 的比例中项.

例1 有四组线段,每组长度如下:(1)$2,1,\sqrt{2},\sqrt{2}$;(2)$3,2,6,4$;(3) $\sqrt{10},1,\sqrt{5},\sqrt{2}$;(4)$1,3,5,7$.其中哪些能组成比例线段?

解析 (1)能组成比例线段,可以写成 $2:\sqrt{2}=\sqrt{2}:1$.

(2)能组成比例线段,可以写成 $3:2=6:4$.

(3)能组成比例线段,可以写成$\sqrt{10}:\sqrt{5}=\sqrt{2}:1$.

(4)不能组成比例线段.

点拨 找能否成比例的线段,较方便的方法是检查较小的两个数据的比与较大的两个数据的比是否相等.

知识3 比例的基本性质

如果 $a:b=c:d$ 或$\frac{a}{b}=\frac{c}{d}$,那么 $ad=bc$, 即比例的内项之积与外项之积相等;反之,如果 $ad=bc$,那么 $a:b=c:d$ 或$\frac{a}{b}=\frac{c}{d}$.$(bd\neq0)$

根据比例的基本性质,由 $ad=bc$ 还可以推出如下比例式:$(abcd\neq0)$

①$\frac{d}{b}=\frac{c}{a}$;②$\frac{a}{c}=\frac{b}{d}$;③$\frac{d}{c}=\frac{b}{a}$.

例2 根据下列条件求 $a:b$ 的值.

(1)$2a=3b$;(2)$\frac{a-b}{a}=\frac{1}{2}$.

解析 (1)由 $2a=3b$,得$\frac{a}{b}=\frac{3}{2}$,$\therefore a:b=3:2$.

(2)由$\frac{a-b}{a}=\frac{1}{2}$,得 $2(a-b)=a,2a-2b=a$,

从而 $a=2b$.$\therefore \frac{a}{b}=\frac{2}{1}$,$\therefore a:b=2:1$.

知识4 平行线分线段成比例定理

1.定理:两条直线被一组平行线所截,所得的对应线段成比例.

(1)如图所示,所得的对应线段成比例的有:$\frac{AB}{BC}=\frac{DE}{EF}$,$\frac{AB}{AC}=\frac{DE}{DF}$,等等.

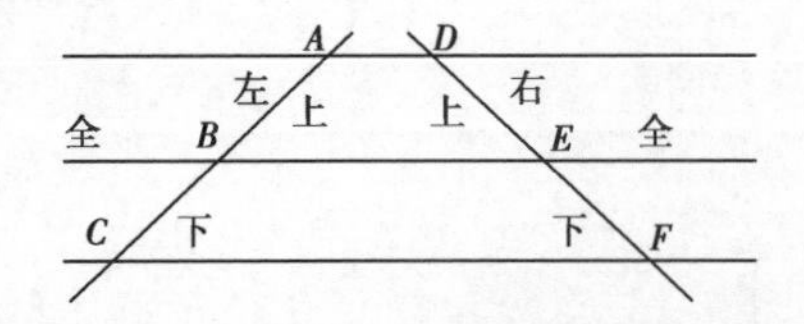

(2)对应线段成比例可用下面的语言形象表示：$\frac{上}{下}=\frac{上}{下}$，$\frac{上}{全}=\frac{上}{全}$，等等.

(3)所得的线段必须是对应的，否则不成比例.

(4)平行线分线段成比例定理的常见变形如图：

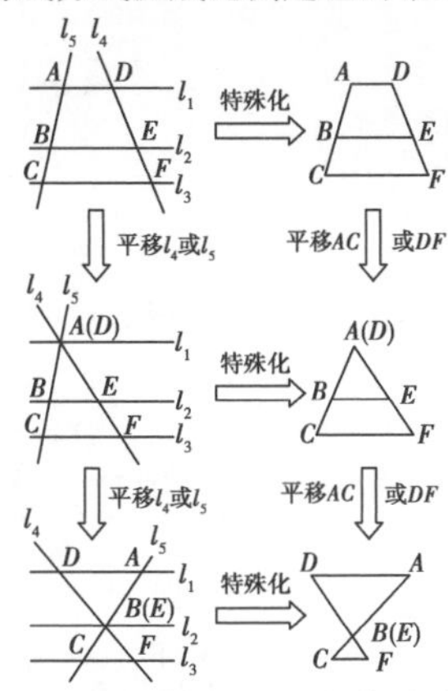

2.推论：平行于三角形一边的直线与其他两边相交，截得的对应线段成比例.

(1)一定要注意三边的对应关系，不要写错.

(2)平行于三角形一边的直线可以与三角形的两边相交，也可以与三角形的两边的延长线相交，如图，若 $DE\parallel BC$，则有$\frac{AD}{AB}=\frac{AE}{AC}$，$\frac{AD}{DB}=\frac{AE}{EC}$，$\frac{DB}{AB}=\frac{EC}{AC}$.

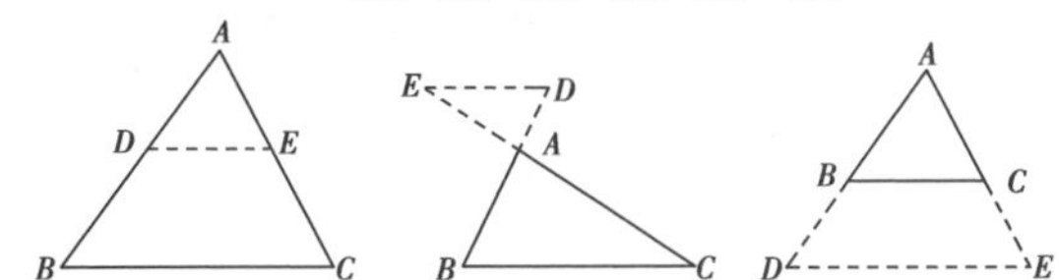

知识拓展

1.合比、等比性质

(1)合比性质

如果$\frac{a}{b}=\frac{c}{d}$，那么$\frac{a\pm b}{b}=\frac{c\pm d}{d}$.

根据比例的基本性质和合比性质还可以推出：

(1)如果$\frac{a}{b}=\frac{c}{d}$，那么$\frac{a}{a\pm b}=\frac{c}{c\pm d}(a\pm b\neq0,c\pm d\neq0)$.

(2)如果$\frac{a}{b}=\frac{c}{d}$，那么$\frac{a\pm kb}{b}=\frac{c\pm kd}{d}$($k$ 为常数).

(2)等比性质

如果$\frac{a}{b}=\frac{c}{d}=\cdots=\frac{m}{n}$，那么$\frac{a+c+\cdots+m}{b+d+\cdots+n}=\frac{a}{b}(b+d+\cdots+n\neq0)$.

根据等比性质可以推出：如果$\frac{a}{b}=\frac{c}{d}$，那么$\frac{a+c}{b+d}=\frac{a}{b}=\frac{c}{d}(b+d\neq0)$.

2.黄金分割

如图，将一条线段 AB 分割成大小两条线段 AP、BP，若小线段与大线段的长度之比等于大线段的长度与全长之比，即$\frac{PB}{AP}=\frac{AP}{AB}$(此时线段 AP 是线段 PB，AB 的比例中项)，经计算可得出这一比值等于$\frac{\sqrt{5}-1}{2}\approx0.618$，则称这种分割为黄金分割，点 P 叫做线段 AB 的黄金分割点，$\frac{\sqrt{5}-1}{2}$称为黄金分割比.注意一条线段的黄金分割点有两个.

方法清单

方法1 比例性质的应用方法

方法2 作平行线构造成比例线段的方法

方法1 比例性质的应用方法

与比例性质相关的题目主要是运用比例的性质对比例式进行各种变形，得出所要的计算结果.

例1 若$\frac{2m-n}{n}=\frac{1}{3}$，则$\frac{m}{n}=$________.

(解析) $\because\frac{2m-n}{n}=\frac{1}{3}$，$\therefore3(2m-n)=n$，$\therefore6m=4n$，$\therefore\frac{m}{n}=\frac{2}{3}$.

(答案) $\frac{2}{3}$

方法2 作平行线构造成比例线段的方法

作平行线，构造"A"型图、"X"型图.

特别地，在遇到角平分线时，①过三角形的一个顶点作角平分线的平行线与三角形一边的延长线相交；②过三角形的一个顶点作一边的平行线与角的平分线相交.

例2 如图，在$\triangle ABC$中，D 为 AC 上一点，E 为 CB 延长线上一点，且$\frac{AC}{BC}=\frac{EF}{FD}$.求证：$AD=EB$.

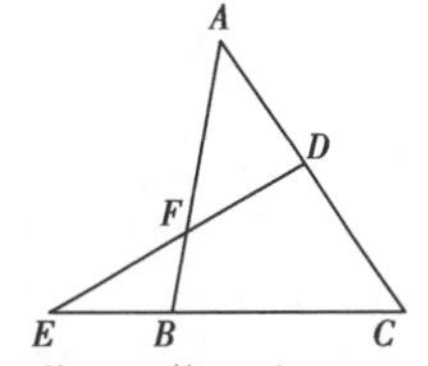

(证明) 过 D 作 $DG\parallel AB$ 交 BC 于 G，

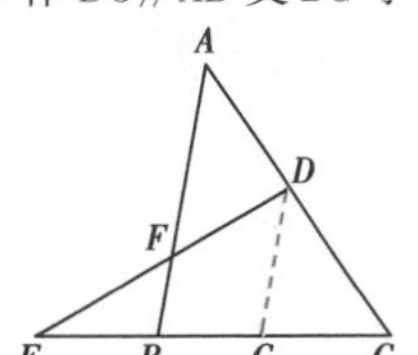

$\because DG /\!/ AB, FB /\!/ DG,$

$\therefore \frac{AD}{BG}=\frac{AC}{BC}, \frac{EB}{BG}=\frac{EF}{FD}.$

$\because \frac{AC}{BC}=\frac{EF}{FD}, \therefore \frac{AD}{BG}=\frac{EB}{BG},$

$\therefore AD=EB.$

点拨 通过过 D 点作 AB 的平行线,可得到两个平行线分三角形两边成比例的基本图形,分离图形、有效构建、准确识别是处理此类题的关键.

24.2 相似三角形

知识清单

知识 1 相似形

把形状相同的图形叫做相似图形.相似图形之间的互相变换称为相似变换.

温馨提示

①全等图形可以看成是一种特殊的相似图形,即不仅形状相同,大小也相同.

②判断两个图形是否相似,就是看两个图形是不是形状相同,与其他因素无关.

例1 下列各组图形相似的是 ( )

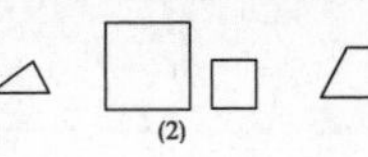

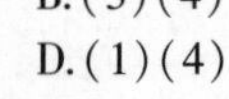

(1) (2) (3) (4)

A.(1)(2) B.(3)(4)

C.(1)(3) D.(1)(4)

解析 (1)二者形状相同,大小不同,相似;(2)二者形状相同,大小不同,相似;(3)二者形状、大小均不同,不相似;(4)二者形状、大小均不同,不相似.故(1)(2)正确.故选A.

答案 A

知识 2 相似三角形

三个角分别相等,三条边成比例的三角形叫做相似三角形.

温馨提示

①全等三角形一定是相似三角形,相似三角形不一定是全等三角形.

②相似三角形的定义既是判定方法,也是性质.

③用"∽"这个符号表示两个图形相似时,对应的顶点应该写在对应的位置上,如图所示,$\triangle ABC$ 和 $\triangle DEF$ 相似,$\angle A$ 的对应角是 $\angle D$,$\angle B$ 的对应角是 $\angle E$,$\angle C$ 的对应角是 $\angle F$,即 $\triangle ABC \backsim \triangle DEF$,这样做的目的是为了指明对应顶点、对应角及对应边.

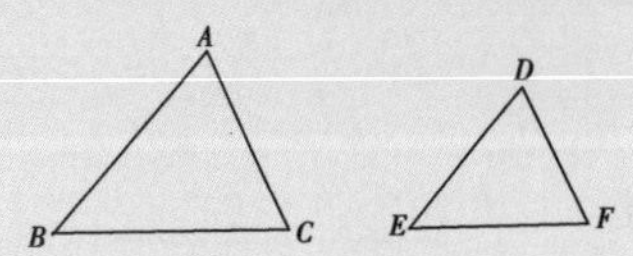

知识 3 相似比

相似三角形对应边的比叫做相似比.

温馨提示

①相似比带有顺序性,如:$\triangle ABC \backsim \triangle A'B'C'$,则 $\frac{AB}{A'B'}=\frac{BC}{B'C'}=\frac{CA}{C'A'}=k$,$\triangle A'B'C'$ 与 $\triangle ABC$ 的相似比为 $\frac{1}{k}$.

②三角形全等是三角形相似的特殊情况.全等三角形的相似比等于1.

例2 若 $\triangle ABC \backsim \triangle A'B'C'$,且 $\frac{AB}{A'B'}=2$,则 $\triangle ABC$ 与 $\triangle A'B'C'$ 的相似比是______,$\triangle A'B'C'$ 与 $\triangle ABC$ 的相似比是______.

解析 AB 与 $A'B'$ 是一组对应边,所以 $\triangle ABC$ 与 $\triangle A'B'C'$ 的相似比是2,$\triangle A'B'C'$ 与 $\triangle ABC$ 的相似比是 $\frac{A'B'}{AB}=\frac{1}{2}$.

答案 $2;\frac{1}{2}$

知识 4 相似三角形的判定

1.判定两个三角形相似的方法

(1)定义:三个角分别相等,三条边成比例的两个三角形相似.

(2)平行于三角形一边的直线截其他两边(或其他两边的延长线)所构成的三角形和原三角形相似.如图,如果 $DE /\!/ BC$,那么 $\triangle ABC \backsim \triangle ADE$.

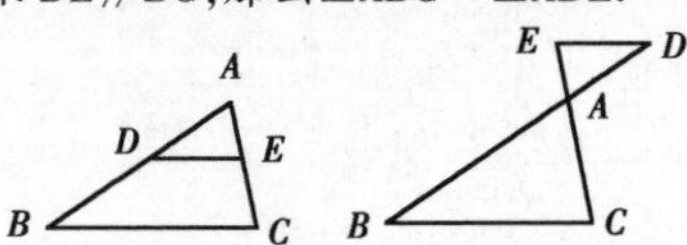

(3)两角分别相等的两个三角形相似.如图,如果 $\angle A=\angle A'$,$\angle B=\angle B'$,那么 $\triangle ABC \backsim \triangle A'B'C'$.

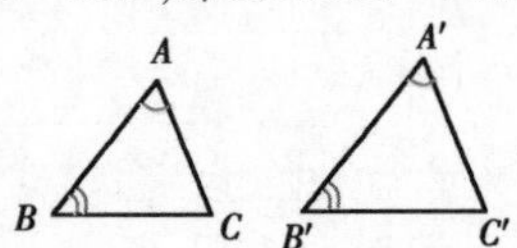

(4)两边成比例且夹角相等的两个三角形相似.如图,在 $\triangle ABC$ 与 $\triangle DEF$ 中,如果 $\angle B=\angle E$,$\frac{AB}{DE}=\frac{BC}{EF}$,那么 $\triangle ABC \backsim \triangle DEF$.注意在利用该判定方法时,相等

的角必须是已知成比例两边的夹角，才能使这两个三角形相似.

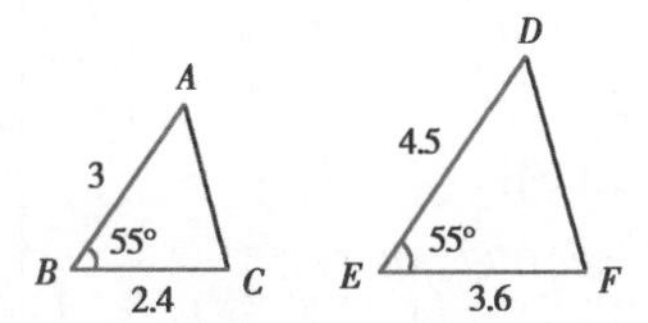

(5)三边成比例的两个三角形相似.这种判定方法是常用的判定方法，也就是说两个三角形只要三组边的比相等，就可判定这两个三角形相似.如图，如果$\frac{AB}{DE}=\frac{BC}{EF}=\frac{AC}{DF}$，那么$\triangle ABC\backsim\triangle DEF$.

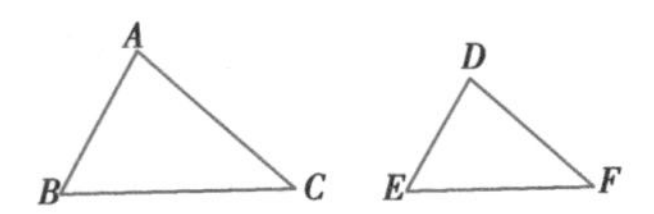

(6)如果一个直角三角形的斜边和一条直角边与另一个直角三角形的斜边和一条直角边对应成比例，那么这两个直角三角形相似.

(7)直角三角形被斜边上的高分成的两个直角三角形相似(用时需证明).

2.利用比例线段证明三角形相似的一般步骤

(1)“定”：先确定比例式中的四条线段所在的两个可能相似的三角形；

(2)“找”：找出这两个三角形相似所需的条件；

(3)“证”：根据以上分析，写出证明过程.

3.相似三角形的几种基本图形

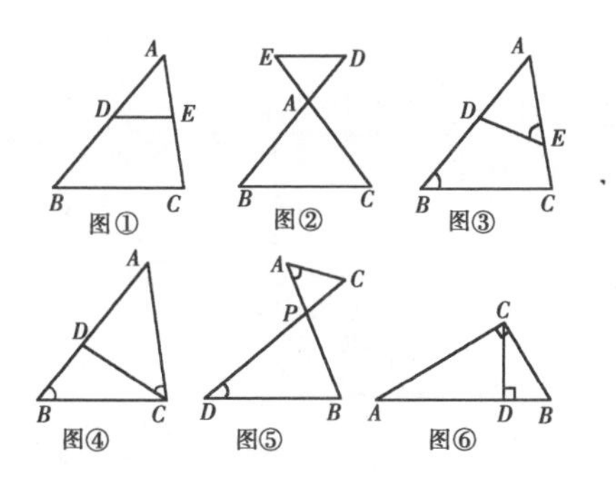

图①为“A”型图，条件是$DE\parallel BC$，基本结论是$\triangle ADE\backsim\triangle ABC$；

图②为“X”型图，条件是$ED\parallel BC$，基本结论是$\triangle ADE\backsim\triangle ABC$；

图③、图④是图①的变形图；图⑤是图②的变形图；

图⑥是“母子”型图，条件是CD为直角$\triangle ABC$斜边上的高，基本结论是$\triangle ACD\backsim\triangle ABC\backsim\triangle CBD$.

例3 如图，$\triangle ABC$中，$\angle A=78°$，$AB=4$，$AC=6$.将$\triangle ABC$沿图示中的虚线剪下，剪下的阴影三角形与原三角形不相似的是 (　　)

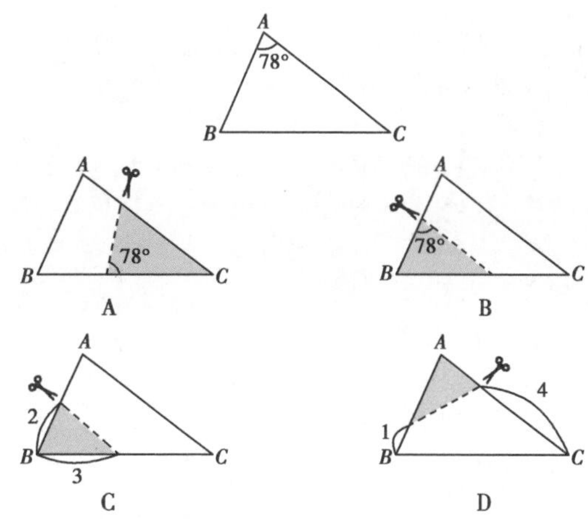

(解析) 选项A与B中剪下的阴影三角形分别与原三角形有两组角对应相等，可得阴影三角形与原三角形相似；选项D中剪下的阴影三角形与原三角形有两边之比都是2∶3，且两边的夹角相等，所以两个三角形也是相似的，故选C.

(答案) C

知识5 相似三角形的性质

1.相似三角形的对应边成比例，对应角相等.

几何表示：

$\because\triangle ABC\backsim\triangle A'B'C'$，$\therefore\frac{AB}{A'B'}=\frac{BC}{B'C'}=\frac{AC}{A'C'}$；

$\angle A=\angle A'$，$\angle B=\angle B'$，$\angle C=\angle C'$.

2.相似三角形的对应高的比，对应中线的比，对应角平分线的比都等于相似比.

几何表示：

如图，①$\because AD$、$A'D'$分别为边BC、$B'C'$上的高线，$\triangle ABC\backsim\triangle A'B'C'$，$\therefore\frac{AD}{A'D'}=\frac{AB}{A'B'}$.

②$\because AF$、$A'F'$分别为边BC，$B'C'$上的中线，$\triangle ABC\backsim\triangle A'B'C'$，$\therefore\frac{AF}{A'F'}=\frac{AB}{A'B'}$.

③$\because AE$、$A'E'$分别为$\angle BAC$、$\angle B'A'C'$的平分线，$\triangle ABC\backsim\triangle A'B'C'$，$\therefore\frac{AE}{A'E'}=\frac{AB}{A'B'}$.

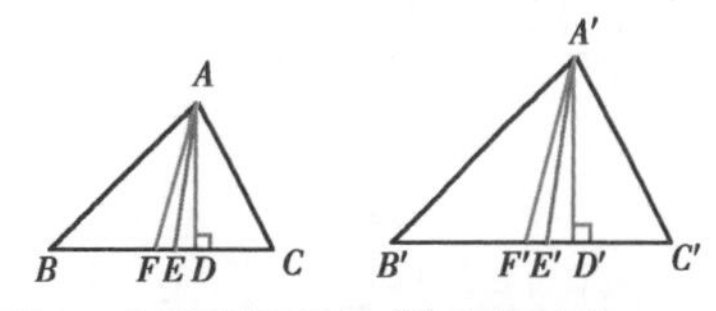

3.相似三角形的周长比等于相似比.

4.相似三角形的面积比等于相似比的平方.

注意事项

①由两个三角形相似确定对应角相等，对应边成比例时，关键是要找准对应角和对应边.原则："大对大，小对小；长对长，短对短".

②当我们用性质(2)解题时，要特别注意其中的"对应"，不是任意高的比、角平分线的比、中线的比都等于相似比，只有对应高的比、对应角平分线的比、对应中线的比才等于相似比.

例4 如图，已知▱$ABCD$中，$AE:EB=1:2$.

(1)求$\triangle AEF$与$\triangle CDF$的周长比；

(2)如果$S_{\triangle AEF}=6\ \text{cm}^2$，求$S_{\triangle CDF}$.

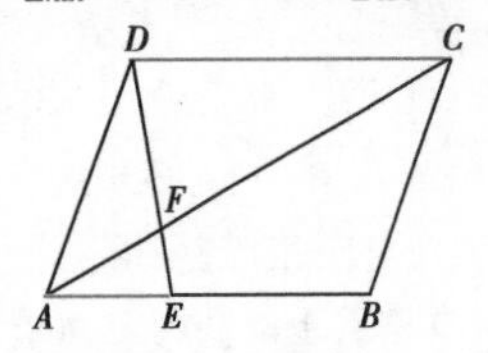

解析 (1)因为$AE:EB=1:2$，

所以$AE:AB=1:3$，

因为四边形$ABCD$为平行四边形，

所以$AB=CD$，

所以$AE:CD=AE:AB=1:3$，

因为▱$ABCD$中，$AB\parallel CD$，

所以$\triangle AEF\backsim\triangle CDF$，

所以$\triangle AEF$的周长：$\triangle CDF$的周长$=1:3$.

(2)因为$\triangle AEF\backsim\triangle CDF$，

所以$S_{\triangle AEF}:S_{\triangle CDF}=1:9$，

因为$S_{\triangle AEF}=6\ \text{cm}^2$，

所以$S_{\triangle CDF}=6\times9=54(\text{cm}^2)$.

方法清单

- 方法1 相似三角形的判定方法
- 方法2 利用相似三角形的性质进行计算的方法
- 方法3 相似三角形在实际生活中的应用方法
- 方法4 利用相似三角形列函数关系式的方法
- 方法5 相似三角形在探索开放性问题中的应用方法
- 方法6 相似三角形在动态几何问题中的应用方法
- 方法7 证明比例式或等积式的方法

方法1 相似三角形的判定方法

1.条件中若有平行线，可采用找角相等证两个三角形相似的方法.

2.条件中若有一对等角，可再找一对等角或找夹此角的两边成比例.

3.条件中若有两边成比例，可找夹角相等.

4.条件中若有一对直角，可考虑再找一对等角或证明斜边、直角边对应成比例.

5.条件中若有等腰关系，可找顶角相等，或找底角相等，或找底和腰对应成比例.

例1 如图所示，给出下列条件：

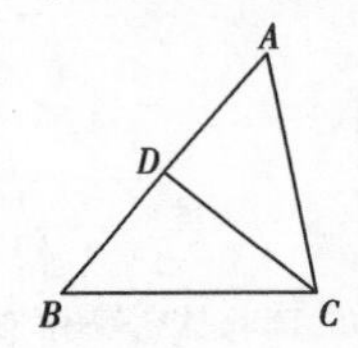

①$\angle B=\angle ACD$；②$\angle ADC=\angle ACB$；③$\dfrac{AC}{CD}=\dfrac{AB}{BC}$；④$AC^2=AD\cdot AB$.

其中能够单独判定$\triangle ABC\backsim\triangle ACD$的个数为 (　　)

A.1　　B.2　　C.3　　D.4

解析 在$\triangle ABC$和$\triangle ACD$中，有公共角$\angle A$，再有一组角相等，如$\angle ADC=\angle ACB$(或$\angle ACD=\angle B$)，则两三角形相似，①②正确；对于③，虽然条件是两边成比例，但$\angle A$不是两边的夹角，所以不能判定这两个三角形相似；在$\triangle ACD$中，$\angle A$的两边为AC和AD，在$\triangle ABC$中，$\angle A$的两边为AB和AC，当它们对应成比例，即$\dfrac{AC}{AB}=\dfrac{AD}{AC}$，即$AC^2=AD\cdot AB$时，两三角形相似，④正确.故选C.

答案 C

例2 如图，小正方形的边长均为1，则下列选项中的三角形(阴影部分)与$\triangle ABC$相似的是 (　　)

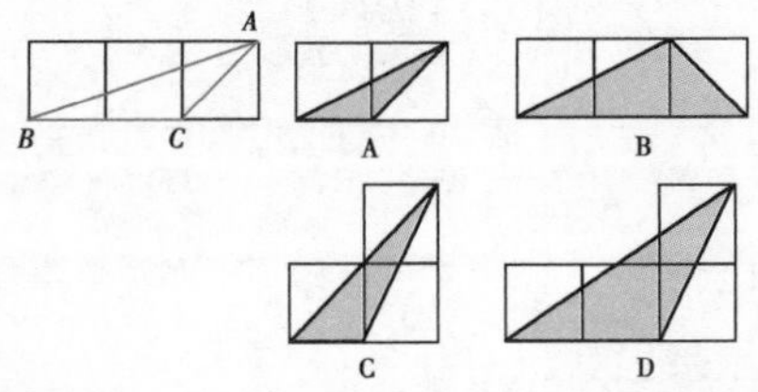

解析 在$\triangle ABC$中，结合正方形的性质，可知$\angle ACB=135°$，所以与之相似的阴影三角形中的最大角也是$135°$，只有A项满足.本题也可从三条边成比例考虑，在$\triangle ABC$中，有$AC:BC:AB=\sqrt{2}:2:\sqrt{10}$.A项中的阴影三角形三边比为$1:\sqrt{2}:\sqrt{5}=\sqrt{2}:2:\sqrt{10}$.

答案 A

方法 2 利用相似三角形的性质进行计算的方法

利用相似三角形的性质可推得成比例线段，从而建立等式求得未知线段的长；在中考题中常常运用相似三角形面积比等于相似比的平方解决与几何图形面积相关的问题.

例3 如图，$AD // BC$，$\angle ABC=90°$，$AB=8$，$AD=3$，$BC=4$，点 P 为 AB 边上一动点，若 $\triangle PAD$ 与 $\triangle PBC$ 是相似三角形，求 AP 的长.

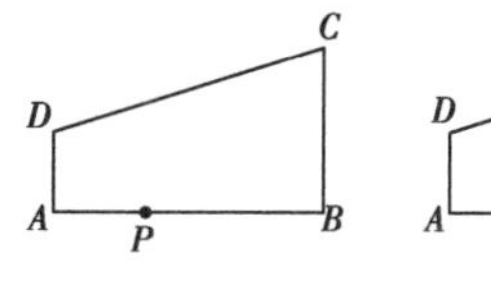

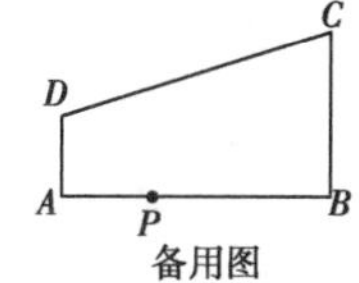

备用图

解析 $\because \angle ABC=90°$，$AD // BC$，$\therefore \angle A=180°-\angle ABC=90°$，

$\therefore \angle PAD=\angle PBC=90°$.

设 AP 的长为 x，则 BP 的长为 $8-x$.

若 $\triangle PAD$ 与 $\triangle PBC$ 相似，则分两种情况：

①$\triangle APD \backsim \triangle BPC$，

则 $AP:BP=AD:BC$，即 $x:(8-x)=3:4$，

解得 $x=\frac{24}{7}$；

②$\triangle APD \backsim \triangle BCP$，则 $AP:BC=AD:BP$，即 $x:4=3:(8-x)$，

解得 $x=2$ 或 $x=6$.

所以 $AP=\frac{24}{7}$ 或 $AP=2$ 或 $AP=6$.

例4 如图，正方形 $PQMN$ 内接于 $\triangle ABC$，M、N 在 BC 上，P、Q 分别在 AB、AC 上，$AD \perp BC$ 于 D，交 PQ 于 E，$BC=12$ cm，$AD=8$ cm，求正方形的边长.

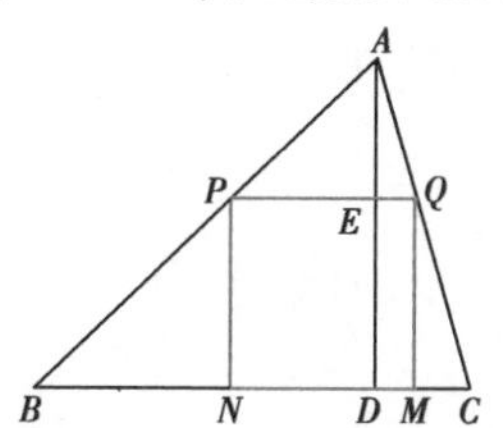

解析 因为四边形 $PQMN$ 是正方形，所以 $PQ // BC$，则 $\triangle APQ \backsim \triangle ABC$，因为 $AD \perp BC$，所以 $AE \perp PQ$，

所以 $AE:AD=PQ:BC$.

设正方形的边长为 x cm，

由题意知 $AE=AD-ED=AD-QM=(8-x)$ cm，

于是 $(8-x):8=x:12$，

解得 $x=4.8$.

所以正方形的边长为 4.8 cm.

点拨 本题中 AE，AD 分别是两个相似三角形的高，利用它们的比等于相似比可以构造方程，然后求解.

方法 3 相似三角形在实际生活中的应用方法

在实际生活中，处处都存在相似三角形. 当我们与其接触时，就能利用相似的相关知识去识别和解决实际生活中的问题，如：

①同一时刻物高与影长的问题；

②利用相似得到无法直接测量的物体的长(高)度；

③利用相似进行图形设计等.

例5 某同学拿一把有厘米刻度的小尺站在距旗杆约 30 m 的地方，把手臂向前伸直，小尺竖直，看到尺上有 24 cm 恰好遮住旗杆，已知此同学的臂长约为 60 cm，求旗杆的大致高度.

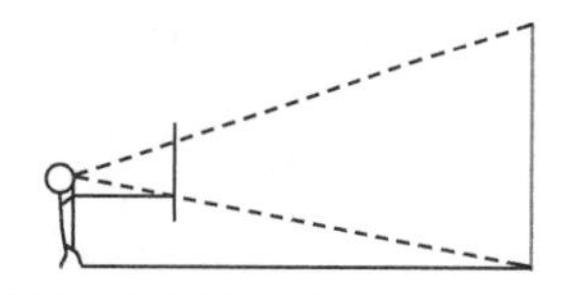

解析 如图，由题意可知 $\triangle ABC \backsim \triangle ADE$，

$\therefore \frac{AC}{AE}=\frac{BC}{DE}$.

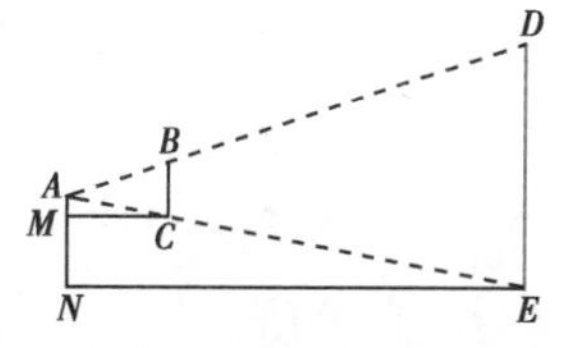

又由题意可知 $\triangle AMC \backsim \triangle ANE$，$\therefore \frac{MC}{NE}=\frac{AC}{AE}$，

$\therefore \frac{MC}{NE}=\frac{BC}{DE}$.

$\because BC=24$ cm $=0.24$ m，$MC=60$ cm $=0.6$ m，$NE=30$ m，

$\therefore \frac{0.6}{30}=\frac{0.24}{DE}$，解得 $DE=12$.

答：旗杆的大致高度为 12 m.

方法 4 利用相似三角形列函数关系式的方法

解决几何图形中的函数关系的问题，往往要用到几何图形的特征和相似的性质，尤其是利用相似得到比例式，从而将未知线段用含字母的代数式表示出来.

例6 如图，在等腰三角形 ABC 中，$\angle BAC=120°$，$AB=AC=2$，点 D 是 BC 边上的一个动点(不与 B、C 重

合)，在 AC 上取一点 E，使 $\angle ADE=30°$.

(1)求证：$\triangle ABD\backsim\triangle DCE$；

(2)设 $BD=x$，$AE=y$，求 y 关于 x 的函数关系式并写出自变量 x 的取值范围；

(3)当 $\triangle ADE$ 是等腰三角形时，求 AE 的长.

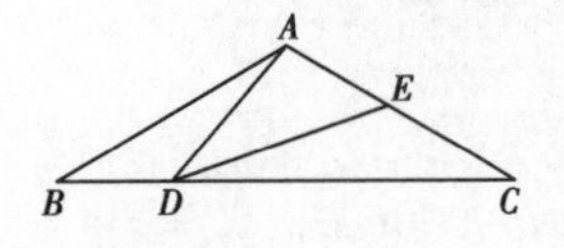

备用图

解析 (1)证明：∵ 在等腰 $\triangle ABC$ 中，$\angle BAC=120°$，

∴ $\angle B=\angle C=30°$，

又 $\angle ADE=30°$，∴ $\angle ABD=\angle ADE$.

∵ $\angle ADC=\angle ADE+\angle EDC=\angle ABD+\angle DAB$，

∴ $\angle EDC=\angle DAB$，

又 $\angle B=\angle C$，∴ $\triangle ABD\backsim\triangle DCE$.

(2)如图，过 A 作 $AF\perp BC$ 于 F，则 $\angle AFB=90°$，

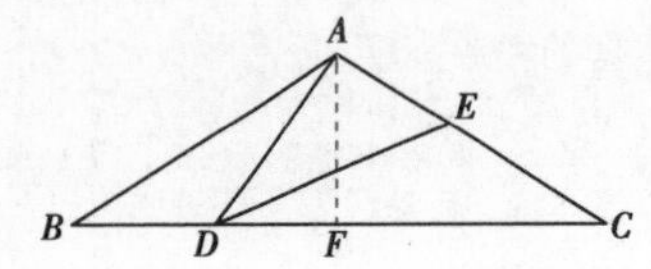

∵ $AB=2$，$\angle ABF=30°$，∴ $AF=\frac{1}{2}AB=1$，

∴ $BF=\sqrt{3}$，∴ $BC=2BF=2\sqrt{3}$，

则 $DC=2\sqrt{3}-x$. ∵ $AE=y$，∴ $EC=2-y$，

∵ $\triangle ABD\backsim\triangle DCE$，∴ $\frac{AB}{DC}=\frac{BD}{CE}$，∴ $\frac{2}{2\sqrt{3}-x}=\frac{x}{2-y}$，

化简得 $y=\frac{1}{2}x^2-\sqrt{3}x+2\,(0<x<2\sqrt{3})$.

(3)当 $AD=DE$ 时，如图 1，

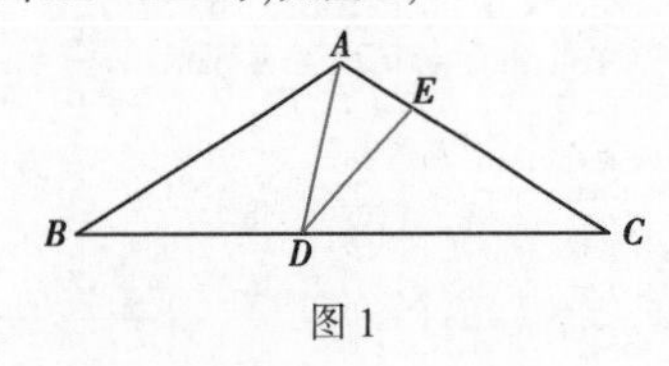

图 1

由(1)可知：此时 $\triangle ABD\backsim\triangle DCE$，

则 $AB=CD$，即 $2=2\sqrt{3}-x$，

$x=2\sqrt{3}-2$，代入 $y=\frac{1}{2}x^2-\sqrt{3}x+2$，

解得 $y=4-2\sqrt{3}$，即 $AE=4-2\sqrt{3}$，

当 $AE=ED$ 时，如图 2，

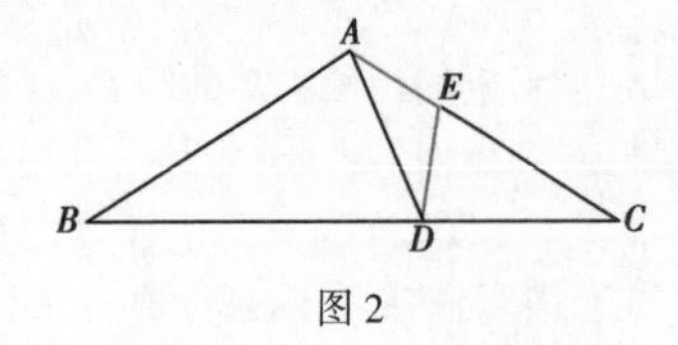

图 2

$\angle EAD=\angle EDA=30°$，$\angle AED=120°$，

∴ $\angle DEC=60°$，$\angle EDC=90°$，

则 $ED=\frac{1}{2}EC$，即 $y=\frac{1}{2}(2-y)$，

解得 $y=\frac{2}{3}$，即 $AE=\frac{2}{3}$，

当 $AD=AE$ 时，$\angle AED=\angle EDA=30°$，$\angle EAD=120°$，

此时点 D 与点 B 重合，不符合题意，此情况不存在，

∴ 当 $\triangle ADE$ 是等腰三角形时，$AE=4-2\sqrt{3}$ 或 $\frac{2}{3}$.

方法 5 相似三角形在探索开放性问题中的应用方法

开放性问题是指条件不完整或结论不确定的数学问题，解这类题要认真收集信息，通过观察、分析、比较、概括、猜想、论证等探索活动来解决问题.

例 7 在 $\triangle ABC$ 中，P 为边 AB 上一点.

(1)如图 1，若 $\angle ACP=\angle B$，求证：$AC^2=AP\cdot AB$；

(2)若 M 为 CP 的中点，$AC=2$.

①如图 2，若 $\angle PBM=\angle ACP$，$AB=3$，求 BP 的长；

②如图 3，若 $\angle ABC=45°$，$\angle A=\angle BMP=60°$，直接写出 BP 的长.

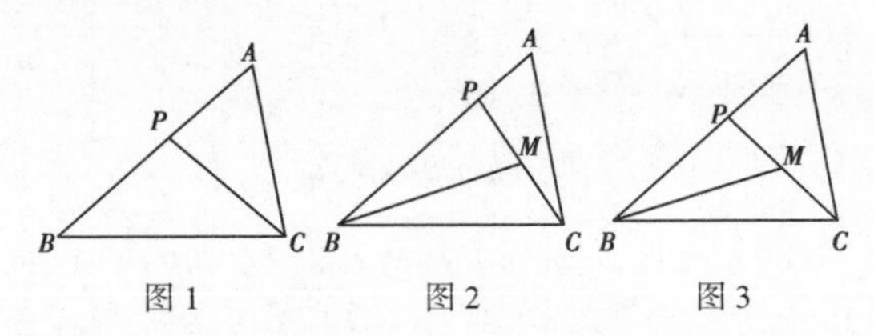

图 1　　图 2　　图 3

解析 (1)证明：∵ $\angle ACP=\angle B$，$\angle A=\angle A$，

∴ $\triangle ACP\backsim\triangle ABC$.

∴ $\frac{AC}{AP}=\frac{AB}{AC}$，∴ $AC^2=AP\cdot AB$.

(2)①解法一：延长 PB 至点 D，使 $BD=PB$，连接 CD.

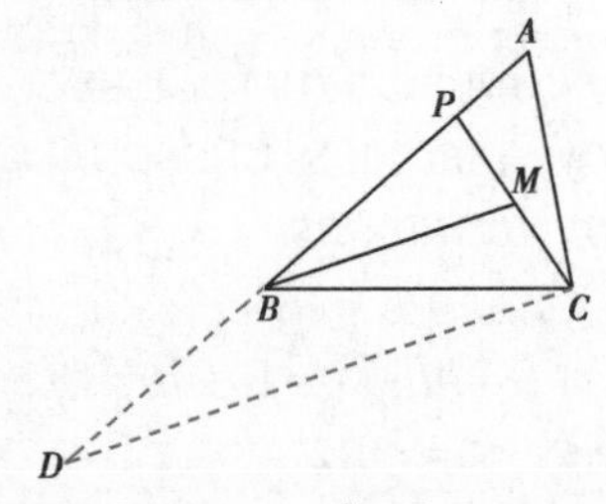

∵ M 为 CP 中点，∴ $CD\parallel MB$. ∴ $\angle D=\angle PBM$，

∵ $\angle PBM=\angle ACP$，

∴ $\angle D=\angle PBM=\angle ACP$.

易证$\triangle ACP\backsim\triangle ADC$，$\therefore AC^2=AP\cdot AD$，

设$BP=x$，则$2^2=(3-x)(3+x)$.

解得$x=\sqrt{5}$（舍去负根），即$BP=\sqrt{5}$.

解法二：取AP的中点E，连接EM.

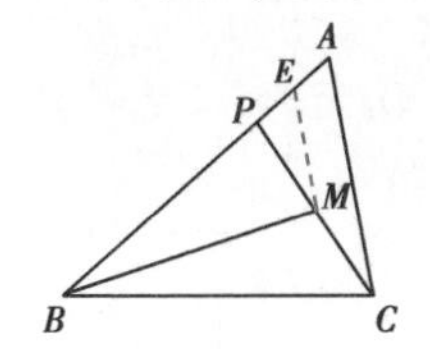

$\because M$为CP中点，$\therefore ME/\!/AC$，$EM=\frac{1}{2}AC=1$.

$\therefore \angle PME=\angle ACP$，

$\because \angle PBM=\angle ACP$，$\therefore \angle PME=\angle PBM$.

易证$\triangle EMP\backsim\triangle EBM$，$\therefore EM^2=EP\cdot EB$，

设$BP=x$，则$1^2=\frac{3-x}{2}\cdot\left(3-\frac{3-x}{2}\right)$.

解得$x=\sqrt{5}$（舍去负根），即$BP=\sqrt{5}$.

②$BP=\sqrt{7}-1$.

方法 6 相似三角形在动态几何问题中的应用方法

动态问题是初中探究性问题的一种重要题型，在几何运动中，由于点的运动、线的运动或者面的运动造成一个几何量随着另一个几何量的改变而改变，探究图形在运动过程中的相似性，然后利用相似图形的性质来探究几何问题是中考的热点，也是难点.

解此类题的关键是在运动中寻找相似图形，当运动的时间为t时，要用t来表示相关线段的长度，得出与变量有关的比例式，从而得到函数关系.解题时注意数形结合，考虑全面，做好分类讨论.

例 8 如图，在四边形$ABCD$中，$AD/\!/BC$，$AD=3$，$CD=5$，$BC=10$，且BC边上的高为4.动点M从B点出发沿线段BC以每秒2个单位长度的速度向终点C运动；动点N同时从C点出发沿线段CD以每秒1个单位长度的速度向终点D运动.设运动的时间为t秒.

(1)当$MN/\!/AB$时，求t的值；

(2)试探究：t为何值时，$\triangle CMN$为等腰三角形.

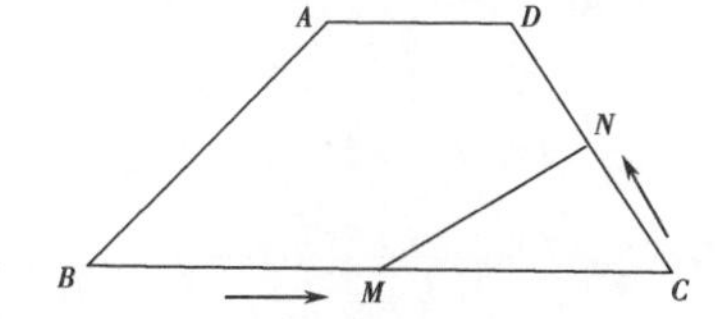

（解析）(1)如图，过D作$DG/\!/AB$交BC于G点，则四边形$ADGB$是平行四边形.

$\therefore BG=AD=3$，$\therefore GC=10-3=7$.

$\because MN/\!/AB$，$\therefore MN/\!/DG$.

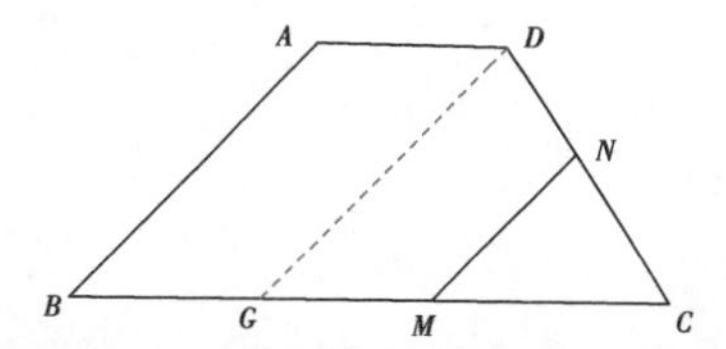

由题意知，$CN=t$，$CM=10-2t$.

$\because DG/\!/MN$，$\therefore \triangle MNC\backsim\triangle GDC$.

$\therefore \frac{CN}{CD}=\frac{CM}{CG}$，即$\frac{t}{5}=\frac{10-2t}{7}$.

解得$t=\frac{50}{17}$.

(2)分三种情况讨论：

①当$NC=MC$时，如图，$t=10-2t$，

$\therefore t=\frac{10}{3}$.

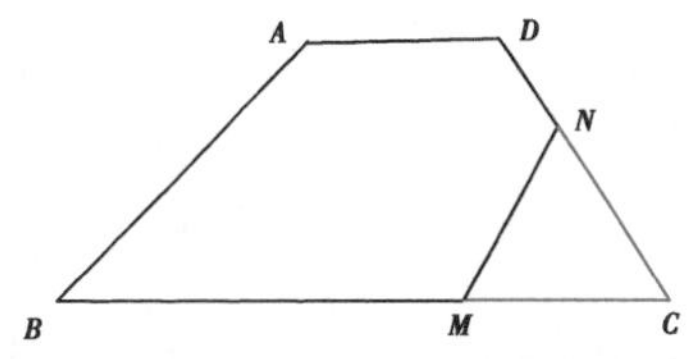

②当$MN=NC$时，如图，过N作$NE\perp MC$于点E，过D作$DH\perp BC$于点H.

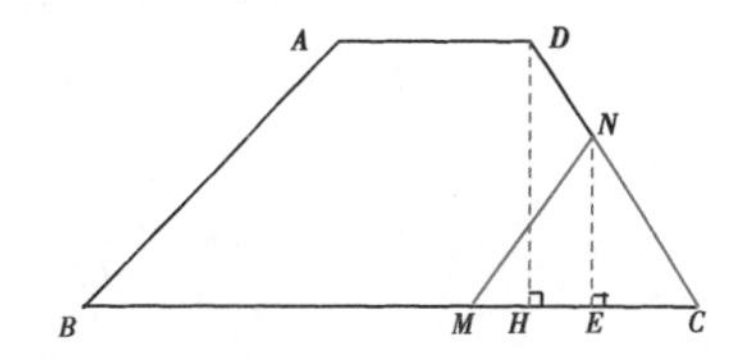

则$EC=\frac{1}{2}MC=\frac{1}{2}(10-2t)=5-t$，$DH=4$.

$\therefore CH=\sqrt{DC^2-DH^2}=\sqrt{5^2-4^2}=3$.

$\because \angle C=\angle C$，$\angle NEC=\angle DHC=90°$，

$\therefore \triangle NEC\backsim\triangle DHC$.

$\therefore \frac{NC}{DC}=\frac{EC}{HC}$，即$\frac{t}{5}=\frac{5-t}{3}$，

$\therefore t=\frac{25}{8}$.

③当$MN=MC$时，如图，过M作$MF\perp CN$于点F，过D作$DH\perp BC$于点H.

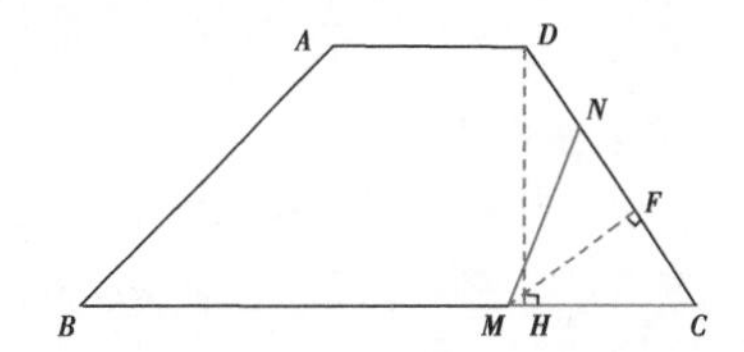

则$FC=\frac{1}{2}NC=\frac{1}{2}t$.

$\because \angle C=\angle C$，$\angle MFC=\angle DHC=90°$，

$\therefore \triangle MFC\backsim\triangle DHC$.

$\therefore \frac{FC}{HC}=\frac{MC}{DC}$,即$\frac{\frac{1}{2}t}{3}=\frac{10-2t}{5}$,

$\therefore t=\frac{60}{17}$.

综上所述,当$t=\frac{10}{3}$或$\frac{25}{8}$或$\frac{60}{17}$时,$\triangle MNC$为等腰三角形.

方法 7 证明比例式或等积式的方法

证明比例式或等积式的方法主要是"三点定形"法.

(1)横向定形:

欲证$\frac{AB}{BE}=\frac{BC}{BF}$,横向观察,比例式的分子中的两条线段是$AB$和$BC$,三个字母$A,B,C$表示$\triangle ABC$的顶点;分母中的两条线段是$BE$和$BF$,三个字母$B,E,F$表示$\triangle BEF$的三个顶点.因此只需证$\triangle ABC\backsim\triangle EBF$.

(2)纵向定形:

欲证$\frac{AB}{BC}=\frac{DE}{EF}$,纵向观察,比例式的左边的线段$AB$和$BC$中三个字母$A,B,C$恰为$\triangle ABC$的顶点;右边的线段$DE$和$EF$中三个字母$D,E,F$恰为$\triangle DEF$的三个顶点.因此只需证$\triangle ABC\backsim\triangle DEF$.

(3)运用"三点定形"法时常会碰到三点共线或四点中没有相同点的情况,此时可考虑运用等线、等比或等积进行变换后,再运用"三点定形"法寻找相似三角形.这种方法就是等量代换法.

例9 如图,在$\triangle ABC$中,$\angle BAC=90°$,BC边的垂直平分线EM和AB、CA的延长线分别交于D、E,连接AM,试证明$AM^2=DM\cdot EM$.

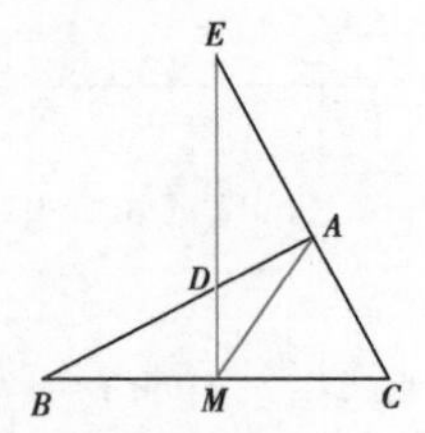

思路分析 要证$AM^2=DM\cdot EM$,即证$\frac{AM}{EM}=\frac{DM}{AM}$,所以只需证$\triangle ADM\backsim\triangle EAM$.

(证明) 在$Rt\triangle ABC$中,$\because BM=CM$,

$\therefore M$为BC的中点,$\therefore AM=BM$,

$\therefore \angle MAD=\angle B$.

$\because \angle B+\angle C=90°$,$\angle E+\angle C=90°$,

$\therefore \angle B=\angle E$,

$\therefore \angle E=\angle MAD$.

$\because \angle AMD=\angle EMA$,

$\therefore \triangle ADM\backsim\triangle EAM$,$\therefore \frac{AM}{EM}=\frac{DM}{AM}$,

即$AM^2=DM\cdot EM$.

24.3 相似多边形与位似图形

知识清单

知识 1 相似多边形及其性质

1.相似多边形的定义

两个边数相同的多边形,如果它们的角分别相等,边成比例,那么这两个多边形叫做相似多边形.

2.相似多边形的性质

(1)相似多边形的对应角相等,对应边成比例;

(2)相似多边形对应对角线的比等于相似比;

(3)相似多边形周长的比等于相似比;

(4)相似多边形中的对应三角形相似,相似比等于多边形的相似比;

(5)相似多边形的面积比等于相似比的平方.

例1 已知图中的两个四边形是相似四边形,求未知边x的长度和角α的度数.

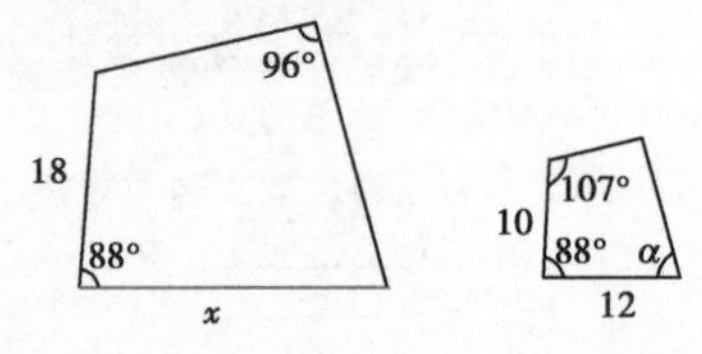

(解析) 因为两个四边形是相似四边形,

所以$\alpha=360°-88°-96°-107°=69°$,$\frac{18}{10}=\frac{x}{12}$,

即$x=\frac{18\times12}{10}=\frac{108}{5}$.

知识 2 相似多边形的判定

相似多边形的定义也是相似多边形的判定方法.

判定两个多边形相似,必须同时具备:a.边数相同;b.角分别相等;c.边成比例.

例 2 图中的两个矩形相似吗？请简要说明理由.

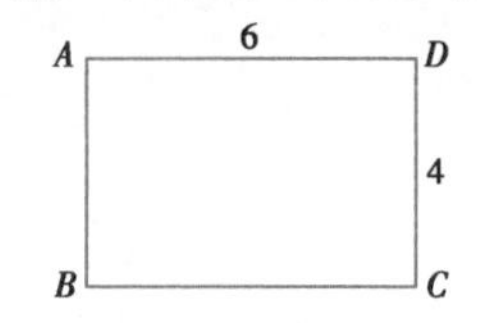

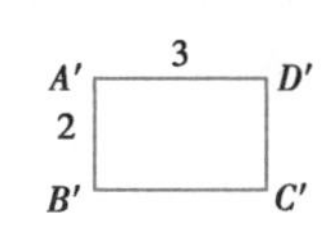

(解析) 两个矩形相似.

理由如下:$\because$ 四边形 $ABCD$、$A'B'C'D'$是两个矩形,

$\therefore \angle A=\angle B=\angle C=\angle D=\angle A'=\angle B'=\angle C'=\angle D'=90°$,$AB=CD$,$AD=BC$,$A'B'=D'C'$,$A'D'=B'C'$.

$\because AD=6$,$CD=4$,$A'B'=2$,$A'D'=3$,

$\therefore \dfrac{AB}{A'B'}=\dfrac{DC}{D'C'}=\dfrac{4}{2}=\dfrac{2}{1}$,$\dfrac{AD}{A'D'}=\dfrac{BC}{B'C'}=\dfrac{6}{3}=\dfrac{2}{1}$,

$\therefore \dfrac{AB}{A'B'}=\dfrac{BC}{B'C'}$,$\therefore$ 矩形 $ABCD$ 与矩形 $A'B'C'D'$相似.

知识 3 位似图形

1.位似图形

如果两个图形不仅是相似图形,而且对应顶点的连线所在直线相交于一点,那么这样的两个图形叫做位似图形.

如图所示,$\triangle ABC$ 与$\triangle A'B'C'$相似,且它们的对应顶点所在的直线 AA',BB',CC'都经过点 O,所以$\triangle ABC$ 和$\triangle A'B'C'$是位似图形.

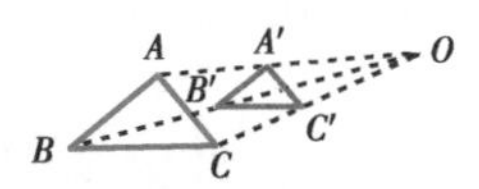

①位似图形一定是相似图形,而相似图形不一定是位似图形.

②位似图形的对应顶点的连线所在直线相交于一点,位似图形的对应边互相平行或共线.

2.位似多边形

对于两个多边形,如果它们的对应顶点的连线相交于一点,并且这点与对应顶点所连线段成比例,那么这两个多边形就是位似多边形.

3.位似中心

位似图形的每组对应点所在的直线都经过同一点,这个点叫做位似中心.

温馨提示

①两个位似图形的位似中心只有一个.

②两个位似图形的位似中心可能位于图形的内部、外部、边上或顶点上.

③两个位似图形可能位于位似中心的两侧,也可能位于位似中心的同侧.

例如:如图所示的都是位似图形.其中$\triangle ABC$ 与$\triangle A'B'C'$是以 O 为位似中心的位似图形,四边形 $ABCD$ 与四边形 $A'B'C'D'$是以 O 为位似中心的位似图形,五边形 $ABCDE$ 与五边形 $A'B'C'D'E'$是以 O 为位似中心的位似图形.

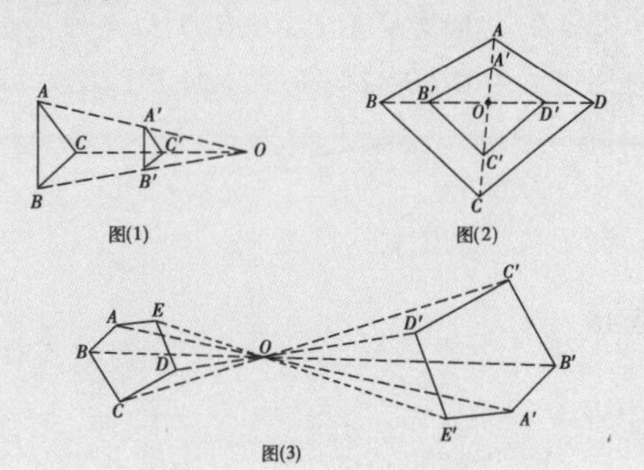

图(1) 图(2)

图(3)

知识 4 位似图形的性质

	位似图形
性质	(1)位似图形的任意一对对应点到位似中心的距离之比等于相似比; (2)位似图形对应点连线交于一点; (3)位似图形的对应线段平行(或在同一条直线上)且比相等; (4)位似图形是相似图形,所以它具有相似图形的一切性质
温馨提示	(1)位似图形中任意两对对应点的连线的交点就是位似中心; (2)一对对应边与位似中心(不在同一直线上)形成的两个三角形相似

例 3 如图,四边形 $ABCD$ 与四边形 $EFGH$ 位似,位似中心是点 O,$\dfrac{OE}{OA}=\dfrac{3}{5}$,则$\dfrac{FG}{BC}=$________.

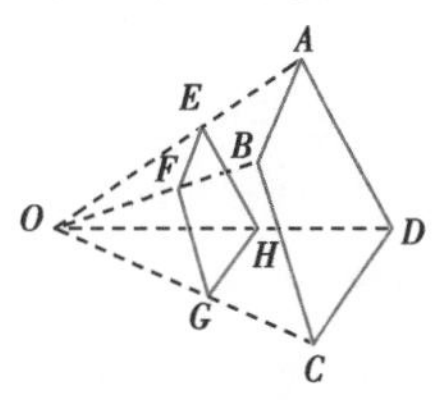

(解析) $\because$ 四边形 $ABCD$ 与四边形 $EFGH$ 位似,

$\therefore \triangle OEF\backsim\triangle OAB$,$\triangle OFG\backsim\triangle OBC$,

$\therefore \dfrac{OF}{OB}=\dfrac{OE}{OA}=\dfrac{3}{5}$,$\dfrac{FG}{BC}=\dfrac{OF}{OB}=\dfrac{3}{5}$.

(答案) $\dfrac{3}{5}$

知识 5 画位似图形的一般步骤

画位似图形的一般步骤如下：

(1)确定位似中心；

(2)连接位似中心和能代表原图的关键点并延长；

(3)根据位似比，确定能代表所作的位似图形的关键点；

(4)顺次连接上述各点，得到放大或缩小后的图形.

例 4 已知四边形 $ABCD$ 和点 O，以点 O 为位似中心画四边形 $ABCD$ 的位似图形，且使相似比为 k.

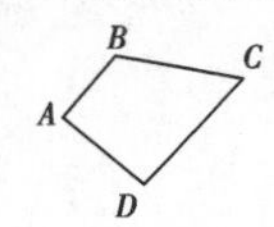

•O

(解析) (答案不唯一)(1)以 O 为端点作射线 OA、OB、OC、OD；

(2)分别在射线 OA、OB、OC、OD 上取点 A'、B'、C'、D'，使 $OA:OA'=OB:OB'=OC:OC'=OD:OD'=k$，连接 $A'B'$、$B'C'$、$C'D'$、$D'A'$，得四边形 $A'B'C'D'$，则四边形 $A'B'C'D'$ 即为所求作的四边形，如图.

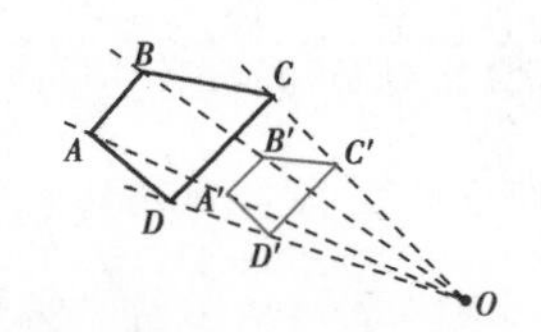

知识 6 位似变换的坐标特征

一般地，在平面直角坐标系中，如果以原点为位似中心，画出一个与原图形位似的图形，使它与原图形的相似比为 k，那么与原图形上的点 (x,y) 对应的位似图形上的点的坐标为 (kx,ky) 或 $(-kx,-ky)$.

例 5 如图，$\triangle ABO$ 三个顶点的坐标分别为 $A(2,4)$，$B(6,0)$，$O(0,0)$，以原点 O 为位似中心，把这个三角形缩小为原来的 $\frac{1}{2}$，可以得到 $\triangle A'B'O$，已知点 B' 的坐标是 $(3,0)$，则点 A' 的坐标是________.

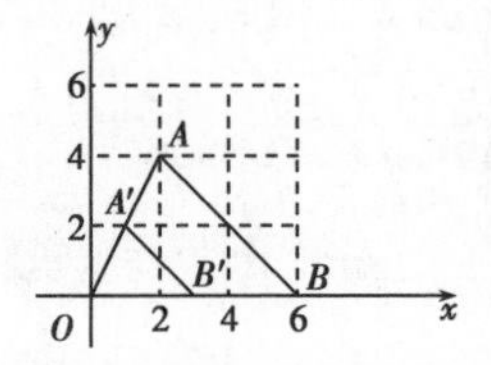

(解析) 根据位似变换的性质及已知可得，点 A' 的坐标为 $(1,2)$.

(答案) $(1,2)$

方法清单

方法1 相似多边形的判定方法

方法2 相似多边形性质的应用方法

方法3 位似图形的识别方法

方法4 位似图形性质的应用方法

方法 1 相似多边形的判定方法

在判定两个多边形是否相似时，不能仅凭直观感觉，而应该使用判定方法.

例 1 手工制作课上，小红利用一些花布的边角料，剪裁后装裱手工画.下面四个图案是她剪裁出的空心不等边三角形、等边三角形、正方形、矩形花边，其中，每个图案花边的宽度都相同，那么，每个图案中花边的内外边缘所围成的几何图形不相似的可能是 ( )

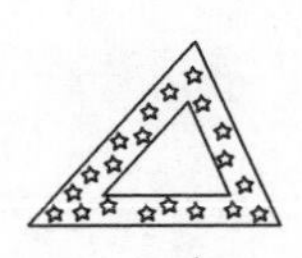

A

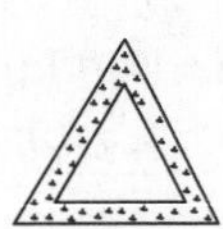

B

C

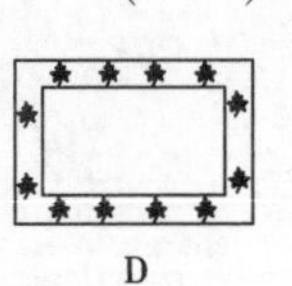

D

(解析) 多边形相似，需要角分别都相等，边都成比例.

A 中，两个三角形的三条边均平行，则这两个三角形相似；

B 中，两个三角形均为等边三角形，三个角相等，且边成比例；

C 中，两个正方形，四个内角均为直角，相等且边成比例；

D 中，两个矩形四个角相等，均为直角，但边不一定成比例.

(答案) D

方法 2 相似多边形性质的应用方法

利用相似多边形对应边的比相等来求某条线段的长或求两条线段的比是一种常用的方法，采用此方法时一定要注意找准对应关系.

例 2 如图所示，一般书本的纸张是由原纸张多次对开得到的.矩形 $ABCD$ 沿 EF 对开后，再把矩形 $EFCD$ 沿 MN 对开，依此类推，若各种开本的矩形都相似，那么 $\frac{AB}{AD}$ 等于 ( )

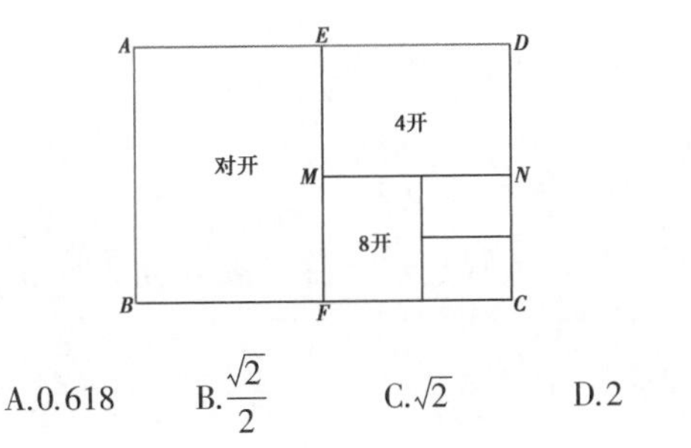

A.0.618　　B.$\frac{\sqrt{2}}{2}$　　C.$\sqrt{2}$　　D.2

(解析) 设 AB 的长为 x,AD 的长为 y,由题意知,矩形 $ABCD$ 与矩形 $AEFB$ 相似,

则有$\frac{AB}{AD}=\frac{AE}{AB}$,即$\frac{x}{y}=\frac{\frac{y}{2}}{x}$,$\therefore x^2=\frac{1}{2}y^2$,

$\therefore \frac{x^2}{y^2}=\frac{1}{2}$.$\because x>0,y>0$,$\therefore \frac{x}{y}=\frac{\sqrt{2}}{2}$,故选 B.

(答案) B

方法 3 位似图形的识别方法

识别位似图形,关键是看两个相似多边形的对应顶点所在的直线是否相交于一点,相交于一点的就是位似图形,交点就是位似中心.

例 3 如图所示的三组图形中,哪组是位似图形?哪组不是位似图形?如果是位似图形,请画出位似中心.

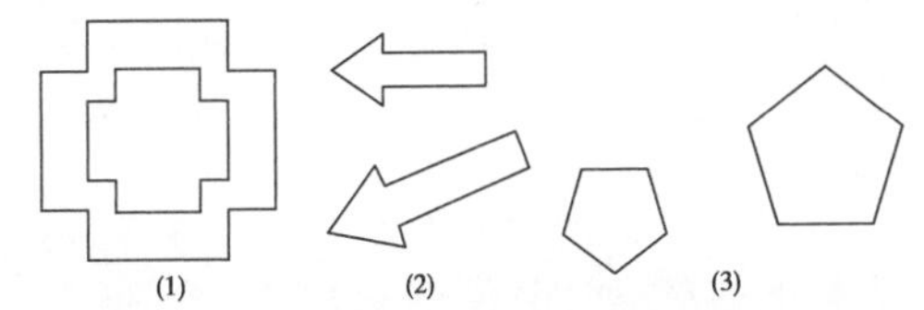

(解析) (1)(3)两组中的图形是位似图形,(1)中的位似中心为点 O(如图①),(3)中的位似中心为点 P(如图②),(2)中的图形不是位似图形.

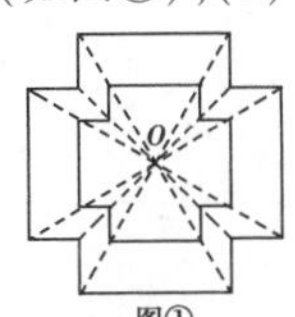

图①

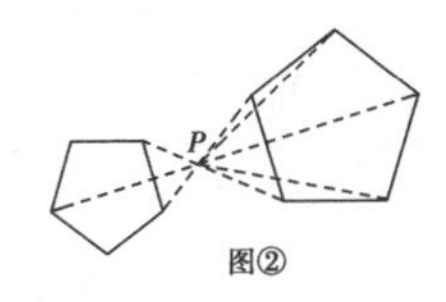

图②

点拨 位似图形必须同时满足两个条件:(1)两个图形是相似图形;(2)两个相似图形每组对应点连线所在的直线都经过同一个点.二者缺一不可.

方法 4 位似图形性质的应用方法

位似图形不仅是相似图形,而且每组对应点所在的直线都经过同一个点,对应边互相平行或共线,利用位似比求线段的长度与利用相似三角形的对应边成比例求线段的长度一样,要注意找准对应关系.

例 4 如图a,点 E 是线段 BC 的中点,分别以 B,C 为直角顶点的$\triangle EBA$ 和$\triangle ECD$ 均是等腰直角三角形,且在 BC 的同侧.

(1) AE 和 ED 的数量关系为________,AE 和 ED 的位置关系为________;

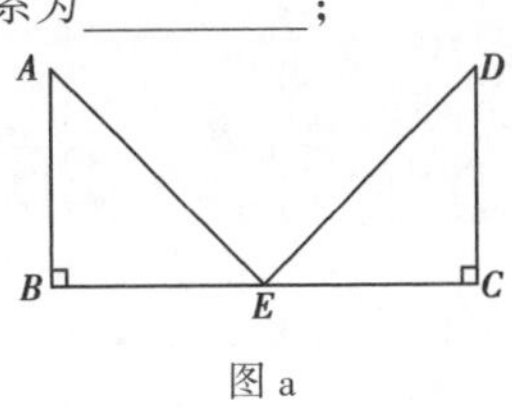

图 a

(2) 在图 a 中,以点 E 为位似中心,作$\triangle EGF$ 与$\triangle EAB$ 位似,点 H 是 BC 所在直线上的一点,连接 GH,HD,分别得到了图 b 和图 c.

①在图 b 中,点 F 在 BE 上,$\triangle EGF$ 与$\triangle EAB$ 的相似比是 $1:2$,H 是 EC 的中点.求证:$GH=HD$,$GH\perp HD$;

②在图 c 中,点 F 在 BE 的延长线上,$\triangle EGF$ 与$\triangle EAB$ 的相似比是 $k:1$,若 $BC=2$,请直接写出 CH 的长为多少时,恰好使得 $GH=HD$ 且 $GH\perp HD$(用含 k 的代数式表示).

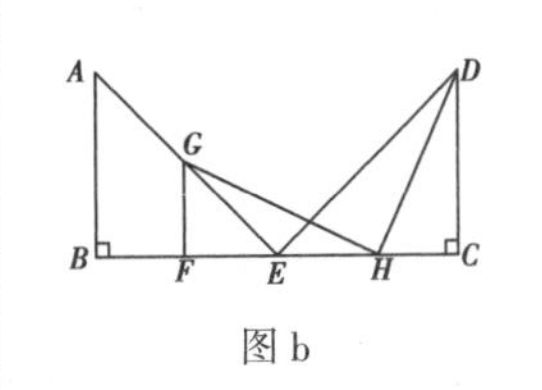

图 b

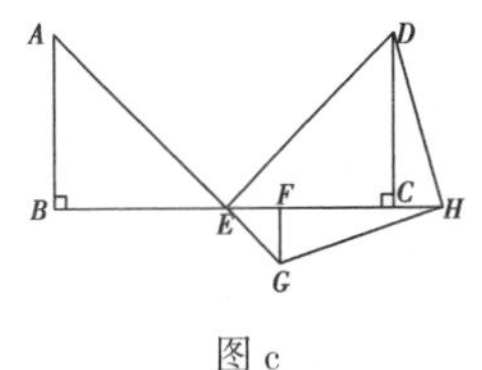

图 c

(解析) (1) $AE=ED$;$AE\perp ED$.

(2)①证明:由题意得,$\angle B=\angle C=90°$,$AB=BE=EC=DC$.

$\because \triangle EGF$ 与$\triangle EAB$ 位似且相似比是 $1:2$,

$\therefore \angle GFE=\angle B=90°$,$GF=\frac{1}{2}AB$,$EF=\frac{1}{2}EB$.

$\therefore \angle GFE=\angle C$.$\because EH=HC=\frac{1}{2}EC$,

$\therefore GF=HC$,$FH=FE+EH=\frac{1}{2}EB+\frac{1}{2}EC=\frac{1}{2}BC=EC=CD$.

$\therefore \triangle HGF\cong\triangle DHC$.$\therefore GH=HD$,$\angle GHF=\angle HDC$.

又$\because \angle HDC+\angle DHC=90°$,

$\therefore \angle GHF+\angle DHC=90°$.

$\therefore \angle GHD=90°$,

$\therefore GH\perp HD$.

②CH 的长为 k.

第22-27章

第25章 锐角三角函数

25.1 锐角三角函数

知识清单

知识1 正弦　　知识2 余弦
知识3 正切　　知识4 特殊角的三角函数值
知识5 锐角三角函数的关系
知识6 锐角三角函数的性质

知识1 正弦

如图1,在Rt△ABC中,∠C=90°,如果锐角A确定,那么∠A的对边与斜边的比也随之确定,∠A的对边与斜边的比叫做∠A的正弦,记作sin A,即$\sin A=\frac{\angle A\text{的对边}}{\text{斜边}}=\frac{a}{c}$.

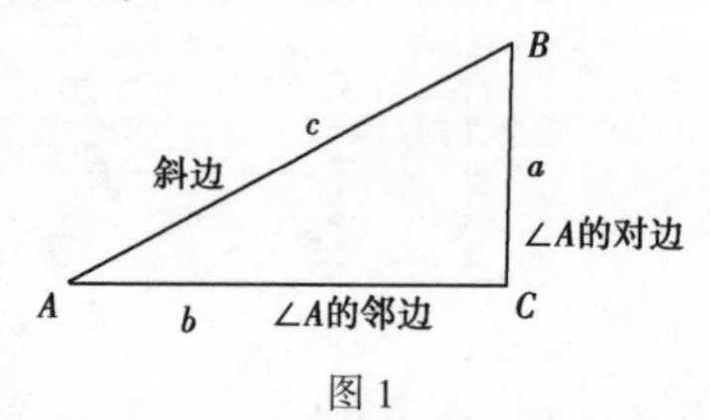

图1

知识2 余弦

如图1,在Rt△ABC中,∠C=90°,如果锐角A确定,那么∠A的邻边与斜边的比也随之确定,∠A的邻边与斜边的比叫做∠A的余弦,记作cos A,即$\cos A=\frac{\angle A\text{的邻边}}{\text{斜边}}=\frac{b}{c}$.

知识3 正切

如图1,在Rt△ABC中,∠C=90°,如果锐角A确定,那么∠A的对边与邻边的比也随之确定,∠A的对边与邻边的比叫做∠A的正切,记作tan A,即$\tan A=\frac{\angle A\text{的对边}}{\angle A\text{的邻边}}=\frac{a}{b}$.

例1 在Rt△ABC中,∠C=90°,AB=5,BC=3,则tan A的值是 (　　)

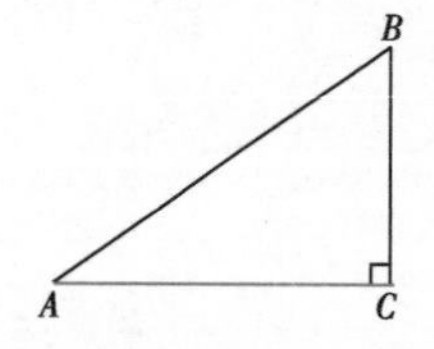

A.$\frac{3}{4}$　　B.$\frac{4}{3}$　　C.$\frac{3}{5}$　　D.$\frac{4}{5}$

(解析) 由勾股定理,得$AC=\sqrt{AB^2-BC^2}=4$,由正切函数的定义,得$\tan A=\frac{BC}{AC}=\frac{3}{4}$.故选A.

(答案) A

温馨提示

①锐角A的正弦、余弦、正切都叫做∠A的锐角三角函数,锐角三角函数是解直角三角形的重要工具.

②若锐角是用一个大写英文字母或一个小写希腊字母表示的,则表示它的正弦、余弦及正切时习惯省略角的符号"∠",如tan A、sin α、cos A.若锐角是用三个大写英文字母或一个数字表示的,则表示它的正弦、余弦及正切时,不能省略角的符号"∠",如sin∠ABC、cos∠2、tan∠1.

③tan A是一个完整的符号,表示∠A的对边与邻边的比值.tan A乘方时,一般写成$\tan^n A$,它与$(\tan A)^n$含义相同(正弦、余弦相同).

④当锐角A固定时,它的正弦值、余弦值、正切值也固定;当锐角A变化时,它的正弦值、余弦值、正切值也变化.

⑤直角三角形中,各边长都是正数,于是有tan A>0,0<sin A<1,0<cos A<1(0°<∠A<90°).

⑥锐角三角函数是针对直角三角形中的锐角而言的.三角函数也是一种函数:在锐角A的三角函数中,∠A是自变量,其取值范围是0°<∠A<90°;三个比值是因变量.当∠A确定时,三个比值也分别有唯一确定的值与之对应.

知识4 特殊角的三角函数值

特殊角 / 函数值	30°	45°	60°
sin α	$\frac{1}{2}$	$\frac{\sqrt{2}}{2}$	$\frac{\sqrt{3}}{2}$
cos α	$\frac{\sqrt{3}}{2}$	$\frac{\sqrt{2}}{2}$	$\frac{1}{2}$
tan α	$\frac{\sqrt{3}}{3}$	1	$\sqrt{3}$

温馨提示

①记忆特殊角的三角函数值可用下述方法：30°、45°、60°的正弦值分别是$\frac{\sqrt{1}}{2}$、$\frac{\sqrt{2}}{2}$、$\frac{\sqrt{3}}{2}$；余弦值分别是$\frac{\sqrt{3}}{2}$、$\frac{\sqrt{2}}{2}$、$\frac{\sqrt{1}}{2}$；正切值分别是$\frac{(\sqrt{3})^1}{3}$、$\frac{(\sqrt{3})^2}{3}$、$\frac{(\sqrt{3})^3}{3}$.

②表中是特殊角的三角函数值，反过来，已知一个特殊角的三角函数值，要会求出相应的锐角.

③其他锐角三角函数值可通过查表或利用计算器求得；反之，已知锐角的某种三角函数值，也可通过查表或利用计算器求出此锐角的大小.

例2 在△ABC中，若$\left|\cos A-\frac{1}{2}\right|+(1-\tan B)^2=0$，则∠$C$的度数是（　　）

A.45°　　B.60°　　C.75°　　D.105°

解析　因为$\left|\cos A-\frac{1}{2}\right|\geqslant 0$，$(1-\tan B)^2\geqslant 0$，

而两个式子相加得0，

所以$\left|\cos A-\frac{1}{2}\right|=0$，$(1-\tan B)^2=0$，

即$\cos A=\frac{1}{2}$，$\tan B=1$，

因为∠A，∠B为△ABC的内角，

所以∠A=60°，∠B=45°，

所以∠C=180°−60°−45°=75°，故选C.

答案　C

知识5　锐角三角函数的关系

互余两角的三角函数关系（A为锐角）：

（1）$\sin A=\cos(90°-A)$，即一个锐角的正弦值等于它的余角的余弦值.

（2）$\cos A=\sin(90°-A)$，即一个锐角的余弦值等于它的余角的正弦值.

例3 Rt△ABC中，∠C=90°，如果$\sin A=\frac{2}{3}$，那么$\cos B$的值为（　　）

A.$\frac{2}{3}$　　B.$\frac{\sqrt{5}}{3}$　　C.$\frac{\sqrt{5}}{2}$　　D.不能确定

解析　在Rt△ABC中，∠C=90°，

∴∠A+∠B=90°.∴$\cos B=\sin A=\frac{2}{3}$.故选A.

答案　A

知识6　锐角三角函数的性质

当角度在0°~90°（不包括0°，90°）之间变化时：

(1)正弦值随角度的增大（或减小）而增大（或减小）；

(2)余弦值随角度的增大（或减小）而减小（或增大）；

(3)正切值随角度的增大（或减小）而增大（或减小）.

温馨提示

①在0°~90°（不包括0°，90°）之间，角越大，正弦值、正切值也越大；余弦值反而越小.

②根据锐角三角函数的性质，同名三角函数值的大小可通过角度的大小来比较.

方法清单

方法1　利用锐角三角函数的概念求三角函数值

在直角三角形中，求锐角三角函数值的问题一般可转化为求两条边的比的问题.首先要确定三角形，然后根据定义求解.

例1 在Rt△ABC中，∠B=90°.若$AC=2BC$，则$\sin C$的值是（　　）

A.$\frac{1}{2}$　　B.2　　C.$\frac{\sqrt{3}}{2}$　　D.$\sqrt{3}$

解析　如图，

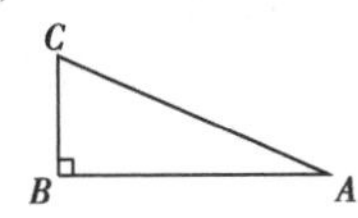

设$BC=x$，∵$AC=2BC$，∴$AC=2x$，

又∵∠B=90°，故$AB=\sqrt{3}x$，∴$\sin C=\frac{AB}{AC}=\frac{\sqrt{3}}{2}$.故选C.

答案　C

方法2　利用锐角三角函数的概念求线段长的方法

在解题时，若能利用锐角三角函数定义把三角函数转化为线段的比，或把线段的比转化为三角函数，实现三角函数与线段的比之间的灵活转化，则可得到事半功倍的效果.

例2 如图，在△ABC中，∠C=90°，$\sin A=\frac{4}{5}$，$BC=12$，则AC=（　　）

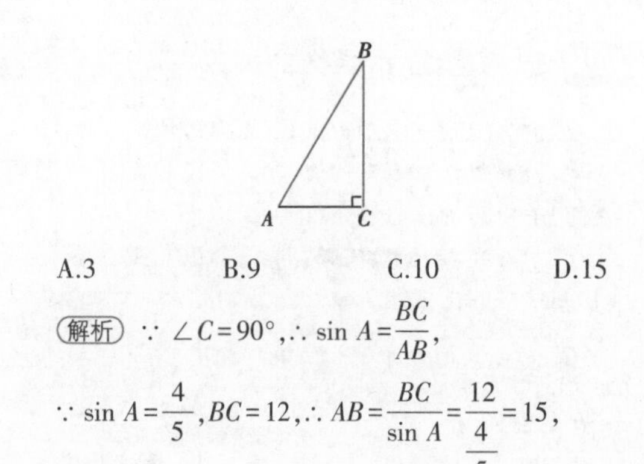

A.3　　B.9　　C.10　　D.15

(解析) ∵ $\angle C=90°$，∴ $\sin A=\dfrac{BC}{AB}$，

∵ $\sin A=\dfrac{4}{5}$，$BC=12$，∴ $AB=\dfrac{BC}{\sin A}=\dfrac{12}{\frac{4}{5}}=15$，

在直角△ABC中，$AC=\sqrt{AB^2-BC^2}=\sqrt{15^2-12^2}=9$.故选B.

(答案) B

方法3 利用特殊角的三角函数值进行计算的方法

有关三角函数值的计算是一种重要题型，解这类问题时，要在熟记各种特殊角的三角函数值的基础上，先将各角的三角函数值代入，然后化简计算或者先根据代数式的特点，化简整理后再代入求值.

例3 计算下列各式的值：

(1) $2\sin 30°+3\tan 30°+\dfrac{\cos 45°}{\tan 60°}$；

(2) $\cos^2 45°+\cos 30°\cdot\tan 45°+\sin^2 60°$.

(解析) (1) $2\sin 30°+3\tan 30°+\dfrac{\cos 45°}{\tan 60°}=2\times\dfrac{1}{2}+3\times\dfrac{\sqrt{3}}{3}+\dfrac{\frac{\sqrt{2}}{2}}{\sqrt{3}}=1+\sqrt{3}+\dfrac{\sqrt{2}}{2\sqrt{3}}=1+\sqrt{3}+\dfrac{\sqrt{6}}{6}$.

(2) $\cos^2 45°+\cos 30°\cdot\tan 45°+\sin^2 60=\left(\dfrac{\sqrt{2}}{2}\right)^2+\dfrac{\sqrt{3}}{2}\times1+\left(\dfrac{\sqrt{3}}{2}\right)^2=\dfrac{1}{2}+\dfrac{\sqrt{3}}{2}+\dfrac{3}{4}=\dfrac{5}{4}+\dfrac{\sqrt{3}}{2}$.

方法4 等角代换法求锐角三角函数值

求某个锐角的三角函数值可以寻找与之相等的角来代替求解.

例4 如图，在Rt△ABC中，$\angle ACB=90°$，$CD\perp AB$于点D，$AC=2\sqrt{2}$，$AB=2\sqrt{3}$，设$\angle BCD=\alpha$，那么$\cos\alpha$的值是　　(　　)

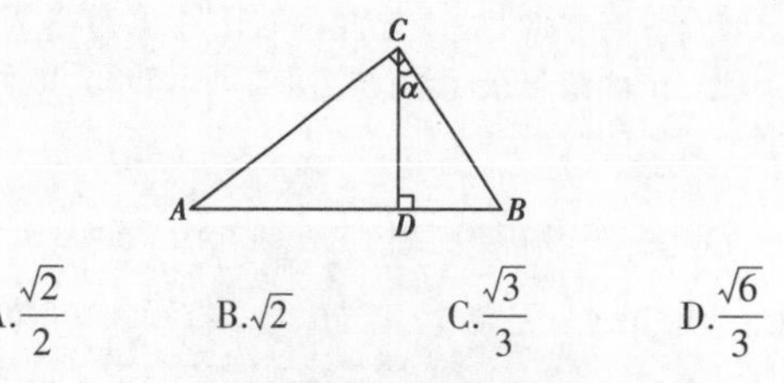

A.$\dfrac{\sqrt{2}}{2}$　　B.$\sqrt{2}$　　C.$\dfrac{\sqrt{3}}{3}$　　D.$\dfrac{\sqrt{6}}{3}$

(解析) ∵ $CD\perp AB$，$\angle ACB=90°$，

∴ $\angle A+\angle B=\angle BCD+\angle B$，

∴ $\angle A=\angle BCD=\alpha$.

在Rt△ABC中，∵ $AC=2\sqrt{2}$，$AB=2\sqrt{3}$，

∴ $\cos A=\dfrac{AC}{AB}=\dfrac{2\sqrt{2}}{2\sqrt{3}}=\dfrac{\sqrt{6}}{3}$，即$\cos\alpha=\dfrac{\sqrt{6}}{3}$.故选D.

(答案) D

方法5 设参数法求锐角三角函数值

要求锐角三角函数值，但不知各边的长度，只知各边长的比，我们可用设参数法引入新的变量，将问题中长度未知的各个量表示出来，使解题过程更简单.

例5 如图，在Rt△ABC中，$\angle C=90°$，AM是BC边上的中线，$\sin\angle CAM=\dfrac{3}{5}$，则$\tan B$的值为________.

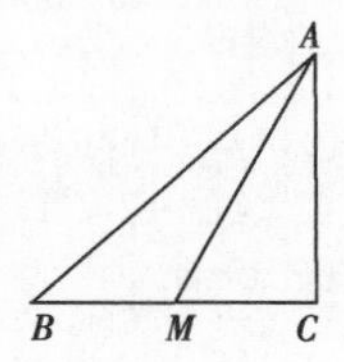

(解析) 在Rt△ACM中，

因为$\sin\angle CAM=\dfrac{MC}{MA}=\dfrac{3}{5}$，

所以可设$MC=3k$，$MA=5k$，$k>0$.

由勾股定理得$AC=4k$.

因为M为BC的中点，

所以$BC=2MC=2\times3k=6k$.

在Rt△ABC中，$\tan B=\dfrac{AC}{BC}=\dfrac{4k}{6k}=\dfrac{2}{3}$.

(答案) $\dfrac{2}{3}$

方法6 构造直角三角形求锐角三角函数值

在几何图形中求某个锐角的三角函数值，一般要构造一个以此锐角为内角的直角三角形，然后利用三角函数的定义，求出相应的边长的比，即得三角函数值.当所求角的三角函数值不可直接求时，可将这个角转化为其他相等的角，再构造直角三角形求三角函数值.

例6 如图，在Rt△ABC中，$\angle C=90°$，$\sin B=\dfrac{3}{5}$，点D在BC上，且$\angle ADC=45°$，$DC=6$，求$\angle BAD$的正切值.

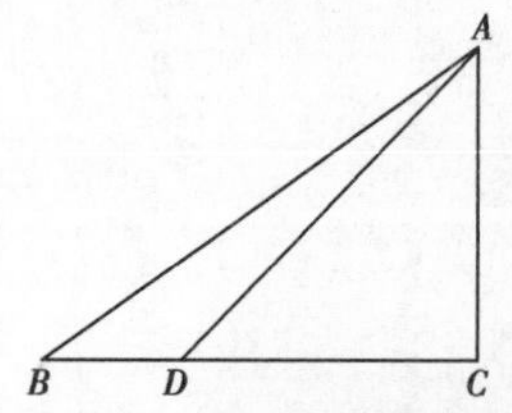

(解析) 如图，过点 D 作 $DE\perp AB$ 于点 E，在 $Rt\triangle ADC$ 中，$\angle C=90°$，$\angle ADC=45°$，$DC=6$，

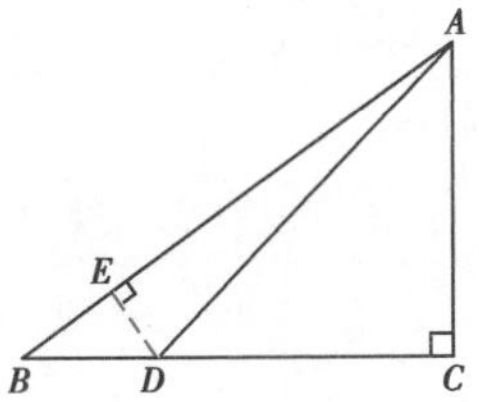

$\therefore \angle DAC=45°$，$\therefore AC=DC=6$.

在 $Rt\triangle ABC$ 中，$\angle C=90°$，$\sin B=\dfrac{AC}{AB}=\dfrac{3}{5}$，

$\therefore AB=\dfrac{5}{3}AC=10$.

由勾股定理，得 $BC=\sqrt{AB^2-AC^2}=\sqrt{10^2-6^2}=8$，

$\therefore BD=BC-DC=8-6=2$.

在 $Rt\triangle BDE$ 中，$\angle BED=90°$，$\sin B=\dfrac{DE}{BD}=\dfrac{3}{5}$，

$\therefore DE=\dfrac{3}{5}BD=\dfrac{6}{5}$.

由勾股定理，得 $BE=\sqrt{BD^2-DE^2}=\sqrt{2^2-\left(\dfrac{6}{5}\right)^2}=\dfrac{8}{5}$，

$\therefore AE=AB-BE=10-\dfrac{8}{5}=\dfrac{42}{5}$，

$\therefore \tan\angle BAD=\dfrac{DE}{AE}=\dfrac{6}{5}\times\dfrac{5}{42}=\dfrac{1}{7}$.

25.2 解直角三角形

知识清单

- 知识1 解直角三角形
- 知识2 解直角三角形的理论依据
- 知识3 解直角三角形的常见类型
- 知识4 解直角三角形应用题中的常见概念
- 知识5 解直角三角形应用题的一般步骤
- 知识6 测量物体的高度的常见模型

知识 1 解直角三角形

在直角三角形中，除直角外，一共还有 5 个元素，即 3 条边和 2 个锐角，由直角三角形中除直角外的已知元素求出所有未知元素的过程，叫做解直角三角形.

知识 2 解直角三角形的理论依据

在 $Rt\triangle ABC$ 中，$\angle C=90°$，$\angle A$，$\angle B$，$\angle C$ 所对的边分别是 a,b,c.

①三边之间的关系：$a^2+b^2=c^2$；

②锐角之间的关系：$\angle A+\angle B=90°$；

③边、角之间的关系：

$\sin A=\dfrac{a}{c}$，$\cos A=\dfrac{b}{c}$，$\tan A=\dfrac{a}{b}$，

$\sin B=\dfrac{b}{c}$，$\cos B=\dfrac{a}{c}$，$\tan B=\dfrac{b}{a}$；

④面积公式：$S_{\triangle ABC}=\dfrac{1}{2}ab=\dfrac{1}{2}ch$（$h$ 为斜边上的高）.

温馨提示 ①在直角三角形中，除直角外的五个元素中，已知其中的两个元素（至少有一条边），可求出其余的三个未知元素（知二求三）.

②若一个直角三角形可解，则其面积可求.但在一个解直角三角形的题中，如无特别说明，不包括求面积.

③已知两个角不能解直角三角形，因为有两个角对应相等的两个三角形相似，但不一定全等，因此其边的大小不确定.

④解直角三角形的关键是正确地选择公式.为了迅速准确地选择所需公式，应依题意画出图形，将数据标在图上，便于分析.在选择公式时，尽量利用原始数据，避免"链式错误"和"积累误差".

知识 3 解直角三角形的常见类型

解直角三角形的类型与解法

<table>
<tr><th>图形</th><th colspan="3">已知条件</th><th>解法步骤</th></tr>
<tr><td rowspan="5">Rt△ABC
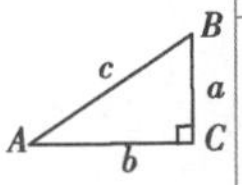</td><td rowspan="2">两边</td><td colspan="2">两直角边（如 a,b）</td><td>由 $\tan A=\dfrac{a}{b}$，求 $\angle A$，$\angle B=90°-\angle A$，$c=\sqrt{a^2+b^2}$</td></tr>
<tr><td colspan="2">斜边，一直角边（如 c,a）</td><td>由 $\sin A=\dfrac{a}{c}$，求 $\angle A$，$\angle B=90°-\angle A$，$b=\sqrt{c^2-a^2}$</td></tr>
<tr><td rowspan="3">一边一角</td><td rowspan="2">一直角边和一锐角</td><td>锐角，邻边（如 $\angle A,b$）</td><td>$\angle B=90°-\angle A$，$a=b\cdot\tan A$，$c=\dfrac{b}{\cos A}$</td></tr>
<tr><td>锐角，对边（如 $\angle A,a$）</td><td>$\angle B=90°-\angle A$，$b=\dfrac{a}{\tan A}$，$c=\dfrac{a}{\sin A}$</td></tr>
<tr><td colspan="2">斜边，锐角（如 $c,\angle A$）</td><td>$\angle B=90°-\angle A$，$a=c\cdot\sin A$，$b=c\cdot\cos A$</td></tr>
</table>

> **温馨提示** 解直角三角形的思路可概括为“有斜(斜边)用弦(正弦、余弦),无斜用切(正切),宁乘勿除,取原避中”.其含义是当已知中有斜边时,选用正弦或余弦,无斜边时,就用正切;当所求元素既可用乘法又可用除法求解时,则通常用乘法,不用除法,既可用已知数据又可用中间数据求解时,则用已知数据,不用中间数据.

知识 4 解直角三角形应用题中的常见概念

(1)坡角:坡面与水平面的夹角叫做坡角,用字母 α 表示.

坡度(坡比):坡面的铅直高度 h 和水平宽度 l 的比叫做坡度,用字母 i 表示,则 $i=\frac{h}{l}=\tan\alpha$,如图①.

(2)仰角、俯角:视线与水平线所成的角中,视线在水平线上方的叫做仰角,在水平线下方的叫做俯角.如图②.

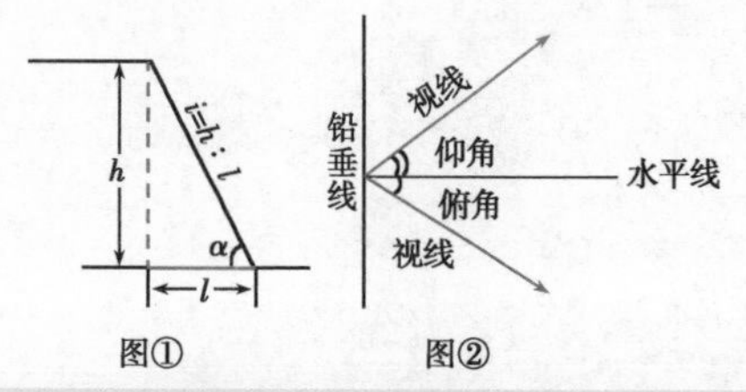

图①　　图②

> **注意事项** 坡度与坡角是两个不同的概念,坡角是两个面的夹角,坡度是比值;两者之间的关系是 $i=\tan\alpha$,坡角越大,坡度越大.如图所示.

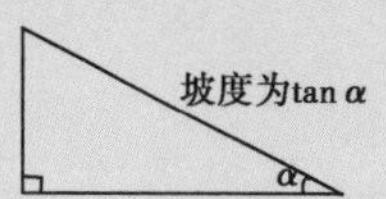

例 如图,河坝横断面迎水坡 AB 的坡比是 $1:\sqrt{3}$(坡比是坡面的铅直高度 BC 与水平宽度 AC 之比),坝高 $BC=3$ m,则坡面 AB 的长度是 (　　)

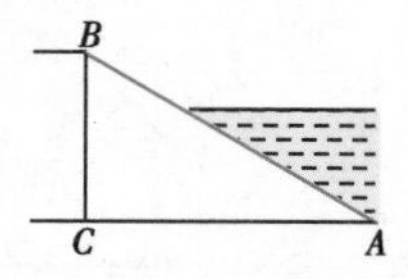

A.9 m　　B.6 m

C.$6\sqrt{3}$ m　　D.$3\sqrt{3}$ m

解析 $\because AB$ 的坡比是 $1:\sqrt{3}$,

$\therefore \frac{BC}{AC}=\frac{1}{\sqrt{3}}$.

$\therefore AC=\sqrt{3}BC=3\sqrt{3}$ m,

$\therefore AB=\sqrt{BC^2+AC^2}=\sqrt{3^2+(3\sqrt{3})^2}=6$ m,故选 B.

答案 B

知识 5 解直角三角形应用题的一般步骤

(1)弄清题中的名词、术语的意义,如仰角、俯角、坡度、坡角等概念,然后根据题意画出几何图形,建立数学模型.

(2)将实际问题中的数量关系归结为解直角三角形的问题.当有些图形不是直角三角形时,可适当添加辅助线,把它们分割成直角三角形或矩形.

(3)寻找直角三角形,并解这个三角形.

知识 6 测量物体的高度的常见模型

(1)利用水平距离测量物体的高度:

数学模型	所用工具	应测数据	数量关系	根据原理
(图:α、x_1、x_2、β、l、a)	测角仪、皮尺	α、β、水平距离 a	$\tan\alpha=\frac{l}{x_1}$,$\tan\beta=\frac{l}{x_2}$, $l=a\cdot\frac{\tan\alpha\cdot\tan\beta}{\tan\alpha+\tan\beta}$	直角三角形的边角关系
(图:α、β、l、a、x)			$\tan\alpha=\frac{l}{a+x}$,$\tan\beta=\frac{l}{x}$, $l=a\cdot\frac{\tan\alpha\cdot\tan\beta}{\tan\beta-\tan\alpha}$	

(2)测量底部可以到达的物体的高度：

数学模型	所用工具	应测数据	数量关系	根据原理
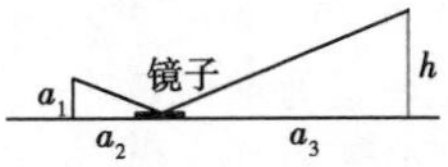	皮尺、镜子	目高 a_1，水平距离 a_2，水平距离 a_3	$\frac{h}{a_3}=\frac{a_1}{a_2}$，$h=\frac{a_1a_3}{a_2}$	光的反射定律
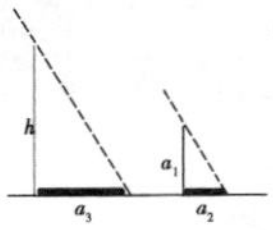	皮尺、标杆	标杆高 a_1，标杆影长 a_2，物体影长 a_3	$\frac{h}{a_3}=\frac{a_1}{a_2}$，$h=\frac{a_1a_3}{a_2}$	同一时刻物高与影长成正比
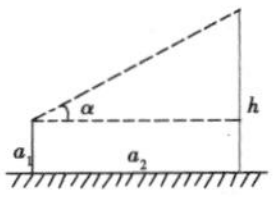	皮尺、测角仪	测角仪高 a_1，水平距离 a_2，倾斜角 α	$\tan\alpha=\frac{h-a_1}{a_2}$， $h=a_1+a_2\tan\alpha$	矩形的性质和直角三角形的边角关系
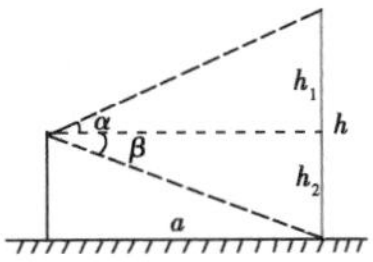		仰角 α，俯角 β，水平距离 a	$\tan\alpha=\frac{h_1}{a}$， $\tan\beta=\frac{h_2}{a}$， $h=h_1+h_2$ $=a(\tan\alpha+\tan\beta)$	矩形的性质和直角三角形的边角关系

(3)测量底部不可到达的物体的高度：

数学模型	所用工具	应测数据	数量关系	根据原理
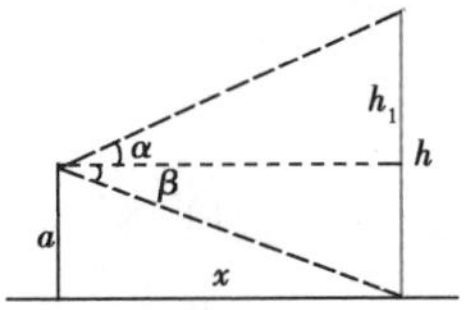	皮尺、测角仪	仰角 α，俯角 β，高度 a	$\tan\alpha=\frac{h_1}{x}$，$\tan\beta=\frac{a}{x}$， $h=a+h_1=a+\frac{\tan\alpha}{\tan\beta}a$ $=a\left(1+\frac{\tan\alpha}{\tan\beta}\right)$	矩形的性质和直角三角形的边角关系
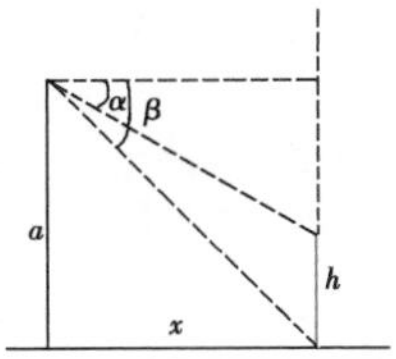		俯角 α，俯角 β，高度 a	$\tan\alpha=\frac{a-h}{x}$，$\tan\beta=\frac{a}{x}$， $x=\frac{a-h}{\tan\alpha}=\frac{a}{\tan\beta}$， $h=a\left(1-\frac{\tan\alpha}{\tan\beta}\right)$	
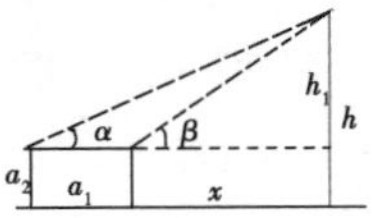		仰角 α，仰角 β，水平距离 a_1，测角仪高 a_2	$\tan\alpha=\frac{h_1}{a_1+x}$，$\tan\beta=\frac{h_1}{x}$， $h_1=\frac{a_1\tan\alpha\tan\beta}{\tan\beta-\tan\alpha}$， $h=a_2+h_1=a_2+\frac{a_1\tan\alpha\tan\beta}{\tan\beta-\tan\alpha}$	
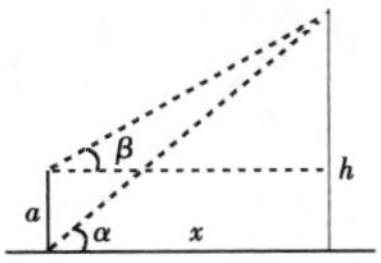		仰角 α，仰角 β，高度 a	$\tan\alpha=\frac{h}{x}$，$\tan\beta=\frac{h-a}{x}$， $h=\frac{a\tan\alpha}{\tan\alpha-\tan\beta}$	
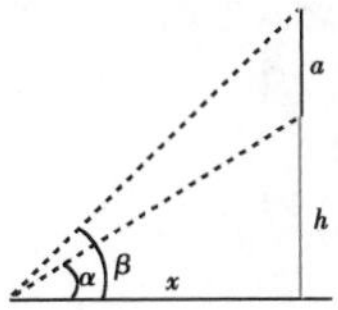		仰角 α，仰角 β，高度 a	$\tan\alpha=\frac{h}{x}$，$\tan\beta=\frac{a+h}{x}$， $h=\frac{a\tan\alpha}{\tan\beta-\tan\alpha}$	

方法清单

方法 1 解直角三角形的方法

对于解直角三角形的非基本类型的题目,通常是已知一边长及一锐角的三角函数值,可通过方程(组)转化为基本类型求解;如果有些问题一时难以确定解答方式,可以依据题意画图帮助分析;对比较复杂的问题,往往要通过作辅助线构造直角三角形来分析.

例1 解直角三角形:在 Rt△ABC 中,$\angle C=90°$,$\angle A$,$\angle B$,$\angle C$ 所对的边分别是 a,b,c,$b+c=18$,$\angle A=60°$.

(解析) 如图,$\angle C=90°$,$\angle A=60°$,

$\therefore \angle B=90°-60°=30°$.

在 Rt△ABC 中,$\sin B=\frac{b}{c}$,

$\therefore \frac{b}{c}=\frac{1}{2}$,$\therefore 2b=c$.

又 $b+c=18$,$\therefore b=6$,$c=12$,

$\therefore a=\sqrt{c^2-b^2}=\sqrt{12^2-6^2}=6\sqrt{3}$.

方法 2 解斜三角形的方法

在解斜三角形时,通常把斜三角形转化为直角三角形,常见的方法是作高,通过作高把斜三角形转化为直角三角形,再利用解直角三角形的有关知识解决问题.

例2 如图所示,AD 是△ABC 的中线,$\tan B=\frac{1}{3}$,$\cos C=\frac{\sqrt{2}}{2}$,$AC=\sqrt{2}$.求:

(1)BC 的长;

(2)$\sin\angle ADC$ 的值.

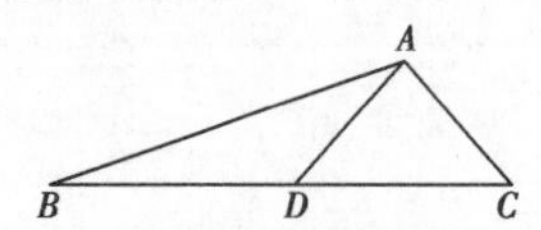

思路分析 (1)要求 BC 的长,需构造直角三角形,可过点 A 作 $AE\perp BC$ 于点 E,通过解 Rt△ABE 与 Rt△ACE,求出 BE 与 CE 的长,进而求出 BC 的长.(2)要求 $\sin\angle ADC$ 的值,需要解 Rt△ADE.利用 AD 是△ABC 的中线求出 CD 的长,进而求出 DE 的长,由 DE,AE 的长求出 $\angle ADC=45°$,即可求出 $\sin\angle ADC$ 的值.

(解析) (1)如图,过点 A 作 $AE\perp BC$ 于点 E.

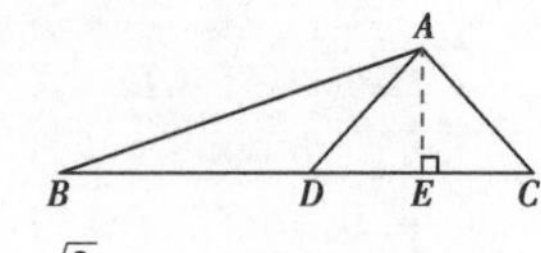

$\because \cos C=\frac{\sqrt{2}}{2}$,$AC=\sqrt{2}$,$\therefore CE=1$,$\therefore AE=1$,

在 Rt△ABE 中,$\because \tan B=\frac{1}{3}$,$\therefore \frac{AE}{BE}=\frac{1}{3}$.

$\therefore BE=3AE=3$,$\therefore BC=BE+CE=3+1=4$.

(2)$\because AD$ 是△ABC 的中线,

$\therefore CD=\frac{1}{2}BC=2$,

$\therefore DE=CD-CE=2-1=1$.$\therefore AE=DE$,

$\because AE\perp BC$,$\therefore \angle ADC=45°$.

$\therefore \sin\angle ADC=\frac{\sqrt{2}}{2}$.

方法 3 “双直角三角形”问题的解题方法

“双直角三角形”是指一条直角边重合,另一条直角边共线的两个直角三角形.“双直角三角形”问题作为中考的一个热点.解这类问题时应注意公共元素与已知条件之间的关系.

例3 A,B 两地被大山阻隔,若要从 A 地到 B 地,只能沿着如图所示的公路先从 A 地到 C 地,再由 C 地到 B 地.现计划开凿隧道 A,B 使两地直线贯通,经测量:$\angle CAB=30°$,$\angle CBA=45°$,$AC=20$ km,求隧道开通后与隧道开通前相比,从 A 地到 B 地的路程将缩短多少.(结果精确到 0.1 km,参考数据:$\sqrt{2}\approx1.414$,$\sqrt{3}\approx1.732$)

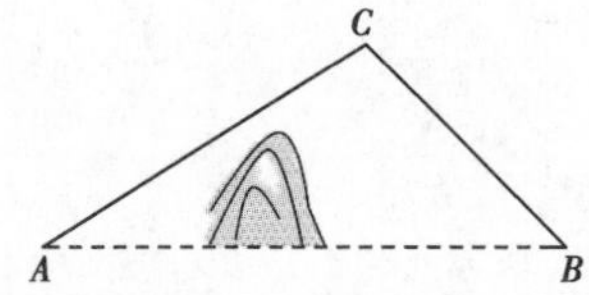

思路分析 过点 C 作 $CD\perp AB$ 于 D,根据 $AC=20$ km,$\angle CAB=30°$,求出 CD、AD,根据 $\angle CBA=45°$,求出 BD、BC,根据 $AB=AD+BD$,求出 AB,再求 $AC+BC-AB$ 即可.

(解析) 过点 C 作 $CD\perp AB$ 于 D,

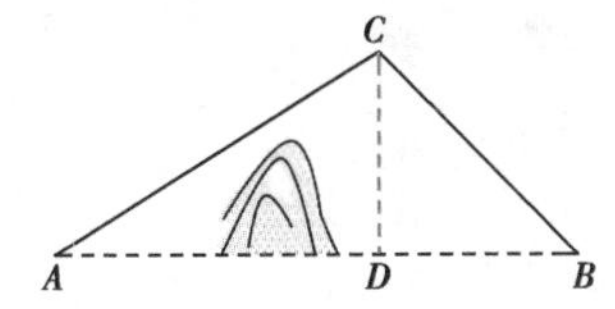

在 Rt$\triangle ACD$ 中，$\because AC=20$ km，$\angle CAD=30°$，

$\therefore CD=\frac{1}{2}AC=\frac{1}{2}\times 20=10$(km)，

$AD=AC\cdot\cos\angle CAB=20\times\cos 30°=10\sqrt{3}\approx 10\times 1.732=17.32$(km)，

$\because \angle CBD=45°$，$\therefore BD=CD=10$(km)，$BC=\sqrt{2}CD=10\sqrt{2}\approx 10\times 1.414=14.14$(km)，

$\therefore AB=AD+BD=17.32+10=27.32$(km).

则 $AC+BC-AB=20+14.14-27.32\approx 6.8$(km).

答：从 A 地到 B 地的路程将缩短 6.8 km.

方法 4 运用解直角三角形的知识解决视角相关问题的方法

(1)实际问题中已知视角的度数求边长时，应先根据题意画出直角三角形，求出这个角的三角函数值，再利用三角函数的定义求得相应边长.

(2)利用三角函数求实际问题中视角的度数时，应先根据题意画出直角三角形，并根据已知条件求出这个角的三角函数值，再求出角的度数.

例 4 如图，甲、乙为两座建筑物，它们之间的水平距离 BC 为 30 m，在 A 点测得 D 点的仰角为 45°，在 B 点测得 D 点的仰角为 60°. 求这两座建筑物的高度(结果保留根号).

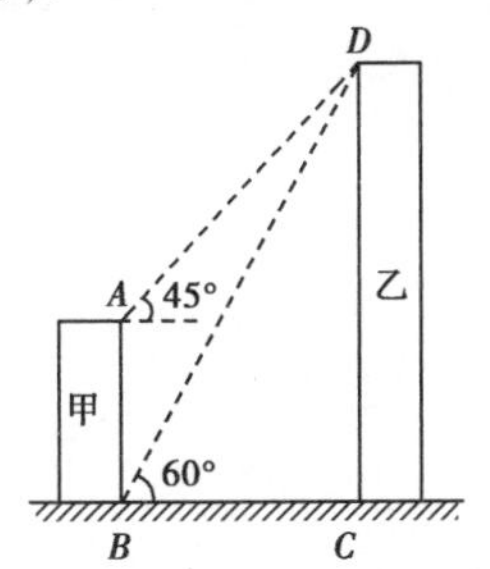

(解析) 在 Rt$\triangle BCD$ 中，$\because \angle DBC=60°$，$BC=30$ m，$\tan 60°=\frac{CD}{BC}$，$\therefore CD=BC\cdot\tan 60°=30\sqrt{3}$ m，

$\therefore$ 乙建筑物的高度为 $30\sqrt{3}$ m.

如图，过 A 作 $AF\perp CD$ 交 CD 于点 F，在 Rt$\triangle AFD$ 中，$\angle DAF=45°$，

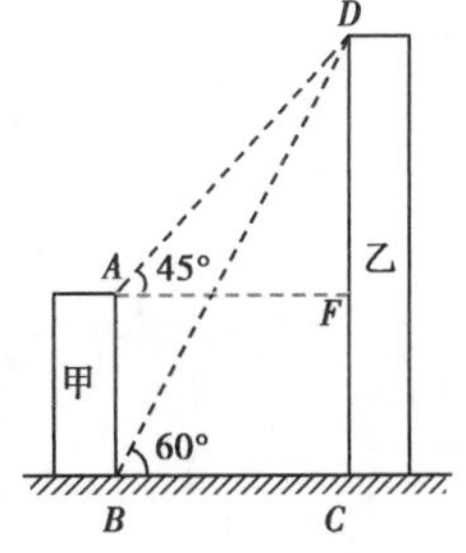

$\therefore DF=AF$，又$\because AF=BC=30$ m，$\therefore DF=30$ m.

$\therefore AB=CF=CD-DF=(30\sqrt{3}-30)$ m，

$\therefore$ 甲建筑物的高度为$(30\sqrt{3}-30)$ m.

答：甲、乙这两座建筑物的高度分别为$(30\sqrt{3}-30)$ m、$30\sqrt{3}$ m.

方法 5 运用解直角三角形的知识解决方向角相关问题的方法

方向角问题应结合实际问题抽象出示意图并构造三角形，还要分析三角形中的已知元素和未知元素，如果这些元素不在同一个三角形中或者在同一个斜三角形中，就需要添加辅助线. 在解题的过程中，有时需要设未知数，通过构造方程(组)来求解. 这类题目主要考查同学们解决实际问题的能力.

例 5 如图，一艘海轮位于灯塔 P 的北偏东 64°方向，距离灯塔 120 海里的 A 处，它沿正南方向航行一段时间后，到达位于灯塔 P 的南偏东 45°方向上的 B 处，求 BP 和 BA 的长(结果取整数).

参考数据：$\sin 64°\approx 0.90$，$\cos 64°\approx 0.44$，$\tan 64°\approx 2.05$，$\sqrt{2}$ 取 1.414.

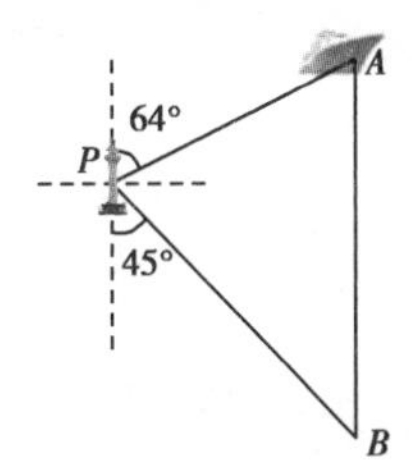

思路分析 在 Rt$\triangle APC$ 中，利用$\angle A$ 的三角函数求出 PC 和 AC；在 Rt$\triangle PCB$ 中利用$\angle B$ 的三角函数求出 BC 和 PB 即可解决问题.

(解析) 如图，过点 P 作 $PC\perp AB$，垂足为 C，

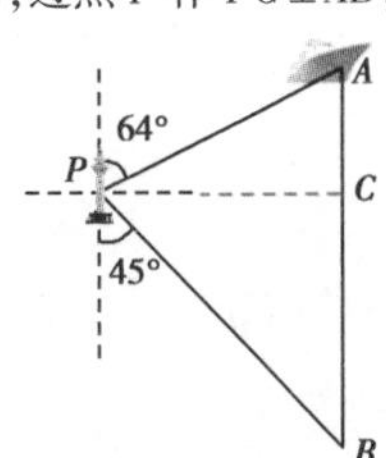

第22-27章

由题意可知，$\angle A=64°$，$\angle B=45°$，$PA=120$ 海里，

在 Rt$\triangle APC$ 中，$\sin A=\frac{PC}{PA}$，$\cos A=\frac{AC}{PA}$，

$\therefore PC=PA\cdot\sin A=120\times\sin 64°$，

$AC=PA\cdot\cos A=120\times\cos 64°$.

在 Rt$\triangle BPC$ 中，$\sin B=\frac{PC}{BP}$，$\tan B=\frac{PC}{BC}$，

$\therefore BP=\frac{PC}{\sin B}=\frac{120\times\sin 64°}{\sin 45°}$

$\approx\frac{120\times0.90}{\frac{\sqrt{2}}{2}}\approx153$（海里），

$BC=\frac{PC}{\tan B}=\frac{PC}{\tan 45°}=PC=120\times\sin 64°$，

$\therefore BA=BC+AC=120\times\sin 64°+120\times\cos 64°\approx120\times0.90+120\times0.44\approx161$（海里）.

答：BP 的长约为 153 海里，BA 的长约为161 海里.

方法 6 运用解直角三角形的知识解决坡角、坡度相关问题的方法

解决坡角、坡度相关问题时，首先要认真读题，弄清题意，理解坡角、坡度的实际意义及坡角与坡度的关系，其次是从图中确定要解的直角三角形，充分使用坡角、坡度提供的相关数据，正确选择关系式.

例 6 某地的一座人行天桥如图所示，天桥高为 6 米，坡面 BC 的坡度为 $1:1$，为了方便行人推车过天桥，有关部门决定降低坡度，使新坡面的坡度为$1:\sqrt{3}$.

（1）求新坡面的坡角 α；

（2）原天桥底部正前方 8 米处（PB 的长）的文化墙 PM 是否需要拆除？请说明理由.

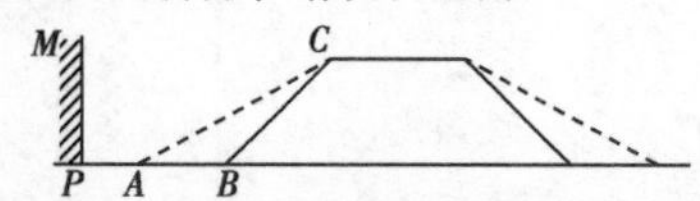

（解析）（1）$\because$ 新坡面的坡度为 $1:\sqrt{3}$，

$\therefore \tan\alpha=\tan\angle CAB=\frac{1}{\sqrt{3}}=\frac{\sqrt{3}}{3}$，$\therefore \alpha=30°$.

答：新坡面的坡角 α 为 30°.

（2）文化墙 PM 不需要拆除.

理由如下：过点 C 作 $CD\perp AB$ 于点 D，

则 $CD=6$ 米，

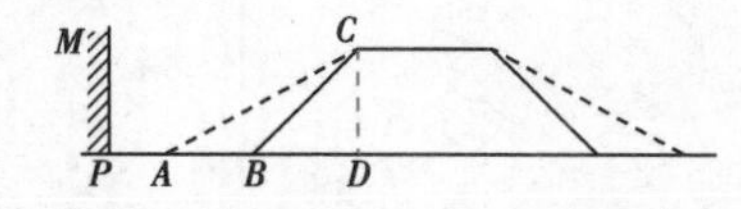

$\because$ 坡面 BC 的坡度为 $1:1$，新坡面的坡度为 $1:\sqrt{3}$，$\therefore BD=CD=6$ 米，$AD=CD\div\tan 30°=6\div\frac{\sqrt{3}}{3}=6\sqrt{3}$米，

$\therefore AB=AD-BD=6\sqrt{3}-6<8$，

$\therefore$ 文化墙 PM 不需要拆除.

方法 7 运用解直角三角形的知识解决“台风”相关问题的方法

台风是一种自然灾害，在台风到来时，需要根据台风的半径来判断某地区是否会受到台风影响，这时候需要借助于三角函数来解决问题.

例 7 如图，在海面上产生了一股强台风，台风中心（记为点 M）位于滨海市（记作点 A）的南偏西 15°方向 $61\sqrt{2}$ km 处，且位于临海市（记作点 B）正西方向 $60\sqrt{3}$ km处.台风中心正以 72 km/h 的速度沿北偏东 60°的方向移动（假设台风在移动过程中的风力保持不变），距离台风中心 60 km 的圆形区域内均会受到此次强台风的侵袭.

（1）滨海市、临海市是否会受到此次台风的侵袭？请说明理由；

（2）若受到此次台风侵袭，则该城市受到台风侵袭的时间有多少小时？

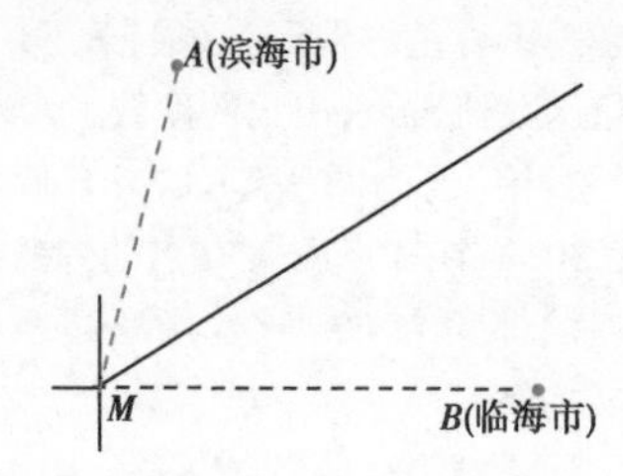

（解析）（1）滨海市不会受到台风的侵袭，临海市会受到台风的侵袭.

理由：如图，设台风中心运行的路线为射线 MN，过 A 作 $AH\perp MN$ 于 H，则 $\angle AMH=60°-15°=45°$，故 $\triangle AMH$ 是等腰直角三角形.

$\because AM=61\sqrt{2}$ km，$\therefore AH=61$ km>60 km，$\therefore$ 滨海市不会受到台风的侵袭.

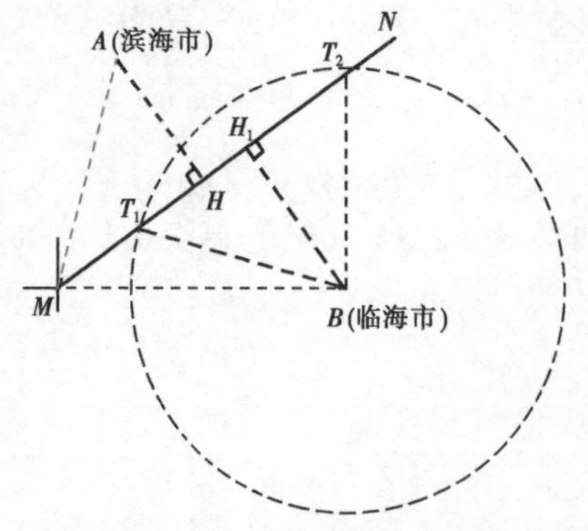

过 B 作 $BH_1\perp MN$ 于 H_1，

$\because MB=60\sqrt{3}$ km, $\angle BMH_1=90°-60°=30°$,

$\therefore BH_1=\frac{1}{2}\times 60\sqrt{3}=30\sqrt{3}$ km<60 km,

因此临海市会受到台风的侵袭.

(2)以 B 为圆心,60 km 为半径作圆与 MN 交于 T_1、T_2 两点,则 $BT_1=BT_2=60$ km.

在 Rt$\triangle BT_1H_1$ 中,$\sin\angle BT_1H_1=\frac{30\sqrt{3}}{60}=\frac{\sqrt{3}}{2}$,

$\therefore \angle BT_1H_1=60°$,$\therefore \triangle BT_1T_2$ 是等边三角形,

$\therefore T_1T_2=60$ km,$\therefore$ 台风中心经过线段 T_1T_2 所用的时间为 $\frac{60}{72}=\frac{5}{6}$ h.

因此临海市受到台风侵袭的时间为 $\frac{5}{6}$ 小时.

方法 8 利用解直角三角形的知识测量物体的高度的方法

把课本知识与实际问题有机结合起来是理论联系实际的途径之一,也是形成应用数学意识最好的思路.利用解直角三角形的知识测量物体的高度关键在于抽象出几何图形,再通过有关三角函数知识列出相关的等式,求出物体的高度.

例 8 坐落在山东省汶上县宝相寺内的太子灵踪塔始建于北宋(公元 1112 年),为砖砌八角形十三层楼阁式建筑.数学活动小组开展课外实践活动,在一个阳光明媚的上午,他们去测量太子灵踪塔的高度,携带的测量工具有测角仪、皮尺、小镜子.

(1)小华利用测角仪和皮尺测量塔高.图 1 为小华测量塔高的示意图.她先在塔前的平地上选择一点 A,用测角仪测出塔顶(M)的仰角 $\alpha=35°$,在 A 点和塔之间选择一点 B,测出塔顶(M)的仰角 $\beta=45°$,然后用皮尺量出 A、B 两点的距离为 18.6 m,自身的高度为 1.6 m.请你利用上述数据帮助小华计算出塔的高度($\tan 35°\approx 0.7$,结果保留整数);

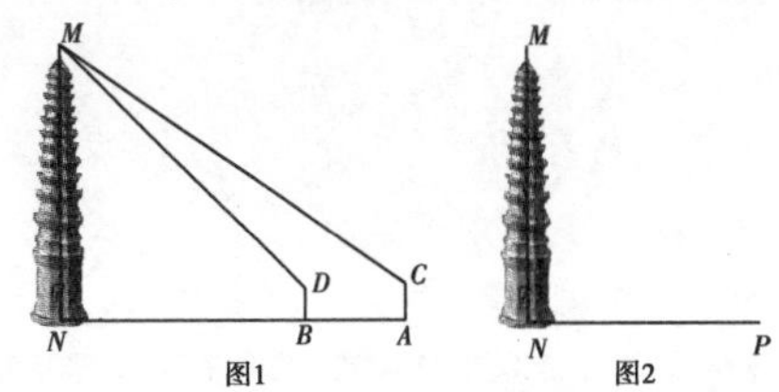

(2)如果你是活动小组的一员,正准备测量塔高,而此时塔影 NP 的长为 a m,如图 2,你能否利用这一数据设计一个测量方案?如果能,请回答下列问题:

①在你设计的测量方案中,选用的测量工具有____________;

②要计算出塔的高,你还需要测量哪些数据?

(解析) (1)连接 CD 并延长,交 MN 于点 E,设 MN 长为 x m,则 $ME=(x-1.6)$ m.

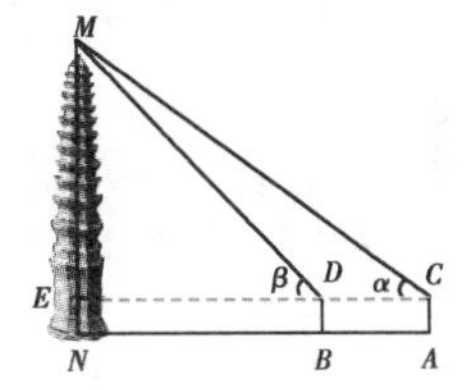

$\because \beta=45°$,$\therefore DE=ME=(x-1.6)$ m,

$\therefore CE=x-1.6+18.6=(x+17)$ m.

$\because \frac{ME}{CE}=\tan\alpha=\tan 35°$,$\therefore \frac{x-1.6}{x+17}=\tan 35°$,解得 $x\approx 45$.

$\therefore$ 太子灵踪塔(MN)的高度约为 45 m.

(2)①皮尺;②测出自身的高度及影长.(答案不唯一)

第22—27章

第26章

视图与投影

26.1 投　影

知识清单

知识 1 投影

一般地，用光线照射物体，在某个平面(地面、墙壁等)上得到的影子叫做物体的投影.其中，照射光线叫做投影线，投影所在的平面叫做投影面.

例1 如图所示，从左面看圆柱，则圆柱的投影是
( )

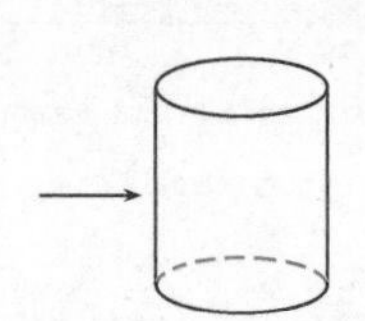

A.圆　　B.矩形　　C.梯形　　D.圆柱

(解析) 从左面看，圆柱的投影是矩形.故选B.

(答案) B

知识 2 平行投影

1.太阳光线可以看成平行光线，像这样的光线所形成的投影称为平行投影.

2.平行投影的特征：

(1)等高的物体垂直于地面放置时，在太阳光下，它们的影子一样长.

(2)等长的物体平行于地面放置时，它们在太阳光下的影子一样长，且影长等于物体本身的长度.

(3)两个物体竖直放在地面上，两个物体及它们各自的影子及光线构成的两个直角三角形相似.

> 温馨提示　已知物体影子可确定光线，同一时刻光线是平行的，所以其他物体的影子都是在和确定的光线平行的光线下形成的，过已知物体顶端及影子顶端作直线，过其他物体顶端作此线的平行线，便可画出同一时刻其他物体的影子.

例2 一木杆按如图所示的方式直立在地面上，请在图中画出它在阳光下的影子.(用线段CD表示)

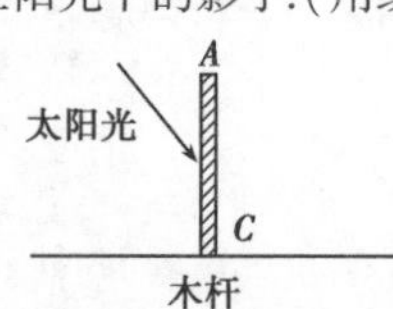

(解析) 因为平行投影的投射线是平行的，所以只要从木杆顶部A处作太阳光的平行线即可得投影CD.

如图所示，CD就是木杆在阳光下的影子.

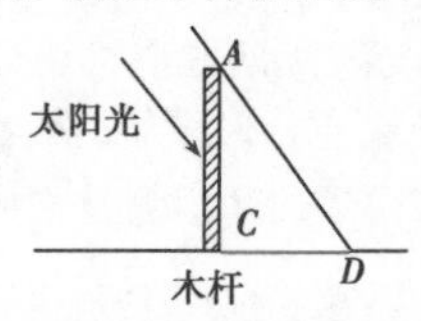

知识 3 平行投影的变化规律

1.太阳光线下物体影子的长短不仅与物体的高度有关，而且与时间有关.同一时刻，高物体的影子较长；同一时刻，所有物体的影子与其高度成正比.

2.太阳光线下物体影子的方向和长度变化规律(北半球)如下：

一天之中，由于太阳东升西落，所以早晨人的影子向西，傍晚人的影子向东.一天之中，影子的方向变化为正西—西北—正北—东北—正东；一天之中影子的长度变化为长—短—长.

例3 如图所示是一天中四个不同时刻两个建筑物的影子，将它们按时间先后顺序进行排列，正确的是
( )

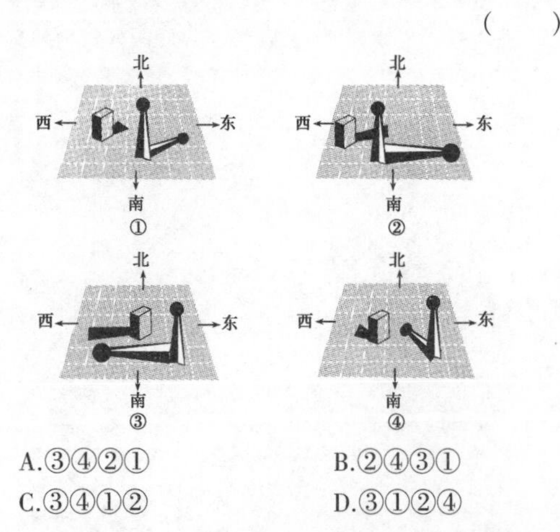

A.③④②①　　B.②④③①

C.③④①②　　D.③①②④

(解析) 太阳东升西落,在早晨位于正东方向,此时物体影子较长,影子位于物体正西方向.在上午,随着太阳位置的变化,物体影子逐渐变短,影子也由正西方向向正北方向移动.在下午,随着太阳位置的变化,物体影子逐渐变长,影子也由正北方向向正东方向移动.本题中可根据影子的位置判断出太阳的位置.图①影子在北偏东方向,则太阳在南偏西方向,时间为下午;图②影子在正东方向,太阳应在正西方向,时间为傍晚;图③影子在正西方向,太阳应在正东方向,时间为早晨;图④影子在北偏西方向,太阳应在南偏东方向,时间为上午.按时间的先后顺序排列应为③④①②.

(答案) C

知识 4 中心投影

1.若一束光线是从一点发出的,这样的光线形成的投影称为中心投影,这个“点”就是中心,相当于物理上学习的“点光源”.生活中的点光源主要有探照灯、手电筒、路灯、台灯、投影仪、放映机的灯光等.

2.中心投影的特征:

(1)等高的物体垂直于地面放置时,如图1,离点光源近的物体的影子短;离点光源远的物体的影子长.

(2)等长的物体平行于地面放置时,如图2,一般情况下,离点光源越近,影子越长;离点光源越远,影子越短,但不会小于物体本身的长度.

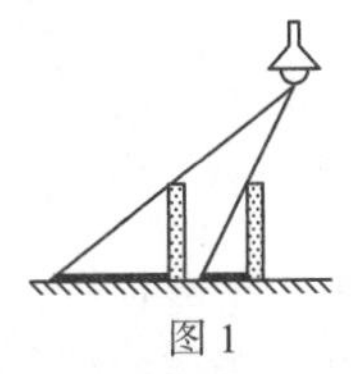
图1

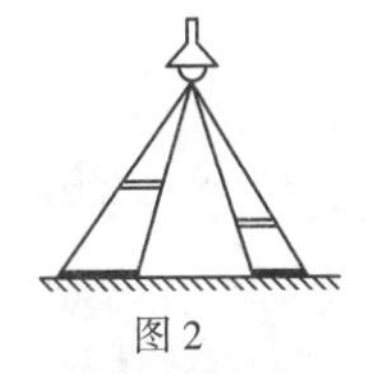
图2

(3)点光源、物体边缘的点以及它的影子上的对应点在同一条直线上,根据其中两个点,就可以得到第三个点的位置.

例4 如图,晚上小明由甲处径直走到乙处的过程中,他在路灯 M 下的影长在地面上的变化情况是 ( )

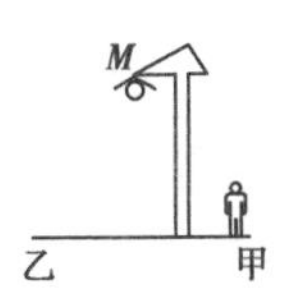

A.逐渐变短 B.先变短后变长

C.先变长后变短 D.逐渐变长

(解析) 晚上小明由甲处径直走到乙处的过程中,他在路灯 M 下的影长先变短后变长.故选B.

(答案) B

知识 5 平行投影与中心投影的区别与联系

	区别	联系
平行投影	平行投影下,同一时刻所有物体的影子朝同一方向,且物高与影长之比皆相等	①影子都随投影面的变化而发生变化. ②都可以根据物体与影子的对应点判断光线的来源与方向
中心投影	中心投影下,同一时刻,物体的影子方向及大小跟它与点光源的位置及距离密切相关	

易混对比 在平行投影中,同一时刻改变物体的方向和位置,其投影也跟着发生变化;在中心投影中,同一灯光下,改变物体的位置和方向,其投影也跟着发生变化.在中心投影中,固定物体的位置和方向,改变灯光的位置,物体投影的方向和位置也要发生变化.

知识 6 正投影

正投影	在平行投影中,如果投影线与投影面互相垂直,就称为正投影
线段的正投影	(1)当木棒 AB 平行于投影面 P 时,它的正投影是线段 A_1B_1,木棒与它的投影的大小关系为 $AB=A_1B_1$; (2)当木棒 AB 倾斜于投影面 P 时,它的正投影是线段 A_2B_2,木棒与它的投影的大小关系为 $AB>A_2B_2$; (3)当木棒 AB 垂直于投影面 P 时,它的正投影是一个点 $A_3(B_3)$
平面图形的正投影	(1)当纸板 $ABCD$ 平行于投影面 P 时,$ABCD$ 的正投影与 $ABCD$ 的形状、大小一样; (2)当纸板 $ABCD$ 倾斜于投影面 P 时,$ABCD$ 的正投影与 $ABCD$ 的形状、大小不一样; (3)当纸板 $ABCD$ 垂直于投影面 P 时,$ABCD$ 的正投影为一条线段

知识延伸

①正投影的画法是过物体的关键点作投影面的垂线,再依次连接各垂足,得物体的正投影.

②性质：当线段平行于投影面时，它的正投影长短不变；当线段倾斜于投影面时，它的正投影长度变短；当线段垂直于投影面时，它的正投影缩为 1 个点.

例 观察如图所示的物体，若投影线的方向如箭头所示，则它们的正投影是下列选项中的（　　）

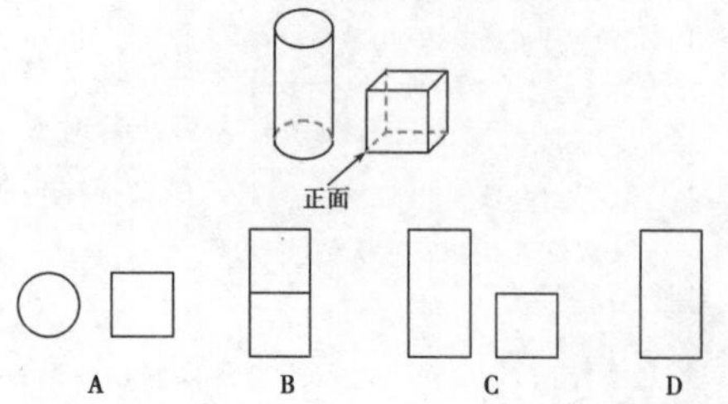

解析 圆柱的正投影是长方形，其中短边等于圆柱底面的直径，长边等于圆柱的高；正方体的正投影是与它一个面全等的正方形，且长方形在正方形的左边.故选 C.

答案 C

知识拓展

视点、视线、视角与盲区

观测点的位置叫做视点，由视点发出的观测线叫做视线，两条视线的夹角叫做视角.

温馨提示

视点常常指眼睛的位置，视线并不是太阳光线或灯光光线等实际存在的线，常用虚线表示.

视线遇到障碍物，会有看不到的地方，称为盲区.

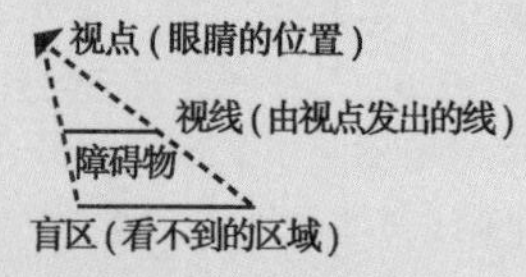

①人离障碍物越近，盲区越大.

②将视点与障碍物的顶点连接并延长，交地面于一点，此点即是盲区与非盲区的分界点.

例 小明与小刚分别住在同一幢楼的四层和六层，他们楼前有一供热中心，准备去他们家家访的王老师在下面喊他们，小明说："王老师在哪儿呢？"小刚则说："我看到王老师啦！"请问此时王老师在什么位置？（王老师的身高忽略不计）

解析 王老师在小明的盲区内，所以小明看不到，王老师在小刚的盲区外，所以小刚能看到，由此题可以得出结论：楼层越高盲区越小.

如图所示，此时王老师在线段 AB 上（不包括 B 点，包括 A 点）.

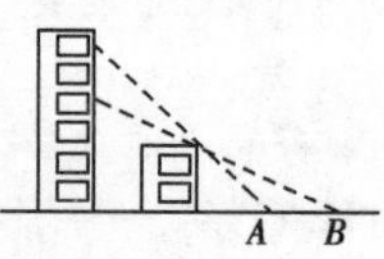

方法清单

方法1 平行投影与中心投影的识别方法
方法2 中心投影的应用方法
方法3 利用平行投影确定影长的方法
方法4 利用相似图形解决投影问题的方法

方法 1 平行投影与中心投影的识别方法

根据两物体的影子判断其是在灯光下还是在阳光下的投影，关键是看这两个物体的顶端和其影子的顶端的连线是平行还是相交，若平行则是在阳光下的投影，若相交则是在灯光下的投影.

例1 下列物体的影子，不正确的是（　　）

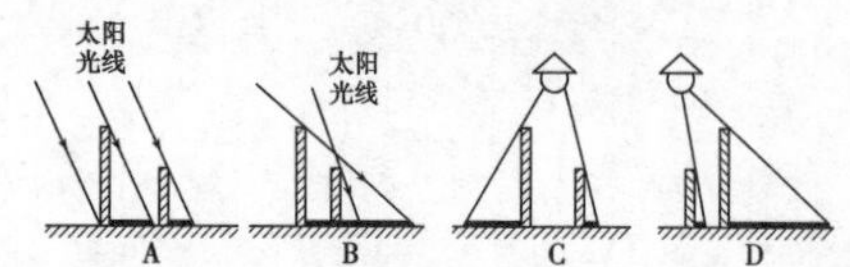

解析 太阳光线是平行的，故影长与物体高度成正比，所以 A 正确；太阳光线是平行的，故 B 错误；因为物体在光源两侧，所以影子方向不同，因而 C 正确；因为灯光是发散的，所以影长与物体高度不成比例且物体在光源同侧，影子方向相同，D 正确.

答案 B

方法 2 中心投影的应用方法

光源和物体所处的位置及方向影响物体的中心投影，光源或物体的方向改变，则该物体的影子的方向也发生变化，但光源、物体的影子始终在物体的两侧.

例2 如图，小华、小军、小丽同时站在路灯下，其中小军和小丽的影子分别是 AB、CD.

（1）请你在图中画出路灯灯泡所在的位置（用点 P 表示）；

（2）画出小华此时在路灯下的影子（用线段 EF 表示）.

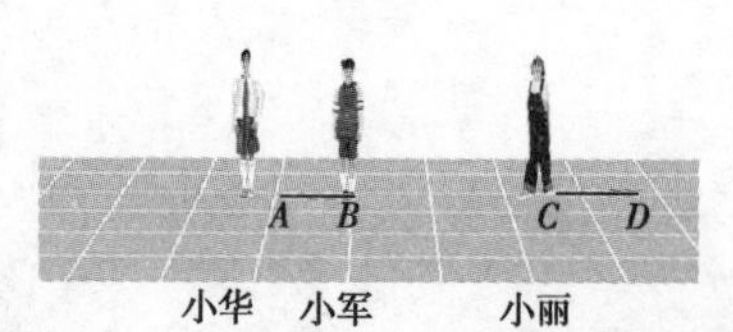

解析 （1）作过 A 点与小军头部两点的直线，作过 D 点与小丽头部两点的直线，两直线的交点为点 P，则点 P 即为路灯灯泡所在的位置.

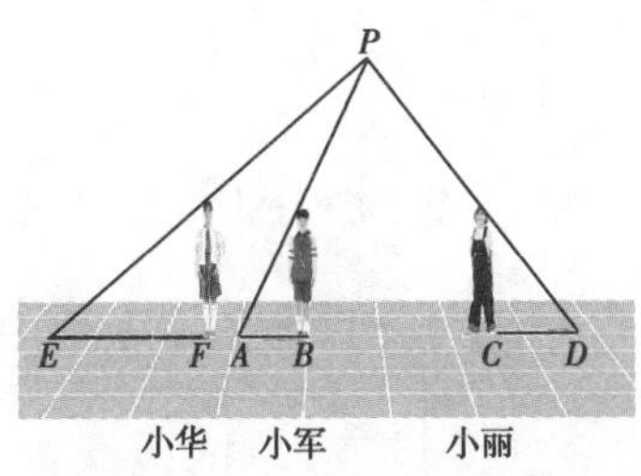

(2)作过 P 点与小华头部两点的直线,交地面于点 E.

小华脚部为 F,连接 EF,从而得小华此时在路灯下的影子 EF.

方法 3 利用平行投影确定影长的方法

1.同一时刻太阳光下:

$$\frac{物体的高度}{物体的影长}=\frac{另一物体的高度}{另一物体的影长}.$$

2.落在墙上的影长即为对应的此部分物体的高度.

例 3 如图,在一面与地面垂直的围墙的同侧有一根高 10 米的旗杆 AB 和一根高度未知的电线杆 CD,它们都与地面垂直,为了测得电线杆的高度,一个小组的同学进行了如下测量:某一时刻,在太阳光照射下,旗杆落在围墙上的影子 EF 的长度为 2 米,落在地面上的影子 BF 的长为 10 米,而电线杆落在围墙上的影子 GH 的长度为 3 米,落在地面上的影子 DH 的长为 5 米.依据这些数据,该小组的同学计算出了电线杆的高度.

(1)该小组的同学在这里利用的是________投影的有关知识进行计算的;

(2)试计算出电线杆的高度,并写出计算的过程.

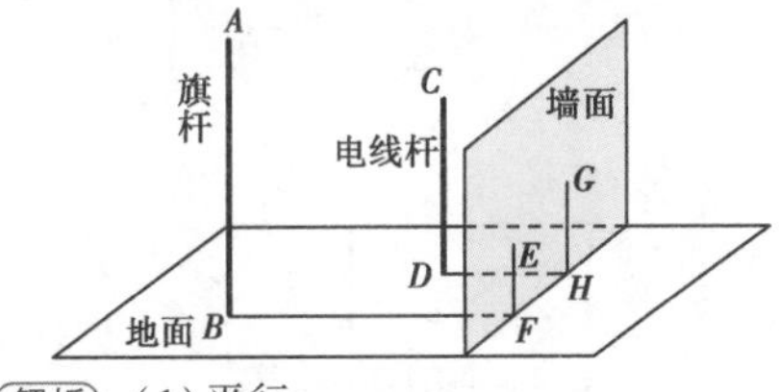

(解析) (1)平行.

(2)如图,连接 CG,AE,过点 E 作 $EM\perp AB$ 于 M,过点 G 作 $GN\perp CD$ 于 N,则 $MB=EF=2$,$ND=GH=3$,$ME=BF=10$,$NG=DH=5$.

所以 $AM=10-2=8$,

由平行投影可知 $\frac{AM}{ME}=\frac{CN}{NG}$,即 $\frac{8}{10}=\frac{CD-3}{5}$,

解得 $CD=7$,即电线杆的高度为 7 米.

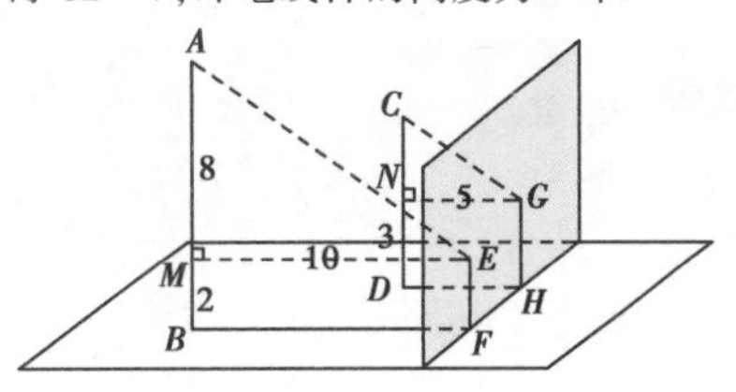

方法 4 利用相似图形解决投影问题的方法

物体的投影分为中心投影和平行投影.一般来说,中心投影中,物体影子的长短主要取决于物体所处的位置,而平行投影中,影子的长短主要取决于物体的高度.投影中难度较大的题目往往是与相似三角形、解直角三角形等知识相结合而形成的综合题.其主要解题思路是由投影的特点构造相似三角形,并利用相似三角形、直角三角形的性质求解相关问题.

例 4 如图,花丛中有一路灯杆 AB,在灯光下,大华在 D 点处的影长 $DE=3$ 米,沿 BD 方向行走到达 G 点,$DG=5$ 米,这时大华的影长 $GH=5$ 米.如果大华的身高为 2 米,求路灯杆 AB 的高度.

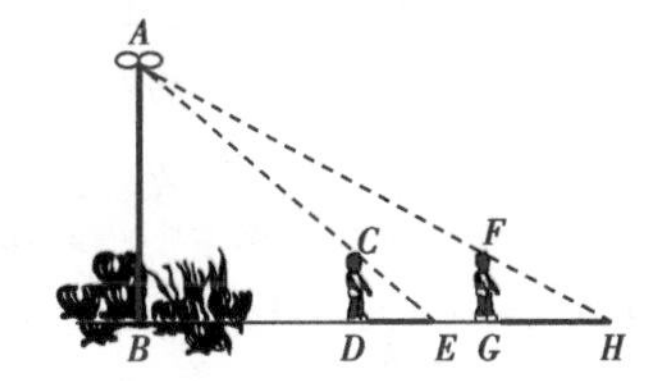

(解析) $\because CD\parallel AB$,$\therefore \triangle EAB\backsim\triangle ECD$,

$\therefore \frac{CD}{AB}=\frac{DE}{BE}$,即 $\frac{2}{AB}=\frac{3}{3+BD}$①,

$\because FG\parallel AB$,$\therefore \triangle HFG\backsim\triangle HAB$,

$\therefore \frac{FG}{AB}=\frac{HG}{HB}$,即 $\frac{2}{AB}=\frac{5}{BD+5+5}$②,

由①②得 $\frac{3}{3+BD}=\frac{5}{BD+5+5}$,

解得 $BD=7.5$,

$\therefore \frac{2}{AB}=\frac{3}{7.5+3}$,解得 $AB=7$.

答:路灯杆 AB 的高度为 7 米.

第22-27章

26.2 三视图

知识清单

知识 1 几何体的三视图

1. 当我们从某一角度观察一个物体时,所看到的图形叫做物体的一个视图. 视图也可以看作物体在某一个角度的光线下的投影.

2. 从正面、上面和左面三个不同的方向看一个物体,并描绘出所看到的三个图形,即几何体的三视图.

	内容
视图	当我们从某一角度观察一个物体时,所看到的图形叫做物体的一个视图
三视图	用三个互相垂直的平面作为投影面,其中正对着我们的叫做正面,正面下方的叫做水平面,右边的叫做侧面. 一个物体在三个投影面内同时进行正投影,在正面内得到的由前向后观察物体的视图,叫做主视图;在水平面内得到的由上向下观察物体的视图,叫做俯视图;在侧面内得到的由左向右观察物体的视图,叫做左视图
图例	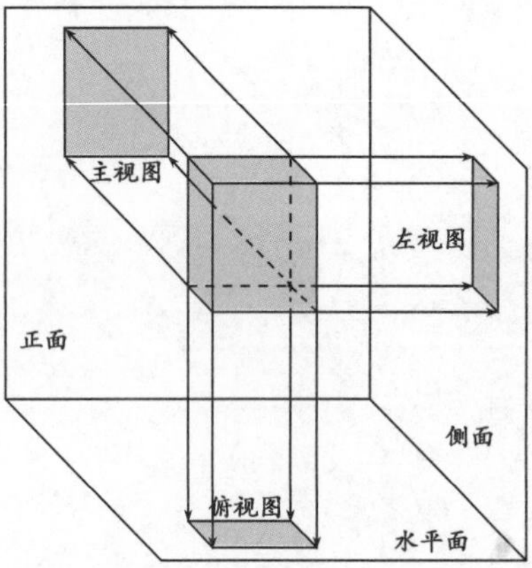 主视图 左视图 正面 侧面 俯视图 水平面

注意事项 主视图、俯视图和左视图都是相对于观察者而言的,位于物体不同方向的观察者,他们所画出的三种视图可能是不一样的.

例 1 如图是一个空心圆柱体,它的左视图是 ( )

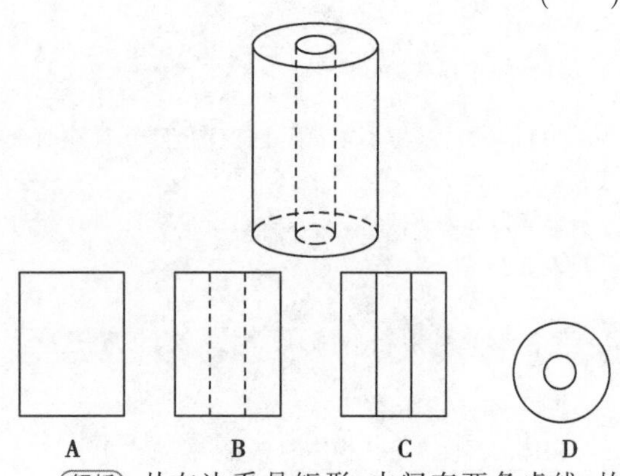

(解析) 从左边看是矩形,中间有两条虚线,故选 B.

(答案) B

知识 2 常见几何体的三视图

几何体	主视图	左视图	俯视图
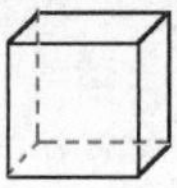 正方体			
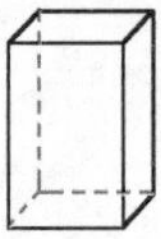 长方体			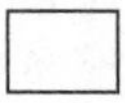
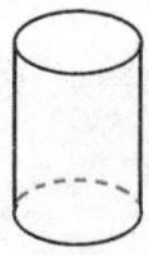 圆柱			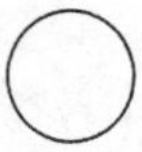
 圆锥			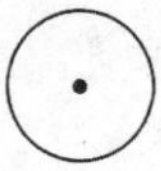
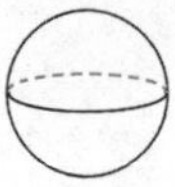 球	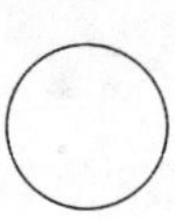	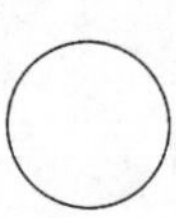	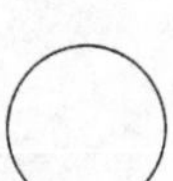

三视图是从正面、左面、上面以平行视线观察物体所得的图形.从视图反过来考虑几何体时,它有多种可能性.例如,正方体的主视图是一个正方形,但主视图是正方形的几何体有很多,如三棱柱、长方体、圆柱等.因此在学习时应结合实物,亲自变换角度去观察,才能提高空间想象能力.

知识 3 几何体三视图的画法

	内容
摆放位置关系	俯视图在主视图的下方,左视图在主视图的右边
实虚关系	看得见的部分的轮廓线画成实线,被其他部分遮挡而看不见的部分的轮廓线画成虚线
画法	(1)确定主视图的位置,画出主视图; (2)在主视图的正下方画出俯视图,注意与主视图"长对正"; (3)在主视图正右方画出左视图,注意与主视图"高平齐",与俯视图"宽相等"

温馨提示 主视图反映物体的长与高,左视图反映物体的宽与高,俯视图反映物体的长与宽.在画各种视图时,要对物体的长、宽、高进行度量,不要求百分之百与物体等大,但要控制误差.

例 2 画出图中的正三棱柱的三视图.

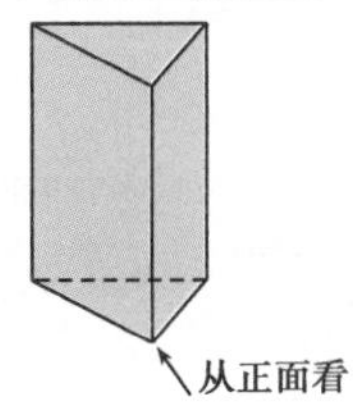

解析 画正三棱柱的三视图,关键是确定出从正面、左面、上面三个方向看到的平面图形.如图.

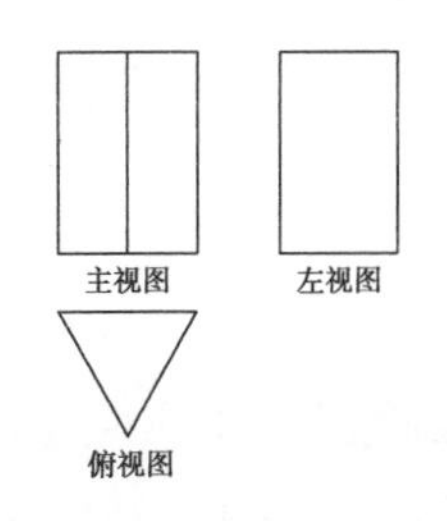

知识 4 组合体的三视图

1.将具体实物合理地抽象成简单几何体的组合体,再将简单几何体的组合体分解成单个几何体,然后画出三视图.

2.画一个非常规的组合体的三视图的方法:

首先要认真观察,判断组合体的组成部分,然后按照画几何体三视图的方法正确画出它的三视图.

注意事项 组合体是由几种基本几何体"改造"而成的,它的三视图也可以根据基本几何体的三种视图进行绘制,但要注意虚线、实线的区别,尺寸需尽可能地反映物体的原貌.

例 3 画出下面几何体的三视图.

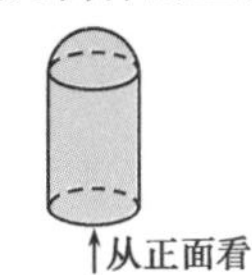

思路分析

组合体分解 → 画简单几何体的三视图 → 画组合体的三视图

解析 几何体的三视图如图.

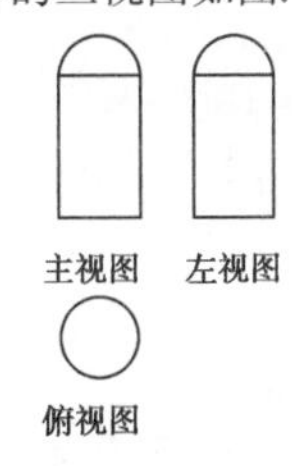

方法清单

- 方法1 几何体的三视图的识别方法
- 方法2 由三视图还原几何体的方法
- 方法3 由三视图确定小正方体的个数的方法
- 方法4 根据三视图求几何体的体积或表面积的方法

方法 1 几何体的三视图的识别方法

掌握几种简单几何体的三视图是识别几何体的三视图的基础.日常生活中看到的很多物体,它们的形状不规则,但是它们一般可以看作由一些基本几何体(棱柱、棱台、棱锥、圆柱、圆台、圆锥、球等)组合成的或切割而成的.

例 1 如图所示的几何体,它的左视图与俯视图都正确的是 ( )

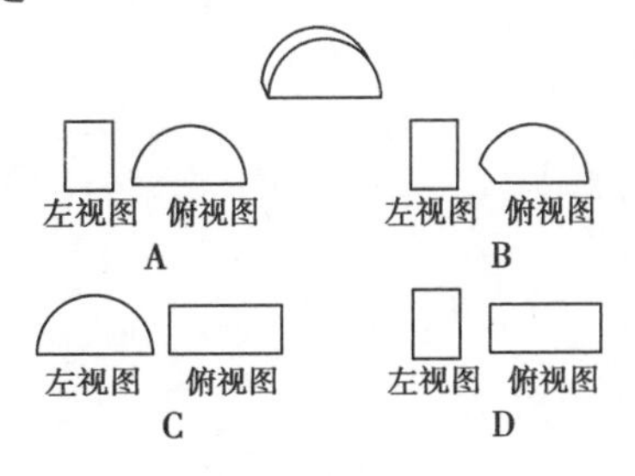

(解析) 该几何体的左视图是长、宽分别等于圆的半径和几何体厚度的矩形，俯视图是长、宽分别等于圆的直径和几何体厚度的矩形，故选 D.

(答案) D

方法 2 由三视图还原几何体的方法

由三视图描述几何体，一般先根据各视图想象从各个方向看到的几何体形状，然后综合起来确定几何体的形状，再根据三个视图“长对正、高平齐、宽相等”的关系，确定轮廓线的位置以及各个面的尺寸.

例 2 长城大酒店经理准备在前门台阶铺上红色地毯，修建台阶时的图纸如图所示.

(1)画出该台阶的实物模型；

(2)若红色地毯每平方米 50 元，那么购买地毯需要多少钱？

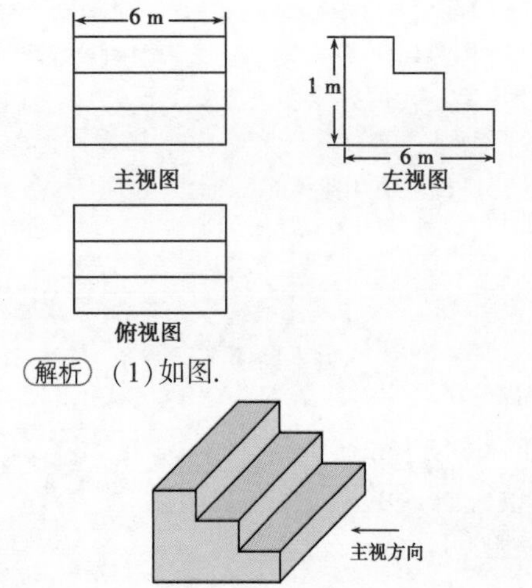

(解析) (1)如图.

(2)由主视图知台阶长为 6 m，由左视图知台阶宽为6 m，高为 1 m，于是需地毯的面积为 $6\times6+1\times6=42(m^2)$. $42\times50=2\ 100$(元).

答：购买地毯需要 2 100 元.

方法 3 由三视图确定小正方体的个数的方法

已知一个几何体的两种视图(含俯视图)，其形状不能确定时，可先由俯视图把握几何体的堆叠方式，再结合另一个视图确定可能的小正方体的个数.

例 3 如图是由一些相同的小正方体搭成的几何体的三视图，则构成这个几何体的小正方体的个数为 ( )

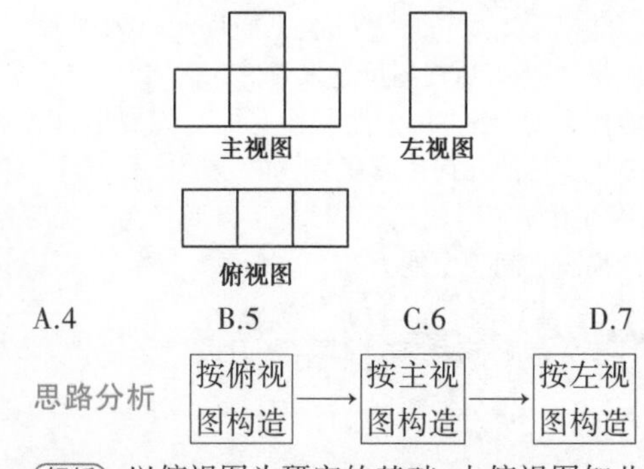

A.4 B.5 C.6 D.7

思路分析 按俯视图构造 → 按主视图构造 → 按左视图构造

(解析) 以俯视图为研究的基础，由俯视图知此几何体只有 1 行；通过主视图可以知道，从左到右第一列小正方体的个数是 1，第二列小正方体的个数是 2，第三列小正方体的个数是 1.通过左视图，可知此几何体最多有 2 层.故选 A.

(答案) A

方法 4 根据三视图求几何体的体积或表面积的方法

由三视图求几何体的体积或表面积时，首先要根据三视图描述几何体，再根据三视图“长对正、高平齐、宽相等”的关系和轮廓线的位置确定各个面的尺寸，然后求表面积或体积.

例 4 如图是一个几何体的三视图，则该几何体的表面积是 ( )

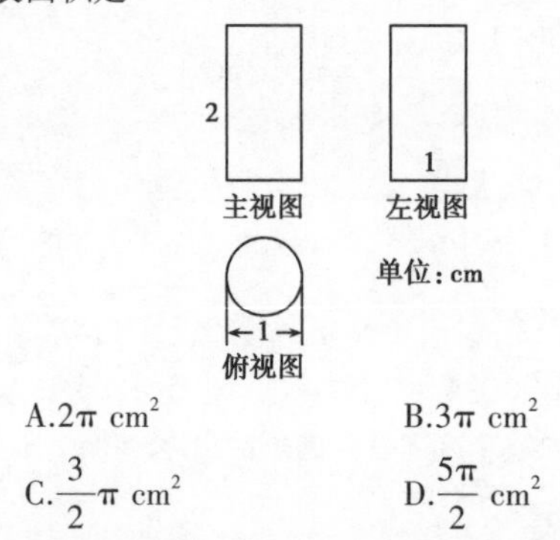

A. $2\pi\ cm^2$ B. $3\pi\ cm^2$

C. $\frac{3}{2}\pi\ cm^2$ D. $\frac{5\pi}{2}\ cm^2$

(解析) 观察三视图知，该几何体为圆柱，高为 2 cm，底面直径为 1 cm，$\therefore$ 该几何体的表面积为 $2\pi\times\left(\frac{1}{2}\right)^2+2\pi\times\left(\frac{1}{2}\right)\times2=\frac{5\pi}{2}\ cm^2$.

(答案) D

第27章 尺规作图与命题的证明

27.1 尺规作图

知识清单

知识1 尺规作图
知识2 基本作图

知识1 尺规作图

在几何里，把限定用无刻度的直尺和圆规的画图，称作尺规作图.

尺规作图的基本步骤：

(1)已知：写出已知的线段和角，画出图形.

(2)求作：求作什么图形，它符合什么条件，一一具体化.

(3)作法：应用“五种基本作图”(作一条线段等于已知线段；作一个角等于已知角；作已知角的平分线；经过一点作已知直线的垂线；作线段的垂直平分线).叙述时不需要重述基本作图的过程，但图中必须保留作图痕迹.

(4)证明：为了验证所作的图形正确，作出图后，必须再根据已知、定义、公理、定理等，结合作法来证明所作出的图形完全符合题设条件.

(5)讨论：研究这个问题是不是在任何已知的条件下，都能作出图形来；在哪些情况下，问题有一个解或几个解，或者没有解.

(6)结论：对所作图形下结论.

需要说明的是，现阶段学习中，证明和讨论不作要求.

例 如图，已知线段 a、h，求作△ABC，使 $AB=AC$，且 $BC=a$，BC 边上的高为 h.

解析 步骤：(1)作线段 $BC=a$；

(2)作线段 BC 的垂直平分线 MN 交 BC 于点 D；

(3)在射线 DM(或 DN)上截取线段 DA，使 $DA=h$；

(4)连接 AB，AC.

则△ABC 为所求作的等腰三角形，如图.

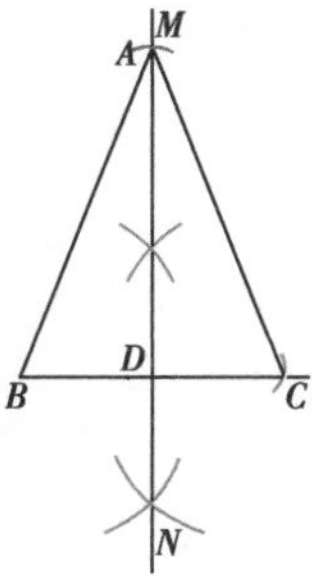

知识2 基本作图

最基本、最常用的尺规作图，通常称作基本作图.

1. 作一条线段等于已知线段

已知：线段 a(如图).

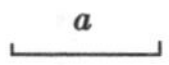

求作：线段 OB，使 OB 等于 a.

作法：(1)任作一条射线 OA；

(2)以 O 为圆心，a 为半径画弧，交 OA 于点 B，则线段 OB 为所求作的线段，如图.

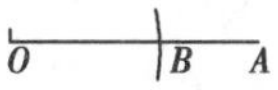

2. 作一个角等于已知角

已知：$\angle AOB$(如图).

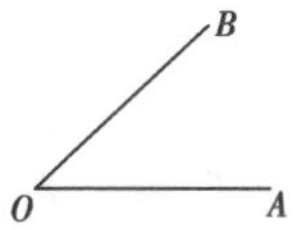

求作：$\angle A'O'B'$，使 $\angle A'O'B'=\angle AOB$.

作法：(1)作射线 $O'A'$；

(2)以点 O 为圆心，任意长为半径画弧，交 OA 于 C，交 OB 于 D；

(3)以点 O' 为圆心，OC 长为半径画弧，交 $O'A'$ 于 C'；

(4)以点 C' 为圆心，CD 长为半径画弧，交前弧于 D'；

(5)经过点 D' 作射线 $O'B'$.

则 $\angle A'O'B'$ 就是所求作的角.如图.

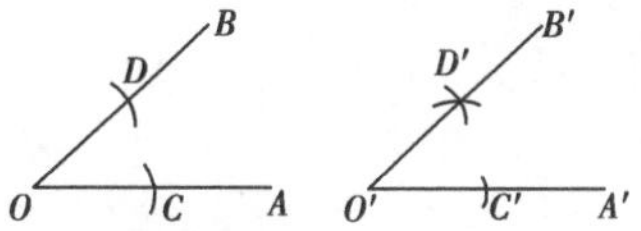

3. 作已知角的平分线

已知：$\angle AOB$(如图).

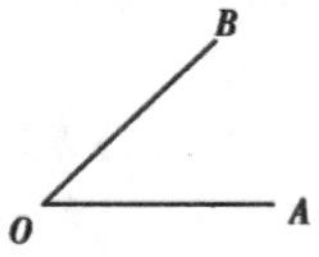

求作：射线 OC，使 $\angle AOC=\angle BOC$.

作法：(1)在 OA 和 OB 上，分别截取 OD、OE，使 $OD=OE$；

(2)分别以 D、E 为圆心,大于$\frac{1}{2}DE$长为半径画弧,在$\angle AOB$内,两弧交于点 C;

(3)作射线 OC.

则 OC 就是所求作的射线.如图.

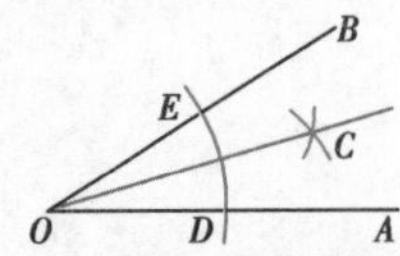

4.经过一点作已知直线的垂线

(1)经过已知直线上的一点作这条直线的垂线.

已知:直线 AB 和 AB 上的一点 C(如图).

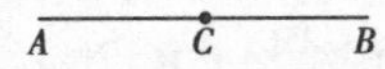

求作:AB 的垂线,使它经过点 C.

作法:作平角$\angle ACB$的平分线 CF.

直线 CF 就是所求作的垂线.如图.

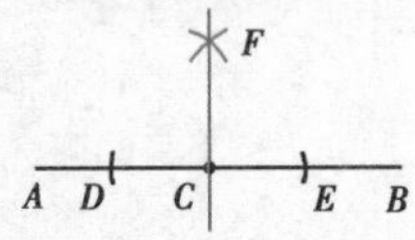

(2)经过已知直线外一点作这条直线的垂线.

已知:直线 AB 和 AB 外一点 C(如图).

A　　　　　B

求作:AB 的垂线,使它经过点 C.

作法:①任意取点 K,使 K 和 C 在 AB 的两旁;

②以 C 为圆心,CK 长为半径画弧,交 AB 于点 D 和 E;

③分别以 D 和 E 为圆心,大于$\frac{1}{2}DE$长为半径画弧,两弧交于点 F;

④作直线 CF,直线 CF 交 DE 于点 O.

直线 CF 就是所求作的垂线.如图.

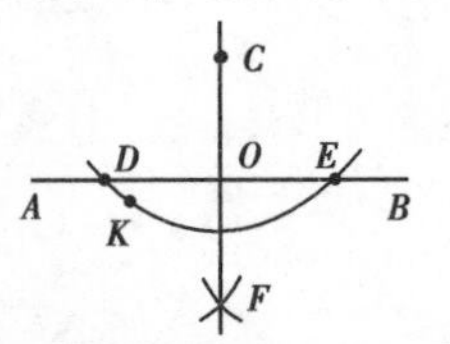

5.作线段的垂直平分线

垂直于一条线段并且平分这条线段的直线,叫做这条线段的垂直平分线,或中垂线.

已知:线段 AB(如图).

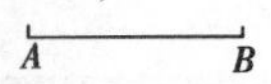

求作:线段 AB 的垂直平分线.

作法:(1)分别以点 A 和 B 为圆心,大于$\frac{1}{2}AB$长为半径作弧,两弧相交于点 C 和 D;

(2)作直线 CD.

直线 CD 就是线段 AB 的垂直平分线.如图.

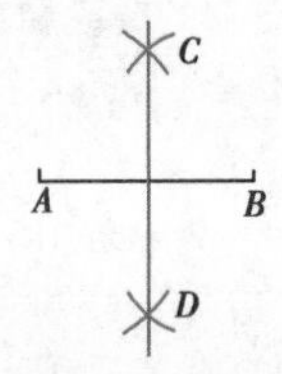

因为直线 CD 与线段 AB 的交点就是 AB 的中点,所以我们也用这种方法作线段的中点.

注意事项

①除第一个基本作图外,都是以"SSS"定理为基础的尺规作图.

②学过基本作图后,在以后作图中,遇到属于基本作图的地方,写作法时,不必写作图的过程,只要在图形上保留作图痕迹即可,用一句话概括叙述.如:作线段 $OB=a$;作$\angle A'O'B'=\angle AOB$;作射线 OC 平分$\angle AOB$;过点 C 作 $CF\perp AB$,垂足为点 O;作线段 AB 的垂直平分线 CD.

方法清单

- 方法1 运用基本作图作三角形的方法
- 方法2 作全等三角形的方法
- 方法3 运用基本作图确定特殊位置的方法
- 方法4 运用基本作图确定圆心位置的方法

方法1 运用基本作图作三角形的方法

在作三角形时,一般先画出草图,分析作图步骤以及相应的字母表示,选择正确的作图程序,再按分析后编排的字母写出已知、求作,按步骤一边画图一边写好作法.

例1 已知:线段 $a,c,\angle\alpha$(如图).

求作:$\triangle ABC$,使 $BC=a,AB=c,\angle ABC=\angle\alpha$.

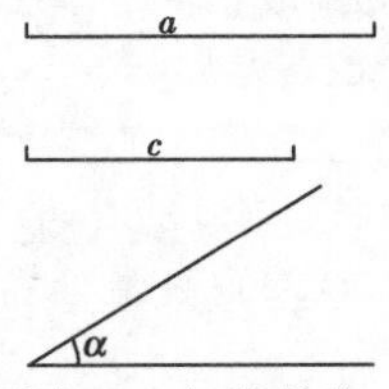

(解析) 先画出与$\angle\alpha$相等的角,再画出与 a、b 的长相等的线段.

作法:①作$\angle MBN=\angle\alpha$;

②分别在 BM、BN 上截取 BA、BC,使 $BA=c$,$BC=a$;

③连接 AC.则$\triangle ABC$即为所求作的三角形,如图.

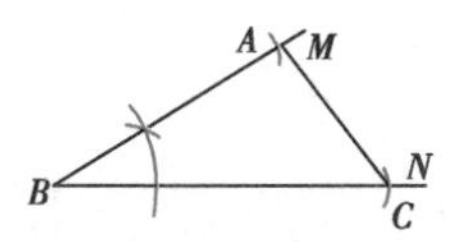

点拨 在本题中，用到两种基本作图：作线段等于已知线段，作角等于已知角.在书写作图过程时，没有必要再把两种基本作图的过程写出来，只需要描述出作线段等于已知线段和作角等于已知角即可.

方法 2 作全等三角形的方法

已知△ABC，求作△$A'B'C'$，使△$A'B'C'$≌△ABC，其实质是基本作图的组合，要作△$A'B'C'$，可先作线段$A'B'=AB$，然后确定其第三个顶点的位置是关键，作法依据是 ASA，SAS 和 SSS，其中应用 SSS 是最简便的作全等三角形的方法.

例 2 如图，已知△ABC，求作△$A'B'C'$，使△$A'B'C'$≌△ABC.

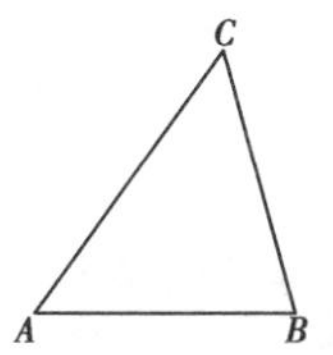

解析 作法一：(1)作线段$A'B'=AB$；(2)作∠$MA'B'$=∠A；(3)在射线$A'M$上截取$A'C'=AC$；(4)连接$B'C'$，则△$A'B'C'$就是所求作的三角形，如图.

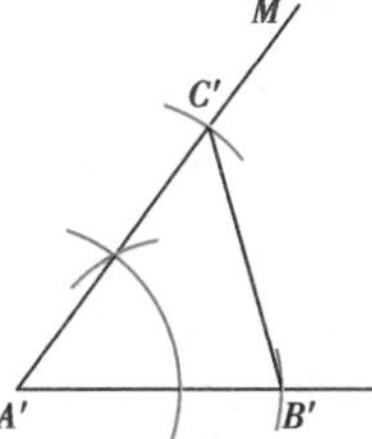

作法二：(1)作线段$A'B'=AB$；(2)以A'为圆心，AC长为半径画弧；(3)以B'为圆心，BC长为半径画弧，交前弧于点C'；(4)连接$A'C'$、$B'C'$，则△$A'B'C'$就是所求作的三角形，如图.

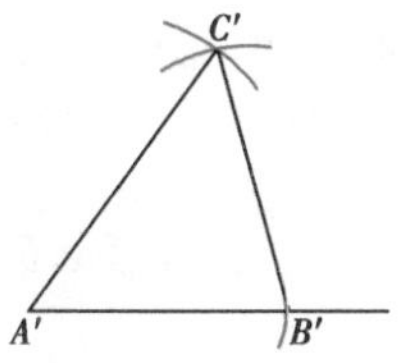

作法三：(1)作线段$A'B'=AB$；(2)作∠$MA'B'$=∠A；(3)在$A'B'$的同侧，作∠$NB'A'$=∠B，射线$A'M$，$B'N$相交于点C'，则△$A'B'C'$即为所求作的三角形，如图.

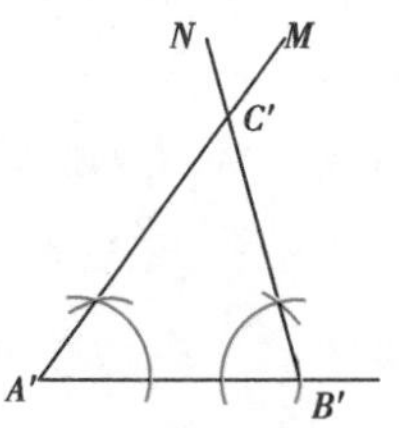

方法 3 运用基本作图确定特殊位置的方法

角平分线、线段的垂直平分线的实际应用多与确定位置的问题有关，解决此类问题时首先要把实际问题转化为角平分线、线段的垂直平分线的问题，再通过基本作图确定位置.

例 3 有在公路l_1同侧，l_2异侧的两个城镇A，B，如图.电信部门要修建一座信号发射塔，按照设计要求，发射塔到两个城镇A，B的距离必须相等，到两条公路l_1，l_2的距离也必须相等，发射塔C应修建在什么位置？请用尺规作图找出所有符合条件的点，注明点C的位置.(保留作图痕迹，不要求写出画法)

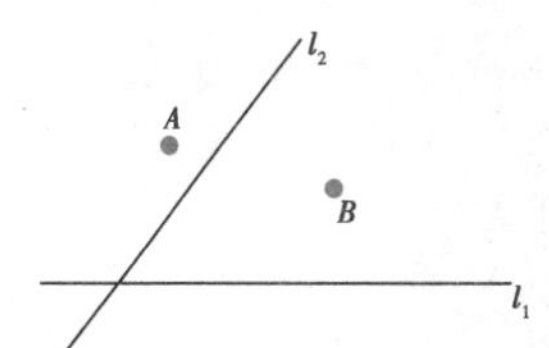

解析 根据题意可知，点C应满足两个条件：一是在线段AB的垂直平分线上；二是在两条公路夹角的平分线上.所以点C应是它们的交点.

(1)作两条公路夹角的平分线OD，OE；

(2)作线段AB的垂直平分线FG.

则射线OD，OE与直线FG的交点C_1，C_2就是所求的位置.如图.

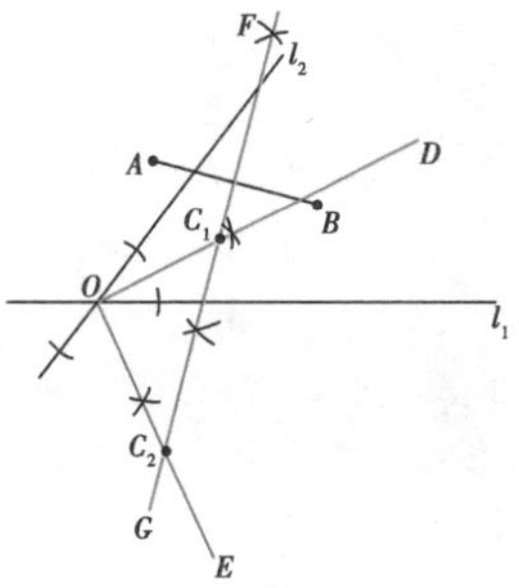

点拨 角的平分线的实际应用大都与确定位置的问题有关，解决此类问题时首先要把实际问题转化为角平分线的问题，再通过作图确定位置.解题时要注意：(1)用尺规作图；(2)把符合要求的点都作出来(不要漏解)；(3)如果作图中涉及比例尺的计算，要注意单位的换算.

方法 4 运用基本作图确定圆心位置的方法

运用基本作图确定圆心位置时，常通过作已知线段的垂直平分线来解决.

例 4 如图，小明家的房前有一块矩形的空地，空地上有三棵树A、B、C，小明想建一个圆形花坛，使三棵树都在圆上.

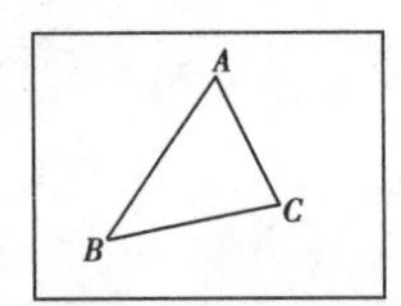

(1)请你帮小明把花坛的位置画出来(尺规作图,不写作法,保留作图痕迹);

(2)若△ABC 中,AB = 8 米,AC = 6 米,∠BAC = 90°,试求小明家圆形花坛的面积.

思路分析 (1)圆形花坛经过 A、B、C 三点,只要作出任意两边的垂直平分线,它们的交点 O 即为圆心.以 O 为圆心,O 点到 A 点(或 B 点、C 点)的距离为半径作圆即可.

(2)由∠BAC = 90°可知,BC 为圆的直径.根据勾股定理求出 BC = 10 米,因此圆的半径为 5 米,面积为 $\pi\times5^2=25\pi$(平方米).

解析 (1)如图所示的⊙O 即为所求作的花坛位置.

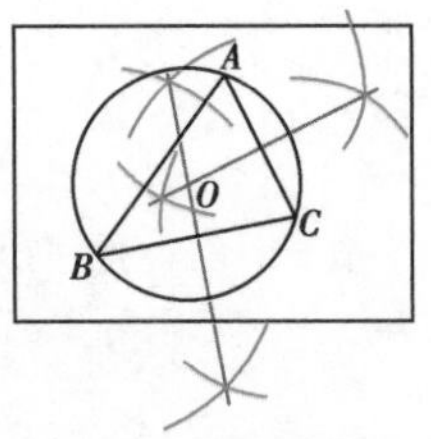

(2)在 Rt △ABC 中,根据勾股定理得 $BC=\sqrt{AB^2+AC^2}=\sqrt{8^2+6^2}=10$(米).

∵ ∠BAC = 90°,

∴ BC 为⊙O 的直径,

∴ ⊙O 的半径为 5 米,

∴ $S_{\odot O}=\pi r^2=\pi\times5^2=25\pi$(平方米).

∴ 小明家圆形花坛的面积为 25π 平方米.

27.2 命　题

知识清单

知识1 命题　知识2 真命题、假命题
知识3 逆命题　知识4 公理、定理
知识5 互逆定理

知识 1 命题

(1)命题:判断一件事情的语句,叫做命题.

(2)命题的组成:命题由题设和结论两部分组成,题设是已知事项,结论是由已知事项推出的事项.

(3)命题的表达形式:命题可以写成“如果……,那么……”的形式,“如果”后接的部分是题设,“那么”后接的部分是结论.

注意事项

①命题是一个判断的语句,必须是一个完整的句子,不仅数学中有命题,其他学科中也有命题.

②命题的核心是“判断”,是对事物的某些情况作出肯定或者否定的回答.如语句“对顶角相等”是一个命题,这里的事物是“对顶角”,对它的判断是“相等”.又如语句“a 的绝对值与 b 的绝对值”不是命题,这里没有对事物进行任何判断.

③如何区分命题的题设和结论.

每一个命题都是由题设和结论两部分组成的,所以找出一个命题的题设和结论是十分重要的.但有些命题的题设和结论不明显,它不是以“如果……,那么……”的形式给出的,如“同角的余角相等”“邻补角的平分线互相垂直”这类简述的命题.区分这类命题的题设和结论的具体方法:添上省去的词语后再进行分析.上面的第一个命题应是“与同一个角互余的两个角相等”,进一步改写成“如果……,那么……”的形式,就是“如果∠A 和∠B 都是∠C 的余角,那么∠A 与∠B 相等”;上面的第二个命题添上省去的词语后,改写成“如果……,那么……”的形式,就是“如果两个角互为邻补角,那么它们的角平分线互相垂直”.

例1 把下列命题改写成“如果……,那么……”的形式,并分别指出它们的题设和结论.

(1)整数一定是有理数;

(2)同角的补角相等;

(3)两个锐角互余.

解析 (1)如果一个数是整数,那么它一定是有理数.

题设:一个数是整数;结论:它一定是有理数.

(2)如果两个角是同一个角的补角,那么这两个角相等.

题设:两个角是同一个角的补角;结论:这两个角相等.

(3)如果两个角是锐角,那么这两个角互为余角.

题设:两个角是锐角;结论:这两个角互为余角.

知识 2 真命题、假命题

正确的命题叫做真命题,如:“对顶角相等”“平行四边形的对角线互相平分”等都是真命题.

温馨提示

要说明一个命题是正确的,需要根据命题的题设和已学的有关公理、定理进行说明(推理、证明).

错误的命题叫做假命题.

温馨提示 要说明一个命题是假命题,只需举一个反例即可.例如命题"一个角的补角大于这个角"是假命题,举例:若这个角为120°,则这个角的补角为180°-120°=60°,因为60°<120°,所以"一个角的补角大于这个角"是假命题.

知识3 逆命题

(1)把原命题的结论作为命题的条件,把原命题的条件作为命题的结论,所组成的命题叫做原命题的逆命题.

(2)在两个命题中,如果第一个命题的条件是第二个命题的结论,而第一个命题的结论是第二个命题的条件,那么这两个命题叫做互逆命题.如果把其中的一个命题叫做原命题,那么另一个命题就叫做它的逆命题.

温馨提示 ①正确写出一个命题的逆命题的关键是能够正确区分这个命题的题设和结论.

②每个命题都有逆命题,但原命题是真命题,它的逆命题不一定是真命题.

例2 命题"互为相反数的两个数的和是0"的逆命题是______________________________,它是________(填"真命题"或"假命题").

(解析) 先把命题写成"如果……,那么……"的形式,即"如果两个数互为相反数,那么这两个数的和是0",然后把"如果"引出的条件与"那么"引出的结论互换位置,得到其逆命题,即"如果两个数的和是0,那么这两个数互为相反数",由相反数的意义可以判断它是一个真命题.

(答案) 如果两个数的和是0,那么这两个数互为相反数;真命题

知识4 公理、定理

(1)如果一个命题的正确性是人们在长期实践中总结出来的,并把它作为判断其他命题真假的原始依据,那么这样的真命题叫公理.如:"经过两点,有且只有一条直线""两点之间线段最短"等.

(2)如果一个命题可以从公理或其他命题出发,用逻辑推理的方法判断它是正确的,并且可以进一步作为判断其他命题真假的依据,那么这样的命题叫定理.

温馨提示 ①公理和定理都是真命题,都可作为证明其他命题是不是真命题的依据.

②由定理直接推出的结论,并且和定理一样可作为进一步推理依据的真命题叫做推论.

例3 下列命题中,属于公理的是 ( )

A.含有未知数的等式叫方程

B.分式的分子、分母同乘或除以同一个不为零的数,分式的值不变

C.经过一条直线外一点有且只有一条直线与已知直线平行

D.两直线平行,同位角相等

(解析) 选项A是定义,不是公理;选项B是分式的基本性质,不是公理;选项C是公理;选项D是由公理推出的结论,属于定理.故选C.

(答案) C

知识5 互逆定理

如果一个定理的逆命题经过证明是真命题,那么它也是一个定理,这两个定理叫做互逆定理,其中一个定理叫做另一个定理的逆定理.

易混对比 ①任何一个命题都有逆命题,而一个定理并不一定有逆定理.如"对顶角相等"的逆命题为"相等的两个角是对顶角",它是个假命题.

②互逆命题不一定是互逆定理,但互逆定理一定是互逆命题.

第22-27章

方法清单

方法1 命题的识别方法

判断语句是不是命题要抓住两点:①命题必须是一个完整的带有判断性的句子,通常是陈述句(包括肯定句和否定句),而疑问句和命令性语句都不是命题;②命题必须对某件事作出肯定或者否定的判断.

例1 判断下列语句是不是命题,并说明理由.如果是,说出它的条件和结论.

(1)直线AB垂直于直线CD;

(2)画线段AB的垂线;

(3)在同一平面内,垂直于同一条直线的两条直线平行.

(解析) (1)不是命题,因为句子只陈述了$AB\perp CD$的事实,并没有对这一事实产生的结果作出肯定

或否定的判断.

(2)不是命题,因为此句只说了作图的一个步骤,并没有作出任何判断.

(3)是命题,因为此句对符合一定条件的两条直线作出了是平行线的判断.

条件:两条直线都垂直于同一条直线.

结论:这两条直线平行.

方法 2 真、假命题的辨别方法

辨别命题的真假时,对命题的正确性理解一定要准确,进行辨别时要熟练掌握相关的定理、公理、定义.要说明一个命题是假命题,通常可以通过举反例的方法解决.

例 2 判断下列命题是真命题还是假命题.如果是假命题,举出一个反例.

(1)三角形的内角和是 $180°$;

(2)如果一个数能被 2 整除,那么这个数也能被 4 整除;

(3)两锐角的和是锐角.

解析 (1)是真命题.

(2)是假命题.如 6 能被 2 整除,但不能被 4 整除.

(3)是假命题.如 $60°$ 与 $50°$ 的角都是锐角,但它们的和是钝角.

点拨 判断一个命题的真假,主要是看由条件是否能得到结论.

27.3 证 明

知识清单

知识1 证明的含义　知识2 证明的一般步骤
知识3 辅助线　知识4 综合法与分析法
知识5 反证法　知识6 面积法

知识 1 证明的含义

从命题的题设出发,通过推理来判断命题的结论是否成立的过程叫做证明.

注意事项

①一般地,要判断一个命题是真命题,必须加以证明.

②在证明过程中,推理的每一步都要合乎逻辑.

例 1 如图所示,已知 $AB\perp BC$, $DC\perp BC$, $\angle1=\angle2$.求证:$BE/\!/CF$.

证明 $\because AB\perp BC, DC\perp BC$(已知),

$\therefore \angle ABC=\angle BCD=90°$(垂直的定义).

$\because \angle2=\angle1$(已知),

$\therefore \angle EBC=\angle FCB$(等式的性质),

$\therefore BE/\!/CF$(内错角相等,两直线平行).

知识 2 证明的一般步骤

(1)审题:分清命题的题设与结论.

(2)画图:依照题意画出图形.画图时要做到图形正确且具有一般性,切忌将图形特殊化.

(3)写出"已知""求证":按照图形,将题设与结论"翻译"成"已知""求证".

(4)探求证题思路:根据已知条件,用学过的定义、公理、定理分析,探求如何证得结论,如果一步不能证出,要看能否多步进行.有时也从结论出发,探求证明过程.

(5)写出证明过程:证明的每一步都要做到叙述清楚、有理有据.

例 2 证明:两条平行线被第三条直线所截,同旁内角的平分线互相垂直.

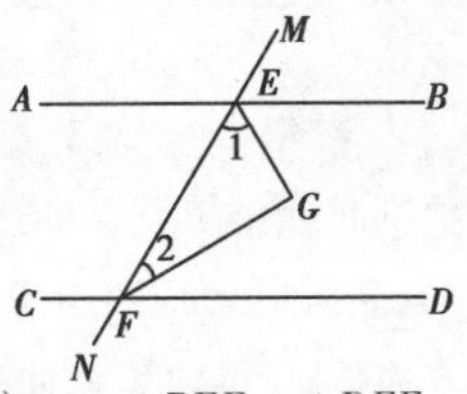

解析 已知:如图,$AB/\!/CD$,直线 MN 分别与 AB、CD 交于 E、F 两点,EG、FG 分别是 $\angle BEF$ 和 $\angle DFE$ 的平分线.

求证:$EG\perp FG$.

证明:$\because AB/\!/CD$(已知),$\therefore \angle BEF+\angle DFE=180°$(两直线平行,同旁内角互补).

$\because EG$ 平分 $\angle BEF$,FG 平分 $\angle EFD$(已知),

$\therefore \angle1=\frac{1}{2}\angle BEF, \angle2=\frac{1}{2}\angle DFE$(角平分线的定义).

$\therefore \angle1+\angle2=\frac{1}{2}\angle BEF+\frac{1}{2}\angle DFE=\frac{1}{2}(\angle BEF+\angle DFE)=\frac{1}{2}\times180°=90°$.

又$\because \angle EGF=180°-(\angle1+\angle2)=180°-90°=90°$(三角形内角和定理),$\therefore EG\perp FG$(垂直的定义).

知识 3 辅助线

在几何题的证明中,有时为了证明的需要,在原题的图形上添加一些线段或直线,这些线叫辅助线,通常画成虚线,并在证明的开始写清添加过程.在证明中,添加的辅助线可作为已知条件参与推理证明.

例3 在$\triangle ABC$中,$AB=AC$,点D是BC的中点,DE、DF分别垂直AB、AC于点E和点F,求证:$DE=DF$.

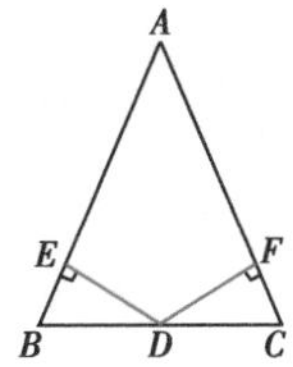

思路分析　等腰三角形"三线合一"的性质既涉及角相等又涉及线段相等或垂直,已知$AB=AC$,点D为中点,联想"三线合一"作辅助线AD.

(证明) 连接AD,$\because AB=AC$,点D是BC的中点,

$\therefore AD$平分$\angle BAC$,

$\because DE\perp AB, DF\perp AC$.

$\therefore DE=DF$.

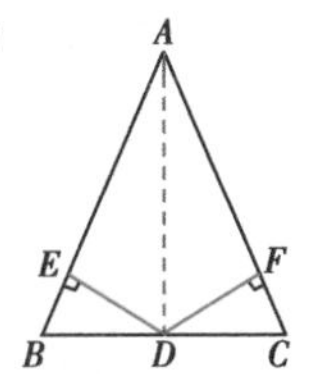

知识 4 综合法与分析法

(1)综合法:从题设(已知)出发,通过有关公理、定义、定理,逐步推演,以导出结论,这种"由因导果"的思维方法叫做综合法.

(2)分析法:由结论向已知回溯,即假设命题的结论成立,然后追究成立的原因,再把这些原因分别分析,看看它们的成立各需要什么条件,这样逐步追究,渐渐达到已知条件,这种"执果索因"的方法叫做分析法.

(3)分析综合法:把分析法和综合法"联合"起来,从问题的两头向中间"靠拢",从而发现问题的突破口.这种思维方法叫做分析综合法.对于比较复杂的题目,往往采用这种思维方法.

易混对比

①分析法与综合法是几何证明中的两种常用的方法.分析法是从要证的结论出发,反过来找出使结论成立的条件,它的形式是:若已知A,求证B.方法是:要证B,只要证得C即可,要证C,只要证出D即可,……,要证W,只要证A即可,因为A已知,所以有B.综合法是从已知条件出发,逐步向结论推进的一种推理方法.它的形式是:若已知A,求证B.方法是:因为有A,所以有C,因为有C,所以有D,……,因为有W,所以有B.

②综合法从条件得到结论,有时不容易把握方向,找不准证题的正确思路;分析法从结论到条件,每一步的目的明确,容易找到证题思路.用综合法表达直截了当,简单清晰,用分析法表达时要啰唆一些,所以我们在证明几何问题时,一般用分析法去思考,用综合法书写过程.

知识 5 反证法

(1)反证法的定义:假设命题的结论不成立,即命题结论的反面成立,由此经过推理得出矛盾,由矛盾断定所作假设不正确,从而得到原命题成立,这种证明方法叫做反证法.

(2)反证法的步骤:

①假设命题结论的反面正确;

②从假设出发,经过逻辑推理,推出与公理、定理、定义或已知条件相矛盾的结论;

③说明假设不成立,从而得出原命题正确.

温馨提示

①当命题的结论涉及"否定""至多""至少""无限""无数""唯一"时常用反证法.

②矛盾的类型:

a.与已知定义、定理、公理相矛盾;

b.与已知条件相矛盾;

c.推出自相矛盾的结果.

③用反证法证明问题的关键是清楚结论的反面是什么,有哪些情况,不要遗漏;利用反证法证明时,每一步都要有依据,直到推出矛盾.

例4 已知$\triangle ABC$中,$AB=AC$.求证:$\angle B$、$\angle C$都是锐角.

(证明) 假设$\angle B$、$\angle C$不都是锐角,

$\because AB=AC$,$\therefore \angle B=\angle C$,则$\angle B$、$\angle C$都为直角或钝角,$\therefore \angle B+\angle C\geqslant 180°$,

$\therefore \angle A+\angle B+\angle C>180°$,这与三角形内角和定理相矛盾,$\therefore$假设不成立,$\therefore \angle B$、$\angle C$都是锐角.

知识 6 面积法

几何中讲的面积公式以及由面积公式推出的与面积计算有关的性质定理,不仅可用于计算面积,而且用它来证明平面几何题时能达到事半功倍的效果.运用面积关系来证明或计算平面几何题的方法称为面积法,它是几何中的一种常用方法.

温馨提示

①面积法的特点是把已知和未知的量用面积公式联系起来,通过运算达到目的.

②用面积法来解几何题,几何元素之间的关系变成数量之间的关系,只需要计算,有时可以不添加辅助线,即使需要添加辅助线,也较简单.

方法清单

方法1 命题形成的开放性问题的解决方法

开放与探索性问题是中考的热点，此类问题是给出与问题有关的一些信息，从中任意或按要求选定部分信息作为条件和结论，组成一个真命题，然后对命题的正确性进行推理论证.解决策略：(1)考虑由每一项信息能得出什么结论，(2)把每一项信息作为结论，寻找能够得出这一结论的条件.

例1 如图，$EG/\!/AF$，请你从下面的三个条件中选出两个作为已知条件，另一个作为结论，构成一个正确的命题(只需写出一种情况).①$AB=AC$；②$DE=DF$；③$BE=CF$.

已知：$EG/\!/AF$，______.求证：______.

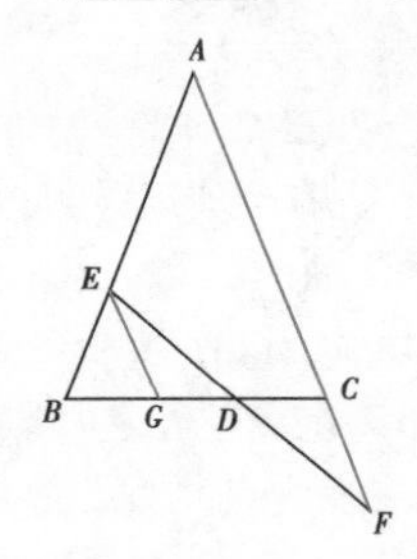

(解析) 可以由①②得到③；可以由①③得到②；可以由②③得到①.以下取由①②得到③进行证明.

$\because EG/\!/AF$，$\therefore \angle GED=\angle F$，$\angle BGE=\angle BCA$.

$\because AB=AC$，$\therefore \angle B=\angle BCA$.$\therefore \angle B=\angle BGE$.

$\therefore BE=EG$.

在$\triangle DEG$和$\triangle DFC$中，$\angle GED=\angle F$，$DE=DF$，$\angle EDG=\angle FDC$，

$\therefore \triangle DEG\cong\triangle DFC$，$\therefore EG=CF$.$\therefore BE=CF$.

(答案) ①②；③(答案不唯一)

方法2 综合法在几何证明中的运用方法

综合法是从已知条件入手，运用已学过的公理、定义、定理等一步步进行推理，一直推到结论为止.它是从已知到可知，从可知到未知的思维过程.

例2 如图，四边形$ABCD$为平行四边形，$EF/\!/BD$，分别交BC，CD于点P，Q，交AB，AD的延长线于点E，F.已知$BE=BP$.

求证：(1)$\angle E=\angle F$；

(2)$\square ABCD$是菱形.

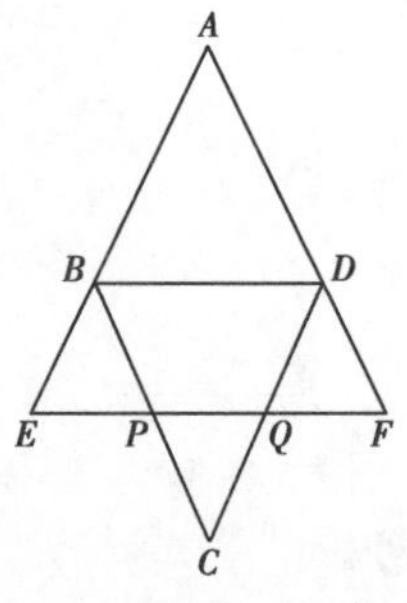

(证明) (1)在$\square ABCD$中，$BC/\!/AD$，

$\therefore \angle 1=\angle F$.$\because BE=BP$，

$\therefore \angle E=\angle 1$，$\therefore \angle E=\angle F$.

(2)$\because BD/\!/EF$，

$\therefore \angle 2=\angle E$，$\angle 3=\angle F$.

$\because \angle E=\angle F$，$\therefore \angle 2=\angle 3$，

$\therefore AB=AD$，$\therefore \square ABCD$是菱形.

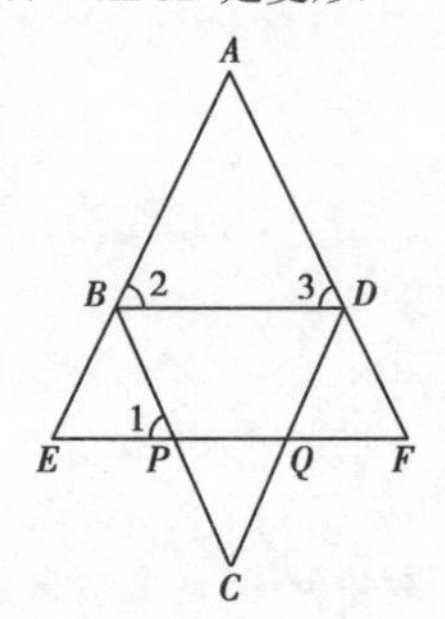

方法3 分析法在几何证明中的运用方法

所谓分析法，就是从问题的结论入手，运用已学过的公理、定义和定理等一步步寻找使结论成立的条件，一直"追"到已知条件为止.可见分析法是"执果索因"的思维过程，它与综合法的思维方向相反.

例3 如图，在梯形$ABCD$中，$AD/\!/BC$，E是BC的中点，$AD=5$，$BC=12$，$CD=4\sqrt{2}$，$\angle C=45°$，点P是BC边上一动点，设PB的长为x.

(1)当x的值为______时，以点P、A、D、E为顶点的四边形为直角梯形；

(2)当x的值为______时，以点P、A、D、E为顶点的四边形为平行四边形；

(3)点P在BC边上运动的过程中，以点P、A、D、E为顶点的四边形能否构成菱形？试说明理由.

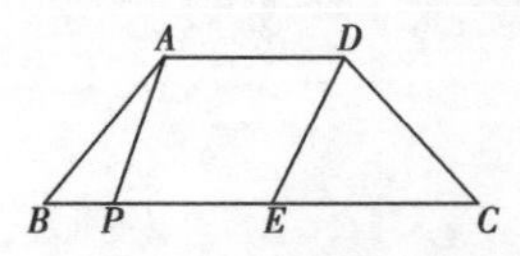

思路分析　本题的前两问可采用分析法.(1)中若 $PA\perp BC$(四边形 $PADE$ 为直角梯形),则有 $PC=AD+\frac{DC}{\sqrt{2}}=5+4=9$,可推出 $x=3$;若 $DP\perp BC$(四边形 $ADPE$ 为直角梯形),则有 $PC=\frac{DC}{\sqrt{2}}=4$,可推出 $x=8$.(2)中若四边形 $ADEP$ 为平行四边形,则 $AD=PE=5$,可推出 $x=1$;若四边形 $ADPE$ 为平行四边形,则 $AD=EP=5$,可推出 $x=11$.(3)在能构成平行四边形的基础上考虑能否构成菱形.

解析　(1)3 或 8.

(2)1 或 11.

(3)能构成菱形.当 $BP=11$ 时,四边形 $ADPE$ 是平行四边形.$\therefore EP=AD=5$.

过 D 作 $DF\perp BC$ 于 F,则 $DF=FC=4$,$\therefore FP=3$.

$\therefore DP=\sqrt{FP^2+DF^2}=\sqrt{3^2+4^2}=5$.

$\therefore EP=DP$,故此时▱$ADPE$ 是菱形.

即以点 P、A、D、E 为顶点的四边形能构成菱形.

方法 4　面积法在几何证明中的运用方法

除勾股定理与面积联系密切外,当图形的面积易分割,且分割的图形的底或高有特殊的关系时,可用面积法解决.

例 4　已知等边△ABC 和点 P,$AM\perp BC$,设点 P 到△ABC 三边 AB、AC、BC(或其延长线)的距离分别为 h_1、h_2、h_3,△ABC 的高为 h.

在图①中,点 P 是边 BC 的中点,此时 $h_3=0$,可得结论:$h_1+h_2+h_3=h$.

在图②~⑤中,点 P 分别在线段 MC 上、MC 延长线上、△ABC 内、△ABC 外.

(1)请探究:图②~⑤中,h_1、h_2、h_3、h 之间的关系;(直接写出结论)

(2)证明图②所得结论;

(3)证明图④所得结论.

图①

图②

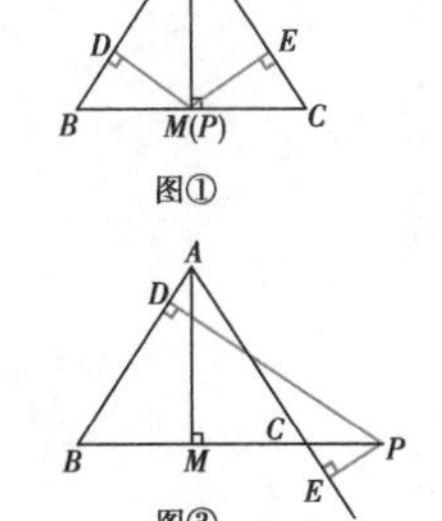

图③

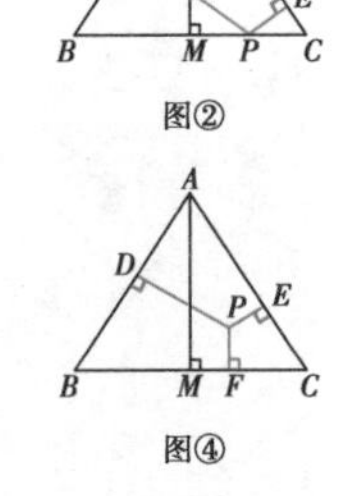

图④

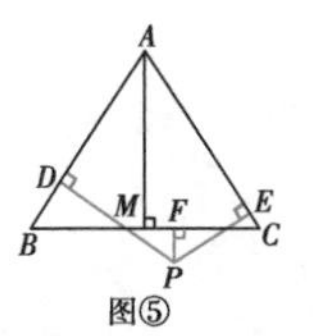

图⑤

解析　(1)图②~⑤中的关系依次是:

$h_1+h_2+h_3=h$;$h_1-h_2+h_3=h$;$h_1+h_2+h_3=h$;$h_1+h_2-h_3=h$.

(2)图②中,$h_1+h_2+h_3=h$.

连接 AP,则 $S_{\triangle APB}+S_{\triangle APC}=S_{\triangle ABC}$.

$\therefore \frac{1}{2}AB\times h_1+\frac{1}{2}AC\times h_2=\frac{1}{2}BC\times h$.

又 $h_3=0$,$AB=AC=BC$,$\therefore h_1+h_2+h_3=h$.

(3)证明:图④中,$h_1+h_2+h_3=h$.

过点 P 作 $RS\parallel BC$ 与边 AB、AC 相交于 R、S.

在△ARS 中,由图②中结论可知:$h_1+h_2+0=h-h_3$.

$\therefore h_1+h_2+h_3=h$.

方法 5　辅助线在几何证明中的应用方法

常见辅助线的添加方法:①三角形中构造中位线,添加中线,添加平行线.②梯形中作高,作中位线,延长两腰交于一点,过上底顶点作腰的平行线,作对角线的平行线.③圆中连接切点和圆心,作公共弦,构造直角三角形.

例 5　如图,Rt△ABC 中,$\angle C=90°$,$BC=3$,点 O 在 AB 上,$OB=2$,以 OB 为半径的⊙O 与 AC 相切于点 D,交 BC 于点 E,求弦 BE 的长.

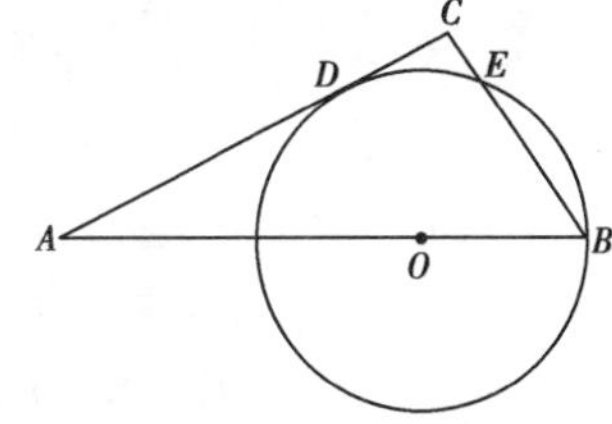

解析　连接 OD,作 $OF\perp BE$ 于点 F,$\therefore BF=\frac{1}{2}BE$,

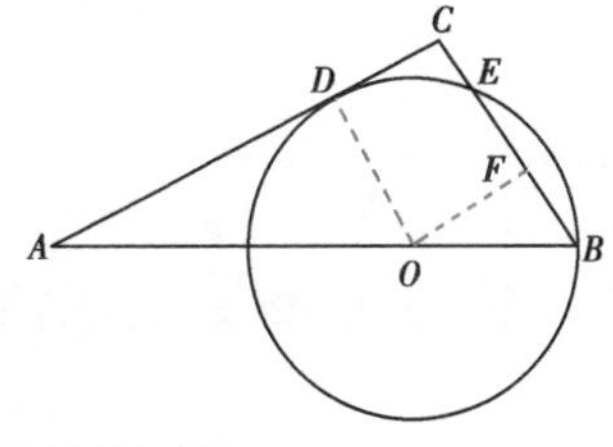

$\because AC$ 是圆的切线,

$\therefore OD\perp AC$,$\therefore \angle ODC=90°$,

$\because \angle ODC=\angle C=\angle OFC=90°$,

第22-27章

$\therefore$ 四边形 $ODCF$ 是矩形,

$\because OD=OB=FC=2, BC=3$,

$\therefore BF=BC-FC=3-2=1$,

$\therefore BE=2BF=2$.

方法 6 证明两角相等的常用方法

(1)对顶角相等.

(2)同角或等角的余角相等.

(3)同角或等角的补角相等.

(4)两直线平行,同位角相等.

(5)两直线平行,内错角相等.

(6)全等三角形的对应角相等.

(7)在同一个三角形中,等边对等角.

(8)等腰三角形底边上的中线、高线平分顶角.

(9)平行四边形的两组对角相等.

(10)相似三角形的对应角相等.

(11)在同圆或等圆中,同弧或等弧所对的圆周角相等.

例 6 如图,点 E 为矩形 $ABCD$ 外一点, $AE=DE$,连接 EB、EC,分别与 AD 相交于点 F、G.

求证:(1) $\triangle EAB \cong \triangle EDC$;

(2) $\angle EFG=\angle EGF$.

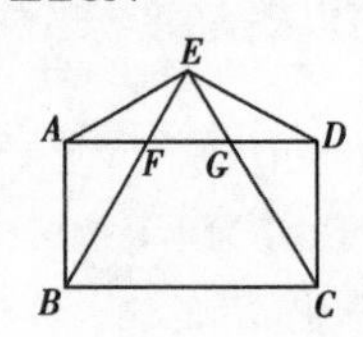

(证明) (1) $\because$ 四边形 $ABCD$ 是矩形,

$\therefore AB=DC, \angle BAD=\angle CDA=90°$.

$\because EA=ED, \therefore \angle EAD=\angle EDA$,

$\therefore \angle EAB=\angle EDC, \therefore \triangle EAB \cong \triangle EDC$.

(2) $\because \triangle EAB \cong \triangle EDC, \therefore \angle AEF=\angle DEG$.

又 $\because \angle EFG=\angle EAF+\angle AEF, \angle EGF=\angle EDG+\angle DEG, \angle EAF=\angle EDG, \therefore \angle EFG=\angle EGF$.

方法 7 证明线段相等的常用方法

(1)线段中点.

(2)全等三角形的对应边相等.

(3)在同一个三角形中,等角对等边.

(4)等腰三角形顶角的平分线、底边上的高线是底边上的中线.

(5)等边三角形任意两边相等.

(6)直角三角形斜边上的中线等于斜边的一半.

(7)平行四边形的两组对边分别相等.

(8)平行四边形的对角线互相平分.

(9)在同圆或等圆中,相等的圆心角所对的弦相等.

(10)线段垂直平分线的性质定理.

(11)借助于比例线段:

①若 $\frac{a}{b}=\frac{c}{d}$,且 $a=c$(或 $b=d$,或 $a=b$),则 $b=d$(或 $a=c$,或 $c=d$).

②若 $\frac{a}{b}=\frac{b}{a}$,则 $a=b$.

③若 $\frac{a}{b}=\frac{c}{d}, \frac{a'}{b'}=\frac{c'}{d'}, a=a', b=b', c=c'$,则 $d=d'$.

例 7 如图,点 D, E 在 $\triangle ABC$ 的边 BC 上, $AB=AC$, $BD=CE$.求证: $AD=AE$.

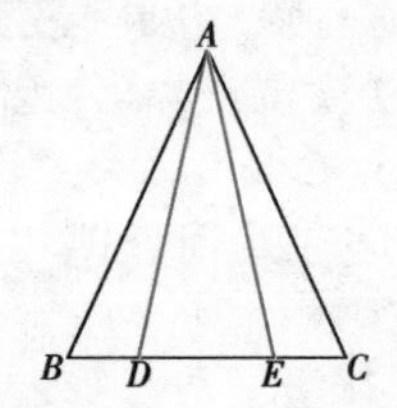

思路分析 思路一:

[等腰三角形等边对等角] → [证明 $\triangle ABD \cong \triangle ACE$] → [$AD=AE$]

思路二:

[等腰三角形三线合一作出高线] —线段垂直平分线的性质→ [$AD=AE$]

(证明) 证法一: $\because AB=AC, \therefore \angle B=\angle C$,

在 $\triangle ABD$ 与 $\triangle ACE$ 中, $\begin{cases} AB=AC, \\ \angle B=\angle C, \\ BD=CE, \end{cases}$

$\therefore \triangle ABD \cong \triangle ACE$(SAS), $\therefore AD=AE$.

证法二:过 A 作 $AF \perp BC$,垂足为 F.

$\because AB=AC, \therefore BF=CF$.

$\because BD=CE, \therefore BF-BD=CF-CE$,即 $DF=EF$.

$\therefore AF$ 垂直平分 DE,

$\therefore AD=AE$.

(注:还可以利用等腰三角形的判定证明 $AD=AE$)

第28–30章

统计与概率

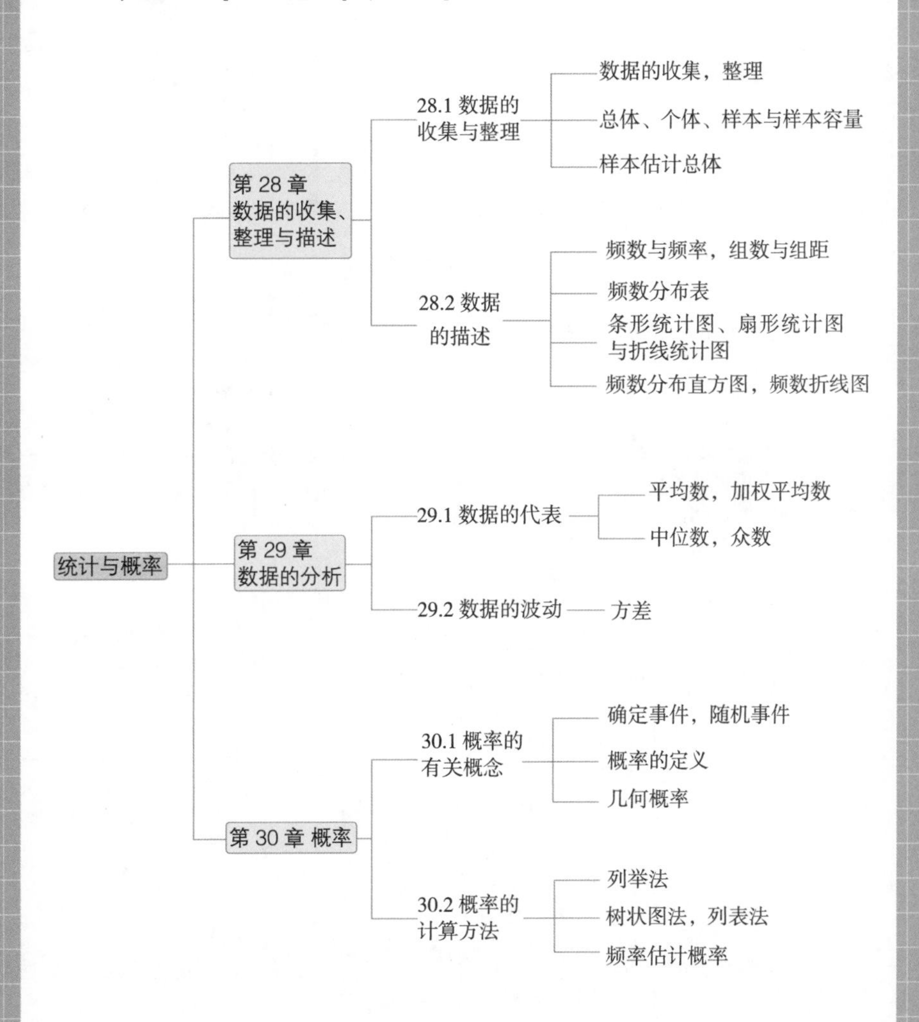

统计与概率
第28章
数据的收集、
整理与描述
28.1 数据的
收集与整理
数据的收集，整理
总体、个体、样本与样本容量
样本估计总体
28.2 数据
的描述
频数与频率，组数与组距
频数分布表
条形统计图、扇形统计图
与折线统计图
频数分布直方图，频数折线图
第29章
数据的分析
29.1 数据的代表
平均数，加权平均数
中位数，众数
29.2 数据的波动
方差
第30章 概率
30.1 概率的
有关概念
确定事件，随机事件
概率的定义
几何概率
30.2 概率的
计算方法
列举法
树状图法，列表法
频率估计概率

第28章 数据的收集、整理与描述

28.1 数据的收集与整理

知识清单

- 知识1 数据的收集与整理
- 知识2 总体、个体、样本与样本容量
- 知识3 全面调查与抽样调查
- 知识4 全面调查与抽样调查的区别与联系

知识 1 数据的收集与整理

	具体内容
统计调查的一般步骤	(1)明确调查问题;(2)确定调查对象;(3)选择调查方法和形式;(4)展开调查;(5)统计、整理调查结果;(6)分析结果,得出结论
数据收集的方式	(1)形式:全面调查和抽样调查. (2)方法:①问卷调查;②实地调查,如现场观察,收集,统计数据;③媒体调查,如利用报纸、电视、电话、网络等媒体进行调查
数据整理的方法	统计中,常用表格整理数据,一般采用"划记"的方法,写"正"字,字的每一划(笔画)代表有一个数据

①收集数据有两种方式:直接收集和间接收集.

②统计调查是收集数据常用的方法,一般有全面调查和抽样调查两种.

③统计中经常用表格整理数据.表格通常由行和列组成.运用表格进行数据统计的优点是简单、清楚、突出数据的分布规律.

知识 2 总体、个体、样本与样本容量

名称	概念	注意
总体	要考察的全体对象	考察一个班学生的身高,那么总体就是指这个班学生身高的全体,不能错误地理解为学生的全体为总体
个体	组成总体的每一个考察对象	总体包括所有的个体
样本	被抽取的个体组成一个样本	样本通常只包括一部分个体,样本是总体的一部分
样本容量	样本中个体的数目称为样本容量	一般地,样本容量越大,通过样本对总体的估计越精确

易混对比

①在理解总体、个体和样本时,一定要注意总体、个体、样本中的"考察对象"是一种"数量指标"(如身高、体重、使用寿命等),是指我们所要考察的具体对象的属性,三者之间应对应一致.

②样本容量指的是样本中个体的数目,它只是一个数字,不带单位.

例 某校有2 000名学生,要想了解全校学生对新闻、体育、动画、娱乐、戏曲五类电视节目的喜爱情况,从这2 000名学生中抽取了100名学生进行调查,在这次调查中,数据100是 ( )

A.总体　　B.总体的一个样本

C.样本容量　　D.个体

解析 从2 000名学生中抽取了100名学生进行调查,在这次调查中,数据100是样本容量,故选C.

答案 C

知识 3 全面调查与抽样调查

1.为了一定目的而对考察对象进行的全面调查,称为全面调查.

2.抽样调查是指从总体中抽取样本进行调查,根据样本来估计总体的一种调查.

抽样调查的方法:民意调查法、实地调查法、媒体调查法等.

①全面调查是为了某一特定目的而专门组织的一次调查.

②抽样调查中的抽样必须具有代表性.为了使抽样调查能较好地反映总体的情况,在选取样本时应注意:a.选取的样本应具有代表性,不偏向总体中的某些个体;b.选取的样本容量要足够大;c.选取样本时,要避免遗漏总体中的某一群体.

③选择调查方式要根据具体的调查对象、范围、事情发生的可能性来确定,在选择调查方式时,不仅要考虑调查方式的可行性,还要考虑实际问题是否符合人们的认知规律.

知识拓展

1.全面调查的方法:问卷调查、访问调查、电话调查等.

(1)问卷调查是根据调查目的制定调查问卷,由被调查者就调查问卷中所提的问题按给定的选择答案进行回答的一种调查方式.

(2)访问调查是按所拟调查事项,有计划地通过访谈、询问等方式向被调查者提出问题,通过他们的回答来获得信息和资料的一种调查方式.

(3)电话调查是指调查者用电话向被调查者进行询问,以达到收集有关资料这一目的的一种调查方式.

2.抽样调查的方法:民意调查法、实地调查法、媒体调查法等.

抽样调查的抽样方法:抽样调查是从总体中抽取样本进行调查,根据样本来估计总体的一种调查方法,样本抽取是否得当,直接关系到对总体估计的准确程度,常用的抽样方法有随机抽样、系统抽样、分层抽样.

(1)随机抽样:这种抽样方法的特点是总体中每个个体被抽取的可能性都相同,随机抽样简便易行,当总体中个体数相对较少时,常用这种方法.

(2)系统抽样:当总体中个体数相对较多时,可将总体分成均衡的几个部分,然后按照预先定出的规则,从每一部分抽取相同个数的个体,这种抽样叫做系统抽样.当总体中个体数相对较多,且其分布没有明显的不均匀情况时,常采用系统抽样.

(3)分层抽样:当总体由差异明显的几个部分组成时,可将总体按差异情况分成几个部分,然后按各部分所占的比例进行抽样,这种抽样叫做分层抽样.

知识 4 全面调查与抽样调查的区别与联系

1.全面调查与抽样调查的区别

(1)全面调查可以直接、精确地获得总体的情况,但有时总体中个体数较多,全面调查的工作量较大;有时受客观条件限制,无法对总体进行全面调查;有时调查本身具有破坏性,不允许进行全面调查.

(2)抽样调查的优点是调查范围小,节省时间、人力、物力和财力,但是调查结果往往不如全面调查得到的结果准确.

2.全面调查与抽样调查的联系

全面调查和抽样调查是调查的两种方式,各有各的特点,在调查实际生活中的问题时,应根据问题本身的需要及实现的可能性选择抽样方法.

方法清单

方法 1 调查方式的选择方法

选择调查方式要根据具体的调查对象、范围、事情发生的可能性来确定.选择调查方式的关键是看被调查事件范围的大小以及是否带有破坏性.

例1 下列调查中,最适宜采用全面调查方式的是 ( )

A.对我国初中学生视力状况的调查
B.对量子通信卫星上某种零部件的调查
C.对一批节能灯管使用寿命的调查
D.对“最强大脑”节目收视率的调查

解析 选项A,对我国初中学生视力状况的调查,人数太多,调查的工作量大,适合抽样调查,故此选项不符合题意;

选项B,对量子通信卫星上某种零部件的调查,关系到量子通信卫星的运行安全,必须全面调查,故此选项符合题意;

选项C,对一批节能灯管使用寿命的调查数量大且具有破坏性,适合抽样调查,故此选项不符合题意;

选项D,对“最强大脑”节目收视率的调查,人数较多,应当采用抽样调查,故本选项不符合题意,故选B.

答案 B

方法 2 抽样调查的合理性的判断方法

抽样调查时,应根据总体的特点,恰当地选取样本,使所选取的样本能客观地反映总体,即抽样要具有代表性、广泛性、随机性.

例2 小亮同学为了估计全县九年级学生人数,他对自己所在乡的人口和全乡九年级学生人数进行了调查:全乡人口约2万人,九年级学生人数为300.全县人口约35万人,由此推断全县九年级学生人数约为5 250,但县教育局提供的全县九年级学生人数为3 000,与估计数据有很大偏差,根据所学统计知识,你认为产生偏差的原因是________________.

解析 小亮采用的是抽样调查,他只是在自己所在乡中进行了调查,由于这种抽查的范围太小,不具有代表性,因而选取的样本不能客观地反映总体,所以样本选取不合理.

答案 样本选取不合理

方法 3 总体、个体、样本与样本容量的判断方法

总体或样本中的每个考察对象都是一个个体,不同的个体在数值上是可以相同的,样本中有多少个个体,样本容量就是多少.

例3 为了了解参加某运动会的200名运动员的年龄情况,从中抽查了20名运动员的年龄,就这个问题来说,下面说法正确的是 ( )

A.200名运动员是总体

B.每个运动员是总体

C.20 名运动员是所抽取的一个样本

D.样本容量是 20

(解析) 200 名运动员的年龄是总体,A、B 项错误;20 名运动员的年龄是所抽取的一个样本,C 项错误;样本容量是样本中包含的个体的数目,D 项正确.故选 D.

(答案) D

方法 4 用样本估计总体的应用方法

在现实生活中,由于人力、物力和时间等因素的限制,常采用抽样调查的方法来了解总体,用样本估计总体的思想是统计中一个重要的内容,在进行抽样调查时,样本抽取是否得当,直接关系到对总体估计的准确程度,为了获得较为准确的调查结果,抽样时要注意所选取的样本要具有代表性.

样本估计总体是指通常不直接去研究总体,而是通过从总体中抽取一个样本,根据样本的情况去估计总体的相应情况.

例 4 随机抽取某城市 30 天的空气质量状况,统计如下:

污染指数(w)	40	70	90	110	120	140
天数	3	5	10	7	4	1

(其中 $w\leqslant 50$ 时,空气质量为优;$50<w\leqslant 100$ 时,空气质量为良;$100<w\leqslant 150$ 时,空气质量为轻微污染)

(1)这 30 天中,空气质量为轻微污染的天数所占的百分比是多少?

(2)估计该城市一年(以 365 天计)中有多少天空气质量达到良以上(包括良);

(3)保护环境,人人有责,请说出一种保护环境的好方法.

(解析) (1)从题表中可以看出空气质量为轻微污染的天数为 $7+4+1=12$,故其所占的百分比为 $12\div 30\times 100\%=40\%$.

(2)从题表中可以看出 30 天中有 $3+5+10=18$ 天空气质量达到良以上(包括良),所以一年中约有 $18\div 30\times 365=219$ 天空气质量达到良以上(包括良).

(3)减少废气的排放.(答案不唯一)

28.2 数据的描述

知识清单

知识 1 频数与频率

1.频数

在记录数据时,某类数据出现的次数称为这类数据的频数,各对象的频数之和等于数据总数.

2.频率

频数与总次数的比值(或者百分比)称为这类数据的频率,即频率$=\dfrac{频数}{数据总数}$.各对象的频率之和等于1.

例 1 大课间活动在我市各校蓬勃开展.某班大课间活动抽查了 20 名学生每分钟跳绳次数,获得如下数据(单位:次):

50,63,77,83,87,88,89,91,93,100,102,111,117,121,130,133,146,158,177,188.

则跳绳次数在 90~110 这一组的频数为________.

(解析) 跳绳次数在 90~110 之间的数据有 91,93,100,102,共 4 个,所以跳绳次数在 90~110 这一组的频数为 4.

(答案) 4

知识 2 组数与组距

1.组数

将一组数据进行适当分组,把分成的组的个数叫做组数.

2.组距

将一组数据进行适当分组,每个小组的两个端点之间的距离称为组距.

注意事项

①组数的多少应当适中.若组数太多,数据的分布就会过于分散,而组数太少,数据的分布又会过于集中,这都不便于观察数据分布的特征和规律.

②实际决定组距时,常常有一个尝试的过程.在尝试中,不同的组距确定不同的组数,往往要通过比较,然后从中选定一个比较合适的组距.

知识 3 频数分布表

1.将一组数据进行适当分组,然后根据每一小组的频数的多少去研究数据的分布情况,对分析问题大有帮助,这样就产生了频数分布表.

2. 例如：下面是某班一次数学测验成绩的频数分布表：

成绩段	49.5～59.5	59.5～69.5	69.5～79.5	79.5～89.5	89.5～99.5
频数记录	丅	正 下	正 正	正 正 下	正
频数	2	9	10	14	5

表中"频数记录"一栏一般采用画"正"字的方法统计各数据段的频数；频数一栏表示的是每个数据段内数据的个数，频数的和即为这一组数据的总数.

例 2 已知全班有 50 名学生，在体育课上进行三项体育活动：立定跳远、50 米短跑、掷铅球，请根据已知信息，完成统计表：

体育活动	立定跳远	50 米短跑	掷铅球
"正"字法记录		正正正	
频数	10		
频率			0.5

(解析) 立定跳远的频数是 10，$10\div50=0.2$，所以立定跳远的"正"字有 2 个，频率为 0.2，50 米短跑的"正"字有 3 个，所以频数是 15，频率为 $15\div50=0.3$，掷铅球的频率为 0.5，所以频数是 $50\times0.5=25$，"正"字有 5 个. 补充统计表如下：

体育活动	立定跳远	50 米短跑	掷铅球
"正"字法记录	正正	正正正	正正正正正
频数	10	15	25
频率	0.2	0.3	0.5

知识 4 条形统计图、扇形统计图与折线统计图

统计图能直观形象地反映出事情的发展、变化或总体与部分的关系. 统计中常见的统计图有条形图、扇形图、折线图，它们各有各的特点，可以从不同的角度清楚、有效地描述数据.

1. 条形统计图

（1）特点：条形统计图能清楚地表示出每个项目的具体数目.

（2）缺点：对于条形统计图，人们习惯于由条形柱的高度看相应的数，即条形柱的高度与相应的数据成正比，若条形柱的高度与相应的数据不成正比，就容易给人造成错觉.

（3）注意：在制作条形统计图时，为使所绘的条形统计图更直观清晰，纵轴上的数值应从零开始.

例如：如图是某校七年级学生到校方式的条形统计图.

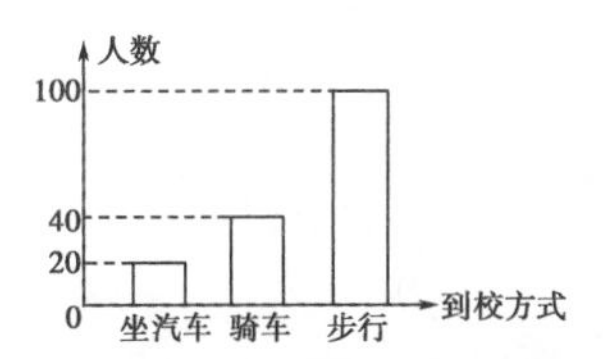

条形统计图中每个小长方形的高即为该组对象数据的个数(频数). 各小长方形的高之比等于相应的个数(频数)之比.

2. 扇形统计图

（1）特点：扇形统计图能清楚地表示出各部分在总体中所占的百分比.

（2）缺点：在两个扇形统计图中，若一个统计图中的某一个量所占的百分比比另一个统计图中的某一个量所占的百分比多，容易造成第一个统计量大于第二个统计量的错觉.

（3）注意：扇形统计图中，用圆代表总体，扇形的大小代表各部分数量占总体数量的百分数，但是没有给出具体数值，因此不能通过两个扇形统计图来比较两个统计量的多少.

（4）制作扇形统计图的一般步骤：

①算出各部分数量占总体数量的百分比；

②算出表示各部分数量的扇形圆心角度数(圆心角度数$=360°\times$百分比)；

③取适当的半径画一个圆，再按上面算出的圆心角度数在圆里画出各个扇形；

④分别在每个扇形中标明对应部分的名称和所占的百分比，并最好用不同的颜色或条纹把各个扇形区分开来.

3. 折线统计图

（1）特点：折线统计图能清楚地反映事物的变化情况.

（2）缺点：对于折线统计图，若横坐标被"压缩"，纵坐标被"放大"，就会显得统计量的变化速度加快；若横坐标被"放大"，纵坐标被"压缩"，就会显得统计量的变化速度减慢.

（3）注意：在利用折线统计图比较两个统计量的变化趋势时，要保证两个图中横、纵坐标的一致性，即坐标轴上同一单位长度所表示的意义应该一致.

例如：下图是根据频数分布表绘制的折线统计图.

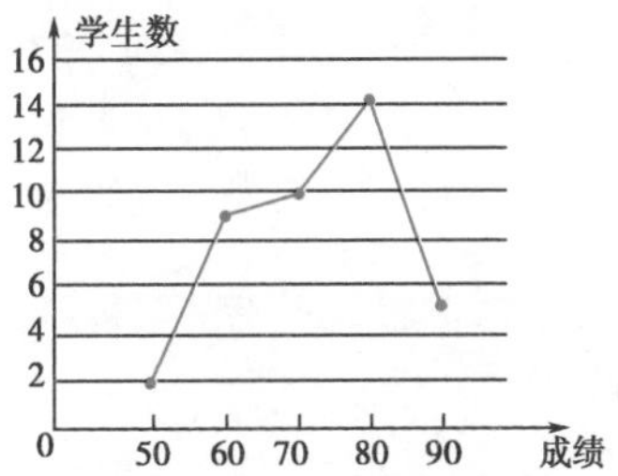

例 3 某校学生到校方式情况的统计图如图所示. 若该校步行到校的学生有 100 人，则乘公共汽车到校

的学生有 ( )

某校学生到校方式情况统计图

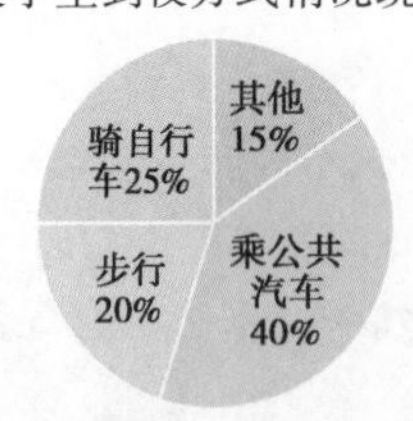

A.75 人 B.100 人 C.125 人 D.200 人

解析 100÷20%×40%=200(人).故选 D.

答案 D

知识 5 条形统计图、扇形统计图与折线统计图的区别与联系

1.条形统计图、扇形统计图与折线统计图的区别

(1)条形统计图能够显示每组中的具体数据,易于比较数据之间的差别.

(2)扇形统计图是用扇形的面积表示部分在总体中所占的百分比,易于显示每组数据相对于总体的多少.

(3)折线统计图易于显示数据的变化趋势.

2.条形统计图、扇形统计图与折线统计图的联系

表示数据的主要工具是统计图,条形统计图、扇形统计图、折线统计图是三种常用的统计图.三种统计图表示数据时都有形象直观、见图知意的优点.有时为了从不同的角度、不同的层面清楚地描述数据,可同时采用两种或三种统计图来统一体现.

知识 6 频数分布直方图

1.频数分布直方图是用小长方形的面积来反映数据落在各个小组内的频数的大小的统计图.

例如:下图是根据频数分布表绘制的频数分布直方图.

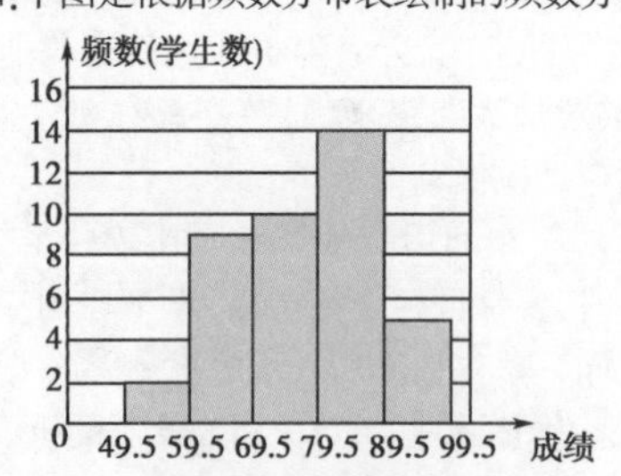

2.频数分布直方图的制作步骤如下:

(1)计算出数据中的最大值与最小值的差;

(2)确定组距与组数,一般将个数在 100 以内的数据分成5~12 组;

(3)决定分点,常使分点比数据多一位小数,并且把第一组的起点稍微减小一点;

(4)列频数分布表,用划记法对数据进行频数统计;

(5)画出频数分布直方图,构造一个坐标系,用横轴表示各段数据,纵轴表示频数与组距之比,这样画出的小长方形的面积就代表频数,各小组的频数之和等于样本中数据的总个数.

3.频数分布直方图的特点:

频数分布直方图能直观地显示各组频数的分布情况,易于显示各组之间频数的差别.

注意事项

①频数分布表和频数分布直方图是一组数据的频数分布的两种不同表现形式,后者较直观.

②在画频数分布直方图时,首先要列出频数分布表,在分组时要注意组数适当,组距相等.

③分组要遵循三个原则:不空,即该组必须有数据;不重,即一个数据只能在一个组;不漏,即不能漏掉某一个数据.

④分组时,不能出现同一数据在两个组中.为了避免出现这种情况,分组时分点通常比题中的数据多一位小数.

⑤直方图实际上是用长方形的面积表示频数,长方形的宽是组距,当长方形的宽相等时,可用长方形的高代表频数.

⑥由于分组数据具有连续性,直方图的各长方形通常是连续排列的,中间没有空隙,而条形统计图的各长方形则是分开排列的,中间有空隙.

⑦频率分布直方图与频数分布直方图类似,只是纵轴表示各小组的频率与组距的比值,其他均与频数分布直方图相同.

例 4 如图是某班同学在一次体检中每分钟心跳的频数分布直方图(次数均为整数).已知该班只有 5 位同学的心跳为每分钟 75 次,则下列说法不一定正确的是 ( )

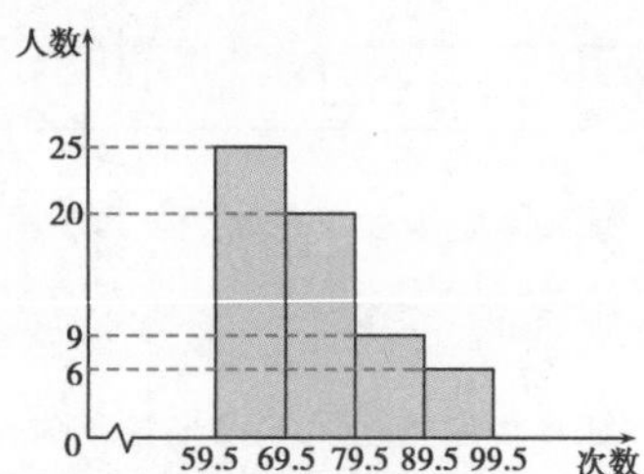

A.数据 75 落在第二小组

B.第四小组的频率为 0.1

C.心跳为每分钟 75 次的人数占该班体检人数的$\frac{1}{12}$

D.心跳为每分钟 65 次的人数最多

解析 ∵ 69.5<75<79.5,∴ 数据 75 落在第二小组,正确,故排除 A;该班同学总人数为 25+20+9+6=60,所以第四小组的频率为$\frac{6}{60}=0.1$,正确,故排除 B;心跳为每分钟 75 次的人数占该班体检人数的$\frac{5}{60}=\frac{1}{12}$,正确,故排除 C;根据题图只能确定某个范围的人数最多,不能具体到次数,故选 D.

答案 D

知识 7 频数折线图

1.频数折线图一般是在频数分布直方图的基础上进行制作的,首先取直方图中每一个长方形上底边的中点,然后在横轴上直方图的左右取两个频数为0的点,它们分别与直方图左右相距半个组距,最后再将这些点用线段依次连接起来,就得到了频数折线图.

2.频数折线图的制作也可以不通过频数分布直方图直接画出,具体步骤:(1)确定组数和组距;(2)统计每一组的频数;(3)求出组中值(即求出各个小组两个端点值的平均数);(4)以各个小组的组中值为横坐标,各个组对应的频数为纵坐标描点;(5)另取两个频数为0的点,这两个点的纵坐标为0,其中一个横坐标为第一个小组的组中值减去组距,另一个横坐标为最后一个小组的组中值加上组距;(6)依次将这些点连接起来,就得到频数分布折线图.

例如:下图是先画出频数分布直方图,再连接各小方形上端的中点得到的频数分布折线图.

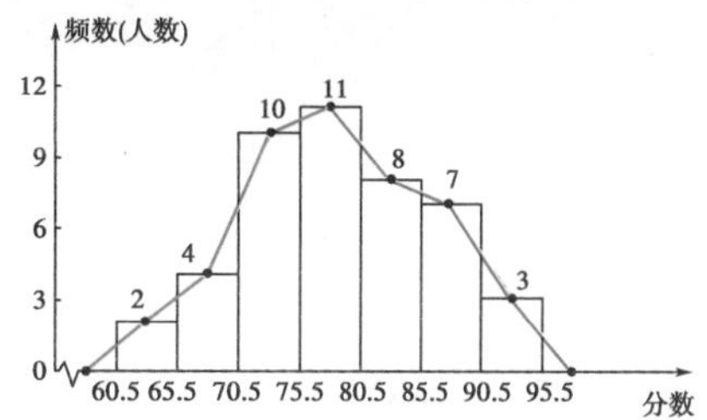

方法清单

- 方法1 频数与频率的应用方法
- 方法2 统计图的识别和应用的方法
- 方法3 综合利用多种统计图解决实际问题的方法
- 方法4 补全或绘制统计图的方法
- 方法5 频数分布表和频数分布直方图的识别和应用方法

方法 1 频数与频率的应用方法

将数据分组后,根据某组所占的频数及其对应的频率,即可求得数据总数,以某组的频数除以数据总数即可得该组的频率,用数据总数乘某组的频率即可得该组的频数.

例 1 一次数学测试后,某班 40 名学生的成绩被分为 5 组,第 1~4 组的频数分别为 12、10、6、8,则第 5 组的频率是 ( )

A.0.1 B.0.2 C.0.3 D.0.4

(解析) 根据题意得 $40-(12+10+6+8)=40-36=4$,

则第 5 组的频率为 $4\div40=0.1$,故选 A.

(答案) A

方法 2 统计图的识别和应用的方法

1.条形统计图:用条形统计图可以清楚地表示各种情况下每个项目的具体数目,它的适用范围要广一些.

2.折线统计图:折线统计图用于表示同一对象的发展变化情况,用它表示的数据常是在不同的时间或地点从同一个对象身上收集到的.

3.扇形统计图:用扇形统计图可以很容易地表示出一个对象在总体中所占的百分比,因此如果需要了解这一方面的信息可选择扇形统计图.

例 2 如图是某校初一学生到校方式的条形图,根据图形可得出步行人数占总人数的 ( )

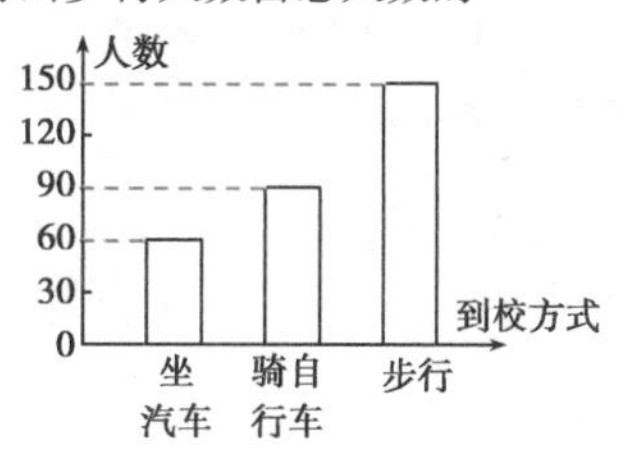

A.20% B.30% C.50% D.60%

(解析) 观察条形图可知,步行人数是 150,总人数是 $60+90+150=300$,所以步行人数占总人数的百分比是 $150\div300\times100\%=50\%$.故选 C.

(答案) C

例 3 如图是根据某市 2010 年至 2014 年工业生产总值绘制的折线统计图,观察统计图获得以下信息,其中信息判断错误的是 ( )

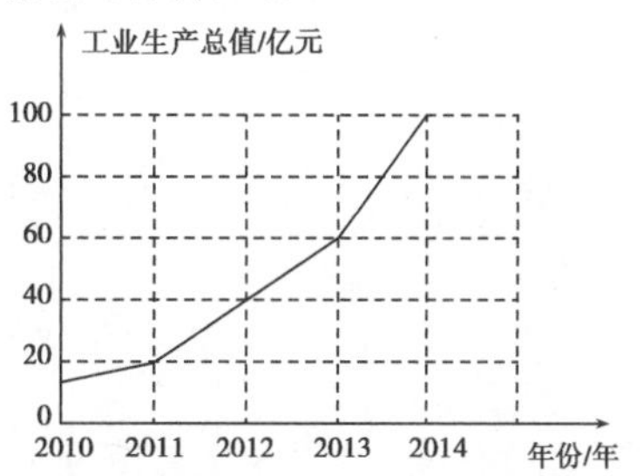

A.2010 年至 2014 年间工业生产总值逐年增加

B.2014 年的工业生产总值比前一年增加了 40 亿元

C.2012 年与 2013 年每一年与前一年比,其增长额相同

D.从 2011 年至 2014 年,每一年与前一年比,2014 年的增长率最大

(解析) 2012 年比 2011 年增长了 $40-20=20$ 亿元,增长率为 100%;2013 年比 2012 年增长了 60

第28-30章

$-40=20$ 亿元，增长率为 50%；2014 年比 2013 年增长了 $100-60=40$ 亿元，增长率约为 67%，故从 2011 年至 2014 年，每一年与前一年比，2012 年的增长率最大. 故选 D.

答案 D

方法 3 综合利用多种统计图解决实际问题的方法

条形统计图、扇形统计图、折线统计图各有各的特点，它们从不同角度清楚、有效地描述数据. 在解决由多种统计图共同组成的题目时，解题关键是结合各种统计图，将题目中用到的信息找出来，同时注意各种统计图的互补性.

例 4 以下是某手机店 1~4 月份的两幅统计图，分析统计图，下面是关于 3、4 月份某品牌手机的销售情况的四个结论，其中正确的为 ( )

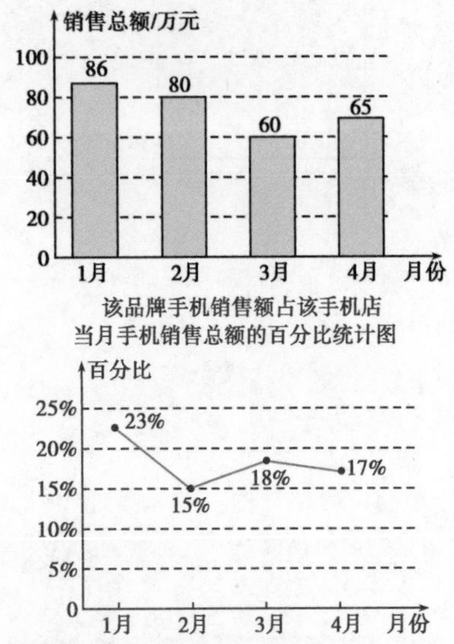

A.4 月份该品牌手机销售额为 65 万元

B.4 月份该品牌手机销售额比 3 月份有所上升

C.4 月份该品牌手机销售额比 3 月份有所下降

D.3 月份与 4 月份的该品牌手机销售额无法比较，只能比较该店销售总额

解析 4 月份该品牌手机销售额为 $65\times17\%=11.05$万元，3 月份该品牌手机销售额为 $60\times18\%=10.8$ 万元，所以 4 月份该品牌手机销售额大于 3 月份该品牌手机销售额，故选 B.

答案 B

方法 4 补全或绘制统计图的方法

条形统计图、扇形统计图、折线统计图是常见的描述数据的统计图，绘制这些统计图在中考中往往时间不允许，所以在中考题目中也就出现了不完整的统计图，需要学生依据题目中获取的信息补全统计图. 正确解答这类问题需要学生熟练掌握各种统计图的特点.

例 5 为了解某市市民"绿色出行"方式的情况，某校数学兴趣小组以问卷调查的形式，随机调查了该市部分市民的主要出行方式（参与问卷调查的市民都只从以下五个种类中选择一类），并将调查结果绘制成如下不完整的统计图.

种类	A	B	C	D	E
出行方式	共享单车	步行	公交车	的士	私家车

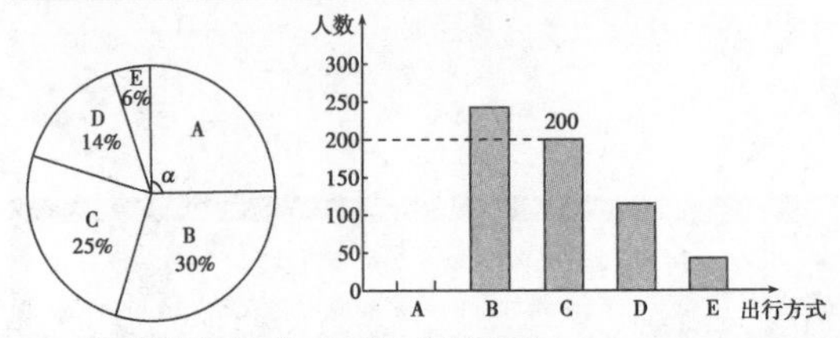

根据以上信息，回答下列问题：

(1) 参与本次问卷调查的市民共有________人，其中选择 B 类的人数有________人；

(2) 在扇形统计图中，求 A 类对应扇形圆心角 α 的度数，并补全条形统计图；

(3) 该市约有 12 万人出行，若将 A，B，C 这三类出行方式均视为"绿色出行"方式，请估计该市选择"绿色出行"方式的人数.

思路分析 (1) 由 C 类别人数及其所占百分比可得总人数，总人数乘 B 类别所占百分比即可得出 B 类别的人数；

(2) 根据扇形图中百分比之和为 100%求得 A 类别所占百分比，再用 $360°\times$A 类别所占百分比得 A 类别对应扇形圆心角 α 的度数，总人数$\times$A 类别所占百分比得 A 类别的人数；

(3) 总人数乘样本中 A、B、C 三类别所占百分比之和可得答案.

解析 (1) 800；240.

(2) $360°\times(100\%-30\%-25\%-14\%-6\%)=360°\times25\%=90°$，

$\therefore \alpha=90°$.

条形统计图补全如下：

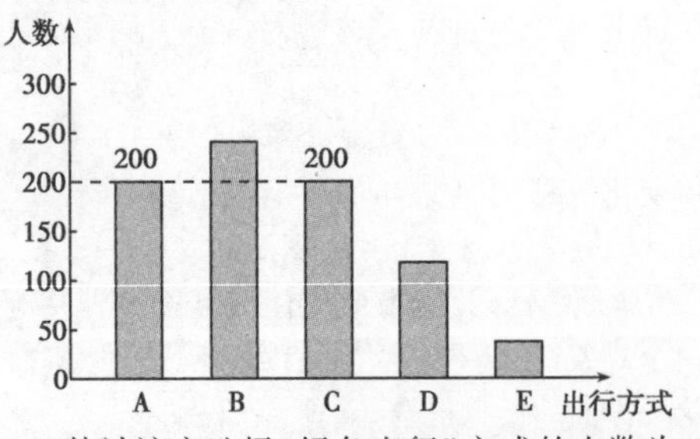

(3) 估计该市选择"绿色出行"方式的人数为 $12\times$

(25%+30%+25%) = 12×80% = 9.6(万人).

点拨 解决此类题的方法通常是结合两种统计图,对照统计图中各已知量,分析要求求解的量.一般地,首先求出总数,再由总数及每一部分中的一个已知项求出另一个未知项,由此逐一求出所有的未知量,从而由所得结果补全统计图.

方法 5 频数分布表和频数分布直方图的识别和应用方法

频数分布表和频数分布直方图是一组数据的频数分布的两种不同表现形式.

频数分布表是通过表格的形式把各个类别及其对应的频数表示出来;频数分布直方图直观地显示各组频数的分布情况.

例 6 为了加强学生课外阅读,开阔视野,某校开展了"书香校园,从我做起"的主题活动,学校随机抽取了部分学生,对他们一周的课外阅读时间进行调查,绘制出频数分布表和频数分布直方图的一部分如下:

课外阅读时间(单位:小时)	频数(人数)	频率
$0<t\leqslant2$	2	0.04
$2<t\leqslant4$	3	0.06
$4<t\leqslant6$	15	0.30
$6<t\leqslant8$	a	0.50
$t>8$	5	b

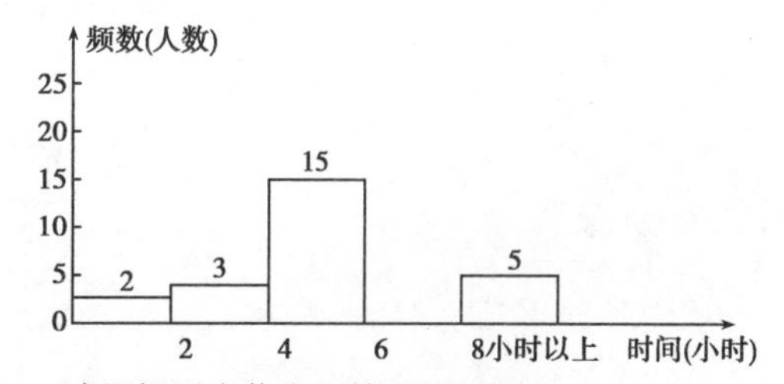

请根据图表信息回答下列问题:

(1)频数分布表中的 a=________,b=________;

(2)将频数分布直方图补充完整;

(3)学校将每周课外阅读时间在 8 小时以上的学生评为"阅读之星",请估计该校 2 000 名学生中被评为"阅读之星"的有多少人.

解析 (1)总人数为 $2\div0.04=50$,

则 $a=50-(2+3+15+5)=25$,$b=5\div50=0.10$.

(2)阅读时间为 $6<t\leqslant8$ 的学生有 25 人,补全条形统计图,如图所示.

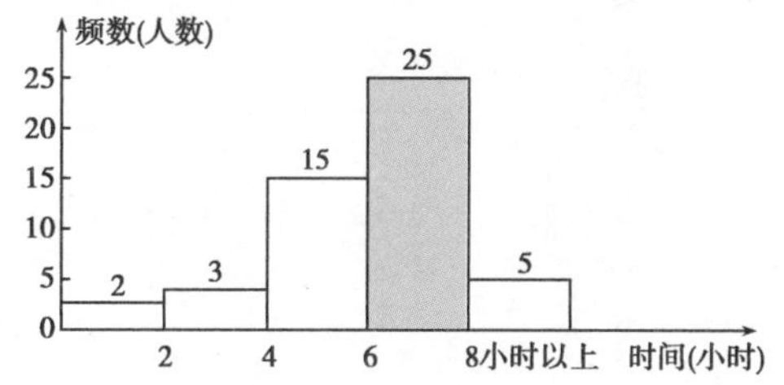

(3)根据题意得 2 000×0.10=200(人),

则估计该校 2 000 名学生中被评为"阅读之星"的有 200 人.

第28—30章

第29章 数据的分析

29.1 数据的代表

知识清单

知识1 平均数　　知识2 加权平均数
知识3 中位数　　知识4 众数
知识5 平均数、中位数、众数的区别与联系

知识1 平均数

一般地，对于 n 个数 $x_1,x_2,\cdots,x_n$，我们把 $\frac{1}{n}(x_1+x_2+\cdots+x_n)$ 叫做这 n 个数的算术平均数，简称平均数，记作"$\bar{x}$"，读作"x 拔".

温馨提示

①平均数、数的个数以及所有数的总和这三个量中，已知任意两个就能求出第三个，平均数 $=\frac{\text{所有数的总和}}{\text{数的个数}}$.

②平均数是描述一组数据的一种常用指标.一组数据的平均数只有一个.

③平均数的大小与一组数据里的每个数据均有关系，其中任一数据的变动都会引起平均数的变动.平均数容易受个别极端值影响.

④数据 $x_1,x_2,\cdots,x_n$ 的平均数为 $\bar{x}$，则 $x_1\pm a,x_2\pm a,\cdots,x_n\pm a$ 的平均数为 $\bar{x}\pm a$；$kx_1,kx_2,\cdots,kx_n$ 的平均数为 $k\bar{x}$（a,k 为常数）.

⑤总体中所有个体的平均数叫做总体平均数，样本中所有个体的平均数叫做样本平均数，通常用样本平均数去估计总体平均数.

例1 有一组数据：2,5,5,6,7,这组数据的平均数为（　　）

A.3　　B.4　　C.5　　D.6

解析 这组数据的平均数为 $\frac{2+5+5+6+7}{5}=5$，故选C.

答案 C

知识2 加权平均数

当一组数据中有数据重复出现时，如在 n 个数据中，x_1 出现 f_1 次，x_2 出现 f_2 次，……，x_k 出现 f_k 次（这里 $f_1+f_2+\cdots+f_k=n$），那么这 n 个数据的平均数可表示为 $\frac{x_1f_1+x_2f_2+\cdots+x_kf_k}{n}$，这个平均数也叫做加权平均数，其中 $f_1,f_2,\cdots,f_k$ 分别叫做 $x_1,x_2,\cdots,x_k$ 的权.

或者，若 n 个数 $x_1,x_2,\cdots,x_n$ 的权分别是 $w_1,w_2,\cdots,w_n$，则 $\frac{x_1w_1+x_2w_2+\cdots+x_nw_n}{w_1+w_2+\cdots+w_n}$ 叫做这 n 个数的加权平均数.

温馨提示

①加权平均数实际上是算术平均数的另一种表现形式.

②若各个数据的权相同，则加权平均数就是算术平均数，因而可以看出算术平均数实质上是加权平均数的一种特例.

③算术平均数是用一组数据的和除以数据的个数来计算的；加权平均数在计算上与算术平均数有所不同是因为在实际问题中数据的"重要程度"未必相同，即各个数据的"权"未必相同.

例2 某公司欲招聘一名公关人员，对甲、乙、丙、丁四位候选人进行了面试和笔试，他们的成绩如下表所示：

候选人		甲	乙	丙	丁
测试成绩（百分制）	面试	86	92	90	83
	笔试	90	83	83	92

如果公司认为，作为公关人员面试的成绩应该比笔试的成绩重要，并分别赋予它们6和4的权.根据四人各自的平均成绩，公司将录取（　　）

A.甲　　B.乙　　C.丙　　D.丁

解析 甲的平均成绩为 $86\times0.6+90\times0.4=87.6$ 分，

乙的平均成绩为 $92\times0.6+83\times0.4=88.4$ 分，

丙的平均成绩为 $90\times0.6+83\times0.4=87.2$ 分，

丁的平均成绩为 $83\times0.6+92\times0.4=86.6$ 分，

$88.4>87.6>87.2>86.6$，

则乙的平均成绩最高，故录取乙，选B.

答案 B

知识 3 中位数

将一组数据按照由小到大(或由大到小)的顺序排列,如果数据的个数是奇数,则处于中间位置的数就是这组数据的中位数;如果数据的个数是偶数,则中间两个数据的平均数就是这组数据的中位数.

例 3 某校为了解全校同学五一假期参加社团活动的情况,抽查了100名同学,统计它们假期参加社团活动的时间,绘成频数分布直方图(如图),则参加社团活动时间的中位数所在的范围是 ( )

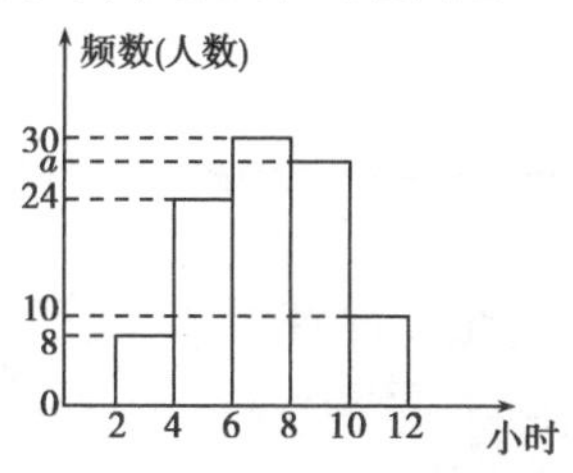

A.4~6小时 B.6~8小时

C.8~10小时 D.不能确定

(解析) 100个数据,中间的两个数为第50个数和第51个数,

而第50个数和第51个数都落在第三组,

所以参加社团活动时间的中位数所在的范围为6~8小时.故选B.

(答案) B

例 4 我市某中学举办了一次以"我的中国梦"为主题的演讲比赛,最后确定7名同学参加决赛,他们的决赛成绩各不相同,其中李华已经知道自己的成绩,但能否进前四名,他还必须清楚这7名同学成绩的 ( )

A.众数 B.平均数 C.中位数 D.方差

(解析) 将7名同学的成绩从小到大排列,中间那个数是这组数据的中位数,所以他只要清楚这7名同学成绩的中位数即可确定结果,故选C.

(答案) C

知识 4 众数

众数就是一组数据中出现次数最多的那个数据.一组数据中,众数可能不止一个,它同平均数、中位数一样,都反映了一组数据的集中趋势.

注意事项

①如果一组数据中有若干个数据的频数一样,都是最大的,那么这若干个数据都是这组数据的众数,即一组数据的众数可以不唯一.

②一组数据的众数一定出现在这组数据中,众数是一组数据中出现次数最多的数据而不是数据出现的次数.

③众数的大小只与这组数据中部分数据有关,当一组数据中有个别数据多次重复出现,以至于其他数据的作用显得相对较小时,众数可以在某种意义上代表这组数据的整体情况.

例 5 某企业车间有50名工人,某一天他们生产的机器零件个数统计如下表:

零件个数(个)	5	6	7	8
人数(人)	3	15	22	10

表中表示零件个数的数据中,众数是 ( )

A.5个 B.6个 C.7个 D.8个

(解析) 生产7个零件的人数最多,所以众数是7个.故选C.

(答案) C

知识 5 平均数、中位数、众数的区别与联系

	优点	缺点	联系
平均数	平均数能充分利用各数据提供的信息,在实际生活中常用样本的平均数估计总体的平均数	在计算平均数时,所有的数据都参与运算,所以它易受极端值的影响	平均数、中位数和众数都是描述一组数据的集中趋势的特征数
中位数	中位数不受个别偏大或偏小数据的影响,当一组数据中的个别数据变动较大时,一般用中位数来描述数据的集中趋势	不能充分地利用各数据的信息	
众数	众数考察的是各数据所出现的频数,其大小只与部分数据有关,当一组数据中某些数据多次重复出现时,众数往往更能反映问题	当各数据重复出现的次数大致相等时,它往往就没有什么特别意义	

第28-30章

方法清单

方法1 平均数、中位数、众数的计算方法

方法2 加权平均数的应用方法

方法3 选择合适的统计量解决问题

方法1 平均数、中位数、众数的计算方法

对一组数据的平均数、中位数、众数要严格按照其定义进行计算，特别是中位数的计算，要注意数据个数是奇数还是偶数，数据个数为奇数时，其中位数是处于中间位置的数，数据个数为偶数时，其中位数是中间两个数的平均数.一组数据的平均数只有一个，而众数可能不止一个.

例1 近年来，我国持续大面积的雾霾天气让环保和健康问题成为焦点.为进一步普及环保和健康知识，某校举行了"建设宜居城市，关注环境保护"的知识竞赛，某班学生的成绩统计如下：

成绩(分)	60	70	80	90	100
人数	4	8	12	11	5

则该班学生成绩的众数和中位数分别是 ( )

A.70 分，80 分　　B.80 分，80 分

C.90 分，80 分　　D.80 分，90 分

(解析) 由题中表格的数据可以看出：数据 80 出现的次数最多，所以众数是 80 分；全班 40 人，成绩按从低到高的顺序排列，中位数应该为第 20 和 21 位学生的成绩的平均数，即 $(80+80)\div2=80$(分)，所以众数是 80 分，中位数是 80 分，故选 B.

(答案) B

方法2 加权平均数的应用方法

在实际问题中，如果一组数据的"重要程度"不相同，求其平均数需采用加权平均数的计算方法.计算时要根据所给数据的特征，正确识别数据的"重要程度"，进而利用加权平均数进行进一步的分析与决策.

例2 某中学随机地调查了 50 名学生，了解他们一周在校的体育锻炼时间，结果如下表所示：

时间(小时)	5	6	7	8
人数	10	15	20	5

则这 50 名学生这一周在校的平均体育锻炼时间是________小时.

(解析) $\bar{x}=\frac{5\times10+6\times15+7\times20+8\times5}{50}=6.4$(小时).

(答案) 6.4

例3 某食堂午餐供应 10 元、16 元、20 元三种价格的盒饭，根据食堂某月销售午餐盒饭的统计图，可计算出该月食堂盒饭的平均价格是________元.

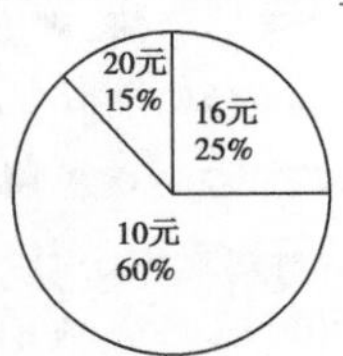

(解析) 该月食堂盒饭的平均价格是 $20\times15\%+16\times25\%+10\times60\%=13$(元).

(答案) 13

方法3 选择合适的统计量解决问题

当一组数据中某个数据特别大时，平均数不能反映这组数据的集中趋势.应选用中位数或众数来代表该组数据的"平均水平".平均数、中位数和众数都是用来刻画数据平均水平的统计量，平均数常用于表示统计对象的一般水平，中位数表示这组数据的中等水平，而众数刻画了数据中出现次数最多的情况.

例4 某销售公司的 10 名销售员去年完成的销售额情况如下表：

销售额(万元)	3	4	5	6	7	8	20
销售人数	1	3	2	1	1	1	1

(1)求销售额的平均数、众数、中位数(单位：万元)；

(2)今年公司为了调动员工积极性，提高销售额，准备采用超额有奖的措施，通过比较，选用哪个数据作为今年每个销售员统一的销售额标准比较合理？说明确定这一标准的理由.

(解析) (1)平均数：

$$\frac{3\times1+4\times3+5\times2+6\times1+7\times1+8\times1+20\times1}{1+3+2+1+1+1+1}=6.6\text{(万元)}.$$

中位数：共有 10 人，按销售额大小顺序排列后，中间两个销售额的平均数即为中位数，所以中位数是 5 万元.

众数：出现次数最多的是 4 万元，所以众数是 4 万元

(2)用中位数 5 万元作为今年的销售额标准较合理.因为平均数是 6.6 万元，若将它定为标准，大多数人不可能超额完成任务，会挫伤员工的积极性；而众数是 4 万元，若将它作为标准，绝大多数员工不必努力就能超额完成，不利于提高销售额；若将中位数 5 万元作为标准，多数人能完成任务，并且经过努力能超额完成任务，有利于提高员工的积极性.

29.2 数据的波动

知识清单

知识 方差

知识 方差

1.在一组数据 $x_1,x_2,\cdots,x_n$ 中,各数据与它们的平均数的差的平方的平均数叫做这组数据的方差,通常用 s^2 表示,即

$$s^2=\frac{1}{n}[(x_1-\bar{x})^2+(x_2-\bar{x})^2+\cdots+(x_n-\bar{x})^2].$$

2.方差的计算方法有如下三种:

①定义法:就是利用上面方差的定义公式计算.

②原始数据计算法:当数据较小时,可直接利用原始数据进行计算:

$$s^2=\frac{1}{n}[(x_1^2+x_2^2+\cdots+x_n^2)-n\bar{x}^2].$$

③新数据计算法:当数据较大且比较集中时,可以依照简化平均数的计算方法,将每个数据同时减去与它们的平均数接近的常数 a,得到一组新数据:$x_1'=x_1-a,x_2'=x_2-a,\cdots\cdots,x_n'=x_n-a$,那么 $s^2=\frac{1}{n}[(x_1'^2+x_2'^2+\cdots+x_n'^2)-n\overline{x'}^2]$.

温馨提示

①方差反映的是数据在它的平均数附近波动的情况,是用来衡量一组数据波动大小的量.

②方差能够反映所有数据的信息,因而在刻画数据波动情况时比极差更准确.方差越大,数据波动越大;方差越小,数据波动越小.只有当两组数据的平均数相等或接近时,才能用方差比较它们波动的大小.

③一组数据的每个数据都变为原来的 k 倍,则所得的一组新数据的方差将变为原数据方差的 k^2 倍.

④方差的单位是原数据单位的平方,在具体使用时可不标注单位.

⑤求方差的步骤可概括为一均,二差,三方,四再均.即第一步求原数据的平均数,第二步求原数据中各数据与平均数的差,第三步求所得各个差数的平方,第四步求所得各平方数的平均数.

例 样本方差的计算公式 $s^2=\frac{1}{20}[(x_1-30)^2+(x_2-30)^2+\cdots+(x_n-30)^2]$中,数字 20 和 30 分别表示 ( )

A.样本中数据的个数、平均数

B.样本中数据的个数、中位数

C.样本中数据的众数、中位数

D.样本中数据的方差、标准差

解析 样本方差的公式为 $s^2=\frac{1}{n}[(x_1-\bar{x})^2+(x_2-\bar{x})^2+\cdots+(x_n-\bar{x})^2]$,

所以 $n=20,\bar{x}=30$,

即样本中数据的个数为 20,平均数为 30,故选 A.

答案 A

知识拓展

1.极差

一组数据中的最大数据与最小数据的差叫做极差,即极差=最大值-最小值.极差反映了这组数据的变化范围.

温馨提示

①在对一组数据的波动情况进行粗略估计时,经常用极差.

②极差是由数据中的两个极端值所决定的,当个别极端值远离其他数据时,极差往往不能反映全体数据的实际波动情况.

③极差小,平均数对这组数据的一般水平的代表性就大;极差大,平均数对这组数据的一般水平的代表性就小.

例 在九年级体育测试中,某班参加仰卧起坐测试的一组女生(每组 8 人)测试成绩如下(单位:次/分):46,44,45,42,48,46,47,45,则这组数据的极差为 ( )

A.2 B.4 C.6 D.8

解析 ∵ 46,44,45,42,48,46,47,45 中最大的数是 48,最小的数是 42,

∴ 这组数据的极差为 48-42=6,故选 C.

答案 C

2.极差与方差的区别与联系

(1)极差与方差的区别

①极差反映的仅仅是数据的变化范围;方差反映的是数据在它的平均数附近波动的情况.

②计算极差简单,只需要计算数据的最大值与最小值的差即可,而方差的计算就要复杂得多.方差是一组数据中各个数据与这组数据平均数的差的平方的平均数.

(2)极差与方差的联系

极差、方差都是用来描述一组数据波动情况的，常用来比较两组数据波动的大小，极差、方差越小，波动越小，进而知这组数据比较稳定；极差、方差越大，波动越大，进而知这组数据不稳定.

3.标准差

方差的算术平方根叫做这组数据的标准差，用“s”表示，即

$$s=\sqrt{s^2}=\sqrt{\frac{1}{n}[(x_1-\bar{x})^2+(x_2-\bar{x})^2+\cdots+(x_n-\bar{x})^2]}.$$

温馨提示

①标准差的数量单位与原数据一致.

②标准差也是用来描述一组数据波动情况的，常用来比较两组数据波动的大小.

方法清单

方法1 方差的性质的应用方法

若题目中已知一组数据的方差，而另一组数据又是由原始数据中每个数据通过一定四则运算而得到的，则可用方差的性质求解方差，例如：一组数据x_1，x_2，…，x_n的方差为s^2，则(1)$x_1\pm b$，$x_2\pm b$，…，$x_n\pm b$的方差为s^2；(2)$ax_1\pm b$，$ax_2\pm b$，…，ax_n+b的方差为a^2s^2.

例1 (1)如果将一组数据中的每一个数据都加上同一个非零常数，那么这组数据的 ( )

A.平均数和方差都不变

B.平均数不变，方差改变

C.平均数改变，方差不改变

D.平均数和方差都改变

(2)一组数据的方差为s^2，将这组数据中的每个数都除以2，所得新数据的方差是 ( )

A.$\frac{1}{2}s^2$　　B.$2s^2$　　C.$\frac{1}{4}s^2$　　D.$4s^2$

(3)已知一组数据x_1，x_2，x_3，x_4，x_5的平均数是2，方差是$\frac{1}{3}$，那么另一组数据$3x_1-2$，$3x_2-2$，$3x_3-2$，$3x_4-2$，$3x_5-2$的平均数和方差分别为 ( )

A.$2,\frac{1}{3}$　　B.2,1　　C.$4,\frac{2}{3}$　　D.4,3

解析 若x_1，x_2，…，x_n的平均数为$\bar{x}$，方差为s^2，则①$x_1\pm a$，$x_2\pm a$，…，$x_n\pm a$的平均数为$\bar{x}\pm a$，方差不变；②kx_1，kx_2，…，kx_n的平均数为$k\bar{x}$，方差为k^2s^2；③kx_1+a，kx_2+a，…，kx_n+a的平均数为$k\bar{x}+a$，方差为k^2s^2.

答案 (1)C (2)C (3)D

方法2 极差、方差的应用方法

极差反映数据的波动范围，计算方便.方差反映数据的稳定性，方差越大，说明其稳定性越差；方差越小，说明其稳定性越好.

例2 对10盆同一品种的花施用甲、乙两种花肥，把10盆花分成两组，每组5盆，记录其花期如下：

甲组：25，23，28，22，27

乙组：27，24，24，27，23

施用哪种花肥保花效果更好？

解析 由平均数公式得$\bar{x}_{甲}=\frac{1}{5}\times(25+23+28+22+27)=25$，$\bar{x}_{乙}=\frac{1}{5}\times(27+24+24+27+23)=25$.

$\therefore \bar{x}_{甲}=\bar{x}_{乙}$.

由方差公式得

$s^2_{甲}=\frac{1}{5}\times[(25-25)^2+(23-25)^2+(28-25)^2+(22-25)^2+(27-25)^2]=5.2$，

$s^2_{乙}=\frac{1}{5}\times[(27-25)^2+(24-25)^2+(24-25)^2+(27-25)^2+(23-25)^2]=2.8$. $\therefore s^2_{甲}>s^2_{乙}$，

故施用乙种花肥保花效果比较好.

点拨 在比较两组数据时，一般先看平均数，当平均数相同或相近时，可比较两组数据的方差，方差越小，数据越稳定.

方法3 利用方差进行决策的方法

在分析数据时，往往要求数据的平均数，当数据的平均水平一致时，为了更好地根据统计结果进行合理的判断和预测，我们往往会根据方差来判断数据的稳定性，从而得到正确的决策.

例3 为选派一名学生参加全市实践活动技能竞赛,A、B 两位同学在学校实习基地现场进行加工直径为 20 mm 的零件的测试,他俩各加工的 10 个零件的相关数据依次如图和表所示:(单位:mm)

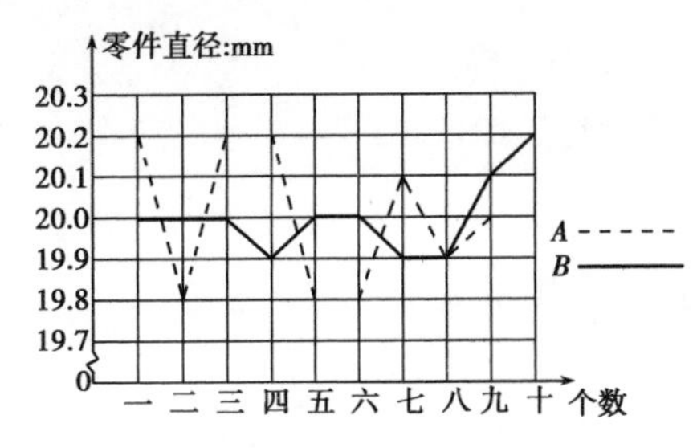

	平均数	方差	完全符合要求的个数
A	20	0.026	2
B	20	s_B^2	5

根据测试所得到的有关数据,试解答下列问题:

(1)考虑平均数与完全符合要求的个数,你认为______的成绩好些;

(2)计算出 s_B^2 的大小,考虑平均数与方差,说明谁的成绩好些;

(3)考虑图中折线走势及竞赛中加工零件个数远远超过 10 个的实际情况,你认为派谁去参赛较合适?说明你的理由.

思路分析　(1)由表中数据可知,A 和 B 的平均数都为 20,完全符合要求的个数分别为 2 和 5,所以考虑平均数与完全符合要求的个数,B 的成绩好些.(2)由题图中信息可知,B 同学的数据为 20,20,20,19.9,20,20,19.9,19.9,20.1,20.2.又由题表可知,B 的平均数为 20,由方差计算公式便可求出 s_B^2,与 s_A^2 比较可知,B 的成绩好些.(3)观察题图中折线的走势可知,A 的成绩逐渐趋于稳定,而 B 的成绩波动虽然不大,但到后来波动情况却加大了.因为竞赛时加工的零件个数远远超过 10 个,所以从这个角度来看,派 A 去参加竞赛会更合适.

解析　(1)B.

(2)因为 $s_B^2=\frac{1}{10}[(20-20)^2+(20-20)^2+\cdots+(20.2-20)^2]=0.008$,所以 $s_A^2>s_B^2$,所以考虑平均数与方差,B 的成绩好些.

(3)考虑题图中折线走势及竞赛中加工的零件个数远远超过 10 个的实际情况,认为应派 A 去参赛.因为 A 同学越做越好,所以熟练一段时间会有好的成绩.

点拨 从图形中收集信息,利用平均数、方差知识去处理数据,并进行决策.

第28—30章

第30章 概 率

30.1 概率的有关概念

知识清单

知识1 确定性事件　知识2 随机事件
知识3 概率的定义　知识4 几何概率

知识 1 确定性事件

在一定条件下,有些事件必然会发生,这样的事件称为必然事件.在一定条件下,有些事件必然不会发生,这样的事件称为不可能事件.必然事件与不可能事件统称确定性事件.

知识 2 随机事件

在一定条件下,可能发生也可能不发生的事件,称为随机事件.如:抛掷一枚硬币,正面朝上.

注意事项

①随机事件发生与否,事先是不能确定的.

②判断一个事件是必然事件、随机事件还是不可能事件,要从定义出发.

例1 下列事件中,是必然事件的是 (　　)

A.购买一张彩票,中奖

B.标准大气压下,温度降到0 ℃以下,纯净的水结冰

C.明天一定是晴天

D.经过有交通信号灯的路口,遇到红灯

解析 购买一张彩票,中奖可能发生也可能不发生,是随机事件;根据物理学知识可知标准大气压下,温度降到0 ℃以下,纯净的水结冰,是必然事件;明天可能是晴天也可能不是晴天,是随机事件;经过有交通信号灯的路口,可能遇到红灯也可能不遇到红灯,是随机事件,故选B.

答案 B

例2 下列事件中,属于随机事件的是 (　　)

A. $\sqrt{63}$的值比8大

B.明天下雨

C.地球自转的同时也在绕太阳公转

D.袋中只有5个黄球,摸出一个球是白球

解析 明天可能下雨,也可能不下雨,所以明天下雨是随机事件,A、D是不可能事件,C是必然事件,故选B.

答案 B

知识 3 概率的定义

概率	对于一个随机事件A,我们把刻画其发生可能性大小的数值,称为随机事件A发生的概率,记为$P(A)$
概率的计算方法	如果在一次试验中,有n种可能的结果,并且它们发生的可能性都相等,事件A包含其中的m种结果,那么事件A发生的概率$P(A)=\frac{m}{n}$,且$0\leqslant P(A)\leqslant 1$
概率的取值范围	当事件A为必然事件时,$P(A)=1$; 当事件A为不可能事件时,$P(A)=0$ 0 ← 事件发生的可能性越来越小 1 概率 不可能事件 事件发生的可能性越来越大 → 必然事件

例3 如图是两个可以自由转动的转盘,转盘各被等分成三个扇形,并分别标上1,2,3和6,7,8这6个数字.如果转动两个转盘各一次(指针落在等分线上重转),转盘停止后,则指针指向的数字和为偶数的概率是 (　　)

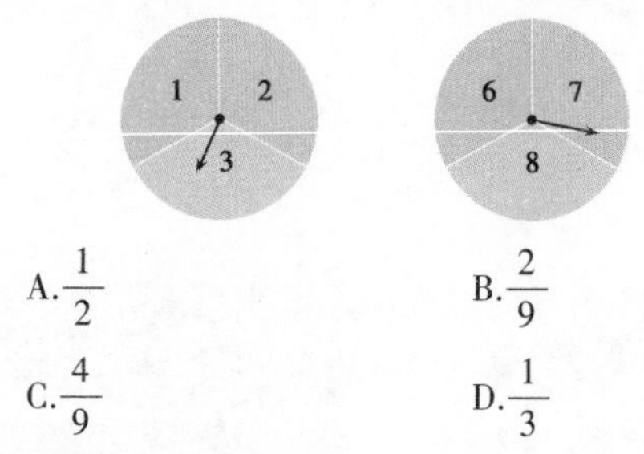

A. $\frac{1}{2}$　　B. $\frac{2}{9}$

C. $\frac{4}{9}$　　D. $\frac{1}{3}$

解析 可能的情况有(1,6)、(1,7)、(1,8)、(2,6)、(2,7)、(2,8)、(3,6)、(3,7)、(3,8),共九种,和为偶数的情况有四种,所以所求概率为$\frac{4}{9}$,故选C.

答案 C

知识 4 几何概率

有些可能的结果没法一一统计,例如雨点落在地砖上的位置、转盘上指针最后停下的位置等,这时我们可以借助几何图形的面积或线段的长度来计算.此时,事件的概率可以用部分线段的长度(部分区域的

面积)和整条线段的长度(整个区域的面积)的比来表示,在数学上,这些问题的概率又称为几何概率.

例4 如图,数轴上有两点 A、B,在线段 AB 上任取一点 C,则点 C 到表示 1 的点的距离不大于 2 的概率是________.

A B
−3 −2 −1 0 1 2 3

解析 观察数轴可知:若点 C 到表示 1 的点的距离不大于 2,则在数轴上点 C 在表示−1 与 3 的两点之间,而点 C 在线段 AB 上,故所求概率为$\frac{4}{6}=\frac{2}{3}$.

答案 $\frac{2}{3}$

方法清单

方法1 利用概率的定义求事件概率的方法
方法2 几何概率的计算方法

方法 1 利用概率的定义求事件概率的方法

一般地,如果在一次试验中,有 n 种可能的结果,并且它们发生的可能性都相等,事件 A 包含其中的 m 种结果,那么事件 A 发生的概率 $P(A)=\frac{m}{n}$.

例1 一个不透明的布袋里装有 5 个红球、2 个白球、3 个黄球,它们除颜色外其余都相同.从袋中任意摸出 1 个球,是黄球的概率为 ( )

A.$\frac{1}{2}$ B.$\frac{1}{5}$ C.$\frac{3}{10}$ D.$\frac{7}{10}$

解析 ∵ 从装有 5 个红球、2 个白球、3 个黄球的布袋中任意摸出 1 个球有 10 种等可能结果,其中摸出的球是黄球的结果有 3 种,∴ 从袋中任意摸出 1 个球是黄球的概率为$\frac{3}{10}$.故选 C.

答案 C

方法 2 几何概率的计算方法

解决几何概率问题的关键是根据几何概率问题的实际背景准确找出事件的几何度量,然后利用几何概率公式求解.解这类问题时应选准观察角度,把总的基本事件及事件 A 转化为与之对应的几何区域.

例2 如图所示的圆形板被等分成 10 个扇形挂在墙上,玩飞镖游戏(每次飞镖均落在纸板上),则飞镖落在阴影区域的概率是________.

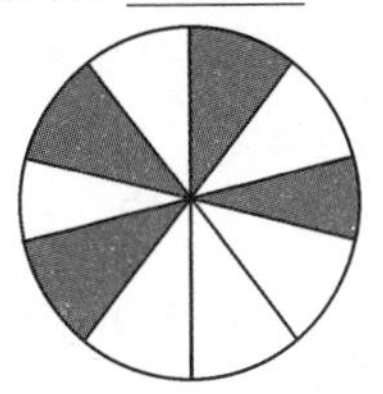

解析 圆形纸板被等分成 10 个扇形,阴影部分共有 4 个小扇形,故飞镖落在阴影区域的概率是$\frac{4}{10}=\frac{2}{5}$.

答案 $\frac{2}{5}$

30.2 概率的计算方法

知识清单

知识1 列举法 知识2 画树状图法
知识3 列表法 知识4 用频率估计概率
知识5 公平的游戏 知识6 模拟试验

知识 1 列举法

1.在一次试验中,如果可能出现的结果只有有限个,且各种结果出现的可能性大小相等,我们可通过列举试验结果的方法,分析出随机事件发生的概率.这种方法称为列举法.

2.用列举法求概率的基本步骤:

(1)列举出一次试验的所有可能结果,共 n 种;

(2)数出满足要求的结果数 m;

(3)概率 $P(A)=\frac{m}{n}$.

例1 有四张背面相同的扑克牌,正面数字分别为 2,3,4,5.若将这四张扑克牌背面向上洗匀后,从中任意抽取一张,放回后洗匀,再从中任意抽取一张,则这两张扑克牌正面数字之和是 3 的倍数的概率为________.

解析 所有可能的结果:(2,2),(2,3),(2,4),(2,5),(3,2),(3,3),(3,4),(3,5),(4,2),(4,3),(4,4),(4,5),(5,2),(5,3),(5,4),(5,5),共 16 种,其中和是 3 的倍数的有 5 种,则 P(数字之和是 3 的倍数)$=\frac{5}{16}$.

答案 $\frac{5}{16}$

第28—30章

知识 2 画树状图法

1.当事件中涉及两个以上的因素时,用树状图的形式不重不漏地列出所有可能的结果的方法叫画树状图法.

2.画树状图法的一般步骤:

(1)把所有可能发生的试验结果用树状图表示出来;

(2)把所求事件发生的可能结果都找出来;

(3)代入计算公式:

$P(A)=\frac{所求事件所有可能出现的结果数}{所有可能出现的结果数}$.

例 2 "红灯停,绿灯行"是我们在日常生活中必须遵守的交通规则,这样才能保障交通顺畅和行人安全.小刚每天从家骑自行车上学要经过三个路口,且每个路口只安装了红灯和绿灯,假如每个路口红灯和绿灯亮的时间相同,那么小刚从家随时出发去学校,他遇到三次红灯的概率是 ( )

A. $\frac{1}{8}$ B. $\frac{3}{8}$ C. $\frac{5}{8}$ D. $\frac{7}{8}$

解析 画树状图如图所示.

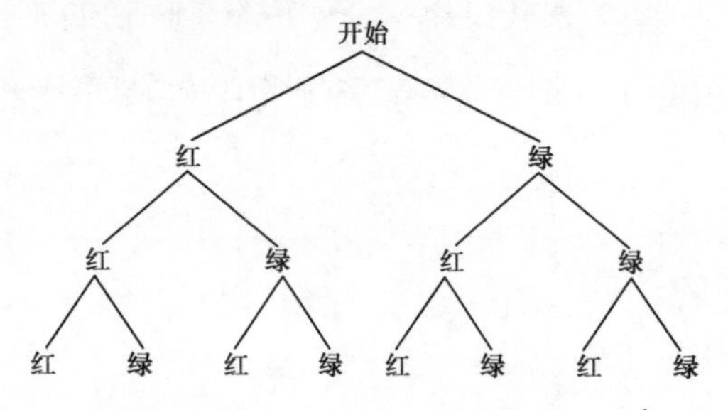

根据树状图可知,三次都是红灯的概率是$\frac{1}{8}$.

答案 A

知识 3 列表法

1.当事件中涉及两个因素,并且可能出现的结果数目较多时,用表格不重不漏地列出所有可能的结果,这种方法叫列表法.

2.列表法的一般步骤:

(1)把所有可能发生的试验结果一一列举出来,要求:①不重不漏;②将所有可能结果有规律地填入表格.

(2)把所求事件发生的可能结果都找出来.

(3)代入计算公式:

$P(A)=\frac{所求事件所有可能出现的结果数}{所有可能出现的结果数}$.

温馨提示

①画树状图法与列表法是常用的两种列举法.

②利用列表法、画树状图法求概率,实质上还是求等可能性事件的概率.

③在利用列表法、画树状图法求概率时,各种结果出现的可能性必须相等.

④当事件的发生只经过两个步骤时,一般用列表法就能将所有的可能结果列举出来,当经过多个步骤时,表格就不够清晰了,而画树状图法的适用面更广,特别是多个步骤时,层次清楚,一目了然.

例 3 同时抛掷两枚质地均匀的骰子,则事件"两枚骰子的点数和小于 8 且为偶数"的概率是______.

解析 列表如下:

第一枚 / 和 / 第二枚	1	2	3	4	5	6
1	2	3	4	5	6	7
2	3	4	5	6	7	8
3	4	5	6	7	8	9
4	5	6	7	8	9	10
5	6	7	8	9	10	11
6	7	8	9	10	11	12

由表格可知,同时抛掷两枚质地均匀的骰子,共有 36 种结果,而符合"两枚骰子的点数和小于 8 且为偶数"的结果有 9 种,故所求概率 $P=\frac{9}{36}=\frac{1}{4}$.

答案 $\frac{1}{4}$

知识 4 用频率估计概率

用频率估计概率	在随机事件中,一个随机事件发生与否事先无法预测,表面上看似无规律可循,但当我们做大量重复试验时,这个事件发生的频率就呈现出稳定性.因此,做了大量试验后,可以用一个事件发生的频率作为这个事件发生的概率的估计值
适用对象	当试验的所有可能结果不是有限个,或各种结果发生的可能性不相等时,可通过统计频率来估计概率

温馨提示

①随着试验次数的增加，一般地，频率会呈现出一定的稳定性：在某个特定数值p的附近摆动的幅度越来越小.我们就用p这个常数来表示事件发生的概率.

②即使事件发生的概率非常大，但在一次试验中也有可能不发生；即使事件发生的概率非常小，但在一次试验中也有可能发生.

③概率与统计是紧密联系的，它们互为基础，概率的概念就是建立在频率这一统计量稳定性的基础之上的，而统计又离不开概率的理论支持.

例4 一个不透明的袋中装有除颜色外其余均相同的8个黑球、4个白球和若干个红球.每次摇匀后随机摸出一个球，记下颜色后再放回袋中，通过大量重复摸球试验后，发现摸到红球的频率稳定于0.4，由此可估计袋中约有红球________个.

(解析) 由题意可得，

摸到黑球和白球的频率之和为$1-0.4=0.6$，

用频率估计概率，则摸到黑球和白球的概率之和为0.6，$\therefore$总的球数约为$(8+4)\div0.6=20$，

$\therefore$红球约有$20-(8+4)=8$(个).

(答案) 8

知识5 公平的游戏

看一个游戏是否公平，只要看游戏中双方赢的概率是否相等，如果不相等，那么这个游戏就是不公平的，要想使它变得公平，就要修改游戏规则.

例5 哥哥与弟弟玩一个游戏：三张大小、质地都相同的卡片上分别标有数字1、2、3，将标有数字的一面朝下，哥哥从中任意抽取一张，记下数字后放回洗匀，然后弟弟从中任意抽取一张，记下数字，计算抽得的两个数字之和，若和为奇数，则弟弟胜；若和为偶数，则哥哥胜.该游戏对双方________(填“公平”或“不公平”).

(解析) 由题意可知，总的结果有9个，和为奇数的有4个，和为偶数的有5个，

所以$P(\text{和为奇数})=\frac{4}{9}$，$P(\text{和为偶数})=\frac{5}{9}$，因为$\frac{4}{9}\neq\frac{5}{9}$，所以该游戏对双方不公平.

(答案) 不公平

知识6 模拟试验

在用试验的方法估计某个事件发生的概率时，如果手头没有相应的实物或利用相应的实物进行试验较困难时，可借助替代物进行模拟试验，又称替代试验.其中替代物出现的机会应与实物出现的机会相同.

方法清单

方法1 利用画树状图法求事件概率的方法

树状图也称为概率树，当一次试验涉及三个或更多的因素时，用列表法就不太方便了，为了不重不漏地列出所有可能的结果，通常采用画树状图法，其优点是能够直观地把试验结果无遗漏地表示出来.

例1 A、B、C三人玩篮球传球游戏，游戏规则是：第一次传球由A将球随机地传给B、C两人中的某一人，以后的每一次传球都是由上次的接球者将球随机地传给其他两人中的某一人.

(1)求两次传球后，球恰在B手中的概率；

(2)求三次传球后，球恰在A手中的概率.

(解析) (1)两次传球的所有结果有4种，分别是$A\to B\to C$，$A\to B\to A$，$A\to C\to B$，$A\to C\to A$，每种结果发生的可能性相等，其中，两次传球后，球恰在B手中的结果只有一种，所以两次传球后，球恰在B手中的概率是$\frac{1}{4}$.

(2)画树状图如图.

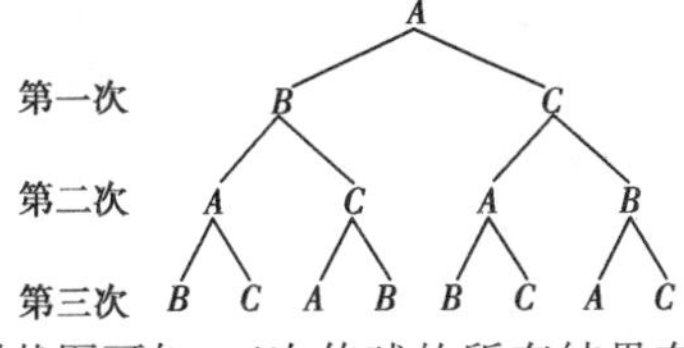

由树状图可知，三次传球的所有结果有8种，每种结果发生的可能性相等.

其中，三次传球后，球恰在A手中的结果有$A\to B\to C\to A$，$A\to C\to B\to A$这2种，所以三次传球后，球恰在A手中的概率是$\frac{2}{8}=\frac{1}{4}$.

方法 2 利用列表法求事件概率的方法

列表法能比较直观地把所有可能的情况一一表示出来,当事件发生的各种情况出现的可能性相同,而且是涉及两步的事件发生的概率问题时,常用列表法计算概率.

例 2 如图 1,一枚质地均匀的正四面体骰子,它有四个面并分别标有数字 1,2,3,4.

如图 2,正方形 $ABCD$ 顶点处各有一个圈.跳圈游戏的规则为:游戏者每掷一次骰子,骰子着地一面上的数字是几,就沿正方形的边顺时针方向连续跳几个边长.

如:若从圈 A 起跳,第一次掷得 3,就顺时针连续跳 3 个边长,落到圈 D;若第二次掷得 2,就从 D 开始顺时针连续跳 2 个边长,落到圈 B;……

设游戏者从圈 A 起跳.

(1)嘉嘉随机掷一次骰子,求落回到圈 A 的概率 P_1;

(2)淇淇随机掷两次骰子,用列表法求最后落回到圈 A 的概率 P_2,并指出她与嘉嘉落回到圈 A 的可能性一样吗.

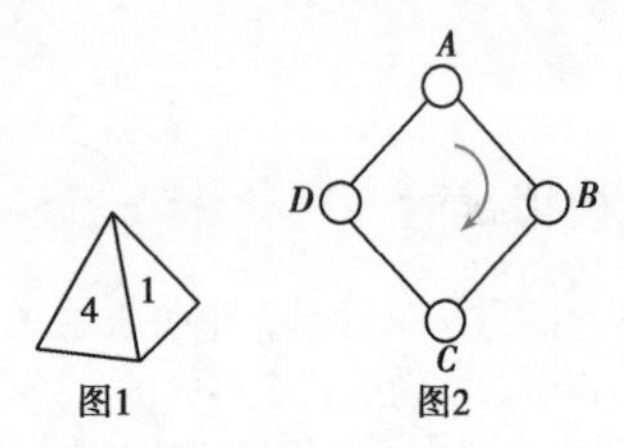

图1　　图2

解析 (1)∵ 掷一次骰子共有 4 种等可能的结果,只有掷得 4 时,才会落回到圈 A,

∴ 落回到圈 A 的概率 $P_1=\frac{1}{4}$.

(2)列表如下:

	1	2	3	4
1	(1,1)	(2,1)	(3,1)	(4,1)
2	(1,2)	(2,2)	(3,2)	(4,2)
3	(1,3)	(2,3)	(3,3)	(4,3)
4	(1,4)	(2,4)	(3,4)	(4,4)

共有 16 种等可能的结果,当两次掷得的数字和为 4 的倍数,即(1,3),(2,2),(3,1),(4,4)时,才可落回到圈 A,共有 4 种,

∴ 最后落回到圈 A 的概率 $P_2=\frac{4}{16}=\frac{1}{4}$,

又 $P_1=\frac{1}{4}$,

∴ 她与嘉嘉落回到圈 A 的可能性一样.

方法 3 用频率估计概率的方法

频率与概率是两个不同的概念,概率是伴随着随机事件客观存在的,只要有一个随机事件存在,那么这个随机事件的概率就一定存在;而频率是通过试验得到的,它随着试验次数的变化而变化,当试验的重复次数充分大后,频率在概率附近摆动,为了求出一随机事件的概率,我们可以通过多次重复试验,用所得的频率来估计事件的概率.

例 3 在一个不透明口袋里,装有仅颜色不同的黑球、白球若干个,某小组做摸球试验:将球搅匀后从中随机摸出一个,记下颜色,再放入袋中,不断重复,下表是活动中的一组数据,则摸到白球的概率约是 (　　)

摸球的次数 n	100	150	200	500	800	1 000
摸到白球的次数 m	58	96	116	295	484	601
摸到白球的频率	0.58	0.64	0.58	0.59	0.605	0.601

A.0.4　　B.0.5　　C.0.6　　D.0.7

解析 由题中表格可知,事件发生的频率稳定在 0.6 附近,则摸到白球的概率约是 0.6.故选 C.

答案 C

点拨 用频率估计概率,其做法是取多次试验发生的频率稳定值来估计概率.

方法 4 利用概率解决平均收益问题的方法

在日常生活中,经常会遇到商家的各种有奖促销活动,到底哪种方式合算,需要我们动脑、动手,通过所学习的概率知识计算平均收益,然后进行选择,避免盲目性.所谓平均收益就是用每一种金额数乘此金额的可能性,再求和.

例 4 某商场为了吸引顾客,设立了可以自由转动的转盘(如图,转盘被均匀分为 20 份),并规定:顾客每购买 200 元的商品,就能获得一次转动转盘的机会.如果转盘停止后,指针正好对准红色、黄色、绿色区域,那么顾客就可以分别获得 200 元、100 元、50 元的购物券,凭购物券可以在该商场继续购物.如果转到没有颜色的区域,则不会获得购物券.如果顾客不愿意转转盘,那么可以直接获得购物券 30 元.

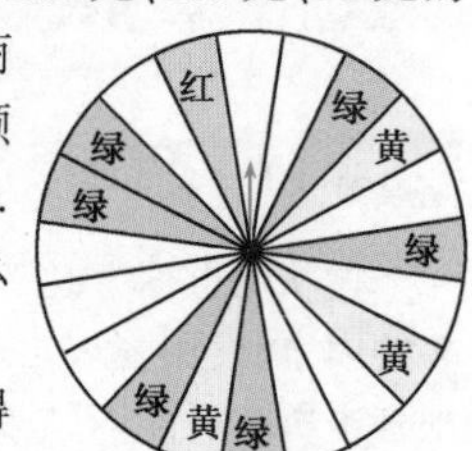

(1)求转动一次转盘获得购物券的概率;

(2)转转盘和直接获得购物券,你认为哪种方式对顾客更合算?

解析 (1)P(转动一次转盘获得购物券)$=\frac{10}{20}=\frac{1}{2}$.

(2) $200\times\frac{1}{20}+100\times\frac{3}{20}+50\times\frac{6}{20}=40$(元).

$\because 40>30$, $\therefore$ 选择转转盘对顾客更合算.

方法 5 选择模拟试验的方法

概率是通过大量重复试验中的频率稳定性得到的一个常数.在试验中常用现成的实物作为工具,但手边没有相应的实物,或者用实物进行试验比较困难时,常常采用模拟试验.

(1)模拟试验中替代物是多样的.

(2)模拟试验的原则:替代试验必须在同等条件下进行,否则会影响试验效果.

(3)并不是所有的试验都能找到替代物.如在"抛一个热水瓶木塞子"的试验中,就不能用替代物来替代实物.因为热水瓶木塞子是不均匀的物体.

例 5 端午节吃粽子是中华民族的传统习俗,五月初五早晨,妈妈为洋洋准备了四只粽子:一只香肠馅,一只红枣馅,两只什锦馅,四只粽子除内部馅料不同外,其他均相同.洋洋喜欢吃什锦馅的粽子.

(1)请你用画树状图或列表的方法为洋洋预测一下吃两只粽子刚好都是什锦馅的概率;

(2)在吃粽子之前,洋洋准备用如图所示的转盘进行吃粽子的模拟试验(此转盘被等分成四个扇形区域,指针的位置是固定的,转动转盘后任其自由停止,其中的某个扇形会恰好停在指针所指的位置.指针指向分割线时,重新转动转盘),规定:连续转动两次转盘表示随机吃两只粽子,从而估计吃两只粽子刚好都是什锦馅的概率.你认为这种模拟试验的方法正确吗?试说明理由.

解析 (1)画树状图如下:

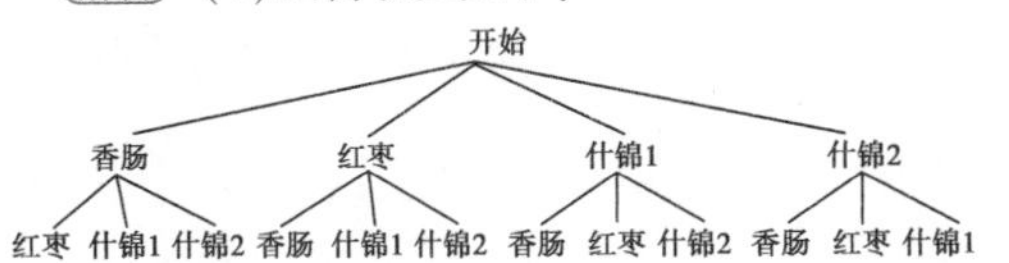

所有可能出现的结果共有 12 个,每个结果出现的可能性相等,吃到两只粽子都是什锦馅的结果有 2 个,$\therefore P$(吃到两只粽子都是什锦馅)$=\frac{2}{12}=\frac{1}{6}$.

(2)不正确.理由:模拟试验的树状图如图.

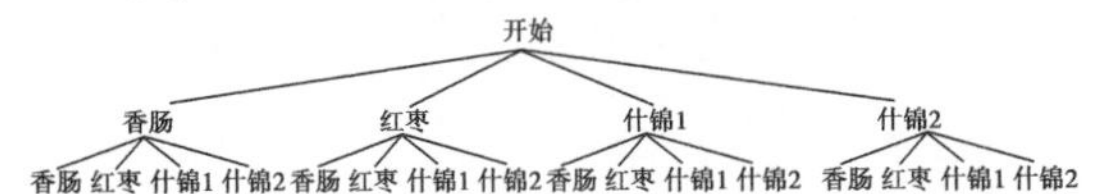

共有 16 种结果,每种结果出现的可能性相同,吃到两只粽子都是什锦馅的结果有 4 个,

$\therefore P$(吃到两只粽子都是什锦馅)$=\frac{4}{16}=\frac{1}{4}\neq\frac{1}{6}$.

$\therefore$ 这样的模拟试验不正确.

方法 6 判断游戏是否公平的方法

1.判断游戏是否公平的原则:游戏双方获胜的概率如果相等,说明游戏是公平的,否则说明游戏不公平.

2.游戏规则的修改:对于任何一个游戏,规则的修改方法不是唯一的,但最基本的是应通过计算,使概率的值朝着相等的方向修改.

例 6 如图所示,小吴和小黄在玩转盘游戏,准备了两个可以自由转动的转盘甲、乙,每个转盘被分成面积相等的几个扇形区域,并在每个扇形区域内标上数字,游戏规则:同时转动两个转盘,当转盘停止转动后(如果指针恰好指在分割线上,那么重转一次,直到指针指向某一扇形区域为止),指针所指扇形区域内的数字之和为 4 或 5 或 6 时,小吴胜;否则小黄胜.

(1)这个游戏规则对双方公平吗?

(2)请你设计一个对双方都公平的游戏规则.

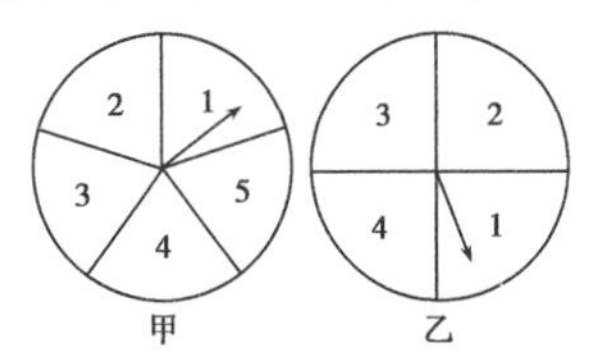

解析 如图所示.

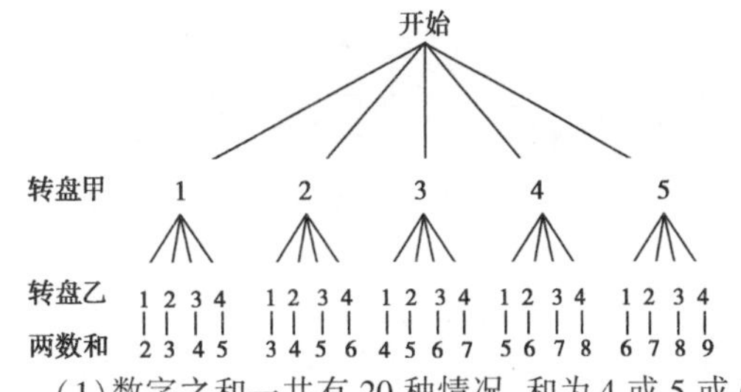

(1)数字之和一共有 20 种情况,和为 4 或 5 或 6 的共有 11 种情况,

则 P(小吴胜)$=\frac{11}{20}$, P(小黄胜)$=\frac{9}{20}$,

$\because \frac{11}{20}>\frac{9}{20}$, $\therefore$ 这个游戏规则对双方不公平.

(2)(答案不唯一)新的游戏规则:和为奇数小吴胜,和为偶数小黄胜.

理由:数字和一共有 20 种情况,和为偶数、奇数各有 10 种情况,$\therefore P$(小吴胜)$=P$(小黄胜)$=\frac{1}{2}$.

附录

附录1　常见数学符号

符号	意义
+	加号、正号
−	减号、负号
×或 ·	乘
÷	除以
| |	绝对值
a^n	a 的 n 次方
$\sqrt{\ }$	二次根号
$\sqrt[3]{\ }$	三次根号
$\sqrt[n]{\ }$	n 次根号
Δ	一元二次方程 $ax^2+bx+c=0(a\neq 0)$ 的根的判别式，$\Delta=b^2-4ac$
//	平行
⊥	垂直
∠	角
△	三角形
Rt∠	直角

续表

符号	意义
Rt△	直角三角形
▱	平行四边形
⊙	圆
⌒	圆弧(弧)
°	度
′	分
″	秒
≌	全等
∽	相似
$\sin A$	角 A 的正弦
$\cos A$	角 A 的余弦
$\tan A$	角 A 的正切
$\cot A$	角 A 的余切
π	圆周率 π=3.141 5…
∵	因为
∴	所以

附录2　常用计量单位表

长　度

名称	千米	米	分米	厘米	毫米	微米	纳米
符号	km	m	dm	cm	mm	μm	nm
等量	10^3 米		10^{-1} 米	10^{-2} 米	10^{-3} 米	10^{-6} 米	10^{-9} 米

注：1 海里(n mile)= 1 852 米

1 里(市制单位)= 500 米　　　1 尺(市制单位)= $\frac{1}{3}$ 米

面　积

名称	平方千米	平方米	平方分米	平方厘米	平方毫米
符号	km^2	m^2	dm^2	cm^2	mm^2
等量	10^6 平方米		10^{-2} 平方米	10^{-4} 平方米	10^{-6} 平方米

注：1 公顷(hm^2)= 10^4 平方米

1 亩(市制单位)≈666.7 平方米

体　积

名　称	立方米	立方分米	立方厘米	立方毫米
符　号	m^3	dm^3	cm^3	mm^3
等　量		10^{-3} 立方米	10^{-6} 立方米	10^{-9} 立方米

注：1 升(L)= 1 立方分米 = 10^{-3} 立方米

1 毫升(mL)= 1 立方厘米 = 10^{-6} 立方米

时　间

名称	日	[小]时	分	秒	毫秒
符号	d	h	min	s	ms
等量	24[小]时(86 400 秒)	60 分(3 600 秒)	60 秒		10^{-3} 秒

质　量

名称	千克	克	毫克	微克
符号	kg	g	mg	μg
等量		10^{-3} 千克	10^{-6} 千克	10^{-9} 千克

注:1 吨(t)= 1 兆克(Mg)= 10^3 千克

附录 3　希腊字母表

希腊字母	汉语拼音读法	汉字注音读法
Αα	alfa	阿尔法
Ββ	bita	贝塔
Γγ	gama	伽马
Δδ	dêlta	德耳塔
Εε	êpsilon	艾普西龙
Ζζ	zita	截塔
Ηη	yita	艾塔
Θθ	sita	西塔
Ιι	yota	约塔
Κκ	kapa	卡帕
Λλ	lamda	兰布达
Μμ	miu	米尤
Νν	niu	纽
Ξξ	ksai	克西
Οο	omikron	奥密克戎
Ππ	pai	派
Ρρ	rou	若
Σσ	sigma	西格马
Ττ	tao	套
Υυ	yupsilon	宇普西龙
Φφ(ϕ)	fai	斐
Χχ	hai	喜
Ψψ	psai	普西
Ωω	omiga	欧米伽

附录4　常用数学公式

绝对值计算	$\lvert a\rvert=\begin{cases}a, & a>0\\0, & a=0\\-a, & a<0\end{cases}$
实数的运算律	加法交换律：$a+b=b+a$ 加法结合律：$(a+b)+c=a+(b+c)$ 乘法交换律：$ab=ba$ 乘法结合律：$(ab)c=a(bc)$ 乘法分配律：$a(b+c)=ab+ac$
幂的运算性质	$a^m\cdot a^n=a^{m+n}$（m,n 为整数） $(a^m)^n=a^{mn}$（m,n 为整数） $(ab)^n=a^nb^n$（n 为整数） $a^m\div a^n=a^{m-n}$（m,n 为整数，$a\neq0$） $\left(\frac{a}{b}\right)^n=\frac{a^n}{b^n}$（$n$ 为整数，$a\neq0,b\neq0$） $a^0=1(a\neq0)$ $a^{-p}=\frac{1}{a^p}$（$a\neq0,p$ 为正整数）
整式乘法公式	平方差公式：$(a+b)(a-b)=a^2-b^2$ 完全平方公式：$(a+b)^2=a^2+2ab+b^2$ $(a-b)^2=a^2-2ab+b^2$
分式的运算	(1) $\frac{a}{b}\cdot\frac{d}{c}=\frac{ad}{bc}$ (2) $\frac{a}{b}\div\frac{c}{d}=\frac{a}{b}\cdot\frac{d}{c}=\frac{a\cdot d}{b\cdot c}$ (3) $\left(\frac{a}{b}\right)^n=\frac{a^n}{b^n}$　(4) $\frac{b}{a}\pm\frac{c}{a}=\frac{b\pm c}{a}$ (5) $\frac{b}{a}\pm\frac{c}{d}=\frac{bd}{ad}\pm\frac{ac}{ad}=\frac{bd\pm ac}{ad}$
二次根式的性质	(1) $(\sqrt{a})^2=a(a\geqslant0)$ (2) $\sqrt{a}\geqslant0(a\geqslant0)$ (3) $\sqrt{a^2}=\lvert a\rvert$ (4) $\sqrt{ab}=\sqrt{a}\cdot\sqrt{b}(a\geqslant0,b\geqslant0)$ (5) $\sqrt{\frac{a}{b}}=\frac{\sqrt{a}}{\sqrt{b}}(a\geqslant0,b>0)$

续表

一元二次方程	一元二次方程：$ax^2+bx+c=0(a\neq0)$ 的求根公式 $x=\frac{-b\pm\sqrt{b^2-4ac}}{2a}(b^2-4ac\geqslant0)$. 一元二次方程 $ax^2+bx+c=0(a\neq0)$ 的根的个数： (1) 当 $\Delta=b^2-4ac>0$ 时，方程有两个不相等的实数根， 即 $x_1=\frac{-b+\sqrt{b^2-4ac}}{2a},x_2=\frac{-b-\sqrt{b^2-4ac}}{2a}$. (2) 当 $\Delta=b^2-4ac=0$ 时，方程有两个相等的实数根，即 $x_1=x_2=-\frac{b}{2a}$. (3) 当 $\Delta=b^2-4ac<0$ 时，方程没有实数根. 根与系数的关系：$x_1+x_2=-\frac{b}{a},x_1x_2=\frac{c}{a}$
等式的性质	(1) 如果 $a=b$，那么 $a\pm c=b\pm c$. (2) 如果 $a=b$，那么 $ac=bc$； 如果 $a=b(c\neq0)$，那么 $\frac{a}{c}=\frac{b}{c}$
不等式的性质	(1) 如果 $a>b$，那么 $a\pm c>b\pm c$. （如果 $a<b$，那么 $a\pm c<b\pm c$）； (2) 如果 $a>b,c>0$，那么 $ac>bc,\frac{a}{c}>\frac{b}{c}$ $\left(如果\ a<b,c>0，那么\ ac<bc,\frac{a}{c}<\frac{b}{c}\right)$； (3) 如果 $a>b,c<0$，那么 $ac<bc,\frac{a}{c}<\frac{b}{c}$ $\left(如果\ a<b,c<0，那么\ ac>bc,\frac{a}{c}>\frac{b}{c}\right)$
角	1 周角 = 360°　1 平角 = 180° 1 直角 = 90°　1° = 60′，1′ = 60″ 若∠A+∠B=90°，则∠A 与∠B 互为余角 若∠A+∠B=180°，则∠A 与∠B 互为补角
三角形	勾股定理：如果直角三角形的两条直角边长分别为 a,b，斜边长为 c，那么 $a^2+b^2=c^2$. 勾股定理的逆定理：如果三角形的三边长 a,b,c 满足 $a^2+b^2=c^2$，那么这个三角形为直角三角形. 三角形面积：$S=\frac{1}{2}ah$（h 为底边 a 上的高）

续表

四边形	平行四边形面积：$S=ah$（a 为底边，h 为底边上的高） 矩形面积：$S=ab$（a,b 为矩形两邻边长） 菱形面积：$S=\frac{1}{2}ab$（a,b 为菱形的两条对角线的长） 正方形面积：$S=a^2$（a 为正方形的边长） 梯形面积：$S=\frac{(a+b)h}{2}$（a,b 为梯形上、下底边的长，h 为高）
比例的性质	(1)基本性质：如果$\frac{a}{b}=\frac{c}{d}$，那么 $ad=bc$. (2)合比性质：如果$\frac{a}{b}=\frac{c}{d}$，那么$\frac{a\pm b}{b}=\frac{c\pm d}{d}$. (3)等比性质：若$\frac{a}{b}=\frac{c}{d}=\cdots=\frac{m}{n}$（$b+d+\cdots+n\neq 0$），则$\frac{a+c+\cdots+m}{b+d+\cdots+n}=\frac{a}{b}$
三角函数	$\sin\alpha=\frac{\angle\alpha\text{的对边}}{\text{斜边}}$，$\cos\alpha=\frac{\angle\alpha\text{的邻边}}{\text{斜边}}$， $\tan\alpha=\frac{\angle\alpha\text{的对边}}{\angle\alpha\text{的邻边}}$

三角函数 \ 角 α	0°	30°	45°	60°	90°
$\sin\alpha$	0	$\frac{1}{2}$	$\frac{\sqrt{2}}{2}$	$\frac{\sqrt{3}}{2}$	1
$\cos\alpha$	1	$\frac{\sqrt{3}}{2}$	$\frac{\sqrt{2}}{2}$	$\frac{1}{2}$	0
$\tan\alpha$	0	$\frac{\sqrt{3}}{3}$	1	$\sqrt{3}$	不存在

与圆有关的公式	圆周长 $C=2\pi R$，圆面积 $S=\pi R^2$. 弧长 $l=\frac{n\pi R}{180}$，扇形面积 $S=\frac{n\pi R^2}{360}=\frac{1}{2}lR$

续表

点与圆的位置关系	设⊙O 的半径为 r，点到圆心 O 的距离为 d，则有：(1)点在圆外⇔$d>r$， (2)点在圆上⇔$d=r$； (3)点在圆内⇔$d<r$
直线和圆的位置关系	如果⊙O 的半径为 r，圆心到直线的距离为 d，那么： (1)直线 l 与圆 O 相交⇔$d<r$； (2)直线 l 与圆 O 相切⇔$d=r$； (3)直线 l 与圆 O 相离⇔$d>r$
圆柱与圆锥	圆柱的侧面积$=Ch$（C 为底面圆的周长，h 为圆柱的高）； 圆柱的表面积$=Ch+2\pi r^2$（r 为底面圆的半径）； 圆锥的侧面积$=\pi lr$（l 为母线长，r 为底面圆的半径）； 圆锥的全面积$=\pi lr+\pi r^2$
平均数	(1)算术平均数：$\bar{x}=\frac{x_1+x_2+\cdots+x_n}{n}$； (2)加权平均数：$\bar{x}=\frac{x_1w_1+x_2w_2+\cdots+x_nw_n}{w_1+w_2+\cdots+w_n}$，$w_1,w_2,\cdots,w_n$ 分别叫做 $x_1,x_2,\cdots,x_n$ 的权
方差	$s^2=\frac{1}{n}[(x_1-\bar{x})^2+(x_2-\bar{x})^2+\cdots+(x_n-\bar{x})^2]$
概　率	一般地，如果在一次试验中，有 n 种可能的结果，并且它们发生的可有性都相等，事件 A 包含其中的 m 种结果，那么事件 A 发生的概率为 $P(A)=\frac{m}{n}$

附录5　初中数学课程标准

一、数与代数

（一）数与式

1.有理数

(1)理解有理数的意义，能用数轴上的点表示有理数，能比较有理数的大小.

(2)借助数轴理解相反数和绝对值的意义，掌握求有理数的相反数与绝对值的方法，知道$|a|$的含义（这里 a 表示有理数）.

(3)理解乘方的意义，掌握有理数的加、减、乘、除、乘方及简单的混合运算（以三步以内为主）.

(4)理解有理数的运算律，能运用运算律简化运算.

(5)能运用有理数的运算解决简单的问题.

2.实数

(1)了解平方根、算术平方根、立方根的概念，会用根号表示数的平方根、算术平方根、立方根.

(2)了解乘方与开方互为逆运算，会用平方运算求百以内整数的平方根，会用立方运算求百以内整数（对应的负整数）的立方根，会用计算器求平方根和立方根.

(3)了解无理数和实数的概念,知道实数与数轴上的点一一对应,能求实数的相反数与绝对值.

(4)能用有理数估计一个无理数的大致范围.

(5)了解近似数,在解决实际问题中,能用计算器进行近似计算,并会按问题的要求对结果取近似值.

(6)了解二次根式、最简二次根式的概念,了解二次根式(根号下仅限于数)加、减、乘、除运算法则,会用它们进行有关的简单四则运算.

3.代数式

(1)借助现实情境了解代数式,进一步理解用字母表示数的意义.

(2)能分析具体问题中的简单数量关系,并用代数式表示.

(3)会求代数式的值;能根据特定的问题查阅资料,找到所需要的公式,并会代入具体的值进行计算.

4.整式与分式

(1)了解整数指数幂的意义和基本性质;会用科学记数法表示数(包括在计算器上表示).

(2)理解整式的概念,掌握合并同类项和去括号的法则,能进行简单的整式加法和减法运算;能进行简单的整式乘法运算(其中多项式相乘仅指一次式之间以及一次式与二次式相乘).

(3)能推导乘法公式:$(a+b)(a-b)=a^2-b^2$;$(a\pm b)^2=a^2\pm 2ab+b^2$,了解公式的几何背景,并能利用公式进行简单计算.

(4)能用提公因式法、公式法(直接利用公式不超过二次)进行因式分解(指数是正整数).

(5)了解分式和最简分式的概念,能利用分式的基本性质进行约分和通分;能进行简单的分式加、减、乘、除运算.

(二)方程与不等式

1.方程与方程组

(1)能根据具体问题中的数量关系列出方程,体会方程是刻画现实世界数量关系的有效模型.

(2)经历估计方程解的过程.

(3)掌握等式的基本性质.

(4)能解一元一次方程、可化为一元一次方程的分式方程.

(5)掌握代入消元法和加减消元法,能解二元一次方程组.

(6)*能解简单的三元一次方程组.

(7)理解配方法,能用配方法、公式法、因式分解法解数字系数的一元二次方程.

(8)会用一元二次方程根的判别式判别方程是否有实根和两个实根是否相等.

(9)*了解一元二次方程的根与系数的关系.

(10)能根据具体问题的实际意义,检验方程的解是否合理.

2.不等式与不等式组

(1)结合具体问题,了解不等式的意义,探索不等式的基本性质.

(2)能解数字系数的一元一次不等式,并能在数轴上表示出解集;会用数轴确定由两个一元一次不等式组成的不等式组的解集.

(3)能根据具体问题中的数量关系,列出一元一次不等式,解决简单的问题.

(三)函数

1.函数

(1)探索简单实例中的数量关系和变化规律,了解常量、变量的意义.

(2)结合实例,了解函数的概念和三种表示法,能举出函数的实例.

(3)能结合图象对简单实际问题中的函数关系进行分析.

(4)能确定简单实际问题中函数自变量的取值范围,并会求出函数值.

(5)能用适当的函数表示法刻画简单实际问题中变量之间的关系.

(6)结合对函数关系的分析,能对变量的变化情况进行初步讨论.

2.一次函数

(1)结合具体情境体会一次函数的意义,能根据已知条件确定一次函数的表达式.

(2)会利用待定系数法确定一次函数的表达式.

(3)能画出一次函数的图象,根据一次函数的图象和表达式 $y=kx+b\ (k\neq 0)$ 探索并理解 $k>0$ 和 $k<0$ 时,图象的变化情况.

(4)理解正比例函数.

(5)体会一次函数与二元一次方程的关系.

(6)能用一次函数解决简单实际问题.

3.反比例函数

(1)结合具体情境体会反比例函数的意义,能根据已知条件确定反比例函数的表达式.

(2)能画出反比例函数的图象,根据图象和表达式 $y=\frac{k}{x}(k\neq0)$ 探索并理解 $k>0$ 和 $k<0$ 时,图象的变化情况.

(3)能用反比例函数解决简单实际问题.

4.二次函数

(1)通过对实际问题的分析,体会二次函数的意义.

(2)会用描点法画出二次函数的图象,通过图象了解二次函数的性质.

(3)会用配方法将数字系数的二次函数的表达式化为 $y=a(x+h)^2+k(a\neq0)$ 的形式,并能由此得到二次函数图象的顶点坐标,说出图象的开口方向,画出图象的对称轴,并能解决简单实际问题.

(4)会利用二次函数的图象求一元二次方程的近似解.

(5)*知道给定不共线三点的坐标可以确定一个二次函数.

二、图形与几何

(一)图形的性质

1.点、线、面、角

(1)通过实物和具体模型,了解从物体抽象出来的几何体、平面、直线和点等.

(2)会比较线段的长短,理解线段的和、差,以及线段中点的意义.

(3)掌握基本事实:两点确定一条直线.

(4)掌握基本事实:两点之间线段最短.

(5)理解两点间距离的意义,能度量两点间的距离.

(6)理解角的概念,能比较角的大小.

(7)认识度、分、秒,会对度、分、秒进行简单的换算,并会计算角的和、差.

2.相交线与平行线

(1)理解对顶角、余角、补角等概念,探索并掌握对顶角相等、同角(等角)的余角相等,同角(等角)的补角相等的性质.

(2)理解垂线、垂线段等概念,能用三角尺或量角器过一点画已知直线的垂线.

(3)理解点到直线的距离的意义,能度量点到直线的距离.

(4)掌握基本事实:过一点有且只有一条直线与这条直线垂直.

(5)识别同位角、内错角、同旁内角.

(6)理解平行线概念;掌握基本事实:两条直线被第三条直线所截,如果同位角相等,那么两直线平行.

(7)掌握基本事实:过直线外一点有且只有一条直线与这条直线平行.

(8)掌握平行线的性质定理:两条平行直线被第三条直线所截,同位角相等.*了解平行线性质定理的证明.

(9)能用三角尺和直尺过已知直线外一点画这条直线的平行线.

(10)探索并证明平行线的判定定理:两条直线被第三条直线所截,如果内错角相等(或同旁内角互补),那么两直线平行;探索并证明平行线的性质定理:两条平行直线被第三条直线所截,内错角相等(或同旁内角互补).

(11)了解平行于同一条直线的两条直线平行.

3.三角形

(1)理解三角形及其内角、外角、中线、高线、角平分线等概念,了解三角形的稳定性.

(2)探索并证明三角形内角和定理.掌握它的推论:三角形的外角等于与它不相邻的两个内角的和.证明三角形的任意两边之和大于第三边.

(3)理解全等三角形的概念,能识别全等三角形中的对应边、对应角.

(4)掌握基本事实:两边及其夹角分别相等的两个三角形全等.

(5)掌握基本事实:两角及其夹边分别相等的两个三角形全等.

(6)掌握基本事实:三边分别相等的两个三角形全等.

(7)证明定理:两角分别相等且其中一组等角的对边相等的两个三角形全等.

(8)探索并证明角平分线的性质定理:角平分线上的点到角两边的距离相等;反之,角的内部到角两边距离相等的点在角的平分线上.

(9)理解线段垂直平分线的概念,探索并证明线段垂直平分线的性质定理:线段垂直平分线上的点到线段两端的距离相等;反之,到线段两端距离相等的点在线段的垂直平分线上.

(10)了解等腰三角形的概念,探索并证明等腰三角形的性质定理:等腰三角形的两底角相等;底边上的高线、中线及顶角平分线重合.探索并掌握等腰三角形的判定定理:有两个角相等的三角形是等腰三角形.探索等边三角形的性质定理:等边三角形的各角都等于60°,及等边三角形的判定定理:三个角都相等的三角形(或有一个角是60°的等腰三角形)是等边三角形.

(11)了解直角三角形的概念,探索并掌握直角三角形的性质定理:直角三角形的两个锐角互余,直角三角形斜边上的中线等于斜边的一半.掌握有两个角互余的三角形是直角三角形.

(12)探索勾股定理及其逆定理,并能运用它们解决一些简单的实际问题.

(13)探索并掌握判定直角三角形全等的“斜边、直角边”定理.

(14)了解三角形重心的概念.

4.四边形

(1)了解多边形的定义,多边形的顶点、边、内角、外角、对角线等概念;探索并掌握多边形内角和与外角和公式.

(2)理解平行四边形、矩形、菱形、正方形的概念,以及它们之间的关系;了解四边形的不稳定性.

(3)探索并证明平行四边形的性质定理:平行四边形的对边相等、对角相等、对角线互相平分;探索并证明平行四边形的判定定理:一组对边平行且相等的四边形是平行四边形;两组对边分别相等的四边形是平行四边形;对角线互相平分的四边形是平行四边形.

(4)了解两条平行线之间距离的意义,能度量两条平行线之间的距离.

(5)探索并证明矩形、菱形、正方形的性质定理:矩形的四个角都是直角,对角线相等;菱形的四条边相等,对角线互相垂直;以及它们的判定定理:三个角是直角的四边形是矩形,对角线相等的平行四边形是矩形;四边相等的四边形是菱形,对角线互相垂直的平行四边形是菱形.正方形具有矩形和菱形的一切性质.

(6)探索并证明三角形的中位线定理.

5.圆

(1)理解圆、弧、弦、圆心角、圆周角的概念,了解等圆、等弧的概念;探索并了解点与圆的位置关系.

(2)*探索并证明垂径定理:垂直于弦的直径平分弦以及弦所对的两条弧.

(3)探索圆周角与圆心角及其所对弧的关系,了解并证明圆周角定理及其推论:圆周角的度数等于它所对弧的圆心角度数的一半;直径所对的圆周角是直角;90°的圆周角所对的弦是直径;圆内接四边形的对角互补.

(4)知道三角形的内心和外心.

(5)了解直线和圆的位置关系,掌握切线的概念.探索切线与过切点的半径的关系,会用三角尺过圆上一点画圆的切线.

(6)*探索并证明切线长定理:过圆外一点所画的圆的两条切线长相等.

(7)会计算圆的弧长、扇形的面积.

(8)了解正多边形的概念及正多边形与圆的关系.

6.尺规作图

(1)能用尺规完成以下基本作图:作一条线段等于已知线段;作一个角等于已知角;作一个角的平分线;作一条线段的垂直平分线;过一点作已知直线的垂线.

(2)会利用基本作图作三角形:已知三边、两边及其夹角、两角及其夹边作三角形;已知底边及底边上的高线作等腰三角形;已知一直角边和斜边作直角三角形.

(3)会利用基本作图完成:过不在同一直线上的三点作圆;作三角形的外接圆、内切圆;作圆的内接正方形和正六边形.

(4)在尺规作图中,了解作图的道理,保留作图的痕迹,不要求写出作法.

7.定义、命题、定理

(1)通过具体实例,了解定义、命题、定理、推论的意义.

(2)结合具体实例,会区分命题的条件和结论,了解原命题及其逆命题的概念.会识别两个互逆的命题,知道原命题成立其逆命题不一定成立.

(3)知道证明的意义和证明的必要性,知道证明要合乎逻辑,知道证明的过程可以有不同的表达形式,学会综合法证明的格式.

(4)了解反例的作用,知道利用反例可以判断一个命题是错误的.

(5)通过实例体会反证法的含义.

(二)图形的变化

1.图形的轴对称

(1)通过具体实例了解轴对称的概念,探索它的基本性质:成轴对称的两个图形中,对应点的连线被对称轴垂直平分.

(2)能画出简单平面图形(点,线段,直线,三角形等)关于给定对称轴的对称图形.

(3)了解轴对称图形的概念;探索等腰三角形、矩形、菱形、正多边形、圆的轴对称性质.

(4)认识和欣赏自然界和现实生活中的轴对称图形.

2.图形的旋转

(1)通过具体实例认识平面图形关于旋转中心的旋转.探索它的基本性质:一个图形和它经过旋转所得到的图形中,对应点到旋转中心距离相等,两组对应点分别与旋转中心连线所成的角相等.

(2)了解中心对称、中心对称图形的概念,探索它的基本性质:成中心对称的两个图形中,对应点的连线经过对称中心,且被对称中心平分.

(3)探索线段、平行四边形、正多边形、圆的中心对称性质.

(4)认识和欣赏自然界和现实生活中的中心对称图形.

3.图形的平移

(1)通过具体实例认识平移,探索它的基本性质:一个图形和它经过平移所得的图形中,两组对应点的连线平行(或在同一条直线上)且相等.

(2)认识和欣赏平移在自然界和现实生活中的应用.

(3)运用图形的轴对称、旋转、平移进行图案设计.

4.图形的相似

(1)了解比例的基本性质、线段的比、成比例的线段;通过建筑、艺术上的实例了解黄金分割.

(2)通过具体实例认识图形的相似.了解相似多边形和相似比.

(3)掌握基本事实:两条直线被一组平行线所截,所得的对应线段成比例.

(4)了解相似三角形的判定定理:两角分别相等的两个三角形相似;两边成比例且夹角相等的两个三角形相似;三边成比例的两个三角形相似. *了解相似三角形判定定理的证明.

(5)了解相似三角形的性质定理:相似三角形对应线段的比等于相似比;面积比等于相似比的平方.

(6)了解图形的位似,知道利用位似可以将一个图形放大或缩小.

(7)会利用图形的相似解决一些简单的实际问题.

(8)利用相似的直角三角形,探索并认识锐角三角函数($\sin A$,$\cos A$,$\tan A$),知道$30°$,$45°$,$60°$角的三角函数值.

(9)会使用计算器由已知锐角求它的三角函数值,由已知三角函数值求它的对应锐角.

(10)能用锐角三角函数解直角三角形,能用相关知识解决一些简单的实际问题.

5.图形的投影

(1)通过丰富的实例,了解中心投影和平行投影的概念.

(2)会画直棱柱、圆柱、圆锥、球的主视图、左视图、俯视图,能判断简单物体的视图,并会根据视图描述简单的几何体.

(3)了解直棱柱、圆柱、圆锥的侧面展开图,能根据展开图想象和制作实物模型.

(4)通过实例,了解上述视图与展开图在现实生活中的应用.

(三)图形与坐标

1.坐标与图形位置

(1)结合丰富的实例进一步体会用有序数对可以表示物体的位置.

(2)理解平面直角坐标系的有关概念,能画出直角坐标系;在给定的直角坐标系中,根据坐标描出点的位置、由点的位置写出它的坐标.

(3)在实际问题中,能建立适当的直角坐标系,描述物体的位置.

(4)对给定的正方形,会选择合适的直角坐标系,写出它的顶点坐标,体会可以用坐标刻画一个简单图形.

(5)在平面上,能用方位角和距离刻画两个物体的相对位置.

2.坐标与图形运动

(1)在直角坐标系中,以坐标轴为对称轴,能写出一个已知顶点坐标的多边形的对称图形的顶点坐标,并知道对应顶点坐标之间的关系.

(2)在直角坐标系中,能写出一个已知顶点坐标的多边形沿坐标轴方向平移后图形的顶点坐标,并知道对应顶点坐标之间的关系.

(3)在直角坐标系中,探索并了解将一个多边形依次沿两个坐标轴方向平移后所得到的图形与原来的图形具有平移关系,体会图形顶点坐标的变化.

(4)在直角坐标系中,探索并了解将一个多边形的顶点坐标(有一个顶点为原点、有一个边在横坐标轴上)分别扩大或缩小相同倍数时所对应的图形与原图形是位似的.

三、统计与概率

(一)抽样与数据分析

1.经历收集、整理、描述和分析数据的活动,了解数据处理的过程;能用计算器处理较为复杂的数据.

2.体会抽样的必要性,通过案例了解简单随机抽样.

3.会制作扇形统计图,能用统计图直观、有效地描述数据.

4.理解平均数的意义,能计算中位数、众数、加权平均数,了解它们是数据集中趋势的描述.

5.体会刻画数据离散程度的意义,会计算简单数据的方差.

6.通过实例,了解频数和频数分布的意义,能画频数分布直方图,能利用频数分布直方图解释数据中蕴涵的信息.

7.体会样本与总体关系,知道可以通过样本平均数、样本方差推断总体平均数、总体方差.

8.能解释统计结果,根据结果作出简单的判断和预测,并能进行交流.

9.通过表格、折线图、趋势图等,感受随机现象的变化趋势.

(二)事件的概率

1.能通过列表、画树状图等方法列出简单随机事件所有可能的结果,以及指定事件发生的所有可能结果,了解事件的概率.

2.知道通过大量地重复试验,可以用频率来估计概率.

附录6 常见的数学思想

数学思想是数学知识的进一步提炼和升华,数学方法是实施有关数学思想的一种方式、途径.众所周知,解数学题目除了需要有扎实的基础知识外,也少不了一定的方法和技巧,尤其是解中考试题,更需要灵活运用数学方法和数学思想,将问题化难为易,变繁为简.准确地掌握各种数学思想和方法,可以拓宽我们的解题思路,提高自身的数学素养.

1.数形结合思想

应用数形结合思想需要以形助数,正确地绘图对题意的理解、思路的探求、方法的选择、结论的判断都有重要的作用,要善于把作图与计算结合起来,充分发挥图形的作用.要观察图形的形状、大小、位置关系等,寻找图形中蕴含的数量关系,运用推理或计算得出结论;以数解形,挖掘几何图形中的数量关系,用代数方法解几何问题,根据几何图形建立方程(组)或函数关系式是数形结合的常用方法.

例1 已知函数 $y_1=x^2$ 与函数 $y_2=-\frac{1}{2}x+3$ 的大致图象如图.若 $y_1<y_2$,则自变量 x 的取值范围是(　　)

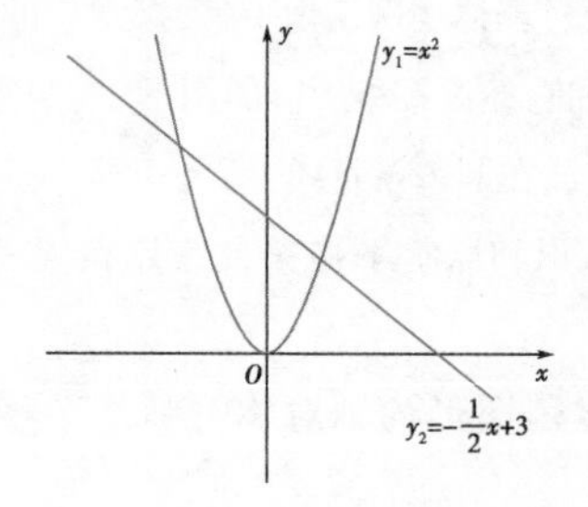

A. $-\frac{3}{2}<x<2$　　B. $x>2$ 或 $x<-\frac{3}{2}$

C. $-2<x<\frac{3}{2}$　　D. $x<-2$ 或 $x>\frac{3}{2}$

解析　本题考查函数与方程的关系，数形结合思想.当 $y_1=y_2$ 时，有 $x^2=-\frac{1}{2}x+3$，解得 $x_1=-2$，$x_2=\frac{3}{2}$，所以两函数图象的交点的横坐标分别是 $x_1=-2$，$x_2=\frac{3}{2}$.要使 $y_1<y_2$，只需 $y_1=x^2$ 的图象在 $y_2=-\frac{1}{2}x+3$ 的图象的下方即可.所以要使 $y_1<y_2$，自变量 x 的取值范围是 $-2<x<\frac{3}{2}$.故选 C.

答案　C

2.整体思想

整体思想是将问题看成一个整体，把注意力和着眼点放在问题的整体结构上，从整体上把握问题的内容和解题的方向与策略.

例 2　利用两块长方体木块测量一张桌子的高度.首先按图①所示方式放置，再交换两木块的位置，按图②所示方式放置.测量的数据如图所示，则桌子的高度是　　(　　)

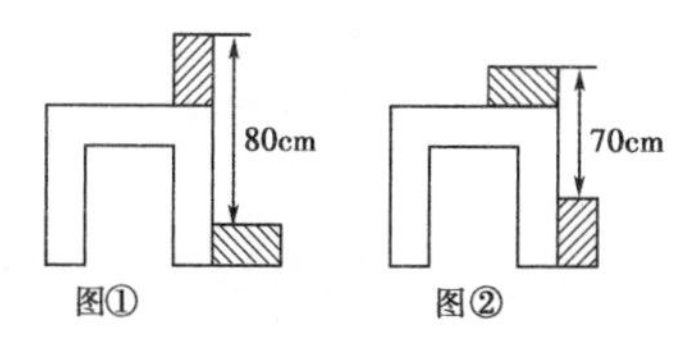

A. 73 cm　　B. 74 cm　　C. 75 cm　　D. 76 cm

解析　设题图①中上，下两长方体木块的高度分别为a cm，b cm，桌子高度为 x cm，根据图形信息可列方程组 $\begin{cases}a+x-b=80, & ①\\ b+x-a=70, & ②\end{cases}$

①+②得 $2x=150$，解得 $x=75$，故选 C.

答案　C

例 3　设 m，n 是一元二次方程 $x^2+3x-7=0$ 的两个根，则 $m^2+4m+n=$________.

解析　$\because$ m、n 是一元二次方程 $x^2+3x-7=0$ 的两个根，$\therefore$ $m+n=-3$，$m^2+3m-7=0$，即 $m^2+3m=7$，

$\therefore$ $m^2+4m+n=(m^2+3m)+(m+n)=7-3=4$.

答案　4

3.转化思想

转化思想就是在研究和解决数学问题时采用某种方式，借助于某些图形的性质、公式或已知条件将问题通过变换加以转化，进而达到解决问题的目的.

数学解题的过程实际上就是一个转化的过程，也就是要把不熟悉的问题转化为熟悉的问题，把复杂的问题转化为简单的问题，通过对条件和结论的转化，最终求得问题的答案.

例 4　如图，AC 是汽车挡风玻璃前的刮雨刷.如果 $AO=65$ cm，$CO=15$ cm，AC 绕点 O 旋转 90°到 $A'C'$的位置，则刮雨刷 AC 扫过的面积为________cm^2.

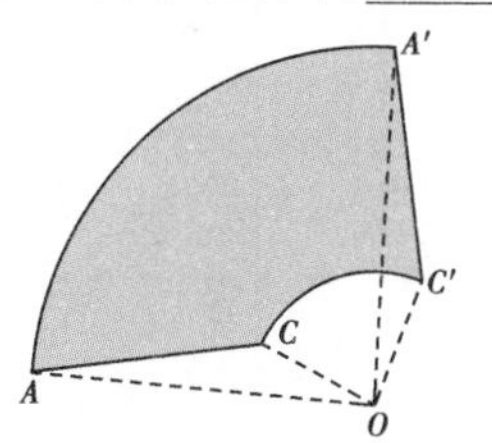

解析　根据旋转知识可知，刮雨刷 AC 扫过的面积 S 为大扇形 OAA'的面积减去小扇形 OCC'的面积，即 $S=S_{扇形OAA'}-S_{扇形OCC'}=\frac{90\pi\cdot65^2}{360}-\frac{90\pi\cdot15^2}{360}=\frac{90\pi\cdot(65^2-15^2)}{360}=1\ 000\pi(\text{cm}^2)$.

答案　$1\ 000\pi$

点拨　有关计算扇形面积的题目中，往往会出现许多组合图形，解答此类问题时要结合图形的特征将图形进行转化.

4.方程思想

方程思想就是从分析问题的数量关系入手，把所研究的问题中已知量和未知量之间的数量关系转化为方程，从而使问题得到解决.在几何计算题中，常利用几何中的定理、公式(如勾股定理、三角函数关系式等)作为等量关系来构造方程，或利用图形中某些位置关系所隐含的等量关系(线段和差、面积和差、相似三角形对应边成比例)等来构造方程.

例 5　下图是由两个长方形组成的工件平面图(单位:mm)，直线 l 是它的对称轴，能完全覆盖这个平面图形的圆面的最小半径是________mm.

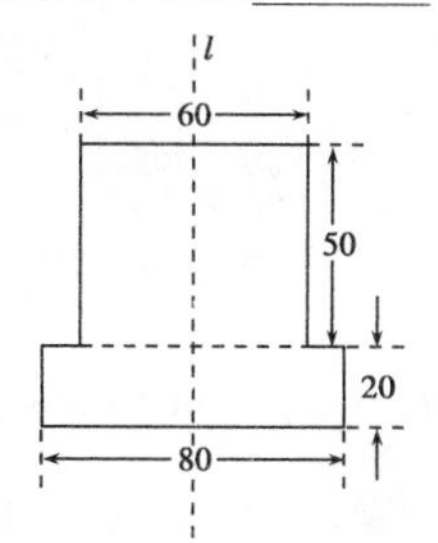

解析 设符合条件的圆为$\odot O$,由题意知,圆心O在对称轴l上,且点A、B都在$\odot O$上.设$OC=x$ mm,则$OD=(70-x)$mm,由$OA=OB$,得$OC^2+AC^2=OD^2+BD^2$,即$x^2+30^2=(70-x)^2+40^2$,解得$x=40$,$\therefore$ $OA=\sqrt{AC^2+OC^2}=\sqrt{30^2+40^2}=50$ mm,即能完全覆盖这个平面图形的圆面的最小半径是50 mm.

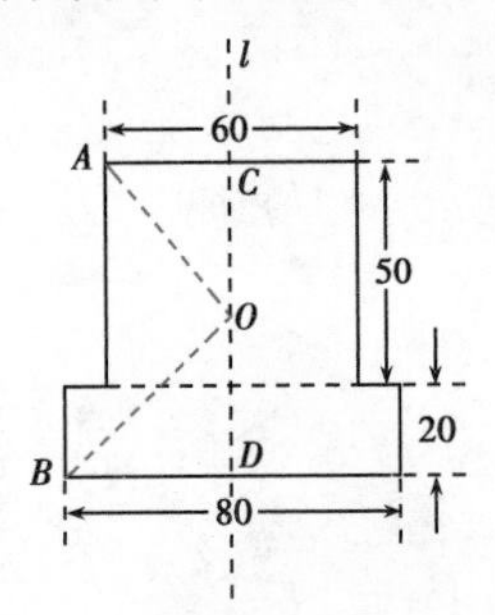

答案 50

5.函数思想

函数思想是利用函数的概念、图象及性质分析问题、转化问题、解决问题,即以函数为依托,运用变化的观点分析和研究问题中的数量关系,通过函数的形式,把这种数量关系表示出来并加以研究,从而使问题获得解决.

例6 经统计分析,某市跨河大桥上的车流速度v(千米/时)是车流密度x(辆/千米)的函数,当桥上的车流密度达到220辆/千米的时候就造成交通堵塞,此时车流速度为0千米/时;当车流密度不超过20辆/千米时,车流速度为80千米/时,研究表明:当$20\leqslant x\leqslant 220$时,车流速度$v$是车流密度$x$的一次函数.

(1)求大桥上车流密度为100辆/千米时的车流速度;

(2)在某一交通时段,为使大桥上的车流速度大于60千米/时且小于80千米/时,应把大桥上的车流密度控制在什么范围内?

解析 (1)当$20\leqslant x\leqslant 220$时,设车流速度$v$与车流密度$x$的函数关系式为$v=kx+b(k\neq 0)$,

由题意,得$\begin{cases}80=20k+b,\\0=220k+b,\end{cases}$解得$\begin{cases}k=-\dfrac{2}{5},\\b=88.\end{cases}$

$\therefore$ 当$20\leqslant x\leqslant 220$时,$v=-\dfrac{2}{5}x+88$,

当$x=100$时,$v=-\dfrac{2}{5}\times 100+88=48$.

即大桥上车流密度为100辆/千米时的车流速度是48千米/时.

(2)当$20\leqslant x\leqslant 220$时,$v=-\dfrac{2}{5}x+88$,

当$x>220$时,$v=0$,当$x<20$时,$v=80$,

则可令$60<-\dfrac{2}{5}x+88<80$,

解得$20<x<70$.

$\therefore$ 大桥上的车流密度应大于20辆/千米且小于70辆/千米.

例7 如图所示,已知边长为4的正方形钢板有一个角被锈蚀,其中$AF=2$,$BF=1$.为了合理利用这块钢板,将在五边形$EABCD$内截取一个矩形$MDNP$,使点P在AB上,且要求面积最大.求钢板的最大利用率.

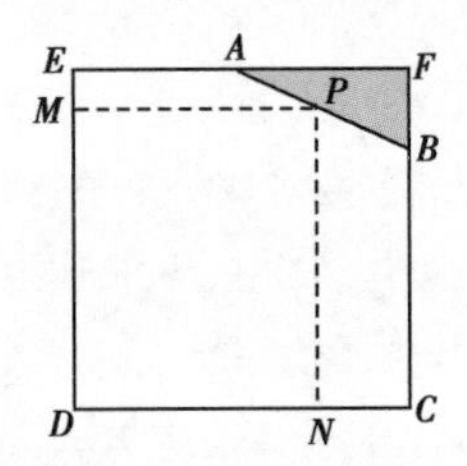

解析 设$DN=x$,$PN=y$,则矩形$MDNP$的面积$S=xy$.

延长NP交EF于Q,如图所示,

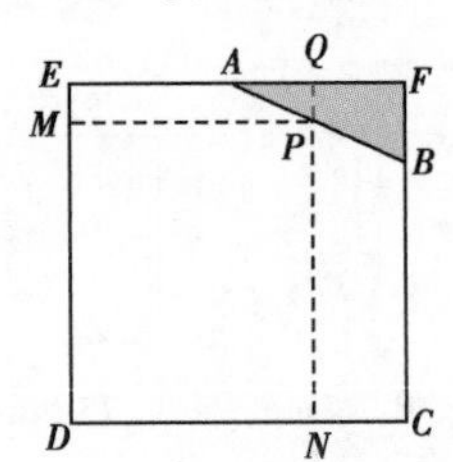

由$NQ\parallel DE\parallel CF$得$\triangle APQ\backsim\triangle ABF$,

则$\dfrac{QP}{BF}=\dfrac{AQ}{AF}$,即$\dfrac{4-y}{1}=\dfrac{2-(4-x)}{2}$,整理得$x=10-2y$.

则$S=(10-2y)y=-2y^2+10y=-2\left(y-\dfrac{5}{2}\right)^2+\dfrac{25}{2}$.

因为$3\leqslant y\leqslant 4$,所以当$y=3$时,S取得最大值,$S_{最大}=12$.

钢板未锈蚀部分的面积为$4\times 4-\dfrac{1}{2}\times 2\times 1=15$,

因此,钢板的最大利用率是$\dfrac{12}{15}\times 100\%=80\%$.

6.分类讨论思想

在解决数学问题时,有时要根据问题的特点和要求,按照一定的标准,把所要研究和解决的问题分为几种不同的情况,然后按照各种不同情况逐一进行研

究和解决的数学思想叫分类讨论思想.分类讨论思想是一种重要的数学思想方法,在解决问题中经常会用到这种方法.在分类讨论、分情况证明数学命题时,我们必须认真审题,全面考虑,做到不重不漏,一次分类必须按同一个标准进行,分出的每一部分都是互相独立的.分类讨论既能考查学生掌握基本概念和基本技能的程度,又能考查学生思维的严密性和灵活性.

例8 如图,在梯形 $ABCD$ 中,$AD∥BC$,$\angle B=90°$,$BC=6$,$AD=3$,$\angle DCB=30°$.点 E、F 同时从 B 点出发,沿射线 BC 向右匀速移动.已知 F 点移动速度是 E 点移动速度的 2 倍,以 EF 为一边在 CB 的上方作等边 $\triangle EFG$.设 E 点移动距离为 $x(x>0)$.

(1) $\triangle EFG$ 的边长是________(用含有 x 的代数式表示),当 $x=2$ 时,点 G 的位置在________;

(2)若 $\triangle EFG$ 与梯形 $ABCD$ 重叠部分面积是 y,求:

①当 $0<x\leqslant 2$ 时,y 与 x 之间的函数关系式;

②当 $2<x\leqslant 6$ 时,y 与 x 之间的函数关系式;

(3)探求(2)中得到的函数 y 在 x 取何值时,存在最大值,并求出最大值.

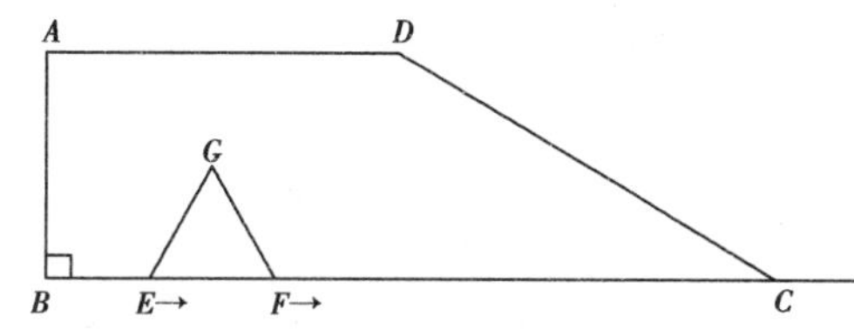

(解析) (1) x;D 点.

(2)①当 $0<x\leqslant 2$ 时,$\triangle EFG$ 在梯形 $ABCD$ 内部,所以 $y=\frac{\sqrt{3}}{4}x^2$.

②分两种情况:

i) 当 $2<x<3$ 时,如图①,点 E、F 在线段 BC 上,$\triangle EFG$ 与梯形 $ABCD$ 重叠部分为四边形 $EFNM$.

易知 $\angle FNC=\angle FCN=30°$,$\therefore FN=FC=6-2x$.

$\therefore GN=3x-6$.又 $\angle G=60°$,$\therefore \angle GMN=90°$,

$\therefore GM=\frac{3x-6}{2}$,$MN=\frac{\sqrt{3}}{2}(3x-6)$,

$\therefore y=\frac{\sqrt{3}}{4}x^2-\frac{\sqrt{3}}{8}(3x-6)^2=-\frac{7\sqrt{3}}{8}x^2+\frac{9\sqrt{3}}{2}x-\frac{9\sqrt{3}}{2}$.

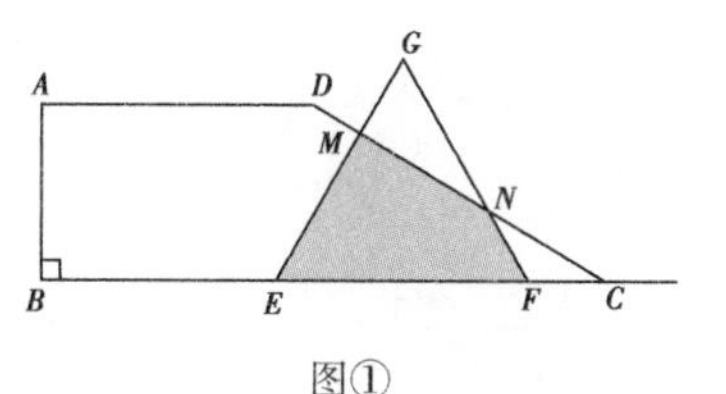

图①

ii) 当 $3\leqslant x\leqslant 6$ 时,如图②,点 E 在线段 BC 上,点 F 在射线 CH 上,$\triangle EFG$ 与梯形 $ABCD$ 重叠部分为 $\text{Rt}\triangle ECP$.

$\because EC=6-x$,$\angle PCB=30°$,$\therefore PE=\frac{6-x}{2}$,$PC=\frac{\sqrt{3}}{2}(6-x)$.

$\therefore y=\frac{\sqrt{3}}{8}(6-x)^2=\frac{\sqrt{3}}{8}x^2-\frac{3\sqrt{3}}{2}x+\frac{9\sqrt{3}}{2}$.

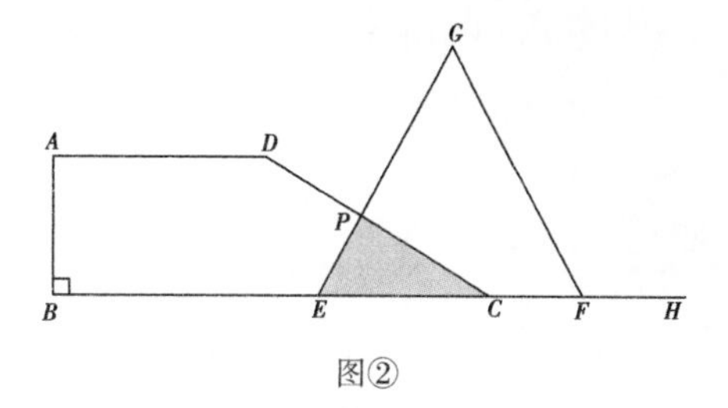

图②

(3)当 $0<x\leqslant 2$ 时,$y=\frac{\sqrt{3}}{4}x^2$,当 $x>0$ 时,y 随 x 的增大而增大,$\therefore x=2$ 时,y 取得最大值,$y_{最大}=\sqrt{3}$;

当 $2<x<3$ 时,$y=-\frac{7\sqrt{3}}{8}x^2+\frac{9\sqrt{3}}{2}x-\frac{9\sqrt{3}}{2}$,

当 $x=\frac{18}{7}$ 时,y 取得最大值,$y_{最大}=\frac{9\sqrt{3}}{7}$;

当 $3\leqslant x\leqslant 6$ 时,$y=\frac{\sqrt{3}}{8}x^2-\frac{3\sqrt{3}}{2}x+\frac{9\sqrt{3}}{2}$,

易知当 $3\leqslant x\leqslant 6$ 时,y 随 x 的增大而减小,

$\therefore x=3$ 时,y 取得最大值,$y_{最大}=\frac{9\sqrt{3}}{8}$.

综上所述:当 $x=\frac{18}{7}$ 时,$y_{最大}=\frac{9\sqrt{3}}{7}$.

7.归纳与类比的思想

所谓归纳,就是在解决数学问题时,从特殊的、简单的、局部的例子出发,通过探求其变化过程中的规律,归纳出一般性的结论.

所谓类比,就是由两个对象的某些相同或相似的性质,推断它们在其他性质上也有可能相同或相似.在中考题中,常从已知条件出发,通过观察类比联想进而解决拓展性问题.

例9 观察图中正方形四个顶点所标的数字规律,可知,数 2 016 应标在 ( )

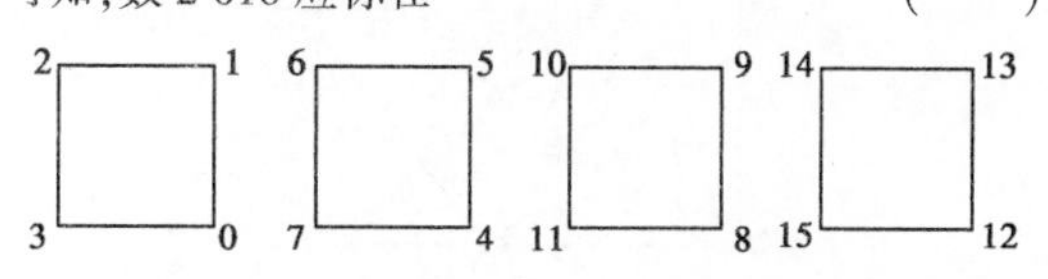

A.第 504 个正方形的左下角

附录

B.第 504 个正方形的右下角

C.第 505 个正方形的左下角

D.第 505 个正方形的右下角

(解析) ∵ 2 016÷4=504,

由题目中给出的几个正方形观察可知,每个正方形对应四个数,而第一个最小的数是 0,0 在右下角,然后按逆时针由小变大,

∴ 第 504 个正方形中最大的数是 2 015,

∴ 数 2 016 在第 505 个正方形的右下角,故选 D.

(答案) D

例 10 问题解决:

如图①,将正方形纸片 $ABCD$ 折叠,使点 B 落在 CD 边上的点 E(不与点 C,D 重合)处,压平后得到折痕 MN.当$\frac{CE}{CD}=\frac{1}{2}$时,求$\frac{AM}{BN}$的值.

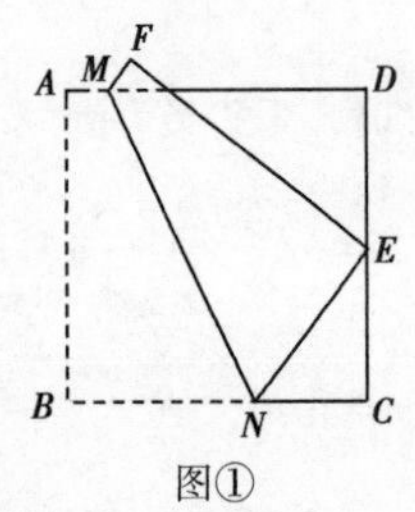

图①

方法指导:为了求得$\frac{AM}{BN}$的值,可先求 BN、AM 的长,不妨设 $AB=2$.

类比归纳:在图①中,若$\frac{CE}{CD}=\frac{1}{3}$,则$\frac{AM}{BN}$的值等于________;若$\frac{CE}{CD}=\frac{1}{4}$,则$\frac{AM}{BN}$的值等于________;若$\frac{CE}{CD}=\frac{1}{n}$($n$ 为整数),则$\frac{AM}{BN}$的值等于________(用含 n 的式子表示).

联系拓展:如图②,将矩形纸片 $ABCD$ 折叠,使点 B 落在 CD 边上的点 E(不与点 C,D 重合)处,压平后得到折痕 MN,设$\frac{AB}{BC}=\frac{1}{m}(m>1)$,$\frac{CE}{CD}=\frac{1}{n}$,则$\frac{AM}{BN}$的值等于________.(用含 m,n 的式子表示)

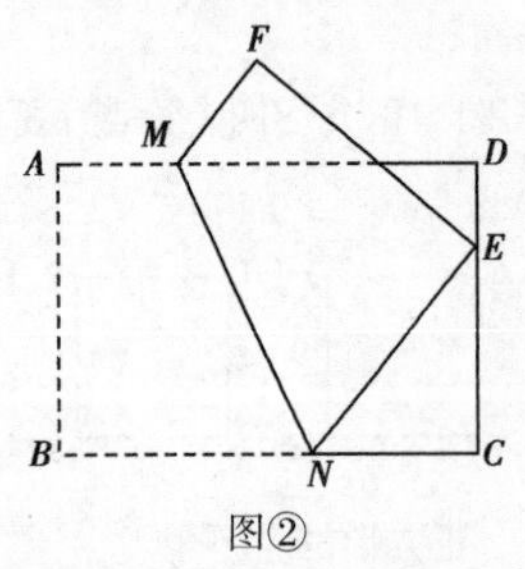

图②

(解析) 问题解决:

∵ 四边形 $ABCD$ 是正方形,

∴ $\angle A=\angle D=\angle C=90°$,$AB=BC=CD=DA=2$.

∵ $\frac{CE}{CD}=\frac{1}{2}$,

∴ $CE=DE=1$.

设 $BN=x$,则 $NE=x$,$NC=2-x$.

在 Rt△CNE 中,$NE^2=CN^2+CE^2$,

即 $x^2=(2-x)^2+1^2$,

解得 $x=\frac{5}{4}$,即 $BN=\frac{5}{4}$.

如图,过点 N 作 $NG/\!/CD$,交 AD 于点 G,连接 BE.

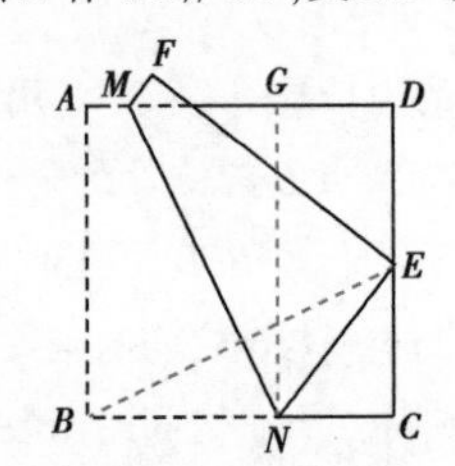

∵ $AD/\!/BC$,

∴ 四边形 $GDCN$ 是平行四边形.

∴ $NG=CD=BC$.

同理,四边形 $ABNG$ 也是平行四边形.

∴ $AG=BN=\frac{5}{4}$.

∵ $MN\perp BE$,

∴ $\angle EBC+\angle BNM=90°$.

∵ $NG\perp BC$,

∴ $\angle MNG+\angle BNM=90°$,

∴ $\angle EBC=\angle MNG$.

在△BCE 与△NGM 中,

$$\begin{cases}\angle EBC=\angle MNG,\\ BC=NG,\\ \angle C=\angle NGM=90°,\end{cases}$$

∴ △BCE≌△NGM,

∴ $EC=MG$.

∴ $AM=AG-MG=\frac{5}{4}-1=\frac{1}{4}$.

∴ $\frac{AM}{BN}=\frac{1}{5}$.

类比归纳:$\frac{2}{5}$;$\frac{9}{17}$;$\frac{(n-1)^2}{n^2+1}$.

联系拓展:$\frac{n^2m^2-2n+1}{n^2m^2+1}$.

一起找茬 有理有礼

图书纠错 意见反馈 真伪查询 举报盗版

扫描二维码进入平台

嗨，同学：

小曲为你创出一块“自留地”——图书反馈平台，来这里找“茬”，一起赢话费。

来找茬儿

发现图书错误，及时在平台上反馈，每处错误第一位反馈者将获得20元话费奖励。

给我们好点子

对图书有什么好建议、好想法，通过平台告诉我们，只要意见被采纳，就会获得50元话费奖励。

担心买到的是假书怎么办？

刮开图书防伪标识涂层，输入防伪码即可查询真伪（温馨提示：防伪码只能输入一次，第二次输入会提示盗版）。一旦发现盗版，请立即向我们举报，你我携手让盗版无所遁形。

联系方式

盗版举报电话：010-87606918

客服热线：010-63735353

邮购热线：400 898 5353（免长途费）、13311185353

声明

本书所选用的部分资料，因各种原因而未能及时联系到的作者，查询稿酬及其他有关稿酬的未明事宜，请与曲一线联系（010-87605580）。

图书在版编目(CIP)数据

初中数学知识清单/曲一线主编.—北京:首都师范大学出版社,2011.5(2018.4 重印)

ISBN 978-7-5656-0376-1

Ⅰ.①初… Ⅱ.①曲… Ⅲ.①中学数学课—初中—教学参考资料 Ⅳ.①G634.603

中国版本图书馆 CIP 数据核字(2011)第 081942 号

CHUZHONG SHUXUE ZHISHI QINGDAN

初中数学知识清单

主　编　曲一线

责任编辑　刘丽娜　　　　责任录排　王晓慧

出版发行　首都师范大学出版社

北京西三环北路 105 号　100048

教育科学出版社

北京·朝阳区安慧北里安园甲 9 号　100101

电　话　68418523(总编室)　68982468(发行部)

网　址　http://cnupn.cnu.edu.cn

北京汇林印务有限公司印刷

全国新华书店发行

版　次　2013 年 4 月第 3 版

印　次　2018 年 4 月第 6 次印刷

开　本　787 毫米×1092 毫米　1/16

印　张　19.5

字　数　780 千

定　价　49.80 元
